改訂版

エビデンスに基づく

呼吸器看護ケア関連図

編集 橋野明香・水川真理子・森山美知子

中央法規

はじめに

橋野明香，水川真理子，森山美知子

　2012年に本書の初版が発行され，13年が経過しました。その間に呼吸器疾患に関する医療や看護の研究や臨床事例の積み重ねによって，新たなエビデンスが次々に示されてきました。本改訂版では，これらの新たなエビデンスや，最新のガイドラインの内容を反映させ，実践に役立つ内容へとブラッシュアップしました。これから呼吸器疾患看護を学ぶ看護学生や新人看護師の方々も理解しやすいよう，巻頭に，呼吸器の解剖生理とフィジカルアセスメントを含め，本文に症状・疾患ごとの病態や身体機能の変化について図解や解説を用いて詳述しています。

　今回の改訂版では，毎年更新される最新のガイドラインや手引きでの変更点に加え，初版では記載の少なかった各疾患の治療などを見直し追加しました。特に，がん細胞の遺伝子解析が進歩したことで，分子標的薬や免疫チェックポイント阻害薬の標準治療化や放射線治療の併用療法などの肺がんの治療と，その看護について含めました。さらに，呼吸器疾患におけるアドバンス・ケア・プランニング（ACP）や，2020年にパンデミックとなったCOVID-19についても，コラムに掲載しました。そのため，初版に比べてボリュームが増えましたが，その分，充足した内容となっています。

　また，呼吸器疾患は，急性期を脱したあとでも呼吸障害が残存し，その後の生活に影響を与えることも少なくありません。「呼吸困難」「咳」「痰」といった身体的にも精神的にも辛い症状が慢性的に続く疾患が多く，多側面からのアプローチと継続的な観察・評価を必要とします。呼吸器領域の看護は，「息苦しさ」による生活や心理的・社会的な影響を理解し，症状を緩和させ，自己管理の継続をサポートし，適切な社会資源が活用できるよう調整することが求められます。

　そして，臨床現場では，患者一人ひとりの状態や背景に応じて臨機応変に判断し，看護を展開する必要があります。そのため，本書の執筆には，科学的根拠だけでなく，認定看護師や専門看護師，長年呼吸器看護ケアの第一線で活躍しているベテラン看護師などの専門家の協力も得て，臨床経験から得られた判断の要素も踏まえた内容にしています。呼吸器看護ケアを深く理解し，日々の臨床での経験を踏まえた視点を含めることで，実践に役

立つ具体的な看護ポイントや知識を盛り込むことができました。今回の改訂版を執筆頂いた先生方には，多忙な業務の中，何度もやり取りをさせていただき，大変すばらしい書籍にすることができました。改めて，感謝申し上げます。

専門家の知識と経験をもとに記載された本書は，これから呼吸器疾患のケアに携わる看護学生や新人看護師だけでなく，中堅看護師の方にも十分に活用いただけると思います。本書が，読者の方々の疾患の理解を助け，病院や地域で自信をもって看護を実践できるための一助になることを願っています。

最後になりましたが，初版から引き続き，中央法規出版の編集担当の方々には，本書の企画，編集，関連図の整理など，読みやすい教材にするために多大なご尽力を賜りましたことを深く感謝申し上げます。

編集者を代表して　橋野明香

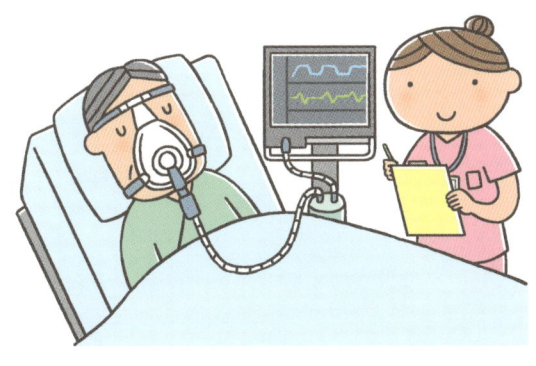

凡例

- それぞれの症状・疾患に関する内容は「看護ケア関連図」+その「解説」というように，2つに分けて構成している。必要と思われる情報は参考文献も含めて掲載した。
- 「看護ケア関連図」は単純化し，特殊なもの・個別的なものを除いて，以下の原則に基づいて作成した。

　　⬛➡ 誘因・成因を含むその疾患に至る直接的・間接的原因

　　🟩　病態生理学的変化や状態の変化

　　🟨　病態生理学的変化に関連する症状

　　🟠⇢ 医師の指示による医学的処置

　　▭⇢ 観察・アセスメントを含む看護ケア

　　▭　その疾患から生じる全体像

　　▭　分類，あるいは特殊な部分

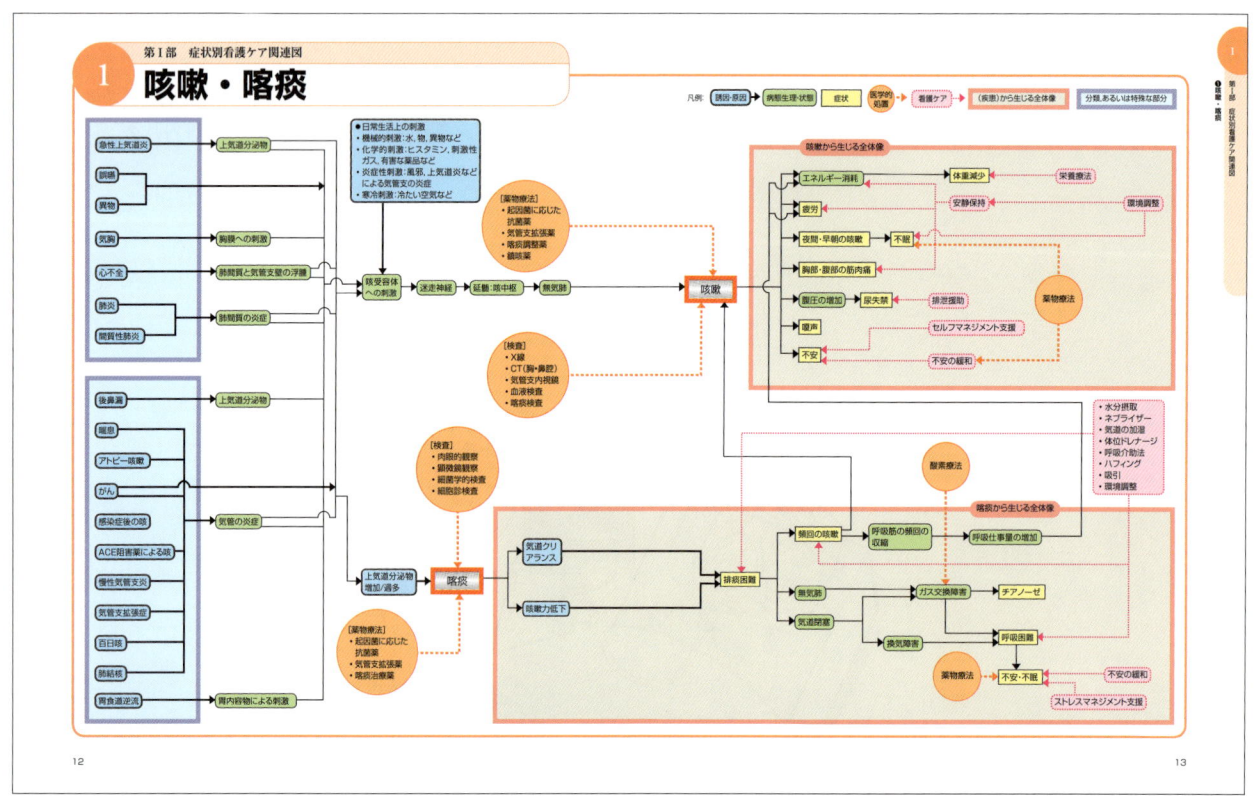

● 「解説」では，基本的に以下のような構成をとった。

I 病態生理

1. 定義
2. 解剖生理
3. メカニズム
4. 分類と症状
5. 検査・診断
6. 治療

II 看護ケアとその根拠

1. 観察ポイント
2. 看護の目標
3. 看護ケア

もくじ

はじめに

- **A** 呼吸器の構造と機能 ･････････････････････････････････ 山本麻起子　1
- **B** 呼吸器のフィジカルアセスメント ･･････････････････････ 山本麻起子　6

第 I 部　症状別看護ケア関連図

- ❶ 咳嗽・喀痰 ･･･ 平田聡子　12
- ❷ 呼吸困難・窒息 ･･･････････････････････････････････････ 吉田恭子　30
- ❸ 血痰・喀血 ･･･ 宅江朋子　42

第 II 部　疾患別看護ケア関連図

1. 呼吸器感染症
- ❹ かぜ症候群・インフルエンザ ･････････････････････････ 能見真紀子　52
- ❺ 市中肺炎／院内肺炎／医療・介護関連肺炎 ･････････････ 三浦恵子　66
- ❻ 誤嚥性肺炎 ･･･ 八木恵子　78
- ❼ 肺結核 ･･･････････････････････････････････ 筒井有紀，福原美輪子　86

2. 気道系の疾患
- ❽ 慢性閉塞性肺疾患 (COPD) ･･････････････････････････････ 山尾美希　100
- ❾ 気管支拡張症 ･･ 北尾剛明　116

3. 胸膜疾患
- ❿ 気胸 ･･･ 右近清子　138
- ⓫ 膿胸 ･･･ 小林千穂　146

4. 呼吸不全と呼吸調整障害

- ⑫ **肺水腫** ……………………………………………………………… 岡本美穂 158
- ⑬ **急性呼吸窮迫症候群（ARDS）** ………………………………… 飯干亮太 164
- ⑭ **慢性呼吸不全** ……………………………………………… 橋野明香，山下洋平 184
- ⑮ **睡眠関連呼吸障害：閉塞性睡眠時無呼吸症候群** ……………… 高月雅絵 194

5. 全身性疾患

- ⑯ **膠原病に伴う肺病変** ……………………………………… 大澤 拓，橋野明香 204

6. 間質性肺疾患

- ⑰ **特発性間質性肺炎** ……………………………………………… 西村将吾 218

7. 免疫・アレルギー性肺疾患

- ⑱ **喘息** ……………………………………………………………… 鬼塚真紀子 230
- ⑲ **過敏性肺炎** ……………………………………………………… 岩村俊彦 246
- ⑳ **医原性肺障害** …………………………………………………… 橋野明香 256

8. 腫瘍性肺疾患

- ㉑ **肺がん** ……………………………… 橋野明香，水川真理子，執筆協力：樋口有紀 268
- ㉒ **胸膜中皮腫** ……………………………………………… 岡田由佳理，橋野明香 294

第 III 部 治療別看護ケア関連図

- ㉓ **胸部手術療法における周術期の看護** …………………… 西村将吾，水川真理子 308
- ㉔ **呼吸リハビリテーション** ………………………………… 橋野明香，水川真理子 322
- ㉕ **呼吸器疾患の緩和ケア** ………………………………………… 二井谷真由美 344

Column	気管吸引	岡本美穂	25
	気管支内視鏡検査	福原裕美子	28
	新型コロナウイルス感染症（COVID-19）	北尾剛明	62
	異常呼吸音・肺副雑音	右近清子	76
	スパイロメトリー：呼吸機能検査	山本麻起子	96
	酸素療法	橋野明香	111
	気管切開	岡本美穂	124
	人工呼吸療法（IPPV・NPPV）	長田敏子，橋野明香	130
	高流量鼻カニュラ酸素療法	岡本美穂	136
	胸腔ドレナージ	西村将吾	153
	気管挿管	福原裕美子	176
	気管挿管中の患者の口腔ケア	園田さおり	180
	喘息管理のセルフマネジメント：ピークフローモニタリング	橋野明香	240
	喘息とCOPDのオーバーラップ（ACO）	伊藤 航	242
	分子標的薬	橋野明香	267
	薬物療法レジメン	二井谷真由美	293
	免疫チェックポイント阻害薬	橋野明香	306
	在宅酸素療法（HOT）	長田敏子	340
	呼吸器疾患患者へのアドバンス・ケア・プランニング（ACP）	長田敏子	362
memo	潜在性結核感染症（LTBI）	福原美輪子	95
	アスベストとは	岡田由佳理	304

A 呼吸器の構造と機能

生命を維持するためのエネルギー産生に酸素は不可欠である。呼吸器系は，**酸素を体内に取り込み，二酸化炭素を体外に排出する役割**がある。鼻（鼻腔）・咽頭・喉頭・気管・気管支・細気管支・肺（図1）から成り立っており，**鼻腔・咽頭・喉頭までを上気道，気管から末梢の細気管支までを下気道**と区別する。肺は胸腔内の左右両側に位置する器官を指す。

1. 鼻（鼻腔）

鼻（鼻腔）は，**空気の入り口**である。空気の**匂いを嗅ぐ，加温，加湿，濾過（異物の除去）**などのさまざまな機能を担っている。**鼻腔は，鼻中隔という仕切りで左右2つに分けられており**，篩骨，前頭骨，蝶形骨，および上顎骨に囲まれている。これらの骨の中には鼻腔と通じる空洞があり，これを副鼻腔という。**気道の機能を維持する**ための役割を果たしている。

2. 咽頭

咽頭は鼻腔の後ろに位置し，口腔の後方を通って，頭蓋骨の基底部から輪状軟骨まで伸び，食道と喉頭まで続いている。図2に示すように，咽頭は❶**上咽頭**，❷**中咽頭**，❸**下咽頭**の3つの主要な部分に分けることができる。

咽頭の重要な機能としては，**空気が通過する呼吸器系**であると同時に，**飲食物が通過する消化器系**の役割を担っている。飲食物を飲み込む（嚥下）時は，軟口蓋が引き上げられ，飲食物が鼻腔に流れないように鼻腔を塞ぐ。また，喉頭蓋が気道に蓋をするため，食塊が食道に移動する（図3の右図）。図3の右図と左図を比べるとわかるように，呼吸する際（吸気時）と，飲食物を飲み込む際（嚥下時）とでは咽頭の動きが異なり，嚥下時は咽頭の一連の動きによって**呼吸運動が一時的に止まる**。

3. 喉頭

一般に**発声器**として知られる喉頭は，人体の呼吸器系に不可欠な構造である。喉頭は，咽頭

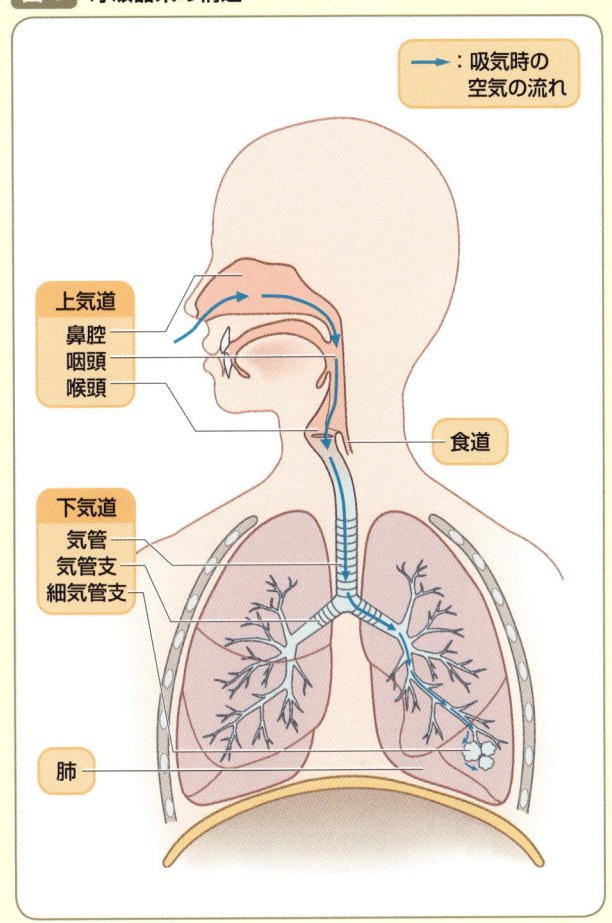

図1 呼吸器系の構造

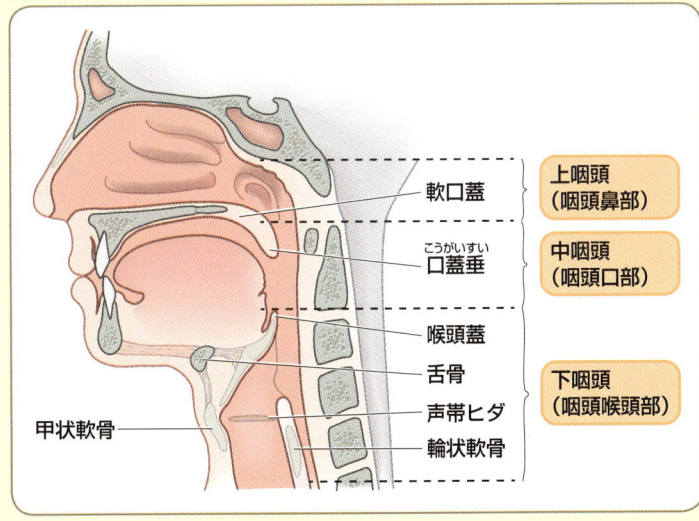

図2 咽頭の構造

1

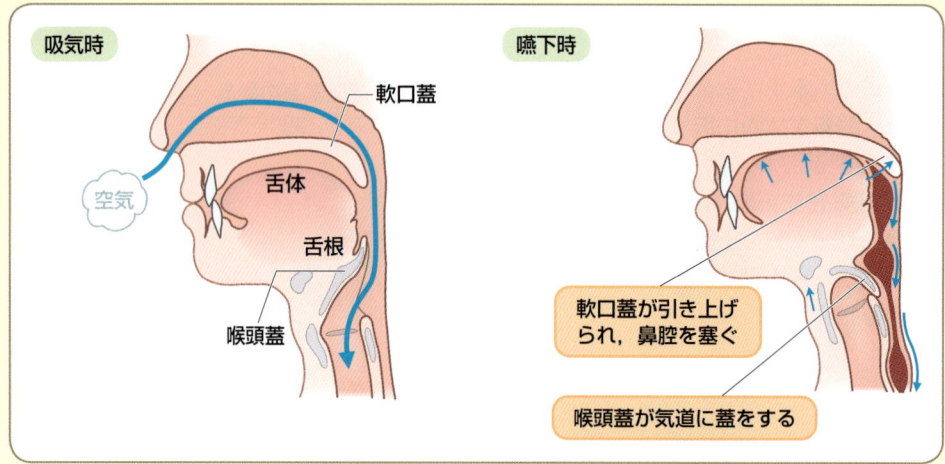

図3 吸気時と嚥下時の動きの違い

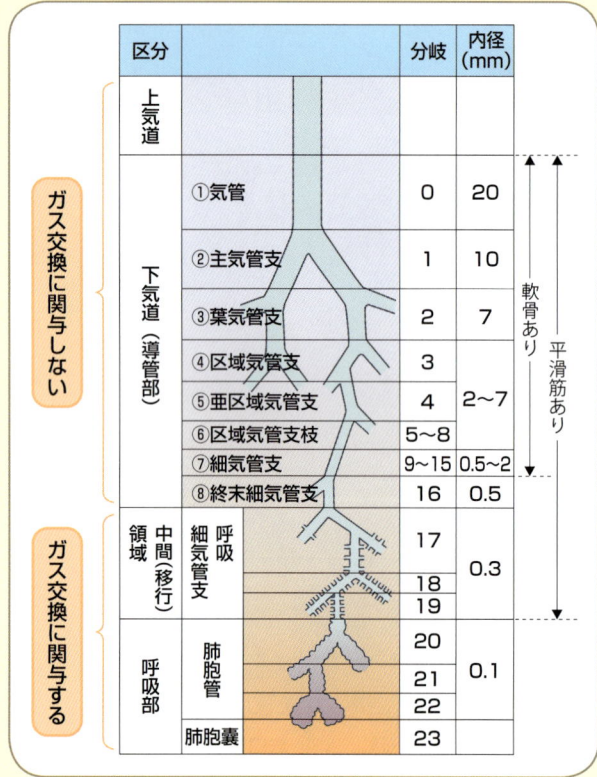

図4 気管支の分岐

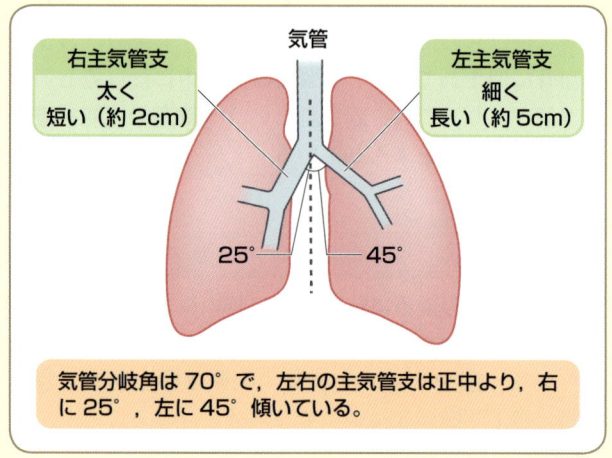

図5 気管支の分岐角

気管分岐角は70°で，左右の主気管支は正中より，右に25°，左に45°傾いている。

下方から，気管まで続いており，甲状軟骨・輪状軟骨・披裂軟骨・喉頭蓋で構成されている。主な機能としては**発声や加温・加湿・清浄化（濾過）**といった**気道を保護**し，呼吸をサポートする役割を担っている。

4. 気管と気管支

気管と気管支は，肺に空気を送る役割がある。**気管**は長さ約10cm，直径約2.0cmの細長い管である。**気管支**は，気管から肺胞にむかう空気の通り道である。食道の前を通って下降し，図1と図4の通り，心臓の後方で主気管支・葉気管支・区域気管支・細気管支・終末細気管支・呼吸細気管支へと分岐を続け，気管支の末端部である**肺胞**に至る。このように，分岐を続けることで，末梢になるほど1つひとつの気管支または肺胞の断面積は小さくなるが，断面積の総和は大きくなる。これにより，**効率的にガス交換ができる**。

右主気管支の長さは約2cm，左主気管支の長さは約5cmであり，左主気管支の長さは，右主気管支の倍の長さがある（図5）。主気管支の分岐部には，心臓が

2

位置しているため，**左主気管支は右主気管支より細長く分岐の角度が大きい**。このため，誤飲した飲食物は右側に入りやすく，**右下肺下肺で誤嚥性肺炎を起こしやすい**。

気管支には骨が存在せず，気管から細気管支までは軟骨や平滑筋，それより先は平滑筋や基底膜などで構成される（図6）。また，**肺胞壁が気管支に付着し，肺胞自体が収縮する力によって気管支を外側に引っ張っている**。そのため，吸気時に気管支に陰圧がかかる際には，気管支が狭窄せずに気道が確保できるようになっている。

5. 肺

肺は呼吸の主要な器官である。**肺胞**といわれる気嚢が集まり，肺を形作っている。肺はその大きさにもかかわらず約1kgと軽い器官である。肺は，円錐を縦に割ったような臓器で，胸郭が，**外部の衝撃などから肺を守る役割を果たしている**（図7）。

1 肺葉と肺区域

肺の上部を**肺尖**，下部を**肺底**と呼ぶ。肺は臓側胸膜が入り込んだ切れ込みがあり（**間裂**），肺葉に分けられる。**右肺**は上葉・中葉・下葉の3つ，**左肺**は，上葉・下葉の2つに分かれる（図7）。肺葉は右は10の肺区域に左は8区域に分かれ（図8），腫瘍の浸潤や結核などの肺の炎症の程度によっては，肺区域単位で切除する**肺区域切除術**が行われることもある。心臓が左側に位置するため，**右肺の容積のほうが左肺の容積よりも大きい**。

2 肺胞

肺内部の肺胞は気管支の終端にあるブドウのような気嚢であり，ガス交換において，重要な役割を担っている（図9）。肺胞は，**効率的なガス交換を可能にする構造をしている**。壁は非常に薄いため，ガスが容易に通過する。直径は0.1〜0.2mmであり，肺胞の総数は，**両肺で3〜5億個，全表面積は80〜100m²にも及ぶ**。このような肺胞の大きな表面積とその壁の薄さにより，**酸素と二酸化炭素の交換を最大限に行うことができる**。

図6 気管支の断面図と構造

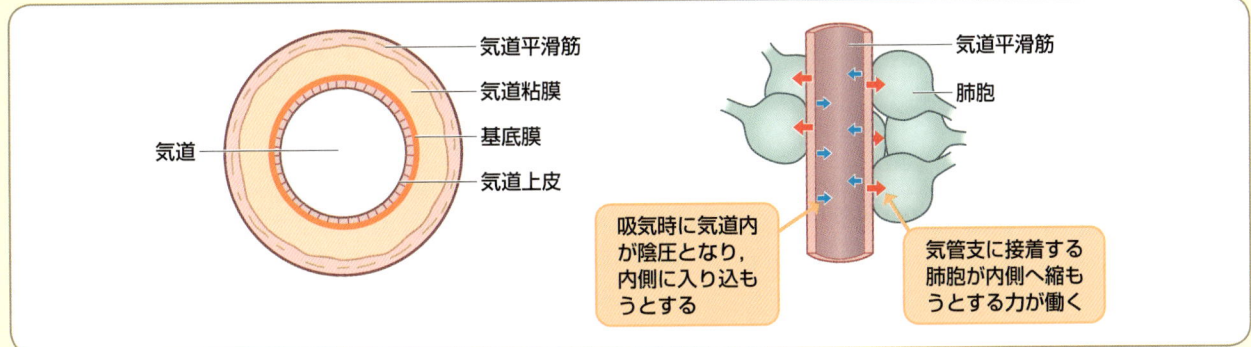

図7 胸郭と肺

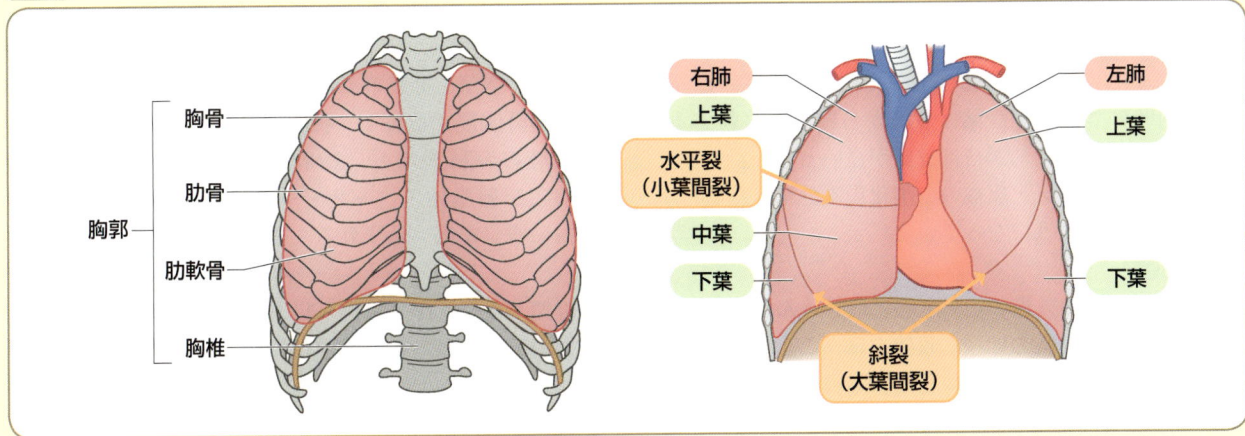

図8 肺葉と肺区域

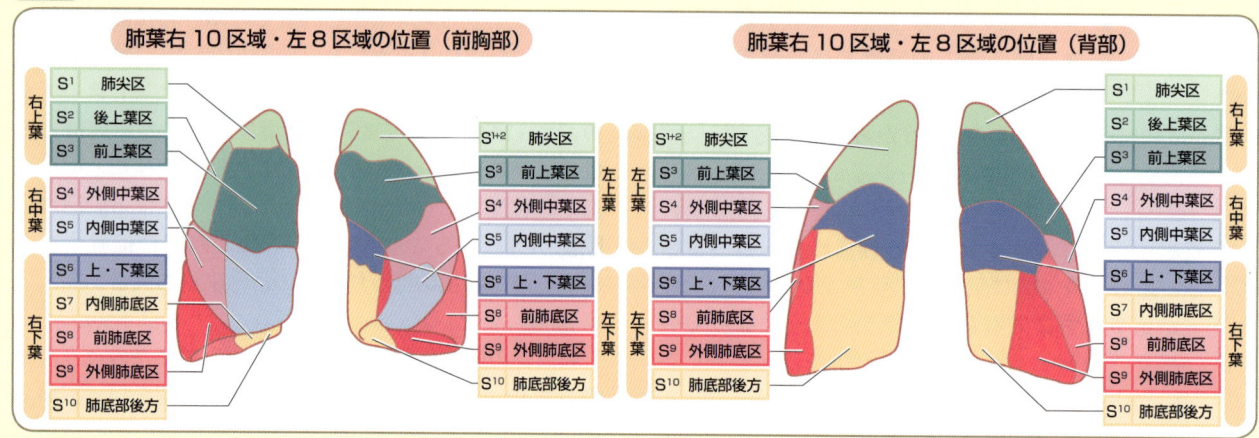

図9 肺胞

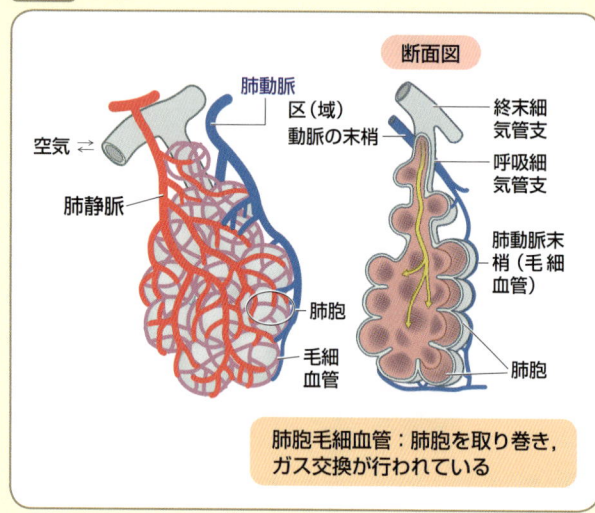

肺胞毛細血管：肺胞を取り巻き，ガス交換が行われている

図10 肺胞でのガス交換

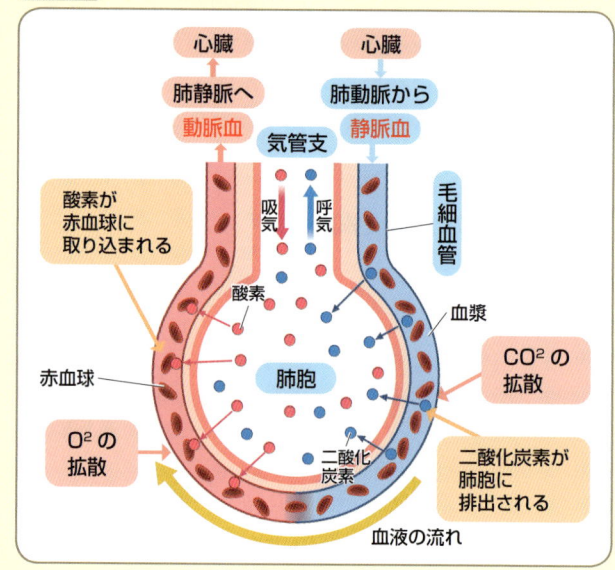

3 肺胞でのガス交換

肺胞でのガス交換は「ガスは分圧の高い方向から低い方向に移動する」原理に従い，酸素と二酸化炭素は移動する。これを拡散という。肺胞では，**酸素は肺胞気から血液へ移動し，赤血球内のヘモグロビンに結合する**（図10）。同時に，**二酸化炭素は血液から肺胞へ移動する**。二酸化炭素は酸素の約20倍拡散能が高いとされているため，血液と，肺胞気・組織の二酸化炭素分圧は容易に**平衡状態に達する**ようになっている。

4 呼吸運動

呼吸運動とは，外界の空気を肺に取り込んだり排出したりするために，**肺の拡張・収縮**を行うことである。呼吸運動は胸郭周囲の呼吸補助筋と横隔膜の収縮と弛緩による**胸郭内の圧の変化**によって行われる。

空気を肺に取り込む**吸気**時と排出する**呼気**時の正面図と側面図，また吸気と呼気における胸壁と横隔膜の位置を図11に，呼吸運動にかかわる**呼吸補助筋**を図12に示す。

- **吸気**：空気を肺に取り込むとき，横隔膜や外肋間筋などの**呼吸筋が収縮**し，**胸郭を押し広げる**。その結果，胸腔の容積が増し，胸腔内圧（$-8 \sim -6\,cmH_2O$）および肺胞内圧（$-2 \sim -1\,cmH_2O$）が下がり，肺内に空気が吸い込まれる。この一連の過程を吸気という。
- **呼気**：空気を肺外に押し出すときは，吸気と違い，筋肉の収縮はほとんど関与しない。**横隔膜や呼吸筋が弛緩**すると，肺が自然と縮む力を利用して，胸壁は元の位置に戻り，胸腔の容積も元に戻る。肺には弾性があ

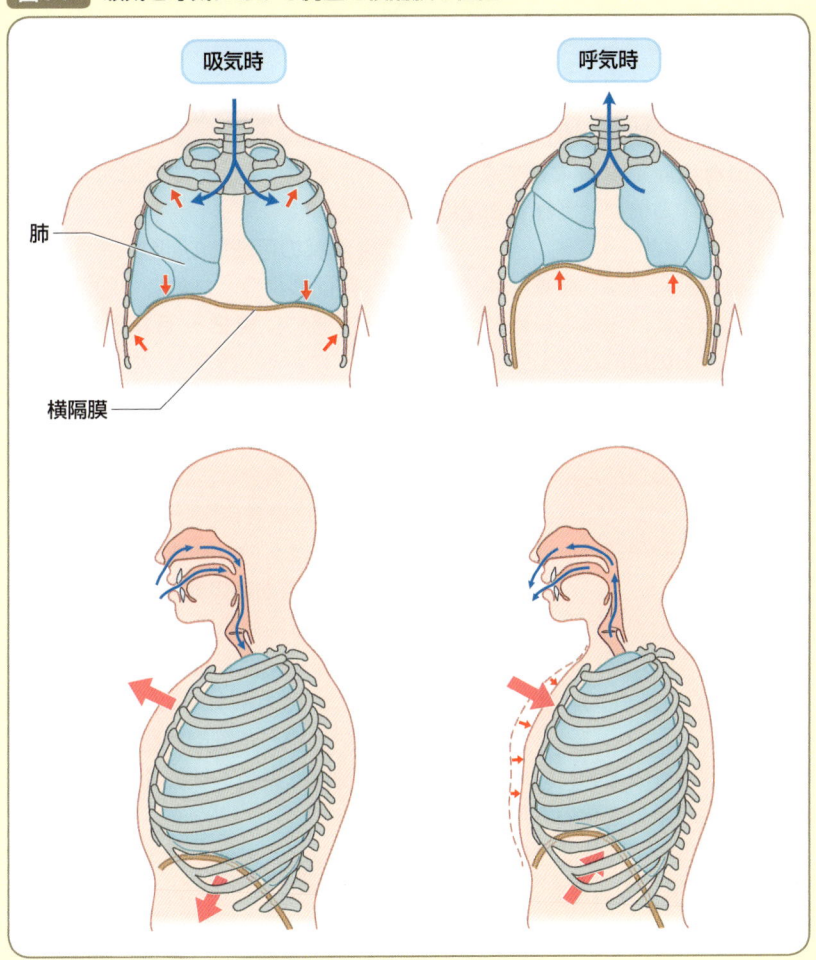

図11 吸気と呼気における胸壁と横隔膜の位置

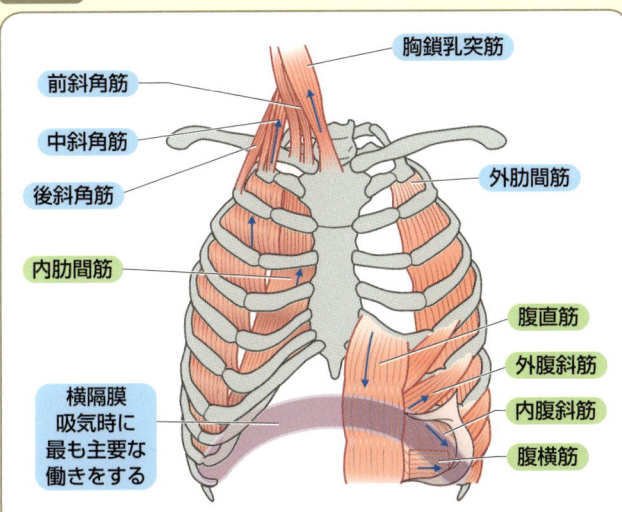

図12 横隔膜と呼吸補助筋

吸気時：横隔膜や斜角筋，胸鎖乳突筋などの筋肉（水色）が収縮
強制呼出（咳など）：腹直筋や腹斜筋などの筋肉（緑色）が収縮

るため，引っ張られたゴムが元に戻るように，胸腔の容積に合わせて受動的に小さくなる。その結果，**肺胞内の圧は大気圧よりも高くなり**（0〜2 cmH$_2$O），肺から外へ気体が出ていく。この一連の流れを呼気という。

B 呼吸器のフィジカルアセスメント

フィジカルアセスメントとは，問診・視診・触診・打診・聴診を用いて，身体の健康上の問題を明らかにするために，全身の状態を系統別に査定することである。フィジカルアセスメントを実施する前に，実施する環境を整える。

明るすぎず，暗すぎない照明，室温25℃前後，騒音がなく，対象者が落ち着いて診察を受けられる程度の音を整え，対象者には，**アセスメントの目的と実施内容について説明し，対象者の了解を得た上で行う**。できる限りわかりやすい言葉を使うように心がけ，触診や打診・聴診に際しては，対象者に**触れるものが冷たくないか**も配慮する。

手順として，まず問診を行い，❶視診→❷触診→❸打診→❹聴診の順で行う。

1. 呼吸器の問診

以下のような事項を尋ねる。
- **自覚症状**：呼吸困難，呼吸音や呼吸運動に気になることはないか，湿性咳嗽・乾性咳嗽の変化の有無，喀痰の有無（頻度，量，色や匂いといった性状，血痰の有無（量，色，性状），粘稠度，胸痛の有無などを含め，自覚症状がある場合は，その症状がいつから生じているのか
- **生活歴**：アレルギーの有無，いびきについて
- **既往歴**：心疾患，呼吸器疾患，手術歴（時期，内容）など
- **喫煙歴**：喫煙開始年齢，一日の本数×喫煙年数など

2. 呼吸器の視診

- **対象者の胸郭と脊柱の外観**：胸郭の変形，胸郭の左右対称性，脊椎の左右対称性，陥没・隆起の有無，皮膚の外傷・腫瘤の有無
- **呼吸状態**：呼吸数，呼吸の深さ・パターン，呼吸音，努力呼吸の有無
- **その他**：呼吸数の増加（頻呼吸），呼吸補助筋の使用，手指や口唇を観察し，チアノーゼ（皮膚や粘膜の変色）やばち状指（図13：手指が太鼓のバチのように変形）などの苦痛の徴候がないか観察を行う。

3. 呼吸器の触診

手を使って胸やその周囲の異常や圧痛の有無を確認する。

1 胸郭の可動性の観察

前面の場合，対象者の**肋骨弓（左右の肋骨縁）**に両母指を当て，**第2〜5指と手掌で左右対称に胸郭を包む**ようにする（図14）。対象者に深呼吸を促し，吸気時と呼気時の，胸郭の**拡がりやタイミング，左右の対称性**を観察する。

背面の場合は，第10胸椎を挟むように母指を置き（図15），対象者に深呼吸を促して，胸郭の広がりやタイミング，左右の対称性を観察する。

2 呼吸補助筋の観察

呼吸器疾患患者は，COPDや肺がんなど疾患による肺の過膨張や肺容積の減少に伴い，呼吸補助筋を過度に使用して努力吸気を行うため，**胸鎖乳突筋や斜角筋**（図16）といった筋肉が肥大していることが特徴である。

- **胸鎖乳突筋**：対象者に顔を左右のどちらかに向けても

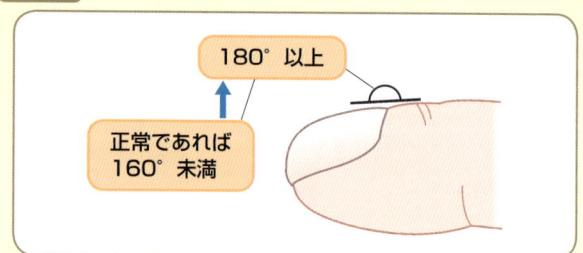

図13 ばち状指

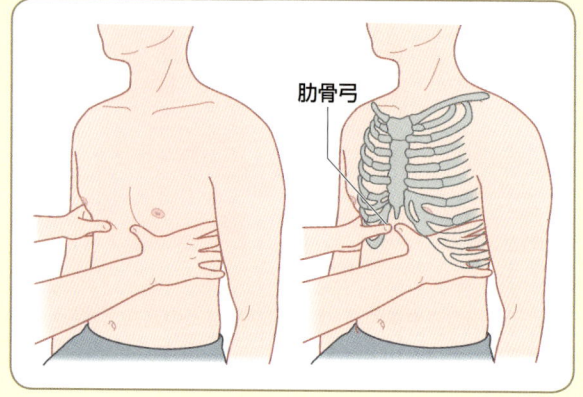

図14 前胸部の触診

肋骨弓

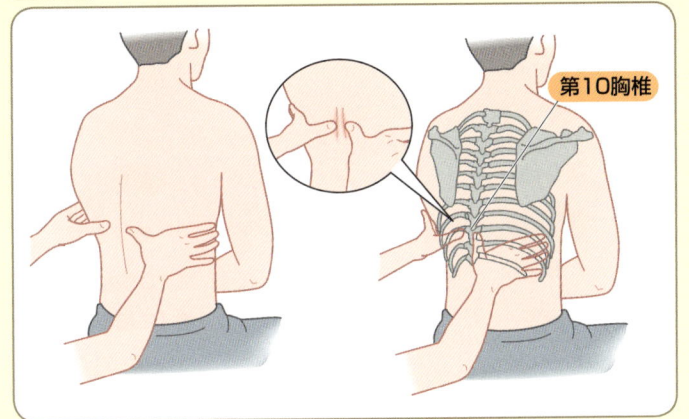

図15　背面の触診

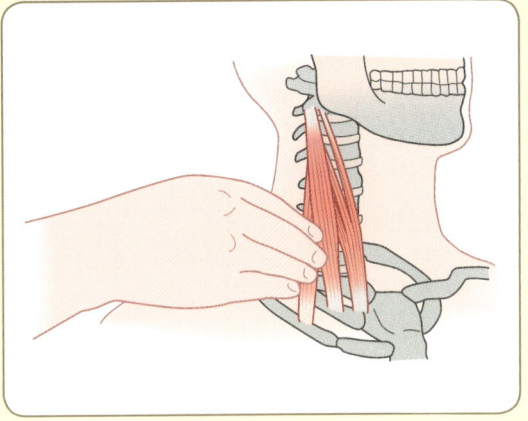

図17　斜角筋の触診方法

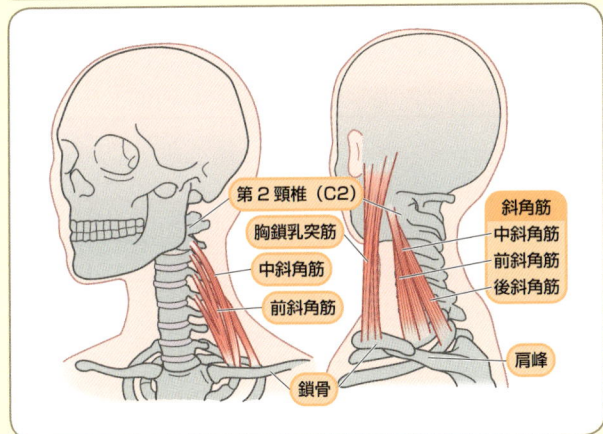

図16　胸鎖乳突筋と斜角筋の位置

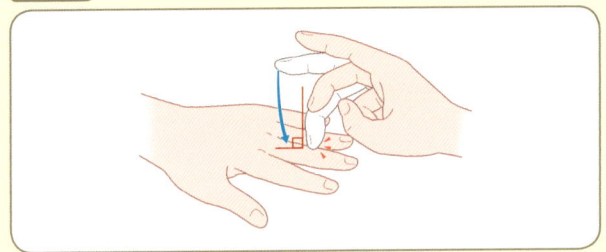

図18　打診の方法

らい，筋肉に触れて胸鎖乳突筋の肥大や吸気に合わせた収縮などを確認する。
- 斜角筋：対象者に深呼吸を促し，鎖骨中線付近の1～2横指上部を圧迫して，呼気に合わせた斜角筋の肥大や収縮などを確認する（図17）。

4. 呼吸器の打診

胸壁を軽く叩いて，その結果生じる**反響，振動の変化**により，構造の密度を評価することができる。

1 打診の方法
①利き手が右手の場合，左手の指をできるだけ皮膚に密着させる
②叩く指は，直角に当たるようにし，手首のスナップをきかせてたたく
③たたいた後は，すぐに離す（図18）

2 打診の部位
　横隔膜の呼吸性移動や，肺底部の打診により胸水の貯留の有無などを確認する。打診の部位の指標となる肋骨の位置と肺の部位を図19，打診の部位と順序を図20に示す。

3 打診音の領域
　空気で満たされた正常な肺は**共鳴音**を生成するが，高密度または液体で満たされた組織は**鈍い音**を生成する（図21）。肺全体を打診し，打診音の変化を聞き取り，異常音がないかを確認する。

4 肺底部の打診
　肺底部を打診し，**胸水貯留の有無**などを調べる。深吸気時に，片側ずつ肩甲線上を頭側から足側に向かって，第8～11胸椎付近を打診する（図22）。共鳴音と濁音の境目を確認する。
　音の境界は両側とも**第10～11胸椎位**であるが，胸水貯留や肝臓の肥大や萎縮などにより**左右差**がみられる。

5 肺底部（横隔膜）の呼吸性移動の確認
　呼気・吸気での横隔膜位を打診で確認する。呼吸運動の制限がないかを判断することができる。背部の肩甲線上を縦方向に打診する（図23）。呼気時・吸気時の横隔膜位を確認し，横隔膜位は**示指**で示したままとする。

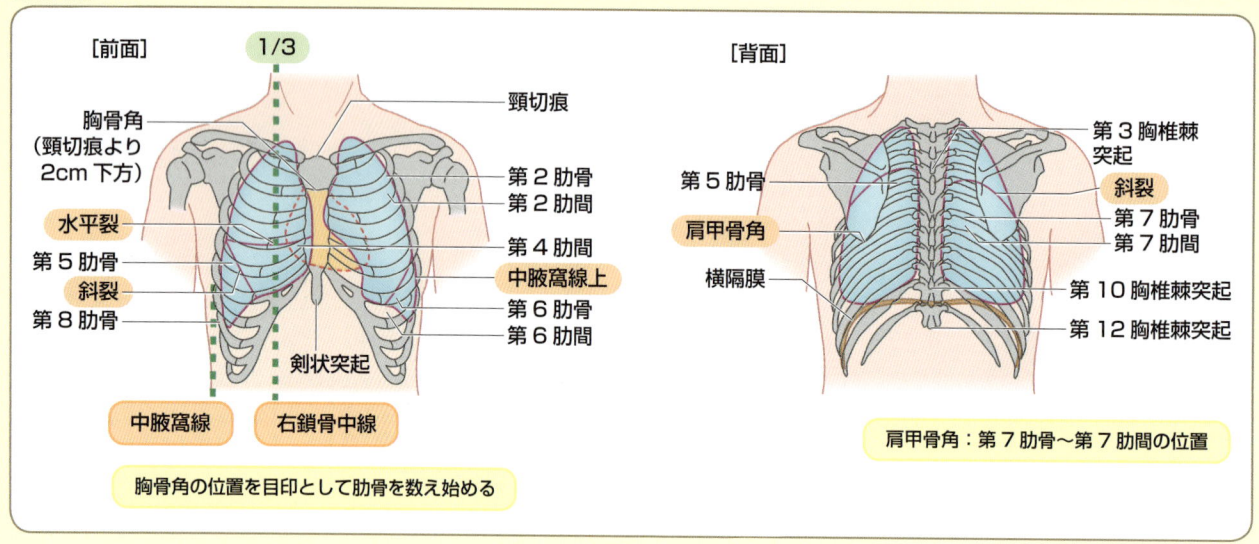

図19 肺の部位と肋骨や中線の位置

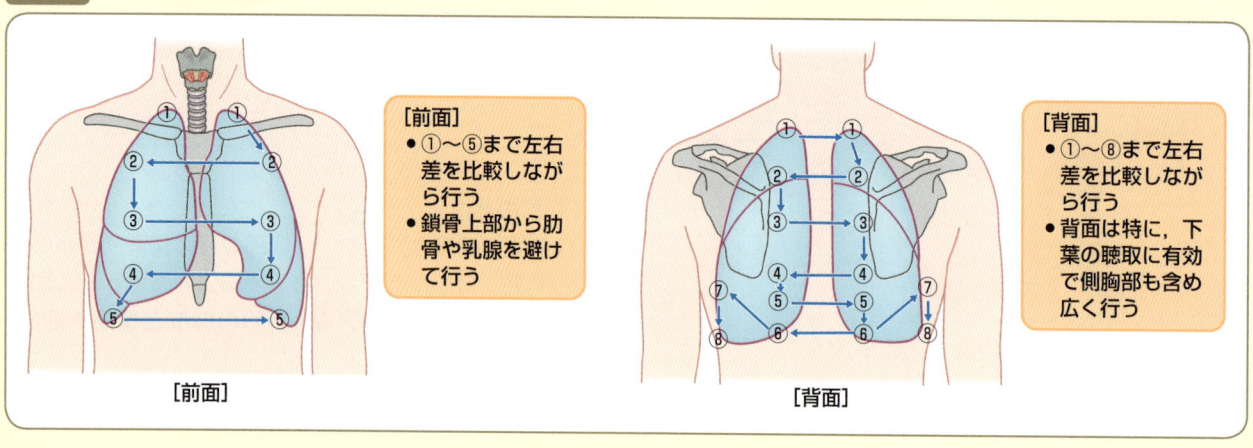

図20 打診・聴診の部位

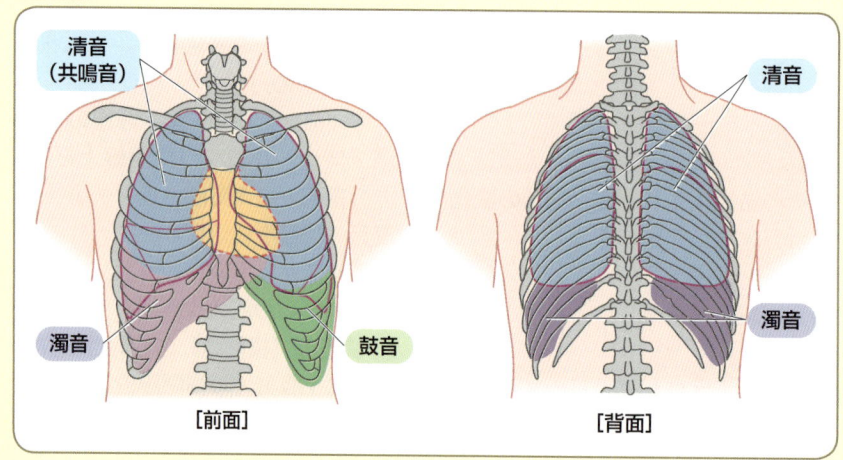

図21 正常な打診音の部位ごとの違い

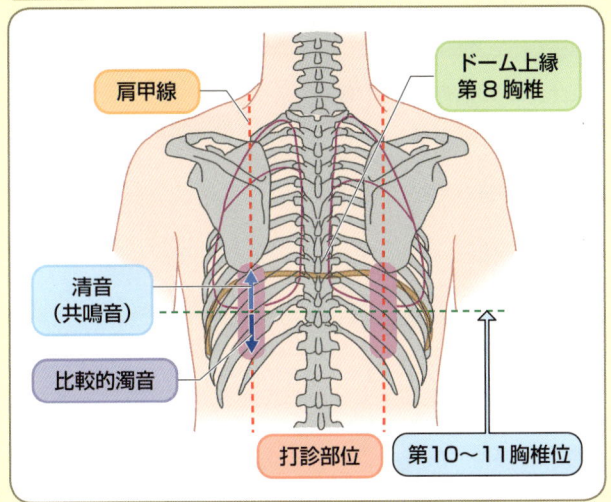

図22 肺底部の打診部位（背面）

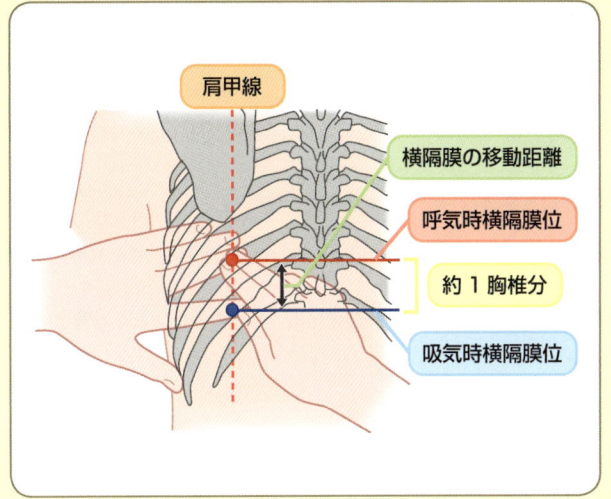

図23 横隔膜の移動距離の確認方法（背面）

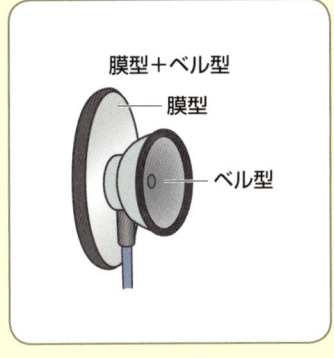

図24 ダブルタイプの聴診器

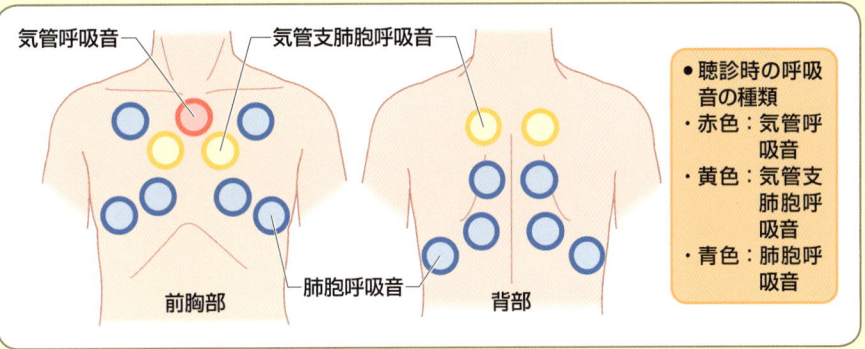

図25 呼吸音の聴取領域

- 息を吐いてもらい，足側から頭側へ中指を打診しながら呼気時の横隔膜位を確認する
- 吸気時と呼気時に特定した示指と中指の間が，横隔膜の呼吸性移動距離である。通常，4〜7 cm で左右差は認められない

5. 呼吸器の聴診

聴診器を用いて呼吸音を聴き，気管・気管支の**気流**の状態，気道の**分泌物**の貯留の状態，気管・気管支の**狭窄**の程度や閉塞の有無などを評価する。**異常音（連続性副雑音・断続性副雑音）**の有無，喘鳴音，呼吸音の減少などの異常な音を特定する。

聴診器（ダブルタイプ）には膜型とベル型があり（図24），膜型を用いて，胸壁に軽く痕が残る程度に押し付けて皮膚と密着させ，呼吸音の聴診を行う。

打診部位と同様の位置で聴診を行う（図25）。対象者には1回ずつ深呼吸するように促し，左右対称の位置で**肺尖部から肺底部まで聴診する。**

聴診時は観察ポイントを下記に示す。
- 吸気・呼気の割合
- 音の高さと大きさ，性質
- 聴取部位と本来その部位で聞こえるべき呼吸音が一致するか
- 異常呼吸音や副雑音の有無と聴取部位
- 呼吸音や副雑音の左右差

呼吸音は吸気よりも呼気のほうが長く大きいが，気道や主気管支，肺胞野の部位によって音の聞こえ方が異なる。**呼吸音の聴取領域（図25）と正常呼吸音の種類と特徴（表）**をまとめた。

［山本麻起子］

表　正常呼吸音の種類と特徴

種類	気道の部位	呼吸音の性質や特徴	聴取される音のイメージ
気管呼吸音	気管〜主気管支	強く粗い音。他の呼吸音と比べ，呼気時のほうが吸気時より音が大きく，長い。	吸気／呼気（吸気から呼気に転じる際は音は聞こえない）
気管支呼吸音	主気管支〜葉気管支	気管呼吸音に比べ，吸気と呼気の音の大きさや長さはほぼ等しく，大きい。	
気管支肺胞呼吸音	肺胞管付近	肺胞呼吸音と気管支呼吸音の中間的性質を持ち，気管支呼吸音よりも小さい。吸気・呼気ともに聴取されるが，吸気時の方がやや高調で大きい。	
肺胞呼吸音	肺胞嚢	最も低音であり，吸気は一定の強さで聴取されるが，呼気は呼気相の最初しか聴こえない。	呼気相の約1/3程度

[参考文献]
- 医療情報科学研究所編：病気がみえる vol.4　呼吸器　第3版．メディックメディア，2018．
- エレイン N. マリーブ，林正健二・他訳：人体の構造と機能．医学書院，1997．
- 讃井將満・他編：ナーシング・グラフィカEX　疾患と看護(1)　呼吸器．メディカ出版，2020．
- 松尾ミヨ子・他編：ナーシング・グラフィカ　基礎看護学(2)　基礎看護技術Ⅰ　コミュニケーション／看護の展開／ヘルスアセスメント．メディカ出版，2022．
- 宮澤恵二編：ナーシング・グラフィカ　人体の構造と機能(2)　臨床生化学　第6版．メディカ出版，2023．
- 守田美奈子監，鈴木憲史（医学指導）：新訂版 写真でわかる看護のためのフィジカルアセスメントアドバンス．インターメディカ，2020．

症状別看護ケア関連図

第Ⅰ部

1 咳嗽・喀痰

第Ⅰ部 症状別看護ケア関連図

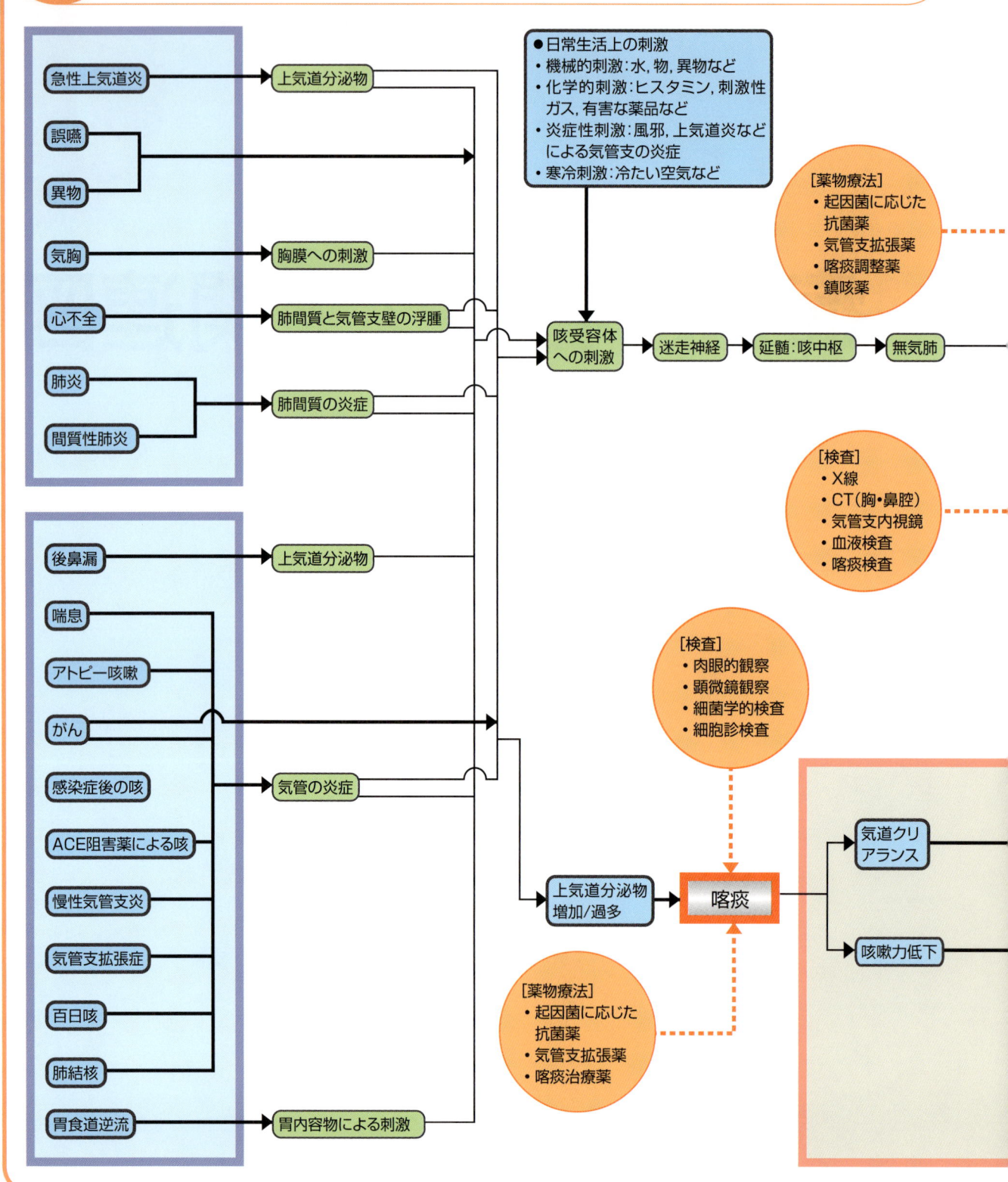

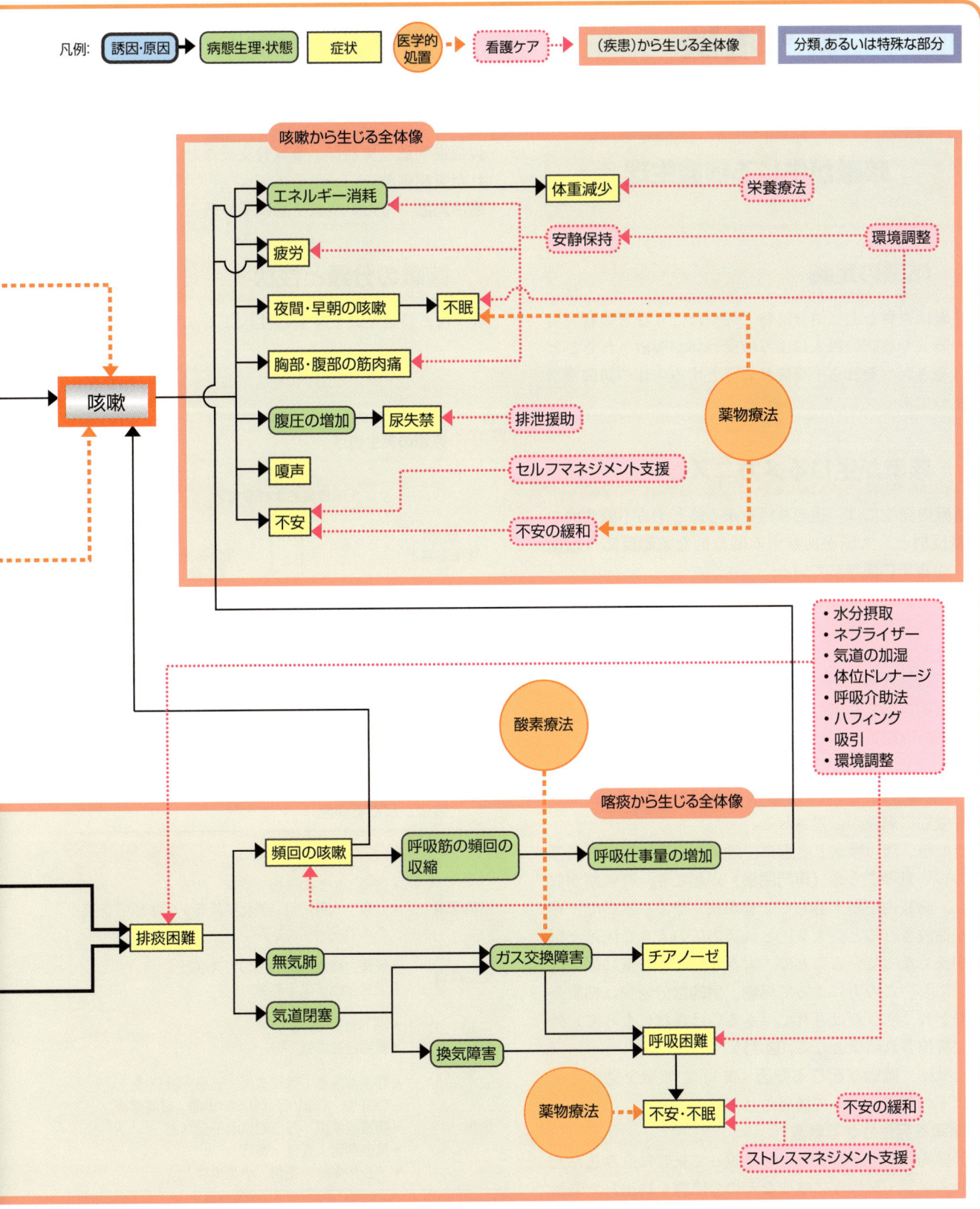

第Ⅰ部　症状別看護ケア関連図

1 咳嗽・喀痰

Ⅰ 咳嗽が生じる病態生理

1. 咳嗽の定義

咳嗽は過剰な上気道分泌物，煙やほこりなどの有害物質の吸入や異物の吸入により咳受容体が刺激されることで誘発され，それらを排除しようとする生体の防御機構の1つである。

2. 咳嗽が生じるメカニズム

咳嗽の発生には，迷走神経を求心路とする不随意的な**咳嗽反射**と，大脳が関与する随意的な**咳嗽反応（咳衝動）**が複雑に関与している。

気道の表面にある**咳の受容体**が**分泌物や異物**によって**刺激**されると，迷走神経求心路を通って，脳幹の**咳中枢**に伝達される。この咳受容体は喉頭，気管などの他に，下部食道，胸膜，心外膜，外耳など広く分布しており，**気道疾患以外でも病的な咳嗽が発生する。**

咳中枢に伝達された刺激は，大脳皮質や皮質下に伝達されると同時に，迷走神経，横隔膜神経（横隔膜を収縮），肋間神経（呼吸筋を収縮）などを介して，横隔膜や呼吸筋に刺激が伝達される。

その後，深い吸気とともに，呼気相の開始時に，無意識の短い息のこらえ**（声門閉鎖）**が起こり，呼吸筋が収縮し，胸腔内圧が上昇して気管が狭くなる。次いで，声門が開放されると，大気圧と気道内圧の大きな圧差と気管が狭くなっていることで，大きな気流が一気に爆発的に発生し，この力によって**異物，病的な分泌物**は粘膜から剝がれ，吹き飛ばされて（あるいは霧状になって）外界に排出され咳嗽となる（図1）[1]。

咳嗽は，**咳嗽が起こる要因（表1）**と咳嗽を発生させる以下の刺激によって誘発される[2]。

■ 咳嗽を発生させる刺激
- **機械的刺激**：水や食物などを誤って気管に飲み込んだり，気管・気管支に喀痰などの分泌物を排出した刺激
- **化学的刺激**：有害な薬品などの化学物質を吸い込んだ刺激
- **炎症性刺激**：風邪による気管支炎など，気管支がただれた炎症刺激
- **寒冷刺激**：冷たい空気を急に吸い込んだ刺激

3. 咳嗽の分類と性状

咳嗽は，持続期間と喀痰の性状によって分類される。

図1 咳嗽の発生機序

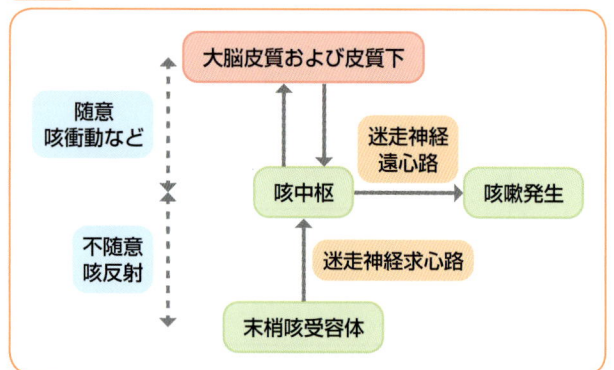

（日本呼吸器学会咳嗽・喀痰の診療ガイドライン2019作成委員会編：咳嗽総論．咳嗽・喀痰の診療ガイドライン2019，p6，2019．より）

表1 咳嗽が起こる要因

要因	内容
自然環境	・気候：空気の乾燥・冷気・高温 ・公害：大気汚染（光化学スモッグなど），アスベストやPM2.5など
生活環境	・喫煙，塵埃，刺激性のガスなど ・温度変化による刺激
加齢	・嚥下機能の低下 ・繊毛運動の低下
病態	・呼吸器疾患：気管支炎，喘息，肺結核，COPD，COVID-19，肺腫瘍，縦隔腫瘍など ・循環器疾患：うっ血性心不全など ・気道刺激：異物・炎症 ・アレルギー：花粉，小動物など

（森田敏子：咳嗽・喀痰喀出困難．小田正枝編，アセスメント看護計画がわかる症状別看護過程　第2版．p17，照林社，2021．を一部改変）

1）咳嗽の持続期間

咳嗽の持続期間によって，以下の①〜③のように分類される。
①急性咳嗽：3週間未満
②遷延性咳嗽：3週間以上8週間未満
③慢性咳嗽：8週間以上

2）咳嗽の性状

喀痰の有無によって，以下のように分類される。喀痰の有無により治療対象が異なり，乾性咳嗽は咳嗽そのものを減らすこと，湿性咳嗽の場合は気道内の分泌物を減少させることが必要となる。

1 乾性咳嗽
喀痰がない，もしくは少量の粘液性喀痰を伴う。

2 湿性咳嗽
咳嗽のたびに喀痰を伴う。

3）原因疾患

急性咳嗽では**感染症**によるものが最も多く，遷延性咳嗽や慢性咳嗽では逆に，**感染症以外**の疾患が原因となることが多い。咳嗽の原因または考えられる疾患の一覧を図2に示す[3]。また，咳嗽・喀痰の症状からみた鑑別診断の進め方を図3に示す[4]。

1 急性咳嗽
上気道感染症（感冒，急性副鼻腔炎，百日咳），肺炎，肺結核，肺腫瘍，間質性肺疾患，後鼻漏，気胸，遷延性・慢性咳嗽の初発症状などがある。

2 遷延性・慢性咳嗽
日本では**咳喘息**および**咳優位型喘息**が約70％を占めており，その他に感染症後咳嗽，アトピー咳嗽，副鼻腔気管支症候群（びまん性気管支拡張症など），百日咳，胃食道逆流症，薬剤性（ACE阻害薬による咳嗽）などがある。

近年，原因がはっきりしない慢性咳嗽に関して，甲状腺機能低下症や炎症性腸疾患など臓器特異的自己免疫疾患や心室期外収縮，外耳の異物との関連も報告されている。

4. 咳嗽の随伴症状

咳嗽時には，肋間筋や斜角筋や腹筋などの呼吸補助筋を過剰に動かすために**筋肉痛**や**体力消耗**が起きる。さらに夜間に咳嗽が連続して起こると**不眠**となり，十分な休養の妨げとなる。咳嗽を繰り返すことで声帯への刺激による**嗄声**や多大なエネルギー消費，食事量の減少，食欲不振が**体重減少**につながる場合もあるため，**全身状態の観察**が必要である。

5. 咳嗽の鑑別診断・検査

1）問診

咳嗽の原因を鑑別するために，慎重に問診を行う。全

図2 咳嗽の原因と考えられる疾患

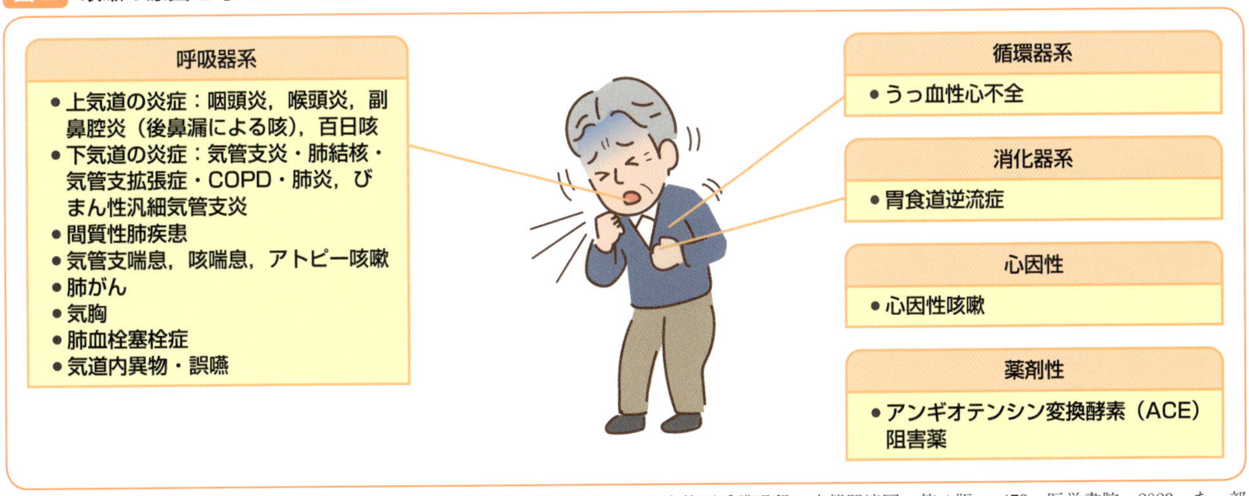

呼吸器系
- 上気道の炎症：咽頭炎，喉頭炎，副鼻腔炎（後鼻漏による咳），百日咳
- 下気道の炎症：気管支炎・肺結核・気管支拡張症・COPD・肺炎，びまん性汎細気管支炎
- 間質性肺疾患
- 気管支喘息，咳喘息，アトピー咳嗽
- 肺がん
- 気胸
- 肺血栓塞栓症
- 気道内異物・誤嚥

循環器系
- うっ血性心不全

消化器系
- 胃食道逆流症

心因性
- 心因性咳嗽

薬剤性
- アンギオテンシン変換酵素（ACE）阻害薬

（三宅修司，平尾明美：咳嗽・喀痰．井上智子・他編，緊急度・重症度からみた症状別看護過程＋病態関連図　第4版，p473，医学書院，2023．を一部改変）

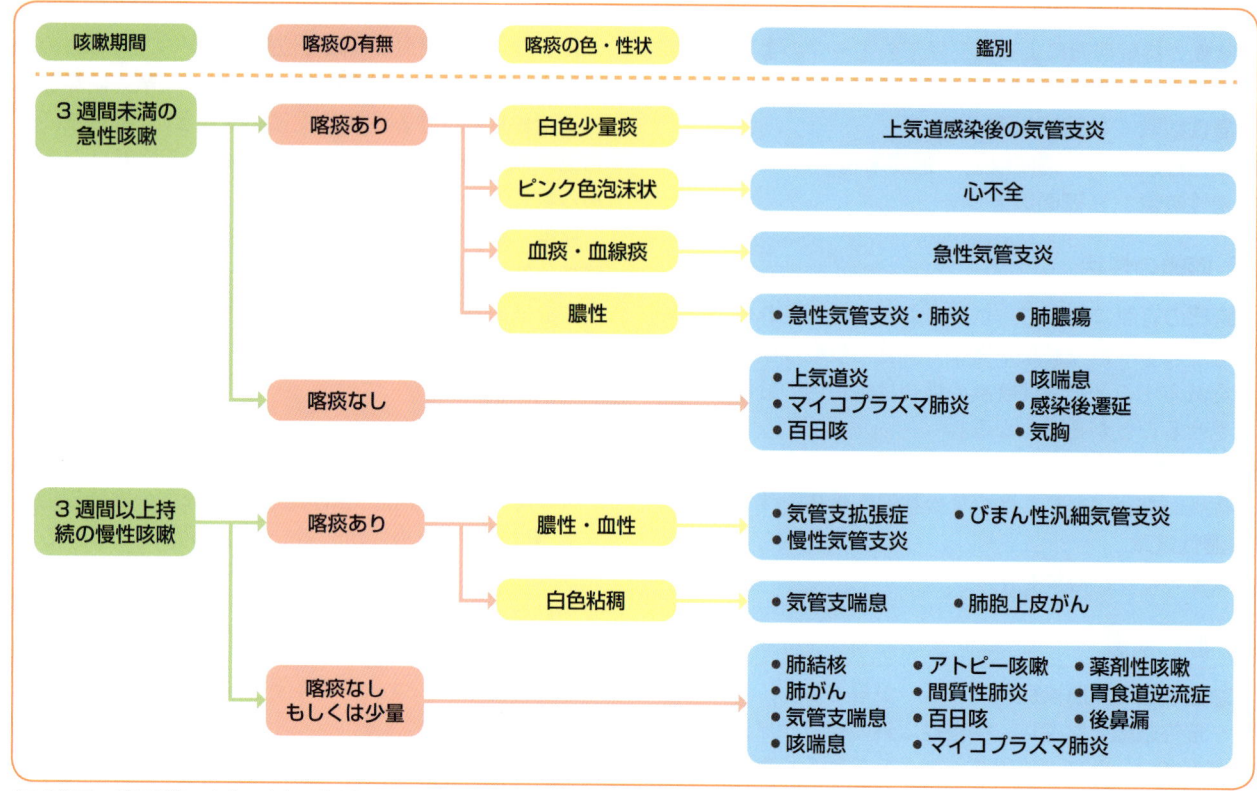

図3 咳嗽と喀痰の状態から考える鑑別診断

(三宅修司, 平尾明美:咳嗽・喀痰. 井上智子・他編, 緊急度・重症度からみた症状別看護過程＋病態関連図 第4版, p474, 医学書院, 2023. を一部改変)

身の身体所見から，咳嗽の原因が**呼吸器疾患によるもの**か，呼吸器以外の疾患（循環器系，耳鼻科系，悪性腫瘍など）であるか鑑別する。各疾患に特徴的な症状も含めて，問診を行う際に重要なポイントを以下にあげる。

1 咳嗽の持続期間
急性か慢性かによって鑑別される。
- 3週間未満の急性咳嗽は，**感染症や誤嚥を疑う**
- 3週間以上持続する場合は，感染症以外の**気管支喘息や慢性気管支炎，肺がん**などの慢性疾患を疑う

2 咳嗽の性質
喀痰の有無，喀痰がある場合は**分泌物の性状**によって関連する疾患の指標となる。
- **乾性咳嗽**：上気道と気管までの炎症による急性上気道炎や間質性肺炎を考える
- **湿性咳嗽**：気管支以下での感染が示唆される
湿性咳嗽の場合は分泌物の性状から疾患を鑑別する。
  - **漿液性**：肺うっ血や肺がんの疑い
  - **粘液性**：気管支喘息や慢性閉塞性肺疾患（COPD），気管支炎の疑い
  - **膿性**：急性気管支炎や肺炎などの感染症の疑い
  - **泡沫状**：うっ血性心不全や肺水腫の疑い

3 咳嗽の程度・日内変動
好発時間により関連する疾患を鑑別する。
- 早朝や明け方に多い：気管支喘息の疑い
- 就寝時に多い：肺うっ血や肺水腫の疑い
- 就寝後まもなく咳嗽で目覚める：うっ血性心不全の疑い
- 食事時や食後しばらく経ってからが多い：誤嚥性肺炎の疑い

4 随伴症状の有無
疾患特異的な症状による疾患を鑑別する。
- **喘鳴（早朝や夜間の状況）**：気管支喘息の疑い
- **発熱**：肺炎や気管支炎の疑い
- **胸痛を伴うか**：気胸や肺炎，胸膜炎の疑い
- **後鼻漏**：副鼻腔炎
- **胸やけやかすれ声，呑酸など**：胃食道逆流症
- **体重減少**

5 **咳嗽の経過**
- **軽快**と**増悪**を繰り返すか
- **以前**にも同様の症状があったか
- **季節性**かどうか
  ・冬季：肺気腫，慢性気管支炎の疑い
  ・季節の変わり目：気管支喘息などの疑い

6 **咳嗽の評価方法**

[主観的評価法による評価]

主観的評価として，100mmスケールで表現する咳VASやQOL評価を行う咳特異性QOL質問票がある。QOL評価の代表的なものとして，日本語版レスター咳質問票LCQ（Japanese version of Leicester of cough Questionnaire：J-LCQ）と小児で使用されるPC-QOL（Parent cough-specific quality of life questionnaire）がある。他にも咳症状スコアや咳重症度日誌などがある。各評価方法の特徴については，表2に示す。

[客観的評価]

咳嗽の客観的評価には，咳頻度の評価が標準的であり，主要な評価項目として使用されることが多い。

臨床的に広く使用されているものは，❶レスター質問票と❷VitaloJaKの2つである。

どちらもマイクと音声レコーダーを使用し録音する。レスター咳モニターは咳を自動的に解析するが，VitaloJaKは圧縮録音した咳音声を手動で解析する。日本では，数施設で咳モニターが使用され，主観的評価とあわせて咳嗽の評価を行っている。

7 **既往歴・危険因子の確認**
- 咳を症状とする疾患や危険因子の有無（喫煙，HIV感染，有害物質の吸入曝露など）
- アトピー性皮膚炎の患者や気管支喘息の患者では，アレルギー性の咳嗽（アトピー咳嗽，咳喘息など）の可能性を考える
- ACE阻害薬（アンジオテンシン変換酵素阻害薬）の服用の有無

8 **咳嗽が誘発される環境**
- 化学工場など職場での刺激物質曝露（アセトアルデヒドや水酸化カルシウム等有害な薬品など）や大気汚染などの環境要因の有無
- 冷気
- タバコの煙

表2 咳嗽の主観的評価法

スケール	特徴
咳VAS	・一定期間の咳重症度を判定する ・患者にどの期間を評価するのか明確に指示する ・咳の程度を100mmのスケール上で「0：まったく気にならない」から「100：耐えられない」で評価する ・急性咳嗽では17mm以上，慢性咳嗽では15mm以上の変化で改善と評価[5, 6]
LCQ（レスター咳質問票）	・咳特異的QOL評価票で日本語版がある[8, 9] ・身体面（8項目）・精神面（7項目）・社会面（4項目）の3つの領域，19項目 ・各質問項目を1～7点で評価する ・さらに各領域の平均を合計したものがLCQの評価となり，スコアが高ければ，QOLが維持と評価 ・急性咳嗽患者では2.0以上[10, 11]，慢性咳嗽患者では1.3以上の増加で改善と評価する[12]
PC-QOL	・14歳未満の小児に使用される ・咳嗽が子どもに与える影響を親が評価する ・高い信頼性・妥当性があり，使用頻度は高い[13]
咳症状スコア	・昼間と夜間の2回行う ・咳の頻度，強さ，日常生活や睡眠への影響を0～5段階で評価する ・スコアが臨床的に意味があるのかがまだ検証されていない
咳重症度日誌	・咳の重症度と影響を評価する ・咳嗽の頻度，強度，咳嗽による支障の3つのドメインと12の質問項目からなる（頻度3項目，強度2項目，咳嗽による支障2項目） ・毎日就寝時に0～10の評価スケールで評価する ・臨床意義は未検証のため，使用実績は少ない

（文献5～15を参照して筆者が作成）

- イヌ・ネコなどの小動物
- ダニなどを含むハウスダスト
- 人前での発表など緊張する場面

2）視診

咳嗽は，肺疾患だけでなく，**心不全やアレルギー性，心因性**など原因が多岐にわたるため，**全身の観察が必要**となる。全身の観察では，**体格や顔色，皮膚**といった全体を観察してから，**頸部，胸郭，指**など細かく部位を観察する。

- **顔色や表情**：緊張や不安はみられていないか
- **皮膚**：アトピー性皮膚炎や発疹の有無
- **胸郭の形状**：左右差等ないか
- **呼吸に伴う胸郭の動き**
- **呼吸様式**（胸式，腹式，胸腹式）
- **呼吸のリズム，回数，深さ**
- **呼吸補助筋の使用の有無**：慢性閉塞性肺疾患の可能性
- **頸動脈の怒張**：循環器疾患の鑑別
- **下肢の浮腫**：循環器疾患・腎疾患・肝疾患の鑑別
- **ばち指**：呼吸器疾患や循環器疾患の鑑別
- **チアノーゼ**：急を要する状態ではないか
- **るいそう**：肺がん・結核等の可能性

3）聴診

聴取された呼吸音から特定の疾患の診断に役立てる（→コラム「異常呼吸音・肺複雑音」，p76参照）。

4）触診（腹部）

腹部膨隆や腹腔内腫瘍，肝脾腫の有無の鑑別を行う。

5）画像検査

以下の検査を行い，肺の**浸潤影**や**腫瘍性病変**やその他原因疾患の有無等の評価を行う。

- **胸部 X 線（正面像，側面像），副鼻腔 X 線**：病変部位の確認
- **胸部，副鼻腔 CT 検査**：病変部位の確認
- **高分解能 CT（HRCT）**：肺の病変部位の確認

6）血液検査

- **白血球（WBC 正常値：3,300〜8,600/μL）**：増加していると肺炎や気管支炎などの感染症の可能性
- **C 反応性タンパク質（CRP 正常値：0.3mg/dL 以下）**：肺炎や気管支炎などの感染症などによる急性炎症やその重症度の判定
- **好酸球（正常値 0〜8.5%）**：上昇により肺炎や気管支炎等の感染症や咳喘息，アトピー咳嗽の可能性
- **IgE 抗体（正常値170 IU/mL）**：アレルギー疾患の有無
- **アレルギー判定**：アレルゲンの特定
- **AST（正常値13〜30 U/L），ALT（正常値7〜23 U/L），γ-GTP（50 IU/L 以下）**：肝機能の評価
- **クレアチニン（正常値；女性：0.47〜0.79mg/dL，男性；0.61〜1.04mg/dL），BUN（正常値8〜20 mg/dL）**：腎機能の評価

7）呼吸機能検査

呼吸器疾患の鑑別や肺の機能評価を行う。

- 呼吸機能検査により，**閉塞性換気障害や拘束性換気障害，混合性換気障害**の有無の確認
- 気管支拡張薬吸入試験や吸入曝露前後での呼吸機能検査：気管支喘息の鑑別
- 気道過敏性検査，FeNO（呼気中一酸化窒素）値が高いと咳喘息の可能性が高い

8）喀痰検査

結核や非結核性抗酸菌症，肺がん，炎症性気道疾患の確定診断を行う。

- 喀痰の量，色，におい，粘稠度
- 一般細菌培養
- 抗酸菌塗抹・培養
- 真菌
- 細胞診

9）気管支内視鏡検査

呼吸器疾患の確定診断・組織的診断を行う。

- 気管，気管支内の腫瘍の有無
- 気管支病変の有無
- 出血の有無や出血部位
- 擦過細胞診
- 経気管支肺細胞診（TBLB）
- 気管支肺胞洗浄（BAL）

10）上気道内視鏡検査

- 後鼻漏による咳嗽の診断に有効である
- 食道粘膜のびらんの確認。**胃逆流性食道炎**（胃酸が逆流し食道粘膜が傷つくことで咳が誘発される）の有無を確認する

6. 咳嗽の診断

咳嗽・喀痰を主訴に来院した際は，問診や咳嗽の期間，喀痰の有無・性状，随伴症状の有無，胸部X線などの検査所見から原因を推定し対応する。感染性咳嗽が疑われる場合は，抗菌薬の与薬や専門医への紹介が考慮されるが，**咳嗽のピークが過ぎている症例**では，対症療法のみで対応する場合がある。胸部CT検査などの精密検査を行い，異常所見があれば，主要な原因を特定して治療を行う。

7. 咳嗽の治療

咳嗽治療は，現疾患の治療と並行して対症療法として，薬物治療がメインとなる。

咳嗽は，中枢性と末梢性に分類され，その種類や程度によって麻薬性・非麻薬性の薬物が用いられる。主な鎮咳剤の分類と作用・副作用は**表3**に示す[16,17]。

II 喀痰が生じる病態生理

1. 喀痰の定義と生じるメカニズム

喀痰とは「下気道で過剰に産生された分泌物が，口腔内を経て体外に排出されたものの総称」である[1]。気道分泌物は，気道粘膜の杯細胞や粘膜下腺によって産生され，正常でも1日10mL程度分泌している。

生理的な気道分泌物は，粘性の低い水分である下層（ゾル層）と，ムチンを主成分とする上層（ゲル層）の2層からなる。線毛周囲層の水分により線毛運動が円滑に保たれ，上層のゲル層がスライドして気道外に排出される（**線毛クリアランス**）。

この分泌物は，気道の恒常性の維持とバリア機能，防御機能を果たしている。分泌物は，再吸収や呼吸による蒸発などでほとんどはなくなるが，1日10mL程度は線毛運動の働きにより咽頭まで運ばれ，自覚することなく嚥下される。

気道に炎症や腫瘍，うっ血などが生じた場合，分泌物

表3 主な鎮咳剤の分類と作用・副作用

作用機序	分類	一般名	商品名	作用	作用機序	適応	副作用
中枢性	麻薬性	・コデインリン酸塩水和物	・コデインリン酸塩	鎮咳	咳嗽反射の抑制	肺がん・胸膜炎・肋骨骨折	・便秘 ・眠気 ・めまい ・食欲不振
中枢性	非麻薬性	・デキストロメトルファン臭化水素酸塩水和物 ・チペピジンヒベンズ酸塩	・メジコン® ・アスベリン	鎮咳	咳嗽反射の抑制	感冒，上気道炎（咽喉頭炎・鼻カタル），急性・慢性気管支炎，肺炎，肺結核，気管支拡張症，間質性肺炎	・嘔気 ・めまい ・食欲不振
中枢性	非麻薬性	・クロフェダノール塩酸塩	・コルドリン®	・鎮咳 ・呼吸中枢刺激作用	咳嗽中枢の抑制	急性気管支炎，急性上気道炎，肺がん，肺結核，間質性肺炎	・嘔気 ・めまい ・食欲不振
末梢性	非麻薬性	・テオフィリン ・プロカテロール塩酸塩水和物 ・クレンブテロール塩酸塩	・テオフィリン ・メプチン ・スピロペント®	気管支拡張	・気管支拡張 ・抗炎症	慢性気管支炎，COPD，気管支喘息	・めまい ・頻脈・不整脈 ・血清カリウム値低下

（文献16，17を参考に作成）

が増加し，滲出液や細胞成分，ウイルス，細菌，その他の異物が含まれ，咳嗽とともに**喀痰として喀出**される。**喀出力や線毛運動の低下**により，うまく喀出できなくなると，**感染を引き起こしたり，気流閉塞**などにより疾患の悪化につながる。

2. 喀痰の分類と性状

喀痰の分類は，見た目から大きく**粘液性，漿液性，膿性**に分類される．膿性の喀痰は色調で分類される場合もある。

1) 粘液性

粘度が高く，感染がなければ色調は**無色透明か白色**である。このような喀痰は，慢性閉塞性肺疾患（COPD）や気管支炎，気管支喘息などに多い。

2) 漿液性

さらさらした性状で通常感染がなければ色調は**無色透明か白色**である。このような喀痰は肺うっ血，急性呼吸窮迫症候群（ARDS），細気管支肺胞上皮がんなどでみられる。

うっ血性心不全では，肺の血管から水分が漏出し肺胞内に貯留することで，**白色やピンク色の泡沫状漿液性の痰**を喀出する。胸部 X 線で確認すると心拡大や肺うっ血の所見を認める。

3) 膿性

黄色や緑色，鉄錆色などの肉眼的な色調で分類することができ，どろっとした性状である。

1 黄色

黄色痰は，**細胞が増加している**ことを意味する。ウイルスなどの感染症や気管支喘息でも好酸球増加により，黄色痰になる。

病原細菌が増加し，好中球などの炎症細胞が増加することで，細胞残渣や線維成分が増加して分泌される。**肺炎や慢性気管支炎，びまん性汎細気管支炎，肺化膿症，肺膿瘍，肺結核**でみられる。

2 緑色

緑色痰は，**インフルエンザ菌感染と緑膿菌感染**でみられる。緑膿菌はいくつかの色素を産生する性質をもっており，その1つの色素が菌体外に分泌され，緑色に着色する。その色素は呼吸機能や気道粘膜の線毛運動を阻害する毒性をもっており，緑膿菌の病原性の一端となる。

また，バイオフィルムを形成し，恒常的な感染巣を形成することで，抗菌薬に耐性を示す。

3 錆色痰（さびいろたん）

肺炎球菌は細胞毒性が強く肺組織（肺胞等）を破って増殖し，肺胞隔壁が破壊され出血する。白血球と赤血球，肺炎球菌が混ざり**赤から鉄錆色，茶色の膿性痰**となる。**大葉性肺炎や膿胸**を起こしやすい。

4) 悪臭のある痰

嫌気性菌では悪臭のある分泌物を産生するものが多いため，悪臭のある痰の場合には**嫌気性培養**を行う。

5) 多量の漿液性痰

漿液性の喀痰で**1000mL/日を超える量**の喀痰を喀出する場合は，**肺胞上皮がん**を疑う。

3. 喀痰の検査・鑑別診断

1) 問診

丁寧な問診により，呼吸器疾患や副鼻腔炎などの基礎疾患などの病歴を確認し，原因疾患や病態の推定の参考にする。
- 基礎疾患の有無
- 基礎疾患や鼻・副鼻腔炎などの病歴
- 出現の時期
- 色調
- 性状（粘液性／漿液性／膿性）
- 喀出量
- 喀出困難度
- 色や性状の経時的変化

2) 観察

■ 肉眼的観察

性状を観察する。一般的には喀痰中に混じっている膿性部分の量を数値化した **Miller & Jones の分類（表4）** を使用する[18]。

そのため，検体はできるだけ膿性部分が多い喀痰を得ることが重要である。

■ 顕微鏡での観察

喀痰検査に用いるために採取した喀痰の質を評価するため，グラム染色標本を100倍の顕微鏡下で扁平上皮や白血球数によって5段階評価する**ゲックラー（Geckler）分類（表5）**を使用する[18]。

表4 Miller & Jones の分類

M1	唾液・完全な粘液痰
M2	粘性痰だが少量の膿性痰が含まれる
P1	膿性痰が1/3以下
P2	膿性痰が1/3〜2/3
P3	膿性痰が2/3以上

（日本呼吸器学会咳嗽・喀痰の診療ガイドライン2019作成委員会編：喀痰総論．咳・喀痰の診療ガイドライン2019．p24, 2019．より）

表5 Geckler 分類

G	細胞数/視野（100倍）		Geckler らの判定
	扁平上皮細胞	好中球	
1	>25	<10	−
2	>25	10〜25	−
3	>25	>25	−
4	10〜25	>25	＋
5	<10	>25	＋＋
6	>25	>25	−〜＋＋

（日本呼吸器学会咳嗽・喀痰の診療ガイドライン2019作成委員会編：喀痰総論．咳・喀痰の診療ガイドライン2019．p24, 2019．より）

グループ1〜3は唾液が多く不適切，グループ4・5は適切な検体，グループ6は気管内吸引あるいは白血球減少時の検体であれば適切な検体として判定することができる．グループ1〜3の場合は，再度の喀痰採取が必要になることがある．

3）細菌学的検査

気道感染の診断と程度，原因細菌の同定，薬剤感受評価などを行う．

4）細胞診検査

悪性疾患の有無と診断，好酸球や好中球などを同定して，気道に起こっている炎症の病態を推察する．

4. 喀痰の治療

原則として原因となる疾患の治療が必要である．

1）抗菌薬

細菌検査で同定した菌に応じた抗菌薬を使用する．

2）喀痰治療薬

喀痰治療薬には分泌物の産生を抑制したり，分泌そのものを抑制したりする効果のものと，分泌物のクリアランスを促すものがある．喀痰治療薬の種類と作用については，表6にまとめる．

1 分泌物の産生や分泌抑制

胚細胞の過形成を抑制し，粘液産生するもの，副交感神経の節後繊維末端から放出されるアセチルコリンと粘液分泌細胞に存在するムスカリン受容体との結合を阻害し，粘液抑制するもの，化学伝達物質の産生・放出を抑制し，粘液産生や分泌を抑制するものなどがある．

2 分泌物クリアランス促進

気道分泌物の粘稠度，粘液潤滑作用，線毛運動を促進させることで分泌物のクリアランスを促進するものがある．

3）禁煙指導（→㉔呼吸リハビリテーション参照）

タバコには，発がん性物質が多く含まれ，喫煙によって取り込まれた物質は気管支の分岐部に付着し，気管支粘膜の上皮細胞に吸収される．その際，分泌物が神経を刺激し咳嗽が生じ，同時に粘液も分泌され，喀痰が喀出される．また，線毛上皮細胞の線毛運動が抑制されるため，**気道のクリアランスが低下**する．喀痰の増加や貯留は，**感染の要因**となり，感染しやすくなる．そのため，禁煙は喀痰を有する患者の重要な治療法の1つである．

III 咳嗽・喀痰の看護ケアとその根拠

1. 咳嗽・喀痰の観察ポイント

咳嗽・喀痰の原因や随伴する症状，日常生活の支障の程度を判断するため，問診とあわせて以下の項目を観察する．また，その情報をもとにアセスメントし，必要な看護ケアを行う．

- 呼吸状態：回数，SpO_2，呼吸音，異常呼吸の有無，喘鳴，チアノーゼ
- 咳嗽の種類と性質：乾性・湿性，頻度，時間帯
- 喀痰の有無と性状：量，時間帯，粘稠度，血性の有無
- 全身状態：意識レベル，バイタルサイン，感染徴候など

表6 喀痰治療薬の種類と作用

	作用機序	作用	代表的な治療薬	副作用
産生・分泌抑制	胚細胞過形成の抑制	胚細胞過形成を抑制し，気道粘液産生を抑制する	・マクロライド系抗菌薬 ・クリアナール® ・スペリア®	・嘔気，下痢，食欲不振，不整脈
	副交感神経の抑制	副交感神経の節後繊末端から放出されるアセチルコリンと粘液細胞上のムスカリン受容体との結合を阻害する	抗コリン薬	・口渇，不整脈，イレウス ・前立腺肥大，緑内障，アトロピン過敏症には禁忌
	化学伝達物質の制御	活性酵素，プロテアーゼ，脂質メディエーター，サイトカイン等を制御することで粘液の産生や分泌を抑制する	・抗アレルギー薬 ・LTRA（ロイコトリエン受容体拮抗薬） ・コルチコステロイド	・嘔気，腹痛，下痢，白血球減少 ・体重増加・皮膚変化
分泌物排除の促進	粘液溶解	ムチンを分解して気道粘液の粘稠度を低下させる	・ムコフィリン®（吸入のみ） ・チスタニン	・嘔気・嘔吐，食欲不振，めまい，頭痛
	粘液修復	気道粘液構成成分を正常化する	ムコダイン®	・食欲不振，下痢，発疹
	粘液潤滑	肺サーファクタントの分泌更新により，気道粘液と気道上皮との粘稠性を低下させる	・ムコソルバン® ・ムコソルバン®L	・胃部不快，過敏症，胃痛
	線毛運動賦活	線毛運動を賦活化させることで，粘液線毛クリアランスを促進する	β_2刺激薬	・頻脈，不整脈，電解質異常
	上皮細胞からの水分過剰分泌抑制	気道上皮細胞のクロライドチャネルを介する水分の過剰分泌を抑制し，線毛運動に適したゾル層の厚さに調節する	マクロライド系抗菌薬	・嘔気，下痢，食欲不振，不整脈
	咳嗽誘発	咳嗽反射を亢進する	ACE阻害薬	・めまい，頭痛，眠気

（文献16，17，19を参照し筆者が作成）

- **精神状態**：表情，言動，不安の有無，睡眠時間など

2. 看護の目標

1. 咳嗽や喀痰を生じる原因や疾患を理解し，治療を遵守できる
2. 環境整備を行い，誘発刺激を調整して咳嗽や喀痰による苦痛や疲労が緩和される
3. 精神的不安が軽減される

3. 咳嗽・排痰時の看護ケア

1）環境整備

1 清潔な空気

ほこりやハウスダスト，タバコなどの有害な物質は咳嗽を増強させるため，定期的に**掃除**や**換気**を行い，清潔な空気を保つ。

2 適切な湿度

室内が乾燥していると気道が乾燥し，咳嗽が増強する。また，喀痰の粘稠度が増し，排痰が困難となるため，適切な湿度を保つ。

2）咳嗽時の援助

1 安楽な体位の保持

座位またはファウラー位をとることで横隔膜の運動がしやすくなり，換気量が増大する。よって，効果的な咳嗽が可能となる。

呼吸困難をともなう場合は，オーバーテーブルに枕などを置き，その上にうつ伏せることで安楽な体位の保持が可能となる。

2 咳嗽の介助

咳嗽によって，筋肉が疲労し体力が消耗するため，有効な咳嗽を行うことができない。排痰のタイミングにあわせ咳嗽介助を行うことで，有効な咳嗽を行うことができ，体力の消耗を防ぐことができる。

● スクイージング

胸郭の可動に応じて徒手的に介助し呼気の運動を補助することで，換気量を増大させ気流速度を上げることによって排痰を促し，呼吸仕事量を軽減させる。

● ハフィング（→ p328）

腹式呼吸で鼻からゆっくりと深く息を吸い込む。その後，腹部に手を当てて，前かがみとなり，呼気を勢いよく数回に分けて「ハッハッ」と吐く。これを4～5回行った後に，強く咳嗽を行う。

先に気道内の気流を増加させ，痰の移動を促し，中枢の気管支に痰が集まってから咳嗽をすることで，不必要な咳嗽を減らすことができる。

3）排痰時の援助

排痰における3要素は，気流速および呼気量，重力，痰の粘稠といわれている。それぞれに関連した排痰援助について説明する。

1 気流速を利用した排痰法

● ハフィング

前述「2）咳嗽時の援助」参照。

2 呼気量を増大させる排痰法

● スクイージング

前述「2）咳嗽時の援助」参照。

● 安楽な体位の保持

前述「2）咳嗽時の援助」参照。

● 治療に必要な薬物の管理

気管支拡張薬などで気道を拡張させ，吸入薬や内服薬の管理を行う。

3 重力を利用した排痰法

● 体位ドレナージ（→ p327）

痰が貯留した肺の区域を高くした体位をとることで，重力により痰の移動を促す。

4 痰の粘稠度を低下させる排痰法

● 水分補給

乾燥した口腔内や咽頭を湿潤させ，排痰が行いやすくなるよう水分補給を促す。

● 喀痰調整薬・気管支拡張薬の吸入・ネブライザーの使用

喀痰調整薬により痰の粘稠度を低下させ，気管支拡張薬で気管を広げ，ネブライザーで気道を湿潤し，痰の粘稠度をさらに低下させることで，排痰が行いやすくなる。

5 その他の排痰法

● 吸引

自力での排痰が困難な場合は，口腔や鼻腔から吸引を行う。

4）不安への援助

慢性的な咳嗽や排痰困難，それによる呼吸困難で，強い不安や死の恐怖を抱くことがある。咳嗽時の援助や排痰時の援助を行い，症状を軽減させる。また，そばに寄り添い，不安の表出を促し，訴えの傾聴を行い，不安やストレスを和らげる。

5）セルフマネジメント支援

日常生活において，慢性咳嗽や継続する喀痰に対して患者自身が対処する必要がある。そのため，看護師は，患者が咳嗽や喀痰をセルフマネジメントできるよう支援する。

症状を引き起こす疾患や誘発刺激，環境要因に対する理解度を確認し，患者の理解度に合わせて咳嗽や喀痰が生じる病態や，現在行われている治療について説明する。咳嗽の軽減や喀痰喀出が楽に行える対処法について，医療者と一緒に考え身につけられるよう，具体的な方法を教授し，繰り返し確認する。

日々の咳嗽や喀痰の様子を記入し，経時的に咳嗽や喀痰の様子を確認すること（セルフモニタリング）で，患者自身が咳嗽や喀痰量の増加，性状の悪化による感染徴候，基礎疾患の悪化などを早期に発見でき，適切に対処することができる。

患者自身がセルフマネジメントの方法を身につけ実践し，症状をコントロールすることで，自己効力感向上や不安の軽減にもつながる。

［平田聡子］

[文献]

1) 日本呼吸器学会咳嗽・喀痰の診療ガイドライン2019作成委員会編：咳嗽総論．咳嗽・喀痰の診療ガイドライン2019．p6，2019．
2) 森田敏子：咳嗽・喀痰喀出困難．小田正枝編，アセスメント看護計画がわかる症状別看護過程　第2版．p17，照林社，2021．
3) 三宅修司，平尾明美：咳嗽・喀痰．井上智子・他編，緊急度・重症度からみた症状別看護過程＋病態関連図　第4版，p473，医学書院，2023．
4) 前掲3，p474．
5) Morice AH, et al: British Thoracic Society Cough Guideline Group: Recommendations for the management of cough in adults. Thorax 61 (Suppl 1) : i1-24, 2006.
6) Spinou A, et al: An update on measurement and monitoring of cough: what are the important study endpoints? J Thorac Dis 6 (Suppl 7) : S728–S734, 2014.
7) 日本呼吸器学会咳嗽・喀痰の診療ガイドライン2019作成委員会編：咳嗽の評価方法．咳嗽・喀痰の診療ガイドライン2019，p145，2019．
8) Birring SS, et al: Development of a symptom specific health status measure for patients with chronic cough: Leicester Cough Questionnaire (LCQ). Thorax 58(4): 339-343, 2003.
9) Kanemitsu Y, et al: Gastroesophageal dysmotility is associated with the impairment of cough-specific quality of life in patients with cough variant asthma. Allergol Int 65(3): 320-326, 2016.
10) Yousaf N, et al: The assessment of quality of life in acute cough with the Leicester Cough Questionnaire (LCQ-acute). Cough 7(1): 4, 2011.
11) Lee KK, et al: A longitudinal assessment of acute cough. Am J Respir Crit Care Med 187(9): 991-997, 2013.
12) 前掲7，p145．
13) Newcombe PA, et al: Development of a parent-proxy quality-of-life chronic cough-specific questionnaire: clinical impact vs psychometric evaluations. Chest 133(2): 386-395, 2008.
14) Hsu JY, et al: Coughing frequency in patients with persistent cough: assessment using a 24 hour ambulatory recorder. Eur Respir J 7(7): 1246-1253, 1994.
15) Martin Nguyen A, et al: Quantitative measurement properties and score interpretation of the Cough Severity Diary in patients with chronic cough. Ther Adv Respir Dis 14: 1753466620915155, 2020.
16) 前掲書2，p24．
17) 前掲書3，p475．
18) 前掲書1，p24．
19) 前掲書1，p28．

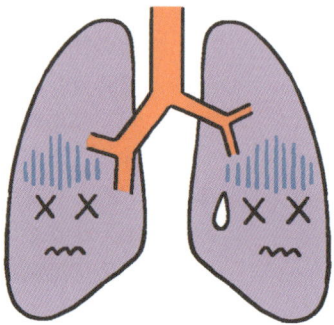

Column 気管吸引

　気管吸引は，痰等の気道分泌物を自身で喀出できない場合に，気管挿管や気管切開などの人工気道から，カテーテルを用いて吸引して分泌物を除去する手技である。安全で最低限の侵襲で吸引を行うために，吸引の必要性をアセスメントし，適切な手技，実施後の評価，感染管理などが大切である。**気道クリアランス**のためには必要な処置ではあるが，患者にとっては苦痛を伴う侵襲的な処置であることを念頭におき愛護的に行う。

1. 気管吸引の適応

　気管吸引は，慢性的に行うのではなく，吸引の必要性をアセスメントして実施する。気管吸引の適応（表1）の❶から❺が重要な条件であり，❻，❼だけでは吸引の適応とはならない。その状態が，気管内に分泌物があるために生じていると判断される場合に適応となる[1]。

　気管分岐部より先端の人工気道外にある分泌物は気管吸引では吸引できないので，**加温加湿，水分管理，呼吸理学療法**などの排痰方法を併用したうえで実施する。

2. 気管吸引の合併症と要因

　気管吸引の合併症とその要因について表2に示す。合併症の症状の出現や病態の悪化の誘発があるため，身体症状や病態の悪化のリスクの高い患者へ

表1 気管吸引の適応

咳嗽やその他の侵襲性の少ない体位ドレナージや排痰補助装置を用いても分泌物を喀出できず，気管内に分泌物がある場合。
❶努力性呼吸が強くなっている（呼吸数増加，浅速呼吸，陥没呼吸，呼吸補助筋活動の増加，呼気延長，呼吸困難による頻脈や血圧上昇など） ❷気管チューブ内に分泌物が見える ❸胸部聴診で，肺副雑音が聴取される，または呼吸音が減弱している ❹胸部触診で，分泌物が移動する振動を感じる ❺誤嚥した場合 ❻ガス交換障害がある（PaO_2の低下，SpO_2の低下） ❼人工呼吸器装着患者で気道狭窄の症状が出た場合 　①量設定モードの場合：気道内圧の増加がみられる 　②圧設定モードの場合：換気量低下がみられる

（日本呼吸療法医学会 気管吸引ガイドライン改訂ワーキンググループ・他：気管吸引ガイドライン2023 改訂第3版（成人で人工気道を有する患者のための）．呼吸療法 41：1-47，2024．をもとに筆者が作成）

表2 気管吸引の合併症と要因

❶低酸素血症：吸入気酸素濃度の低下，PEEPの解除による ❷気管・気管支粘膜損傷・気道出血：高い吸引圧や硬い吸引カテーテルによる外傷 ❸気管支攣縮：吸引による迷走神経刺激 ❹無気肺・肺容量の減少：吸引による末梢気道・肺胞の虚脱 ❺経気道感染：不潔操作 ❻血圧変動（上昇，低下）：交感神経刺激，迷走神経反射 ❼頻脈，徐脈，不整脈：交感神経刺激，低酸素による冠動脈攣縮 ❽平均動脈圧・頭蓋内圧上昇：吸引刺激による咳嗽による胸腔内圧上昇 ❾吸引刺激による病態の悪化：気管・気管支の術後，開心術後，脳出血

（日本呼吸療法医学会 気管吸引ガイドライン改訂ワーキンググループ・他：気管吸引ガイドライン2023 改訂第3版（成人で人工気道を有する患者のための）．呼吸療法 41：1-47，2024．をもとに筆者が作成）

の気管吸引は慎重に行う。同時に実施前に，合併症に対応できるよう準備する。

吸引中や吸引後に，**一時的かつ短時間で回復する酸素飽和度の低下などが生じた場合**には，経皮的動脈血酸素飽和度（SpO_2）モニターによる監視を行い経過観察で対応する。**症状が速やかに改善しない場合**は，応援要請とともに高流量の酸素投与を行い，必要に応じて救命処置へ移行する場合もある。**出血や気管粘膜の損傷が生じたときは**，出血量や持続時間などを医師に報告し，止血処置を実施する。

3. 基本手技

1 吸引カテーテルの選択
- 吸引カテーテルの外径は人工気道の内径の2分の1以下が推奨されている[2]
- 開放式吸引を行う場合には吸引カテーテルは1回使用（シングルユース）とする
- 閉鎖式吸引は回路の接続を離さないので，❶吸引中も換気が続けられFiO_2（吸入酸素濃度）の低下による低酸素血症を起こしにくい，❷肺容量の低下が少なくPEEP（呼気終末陽圧）が解除されない，❸吸引時の細菌曝露は閉鎖式吸引のほうが少なく交差感染予防になる，❹患者の気道内を汚染する可能性が低いとされる。ただし，閉鎖式吸引と開放式吸引ではVAP（人工呼吸器関連肺炎）発生率に差はない[3]

2 吸引圧
- 最大で**200mmHg以下**が推奨される[4]
- 吸引圧はカテーテルを完全閉塞の状態で設定する

3 吸引時間
- 1回の吸引において，吸引カテーテル挿入から吸引終了までの時間は**15秒以内**とする
- 吸引操作は10秒以上行わず，短時間で実施する

4 吸引カテーテル挿入の深さ
- カテーテル先端が気管分岐部に当たらない位置までとする
- 合併症を最小限にとどめるために，カテーテル先端が人工気道から出ないよう人工気道の長さを把握し，事前に同じカテーテルで挿入長を確認しておくことが望ましい

5 吸引操作手順
- スタンダードプリコーションにそった準備（手洗い，ガウン，マスク，グローブ使用）をする
- 患者に吸引を行うことを説明する
- 表3のとおり実施する
- 気管吸引を行うことで**低酸素血症や循環動態に変**

表3 吸引操作の手順

❶カフ圧チェック，口腔内，必要時鼻腔内吸引を行う。カフ上部に吸引ポートがついていれば，カフ上部吸引を行い，たれ込みを防ぐ
❷吸引カテーテルを挿入するときは吸引圧をかけず，吸気に合わせて行う
❸抵抗を感じたら，無理に押し込まない
❹圧をかけながらゆっくり引き戻し，分泌物がある場所で，さらにゆっくりと引き戻す
❺一度の吸引で取りきれない場合は，再度吸引の必要性についてアセスメントを行い，吸引可能な状態であること（SpO_2値の回復やほかのバイタルサイン）を確認したのちに再吸引を行う
❻その場合，吸引カテーテルの外側に付着している分泌物をアルコール綿でふき取ってから行う（開放式吸引の場合）
❼吸引カテーテル内の洗浄は滅菌蒸留水もしくは生理食塩水で行う
❽吸引ビンまでの吸引ランニングチューブの洗浄は水道水でもよい
❾口腔内の吸引を行う（カフ上部に吸引ポートがあれば吸引する）
❿吸引が終了したことを患者に告げ，労をねぎらい，手洗いを行う

動を呈す患者に対しては，気管吸引前に**酸素投与**を行うこともある。高濃度酸素投与に伴う**呼吸性無気肺**や**活性酸素による肺障害**などが懸念されるため，FiO_2はベースラインよりも0.2程度高くした酸素化でよい[1]。

6 吸引後の評価

実施した吸引が効果的であったか，状況が改善したかをアセスメントする。また，吸引中を含め合併症の有無を十分に観察，評価する。

- 理学所見
  - 視診：呼吸数や呼吸様式の改善
  - 触診：胸郭の振動の消失や広がり方の改善
  - 聴診：副雑音の消失，減弱した呼吸音の改善
- 循環動態
  - 脈拍，血圧の正常化
- ガス交換所見
  - SpO_2，PaO_2の改善
- 分泌物の性状
  - 色，量，粘性，臭い，出血の有無など
- 人工呼吸器装着時
  - バッキングの消失
  - 圧設定モードの場合：換気量の増加
  - 量設定モードの場合：気道内圧の低下

[岡本美穂]

[文献]
1) 日本呼吸療法医学会 気管吸引ガイドライン改訂ワーキンググループ・他：気管吸引ガイドライン2023 改訂第3版（成人で人工気道を有する患者のための）．呼吸療法 41：1-47, 2024.
2) 前掲書1，pp24-25.
3) 前掲書1，pp21-24.
4) 前掲書1，p33.

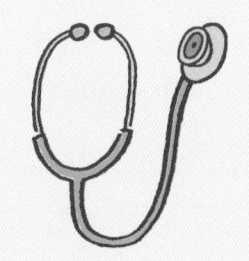

Column 気管支内視鏡検査

1. 概要

　気管支内視鏡による検査は，**気管支内視鏡**（図1）という柔軟性のある屈曲する細いカメラを鼻もしくは口から挿入し，**気管支の内腔を観察**したり，気管支や肺の細胞の一部を採取して**組織を調べる**検査である。気管支内腔の狭窄部位にステントを挿入したり，貯留した痰を吸引で除去するなど，**気管や気管支の狭窄に対する治療や処置**も行われる。

　病変が気管支内視鏡下に確認できる場合は，直接観察したり検体採取を行うが，気管支内視鏡下で確認できない領域ではX線透視下で確認をして，その先端（図2）にある処置口より鉗子や鋭匙，ブラシ，穿刺針を挿入して組織を採取する。

図1 気管支内視鏡（気管支ファイバースコープ）

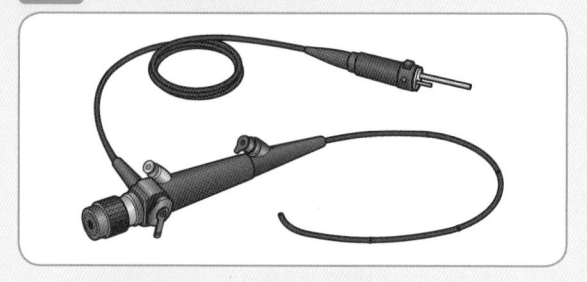

図2 気管支内視鏡（気管支ファイバースコープ）の先端

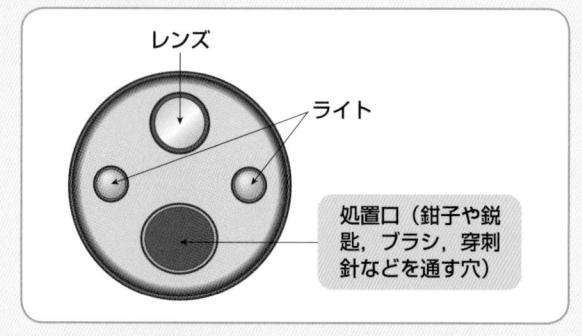

レンズ／ライト／処置口（鉗子や鋭匙，ブラシ，穿刺針などを通す穴）

2. 主な検査

1 経気管支肺生検（transbronchial lung biopsy：TBLB）

　末梢肺野の病変の組織検体を鉗子を使って採取する方法で，採取した検体は組織や細胞の状態を確認し，疾患の診断や病期判定などに用いられる。適応は気管支鏡下で病変の位置が確認できない，末梢気管支から肺野に存在する病変である。対象病変は悪性腫瘍，良性腫瘍，肉芽など炎症性疾患，細菌性の肺炎，間質性肺炎など診断に広く用いられている。

2 気管支肺胞洗浄（bronchoalveolar lavage：BAL）

　病変部のある肺の一区域に**生理食塩水**を注入し，**洗浄を繰り返して，細胞成分や液性成分を回収する方法**である。この回収液のことをBALFという。回収液中のマクロファージ，好中球，リンパ球，好酸球などの白血球細胞や肥満細胞を調べることにより，診断できる。その他，肺炎の原因となる微生物の回収を行い，**原因菌の特定**を行う。気管支内視鏡を施行できる呼吸状態にある患者には，ほぼ適応可能である。

3. 検査の方法および流れ

①検査前の4時間（1食）は**絶食**する
②検査中は話すことができないため，気分不良などの**合図**の確認をしておく
③検査直前に霧状の麻酔薬を吸入したり，**局所麻酔薬のスプレーを咽頭に噴霧**したりする
　▶嘔吐反射や咽頭の不快感を取り除く
④心電図，酸素飽和度や血圧測定などのモニター（酸素吸入の場合もある）を装着する
⑤検査中に薬剤から**目を保護**するため，目をガーゼなどで覆い隠す
⑥鎮静を行う
⑦**緊急時・低酸素時**に備えて，救急カートやバッグバルブマスク（アンビューバッグ）をすぐに使用できる場所に配備し，検査・処置中に問題が起こったときの対応をチーム内で確認しておく
⑧気管支鏡を鼻または口から**挿入**する。鼻からの場

合は局所麻酔薬を鼻孔入口に塗布する．口からの場合はマウスピースをくわえる

⑨左右すべての亜区域気管支といわれる直径5 mm程度の気管支まで観察し，病変の有無を確認する．途中で咳が出る場合には気管支内へ局所麻酔薬を追加与薬する

⑩病変部の確認，各検査を行う．X線透視や超音波検査（エコー）を併用して細胞および組織を採取したり，生理食塩水を入れ洗浄液を回収する

⑪**出血の有無**を確認し終了する．検査時間は20〜30分程度であるが，検査や処置の内容で異なる

⑫検査の終了2時間後に飲水し，ムセがないことを確認する．その後は飲食可能となる

4. 検査中の看護

気管支鏡検査中は，患者は発声できないため，意思表示が困難となる．生体監視モニターを装着し，心拍数，呼吸数，血圧，経皮的動脈血酸素飽和度（SpO$_2$）を測定し，異常の早期発見に努める．

気管支鏡検査は，**苦痛を伴う**ことが多いため，**鎮静レベルの評価**を行い，安全・安楽に検査が受けられるよう**体位を調整**し，**不快症状の軽減**に努める．

5. 合併症

検査中の合併症や起こりやすい合併症があり，さまざまな追加の処置が必要となるため，事前に検査の内容を把握し，合併症に対応できるよう準備する．

1 検査中の合併症

● 麻酔薬によるアレルギーや中毒

局所麻酔薬に使用される**リドカインにアレルギー反応**を起こす場合がある．検査を中止し，治療を行う．麻酔薬の与薬量が多い場合は**中毒症状（めまい，血圧低下，不整脈，けいれんなど）**を発症する

場合があるため，与薬を中止し**脂肪乳化剤**の与薬を考慮した治療を行う．

2 起こりやすい合併症

● 肺・気管支からの出血

細胞や組織採取時に少量の出血があるが，すぐに**止血**する．まれに出血量が多い場合は，**止血剤の注入**を行う場合や，気管支内にバルーンを挿入して止血する場合があり，症状の早期発見に努める．

● 気胸

組織採取時に**胸膜が損傷**し肺内の空気が胸腔内にもれてしまい気胸を発症する．2〜3日の安静のみで軽快することが多いが，**喫煙歴**がある場合には肺の損傷が大きく**胸腔ドレナージ**を行う場合もある．

● 発熱や肺炎

感染により，発熱したり肺炎が起こったりすることがある．肺炎を合併した場合は，**抗菌薬**の与薬が行われる．

● その他

発生率は低いが，**喘息発作**や**呼吸不全**，**心筋梗塞**や**不整脈**などの心血管系の合併症などが発生する．

検査の進行だけでなく，**患者の表情**や**呼吸様式**，**発汗**や**チアノーゼ**など，全身状態の変化をいち早く発見することが大切である．

［福原裕美子］

[参考文献]

- 日本呼吸器内視鏡学会気管支鏡診療における鎮静に関するガイドラインワーキンググループ：呼吸器内視鏡診療における鎮静に関する安全指針．https://www.jsre.org/uploads/files/info/2401_shishin.pdf（2025年2月17日閲覧）
- 日本麻酔科学会：局所麻酔薬中毒への対応プラクティカルガイド．2017．https://anesth.or.jp/files/pdf/practical_localanesthesia.pdf（2025年2月17日閲覧）
- 日本呼吸器学会：呼吸器Q＆A　33．気管支内視鏡とはなんですか？　https://www.jrs.or.jp/citizen/faq/q33.html（2025年2月17日閲覧）
- 日本呼吸器内視鏡学会：気管支鏡による検査，治療についてQ＆A（改訂版）．https://www.jsre.org/modules/general/index.php?content_id=1（2025年2月16日閲覧）

第Ⅰ部　症状別看護ケア関連図

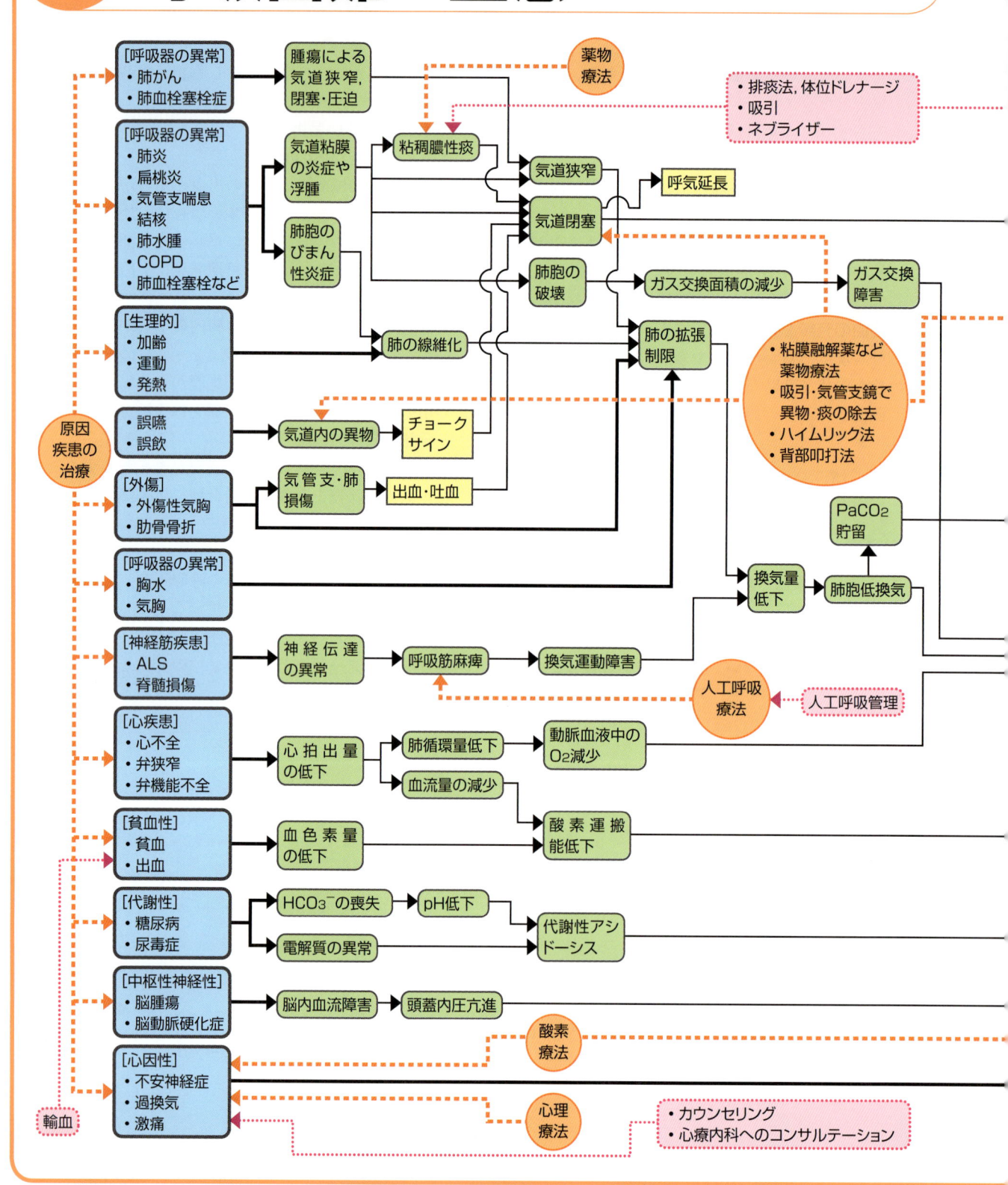

2 呼吸困難・窒息

原因疾患の治療

[呼吸器の異常]
- 肺がん
- 肺血栓塞栓症

→ 腫瘍による気道狭窄, 閉塞・圧迫

[呼吸器の異常]
- 肺炎
- 扁桃炎
- 気管支喘息
- 結核
- 肺水腫
- COPD
- 肺血栓塞栓 など

→ 気道粘膜の炎症や浮腫 → 粘稠膿性痰
→ 肺胞のびまん性炎症 → 肺胞の破壊

[生理的]
- 加齢
- 運動
- 発熱

→ 肺の線維化

- 誤嚥
- 誤飲

→ 気道内の異物 → チョークサイン

[外傷]
- 外傷性気胸
- 肋骨骨折

→ 気管支・肺損傷 → 出血・吐血

[呼吸器の異常]
- 胸水
- 気胸

[神経筋疾患]
- ALS
- 脊髄損傷

→ 神経伝達の異常 → 呼吸筋麻痺 → 換気運動障害

[心疾患]
- 心不全
- 弁狭窄
- 弁機能不全

→ 心拍出量の低下 → 肺循環量低下 → 動脈血液中のO₂減少
→ 血流量の減少

[貧血性]
- 貧血
- 出血

→ 血色素量の低下 → 酸素運搬能低下

[代謝性]
- 糖尿病
- 尿毒症

→ HCO₃⁻の喪失 → pH低下 → 代謝性アシドーシス
→ 電解質の異常

[中枢性神経性]
- 脳腫瘍
- 脳動脈硬化症

→ 脳内血流障害 → 頭蓋内圧亢進

[心因性]
- 不安神経症
- 過換気
- 激痛

気道狭窄 → 呼気延長
気道閉塞
肺の拡張制限
ガス交換面積の減少 → ガス交換障害
PaCO₂貯留
換気量低下 → 肺胞低換気

薬物療法

- 排痰法, 体位ドレナージ
- 吸引
- ネブライザー

- 粘膜融解薬など薬物療法
- 吸引・気管支鏡で異物・痰の除去
- ハイムリック法
- 背部叩打法

人工呼吸療法　人工呼吸管理

酸素療法

心理療法

- カウンセリング
- 心療内科へのコンサルテーション

輸血

❷ 呼吸困難・窒息 看護ケア関連図

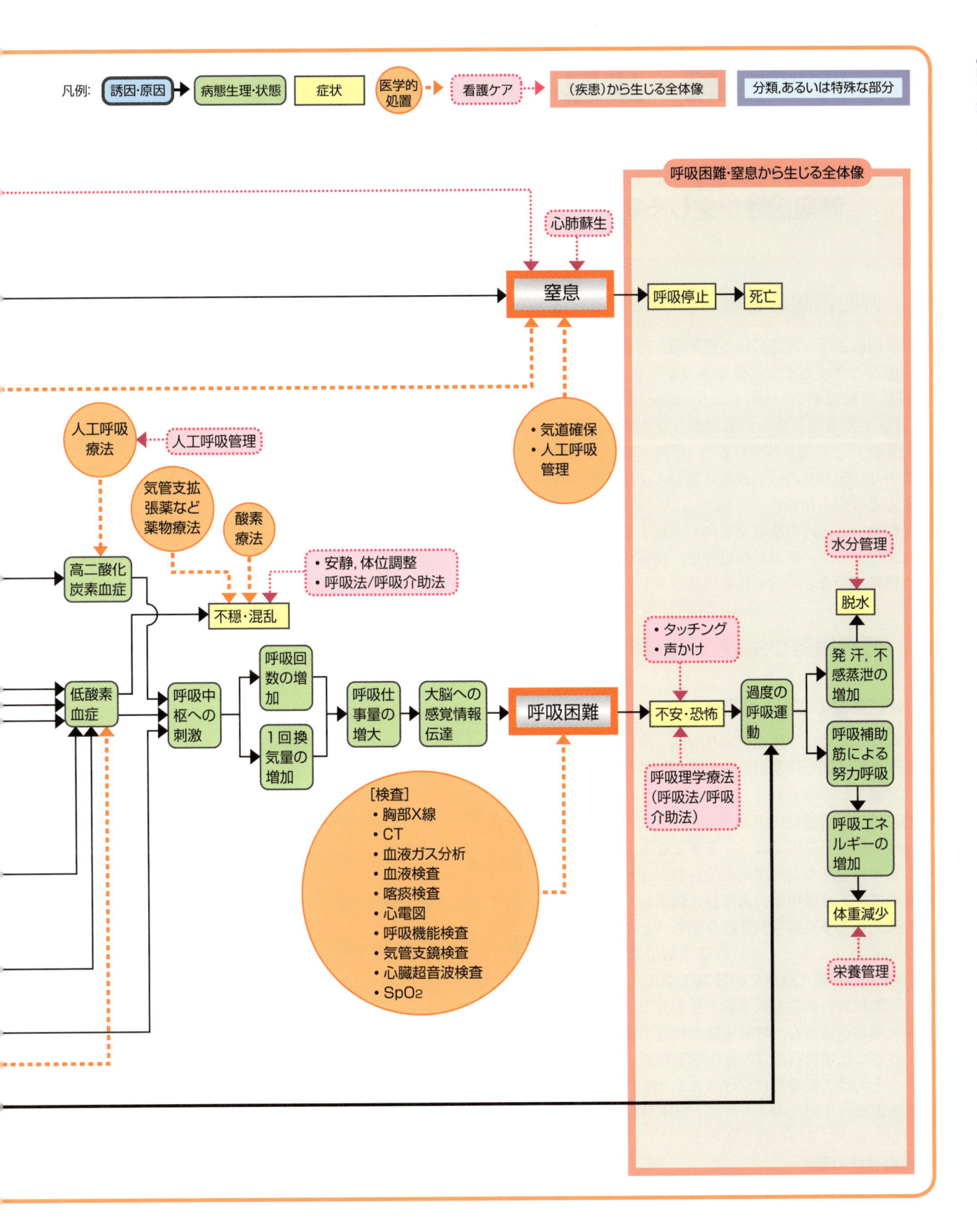

凡例： 誘因・原因 → 病態生理・状態　症状　医学的処置 ⇢ 看護ケア　（疾患）から生じる全体像　分類，あるいは特殊な部分

呼吸困難・窒息から生じる全体像

- 心肺蘇生 ⇢ **窒息** → 呼吸停止 → 死亡
- 気道確保／人工呼吸管理

- 人工呼吸療法 ← 人工呼吸管理
- 気管支拡張薬など薬物療法
- 酸素療法
- 安静，体位調整／呼吸法・呼吸介助法

- 高二酸化炭素血症
- 低酸素血症
- 不穏・混乱
- 呼吸中枢への刺激 → 呼吸回数の増加／1回換気量の増加 → 呼吸仕事量の増大 → 大脳への感覚情報伝達 → **呼吸困難**

- タッチング／声かけ ⇢ 不安・恐怖
- 呼吸理学療法（呼吸法／呼吸介助法）
- 過度の呼吸運動 → 発汗，不感蒸泄の増加 → 脱水（水分管理）
- 呼吸補助筋による努力呼吸 → 呼吸エネルギーの増加 → 体重減少（栄養管理）

[検査]
- 胸部X線
- CT
- 血液ガス分析
- 血液検査
- 喀痰検査
- 心電図
- 呼吸機能検査
- 気管支鏡検査
- 心臓超音波検査
- SpO_2

31

第Ⅰ部　症状別看護ケア関連図

2　呼吸困難・窒息

Ⅰ　呼吸困難が生じる病態生理

1. 呼吸困難の定義

呼吸困難とは，呼吸に伴う違和感，苦痛感，呼吸の不満足感などさまざまな不快な感覚からなる症状である。米国胸部疾患学会（American Thoracic Society：ATS）では，「強さや質的に異なる感覚からなる呼吸不快感の主観的体験」と定義されている[1]。呼吸困難は**主観的なもの**であり，同程度の呼吸機能障害の人が同じ呼吸困難を有するとは限らない。

運動時など体内の酸素要求量が増加するときにも呼吸困難を感じるが，呼吸器疾患の他，**循環器疾患，代謝疾患や精神疾患**などで強い呼吸困難が生じることがある。

2. 呼吸困難が生じるメカニズム

1）呼吸困難の原因と病態

呼吸は，体外から酸素を取り入れ二酸化炭素を体外へ排出する**外呼吸**と，細胞と血液中の間でのガス交換を行う**内呼吸**とに分けられる。呼吸困難をきたす原因は，一般的には外呼吸機能の障害と考えられている。

外呼吸機能の障害では，さまざまな原因により体内で起こるガス分圧などの変化を受容器が感知し，その情報が延髄にある呼吸中枢の調節器に刺激し，**呼吸回数の増加や努力して多くの空気を取り込もうとする**ことで，変化を是正させようとする。呼吸回数の増加や努力呼吸は，**呼吸仕事量（換気に必要なエネルギー）を増大させ**，実際に行われる呼吸運動と見合わない場合に感覚情報が大脳に伝達され，呼吸困難を自覚する。

受容器は**化学受容器（中枢化学受容器・末梢化学受容器）とその他の受容器**に分けられる（表1）。

呼吸困難の生理的なメカニズムは十分に解明されていないが，以下に6つの説を述べる。

① 呼吸機能の障害

気道粘膜の炎症や浮腫により**粘稠な膿性痰**が貯留するなど上気道や下気道の閉塞や狭窄が起こり，吸気や呼気，あるいは両方に閉塞性の換気障害が生じると，換気に要する呼吸努力は増大する。炎症によって肺胞が破壊されると，ガス交換面積が低下して**ガス交換障害**が起こる。また，肺線維症，肺結核後遺症などによって肺コンプライアンスが低下し肺の拡張が制限され，**拘束性の換気障害を招く**と呼吸筋の仕事量は増大する。ガス交換障害や換気量の低下により動脈血二酸化炭素分圧（$PaCO_2$）の上昇や酸素分圧の低下が起こり，呼吸中枢を刺激する。

気胸では胸壁や肺表面の損傷により壁側胸膜と臓側胸膜の間に空気が貯留し，**肺が虚脱し換気が障害される。**

また，神経筋疾患では**呼吸筋が麻痺**することで換気運動が障害される。

② 血液ガス分圧の異常

心機能の低下にともなう肺うっ血や肺間質性浮腫などによる血流量減少，動脈血液中のpH，PaO_2，$PaCO_2$の異常が延髄の呼吸中枢へ伝達され，呼吸中枢の興奮性が増大する。その結果，換気努力が増大し呼吸困難が引き起こされる。

腎不全ではHCO_3^-が喪失され，H^+イオンが貯留し，**代謝性アシドーシスや電解質異常**が起こり，血中のCO_2やpHの低下により呼吸中枢が興奮すると呼吸困難が起きる。

③ 呼吸筋の張力の不均衡

呼吸筋は，収縮力（張力）により長さを変える。何らかの要因で張力に見合うだけの筋肉の収縮が得られていないとき，筋肉に埋め込まれている**筋紡錘**というセンサが，そのアンバランスを神経信号に変換して中枢へ伝達し，それが呼吸困難として自覚される。

胸郭や脊柱の運動制限，神経伝達の異常により呼吸筋が麻痺するなど胸郭の運動制限が生じると，呼吸運動の

表1　受容器

化学受容器（血液中の酸素や二酸化炭素，pHなどの変化を感知する）	・中枢化学受容器（延髄） ・末梢化学受容器（頸動脈小体と大動脈小体）
その他の受容器	・肺や鼻や咽頭など上気道に存在する ・関節や筋肉に存在し運動を感知する

抑制や浅呼吸となる。それにより，**低換気**となりCO_2の増加および pH の低下が起こる。

4 相対的酸素不足

運動時や，発熱による代謝亢進によって，CO_2の増加および pH の低下が起こる。

貧血による血色素量（ヘモグロビン）の低下など酸素運搬能の低下により，血中O_2不足が生じる。

高地などでは外気のO_2が不足するため，呼吸中枢の興奮性が増大する。

5 脳幹で生じる呼吸運動出力の増強

脳内の血流障害や頭蓋内圧亢進が呼吸中枢を刺激し，呼吸運動が促進される。また，薬物の作用により，呼吸反射の抑制を起こす。

6 精神的要因

心因性に過呼吸となり，$PaCO_2$の低下や pH の上昇が起こり，**呼吸性アルカローシス**となる。大脳視床下部からの刺激および呼吸中枢の興奮性が増大する。

3. 呼吸困難の分類

呼吸困難の分類には，「原因による分類」，「発現の仕方による分類」，「呼吸位相による分類」がある。

1）原因による分類

原因による呼吸困難の分類を**表2**に示す。呼吸困難の原因は，呼吸器系の疾患とは限らず，**心疾患や精神的な原因**が誘因となることがあるため，注意を要する。

2）発現の仕方による分類

呼吸困難の発現の仕方によって，**突発性呼吸困難，発作性呼吸困難，慢性呼吸困難**に分けることができる。発現時期や基礎疾患の有無など，丁寧に聴取して原因疾患を鑑別する（**表3**）。

3）呼気・吸気位相の違いによる呼吸困難の分類

呼吸困難が起こる**呼吸の位相**により，原因を推定することができる（**表4**，→p35）。特に**吸気時の呼吸困難**で，**窒息や外傷**などによる**気道の狭窄・閉塞**は，生命の危険があるため，早急に対応する必要がある。

4. 呼吸困難の検査と鑑別診断

呼吸困難の種類や原因をアセスメントし，発現の様式や症状の経過，随伴症状の観察と身体診査により得られる所見から緊急性と重要度に応じた治療や検査など迅速に対処する。

1）検査

1 病歴や身体所見

基礎疾患の有無の確認や，呼吸困難の経過と息苦しさ，息切れなどの表2の症状について，**出現状況，発症時期，持続時間，頻度**を丁寧に聴取する。表2～4の呼吸困難の分類をもとに，呼吸困難の原因を判断する。

2 呼吸困難の程度の把握

呼吸困難は主観的な感覚であるが，できるだけ客観的な評価指標を用い，症状悪化を早期に発見し，鑑別や重症度，治療の効果判定を行う。呼吸困難の強弱の感じ方は個人によってさまざまであり，呼吸器系の検査値や所見と必ずしも一致しないことに注意する。

呼吸困難に対する評価には，直接的評価法と間接的評価法がある。

- **直接的評価法：修正ボルグスケール（修正 Borg scale）**（表5，→p35）

運動中の息切れや疲労度を客観的に評価するスケールで，0～10に0.5を加えた12段階で表される。3（中くらい）が最大の心拍数の60％，5（きつい）が85％に相当するとされている。運動療法を実施する目安となる。

- **間接的評価法：mMRC 息切れスケール（修正 MRC 質問票）**（表6，→p35）

世界的に用いられている，修正 MRC 質問票は，Fletcher が使用していた息切れスケールをもとに，イギリスで作成され，諸外国で独自に修正して使用されている。そのため，グレードが0から始まるものと1から始まるものとが混在している点に注意が必要である。本書では，日本呼吸器学会の COPD 診断と治療のためのガイドラインに掲載されている mMRC 息切れスケールを紹介する。

- **間接的評価法：ヒュージョーンズ（Hugh-Jones）の分類**（表7，→p35）

慢性閉塞性肺疾患患者の運動機能と呼吸困難の程度からみた，重症度を評価する方法である。この分類は，日本でしか用いられていないため，世界標準の mMRC 息切れスケールを使用することが多い。

3 血液検査

血液ガス分析により低酸素血症など呼吸不全の程度を評価する。**末梢血液検査により貧血の有無，生化学検査により炎症の有無，疾患特有のマーカー（BNP，**

表2 呼吸困難の原因による分類

分類	原因	随伴症状	主な疾患
呼吸器の異常による呼吸困難	肺・気道の変化による換気量の減少，換気仕事量の増大，ガス交換障害	＜急性＞胸痛，咳嗽，呼吸音左右差，喘鳴（気管支喘息）	COPD急性増悪，気管支喘息
		＜慢性＞咳嗽，多量の喀痰，労作時息切れ，呼気延長	COPD，肺気腫，間質性肺炎
	肺の炎症やがん細胞の浸潤による肺胞面積の減少	＜急性＞発熱，膿性痰，水泡音・捻髪音	肺炎，肺水腫
		＜慢性＞胸痛，血痰	肺がん
	気道の炎症や腫脹による気道狭窄・閉塞	＜急性＞咳嗽，喘鳴，呼吸音左右差	咽喉頭・気管支内の異物や腫瘍
		＜慢性＞いびき音・笛音	扁桃炎，COPD，気管支喘息
	胸壁や肺表面の損傷による肺虚脱	＜急性＞胸痛，喀血，呼吸音左右差	気胸，肋骨骨折など外傷
	肺動脈末梢の閉塞	＜急性＞胸痛，血痰	肺血栓塞栓症
	肺の炎症と線維化による換気量の低下	＜急性＞浅い頻呼吸，咳嗽，捻髪音，蜂巣肺，肺野全体のすりガラス陰影	間質性肺炎急性増悪
		＜慢性＞咳嗽，捻髪音，呼吸音左右差	粟粒結核，間質性肺炎
心疾患による呼吸困難	心機能低下による肺うっ血，肺間質性浮腫などが原因の血流量減少，CO_2低下，動脈血O_2減少・不足	＜急性＞胸痛，浮腫，心拡大，発汗	急性心不全（発作性心房細動など）急性心筋梗塞，心原性ショック（輸液過多など）
		＜慢性＞浮腫，心拡大，肺浸潤影	慢性心不全，大動脈弁機能不全，大動脈弁狭窄，僧帽弁機能不全，僧帽弁狭窄，不整脈
中枢性神経性呼吸困難	呼吸中枢の炎症，血流障害，頭蓋内圧亢進などの刺激による呼吸中枢の興奮性の増大	＜急性＞頭痛，嘔気，意識障害，脳の局在症状	脳炎，脳動脈硬化症，脳腫瘍，脳外傷
神経筋疾患による呼吸困難	呼吸筋の麻痺による呼吸運動抑制，浅呼吸，低換気	＜慢性＞筋力低下，麻痺	重症筋無力症，ALS，脊髄損傷
貧血性呼吸困難	血色素（ヘモグロビン）の低下，酸素運搬能の低下，血中のO_2不足	＜慢性＞眼瞼結膜の蒼白	重症貧血，大出血
代謝性呼吸困難	HCO_3^-の喪失による代謝性アシドーシスや電解質異常	＜急性＞意識障害，低血圧，頻脈，クスマウル呼吸，嘔気，浮腫，高血圧（尿毒症）	糖尿病，尿毒症
心因性呼吸困難	過換気による呼吸性アルカローシス	＜急性＞しびれ，筋けいれん，意識障害，頭痛，不安感	ヒステリー，激痛，過換気症候群，不安神経症
骨格による呼吸困難	脊柱の運動制限による胸郭の運動制限に起因する低換気	＜慢性＞胸郭の変形	側弯や後弯
生理的呼吸困難	代謝亢進によるCO_2の増加，外気のO_2不足	＜急性＞意識障害，頭痛	運動，高熱，登山時，加齢，高山病
その他	横隔膜が挙上され換気運動が阻害	＜慢性＞咳嗽，喀痰（腹水），腹部膨満感	横隔膜挙上を起こす腹水，過食，便秘

表3 発現の仕方による呼吸困難の分類と疾患

突発性呼吸困難	発作性呼吸困難	持続性・慢性呼吸困難
●自然気胸 ●胸膜炎 ●急性心不全 ●肺炎 ●過換気症候群 ●異物誤飲 など	●気管支喘息	●慢性気管支炎 ●慢性肺疾患 ●慢性心不全

表4 呼吸位相による呼吸困難の分類と原因

吸気性呼吸困難	呼気性呼吸困難	混合性呼吸困難
●上気道狭窄 ●窒息 ●上気道異物 ●喉頭蓋炎 ●外傷 など (※緊急度高い)	●末梢気道閉塞 ●気管支喘息 ●細気管支炎 ●肺気腫	●肺炎 ●結核 ●肺水腫 ●気胸 など

表5 修正ボルグスケール（Borg scale）

0	感じない（nothing at all）
0.5	非常に楽（very, very slight）
1	やや楽（very slight）
2	楽（slight（light））
3	ちょうどよい
4	ややきつい（some what severe）
5	きつい（severe（heavy））
6	
7	かなりきつい（very severe）
8	
9	
10	非常にきつい（very, very severe）

表6 mMRC息切れスケール（修正MRC質問票）

グレード分類	あてはまるものにチェックしてください（1つだけ）
0	激しい運動をした時だけ息切れがある
1	平坦な道を早足で歩く，あるいは緩やかな上り坂を歩くときに息切れがある。
2	息切れがあるので，同年代の人よりも平坦な道を歩くのが遅い，あるいは平坦な道を自分のペースで歩いているとき，息切れのために立ち止まることがある。
3	平坦な道を約100m，あるいは数分歩くと息切れのために立ち止まる。
4	息切れがひどく家から出られない，あるいは衣服の着替えをするときにも息切れがある。

（日本呼吸器学会COPDガイドライン第6版作成委員会編：COPD（慢性閉塞性肺疾患）診断と治療のためのガイドライン2022. p57, メディカルレビュー社，2022. より）

表7 ヒュージョーンズ（Hugh-Jones）の分類

Ⅰ度	同年齢の健康者と同様の労作ができ，歩行，階段の昇降も健康者並みにできる
Ⅱ度	同年齢の健康者と同様に歩行できるが，坂道，階段の昇降は健康者並みにできない
Ⅲ度	平地でさえ健康者並には歩けないが，自分のペースでなら約1.6km以上歩ける
Ⅳ度	休みながらでなければ45m以上歩けない
Ⅴ度	会話，着物の着脱にも息切れがする。息切れのため外出できない

7 呼吸機能検査

肺気量分画，肺コンプライアンス，クロージングボリューム（CV）などを測定し，換気障害の判定や呼吸器疾患の鑑別を行う。

8 喀痰検査

塗抹，培養，細胞診などにより**感染症**や**悪性腫瘍**の鑑別を行う。

9 気管支鏡検査

呼吸器疾患の鑑別のために行う。

2）鑑別診断

図1に**急性呼吸困難**の診断の進め方，**図2**に**慢性呼吸困難**の診断の進め方を示す。

KL-6など）の値の上昇の有無を評価する。

4 胸部X線

肺野の病変（**すりガラス陰影**や**浸潤影**など），胸水の有無，胸郭の変形，心肥大などの確認を行う。

5 胸部CT

肺病変の詳しい状態の把握と呼吸困難が生じる原因の精査のため行う。

6 心電図・心エコー

呼吸困難の原因となりうる心疾患の鑑別のため行う。

図1 急性呼吸困難の診断の進め方

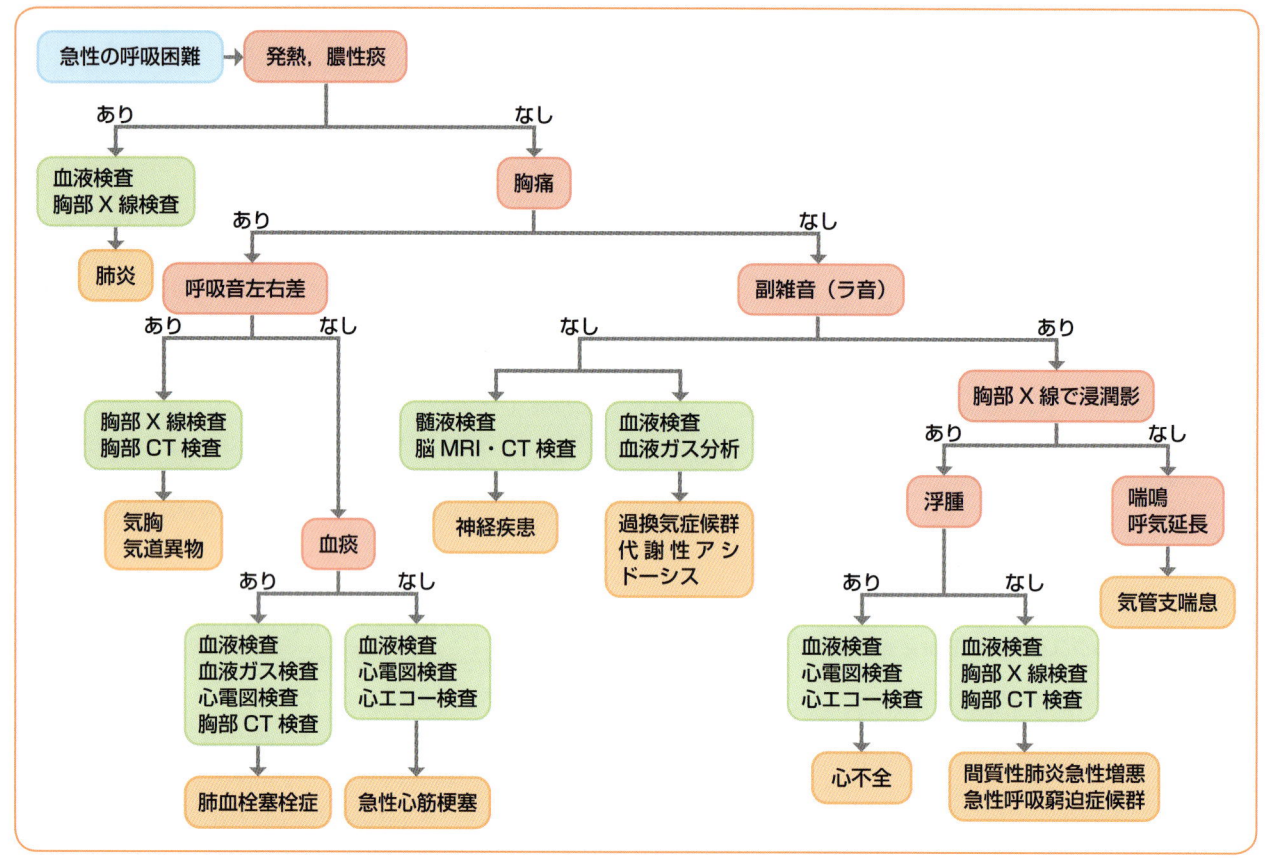

```
急性の呼吸困難 → 発熱,膿性痰
  ├─ あり → 血液検査／胸部X線検査 → 肺炎
  └─ なし → 胸痛
       ├─ あり → 呼吸音左右差
       │    ├─ あり → 胸部X線検査／胸部CT検査 → 気胸／気道異物
       │    └─ なし → 血痰
       │         ├─ あり → 血液検査／血液ガス検査／心電図検査／胸部CT検査 → 肺血栓塞栓症
       │         └─ なし → 血液検査／心電図検査／心エコー検査 → 急性心筋梗塞
       └─ なし → 副雑音（ラ音）
            ├─ なし → 髄液検査／脳MRI・CT検査 → 神経疾患
            │     または 血液検査／血液ガス分析 → 過換気症候群／代謝性アシドーシス
            └─ あり → 胸部X線で浸潤影
                 ├─ あり → 浮腫
                 │    ├─ あり → 血液検査／心電図検査／心エコー検査 → 心不全
                 │    └─ なし → 血液検査／胸部X線検査／胸部CT検査 → 間質性肺炎急性増悪／急性呼吸窮迫症候群
                 └─ なし → 喘鳴／呼気延長 → 気管支喘息
```

（宮崎泰成・他：呼吸困難．井上智子・他編，緊急度・重症度からみた症状別看護過程　第4版，p502，医学書院，2023．より）

図2 慢性呼吸困難の診断の進め方

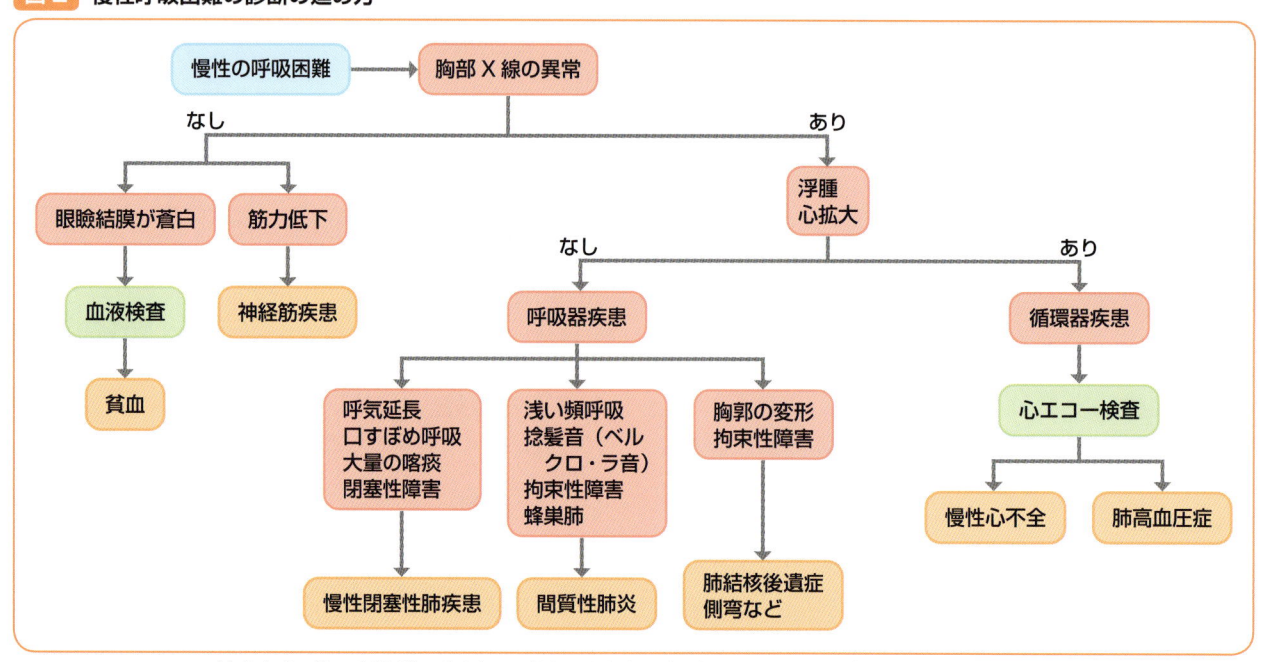

```
慢性の呼吸困難 → 胸部X線の異常
  ├─ なし
  │   ├─ 眼瞼結膜が蒼白 → 血液検査 → 貧血
  │   └─ 筋力低下 → 神経筋疾患
  └─ あり → 浮腫／心拡大
       ├─ なし → 呼吸器疾患
       │    ├─ 呼気延長／口すぼめ呼吸／大量の喀痰／閉塞性障害 → 慢性閉塞性肺疾患
       │    ├─ 浅い頻呼吸／捻髪音（ベルクロ・ラ音）／拘束性障害／蜂巣肺 → 間質性肺炎
       │    └─ 胸郭の変形／拘束性障害 → 肺結核後遺症／側弯など
       └─ あり → 循環器疾患 → 心エコー検査 → 慢性心不全／肺高血圧症
```

（宮崎泰成・他：呼吸困難．井上智子・他編，緊急度・重症度からみた症状別看護過程　第4版，p503，医学書院，2023．より）

5. 呼吸困難の治療

呼吸困難を呈する疾患を鑑別し，原因疾患に対する薬物療法や対症療法を行う病期，病態，重症度による治療のフローチャートを図3に示す。

1) 基礎（原因）疾患に対する治療

- 胸水や気胸の場合は**胸水穿刺**や**胸腔ドレナージ**，貧血が原因の場合は**輸血**を実施するなど原因に対する処置を行う

2) 気道クリアランスの維持

- 口腔，鼻腔，気管内の**痰や異物**などを，**吸引カテーテル**を用いて除去する
- 吸引カテーテルによる十分な痰や異物が除去できない場合は，**気管支鏡**を用いて，肺区域気管支の分泌物や異物を**吸引除去**する
- ネブライザーと薬物を用い，**気管支拡張や喀痰の分解**除去による気道の浄化を図る

3) 酸素療法

- **低酸素血症**などで酸素投与が適応となる場合には，酸素を供給する。患者の呼吸回数や換気量によって，吸入時酸素濃度は変わりやすいため，患者の呼吸様式に合わせた適切なデバイス（**鼻カニューレ，ベンチュリーマスク，リザーバーマスクなど**）を選択する
- 低酸素血症がなくても，組織への酸素供給が不十分で低酸素症を起こすことがあるため，**ヘモグロビン濃度や心拍出量**などにも注意して酸素投与を行う
- 心因性の呼吸困難の場合は酸素吸入によって安心し，症状が改善する場合もあるため，十分に見極めたうえで投与する

4) 人工呼吸療法

- 呼吸状態の悪化をともなう呼吸困難の場合は，**非侵襲的陽圧換気（NPPV）**や**侵襲的陽圧換気（IPPV）**など，人工呼吸療法の適応となる

5) 呼吸理学療法

- 呼吸困難の軽減，気道の確保などを目的に，**リラクセーション，呼吸法，排痰法，気管内加湿法，体位ドレナージ**などを行う
- 呼吸困難は患者のさまざまな動作に影響を及ぼし，ADLの低下を招く。そのため，リハビリテーションを行い，日常生活で呼吸困難をきたさない動作を指導する

6) 心理療法

- 精神的要因で呼吸困難を引き起こしている場合は，カウンセリングや心療内科へのコンサルテーションなど，精神面の治療が必要となることがある

図3 病期，病態，重症度による治療のフローチャート

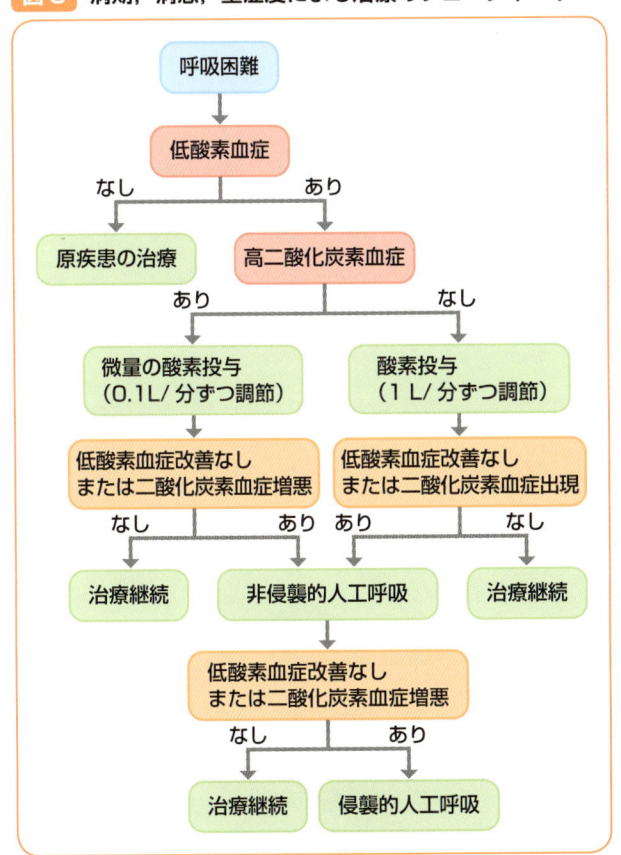

呼吸困難 → 低酸素血症
- なし → 原疾患の治療
- あり → 高二酸化炭素血症
  - あり → 微量の酸素投与（0.1L/分ずつ調節）→ 低酸素血症改善なしまたは二酸化炭素血症増悪
    - なし → 治療継続
    - あり → 非侵襲的人工呼吸
  - なし → 酸素投与（1L/分ずつ調節）→ 低酸素血症改善なしまたは二酸化炭素血症出現
    - あり → 非侵襲的人工呼吸
    - なし → 治療継続

非侵襲的人工呼吸 → 低酸素血症改善なしまたは二酸化炭素血症増悪
- なし → 治療継続
- あり → 侵襲的人工呼吸

（宮崎泰成・他：呼吸困難．井上智子・他編，緊急度・重症度からみた症状別看護過程　第4版，p506，医学書院，2023．より）

II 窒息が生じる病態生理

1. 窒息の定義

窒息とは，呼吸が何らかの原因で阻害されることにより，血中酸素濃度が低下し，二酸化炭素が上昇して，脳などの内臓組織に機能障害を起こした状態をいう[2]。

2. 窒息の原因とメカニズム

口・鼻から気道および気管支にかけて，異物や分泌物が貯留することにより，呼吸が阻害され，空気が肺に取り込まれなくなる。換気ができないと，肺胞と血液との間で行われるガス交換ができず，血中の酸素濃度が低下し，二酸化炭素濃度が上昇して，内臓や組織に障害を起こす。窒息状態が続くと，酸素消費量が最も多い脳細胞が一番に影響を受ける。

窒息の原因には，**鼻や口の閉塞，異物による気道の閉鎖，溺水，生き埋め，空気中の酸素の欠乏，胸郭にかかる強い圧力による胸郭運動の抑制，薬物による呼吸筋の麻痺，けいれん**などがある。ここでは気道の閉塞による窒息について取り扱う。

3. 窒息時の症状・身体所見

1) 症状

窒息の原因となっている異物を除去すべく，**咳嗽**が起こる。低酸素血症や低酸素症にともなう**呼吸困難，喘鳴（ストライダー），低呼吸，チアノーゼ，顔面蒼白，けいれん**といった症状が出現し，気道の再開通がない場合は**意識を消失**し，やがて死に至る（**窒息死**）。

2) 身体所見

- **胸郭の動き**：胸骨柄が吸気により凹む
- **チョークサイン**：首元に手をやる，喉をつかむ，喉のあたりをかきむしる動作（図4）

4. 窒息時の検査・鑑別診断

口腔や鼻腔を閉塞するものがないか，直接もしくは気

図4 チョークサイン

管支鏡などによって観察を行う。家族や付き添いなど窒息前後の状況を知る人物がいれば，その時の状況や環境などを問診し，状態の把握に努める。

5. 窒息時の治療

気道の確保が最優先される。**ハイムリック法や背部叩打法，吸引**，マギール鉗子や気管支内視鏡を使用して，咽頭や気道内の異物除去を行う。意識を消失し，脈が触れない（心肺停止）場合は，**心肺蘇生法**を行う。

III 呼吸困難と窒息の看護ケアとその根拠

1. 呼吸困難・窒息の観察ポイント

1) 呼吸状態および全身状態を観察する

- 血圧，脈拍，呼吸数，体温，SpO₂
- 呼吸困難や窒息時の症状および身体所見の出現状況，発症時期，持続時間，頻度などについて聴取し，経過を観察する
- 随伴症状（SpO₂の低下，喘鳴，チアノーゼ，発汗，胸部圧迫感，頸静脈怒張，疲労感，不安，恐怖，傾眠，不眠，意識障害，ばち状指，咳嗽，血痰，胸痛，浮腫，呼吸数の増加など）の有無
- 視診：呼吸状態，呼吸パターン，顔色，苦痛表情の有無，発汗の有無，チアノーゼの有無，呼吸筋および呼吸補助筋の動き，胸郭の動き，意識障害の有無
- 触診：冷感の有無，浮腫の有無，胸郭上の分泌物の振動の感知
- 聴診：呼吸音の聴取，喘鳴の有無

2) 緊急度・重症度の観察

突発性や急性に発症し，**吸気性喘鳴，上気道狭窄，意識障害，チアノーゼ，呼吸音減弱，SpO₂ 90％以下**である場合は緊急性が高い。そのため，観察した情報をアセスメントし緊急度や重症度を（表4，図1参照）見極めて，検査や治療が実施できるよう早急に対応する。

2. 看護の目標

1. 気道の浄化を図り，呼吸困難や窒息の状態が軽減または消失する
2. 呼吸困難に伴う不安が表現でき，不安感が軽減または消失する
3. 慢性的な呼吸困難に適切に対処し，ADLとQOLが改善・向上する
4. 窒息を回避するための知識を得て予防行動がとれる

3. 看護ケアとその根拠

呼吸困難を呈している患者に対し，**緊急度・重症度の**アセスメントを行って対応をする。より早く症状が軽減するように，速やかに治療が開始されるよう酸素療法や人工呼吸器の装着準備など看護師ができる検査や治療の準備やケアを行う。

1) 安楽な呼吸の援助

安静は酸素消費量が最小限になるため，呼吸困難時には腰掛けたり壁によりかかるなど，患者が楽な姿勢を取り，安静を保つことは有効な方法である。

呼吸困難は，体位によって増悪することがあるため，体位を工夫することは呼吸困難の軽減の一助となる。呼吸困難は，**呼吸補助筋および全身の筋肉の緊張と疲労**をもたらす。

さらに疾患によっては，**肺コンプライアンスが低下する**ことで胸郭が硬くなり，呼吸困難がますます増強して酸素消費量を増大させたり，呼吸運動を妨げたりすることがある。その場合には，**座位をとることで横隔膜が下がり，呼吸筋の可動性が高まって呼吸は楽になる**。その他，**患者が好む体位**や，**気道確保ができる体位**を工夫する。

また，重たい掛け物が安楽な呼吸を妨げるため，**適切な寝具を選ぶ**。適度な換気や湿度の調整を図り環境を整えることも重要な援助である。

慢性の呼吸困難患者においては，過剰な安静による心肺機能や筋力の低下を招く恐れがあるため，安静の程度や期間は，全身の機能低下をきたさないように注意する。

2) 気道浄化

気道内分泌の喀出がしやすいよう，**ネブライザー吸入や気管支拡張薬の吸入，粘液溶解薬の内服**などを行う。痰や異物の喀出が難しい場合は，**ハイムリック法や吸引**などを用いて除去する。また，**呼吸理学療法**を実施して気道のクリアランスを高める。

3) 薬物療法の管理

呼吸困難の原因となる疾患に対する薬物治療を行う。**気管支拡張薬や副腎皮質ステロイド剤**を用いる場合は，副作用の出現に注意し，指示どおりに与薬する。また，薬剤の自己管理においては**副作用**や，自己判断による**中断の危険性**などを十分に説明し，安全にかつ，確実に服薬を行うよう指導する。

4）呼吸理学療法

慢性的な呼吸困難によって日常生活に支障をきたすようになる。そのため、理学療法士や作業療法士など他職種と協力して、呼吸困難を軽減させる方法を実施する。

① 呼吸法／呼吸介助法

口すぼめ呼吸や腹式呼吸を用いて、呼吸困難をコントロールする方法を身につけることができるよう教育を行い、一緒に練習する。**用手的方法**を用いて患者の呼気を介助し、換気量の改善や呼吸仕事量の減少をもたらし、同時に気道分泌物を移動させて呼吸困難の軽減を図る。

② 排痰法

痰の貯留による気道閉塞は、低酸素血症の原因となるため、気道分泌物を除去し、気道の浄化を図る。方法として、**ネブライザー・吸引・体位ドレナージ・呼吸介助法**で咳嗽を促すことによる排痰などがある。

③ 運動療法

呼吸リハビリテーションは残存する呼吸機能を維持し、ADLの低下を予防する。ベッドサイドや自宅でも可能な運動を理学療法士と協働で実施する。

5）酸素療法の管理

低酸素血症を改善するためには、適切で確実な酸素投与が必要である。SpO_2値は酸素投与量の重要な目安となるため、医師の指示に基づいた適切な酸素濃度と流量を保持する。酸素投与中でも、**SpO_2が90％以下**となった場合は、**PaO_2が60Torr以下**となり、呼吸不全へと悪化している可能性があるため、SpO_2をモニタリングし呼吸状態の悪化徴候を見逃さないよう観察する。また、症状が悪化したからといって、安易に、酸素流量を増量することは、**CO_2ナルコーシス**を引き起こすことがあるため、医師に報告し対応する必要がある。

在宅酸素療法（HOT）を受ける患者においては、適切な酸素流量や使用時間など、医師の指示どおりに酸素を使用するよう説明し、さらに酸素の安全な取り扱いと管理の方法を指導しておく。

6）人工呼吸中の看護

呼吸困難が強く、急速に呼吸状態も悪化する場合は、**人工呼吸管理**を行う。人工呼吸管理中の患者に対する看護は、コラム「人工呼吸療法（IPPV・NPPV）」（→ p130）を参照されたい。

7）水分出納（IN/OUT）の管理

心機能の異常や肺水腫がある患者などでは、医師の指示による水分摂取制限など厳格な管理が必要なことがある。その場合、喀痰困難に注意し、**喀痰治療薬**を適宜使用する。

8）栄養低下の予防

食事を摂取する行為は、嚥下時に息を止めるため、呼吸困難を助長し、自ら食事摂取を制限してしまうことがある。また、呼吸困難に伴い呼吸運動の増大が認められ、呼吸にかかる消費エネルギーが増加する。**体重や食欲の観察**を行い、**栄養状態**をアセスメントし、栄養低下予防で**栄養補助食品の導入**を検討する。場合によっては、経管栄養や輸液が必要となる。

9）排便コントロール

便秘は横隔膜を挙上し、呼吸運動を妨げる。さらに、**排便時の怒責**は、息止めや酸素消費量を増大させ、呼吸困難が増強する。そのため、**水分を摂取したり緩下剤を適切に使用したりして、排便時に怒責することがないよう、排便コントロール**を行う。

10）全身の保清

呼吸器感染は呼吸困難を悪化させる。感染を防ぐためには口腔の清潔はもとより、粘膜や全身の皮膚保清を行う。特に、呼吸困難が強くなると日常生活に支障をきたし、一人でできない場合もあるため、セルフケアの程度をアセスメントし一部援助を行う。

11）不安に対する援助

呼吸困難は予後への不安、死への恐怖心を招きやすい。また、不安な気持ちから過換気症候群などの呼吸困難を引き起こすことがある。不安に対する援助の方法としては、**タッチング**や訴えの**傾聴**、そばにいて**声かけ**をすることで、安心感を与える。

パニック発作のある患者には**パニックコントロール**について指導を行う（→ p336）。また、不安の原因を解決できるよう、患者・家族・医療者が十分なコミュニケーションを取り、相互に情報交換することが大切である。

12）禁煙指導

喫煙は、気道粘膜を刺激し分泌物を増加させて、肺での換気を障害し、呼吸困難を悪化させる誘因となるた

め，禁煙指導を行う。

13）在宅療養指導

在宅療養の患者・家族には，日常生活における安静や適度な呼吸訓練・排痰の方法について，個別の生活に合わせて自己管理できるよう指導する。さらに呼吸困難時や急変時の対処方法について，十分な説明・指導をしておく。

14）社会資源の活用

呼吸困難があることで，日常生活（移動，食事，保清，排泄，掃除など）が制限されると，安心した在宅環境で暮らすことができなくなる。療養環境を整備し，住み慣れた場所で暮らせるように，在宅療養をサポートする社会資源の活用を検討する[2]。

［吉田恭子］

[引用文献]
1) Mark B, et al: An official American Thoracic Society Dtatement: Update on the mechanisms, assessment, and management of dyspnea. Am J Respir Crit Care Med 185(4): 435-452, 2012.
2) 日本呼吸器学会COPDガイドライン第6版制作委員会編：COPD（慢性閉塞性肺疾患）診断と治療のためのガイドライン2022. p125, メディカルレビュー社，2022.

[参考文献]
- 日本呼吸器学会COPDガイドライン第6版制作委員会編：COPD（慢性閉塞性肺疾患）診断と治療のためのガイドライン2022. メディカルレビュー社，2022.

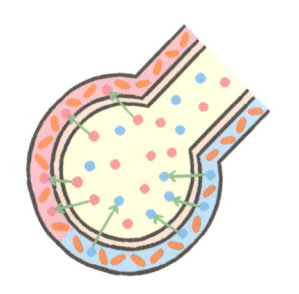

3 血痰・喀血

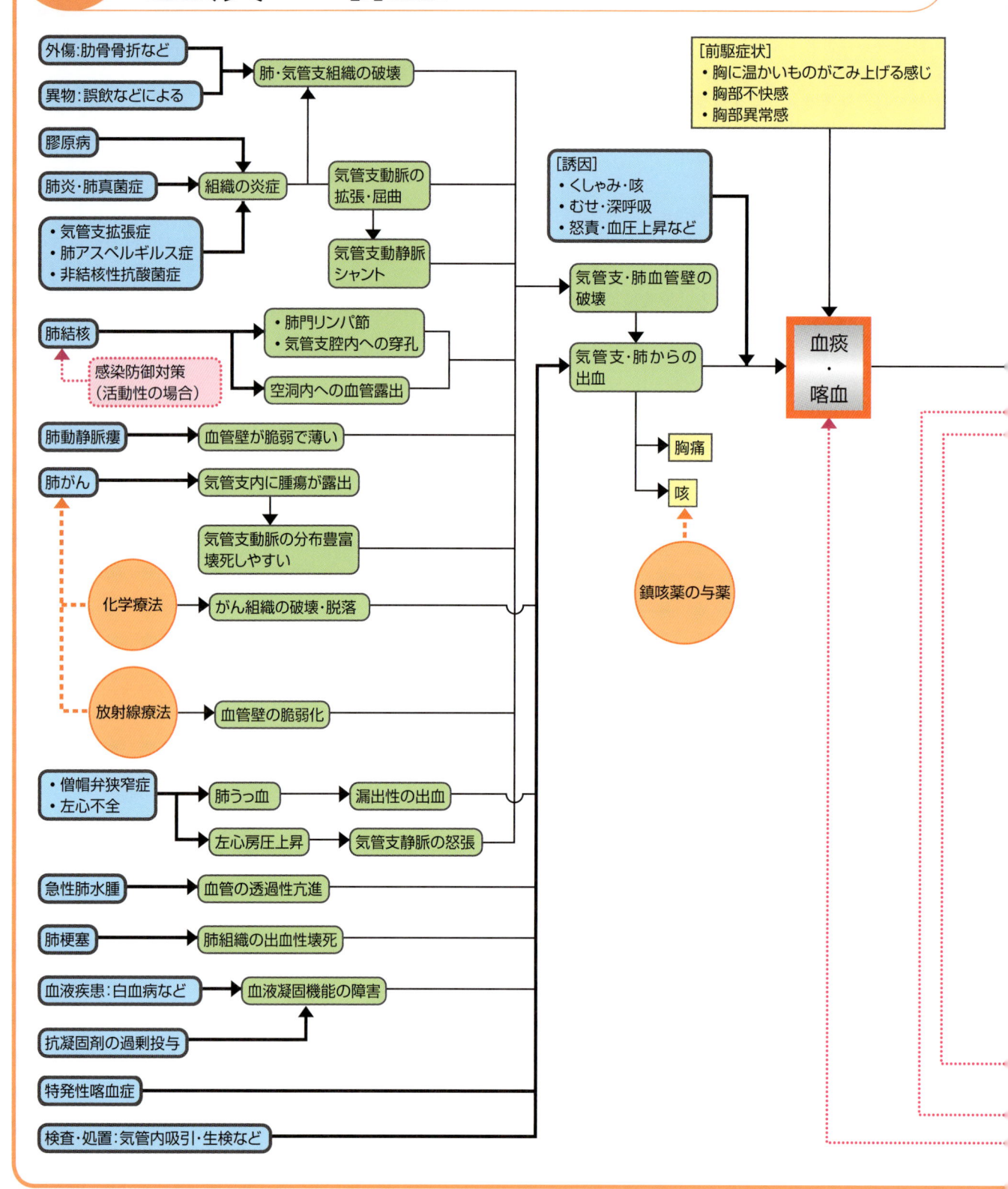

第Ⅰ部　症状別看護ケア関連図

[前駆症状]
- 胸に温かいものがこみ上げる感じ
- 胸部不快感
- 胸部異常感

[誘因]
- くしゃみ・咳
- むせ・深呼吸
- 怒責・血圧上昇など

- 外傷：肋骨骨折など
- 異物：誤飲などによる
→ 肺・気管支組織の破壊

- 膠原病
- 肺炎・肺真菌症
→ 組織の炎症 → 気管支動脈の拡張・屈曲 → 気管支動静脈シャント

- 気管支拡張症
- 肺アスペルギルス症
- 非結核性抗酸菌症

- 肺結核 →
  - 肺門リンパ節
  - 気管支腔内への穿孔
  - 空洞内への血管露出

感染防御対策（活動性の場合）

- 肺動静脈瘻 → 血管壁が脆弱で薄い
- 肺がん → 気管支内に腫瘍が露出 → 気管支動脈の分布豊富　壊死しやすい

化学療法 → がん組織の破壊・脱落

放射線療法 → 血管壁の脆弱化

- 僧帽弁狭窄症
- 左心不全
→ 肺うっ血 → 漏出性の出血
→ 左心房圧上昇 → 気管支静脈の怒張

- 急性肺水腫 → 血管の透過性亢進
- 肺梗塞 → 肺組織の出血性壊死
- 血液疾患：白血病など → 血液凝固機能の障害
- 抗凝固剤の過剰投与
- 特発性喀血症
- 検査・処置：気管内吸引・生検など

→ 気管支・肺血管壁の破壊
→ 気管支・肺からの出血 → 胸痛／咳

鎮咳薬の与薬

→ 血痰・喀血

42

3 血痰・喀血

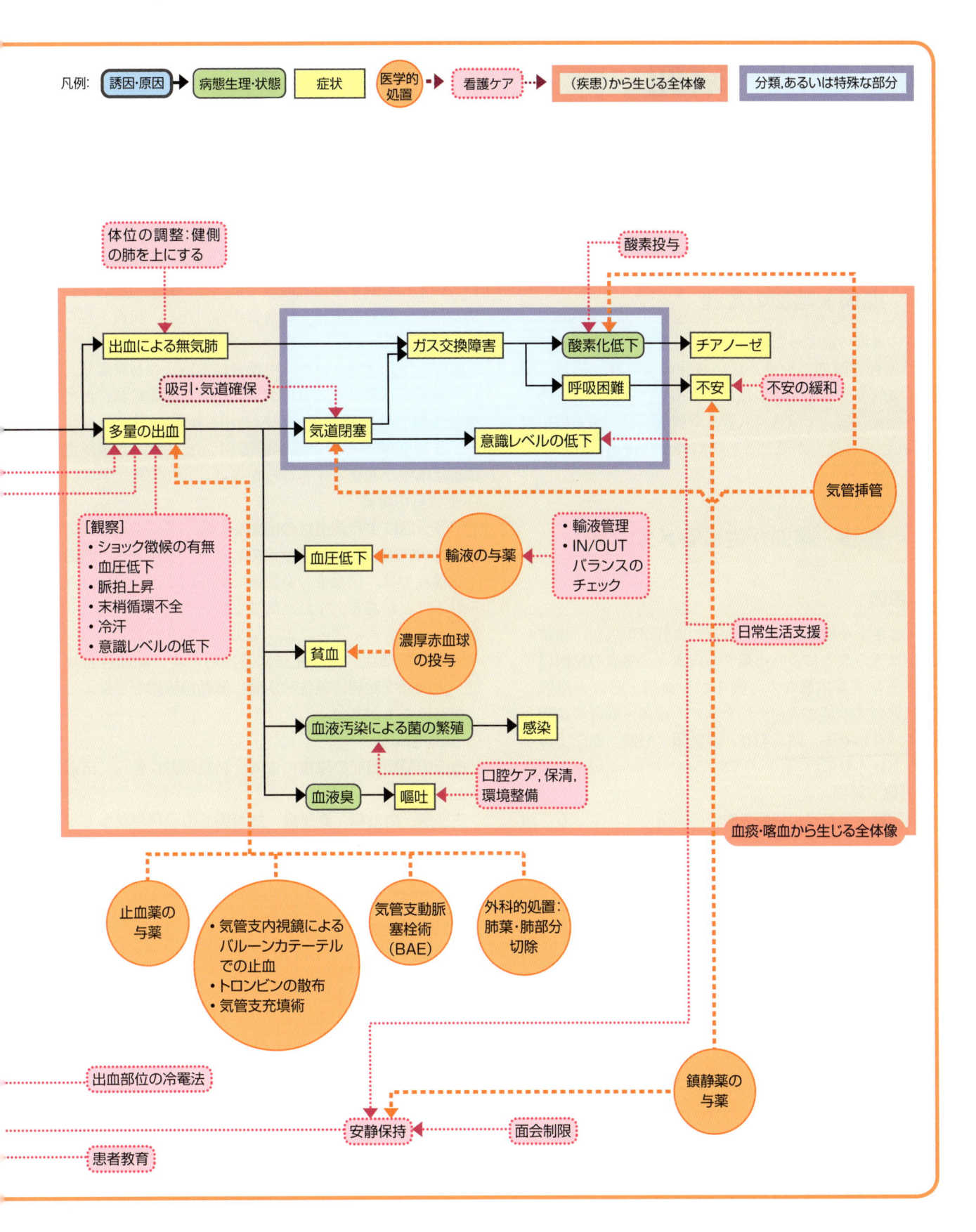

第Ⅰ部 症状別看護ケア関連図

凡例: 誘因・原因 → 病態生理・状態　症状　医学的処置 --→ 看護ケア　→ (疾患)から生じる全体像　分類,あるいは特殊な部分

血痰・喀血から生じる全体像

- 体位の調整:健側の肺を上にする
- 酸素投与

出血による無気肺 → ガス交換障害 → 酸素化低下 → チアノーゼ
　　　　　　　　　　　　　　　　　→ 呼吸困難 → 不安 ← 不安の緩和

吸引・気道確保

多量の出血 → 気道閉塞 → 意識レベルの低下

気管挿管

[観察]
- ショック徴候の有無
- 血圧低下
- 脈拍上昇
- 末梢循環不全
- 冷汗
- 意識レベルの低下

→ 血圧低下 ← 輸液の与薬 ← ・輸液管理 ・IN/OUTバランスのチェック

→ 貧血 ← 濃厚赤血球の投与

→ 血液汚染による菌の繁殖 → 感染

→ 血液臭 → 嘔吐 ← 口腔ケア,保清,環境整備

日常生活支援

医学的処置:
- 止血薬の与薬
- 気管支内視鏡によるバルーンカテーテルでの止血
- トロンビンの散布
- 気管支充填術
- 気管支動脈塞栓術(BAE)
- 外科的処置:肺葉・肺部分切除

- 出血部位の冷罨法
- 患者教育
- 鎮静薬の与薬
- 安静保持 ← 面会制限

第Ⅰ部　症状別看護ケア関連図

3 血痰・喀血

Ⅰ 血痰・喀血が生じる病態生理

1. 血痰・喀血の定義

痰に血液の混じったものを**血痰**，血液そのものを喀出した場合を**喀血**という。広い意味では鼻腔，口腔，咽頭，気管支，肺胞からの出血が喀出されることを含めるが，狭義には，下気道（気管，気管支，肺）からの出血（鮮紅色の血液）が咳とともに口腔から排出されることをいう。

2. 血痰・喀血が生じるメカニズム

1) 原因

さまざまな原因により下気道の血管が損傷し，血液が気道に入ることにより出現する。血痰・喀血の原因によりメカニズムは異なる。表1に，血痰・喀血の原因と疾患別のメカニズムの一覧を示す。血痰・喀血の誘因として，くしゃみ，咳，むせ，深呼吸，怒責，血圧上昇などがあげられる。

1 外傷や異物

肺実質・気管支の損傷や血管の損傷により生じる。肋骨骨折や胸部外傷，嚥下能力の弱い小児や高齢患者の誤飲による異物などが原因になることがある。

2 炎症

慢性気管支炎，気管支拡張症などの慢性炎症性気道疾患の急性増悪が，血痰・喀血の原因として最も多い。炎症による組織や，気管支動脈の拡張・蛇行などによる血管壁の破綻が起こる。また，肺動脈との間に吻合を生じ（気管支動脈-肺動脈シャントを形成し），高い体動脈圧が作用することで，低圧系の肺動脈が破綻し出血を起こす。

結核では石灰化した気管支肺リンパ節（肺門リンパ節）の気管支腔内への穿孔や空洞内への血管の露出がみられる。これらの血管が破裂すると大出血を生じることがある。陳旧性肺結核病巣の線維化巣や，気道病変部からでも軽度の気道炎症によって容易に出血する。

3 腫瘍

肺がんでは，気管支腔内に腫瘍が露出し，血管壁の破綻をきたす。がん病巣周囲は毛細血管の分布が豊富であり，組織自体も壊死性変化を起こしやすく，出血しやすい。**肺がんに対する薬物療法**では，がん組織の破壊や脱落が生じ，放射線療法では血管が脆弱化し，出血を起こしやすくなる。

肺がん（40歳以上の男性喫煙者に多い）の初発症状として血痰が出現することはあまりない。初発症状に血痰を伴う例では，**扁平上皮がんと小細胞肺がん**に注意する。また咽頭がんでは赤い線を引いたように血液が混じった喀痰を初発とすることが多い。

4 血管壁の障害

肺うっ血による漏出性の出血や，肺水腫による血管の**透過性の亢進**により血管壁が障害され，出血する。肺血栓塞栓症では，出血性の肺組織の壊死により，血痰がみられることがある。また，気管支内へ大動脈瘤の破裂した血液が流入することによって出血がみられる。

僧帽弁狭窄症，高血圧による左心不全，肺血栓塞栓症，大動脈瘤破裂，急性肺水腫，肺動静脈瘻などによって生じることが多い。

5 出血性素因

血液の凝固機能の障害により，粘膜障害に伴って出血が起こる。

白血病，血友病，紫斑病，抗凝固薬の過剰与薬などが原因で起こる。

6 全身性疾患

膠原病や類縁疾患に伴って肺胞から出血が起こる。

7 医原性要因

気管支鏡下肺生検，経皮的肺生検，スワン-ガンツカテーテルによる血管損傷など検査，放射線照射の合併症が原因で出血が起こる。

8 特発性喀血症

近年，画像検査などを行っても喀血の原因となる疾患があてはまらない場合があり，これらは特発性喀血症と呼ばれる。

9 その他

肺吸虫症（東南アジアでみられる）による組織崩壊や，無月経の女性では，代償月経として周期的に喀血が

表1 血痰・喀血の原因と疾患別のメカニズム

	主な原因疾患	メカニズムと特徴
外傷・異物	・肋骨骨折・胸部外傷 ・誤飲による異物	・骨折した肋骨などにより肺実質・気管支や血管を損傷し、出血する
炎症	①肺炎 ・慢性気管支炎 ・気管支拡張症 ・肺真菌症（肺アスペルギルス） ・肺化膿症 ・非結核抗酸菌症 ②肺結核	①慢性炎症により、肺動脈に炎症が及んで血流が減少または閉塞すると、代償的に気管支動脈が拡張・増殖する。また、肺動脈との間に吻合を生じ（気管支動脈-肺動脈シャントを形成し）、高い体動脈圧が作用することで、低圧系の肺動脈が破綻し、出血を起こす ②石灰化した気管支肺リンパ節（肺門リンパ節）の気管支腔内への穿孔や空洞内への血管の露出がみられ、これらが破綻し大出血を生じることがある
腫瘍	・肺がん（悪性腫瘍） ・気管腫瘍	・気管支腔内に腫瘍が露出し、血管壁の破綻をきたす
血管壁の障害	①僧帽弁狭窄症、高血圧による左心不全 ②急性肺水腫 ③肺血栓塞栓症 ④肺動静脈瘻 ・大動脈瘤気道内破裂	①左房圧の上昇により肺うっ血となり、漏出性の出血が起こる ②血管の透過性亢進により、血管性が障害されて出血する ③出血性の肺組織の壊死により、出血がみられることがある。心不全を合併し、血痰を生じることもある ④動脈瘤が肺に浸潤するなどしており、破裂した際に気道内に血液が流入する。出血量が多く、致死的となる可能性が高い
出血性素因	・血液疾患（白血病など） ・播種性血管内凝固症候群（DIC） ・抗凝固薬の過剰与薬	・血液の凝固機能の障害により、粘膜障害に伴って出血する
全身性疾患	・膠原病・グッドパスチャー症候群 ・抗好中球細胞質抗体（ANCA）関連血管炎	・肺の小血管の広範な損傷により、肺胞出血を起こす
医原性要因	①気管支鏡下生検、経皮的肺生検、スワン-ガンツカテーテルによる血管損傷など ②放射線治療 ③化学療法	①検査などの手技で血管を損傷することにより起こる ②がん組織の破綻や血管の脆弱化により起こる ③がん組織の破綻や脱落により起こる
原因不明	・特発性喀血症	・原因のわからない喀血の総称であるが、気管支動脈の拡張を認めることが多い
その他	①肺吸虫症 ②代償性喀血	①寄生虫による肺組織の崩壊により出血する ②代償月経として周期的にみられる

みられることがある。

2) 疾患別の特徴

疾患別血痰・喀血の特徴を**表2**に示す。

3. 血痰・喀血の分類と症状

前駆症状としては、胸部に温かい液がこみ上げてくる感じ、**不快感、異常感**を訴える。あわせて咳嗽や喀痰を伴い、喘鳴がみられる。

血痰が続く、または喀血の量が多い場合は、**呼吸困難**やチアノーゼがみられる。喀血が1日に200mL以上を超える場合は、**大量喀血**と判断されることが多いが、呼吸不全の有無や患者の基礎疾患、年齢・喀出能力などを考慮し、症例に応じてリスク評価を行う。

循環器や呼吸器に基礎疾患のある患者では、喀血量が少なくても生命に危険を及ぼす可能性がある。低酸素血症、血圧低下、気道閉塞、貧血など臨床指標に異常をきたして、治療・処置を直ちに要するような生命に危険を及ぼす喀血を「life-threatening hemoptysis」、生命に危険のない喀血を「nonlife-threatening hemoptysis」と定義するのが主流となりつつある[1]。

表2 疾患別血痰・喀血の特徴

疾患	血痰・喀血の特徴
肺うっ血	泡沫状の血痰がみられる。
肺血栓塞栓症	鮮血色（赤色）の血が混じる。白色，淡い赤色（出血が少ないとき）になることもある。
肺水腫	多量の泡沫状のピンク色の血痰がみられる。
気管支拡張症・慢性気管支炎	多量の喀痰に少量の血液が混じる。しばしば大量喀血もみられる。
肺がん	少量の血液が混じった痰が持続的にみられる。大量喀血は少ない。
肺結核	血痰〜大量喀血とさまざまな症状がみられる。
出血性素因	さまざまな程度の血痰・喀血がみられる。

喀血は純血液で，**鮮紅色**であることが多いが，気管支内に停滞してやや古くなった血液は，暗赤色や凝固血として喀出される。

4. 血痰・喀血の検査・鑑別診断

患者が多量の血液を吐いている場合，早急に**喀血か吐血か**を鑑別する必要がある。鼻腔や口腔からの出血と見分けが難しい場合もあり，必要に応じて耳鼻咽喉科や消化器科との協力体制をとって鑑別を行う（図1）。

1 病歴・既往歴聴取

現在の**喀血の期間と量**，気道感染の徴候を聴取する。

喀血の既往や呼吸器・循環器・消化器・血液疾患・膠原病の有無，喫煙歴，抗凝固薬の内服の有無などを聴取する。

喀血中は息苦しさを伴い，本人から聴取が難しい場合は，家族や付き添い人からの情報も参考にする。

2 画像検査

原因究明，出血部位同定，出血の程度などのために実施する。

胸部 X 線では発見されないような淡い陰影や微小な陰影の検出は，胸部 CT で可能である。**空洞病変，気管支拡張，腫瘍，大動脈瘤気管支内破裂**が発見されることがある。高分解能 CT では，**びまん性肺疾患**やその他の異常陰影の性状を評価できる。

3 血液一般検査

血算，血液凝固線溶系，血小板凝集能，C 反応性タンパク質（CRP），血沈などを検査し，**貧血の有無，出血性素因**をチェックする。大量喀血時の輸血に備えて，血液型・クロスマッチ検査も行っておく。

動脈血ガス分析を行い，呼吸状態の評価を行う。

基礎疾患の有無を調べる際に，肺がんでは腫瘍マーカー（→p271），膠原病やびまん性肺胞出血をきたす疾患では，抗核抗体や抗好中球細胞質抗体（anti-neutrophil cytoplasmic antibody：ANCA），抗糸球体基底膜（抗GBM）抗体などのマーカー，心疾患については脳性ナトリウム利尿ペプチド（BNP）などについても検査を行う。

4 喀痰検査

抗酸菌検査を含む**喀痰塗沫，培養検査**を行い，結核や感染の有無を検査する。喀痰細胞診は肺がんの診断に役立つ。

5 気管支鏡検査

出血部位や気道病変の有無の確認と，止血処置，吸引液の細胞診などの目的で行われる。肺胞出血が疑われる場合には，**気管支肺胞洗浄（BAL）**を行う。気管支肺胞洗浄液が徐々に赤くなれば肺胞出血，逆に徐々に淡くなれば気道からの出血を疑う。気管支鏡での刺激が出血を助長することもあり，急性期では積極的には行われな

図1 喀血と吐血の違い

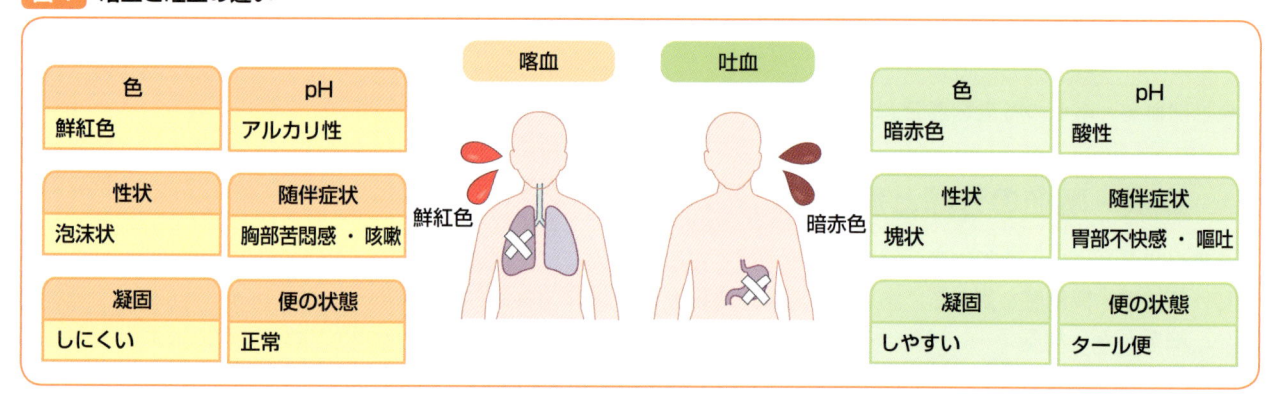

喀血
- 色：鮮紅色
- pH：アルカリ性
- 性状：泡沫状
- 随伴症状：胸部苦悶感・咳嗽
- 凝固：しにくい
- 便の状態：正常

吐血
- 色：暗赤色
- pH：酸性
- 性状：塊状
- 随伴症状：胃部不快感・嘔吐
- 凝固：しやすい
- 便の状態：タール便

い。**気管支鏡下肺生検**は，血痰・喀血が落ち着いてから行うが，肺動静脈瘻などの血管性病変や出血性素因，血液凝固異常を除外しておく。

6 血管造影検査

気管支鏡検査に目的は準ずる。出血源として多くみられる**気管支動脈造影**が優先して行われる。

7 肺血流シンチグラフィー

肺梗塞の鑑別のために行う。

8 心臓超音波検査（エコー検査）

心疾患や肺高血圧症などとの鑑別のために行う。

5. 血痰・喀血の治療

原因となる疾患の治療が必要となるが，大量喀血時には，致命的となるため**止血や気道の確保**が優先される。喀血は窒息死となる危険性が高く，大量喀血の場合には，診断よりも治療を優先する。**気道確保・血管確保**を行い，呼吸・循環を安定させた後に，画像診断や気管支鏡などを用いて原因を検索する。

1）気道確保・意識レベル・全身状態の把握

緊急処置が必要な大量喀血では，窒息や換気障害で生命にかかわることがある。その場合には，ただちに気管内吸引，**気管挿管による気道確保**を行う。気管挿管の場合には，吸引や気管支鏡使用が可能で，**血餅による閉塞を防ぐため**，挿管チューブは8mm以上のなるべく太いチューブを使用する。大量喀血による**ショック徴候の有無**，意識レベルの観察，バイタルサインの確認も同時に行い，必要な全身管理を行う。

2）健側肺の保護

気管チューブを健側気管支に片肺挿管する，あるいはダブルルーメン気管内チューブを使用することで健側肺の保護に努める。

- ▶ 血液が健側肺に流入することによって，窒息だけでなく**無気肺**となる可能性も高いため，**健側肺を上にした体位**をとって保護し，ガス交換能を残しておく必要がある

3）止血

少量の喀血や持続しない血痰の場合は，**止血薬の与薬**と安静療法を行う。咳が強い場合は，鎮咳薬の与薬も行う。

大量の喀血や持続する血痰では，点滴にて止血薬の与薬を行う。また，出血点が確認できれば，**気管支動脈塞栓術**（bronchial artery embolization：BAE）により出血源の血管を閉塞し，止血を図る。また，気管支鏡により**局所止血薬（トロンビン）の散布やバルーンカテーテルでの止血，シリコン塞栓物質**（endo-bronchial Watanabe spigot：EWS）**を留置する気管支充填術**を行うこともある。それでも止血が困難な場合は，外科的処置が必要となる。病変が限局性で，手術に耐えられる肺機能，全身状態であれば，**肺葉や肺部分切除**などが考慮される。

4）呼吸管理

出血による無気肺から，ガス交換能が低下するため，低酸素血症があれば**酸素投与**を行う。必要に応じて**人工呼吸管理**を行う。

5）循環管理（輸液・輸血療法）

喀血が多量であると，貧血やショックを起こす。循環動態が不安定であれば，**静脈ラインの留置，輸液や昇圧薬の与薬，貧血を認めれば濃厚赤血球などの輸血**を行う。ショック状態では，昇圧薬の他，強心薬，副腎皮質ステロイドなどが使用される。

6）原疾患の治療

基本的には，窒息予防と止血による救命措置が優先されるため，原疾患の治療は循環・呼吸状態が安定してから進められる。原疾患が感染症であれば，早期に**抗菌薬**の与薬を開始する。

II 血痰・喀血の看護ケアとその根拠

1. 観察のポイント

1 呼吸状態

SpO_2，血液ガスデータ，呼吸回数，呼吸音（患側肺野からの副雑音の聴取），喘鳴，チアノーゼの有無を観察する。

2 血痰・喀血の程度

出血量，回数，性状，随伴症状（呼吸困難，胸痛，胸部熱感）を観察する。

3 意識レベル・全身状態の把握

バイタルサイン（体温，脈拍，血圧）の変動，意識レベル，貧血，感染徴候，ショック徴候，全身の出血徴候を観察する。

4 血痰・喀血以外の出血との鑑別

悪心・嘔吐，鼻腔からの出血，下血の有無，口腔内や咽頭の出血の有無を観察する。

5 既往歴・生活歴

肺疾患・心臓疾患・膠原病などの病歴，喫煙歴，抗血小板薬や抗凝固薬の内服の有無，家族の結核既往歴を観察する。

6 精神状態

出血原因・基礎疾患の理解の程度，不安の程度，緊張の有無・程度，不穏の有無を観察する。

2. 看護目標

1. 血痰・血液が除去され窒息を起こさない
2. 安静や予防行動をとることにより再喀血を起こさない
3. 気道確保と全身管理によって呼吸状態・循環動態が安定し，苦痛が軽減する
4. 不安・恐怖心を表出でき，軽減できる

3. 看護ケア

1) 大量喀血時の応急処置

1 気道確保と呼吸管理

窒息を予防するため，**吸引**や**体位調整**を行う。吸引チューブはできるだけ太いものを選び，体位は**健側肺を上にした側臥位**をとる。換気補助のためのバッグバルブマスクや，気管挿管を行う可能性も考えて準備する。

喀血のリスクのある患者は，緊急時に早急に対応できるよう，吸引器や酸素・バッグバルブマスクをベッドサイドに設置する。

▶ 大量喀血時は，窒息に至るまでの時間が約10分と短い。喀血は突然起こることが多いが，喀血が予測される場合は，緊急時に備えてすぐに対応できるよう環境を整える

2 酸素投与

出血により無気肺が起こると，酸素化が悪化するため，酸素投与を行う。喀血中はマスクがあてにくく，マスクよりも鼻カニュラのほうが効果的に酸素投与できることもある。

2) 輸液・輸血管理，薬剤与薬

止血薬の与薬に加え，局所の安静保持や再出血予防のために**鎮静薬**や**鎮痛薬**，咳嗽による喀血の誘発を予防するために**鎮咳薬**が与薬される。

ショック状態に対する輸液や昇圧薬の与薬，大量の喀血による循環血液量の喪失は，水分，電解質バランスを損なう。**脱水**や**電解質異常**の症状にも対応する。

貧血に対する輸血の管理では，循環動態が維持できるようコントロールが必要であるが，血圧の急激な上昇により，**再喀血**を引き起こさないように注意して管理しなくてはならない。

3) 苦痛の緩和と不安軽減のための支援

健側の肺を上にした側臥位の体位を保持するよう介助する。しかし，同一体位による苦痛に対しては，患者の安楽な体位を聞きながら調整することも必要である。

持続的な血痰や喀血は患者や家族に不安を与え，呼吸困難を伴うと死への不安も高まるため，喀血の誘因を理解し，予防方法があることを理解してもらい，**不安除去に努める必要がある**。患者が一人でいることは，不安を増強させるため，**可能なかぎり誰かがそばに付き添うように配慮する**。

4) 局所冷罨法

出血側の胸部に対して経皮的に冷罨法を行う。
▶ 寒冷刺激により，血管を収縮させて，**止血効果を促進する**

5) 安静の確保

体動は呼吸運動を促進することとなり，出血部位の安静の妨げとなる。出血予防のために，安静度の確認を行い，守るように指導する。会話や食事なども呼吸状態に影響を与えるため，出血が多いときは制限する。**あくび**や**くしゃみ**も再出血のきっかけとなることがあるので注意する。また，**怒責**による出血を防ぐため，**排便コントロール**を行う必要もある。面会などによる疲労にも配慮する。

6) 安全の確保

低酸素血症やショックにより**不穏症状**がみられることがある。そのようなときには，患者自身の安全を確保することは難しい。安静を守り必要な治療を行うために，**鎮静薬**の使用や抑制などの考慮も必要となる。

▶不穏症状により安全の確保ができない状況にあると，酸素消費量の増大や呼吸困難感の増強をきたす．酸素化が改善せず，呼吸・循環動態ともに不安定な状態が続くなどの悪循環となる．また，安静が確保できず，体動が大きいと再喀血のリスクにつながる

7）日常生活の援助

血液による汚染は**感染のリスク**となり，血液のにおいで嘔吐を誘発することがあるため，口腔ケアや環境整備に努める．また，安静が保てるように身の回りの援助を行う．

8）患者教育

喀血の早期発見ができるよう，症状の変化を医師や看護師に伝えるように説明する．また，血痰・喀血の誘因を理解し，予防できるように説明を行う．基礎疾患に対する治療，**再喀血予防の教育**もあわせて行う．

[宅江朋子]

[引用文献]
1) 本間雄也，中島啓：血痰・喀血を見たときの診断の進め方．日本医事新報（5056）：20, 2021.

[参考文献]
- 石川秀雄・他：血管病変と肺病変―血痰，喀血の overview. 呼吸器ジャーナル 70：560-571, 2022.
- 西原昂，石川英雄：喀血．呼吸器ジャーナル 69(4)：548-555, 2021.
- 丹羽崇：喀血の患者に遭遇したら．呼吸器ジャーナル 68(4)：546-550, 2020.
- 医療情報科学研究所：病気がみえる vol4 呼吸器 第3版．pp15-16, p40, メディックメディア, 2023.
- 高木永子監：看護過程に沿った対症看護―病態生理と看護のポイント 第5版．pp231-241, 学研メディカル秀潤社, 2022.
- 弦間昭彦・他編：呼吸器疾患最新の治療2023-2024．pp167-169, 南江堂, 2023.
- 池松裕子，山内豊明編：症状・徴候別アセスメントと看護ケア．pp132-145, 医学芸術社, 2008.

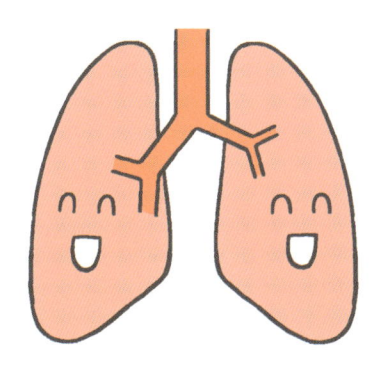

疾患別看護ケア関連図

第Ⅱ部

第Ⅱ部 疾患別看護ケア関連図　1．呼吸器感染症

4　かぜ症候群・インフルエンザ

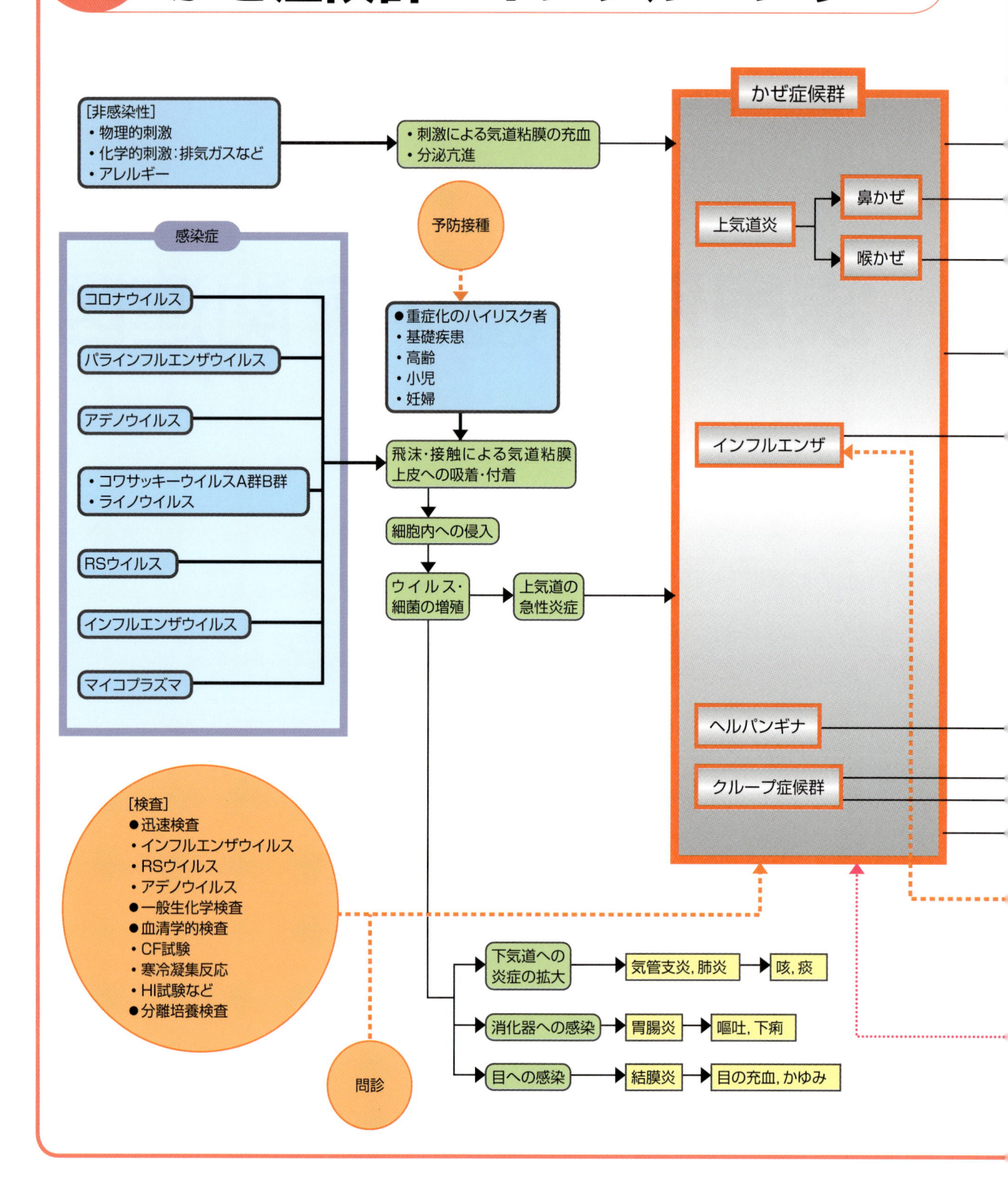

[非感染性]
- 物理的刺激
- 化学的刺激：排気ガスなど
- アレルギー

→ ・刺激による気道粘膜の充血
　・分泌亢進
→ **かぜ症候群**

感染症
- コロナウイルス
- パラインフルエンザウイルス
- アデノウイルス
- コワサッキーウイルスA群B群
- ライノウイルス
- RSウイルス
- インフルエンザウイルス
- マイコプラズマ

予防接種
↓
●重症化のハイリスク者
・基礎疾患
・高齢
・小児
・妊婦
↓
飛沫・接触による気道粘膜上皮への吸着・付着
↓
細胞内への侵入
↓
ウイルス・細菌の増殖 → 上気道の急性炎症

かぜ症候群
- 上気道炎 → 鼻かぜ／喉かぜ
- インフルエンザ
- ヘルパンギナ
- クループ症候群

[検査]
●迅速検査
・インフルエンザウイルス
・RSウイルス
・アデノウイルス
●一般生化学検査
●血清学的検査
・CF試験
・寒冷凝集反応
・HI試験など
●分離培養検査

問診

- 下気道への炎症の拡大 → 気管支炎, 肺炎 → 咳, 痰
- 消化器への感染 → 胃腸炎 → 嘔吐, 下痢
- 目への感染 → 結膜炎 → 目の充血, かゆみ

❹ かぜ症候群・インフルエンザ

第Ⅱ部 疾患別看護ケア関連図 1. 呼吸器感染症

凡例: [誘因・原因] → [病態生理・状態] [症状] [医学的処置] → [看護ケア] → [(疾患)から生じる全体像] [分類,あるいは特殊な部分]

かぜ症候群から生じる全体像

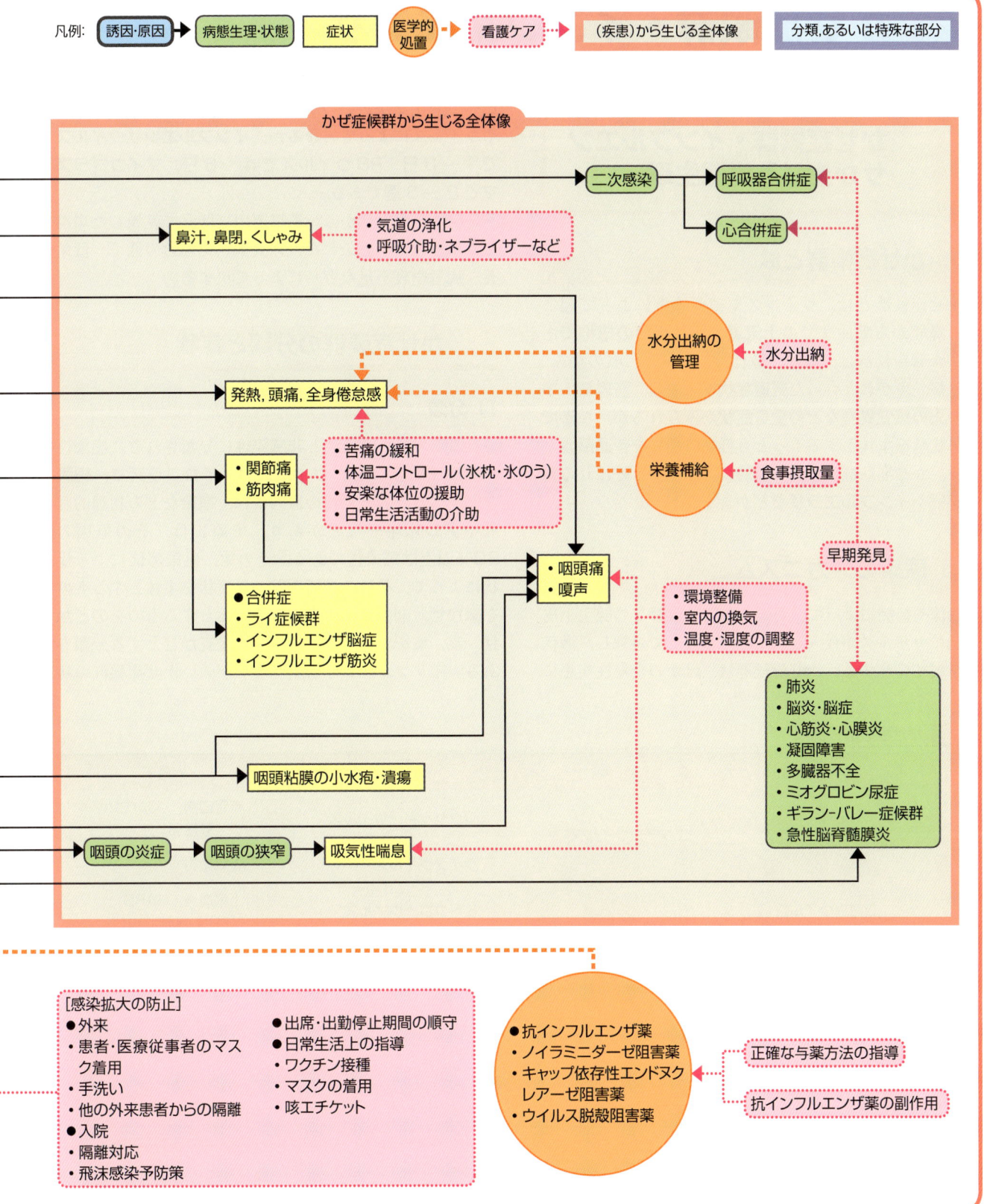

- 二次感染 → 呼吸器合併症
- 二次感染 → 心合併症
- 鼻汁,鼻閉,くしゃみ ← ・気道の浄化 ・呼吸介助・ネブライザーなど

- 発熱,頭痛,全身倦怠感
  - 水分出納の管理 ← 水分出納
  - 栄養補給 ← 食事摂取量

- 関節痛・筋肉痛 ← ・苦痛の緩和 ・体温コントロール(氷枕・氷のう) ・安楽な体位の援助 ・日常生活活動の介助

- 咽頭痛・嗄声 ← ・環境整備 ・室内の換気 ・温度・湿度の調整

- ●合併症
  - ・ライ症候群
  - ・インフルエンザ脳症
  - ・インフルエンザ筋炎

- 咽頭粘膜の小水疱・潰瘍

早期発見
- ・肺炎
- ・脳炎・脳症
- ・心筋炎・心膜炎
- ・凝固障害
- ・多臓器不全
- ・ミオグロビン尿症
- ・ギラン-バレー症候群
- ・急性脳脊髄膜炎

- 咽頭の炎症 → 咽頭の狭窄 → 吸気性喘息

[感染拡大の防止]
- ●外来
  - ・患者・医療従事者のマスク着用
  - ・手洗い
  - ・他の外来患者からの隔離
- ●入院
  - ・隔離対応
  - ・飛沫感染予防策
- ●出席・出勤停止期間の順守
- ・日常生活上の指導
- ・ワクチン接種
- ・マスクの着用
- ・咳エチケット

- ●抗インフルエンザ薬
  - ・ノイラミニダーゼ阻害薬
  - ・キャップ依存性エンドヌクレアーゼ阻害薬
  - ・ウイルス脱殻阻害薬
  ← 正確な与薬方法の指導
  ← 抗インフルエンザ薬の副作用

第Ⅱ部　疾患別看護ケア関連図　1. 呼吸器感染症

4 かぜ症候群・インフルエンザ

Ⅰ かぜ症候群・インフルエンザが生じる病態生理

1. かぜ症候群とは

かぜ症候群とは、ウイルスや細菌感染によって起こる、鼻腔から咽頭までの**上気道の急性炎症の総称**である。かぜ症候群は、発熱、鼻汁、くしゃみ、喉の痛み、咳、痰、声がれといった**気道症状**や、頭痛、筋肉痛、手足の先の感覚異常などの**全身症状**がみられるが、なかでも鼻症状を主体とするもっとも軽症のものを**普通感冒**という。かぜ症候群には、一般的に「かぜ」と呼ばれる**普通感冒やインフルエンザ**などが含まれる。

2. 感染のメカニズム

飛沫や接触によって、鼻道、気管、気管支の線毛上皮細胞にウイルスが侵入して増殖することで感染し、潜伏期を経て発症する。かぜ症候群は、ほかの全身性疾患に比べて潜伏期が短いのが特徴である。潜伏期間は原因菌やウイルスによって異なるが、インフルエンザウイルスで1～3日、RSウイルスで4～6日、マイコプラズマで2～3週である。

発症するかどうかは、環境要因（低温で乾燥した環境や温度変化）や感染した人の要因（免疫力の低下、低栄養、疲労や寝不足など）によって決まる。

3. かぜ症候群の分類と症状

1）分類

原因別では、**感染性と非感染性**に分類される。感染性の病原（表1）には、**ウイルスやマイコプラズマ、細菌**などがある。非感染性の原因には、**寒冷**などの物理的刺激や**アレルギー**などがあり、実際には、その原因の**80％以上は感染性**である。その他、感染部位による症状によって、鼻汁、鼻閉などの鼻症状を主体とするものを**鼻かぜ**、咽頭痛、嗄声などを主体とするものを**のどかぜ**、咳、痰を主体とするものを**気管支かぜ**とする分類もある。インフルエンザも全身症状が強いかぜ症候群の病

表1　かぜ症候群の病原

	科	属	種	病名
ウイルス	ピコルナウイルス	エンテロウイルス	コクサッキーウイルス	手足口病、ヘルパンギーナ（夏風邪）
			ライノウイルス	上気道炎
	コロナウイルス		ヒトコロナウイルス*	上気道炎、SARS、MERS、新型コロナ
	ニューモウイルス	オルソニューモウイルス	RSウイルス	上気道炎
	パラミクソウイルス	ルブラウイルス	パラインフルエンザウイルス	クループ症候群（咽頭炎）
	アデノウイルス			胃腸炎、肺炎、咽頭結膜炎（プール熱）
	オルトミクソウイルス		A～D型インフルエンザウイルス	インフルエンザ、クループ症候群
微生物	マイコプラズマ	マイコプラズマ		マイコプラズマ肺炎
細菌				咽頭炎、気管支炎、肺炎

＊：ヒトコロナウイルスは種名ではなく、ヒトに感染するコロナウイルスの総称

型の1つに分類される。

2) かぜ症候群の症状

発熱とともにくしゃみ, **鼻汁**, **鼻閉**, **咽頭痛**あるいは**嚥下痛**などの上気道症状を呈する。炎症が下気道に及ぶと, 咳や痰などの症状をきたす。さらに, **頭痛**, **腰痛**, **全身倦怠感**, **食欲不振**などの全身症状や**嘔気・嘔吐**, **腹痛**, **下痢**などの消化器症状を伴うことがある。

高齢者では, 骨格筋が少なく熱産生がされにくいため平熱が低くなり, 老化に伴う基礎代謝の低下や体温調節機能の低下があり, **高熱が出ない**こともあるため, 普段の体温（平熱）と比較することが必要である。また, かぜ症候群患者との接触歴や施設内発症の有無を確認し, 症状や徴候に早めに気づけるようにする。

3) かぜ症候群の合併症（表2）

高齢者や糖尿病などの基礎疾患がある場合, 細菌の二次感染による肺炎などの呼吸器合併症のリスクが高くなる。また, ウイルスによっては**心筋炎**などの循環器合併症を引き起こすものもある。

4. かぜ症候群の検査・診断

1) 診断

問診と臨床症状から診断できる場合が多い。また, 多くの場合, その病原がわかる前に治癒することもあり, 病原の診断は臨床的には一般的ではない。

病原が**ウイルスの場合**, ある程度までは特有な症状を示すが, 同じウイルスの感染であっても同じ症状が現れない場合や, 異なる病原であっても同じ病型を示すことがあるため診断には注意が必要である。

また, **かぜ症候群**と, 一見かぜ症状を呈する他疾患との鑑別診断にも注意する。鑑別診断の対象として, 発熱をきたす疾患および発熱とともに呼吸器症状を呈する多くの疾患があげられる（表3）ため, それぞれに必要な検査を行うとともに, 経過を注意深く観察する。**普通感冒とインフルエンザの症状の違い**を表4に示す。

2) 検査

実施する検査は, 病歴や身体所見などから総合的に判断して選択する。

1 迅速診断

インフルエンザウイルス, RSウイルス, アデノウイ

表2 かぜ症候群の合併症と症状

疾患		主な症状	検査
呼吸器系	細菌性肺炎	高熱	好中球増多, 胸部X線で陰影など
循環器系	心筋炎	発熱, 咽頭痛などのかぜ症状, 下痢, 嘔吐, 胸痛, 呼吸困難, 眼球結膜, 眼底・頬粘膜・口蓋の点状出血	心電図, 心筋生検, 胸部X線, 心エコー, 心臓MRI
	心外膜炎	動悸, 呼吸困難, 浮腫, 不整脈	心電図（ECG）, 心臓超音波（UCG）の異常
	心内膜炎	発熱, 関節痛, 易疲労感	心エコー, 血液培養検査, 心臓MRI・CT
神経系（インフルエンザによる）	ライ症候群	けいれん	肝機能障害, 低血糖, 血中乳酸値・クレアチニンキナーゼ（CK）の上昇
	インフルエンザ脳症	嘔吐, 意識障害	髄液検査, 脳波, 頭部MRI・CT
	急性散在性脳脊髄炎	意識障害, けいれん, 髄膜刺激症状	MRI異常所見
末梢神経障害群	ギラン-バレー症候	筋力低下, 感覚障害	神経伝導速度の遅延など
筋障害	インフルエンザ筋炎	筋肉痛	クレアチニンキナーゼ（CK）の上昇
	ミオグロビン尿症	血尿	ミオグロビン尿, 血中CK・トランスアミラーゼの上昇

表3　かぜ症候群との鑑別診断が必要な主な疾患

	疾患	感冒の症状との相違
内科領域	肺結核	症状の遷延，粟粒結核では呼吸困難が強い，血痰（画像診断）
	肺がん	（画像診断・細胞診），血痰
	ジフテリア	頻脈，咽頭の偽膜形成
	急性肝炎	肝腫大，黄疸
	白血病	（骨髄像）
	膠原病	（各疾患の特異マーカー）
小児科領域	麻疹，風疹	発疹の出現，麻疹では口腔粘膜のコプリック斑
	水痘	水疱疹の出現
	流行性耳下腺炎	耳下腺の腫脹が強い
	百日咳	特有な咳
	MCLS	眼球結膜の充血，口唇充血など
	気道内異物	気道狭窄音
	先天性喘鳴	（先天的な喉頭異常・変形の存在）
	尿路感染症	尿混濁，血尿など
耳鼻科領域	アレルギー性鼻炎	季節性が強く鼻汁が多く，くしゃみが激しい

（　）内は検査による鑑別診断

表4　普通感冒とインフルエンザの鑑別

項目	普通感冒	インフルエンザ
発症	緩徐	急激
症状の分布	上気道症状	全身症状
発熱	ない または 37℃台	高熱（39〜40℃）
悪寒	少ない	強い
関節痛・筋肉痛	少ない	強い
眼所見	なし	結膜充血
倦怠感	少ない	強い
白血球数	正常	正常〜減少
CRP	陰性〜軽度上昇	陰性〜軽度上昇
合併症	少ない・中耳炎・副鼻腔炎	気管支炎，肺炎，インフルエンザ脳症

ルス，新型コロナ，マイコプラズマ等では迅速診断が可能である。

2 一般生化学検査

白血球の増加，CRP陽性，赤沈の亢進など炎症所見がみられることがあるが，軽度であることが多い。もし，CRPが異常高値の時はウイルス以外の病原によるものや細菌による二次性の気管支炎や肺炎の合併を疑う[1]。

3 分離培養検査

咽頭ぬぐい液や喀痰などから，それぞれに適切な方法で病原を増殖させて検出する。

4 胸部X線

咳を伴うかぜ症状の場合に，バイタルサインや身体所見をもとに適応を判断し胸部X線を撮影する。気管支炎や肺炎では，粒状影や浸潤影が確認されたら，適切な治療を開始する。

5. かぜ症候群の治療

一部のマイコプラズマや細菌には**抗菌薬**が有効であるが，大部分がウイルス感染症であり，**インフルエンザウイルスや新型コロナ**では，有効な**抗ウイルス薬**がある。そのため，治療は，**安静，保温，加湿，水分・栄養補給**などの対症療法が中心となる。症状に応じて，**鼻汁分泌抑制薬や解熱・鎮痛薬，鎮咳薬**などの対症療法薬が用いられるが，風邪症候群に抗菌薬は使用しない。

小児の発熱に対して解熱薬を用いる場合は，アスピリンがライ症候群を誘発する誘因の1つであると報告されているので，アセトアミノフェンを使用する[1]。

6. インフルエンザ

インフルエンザウイルスによる感染症で，通常は，寒い季節に流行するが，一年を通して散発的にみられることもある。また，従来のインフルエンザウイルスが変化し流行する**新型インフルエンザ**は，誰もが免疫をもたないことから，急速な感染拡大によりに生命に重大な影響を及ぼす恐れがある。

インフルエンザの多くは自然に治癒し比較的予後良好な疾患であるが，重症化し死亡に至る例もある。

インフルエンザの**感染経路**は，飛沫感染，接触感染のいずれかにより伝播し，細胞内でウイルスが増殖して発症する。**飛沫感染**とは，感染者の咳嗽やくしゃみ，会話などで放出された微生物を含む5μmより大きい飛沫

が，口腔粘膜や鼻粘膜，結膜等の粘膜に付着することにより感染する。**接触感染**とは，直接接触感染と間接接触感染の2つの形態がある。**直接接触感染**とは，感染者から微生物が直接伝播することである。**間接接触感染**とは，微生物に汚染した物や人を介して伝播することで，ウイルスが付着した手で，口や鼻，目などの粘膜を触れることで感染する。

1）インフルエンザウイルス

オルトミクソウイルス科に属するウイルスで，A，B，Cの3つの型に分類され，このうち流行の原因となるのはA型とB型で，C型は6歳以下の小児に感染するが通常流行しない。D型はウシなど家畜に感染する。現在のところ，人間に病原性があるのはA（H1N1）亜型，A（H3N2）亜型，B型の3つの型である。

A型は表面に存在する赤血球凝集素（HA）とノイラミニダーゼ（NA）の抗原性によって亜型に分類され，また，A型は抗原の突然変異を起こしやすく，毎年少しずつ起こる**連続変異（ドリフト）**と10〜40年周期で起こる**不連続変異（シフト）**がある。不連続変異（シフト）が起こると新型インフルエンザとして世界的大流行につながる危険がある。連続変異（ドリフト）はB型ウイルスでも認められるが，A型に比べて流行の規模は小さい。

A型とB型の3つの型が同時流行することがあるため，同シーズンに2回感染することもある。

2）インフルエンザの症状（図1）

1〜3日の潜伏期の後，突然の38℃以上の高熱，頭痛，全身倦怠感，関節痛，筋肉痛で発症する。咳，咽頭痛，鼻汁などの気道症状がやや遅れて現れる。

3）インフルエンザの重症度分類と合併症

日本感染症学会による，重症度の観点からみた**インフルエンザ患者の分類**（表5）[2]では，重症で生命の危険がある患者，生命に危険は迫っていないが入院管理が必要と判断される患者，外来治療が相当と判断される患者に分類される。

合併症は，ウイルス自体による肺炎と，二次的に細菌感染が加わって起こる肺炎が最も多い。その他，**筋炎，ギラン-バレー症候群，急性散在性脳脊髄膜炎，心筋炎**などがあり，重症化すると**凝固障害，多臓器不全**に陥ることがある。

小児では**ライ症候群**，そのほかには**インフルエンザ脳症**があり，早期に死亡に至る重症例や後遺症を残す例があり重篤な疾患であるため注意が必要である。そのため，インフルエンザ罹患時に，何らかの**神経症状（意識障害やけいれん，異常言動・行動）**が認められた場合には，予後を改善するために早期診断・早期治療を開始す

図1　インフルエンザの症状

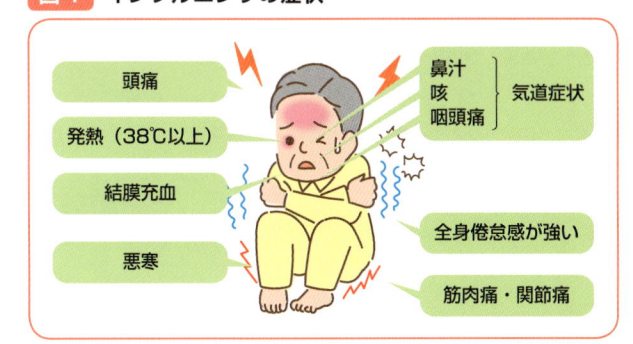

- 頭痛
- 発熱（38℃以上）
- 結膜充血
- 悪寒
- 鼻汁／咳／咽頭痛　気道症状
- 全身倦怠感が強い
- 筋肉痛・関節痛

表5　重症度の観点からみたインフルエンザ患者の分類

A群　入院管理が必要とされる患者	**A-1群**：重症で生命の危険がある患者：たとえば，昇圧薬与薬や人工呼吸管理等の全身管理が必要な例，肺炎・気道感染による呼吸状態の悪化例，心不全併発例，精神神経症状や意識障害を含むその他の重大な臓器障害例，経口摂取困難や下痢などによる著しい脱水で全身管理が必要な例，などがこれに当たる。
	A-2群：生命に危険は迫っていないが入院管理が必要と判断される患者：A-1群には該当しないが医師の判断により入院が必要と考えられる患者，合併症等により重症化するおそれのある患者，などがこれに当たる。なお，この群を，次の2群に分ける。
	・肺炎を併発している群
	・肺炎を併発していない群
B群　外来治療が相当と判断される患者	上記A群のいずれにも該当しないインフルエンザ患者

（一般社団法人日本感染症学会・新型インフルエンザ対策委員会：重症度の観点からみたインフルエンザ患者の分類，日本感染症学会提言—抗インフルエンザ薬の使用適応について　改訂版．p2，2011．より）

る。

4）検査・診断

1 迅速診断

咽頭ぬぐい液や鼻汁から，10～20分でインフルエンザを診断できる**迅速診断キット**が市販されており，A型，B型の識別も可能である。**迅速診断検査（検体採取）を行う時期は，発症後24～48時間**が最適のタイミングであり，発症早期（12時間以内）や不適切な検体採取では40～50％程度が偽陰性となることがある。**検体は，**綿棒の表面に多くの粘膜細胞や分泌液が付着するように十分に擦り取り採取する。

2 一般血液検査

一般生化学検査はかぜ症候群と同様である。

3 病原診断

咽頭ぬぐい液やうがい液によるウイルス分離でインフルエンザウイルスの存在が証明されると確定診断となる。

4 血清学的診断

急性期と回復期のペア血清による**赤血球凝集抑制試験（HI試験）**および**補体結合反応（CF試験）**があるが，主に迅速診断が用いられるためほとんど行われていない。回復期の抗体が急性期と比べて4倍以上に上昇していれば病原と確定される。

5）治療

1 抗インフルエンザウイルス薬（表6）

A型，B型ともに有効な抗インフルエンザウイルス薬は，内服薬の**タミフル®**（オセルタミビルリン酸塩）と**ゾフルーザ®**（バロキサビルマルボキシル），吸入薬の**リレンザ®**（ザナミビル水和物）と**イナビル®**（ラニナミビルオクタン酸エステル水和物），吸入や内服ができない場合の選択肢として注射薬の**ラピアクタ®**（ペラミ

表6 抗インフルエンザウイルス薬

	一般名	商品名	与薬経路	用法・用量（成人）	用法・用量（小児）	与薬日数
ノイラミニダーゼ阻害薬	ザナミビル水和物	リレンザ	吸入	・1回10mg ・1日2回	・1回1mg ・1日2回	5日間
	オセルタミビルリン酸塩	タミフル® オセルタミビル	経口	・1回75mg ・1日2回	・ドライシロップ2mg/kg ・1日2回	5日間
	ペラミビル水和物	ラピアクタ®	点滴静注	・300mgを15分以上かけて点滴静注 ・重症化の恐れがある場合は1日1回600mgを15分以上かけて点滴静注	・10mg/kgを15分以上かけて点滴静注	1回
	ラニナミビルオクタン酸エステル水和物	イナビル®	吸入	・40mg（2容器）（10歳以上）	・20mg（1容器）（10歳未満）	1回
キャップ依存性エンドヌクレアーゼ阻害薬	バロキサビルマルボキシル	ゾフルーザ®	経口	・20mg2錠または顆粒4包 ・体重80kg以上は20mg4錠または顆粒8包	・体重40kg以上は20mg2錠または顆粒4包 ・体重20kg以上40kg未満は20mg1錠または顆粒2包 ・体重10kg以上20g未満は10mg1錠	1回
ウイルス脱殻阻害薬	アマンタジン塩酸塩	シンメトレル®	経口	・1日100mgを1～2回に分割 ・年齢・症状により適宜増減 ・高齢および腎障害：上限1日100mg	・小児に与薬する場合は医師の判断において用法および用量を決定する	必要最小限の期間（最長でも1週間）

ビル水和物）がある。
　ゾフルーザ®は，12歳未満の小児の服用については，ゾフルーザに耐性をもつウイルスが一定の割合存在し，特に小児に対して高率であるため，慎重な与薬適応判断が必要である。シンメトレル®（アマンタジン塩酸塩）は，A型インフルエンザウイルスに効果がある。
　抗インフルエンザウイルス薬を，発症から遅くとも**48時間以内**に使用開始すると，発熱期間は通常1～2日間短縮され，ウイルス排泄量も減少する。インフルエンザの症状が出てから**48時間以降**に使用開始した場合は，十分な効果は期待できない。一般的には基礎疾患がある人，高齢者，小児，妊婦など重症化のリスクのある人に使用される。

2 対症療法

- **発熱，頭痛・筋肉痛などの疼痛に対する解熱鎮痛薬**

　インフルエンザ脳症の患者へのジクロフェナクナトリウムやメフェナム酸の使用は，死亡率をわずかながら有意に高めるため**禁止**されている。
　小児では，ライ症候群とアスピリンとの関連が指摘されており，**アスピリンの使用を控える**。

- **咳，痰に対する鎮咳薬，湿度調整，吸入療法**
- **かぜ症候群に準じた対症療法**

3 予防接種

　インフルエンザウイルスを不活化した**HAワクチン**の接種が行われている。**アマンタジンやノイラミニダーゼ阻害薬**は予防薬としても用いられる。
　インフルエンザの流行は，通常では12月から翌年4月頃までであり，抗体産生はワクチン接種後から1～2週間であることから11月上旬までに接種する。ワクチンの有効期間は，一般的には5カ月程度が目安とされており，発病するリスクや肺炎などによる入院のリスクを低減する効果がある。

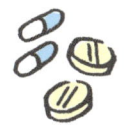

II かぜ症候群・インフルエンザの看護ケアとその根拠

1. 観察ポイント

　通常，かぜ症候群・インフルエンザの予後は良好で，合併症がなければ5～7日で回復する。しかし，感冒様症状を初発症状とする全身性疾患が多いことや，合併症の有無が予後に大きく影響することから，鑑別すべき全身性疾患や合併症の症状の**早期発見**が重要となる。

2. 看護の目標

❶合併症を起こさず，症状が軽減する
❷身体的苦痛が緩和する
❸感染を拡大させない

3. 看護ケア

1）安静・栄養・水分出納の管理

　二次感染の予防のため，安静と十分な栄養補給を確保して，抵抗力の低下を防ぐ必要がある。特にインフルエンザでは高熱で発汗や不感蒸泄が亢進するため，高齢者や小児は脱水に陥りやすく，注意が必要となる。

2）保温・加湿

　室内の換気に努めて室温・湿度（40％以上）を適切に保ち，気道粘膜への刺激因子を除去して，咽頭痛・咳嗽の軽減を図るとともに，排痰を促す。

3）排痰

　粘稠痰や末梢気道に痰が存在していて痰の喀出が困難なときには，**体位ドレナージ**を行う。医師の指示による**喀痰調整薬**の服用や**ネブライザー**などで排痰を促す。

4）苦痛の緩和

1 発熱

　悪寒戦慄があるときには**保温**を行い，これらが消失したら冷罨法などにより体温をコントロールし苦痛の軽減を図る。**熱型**を把握するため，また免疫の働きを促進するために解熱薬はむやみに使用しないほうがよいが，熱

が高く頭痛や関節痛などによる苦痛が強いときには解熱薬の使用を考慮する。

2 疼痛

インフルエンザでは**関節痛**や**筋肉痛**が強いため，患者の安楽な体位で安静を保つよう努める。また体動が困難なときには，日常生活活動（ADL）の介助を行う。疼痛が強いときには，鎮痛薬の使用を考慮する。

5）薬剤指導

呼吸器疾患や高齢者など，吸入が難しい場合には内服薬が処方される。カプセルや錠剤が飲み込みにくい小児には，**タミフル®**（オセルタミビルリン酸塩）の**ドライシロップ**があるが，粉末が飲みにくい場合はアイスクリームやヨーグルトなどに混ぜるなど，内服しやすい方法を指導する。10代の患者が，タミフル®を内服後に，異常言動が出現することが問題となっていたが，タミフル®と異常言動の因果関係が明確ではないことから与薬が可能となった。タミフル®の内服に関する説明と同時に，未成年者の療養中は高熱などによる影響を考え，少なくとも2日間は1人にしないよう保護者に指導する。

ノイラミニダーゼ阻害薬の**リレンザ**（ザナミビル水和物）と**イナビル®**（ラニナミビルオクタン酸エステル水和物）は吸入薬であり，吸入手技によって効果が左右される可能性がある。このため，専用の**吸入器の使用法**について，患者やその家族が十分理解できるまで説明する。また，粉末であるため吸入によって気道を刺激する可能性があり，**喘息患者**などでは注意を要する。

6）感染拡大の防止

かぜ症候群の多くはウイルスによる**飛沫感染**によって感染が拡大するため，患者には，**咳エチケット**を指導する。咳エチケットは，電車や職場，学校など人が集まるところで咳・くしゃみをする際に，マスクやティッシュ・ハンカチ，衣服の袖を使って，口や鼻を押さえて，飛沫による感染を防ぐことである。

特にインフルエンザは強い伝播力をもつため，外来・入院を問わず慎重な対応が必要であり，職場への出勤や学校の出席停止期間を守るように伝え，感染の拡大を予防する。また，日常生活で感染しないような予防対策を一人ひとりがとれるように個別指導や啓蒙活動を行うことも重要である。ワクチン接種はインフルエンザ感染予防の第一の手段である。

1 感染予防のための日常生活上の指導
- 流行前のインフルエンザワクチンの接種
- 外出時のマスクの着用
- 人混みへの外出を避ける
- うがいと正しい手洗いの励行
- 室内の適度な湿度調整
- 規則正しい生活リズム（十分な休養とバランスの良い食事）
- 咳エチケット

2 学校／職場への出席／出勤停止期間の順守

児童・生徒・学生は，**学校保健安全法施行規則**により，インフルエンザ（特定鳥インフルエンザおよび新型インフルエンザ等感染症を除く）は，「**発症した後五日を経過し，かつ，解熱した後二日を経過するまで**」という出席停止期間の基準がある。また，幼児については，「**保育所における感染症対策ガイドライン**」において，登園基準を「**発熱した後最低五日間かつ解熱した後三日を経過するまで**」と定めている。

勤労者の出勤停止期間は，労働安全衛生法に出勤の可否や停止期間について明記されておらず明確な基準がないため，事業所の就業規則を順守するよう伝える。

3 外来でのインフルエンザへの対応

検査を行うまでは普通感冒とインフルエンザの確定診断はできない。そのため，外来受診時に迅速な患者の状態把握と適切な感染予防策を実施することが重要である。インフルエンザの疑いがある患者は，受診受付の段階で把握して，患者に**マスクの着用と咳エチケット**を促す。また一般患者から離れた場所へ誘導する，優先的に診療を行って外来・待合室などに長くとどめないなど，他の患者との接触をできる限り避けるように配慮する。

医療従事者が患者に接するときには，**標準予防策**（スタンダードプリコーション）を徹底し，患者周囲に飛散した気道分泌物の飛沫を介した接触感染の可能性も考慮して**手袋を着用**する。患者への対応を行う前後での手洗い・手指消毒も重要である。

4 入院でのインフルエンザへの対応

日常からの標準予防策の徹底がもっとも重要な予防策である。そのうえで，入院中の患者がインフルエンザを疑わせる症状を示したときは，患者にマスクの着用と咳エチケットを促し，積極的に抗原検査を行って早期の診断に努める。インフルエンザの診断が確定した，あるいはそれが強く疑われた場合には，速やかに**隔離対応**と**厳密な飛沫感染予防策**の適用が必要である。また，同室患者，濃厚接触者についても慎重に経過をみる必要がある。

［能見真紀子］

[引用文献]
1) 加地正英：かぜ症候群の考え方．耳展43(5)：421-428, 2000.
2) 社団法人日本感染症学会・新型インフルエンザ対策委員会：重症度の観点からみたインフルエンザ患者の分類，日本感染症学会提言―抗インフルエンザ薬の使用適応について改訂版．p2, 2011.

[参考文献]
- 石原英樹，竹川幸恵，山川幸枝編：呼吸器看護ケアマニュアル．中山書店，2014.
- 泉孝英，長井苑子編：医療者のためのインフルエンザの知識．医学書院，2005.
- 一般社団法人日本環境感染学会ワクチン委員会：医療関係者のためのワクチンガイドライン　第3版．環境感染誌35(SupplⅡ)，2020.
- 一般社団法人日本感染症学会インフルエンザ委員会：一般社団法人日本感染症学会提言―抗インフルエンザ薬の使用について．2019.
- 医療情報科学研究所編：病気がみえる vol 4 呼吸器　第3版．メディックメディア，2018.
- 川端雅照編：いつもの治療を見直す！かぜ診療パーフェクト．レジデントノート増刊13(14)，2012.
- 岸田直樹：だれも教えてくれなかった「風邪」の診かた―感染症診療12の戦略　第2版．医学書院，2019.
- 厚生労働省インフルエンザ脳症研究班：インフルエンザ脳症ガイドライン　改訂版．2009.
- こども家庭庁：保育所における感染症対策ガイドライン　2018年改訂版．2023.
- 成人の新型インフルエンザ治療ガイドライン（第2版）作成委員：成人の新型インフルエンザ治療ガイドライン　第2版．2017.
- 三笠桂一・他：JAID/JSC 感染症治療ガイドライン―呼吸器感染症．感染症学雑誌88(1)：1-109，2014.
- 山城清二：成人気道感染症診療の基本的考え方．日内会誌98(2)：424-428，2009.
- 明石祐作・他：発症から検査までの時間がインフルエンザ迅速抗原検査に与える影響：前向き観察研究．感染症学雑誌 95(1)：9-16，2021.

Column 新型コロナウイルス感染症（COVID-19）

1. 新型コロナウイルスの特徴

　新型コロナウイルス感染症（coronavirus disease 2019：COVID-19）は2019年12月に初めて確認され，2020年3月にパンデミックとなり，世界で流行の波を繰り返した。COVID-19は sever acute respiratory syndrome coronavirus 2（SARS-CoV-2）と呼ばれるウイルスによる感染症である。SARS-CoV-2は，感染者の鼻や口から放出される感染性ウイルスを含む粒子に，感受性者が曝露されることで感染する。その経路は主に3つあり，**エアロゾル感染，飛沫感染，接触感染**で，**潜伏期間は1～7**（中央値2～3）**日，感染性のある期間は発症前から発症後5～10日程度である**[1]。

　新型コロナウイルス感染症の法的位置づけは，2020年2月1日から指定感染症としての届出が開始され，2021年2月13日より「新型インフルエンザ等感染症（2類相当）」に変更された。2023年5月8日からは「5類感染症」となり，それまでは限られた医療機関による特別な対応を行っていたが，幅広い医療機関による自律的な通常の対応に変更された[2]。

2. ウイルスの変異と臨床症状

　2020年末から，遺伝子変異を有するSARS-CoV-2変異株が出現し，B.1.1.7系統（アルファ），B.1.617.2系統（デルタ），B.1.1.529系統（オミクロン）が置き換わりながら流行してきた。2021年末のオミクロン発生以降は，多くのオミクロンの亜系統によって流行株が次々と置き換わっている。**オミクロンとその亜系統は，オミクロン以前の系統と比較して感染・伝播性が非常に高いが，毒力は低下し，重症化する症例の割合は低下した**[1]。

　臨床症状は，無症状から重症まで幅広い。咽頭痛，鼻汁，鼻閉といった上気道症状に加え，倦怠感，発熱，頭痛，筋肉痛，消化器症状，嗅覚・味覚障害といった全身症状がある。オミクロンに置き換わると，嗅覚・味覚障害の頻度が減少し，強い咽頭痛や鼻汁・鼻閉などが主症状に変化した。

　COVID-19の重症度は呼吸器症状（特に呼吸困難）と酸素化の程度で軽症から重症までに分類され，入院の適応が示されている（表1）。合併症には，**急性呼吸窮迫症候群（ARDS）** などの呼吸不全の他，

表1　重症度分類（医療従事者が評価する基準）

重症度	酸素飽和度	臨床状態	診療のポイント
軽症	SpO₂≧96%	呼吸器症状なし or 咳のみで呼吸困難なし いずれの場合であっても肺炎所見を認めない	・多くが自然軽快するが，急速に病状が進行することもある ・高齢者では全身状態を評価して入院の適応を判断する
中等症Ⅰ 呼吸不全なし	93%＜SpO₂＜96%	呼吸困難，肺炎所見	・入院を考慮するなど慎重な観察が望ましい ・低酸素血症があっても，呼吸困難を訴えないことがある
中等症Ⅱ 呼吸不全あり	SpO₂≦93%	酸素投与が必要	・呼吸不全の原因を推定 ・高度な医療を行える施設へ転院を検討
重症		ICUに入室 or 人工呼吸器が必要	・ウイルス性肺炎とARDSに移行したものがみられる ・個々の患者に応じた治療が重要

（厚生労働省：新型コロナウイルス感染症COVID-19診療の手引き 第10.1版．2024．https://www.mhlw.go.jp/content/001136720.pdf（2025年4月4日閲覧）より）

肺塞栓症や脳卒中などの**血栓塞栓症**，心血管系の**不整脈，急性心障害，症状回復後の心筋炎**などが報告されている[1]。死因は COVID-19 の他，**肺炎や呼吸不全**が多く，高齢者では，糖尿病，慢性腎臓病，心不全などが死因の病気の経過に影響を与えているという報告がある[3]。

重症化のリスク因子として，高齢や女性，さまざまな基礎疾患や生活習慣病が明らかにされている（**表2**）。また，COVID-19 罹患後の一部の患者に，急性期症状の持続や新たな症状の出現，症状の再燃を認めることがある。これらは**罹患後症状（後遺症）**と呼ばれ，**疲労感・倦怠感・集中力低下・記憶障害・筋肉痛・咳・脱毛・頭痛・抑うつ**などがある。WHO は「罹患後症状は少なくとも2カ月以上持続し，他の疾患による症状として説明がつかないもので，発症から3カ月経過した時点でもみられる」[4]と定義している。症状に対してはウイルスは生体が有する免疫反応により減少・消滅に至るが，生体の反応性が働かなければウイルスが長期的に身体に残り身体症状が発現するものもある。しかし，いまだに（2025年4月時点）わかっていないことが多い[5]。対症療法を行うが，時間経過とともに症状が改善することが多いとされている。

3. 検査

SARS-CoV-2 感染症の確定診断には，❶遺伝子検査，❷抗原検査が用いられる。

❶ 遺伝子検査（核酸検出検査）

SARS-CoV-2 に特異的な **RNA 遺伝子配列**を増幅し，これを検出する検査法である。RT-PCR（reverse transcriptase-polymerase chain reaction），LAMP（loop-mediated isothermal amplification）法，TMA（transcription mediated amplification）法がある。検査の所要時間は RT-PCR は1〜3時間を要する。LAMP 法・TMA 法は35〜50分程度で検査結果が出る利点があるが，リアルタイム RT-PCR と比較して感度は落ち，検体種類によっては偽陰性が生じる可能性がある[1]。鼻咽頭や唾液に含まれる比較的少量のウイルスで

表2 重症化のエビデンスレベルが高の基礎疾患など

悪性腫瘍	● 悪性腫瘍（血液腫瘍）
代謝疾患	● 1型および2型糖尿病 ● 肥満（BMI ≧30）
心血管疾患	● 脳血管疾患　● 虚血性心疾患 ● 心不全　● 心筋症
呼吸器疾患	● 間質性肺疾患　● 慢性閉塞性肺疾患（COPD） ● 肺塞栓症 ● 肺高血圧　● 結核 ● 気管支喘息　● 囊胞性線維症 ● 気管支拡張症
肝疾患	● 肝硬変 ● 非アルコール性脂肪肝 ● アルコール性肝障害 ● 自己免疫性肝炎
腎疾患	● 慢性腎臓病（透析患者）
精神神経疾患	● 気分障害　● 認知症 ● 統合失調症
運動不足	● 運動不足
妊娠	● 妊娠・産褥
喫煙	● 喫煙（現在および過去）
小児	● 基礎疾患のある小児（エビデンスレベル：中）
遺伝性疾患	● ダウン症候群
免疫不全	● HIV 感染症 ● 臓器移植・幹細胞移植 ● ステロイド等の免疫抑制薬の与薬 ● 原発性免疫不全症候群

(Evidence Used to Update the List of Underlying Medical Conditions Associated with Higher Risk for Severe COVID-19. CDC COVID-19 Science Brief, 2023.)（厚生労働省：新型コロナウイルス感染症 COVID-19 診療の手引き 第10.1版. 2024. https://www.mhlw.go.jp/content/001136720.pdf（2025年4月4日閲覧）を一部改変）

あっても検出できるため，発症の初期〜中期に用いられる。

❷ 抗原検査

SARS-CoV-2 の構成成分である**タンパク質**を，ウイルスに特異的な抗体を用いて検出する検査方法

であり，遺伝子検査とともに確定診断に用いることができる。鼻咽頭または唾液に含まれるウイルス抗原を検知し，診断に導く検査であるが，検出には一定以上のウイルス量が必要であり，抗原を増幅しないため核酸検出検査法に比べると感度は低い。そのため，一定数以上の偽陰性が生じる。

4. 治療

重症化リスクの低い**軽症患者**では，経過観察のみで自然に軽快することが多い。**重症化リスクの高い患者**に対して，早期に抗ウイルス薬を与薬することで，入院を減らし重症化予防が期待できる。**中等症以上の患者**は，発症後数日はウイルス増殖が起こるため，抗ウイルス薬または中和抗体薬を与薬する。**発症後7日前後**からは宿主免疫による炎症反応が主病態となるため，この時期には**抗炎症薬**が与薬される。

中等症Ⅱ以上に対しては**酸素**を投与し，酸素化の改善を図る。当初は感染の観点から推奨されなかったネーザルハイフローセラピー（以下，NHFC）（→p136）が行われるようになった。NHFCを行う場合は陰圧個室またはHEPAフィルターなどを設置するなど感染対策が必要である[1]。**重症患者**には，**人工呼吸器・VV-ECMO**（静脈脱血-静脈送血 体外膜型肺：Veno Venouse Extracorporeal membrane oxygenation）の導入を行い肺保護が行われる。

5. 看護

1 重症化の早期発見

重症化のリスクの高い患者の中には，自覚症状が乏しい場合があるため，酸素飽和度を確認するなど，重症化の徴候を患者にも伝えて自身でも観察できるように支援する。

2 身体症状・合併症・基礎疾患に対する看護

呼吸状態や合併症・基礎疾患による症状に対する**対症療法**を実施し，患者の**苦痛の緩和**を図る。呼吸に対しては酸素療法・NHFC・NPPV・重症例には挿管して人工呼吸器・ECMOの管理を適切に行う。

重症COVID-19患者への腹臥位療法は酸素化の改善効果があると報告されていることから[6,7]，重症患者には長時間の腹臥位療法を実施する。腹臥位をとることで換気血流比が改善することや，体位ドレナージによる気道分泌物の排出の改善などがみられる[8]。

3 リハビリテーション・離床

患者は感染管理のため隔離を余儀なくされる。ベッド上の生活が長くなると運動機能は低下し，退院時には入院前よりADLが低下する。特に高齢者においてはADLの低下は**廃用性症候群**につながり，患者のQOLを著しく低下させる。活動範囲をベッド上に制限するのではなく，排尿のためのトイレ移乗や室内の洗面所への移動など，少しでも**離床**できる機会を有効に活用し，**ADLの低下を予防**する。

4 隔離によるストレスに対する看護

隔離されると家族と離ればなれになり，院内で会える人はマスクやゴーグルをした医療スタッフのみとなってしまい，「隔離されている」「孤立している」と感じることから，**精神的ストレス**が加わる。少しでもストレスを和らげる対応を検討する。ビデオ通話などを活用し患者と家族のコミュニケーションを実施することで，患者のストレスの緩和ができ，家族の安心にもつながる。患者・家族・施設の状況に合ったストレスの緩和策を実施する。

5 罹患後症状に対する看護

罹患後症状として個々の症状への**対症療法・リハビリテーション**を支援する。時間経過とともに発現率が低下する傾向にあることをふまえ患者への励ましを行うなど精神的ケアを行う。罹患後症状により復職や就労が困難になる患者には，産業保健師などと連携して**復職や就労支援**を行う。在宅での療養が困難な場合は，社会資源を活用した**在宅療養支援**が必要である。

6 新興感染症に対する看護

未知の新興感染症は，得体のしれない初期には，患者のみならず医療従事者にも，感染媒介者となることや感染し重症化することに対する**不安や恐怖**が

つきまとう．また，患者は，感染したことが周囲（近所，学校，職場）に知られると**差別**されるのではないか，元の生活に戻れるか等の社会復帰に対する**不安**も抱えている．退院後の生活への不安に対し情報提供を行い，必要時には地域の保健所などの相談機関を紹介し**連携**も行う．また，**不安が強い患者**には，**精神状態のアセスメント**を行い，うつなどの傾向がないかを確認し，必要時は**カウンセリング**につなげる．

[北尾剛明]

[引用文献]
1) 厚生労働省：新型コロナウイルス感染症 COVID-19 診療の手引き 第10.1版．2024．https://www.mhlw.go.jp/content/001136720.pdf（2025年4月4日閲覧）
2) 厚生労働省：新型コロナウイルス感染症の5類感染症移行後の対応について．https://www.mhlw.go.jp/stf/corona 5 rui.html（2025年4月4日閲覧）
3) 別府志海，篠原恵美子：新型コロナウイルス感染症による死亡動向と複合死因分析：2020年．人口問題研究 78(4)：477-492，2022．
4) WHO：Post COVID-19 condition（Long COVID）．2022. https://www.who.int/europe/news-room/fact-sheets/item/post-covid-19-condition
5) 厚生労働省：新型コロナウイルス感染症 COVID-19診療の手引き 別冊 罹患後症状のマネジメント 第3.1版．2023．https://www.mhlw.go.jp/content/001159406.pdf（2025年4月4日閲覧）
6) Coppo A, et al: Feasibility and physiological effects of prone positioning in non- intubated patients with acute respiratory failure due to COVID-19（PRON-COVID）: a prospective cohort study. Lancet Respir Med 8(8):765-774, 2020.
7) Ehrmann S, et al: Awake prone positioning for COVID-19 acute hypoxaemic respiratory failure: a randomised, controlled, multinational, open-label meta-trial. Lancet Respir Med 9(12): 1387-1395, 2021.
8) 日本救急医学会：医学用語解説集 腹臥位呼吸療法．https://www.jaam.jp/dictionary/dictionary/word/0310.html（2025年4月4日閲覧）

[参考文献]
- 日本感染症学会：COVID-19に対する薬物治療の考え方 第15.1版（2022年11月22日）．https://www.kansensho.or.jp/uploads/files/topics/2019ncov/covid19_drug_221122.pdf（2025年4月4日閲覧）
- 森伸晃，三鴨廣繁：COVID-19のわかったこと，これから解明されるべきこと．診断と治療（2023年増刊号）111(13)：366-370，2023．

第Ⅱ部 疾患別看護ケア関連図　1．呼吸器感染症

5 市中肺炎／院内肺炎／医療・介護関連肺炎

[病原微生物の侵入]
- 市中
  - 肺炎球菌
  - インフルエンザ菌
  - マイコプラズマ
  - レジオネラ
  - クラミジア
- 院内
  - MRSA
  - 緑膿菌
  - 肺炎桿菌
  - セラチア菌
  - 嫌気性菌

↓

宿主の抵抗力の低下

↓

肺実質の炎症

→ **肺炎**
- 市中肺炎 → 細菌性肺炎／非定型肺炎
- 院内肺炎
- 医療・介護関連肺炎

→ ・重症度　・敗血症の有無

病原菌の推定

個人の意思やQOLを考慮した治療・ケア

患者背景のアセスメント

[検査]
- 胸部X線
- 胸部CT
- 血液検査
- 血液培養
- 検尿
- 喀痰培養

[合併症]
- 呼吸不全
- 心不全
- 腎不全
- 敗血症

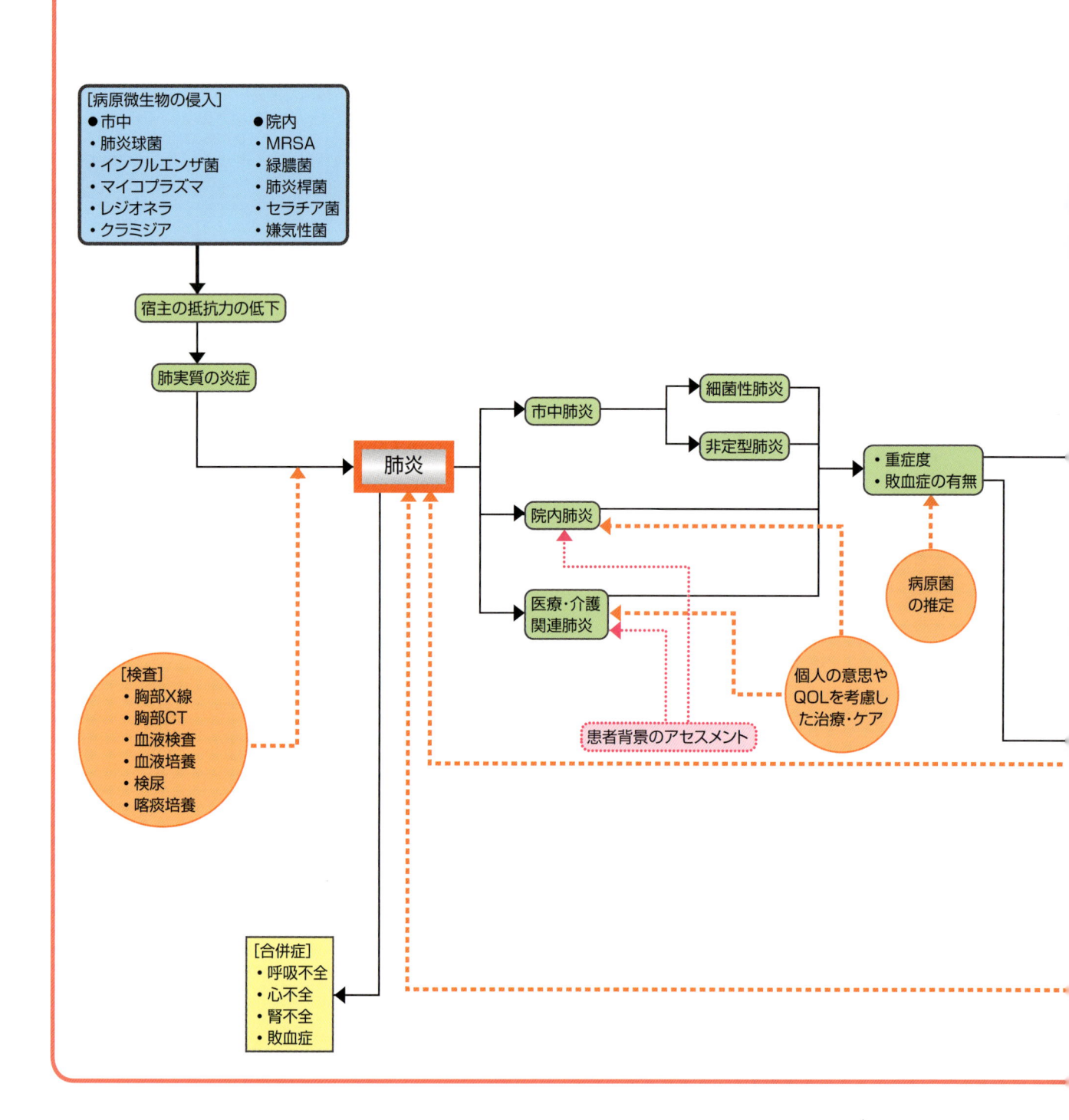

凡例: 誘因・原因 → 病態生理・状態 / 症状 / 医学的処置 → 看護ケア → (疾患)から生じる全体像 / 分類,あるいは特殊な部分

肺炎から生じる全体像

- 感染 → 発熱 → ・体力低下 ・悪寒・戦慄
- 肺胞腔や末梢気管に貯留した滲出液の排出
- 菌の侵入により防御反応として気道粘膜が増加
- 気道内,分泌物の増加・貯留 → 咳嗽 / 喀痰
- 気道の通過障害 → 無気肺
- 肺の炎症による呼吸面積の減少 → 呼吸困難 / 低酸素血症
- 酸素消費量増加
- 不安,恐怖,不穏

看護ケア:
- ・保温 ・解熱 ・安静 ・クーリング … 保清援助
- 鎮咳薬
- 喀痰調整薬
- ・排痰援助 ・ネブライザー ・ハフィング ・体位ドレナージ ・スクイージング ・吸引
- 酸素療法 ← 人工呼吸管理
- 精神的援助

- ・炎症が強い ・胸膜の炎症 → 胸痛 ← ・冷湿布 ・鎮痛薬
- ・食欲低下 ・発汗・不感蒸泄 → 低栄養状態 / 脱水 ← ・水分補給 ・栄養補給:点滴,食事の工夫 ← ・輸液管理 ・水分出納管理

- 抗菌化学療法 ← 抗菌薬の有効性とその評価 ← 再発予防 ← ・含嗽 ・手洗い ・マスク
- 原因菌の確定
- [副作用観察] 注射部位の発赤・腫張,発疹,掻痒感,しびれ,気分不良,頭痛,呼吸困難,血圧低下,頻脈など
- 基礎疾患の治療

第Ⅱ部 疾患別看護ケア関連図　1. 呼吸器感染症
❺市中肺炎／院内肺炎／医療・介護関連肺炎

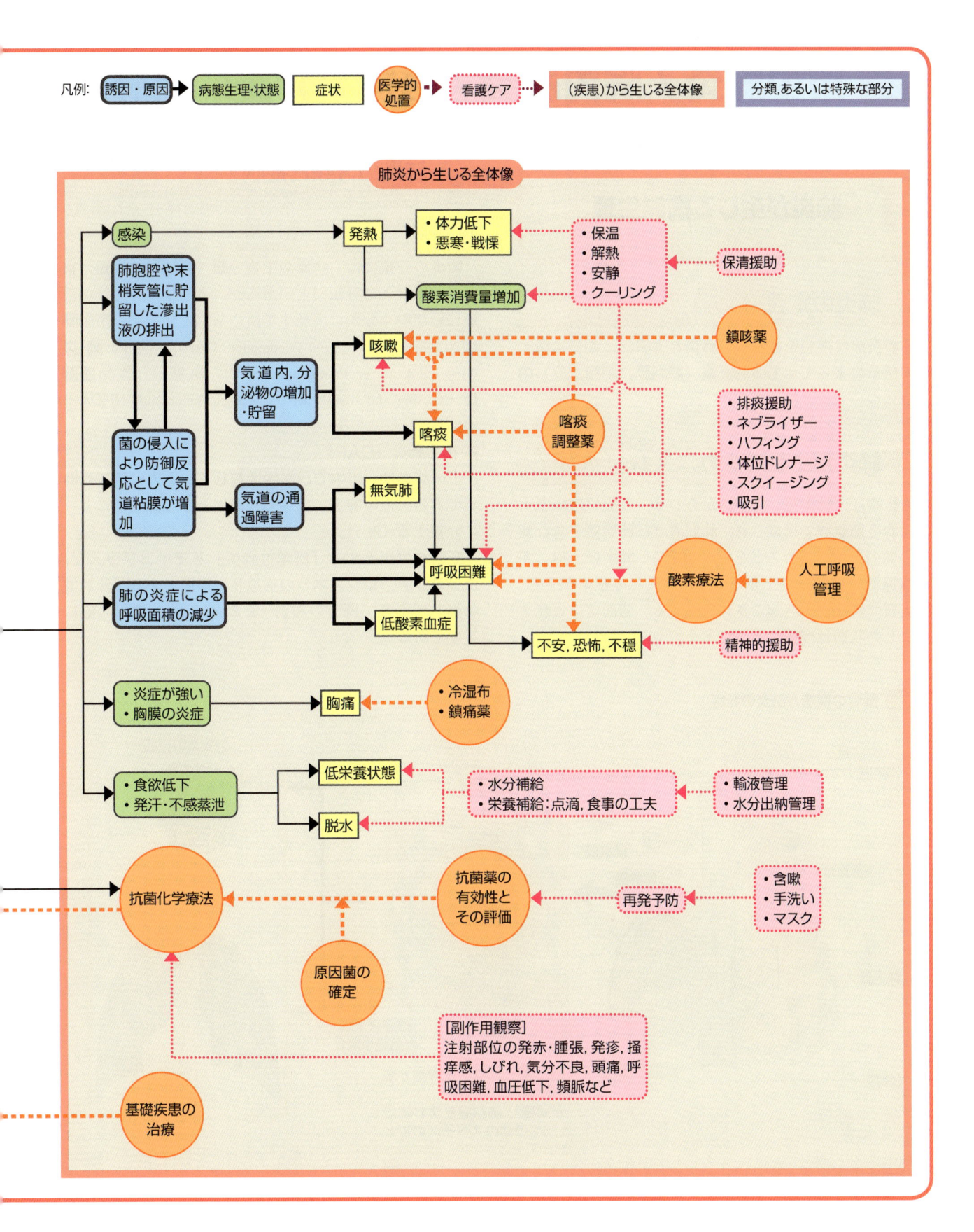

第Ⅱ部 疾患別看護ケア関連図 1.呼吸器感染症

5 市中肺炎 / 院内肺炎 / 医療・介護関連肺炎

Ⅰ 肺炎が生じる病態生理

1. 肺炎の定義

　肺の炎症性疾患を総称して**肺炎**とよぶ。ここでは微生物の感染によって生じる**肺実質（肺胞腔，肺胞上皮）の炎症**について取り扱う。

2. 肺炎が生じるメカニズム

　肺組織は，**肺実質**と**肺間質**からなり，肺実質は肺胞上皮細胞と肺胞腔で構成され，肺間質とは肺胞壁を含む肺胞の間のスペースのことをいう（図1）。肺炎は，何らかの病原微生物が気道を介して肺に侵入して感染が生じ，肺実質で炎症が引き起こされ発症する。肺間質に炎症を起こした状態は**間質性肺炎**である。

3. 肺炎の分類と症状

1）分類

　肺炎の分類には，病原微生物分類，病理学的分類，宿主の状態による分類などがあるが，より早期の的確な治療に結びつく分類は，発生場所や病態で分類する**市中肺炎**（Community-Acquired Pneumonia：CAP），**院内肺炎**（Hospital-Acquired Pneumonia：HAP），**医療・介護関連肺炎**（Nursing and Healthcare-Associated Pneumonia：NHCAP）がある。

1 市中肺炎（CAP）

　市中肺炎は，**市中で日常生活をしている人に起こる肺炎**である。市中肺炎ではさらに原因とする**微生物**によって分類する（表1）。
　細菌を原因とする「**細菌性肺炎**」とマイコプラズマ，クラミジア，レジオネラの病原体を原因とする「**非定型肺炎**」があり，両者の鑑別（図2）は抗菌薬選択の際に重要である。

図1　肺胞の構造と肺炎の発症

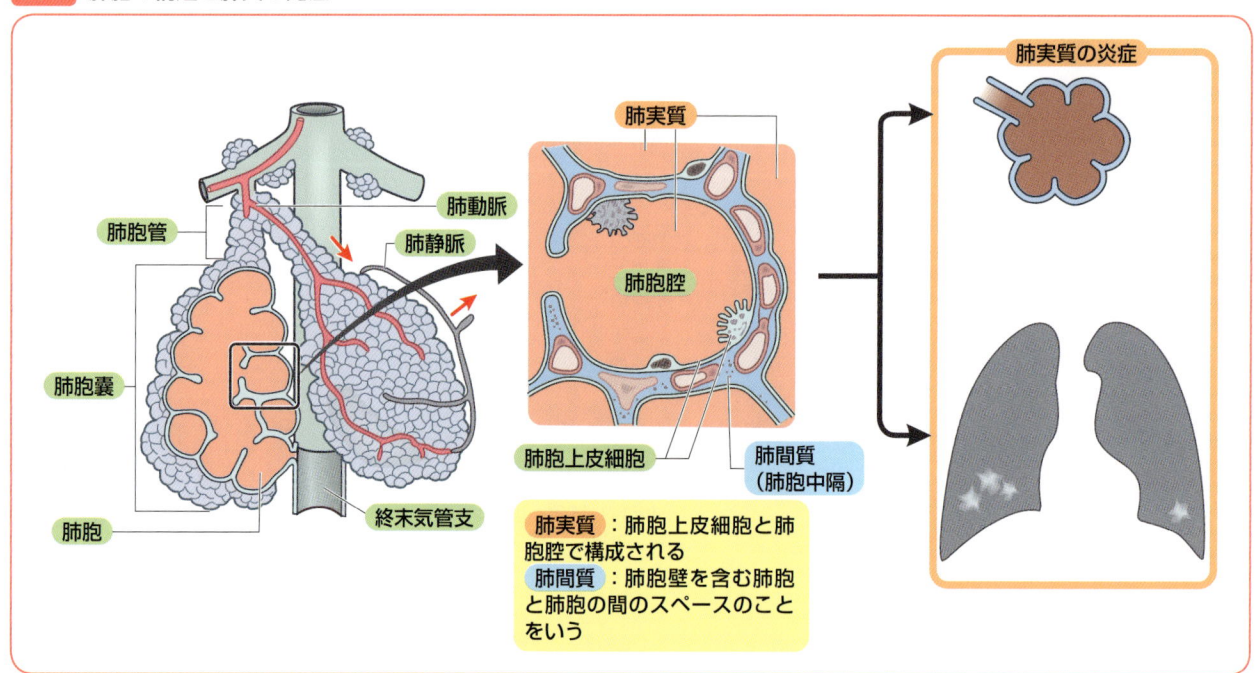

（医療情報科学研究所：病気がみえる vol 4　呼吸器．pp10-11，メディックメディア，2009．を一部改変）

表1 肺炎を引き起こす代表的な原因微生物

市中肺炎	院内肺炎
● 細菌性肺炎 　● 肺炎球菌 　● インフルエンザ菌 ● 非定型肺炎 　● 肺炎マイコプラズマ 　● 肺炎クラミジア 　● レジオネラ・ニューモフィラ	● MRSA ● 緑膿菌 ● 肺炎桿菌 ● セラチア菌 ● 嫌気性菌（誤嚥性肺炎）

図2 市中肺炎における細菌性肺炎とマイコプラズマ肺炎の鑑別項目

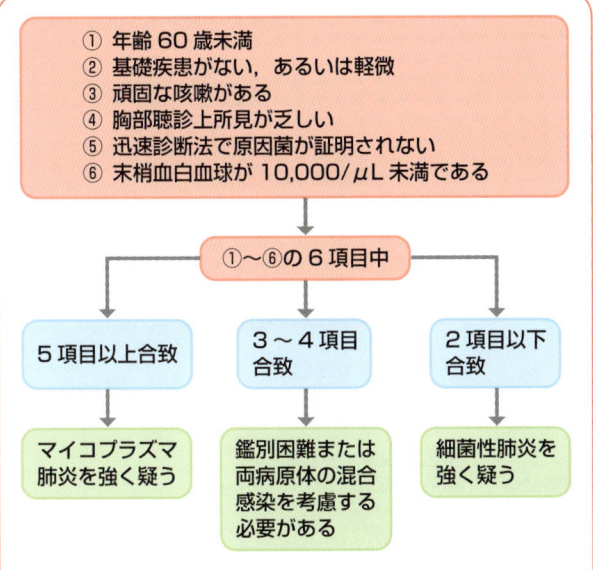

① 年齢60歳未満
② 基礎疾患がない，あるいは軽微
③ 頑固な咳嗽がある
④ 胸部聴診上所見が乏しい
⑤ 迅速診断法で原因菌が証明されない
⑥ 末梢血白血球が 10,000/μL 未満である

①〜⑥の6項目中

- 5項目以上合致 → マイコプラズマ肺炎を強く疑う
- 3〜4項目合致 → 鑑別困難または両病原体の混合感染を考慮する必要がある
- 2項目以下合致 → 細菌性肺炎を強く疑う

マイコプラズマ肺炎は抗原検出法および遺伝子増幅法（LAMP法）を用いた迅速判断が可能となったため、非定型肺炎が疑われた症例においては、迅速診断検査を実施すると精度の高い鑑別が可能になる。

（日本呼吸器学会成人肺炎診療ガイドライン2024作成委員会編：成人肺炎診療ガイドライン2024. pp32-33, メディカルレビュー社，2024. をもとに作成）

2 院内肺炎（HAP）

院内肺炎は、**入院48時間以降に新たに出現した肺炎**である。また、**気管挿管・人工呼吸器開始後48時間以降に新たに発症した肺炎である人工呼吸器関連肺炎**（Ventilator-Associated Pneumonia：**VAP**）も含まれる。施設内感染症のなかでもっとも発生率が高く，死亡率も高い。院内肺炎の患者は，何らかの疾患や治療により，全身状態が不良で，免疫機能が低下しているために**感染しやすい状態**となっている。また、院内肺炎はMRSA（メチシリン耐性黄色ブドウ球菌）などの耐性菌が原因菌となることも多く，院内肺炎が重症化しやすい原因の1つ

表2 NHCAPの定義

以下，4項目のいずれかを満たすHAP以外の肺炎（病院外で発症した肺炎）

1) 長期療養型病床群*もしくは介護施設に入所している
2) 過去90日以内に病院を退院した
3) 介護†を必要とする高齢者，身体障害者
4) 通院にて継続的に血管内治療（透析，抗菌薬，化学療法，免疫抑制薬等による治療）を受けている

＊：精神病床も含む
†：PS3：限られた自分の身の回りのことしかできない。日中の50%をベッドか椅子で過ごす，以上を目安とする

（日本呼吸器学会成人肺炎診療ガイドライン2024作成委員会編：成人肺炎診療ガイドライン2024. p49, メディカルレビュー社，2024. より）

でもある。

3 医療・介護関連肺炎（NHCAP）

NHCAPは医療システムや人口の高齢化など、わが国特有の状況を示す肺炎の定義および概念である。**医療ケアや介護を受けている人に発症する肺炎であり，表2の定義項目を1つ以上満たせばNHCAPと判断する**。予後や耐性菌の観点から**CAPとの区別は重要**である。NHCAPでは、高齢，中枢神経疾患，ADL低下，経管栄養管理などの背景がある患者は、誤嚥が関与した肺炎を引き起こしていることがあり、NHCAPは**誤嚥性肺炎**とオーバーラップすると考えられている。

疾患末期や老衰の状態である場合は、患者個人や家族の意思を尊重して肺炎の治療方針を決定する。

2）症状・身体所見

咳嗽，喀痰，呼吸困難，胸痛（呼吸困難や胸膜の炎症を起こしている場合），**呼吸数の増加**といった呼吸器症状と，**発熱，頻脈，全身倦怠感，食欲不振，意識障害**といった全身症状がある。

高齢者では発熱などの典型的な肺炎の症状が出現しないこともあるため、**呼吸数の増加，チアノーゼ，食欲低下，活動低下**などの症状を注意して観察する。

胸部聴診では、炎症部分や分泌物の貯留などの部位で，**crackles（断続性肺副雑音）**を聴取する。

4. 肺炎の診断・検査

肺炎の診断は，問診，診察所見，血液検査所見，胸部X線などの画像所見より総合的に判断される。

胸部聴診所見で**粗い断続性副雑音（水泡音）**が聴取さ

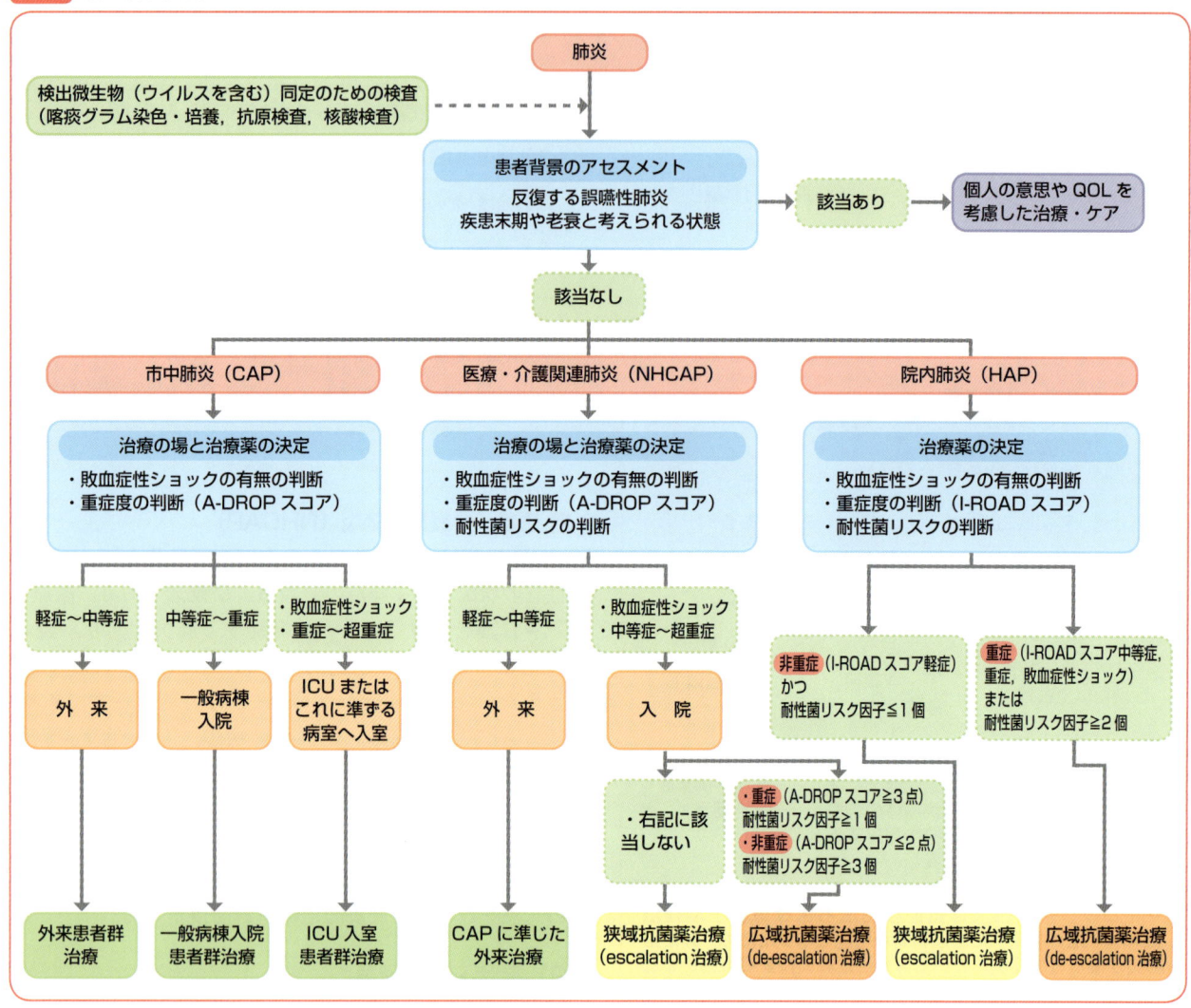

図3 成人肺炎診療ガイドライン2024フローチャート

(日本呼吸器学会成人肺炎診療ガイドライン2024作成委員会編：成人肺炎診療ガイドライン2024. p iv, メディカルレビュー社, 2024. より)

れ，胸部X線で新しいあるいは増大した**浸潤陰影**が出現していること，血液検査にて**白血球の増加，炎症**所見の上昇があれば肺炎を疑う。

肺炎の治療方針は，CAPとHAP/NHCAPで大別される。図3に**成人肺炎診療フローチャート**を示す。

1) 市中肺炎（CAP）

CAPでは，治療に用いる**抗菌薬**は病原体に合ったものを選択する必要があるため，**原因微生物の検索**を行う。同時に，**細菌性肺炎と非定型肺炎の鑑別**を行う（図2参照）。

マイコプラズマ肺炎においては，抗原検出法および遺伝子増幅法を用いた迅速診断検査を実施することで，精度の高い鑑別が可能となる。

さらに，全身管理が必要な敗血症の有無の判断を**qSOFA（quick SOFA）スコア**（表3）により行い，スコアが2点以上であれば**敗血症**が疑われる。臓器障害の評価を行って，**SOFAスコア**（表4）がベースラインから2点以上増加すれば，感染症が疑われるものは**敗血症**と診断される。また，**A-DROPスコア**（表5）による**CAPの重症度**を判断し，重症度によって治療の場を決定する（図3参照）。

2) 院内肺炎（HAP）／医療介護関連肺炎（NHCAP）

高齢者肺炎が主体のNHCAPでは食欲低下，失禁，日常の活動性低下などの症状は呈すが，典型的な**呼吸器**

症状を呈さない場合があることに注意する。また，HAP/NHCAPと診断したら，**誤嚥性肺炎のリスクや疾患末期や老衰の状態**など，患者背景のアセスメントを行う。

HAP/NHCAPでも同様に，**敗血症の有無**の判断を行い，HAPでは**生命予後予測因子（I-ROADスコア）**（図4），NHCAPでは**A-DROPスコア**（表5参照）を用いて重症度を評価する。

3）検査項目

1 問診
基礎疾患の有無や重症化要因の有無について聴取し，症状や身体所見を観察する。

2 胸部X線
肺野にさまざまな陰影を認める。

表5 A-DROPスコア

A（Age）：男性70歳以上，女性75歳以上
D（Dehydration）：BUN 21mg/dL以上または脱水あり
R（Respiration）：SpO$_2$ 90%以下（PaO$_2$ 60Torr以下）
O（Orientation）：意識変容あり
P（Blood Pressure）：血圧（収縮期）90mmHg以下

軽症	上記5つの項目のいずれも満たさないもの
中等症	上記項目の1つまたは2つを有するもの
重症	上記項目の3つを有するもの
超重症	上記指標の4つまたは5つを有するもの。ただし，敗血症性ショックがあれば1項目のみでも超重症とする

（日本呼吸器学会成人肺炎診療ガイドライン2024作成委員会編：成人肺炎診療ガイドライン2024．p31，メディカルレビュー社，2024．より）

表3 qSOFAスコア（Quick Sequential [Sepsis-related] Organ Failure Assessment）

項目		点数
血圧	収縮期血圧100mmHg以下	1
呼吸回数	22回/分以上の頻呼吸	1
意識	意識障害（GCSで15未満）	1
2点以上あれば敗血症を疑う		

(Singer M et al: The Third International Consensus Definitions for Sepsis and Septic Shock (Sepsis-3). JAMA 315(8): 801-810, 2016. より一部改変)

表4 SOFAスコア（Sequential Organ Failure Assessment score）

項目		0点	1点	2点	3点	4点
呼吸器	PaO$_2$/FiO$_2$（mmHg）	≧400	<400	<300	<200 ＋呼吸補助	<100 ＋呼吸補助
凝固能	血小板数（×10^3/μL）	≧150	<150	<100	<50	<20
肝機能	ビリルビン（mg/dL）	<1.2	1.2〜1.9	2.0〜5.9	6.0〜11.9	>12.0
循環器	平均動脈圧（MAP）（mmHg）	MAP≧70	MAP<70	DOA<5γあるいはDOB使用	DOA5.1〜15γあるいはAd≦0.1γあるいはNOA≦0.1γ	DOA>15γあるいはAd>0.1γあるいはNOA>0.1γ
中枢神経系	GCS	15	13〜14	10〜12	6〜9	<6
腎機能	クレアチニン（mg/dL）	<1.2	1.2〜1.9	2.0〜3.4	3.5〜4.9	>5.0
	尿量（mL/日）				<500	<200

DOA：ドパミン，DOB：ドブタミン，Ad：アドレナリン，NOA：ノルアドレナリン
SOFAスコアのベースラインから2点以上の増加で，感染症が疑われるものは敗血症と診断される

（日本呼吸器学会成人肺炎診療ガイドライン2024作成委員会編：成人肺炎診療ガイドライン2024．p31，メディカルレビュー社，2024．を一部改変）

図4　HAPの重症度分類

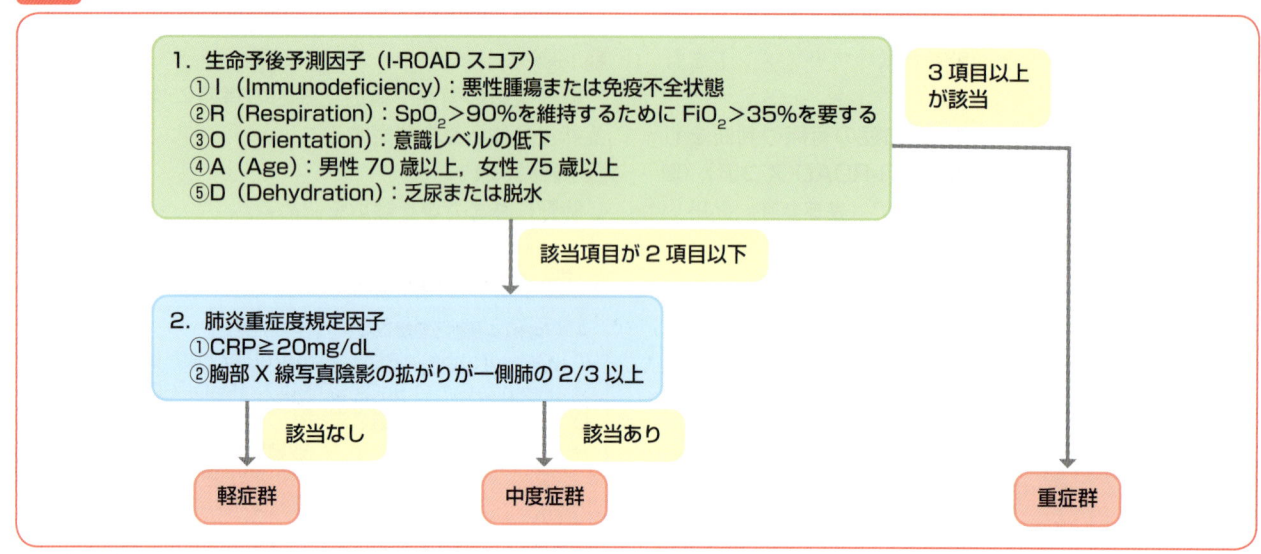

1. 生命予後予測因子（I-ROADスコア）
   ① I（Immunodeficiency）：悪性腫瘍または免疫不全状態
   ② R（Respiration）：$SpO_2>90\%$を維持するために$FiO_2>35\%$を要する
   ③ O（Orientation）：意識レベルの低下
   ④ A（Age）：男性70歳以上，女性75歳以上
   ⑤ D（Dehydration）：乏尿または脱水

   → 3項目以上が該当 → 重症群
   → 該当項目が2項目以下 → 2.へ

2. 肺炎重症度規定因子
   ① $CRP≧20mg/dL$
   ② 胸部X線写真陰影の拡がりが一側肺の2/3以上

   → 該当なし → 軽症群
   → 該当あり → 中度症群

（日本呼吸器学会成人肺炎診療ガイドライン2024作成委員会編：成人肺炎診療ガイドライン2024．p64，メディカルレビュー社，2024．を一部改変）

3 血液検査所見

好中球優位の**白血球数の増加，CRP上昇，血沈亢進，プロカルシトニン上昇**を認める。非定型肺炎ではAST・ALTの上昇がみられることがある。

4 胸部CT

陰影の局在，性状をより正確に評価できる。

5 喀痰検査

喀痰の**塗抹検査（グラム染色）**や**培養検査**を行う。塗抹検査では緑膿菌，クレブシエラ属，ブドウ球菌など形や染まり方で推定できる菌もあり，治療を迅速に開始する一助となる[1]。喀痰培養では，原因菌の同定や薬剤感受性を調べることができる。

喀痰提出時は，痰と唾液の鑑別が必要であり，唾液成分が多い場合は，検体として不適格であるため注意する。

6 血液培養

敗血症の診断や原因菌の検出に有用である。

7 検尿

尿中抗原検査（肺炎球菌，レジオネラ）の検出に有用である。

5. 肺炎の治療

1）抗菌薬療法

肺炎の治療においては，原因菌の鑑別が重要になる。培養結果が出る前に患者背景や臨床所見から，原因微生物を推定して治療を行う**エンピリック療法**と，培養や迅速検査によって原因菌を特定した後，原因菌に標的を絞った**標的治療**が行われる。

抗菌薬の種類によって体内の薬剤血中濃度の変化が異なるため，抗菌薬の与薬間隔は，医師の指示を守る。抗菌薬は基本的に適切な量を短期間で使用することで耐性予防につながる。肺炎の抗菌薬については，肺炎の診断がついたらなるべく早く与薬することが望ましい。

1 市中肺炎（CAP）

❶エンピリック療法

エンピリック療法では，ガイドラインの推奨レジメンに準拠した広域治療が行われる。

軽症や中等症のCAPのエンピリック療法では，細菌性肺炎が疑われる場合は**ペニシリン系薬やセフェム系薬**が，非定型肺炎が疑われる場合は**テトラサイクリン系やマクロライド系薬**が選択される。鑑別困難な場合には**レスピラトリーキノロン**が選択される。

中等症～重症肺炎の多くは細菌性肺炎であることが多く，**ペニシリン系薬**などが選択される。非定型肺炎が疑われる場合は，**マクロライド系薬**が考慮される。

重症～超重症肺炎の代表的な劇症化原因菌は，肺炎球菌とレジオネラ・ニューモフィラで，その他には緑膿菌やグラム陰性桿菌，黄色ブドウ球菌などがある。これらに対し，**カルバペネム系薬，β-ラクタマーゼ阻害薬配合ペニシリン系薬単剤療法，第三世代セフェム系薬，マクロライド系薬併用療法，レスピラトリーキノロン併用療法，抗MRSA薬併用療法**から検討する。

表6 治療判定について

早期薬剤判定	①薬剤使用後，3日後に判定 ②体温（発熱），咳嗽，喀痰量の3項目中，2項目で「改善（改善傾向）」 ③炎症反応（WBC，CRP）および胸部X線陰影は早期判定では評価しない	●反応不良時は，病態の見直しと治療の再検討が必要
抗菌薬使用終了時期の目安	①スイッチ療法の導入基準を満たす ②末梢血白血球増加の改善（目安：正常化） ③CRPの改善（目安：最高値の30%以下への低下） ④胸部X線陰影の明らかな改善	
スイッチ療法の目安	●静脈抗菌薬の与薬により状態が改善 ①呼吸症状（咳・呼吸困難など）の改善 ②CRP＜1 g/dL ③経口摂取が十分な改善 ④体温が12時間以上38度未満	●①～④であれば内服抗菌薬へスイッチ可能
治療期間の目安	●軽症～中等症で初期治療が奏功……1週間以内（5～7日間） ●重症例，劇症化・難治化をきたしうる原因菌……7～14日間（以上）	●抗菌薬終了後，再発の兆候や患者の状態などで退院を考慮

❷標的治療

原因菌が判明した場合には，原因菌の抗菌薬感受性などを参考に**標的治療**が行われる。抗菌薬の選択は，危険因子がなく重要度が低い場合には，狭域の抗菌薬を選択することが基本であるが，基礎疾患を合併したり中等症以上の肺炎の場合は，より広域の抗菌薬を選択する場合もある。

CAPにおける**治療効果判定，治療終了時期**を表6に示す。一般的に抗菌薬を終了できれば退院可能となる。また，注射薬を内服薬に変更（**スイッチ療法**）できれば，早期退院を図ることも可能である。

② 院内肺炎（HAP）／医療・介護関連肺炎（NHCAP）

誤嚥が関与する症例が多く，原因菌を特定できない症例も約半数を占める。HAPは，**緑膿菌とMRSAが多く，肺炎球菌，MSSA**などがある。NHCAPでは，**肺炎球菌，MRSAが2大主要検出菌で，クレブシエラ菌，緑膿菌**と続く。HAP，NHCAPのいずれにおいても，**耐性菌**が多い傾向にある。

❶個人の意思やQOLを考慮した治療・ケア

HAP/NHCAPでは，がんなどの**疾患の末期状態や老衰の過程**にある人に起こった場合，死亡の契機となったり，病状が改善しても苦痛や不快感が持続したりする可能性がある。そのため，**個人の意思やQOLを考慮して強力な肺炎治療を差し控える**場合もある。終末期にあると判断されても，患者本人やその意思を推定できる家族が強力な治療を望む場合は，十分な情報を提示した上で治療を行う。

❷エンピリック治療

高齢者は痰の喀出が困難な場合や侵襲的な検査ができ

表7 「HAPにおける」耐性菌のリスク因子

2個以上で耐性菌の高リスク
① ICUでの発症
②敗血症／敗血症性ショック
③過去90日以内の抗菌薬使用歴
④活動性の低下，歩行不能： PS≧3，バーセル指数*＜50，歩行不能，経腸栄養または中心静脈栄養
⑤ CKD（透析含む）：eGFR＜60mL/分/1.73m²

＊：バーセル指数：1.食事，2.移動，3.整容，4.トイレ動作，5.入浴，6.歩行，7.階段昇降，8.着替え，9.排便，10.排尿について各々0～15点で評価し，0～100点でスコアリングする
（日本呼吸器学会成人肺炎診療ガイドライン2024作成委員会編：成人肺炎診療ガイドライン2024．p67，メディカルレビュー社，2024．より）

ない場合が多く，原因菌の特定が困難な症例も多いため，HAP/NHCAPでは**エンピリック治療**が重要である。必ずしも広域抗菌薬の与薬の必要はなく，**耐性菌リスク**（表7）や肺炎の重症度などから適応を判断する。**敗血症の有無や重症度，耐性菌リスクの有無**によって，狭域の抗菌薬を与薬し，無効の場合，広域の抗菌薬を与薬する**Escalation治療**，広域の薬剤で初期治療を開始し，可能であれば狭域の薬剤への変更を考慮する**De-escalation単剤治療やDe-escalation多剤治療**を実施する。抗菌薬の与薬量は年齢や腎機能（GFR）によって調整する。

抗菌薬の与薬期間は**1週間以内**の比較的短期間とするが，重症度，原因菌種，膿瘍形成の有無などによっては長期間の与薬を要する。

2）対症療法

1 解熱・保温
発熱によって，**体力消耗・呼吸状態悪化・脱水状態**等に陥りやすくなるため，**解熱薬**を用いて解熱を図る。同時に**安静・保温**に留意する。

2 栄養管理
発熱や咳嗽，呼吸困難等は**食欲低下**を招きやすい。**低栄養状態**は抵抗力を低下させ状態改善の阻害因子となる。経口摂取ができない場合，静脈栄養等を考慮する。

3 輸液
高体温や飲水量低下により**脱水**がみられる場合は，水分・電解質の補充目的で**輸液**を行う。

4 呼吸・循環管理
喀痰貯留や浸出液貯留により炎症拡大や無気肺が起こると，呼吸状態の悪化（**低酸素血症**）がみられ，呼吸数が増加し，脈拍数の増加，血圧低下などの循環動態の変調に至ることがある。そのため，**酸素投与量の調節**を行いながら呼吸・循環状態を継続的に観察する。重症になると人工呼吸器管理が必要となる場合がある。

5 基礎疾患の改善
基礎疾患（肺がん，COPD，糖尿病，肝疾患，腎疾患，心疾患，低栄養など）の改善が肺炎の改善に必要と考えられる場合は基礎疾患に対する治療を同時に行う。

II 肺炎の看護ケアとその根拠

1. 肺炎の観察ポイント

1 バイタルサインの観察
- 体温測定を行い，高体温に対し早期に対応を行う
- 呼吸数の増加や脈拍の増加の変化は，低酸素血症や全身状態悪化などの指標となるため重要である
- 循環動態の変調に注意する

2 呼吸状態の観察
- 聴診
  - 呼吸音の異常（断続性副雑音，減弱，左右差など）の有無の確認を行う（→コラム「異常呼吸音・肺副雑音」，p76参照）
- 呼吸パターンの観察
  - 頻呼吸，努力呼吸，陥没呼吸等は，呼吸困難の指標になる
- 経皮的動脈酸素飽和度（SpO_2）のチェック
  - 呼吸不全の指標は**SpO_2 90%（PaO_2 60Torr）以下**であるため，90％を下回るようであれば医師の指示に従い**酸素投与**を開始する。ただし，SpO_2は，患者の状態（年齢や基礎疾患，発熱や循環動態の変調など）によって変化するため，主治医にSpO_2の維持値を確認し，指示範囲内で酸素量の調節を行う
  - 動脈血ガスの採血を行わなくても**パルスオキシメーター**を使用することで，簡単に動脈酸素分圧（PaO_2）を予測することができる（→p11）
  - 低酸素状態や高二酸化炭素状態などにより，**意識レベルの低下**をきたすことがあるため注意する
  - チアノーゼの有無を確認する
- 呼吸困難感のチェック
  - 本人が感じている息苦しさの程度を観察し，軽減できるよう体位を調整する

3 咳嗽の有無と喀痰の性状・量の観察
- 非定型肺炎の症状の特徴は**乾性咳嗽**である
- 喀痰の色・粘稠度・量を観察する

4 胸痛の有無の観察
炎症が強い場合や胸膜炎を合併している場合には，**胸痛**が起こりやすいが，咳嗽が強い場合にも胸痛が起こることがある。

5 検査所見
採血データ（白血球，CRP，プロカルシトニン，BUN，Cr，AST，ALT，動脈血液ガス），胸部X線・胸部CTなどの結果で肺炎の状態を把握する。

6 その他
意識レベル，倦怠感，食事摂取量・飲水量，尿量，口渇・口腔内状態，活動状態などを観察する。

2. 注射による抗菌薬使用時の観察

主治医から抗菌薬使用の前に説明・問診を行う。患者の同意が得られた後に，抗菌薬の使用を開始する。初回使用時は，抗菌薬の副作用の早期発見・早期対応を行う必要がある。

注射部位や全身の発赤，発疹，掻痒感，しびれ感，気分不良，頭痛，呼吸困難，喘鳴，血圧低下，頻脈，冷汗などの症状に注意する。症状の出現時は，すぐに使用を中止するとともに医師に報告し，適切な対処を行う。

抗菌薬の長期使用者においては，**腎機能低下**がみられることがある。特に**高齢者**には注意が必要である。

3. 肺炎の看護の目標

1. 呼吸困難が軽減でき，正常な呼吸ができる
2. 発熱や咳嗽など身体的苦痛の軽減ができる
3. 合併症や再発の予防と早期発見ができる

4. 肺炎の看護ケア

1）クーリング・解熱薬

高体温になることも多く，発熱のために体力消耗，呼吸状態悪化，食欲低下，倦怠感，脱水が起きやすくなるため，解熱薬の使用やクーリングを行う。

2）安静・保温

悪寒戦慄があるときは，安静と保温に留意し，体力消耗の防止に努める。

3）水分・栄養補給

食欲低下や発汗，不感蒸泄の亢進は脱水になりやすいため，1日1.5L程度の電解質バランスが整った飲料の摂取を促す（IN-OUTバランスは心機能や腎機能に応じて調節する必要がある）。特に高齢者は脱水リスクが高いので注意が必要である。体力や抵抗力の低下を防止し合併症の発症や再発の予防を図るためにも，普通の食事が摂取できないときは，口当たりのよいもの，本人の食べられそうな食種に変更し，少しでも経口摂取できるように援助する。食前（特に朝食前）に口腔ケアを行うことで，口腔内乾燥改善や爽快感が得られ食欲改善につながることがある。

4）適切な酸素使用

呼吸状態やSpO₂を観察しながら，呼吸困難の軽減と適切な酸素飽和度が維持できるように，医師の指示に従い，酸素投与量の調節を行う。また，呼吸困難は患者の不安や恐怖感を増強する原因になるため，安楽な体位の工夫や頻繁な訪室や声かけ等を行い，呼吸困難の軽減に努める。

5）排痰・鎮咳

咳嗽の軽減，呼吸状態や肺炎の改善のために，排痰の援助が必要である。自力での喀出が困難なときは，飲水やネブライザーなどで加湿を行い，体位ドレナージ，スクイージングなどを用いて排痰を促す。必要時は気管内吸引を行う。

6）口腔ケア

排痰のための加湿効果や，口腔内清潔を保つことによる肺炎発症の予防を図る目的で口腔ケアを行う。

7）保清

発熱による発汗で寝衣が濡れると，体温を奪い肺炎を悪化させる可能性がある。清拭や寝衣交換を行い，皮膚を清潔に保つことで，感染の予防となり，爽快感が得られ，気分転換にもつながる。

8）早期離床・早期リハビリテーション

高齢者では，安静臥床が続くとADL低下につながり元の生活の場に帰りにくくなってしまうだけでなく，無気肺などの下側性肺障害や誤嚥のリスクも高くなるため，状態に合わせ早期に離床をすすめる。

9）肺炎予防教育

肺炎の罹患の有無にかかわらず，日頃から感染防止についての指導が必要である。特に高齢者は死亡率増加の原因になるため重要である。

■ **病原微生物の感染経路を断つ**

マスクの着用，含嗽，口腔ケア，手洗い，誤嚥防止を行う。

■ **宿主の易感染状態の改善**

基礎疾患の改善，栄養や休養も必要である。

■ **予防接種**

インフルエンザワクチンと肺炎球菌ワクチンの併用接種は，死亡や肺炎発症の抑制効果が単独接種よりも有意に高く，ガイドラインでは併用接種が強く推奨されている。インフルエンザワクチンの接種を年1回，肺炎球菌ワクチンの接種を5年に1回行う。

［三浦恵子］

［引用文献］
1) 一般社団法人日本衛生検査所協会：細菌検査 塗抹・培養 ガイドライン 第2版．https://www.jrcla.or.jp/origin/wp-content/themes/jrcla_wp/download/member/tomatsubaiyo_guideline.pdf（2024年4月閲覧）

［参考文献］
- 日本呼吸器学会成人肺炎診療ガイドライン2024作成委員会編：成人肺炎診療ガイドライン2024．日本呼吸器学会，2024．
- 道又元裕編：臨床で実際に役立つ疾患別看護過程 part 3 呼吸器疾患．総合医学社，2021．
- 医療情報科学研究所：病気がみえる vol 4 呼吸器 第3版．メディックメディア，2018．
- 厚生労働省：人生の最終段階における医療・ケアの決定プロセスに関するガイドライン．2018．

Column 異常呼吸音・肺副雑音

1. 呼吸音とは

呼吸に伴う気道内の空気の流れで生じる音を**呼吸音**といい，正常な呼吸音に異常音が混ざっている音を**副雑音**という。

2. 呼吸音から得られる情報

- 換気状態
- 気道分泌物の貯留状態
- 無気肺
- 胸水の存在

3. 呼吸音の分類と特徴

1 呼吸音

呼吸音は正常で聴こえる狭義の**呼吸音**と，正常では聴こえない**副雑音**に分類される。呼吸音の分類を表1に示す。

2 副雑音

副雑音を図と表2に示す。

聴取した異常呼吸音や副雑音が，肺のどの位置で，**吸気**と**呼気**のどのタイミングで聴かれているか，複数の雑音が混じっていないかを聴き分け，聴

図 捻髪音

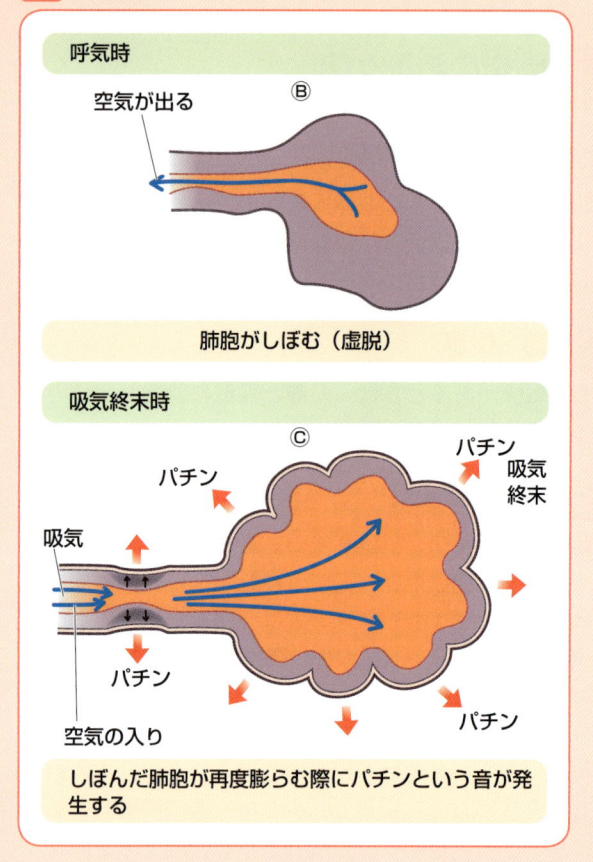

呼気時
空気が出る
Ⓑ
肺胞がしぼむ（虚脱）

吸気終末時
Ⓒ
パチン
パチン 吸気終末
吸気
パチン
空気の入り
パチン

しぼんだ肺胞が再度膨らむ際にパチンという音が発生する

表1 呼吸音

	呼吸音の種類	聴取部位	呼吸音の性質
正常	気管支呼吸音	・胸骨上部 ・背面中央上部	・高く大きな音 ・吸気時より呼気時の音が大きい
	気管支肺胞呼吸音	・前胸部：第2・3肋間の左右の胸骨縁 ・背部：第1～4肋間の正中から肩甲骨内側縁	・気管支呼吸音と肺胞呼吸音の中間 ・吸気，呼気時共に聴取される
	肺胞呼吸音	・肺野末梢	・低く弱い音 ・吸気時は一定の強さで聴取されるが呼気時は初期のみで聴取される
	気管音	頸部気管上	・低調で吸気・呼気とも聴取
異常			・減弱，消失，呼気延長，増強気管支呼吸音化，気管狭窄音

表2 副雑音

	副雑音の種類	副雑音の性質	疾患と聴取場所
断続性副雑音（湿性ラ音）	ファインクラックルズ (fine crackles)（捻髪音）（図1）	・呼気終末に虚脱した肺胞が再度膨らむ際や狭窄した気管や気管支を気流が流れる際に生じる ・マジックテープ®をはがすときの「パリパリ」という音に近い ・高くて弱い ・吸気終末時に強く聴取される	・肺線維症，間質性肺炎，心不全，肺水腫 ・肺炎の炎症が強い場合 ・肺野（仰臥位の場合は背部を聴診すること）
	コースクラックルズ (coarse crackles)（水泡音）	・肺胞に粘稠痰や滲出液が貯留した中を空気が通過するときに生じる ・水の中にストローで息を吹いたときの「ブクブク」という音に近い ・低音で長めな音 ・吸気初期に発生し，ときに呼気時にも聴取される	・慢性気管支炎，心不全，びまん性汎細気管支炎，肺水腫，肺炎，気管支拡張症 ・肺門部・病変部 ・病変肺側の肺門部
連続性副雑音（乾性ラ音）	ロンカイ (rhonchi)（鼾音）	・太めの気管に痰が溜まったときに生じる ・「ボーボー」といびきのような低音 ・吸気，呼気ともに聴取される	・慢性気管支炎 ・全身麻酔の術後の痰の貯留時 ・上肺野
	ウィーズ (wheezes)（笛音）	・狭い気管支が狭窄したときに生じる ・「ヒューヒュー」と笛の音のような高音 ・呼気時に聴取される	・気管支喘息，びまん性汎細気管支炎，気管支拡張症 ・病変部
	スクォーク (squark)	・吸気時に空気が気道を通過するときに生じる ・捻髪音と一緒に聴こえることがある ・頸部では聴こえない ・「キュッ」「ピッ」などの一瞬の笛音	・肺野（末梢気道）
その他	胸膜摩擦音	・「ギュッギュッ」といった擦れ合う音 ・革を握るような音	・胸膜炎の初期や治療過程で認められる ・胸壁の表面

＊（ ）は通称

診以外の身体のフィジカルアセスメントとあわせて異常な症状や徴候をアセスメントする。また，**咳嗽の前後**で副雑音に違いがないか，**体位**によって聴取する副雑音の位置や音に変わりがないかなどについても**カルテに記録**し，医師や看護師，多職種と共有する。日々の聴診と記録が，増悪時の変化の早期発見や早期治療につながる。

［右近清子］

［文献］
- 藤田次郎監：呼吸器病レジデントマニュアル 第6版．医学書院，2021．
- 米丸亮，櫻井利江編：新装版ナースのためのWeb音源による呼吸音聴診トレーニング．南江堂，2019．
- 河野茂，早田宏編：レジデントのための呼吸器診療マニュアル 第2版．医学書院，2014．

第Ⅱ部 疾患別看護ケア関連図 1．呼吸器感染症

6 誤嚥性肺炎

因子

- 脳血管障害
- 中枢性変性疾患
- パーキンソン病
- 認知症（脳血管性，アルツハイマー型）

→ ドーパミン不足 → サブスタンスP低下 → 迷走・舌咽神経の知覚低下 → 嚥下性反射・咳反射の低下

●薬物療法
・ACE阻害薬
・ドーパミン

- 食道運動異常
- 胃・食道逆流症
- 胃切除

→ 誤嚥
・顕性
・不顕性

- 口腔内感染
- 歯槽膿漏

→ 免疫力の低下
→ 口腔内・咽頭内細菌叢の破壊

→ 感染防御機構の破壊

→ **誤嚥性肺炎**

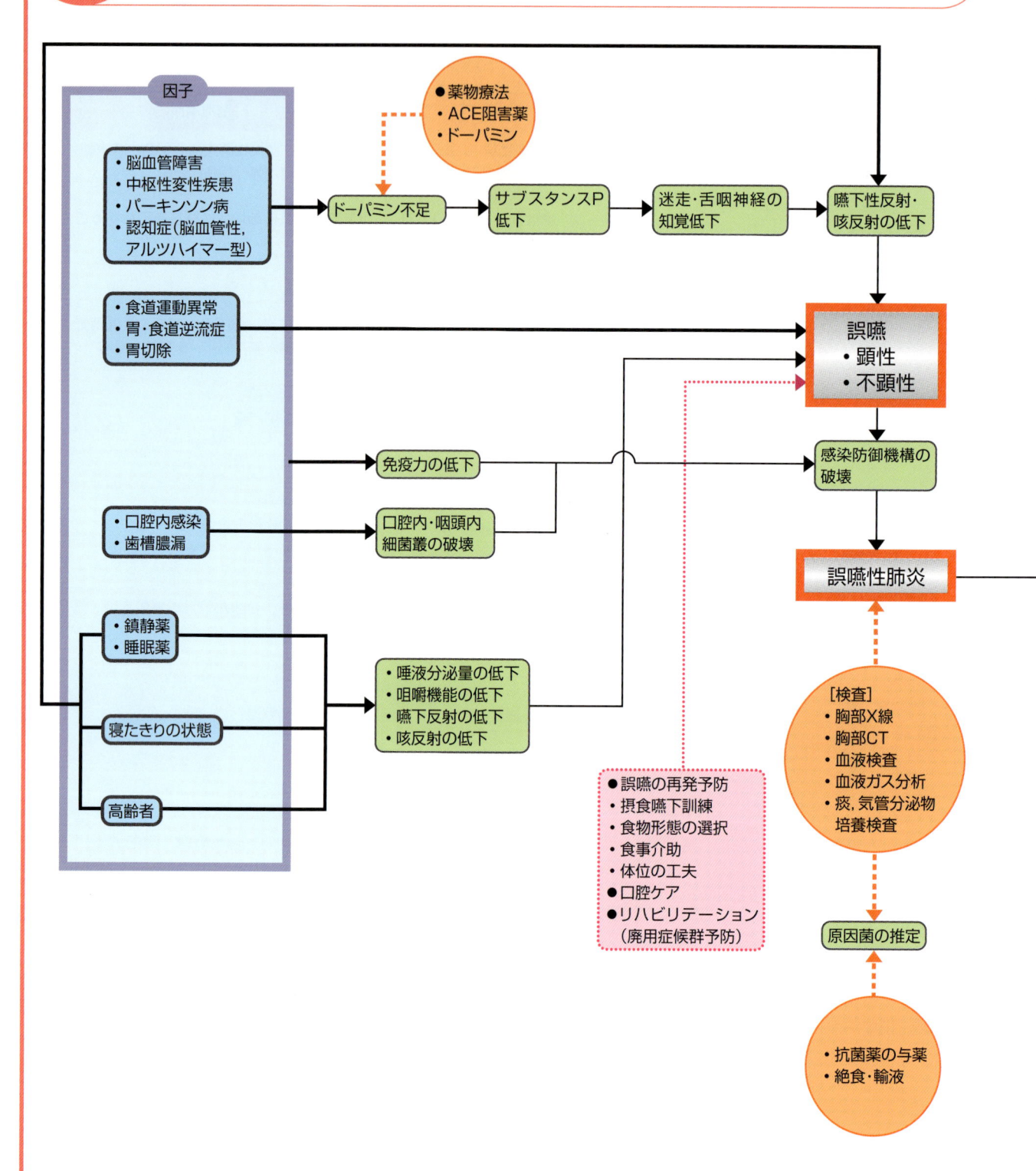

- 鎮静薬
- 睡眠薬
- 寝たきりの状態
- 高齢者

→
・唾液分泌量の低下
・咀嚼機能の低下
・嚥下反射の低下
・咳反射の低下

●誤嚥の再発予防
・摂食嚥下訓練
・食物形態の選択
・食事介助
・体位の工夫
●口腔ケア
●リハビリテーション（廃用症候群予防）

[検査]
・胸部X線
・胸部CT
・血液検査
・血液ガス分析
・痰，気管分泌物培養検査

→ 原因菌の推定

→
・抗菌薬の与薬
・絶食・輸液

凡例

- 誘因・原因
- 病態生理・状態
- 症状
- 医学的処置 → 看護ケア
- （疾患）から生じる全体像
- 分類，あるいは特殊な部分

誤嚥性肺炎から生じる全体像

肺胞透過性亢進
- 気管支痙攣
- 肺血管透過性亢進
- 肺胞浮腫
- 肺胞内出血
- サーファクタント減少
- 換気血流比不均等分布

肺実質の炎症
- 肺水腫 → 高二酸化炭素血症
- 肺コンプライアンスの低下

→ 敗血症
→ 低酸素血症

医学的処置
- 酸素療法
- 人工呼吸器管理

→ 心拍出量の低下 → 胸郭内圧の上昇

全身管理

→ 呼吸困難
- チアノーゼ
- 呼吸音減弱
- 断続性副雑音

看護ケア
- 吸引
- 体位ドレナージ

- 発汗
- 発熱
→ 脱水

肺組織の壊死 → 肺膿瘍

- 咳反射の低下
- 痰の喀出困難
→ 無気肺

→ ショック

看護ケア
- 安静，解熱，保温
- 日常生活の援助
- 身体的・精神的苦痛の緩和

血管透過性亢進し，循環血液量減少 → 低血圧

第Ⅱ部　疾患別看護ケア関連図　1．呼吸器感染症

❻誤嚥性肺炎

79

第Ⅱ部　疾患別看護ケア関連図　1．呼吸器感染症

6 誤嚥性肺炎

I 誤嚥性肺炎が生じる病態生理

1. 誤嚥性肺炎の定義

誤嚥性肺炎は，誤嚥のリスクがある宿主に生じる肺炎と定義される[1]。誤嚥のリスク因子は，意識障害や咳嗽反射の障害による嚥下機能低下と，胃食道逆流などによる胃食道機能不全に大別される。

2. 誤嚥性肺炎が生じるメカニズムと分類

嚥下により食物などは食道へ送り込まれるが，誤って気道内へ入ることを誤嚥という（図1）。

通常，誤嚥があったとしても，咳嗽反射や気道の線毛運動などの異物を排除するシステムが適切に働いた場合は，肺炎に至ることはない。しかし，一度に大量の誤嚥をきたしたときや，栄養状態や免疫機能の低下などで状態が不良の場合は少量ずつの誤嚥でも誤嚥性肺炎を生じる。誤嚥性肺炎は65歳以上の高齢者での発症が多い[2]。多くの高齢者では唾液量の低下などで口腔内が乾燥し，清潔が十分に保たれない。また咳反射が弱くなり嚥下機能が低下することで，口腔内の細菌が気管から肺へと吸引され，肺炎を発症する。

誤嚥は，顕性誤嚥と不顕性誤嚥に分類される。顕性誤嚥とは誤嚥した際に咳嗽やむせなどを伴うもの，不顕性誤嚥とは咳嗽やむせの症状を伴わないものと定義される。

大量の吐物を肺へ吸引した場合のメンデルソン症候群と呼ばれる胃酸による化学性肺炎や，気管挿管・人工呼吸器開始後48時間以降に新たに発症した場合の人工呼吸器関連肺炎（ventilator-associated pneumonia：VAP），細気管支を中心に慢性炎症が起こるびまん性嚥下性細気管支炎（diffuse aspiration bronchiolitis：DAB）が誤嚥性肺炎の類型として知られている。

3. 誤嚥をきたしやすい状態

脳梗塞の後遺症やパーキンソン病などの神経疾患患者や，加齢により嚥下機能が低下した高齢者は誤嚥のリスクが高まる。誤嚥をきたしやすい病態を表1に示す。

食事摂取に関係なく，咳嗽反射の低下に伴う不顕性誤嚥によって発症する可能性があるため，絶食中や胃瘻造設後であっても誤嚥性肺炎の発症に注意する必要がある。

4. 誤嚥性肺炎の症状・身体所見

- 発熱，悪寒戦慄
- 咳嗽の有無，程度や性状（湿性か乾性か）
- 痰の増加，膿性痰の有無
- 脈拍数の増加
- 呼吸困難，頻呼吸，努力性呼吸
- チアノーゼ，びまん性の粗い断続性副雑音（水泡音：coarse crackles）
- 全身倦怠感，なんとなく元気がない
- 食欲低下
- 意識障害，せん妄など

（→❺市中肺炎／院内肺炎／医療・介護関連肺炎，p69参照）。

5. 誤嚥性肺炎の診断・検査

誤嚥のリスク因子を有する患者に生じる肺炎は誤嚥性肺炎と診断される。胸部の画像所見が診断に有用であるが，誤嚥が明らかな場合や，嚥下機能低下が確認されている患者であっても，誤嚥が肺炎を生じた原因とは断定できない[1]。

- 胸部X線：浸潤影や細気管支炎像などがみられる
- 胸部CT検査：両側下葉に区域性の浸潤影や無気肺を認める。右主気管支のほうが鋭角であるため，右肺に誤嚥した内容物が入りやすく，右肺にその炎症が多くみられる
- 血液検査：白血球増加，白血球分画左方移動，CRP上昇がみられる
- 喀痰検査：誤嚥性肺炎は口腔内の細菌が原因となることが多いため，喀痰検査では常在菌が多く培養され，

図1 誤嚥性肺炎発症の条件

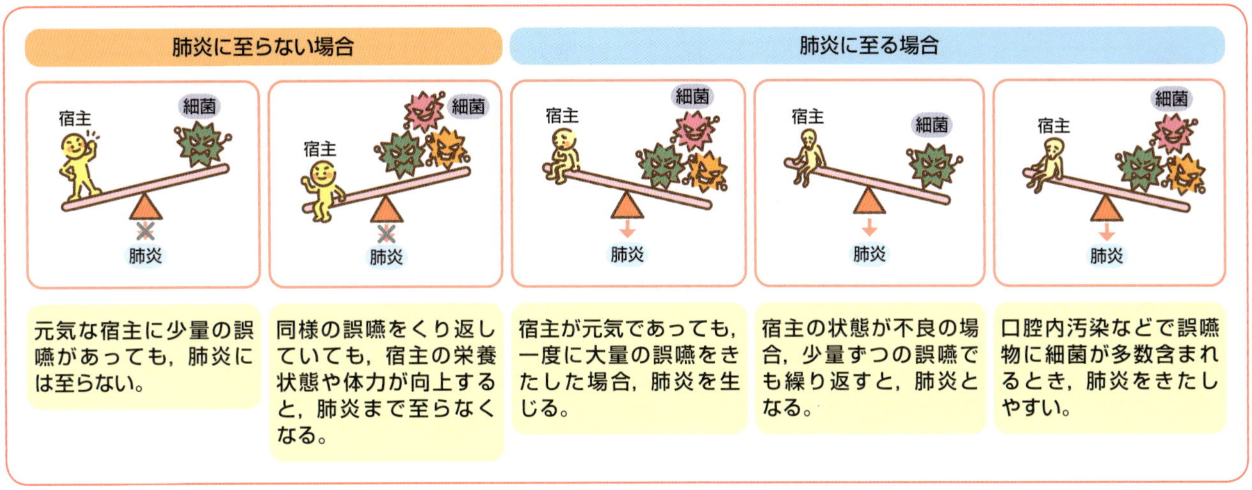

肺炎に至らない場合		肺炎に至る場合		
元気な宿主に少量の誤嚥があっても，肺炎には至らない。	同様の誤嚥をくり返していても，宿主の栄養状態や体力が向上すると，肺炎まで至らなくなる。	宿主が元気であっても，一度に大量の誤嚥をきたした場合，肺炎を生じる。	宿主の状態が不良の場合，少量ずつの誤嚥でも繰り返すと，肺炎となる。	口腔内汚染などで誤嚥物に細菌が多数含まれるとき，肺炎をきたしやすい。

（大野綾：摂食・嚥下障害がもたらす合併症―誤嚥性肺炎を中心に．藤島一郎編，ナースのための摂食・嚥下障害ガイドブック，pp25-31，中央法規出版，2005．を一部改変）

表1 誤嚥をきたしやすい状態

①意識障害	・アルコール多飲 ・脳血管障害，頭部外傷 ・全身麻酔，薬物過剰服用
②嚥下障害	・気道の狭窄，腫瘍，憩室など ・気管食道瘻
③神経系疾患	・多発性硬化症，パーキンソン病 ・重症筋無力症，仮性球麻痺
④防御機構の障害	・NGチューブ，気管挿管，気管切開 ・内視鏡（上部消化管，気管支鏡）
⑤その他	・嘔吐，経管栄養 ・咽頭麻酔，長時間の臥位

（米川力，鈴川正之：内科エマージェンシー病態生理の理解と診療の基本 III 呼吸器系疾患 誤嚥性肺炎．救急医学 33(10)：1294-1297,2009．を一部改変）

起炎菌の同定が困難な場合が多い。**グラム染色**で好中球による貪食像を確認することで起炎菌を推定できることもある
・嚥下機能評価：唾液嚥下テスト，改訂水飲みテスト，聴診器などでの頸部聴診による嚥下音の確認，染色した水を用いて気管支鏡監視下で嚥下を確認するなどの方法がある

6. 誤嚥性肺炎の治療

重症誤嚥性肺炎については，⑬「急性呼吸窮迫症候群（ARDS）」の「4．ARDSの治療」を参照。

誤嚥性肺炎の重症度分類が存在しないため，**院内肺炎の重症度評価である I-ROAD も参考にして**治療を行う（→⑤市中肺炎／院内肺炎／医療・介護関連肺炎参照）。

1）口腔や気道内異物の除去

吸引や気管支鏡を用いて食物や吐物，痰などの原因物質を取り除く。

2）酸素投与や人工呼吸器による呼吸管理

呼吸状態の悪化時は酸素投与を開始する。治療効果が乏しく全身状態が悪化し，**急性呼吸窮迫症候群（ARDS）に移行した場合は，人工呼吸器による呼吸管理**を行う。人工呼吸器装着により誤嚥性肺炎の1つである**人工呼吸器関連肺炎（VAP）のリスク**となるため，気管チューブのカフ管理や口腔ケアなど適切に管理する。

3）循環動態の管理

胃内容物の誤嚥により炎症を起こすと血管透過性が亢進するため，循環血液量が減少し**血圧低下**が起こる。また，高齢者の場合，加齢に伴う収縮期血圧の上昇や心拍出の変化などによる心機能の低下がみられ，**心不全状態**になりやすいため血圧や心電図などのモニタリングを行い，輸液管理や薬物療法，酸素投与などを行う。

4）再誤嚥の予防

嚥下訓練や食事形態の変更，体位の工夫，適切な口腔ケアなどを行い，再誤嚥を予防する。歯科医や歯科衛生

士，摂食嚥下認定看護師などと協働し，再発予防に努める。

5）抗菌薬の使用

誤嚥性肺炎の起炎菌の同定は通常困難であるため，**エンピリック療法**（→p92）が選択される。原因菌としては，肺炎球菌，インフルエンザ桿菌，肺炎桿菌，モラキセラ菌，黄色ブドウ球菌などがある。介護・療養施設に長期入所中や在宅療養中でも誤嚥性肺炎を繰り返している患者は，**口腔レンサ球菌や嫌気球菌が多く，黄色ブドウ球菌やMRSA，緑膿菌**など院内肺炎に準じる菌の可能性もある。そのため，初期治療には，**β-ラクタマーゼ阻害薬配合ペニシリン系薬**が選択される。

6）嚥下機能評価と食事摂取再開・栄養補給

全身状態が改善し嚥下機能評価ができるまでは，**絶飲食**となる場合が多い。その間は，**経管栄養や高カロリー輸液**などで栄養補給を行う。嚥下機能評価を行い，誤嚥がなければ経口摂取の開始となる。しかし，絶食が治療期間の延長や嚥下機能低下を招くため，適切な食事形態で早期に経口摂取を開始したほうが良いとする報告もある[3]。

摂食できてもしばしば誤嚥したり，経鼻胃管留置に伴う誤嚥など誤嚥性肺炎を繰り返す患者の場合は，胃瘻造設が検討されるが，**胃瘻造設で誤嚥性肺炎を避けられるというエビデンスはなく**，唾液や栄養剤の逆流による誤嚥などが起こりうる。胃瘻造設の実施は，本人・家族と相談して慎重に決定する必要がある。

II 誤嚥性肺炎の看護ケアとその根拠

1. 観察ポイント

1 呼吸状態
- 呼吸困難の有無や程度，努力様呼吸，チアノーゼの有無，咳嗽の有無，痰の性状
- 排痰の状況
- 連続性・断続性副雑音の有無
- 聴取される部位や位相（吸気位・呼吸位）
  ▶臥床している場合は，背側に分泌物などが貯留しやすいので，背側の呼吸音も聴取する

2 全身状態
- 血圧，頻脈，チアノーゼなど循環動態
- 嘔気・嘔吐，腹部膨満，便秘の有無などの消化器症状
- 尿量の低下や発汗などの飲水・食事量の減少に伴う脱水症状の有無
- 全身倦怠感，活気の有無など

3 口腔内の状態
- 食物残渣の有無，舌苔，口腔内の清潔度合い
- 歯肉の腫脹や出血，嚥下を困難にする要因の有無

4 咀嚼や嚥下の状態
- 義歯の有無，義歯の適合，咀嚼の状況，むせの有無，嚥下の状態

5 食事の形態・内容
- とろみ付き，軟食，きざみ食，経管栄養食

2. 看護の目標

① 呼吸状態や全身状態が改善し，症状が軽減する
② 摂食嚥下リハビリテーションを行い適切な食事形態を選択し，誤嚥を予防することができる
③ 口腔内を清潔に保ち，感染を起こさない
④ 食べる喜びや楽しみを取り戻すことができる

3. 看護ケア

急性期においては，**重症肺炎や呼吸不全，心不全など全身管理を必要とする**。排痰や頸部筋力改善などのための呼吸リハビリテーションや口腔ケアを含めた**摂食嚥下リハビリテーション**，耳鼻咽喉科や歯科との連携も嚥下障害の改善には重要となる。

慢性期（生活期）への移行期には，嚥下機能の評価を行い，嚥下障害の原因を明らかにして，**嚥下訓練の内容や経口摂取の開始時期と食事内容**を決定し，誤嚥の再発防止に努める。

1）呼吸管理と体位ドレナージや吸引など異物除去

低酸素血症に対する**酸素投与や人工呼吸器管理**を適切に行う。

食物などを明らかに誤嚥した場合は，すぐに**吸引**する。また，咳嗽反射が低下し痰などが貯留している場合は，適宜吸引を行う。

積極的に体位ドレナージ（→p327）を行い，**排痰**を促す。誤嚥の危険がある場合は，必ず吸引などの対応ができるように準備をしておく。咳嗽やむせの症状が伴わず

唾液などが気道に流れこむ場合は，頭部を軽度（15度）挙上することで**胃食道逆流による誤嚥性肺炎を予防**したとの報告もある[4]。

2）食事開始による誤嚥予防

肺炎の改善後，**適切な食事形態**を選択する。嚥下機能評価の結果と実際の食事場面では，患者の嚥下動作に差異がみられることがあるため，易しい嚥下機能評価を実施しながら徐々に食事形態の変更について検討する。

1 食事の形態や内容の選択
- **ゼリーやペースト食**などから開始し，誤嚥性肺炎の再発の有無がないか確認する
- **義歯**などで硬いものがかみ切れない場合は，食事選択時にやわらかいもの，小さく切ってあるものにする
- 水分で**むせ**があれば，**とろみ剤**などでとろみをつける
- 嚥下障害があると栄養が不足しやすい。医師，管理栄養士や栄養サポートチーム（Nutrition Support Team：NST）と連携して，必要な栄養量が補えているか確認する

2 食事の際の姿勢調整
- 体幹が安定すると，頭頸部が安定し嚥下諸筋や上肢の運動がスムーズになるなど食事動作が可能となる。そのため，可能なら**体幹を安定して支持できるよう車いすやいすに座位となり，足を床につけて，膝が90度になる体位**をとる（図2）。食事中に体位がずれることがあれば，再度体位を調整する
- ベッド上の場合は，膝の屈曲を作りギャッチアップによりずり落ちないようにし，頭の位置をベッドの上端と合わせてギャッチアップを行う。頭にタオルや枕などを入れて，頸部が前屈するように調整する。**30度程度のギャッチアップ**から始め，**45度，60度と少しずつ角度を上げる**

  30度程度のギャッチアップでも食道が気道より低い位置となり，食物が気管ではなく食道に入りやすくなって誤嚥が起こりにくい[5]。また，食物の送り込み障害がある場合に重力を利用するなどの利点がある

  ギャッチアップができない場合は，ベッド上で**完全側臥位**を取って食事摂取することも検討する。重度嚥下障害を有する患者に対して食事の経口摂取が可能となった報告もある[6]
- **食後2時間の座位か頭部を挙上した（ギャッチアップ）体位は胃食道逆流を防ぐ**[7]

3 食事の介助／食べ方の指導
- 食事介助をする場合は，介助者の位置に注意する。介助者が斜め後ろ後方から立って介助すると，患者の視線が上を向きやすく，患者の頸部伸展を招きやすいため，**介助者はやや斜め下前方から介助**する
- 患者に**前方から食物を見せる**ことで，視覚的にも嗅覚的にも食物を認識しやすくなり，「食べる」ための準備が促される
- 口腔内が**乾燥**したまま食事を開始すると誤嚥しやすくなるため，**水分**などで口を潤してから食事を開始する
- 食事中の嚥下の確認方法として，**容易に飲み込めるか，むせはないか，飲み込みにくさはないか，とろみをつけたほうがよいのか，咀嚼ができているか，義歯の場合，かみあわせなどは悪くないか，口に残渣物がないか**どうかなどを確認する
- **少量ずつ口に入れて嚥下していることを確認し，口の中の食物がなくなってから次の食物を口に入れる**
- 誤嚥をしたときに，すぐに吸引ができるように**吸引器，吸引チューブ**などの準備をしておく

4 経口内服の介助

経口での内服が必要な場合は，ゼリー状のもので包んで内服してもらう。やや濃いめの**トロミ水**でも良い。服薬時も薬の張り付き防止のため，**口腔内を湿潤させてから内服する**。嚥下後口腔内の観察を行い，薬剤が残っていないかを確認する。

錠剤が「飲みにくい」場合には，散剤への変更も検討するが，散剤の場合は量が増え，口の中に薬が広がって口腔内に付着し，余計に飲み込みにくくなる可能性がある。錠剤の粉砕では飲みやすい場合がある。しかし，腸溶錠，徐放錠など粉砕不可の薬剤もあるため注意する。

図2 家でいすに座って食事をするときの姿勢
- 少し前かがみに
- 背中は90度に保つ（バスタオルやクッションを入れ支持面を広げると安定する）
- 足の裏は床にぴったりとつける
- 身体とテーブルの間は握りこぶし1つぐらいあけて
- いすの座面の高さは膝が90度に曲がるくらい
- テーブルの高さは腕をテーブルに乗せて肘が90度に曲がるくらい

図3 嚥下体操

①深呼吸をし，鼻から息を吸って，口をすぼめて息を吐く
②首を回す
③左右前後に首を倒す
④肩を上げ下げする
⑤背伸びする
⑥頰をふくらませ，すぼめる（2〜3回）
⑦舌で左右の口角を触る（2〜3回），舌を出す・引く（2〜3回）
⑧大きく息を吸って，止め，3つ数えて吐く
⑨パパパパ・タタタタ・ララララ・カカカカとゆっくり言う
⑩深呼吸

（北條京子・他：ナースが行う基礎訓練と摂食訓練．藤島一郎編，ナースのための摂食・嚥下障害ガイドブック．pp94-110，中央法規出版，2005．より一部改変）

5 経管栄養注入の介助

栄養剤の逆流や嘔吐の防止のため，できるだけ座位に近い体位をとる。寝たきりの患者では胃に圧力が加わらない程度の，**上半身挙上位を保つ**[8]。

経管栄養注入前に必ず胃管から吸引をし，前回の経管栄養が吸収されているかなどの確認を行う。**経管栄養物を吸収しない場合，排便コントロールができているか，消化器症状はないかなどを観察しアセスメントする。**

6 食前の嚥下体操の説明

図3参照。

- 嚥下に必要な**筋肉や舌の動き**をよくすることができる

3）口腔ケア

絶食中でも，患者に必要性などを説明し，**口腔ケア**を行う。**義歯の患者も歯肉をスポンジなどで清潔にする。義歯が合わない場合**は，歯科を受診し調整する。

口腔内の細菌叢が誤嚥性肺炎の起因菌となるため，**口腔内を清潔に保ち口腔内の自浄作用を保つ。絶食の場合は，唾液の分泌が減少し口腔内が乾燥することで口腔細菌は増加するため，口腔内保湿ジェルを塗布するなどして乾燥を防ぐ。**

4）身体機能の改善と生活リズムの確立

嚥下機能だけでなく，**全身の身体機能の向上を図ることも必要である**[9]。**廃用症候群予防のためのリハビリテーションを行う。**寝たきりの場合は，**バイタルサインの変動がないかを確かめて，車いすに移乗して過ごすなど身体機能の向上とともに，日中は覚醒して生活リズムが整うように働きかける。**

5）肺炎球菌およびインフルエンザワクチンの接種

ワクチン接種により誤嚥性肺炎を完全に防ぐことはで

きないが，肺炎の重症化や合併症を予防する目的で，肺炎球菌やインフルエンザの両ワクチン接種が推奨される[10]。

6）精神的援助と家族への支援／地域の多職種との連携

本来ならば食事は楽しいものだが，誤嚥により肺炎を起こした患者は食事をすることに対する不安も強い。好きなものを自由に食べられない苦痛から，**ストレス**を感じ精神的に不安定になることもある。患者や家族から食の好みや不安なことを聞き，都度対応して**不安の軽減**に努める。

誤嚥を予防する方法を患者のみならず，家族や介護者にも説明して，退院してからの実生活に即した方法で，初めは側に付き添いながら一緒に食事介助や見守りを行う。**誤嚥時の吸引指導，嚥下調整食の作り方，購入方法**などについては説明を行う。退院前カンファレンスなどで退院後に携わる地域の医療介護福祉従事者にも治療・看護方針を共有する。

［八木恵子］

［文献］
1) 日本呼吸器学会成人肺炎診療ガイドライン2024作成委員会編：成人肺炎診療ガイドライン．p25, 2024.
2) Akata K, et al: The significance of oral streptococci in patients with pneumonia with risk factors for aspiration: the bacterial floral analysis of 16S ribosomal RNA gene using bronchoalveolar lavage fluid. BMC Pulm Med 16(1): 79, 2016.
3) Maeda K, et al: Tentative *nil per os* leads to poor outcomes in older adults with aspiration pneumonia. Clin Nutr 35(5): 1147-1152, 2016.
4) 松井亮太・他：完全側臥位法導入後の食道逆流を伴う嚥下障害に対し，頭部挙上位が効果的であった誤嚥性肺炎の1例．JSPEN 2(2): 143-147, 2020.
5) 藤谷順子，鳥羽研二編著：誤嚥性肺炎 抗菌薬だけに頼らない肺炎治療．p119, 医歯薬出版, 2011.
6) 工藤浩・他：重度嚥下機能障害を有する高齢者診療における完全側臥位法の有用性．日老医誌 56(1): 59-66, 2019.
7) Matsui T, et al: Sitting position to prevent aspiration in bed-bound patients. Gerontology 48(3): 194-195, 2002.
8) 日本静脈経腸栄養学会編：静脈経腸栄養ガイドライン 第3版．pp112-113, 照林社, 2013.
9) 前掲書1，p26.
10) 前掲書1，pp75-78.

［参考文献］
- 医療・介護関連肺炎（NHCAP）診療ガイドライン作成委員会編：医療・介護関連肺炎（NHCAP）診療ガイドライン．日本呼吸器学会，メディカルレビュー社, 2012.
- 金沢英哲，藤島一郎：嚥下障害のリハビリテーション．耳喉頭頸 89(9): 715-726, 2017.

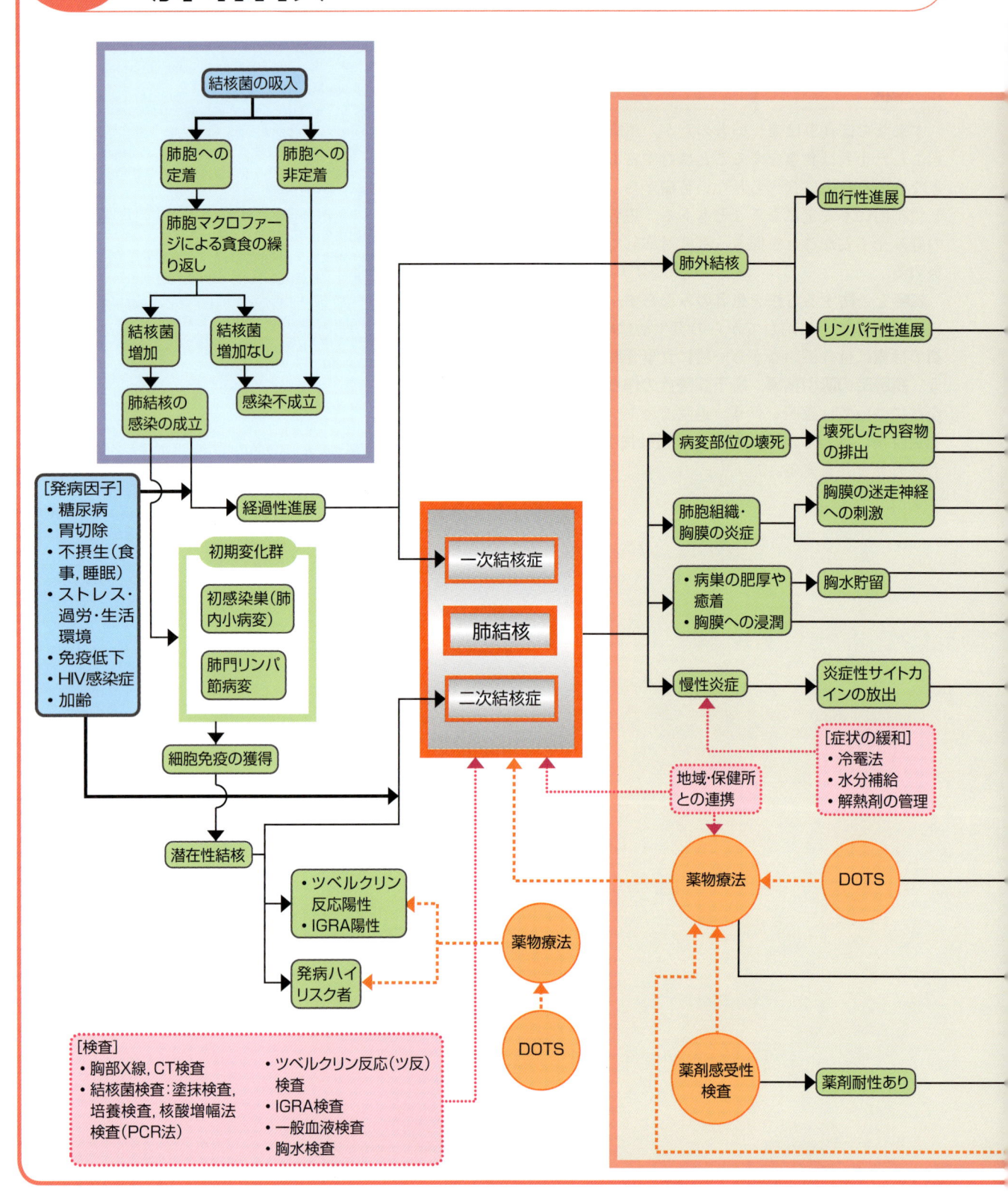

第Ⅱ部 疾患別看護ケア関連図　1．呼吸器感染症

7 肺結核

第Ⅱ部 疾患別看護ケア関連図　1. 呼吸器感染症

❼ 肺結核

凡例: 誘因・原因 → 病態生理・状態　症状　医学的処置 → 看護ケア　(疾患)から生じる全体像　分類,あるいは特殊な部分

肺結核から生じる全体像

- 粟粒結核（多くの臓器に結核結節ができる）
- 各臓器での発症 → 肺結核, 脊椎結核, 結核性腹膜炎など
- 頸部リンパ節結核
- 結核性胸膜炎 → 結核性膿胸
- 空洞形成 → 空洞壁血管の破綻 → 血痰・喀血 → 大量の繰り返す喀血
- 換気能力の低下
- 咳嗽・喀痰
- 低酸素血症 → 呼吸困難
- 胸痛
- 発熱／寝汗／倦怠感／体重減少

医学的処置:
- 副腎皮質ステロイド
- 外科療法（術後看護）
- 気管動脈塞栓術
- 酸素療法
- 入院治療 → 退院 → 外来治療
- 減感作療法 → 標準治療からの変更
- 外科療法（術後看護）→ 多剤耐性肺結核

副作用:
- 肝・腎障害
- 末梢神経障害
- アレルギー症状
- 視神経障害
- 第Ⅷ脳神経障害など

看護ケア

[症状の緩和]
- 心身の安静の保持
- 体位の工夫
- 冷罨法
- 止血薬の管理

[症状の緩和]
- 体位の工夫
- 気道の浄化：ネブライザー
- 鎮咳薬・喀痰調整薬の管理
- 呼吸リハビリテーション

[患者教育]
- 感染の拡大予防

[喀痰検査の援助]
- 生食ネブライザー
- 喀痰吸引
- 喀痰誘発法

[症状の緩和]
- 体位の工夫
- 心身の安静保持
- 酸素療法管理

[精神的支援]
- 傾聴
- ストレスの緩和
- 睡眠の確保

[症状の緩和]
- 温罨法
- 安楽な体位
- 鎮咳薬・鎮痛薬の管理

[安静と栄養]
- 消耗を防ぐ
- 免疫力をつける
- 栄養指導

[日常生活の援助]
清潔, 食事, 排泄

- 隔離等によるストレスの緩和
- セルフマネジメント教育
- 高齢者への倫理的配慮
- 外国人への対応

- 感染の拡大予防
- 精神的ストレスの緩和
- セルフマネジメント教育

[退院支援]
- 就業制限への理解
- 家族支援体制・教育
- 地域DOTS移行への理解

[副作用の早期発見]
- 嘔気・嘔吐, 食欲不振, 全身倦怠感
- しびれの出現
- 発熱・発疹・掻痒感
- 視力低下, 視野狭窄
- 聴力障害, 耳鳴り, めまいなど

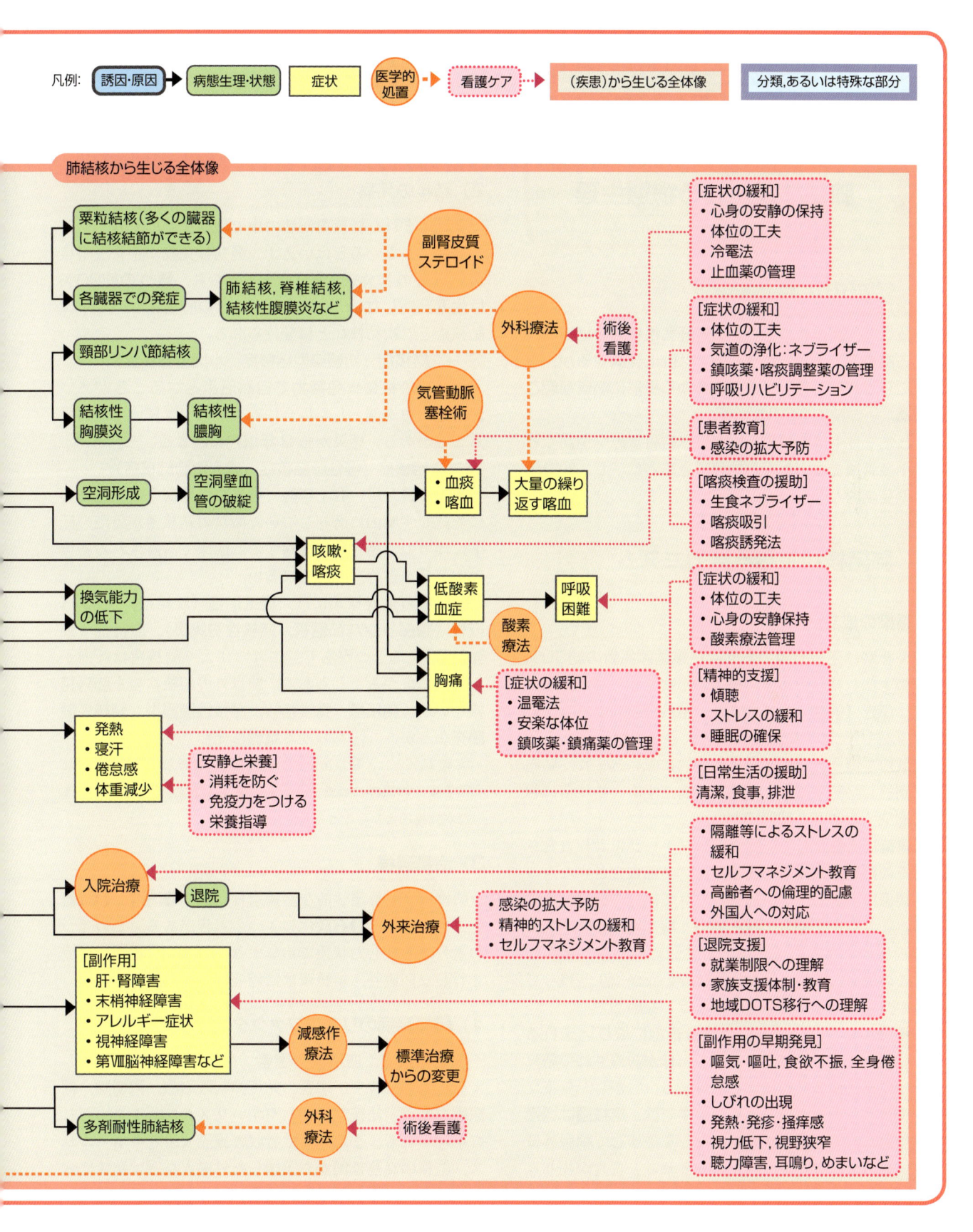

87

第Ⅱ部　疾患別看護ケア関連図　1．呼吸器感染症

7　肺結核

Ⅰ　肺結核が生じる病態生理

1．結核の定義

　肺結核は抗酸菌属の1つである好気性桿菌の結核菌群による感染症である。結核の多くは肺に発病するが、その他にリンパ節・腸・骨などあらゆる臓器に病巣が起こり得る。

　これまで日本は他の先進国と比べ結核罹患率が高く結核の中蔓延国であったが、結核罹患率が低下し、2021年より低蔓延国となった。

2．肺結核が生じるメカニズム

1）感染の成立

　感染経路は**空気感染**であり、結核菌曝露者の約30％が感染する。結核菌は肺結核患者が咳をしたときに飛び散るしぶき（飛沫）中に含まれ、結核菌周囲の水分は瞬時に蒸発し、1〜2μm程度の大きさの**飛沫核**となって空気中を漂う。その飛沫核が肺内に吸い込まれ、肺胞まで到達し増殖することで感染が成立する。結核菌に初めて感染することを**初感染**という。

　結核菌は異物として肺胞マクロファージにより貪食され、その際に小病変が形成される。一部貪食されなかった結核菌は、肺のリンパ節に運ばれて同様の病巣を形成する。これらを**初期変化群**といい、胸部画像で肺内と肺門部近傍の小さな石灰化巣として認められることがある。この場合、結核菌は初期変化群のなかで生き残っているが、菌の増殖は起こらず発病はしない[1]。

　結核菌がマクロファージや貪食細胞に取り込まれると、結核菌の成分を認識するリンパ球が誘導されて結核菌だけに反応する免疫反応を獲得する。しかし、免疫反応を獲得しない**マクロファージの中では、結核菌は増殖を繰り返し**、やがてマクロファージを破壊して細胞外に出て、他のマクロファージに貪食される。貪食が繰り返されて、結核菌が増殖し、肺内や他の臓器に病巣を形成する。

2）結核の発病

　吸い込まれた結核菌が肺の中で増殖を始めても、それが発病につながるとはいえず、発病は免疫が正常な結核菌感染者の初感染の約10％にみられ、残りの約90％は**生涯発病しない**[2]。また発病はその時期において一次結核症と二次結核症とに分けられる。

① 一次結核症（初感染型結核症、小児型結核症）

　結核感染後には**免疫力で自然治癒となる**ことが多いが、免疫力が低下した場合に初感染に引き続いて発病することがある。感染から**2年以内**に起こる。

② 二次結核症（慢性肺結核症、成人型肺結核症）

　感染後数カ月〜数十年後に再燃して発病する。感染時に死滅せず肺内に潜在していた微量の結核菌が免疫の低下に伴って活動化し、発病する。臨床で診断される結核の大部分を占め、高齢者に多い。

　結核菌の進展様式には、**経気道性（肺結核）、リンパ行性（頸部リンパ節結核、結核性胸膜炎）、血行性（粟粒結核＊）**の3つがあり、これらにより結核菌は肺内から全身に広がることもある。肺以外の結核病変を**肺外結核**といい、**腸結核、脊椎結核、結核性腹膜炎、結核性髄膜炎**などがあり、あらゆる臓器に発症しうる。

＊粟粒結核とは、結核菌が血行性に全身に播種して多数の結核結節を多くの臓器に形成する病態である。発生率は全結核の1％だが致死的となることも多い。

3）治癒過程

　結核病巣の形態学的な治癒過程には、❶消退、❷線維化、❸被包化、❹石灰化の4つの過程がある。この4つの過程が混在した状態で治癒する。しかし、殺菌的治療を行わない限り、結核菌は治癒病巣内部に残存する。

4）結核発病のリスクファクター

　HIV感染症、血液透析患者、生物学的製剤を使用している関節リウマチ患者、免疫抑制薬治療、胃切除、糖尿病などが、結核が発病しやすいリスクファクターとして挙げられる。また、高齢者収容施設入所者やホームレス、結核の高蔓延国から入国した外国人などは結核発病のリスクが高い。**不規則な食事・睡眠不足、喫煙習慣**な

どの生活習慣や社会的環境でも発病リスクは高まる。

3. 肺結核の症状

　肺結核は緩徐に増悪することが多いので，患者は**症状が出現した後，長期間経てから受診する**ことが多い。肺結核では呼吸器症状を呈することが多いが，微熱や寝汗，易疲労感の持続により，体重減少が出現する場合もある。そのため，単なる**疲労**や**感冒**として見逃されることが少なくない。症状の組み合わせをみて診断の手がかりとすることが重要である。

1) 呼吸症状

1 咳嗽

　肺結核の初期は**空咳**で始まり，病変が進行すると**湿性咳嗽**となる。実地臨床の場では呼吸器症状が持続する場合や2週間以上持続する場合，薬を服用しても症状が継続する場合は結核を疑って検査を行う。

2 呼吸困難

　肺の病変が広範囲になると**呼吸困難**が生じる。胸水貯留や結核病巣，炎症の波及による肺胞面積の低下，換気能力の低下，気管支の閉塞によって起こる。軽度の症状から呼吸不全に至るものまでさまざまである。

3 喀痰，血痰，喀血

　病巣の壊死した内容物が誘導気管支から排出されると**痰**が出現する。多くの場合，**白色痰**であるが，細菌感染が合併すると**黄色膿性痰**となる。出血があれば**錆色痰**や**血痰**となる。空洞病変周囲の血管壁の破綻が進むと**喀血**を生じることがある。

4 胸痛

　病巣の肥厚や癒着，胸膜への浸潤などによって**胸水貯留や胸痛**がみられる。胸膜痛は鋭く，刺されるような痛みで，深呼吸や体動で増強する。また，咳が激しい場合には呼吸筋の筋肉痛や肋軟骨関節由来で痛みが生じている可能性がある。

2) 全身症状

　結核は慢性炎症による**消耗性疾患**であり，炎症巣に由来するサイトカインなどによって**全身症状**が起こると考えられる[3)]。

1 発熱，寝汗

　発病初期には**微熱**が多いが結核の病勢が進むと高熱になる。感染症の症状としてみられるが，結核では夕方から夜間にかけて**発熱**し，朝には**発汗**とともに解熱していることが多い。粟粒結核では39℃以上の高熱が続くことが多い。

2 倦怠感，体重減少

　結核菌の活動化に伴う炎症や発熱によって基礎代謝が亢進し，体力の消耗が進み**倦怠感**や**体重減少**などの症状がみられることがある。

3 皮膚症状，眼症状

　感染初期に皮膚にアレルギー性の変化がみられることもある。**結節性紅斑**は下肢にみられ，**痛み**が出現することも多い。眼粘膜のアレルギー性変化として，**小水疱性結膜炎**が起こる。

4. 肺結核の診断・検査

　診断に至るには画像検査が重要であり，結核を疑わせる所見があれば喀痰中の**結核菌検査**を行い，ほかの呼吸器疾患と鑑別する。スクリーニング・補助診断として，**ツベルクリン反応，インターフェロンγ遊離試験**（interferon gamma release assay：**IGRA**）などの検査が行われる。

1) 胸部X線

　一次結核症はいずれの肺野にも出現するが，二次結核症の病巣は，上肺野が主体である。肺区域ではS1，S2，S6に多い。肺野の陰影は**結節，粒状影，浸潤影，空洞，石灰化**など種々の病変や**胸膜病変**などがある。また**結核性胸膜炎**では**胸水貯留**がみられる。

2) 胸部CT

　呼吸細気管支や肺胞領域に多発する**粒状影，浸潤影，空洞形成**など組み合わさった画像所見がみられる。粒状影と細気管支の腫大がみられる**分岐状影**（tree-in-bud appearance）が特徴的である。

3) 細菌検査

　喀痰は，いずれも**塗抹，培養検査**を行う。喀痰が得られない場合，高張食塩水吸入による**誘発喀痰**や排痰誘発法（ラングフルート）を行う。また胃液検査を行う場合もある。上記で診断されない場合には**気管支鏡検査**を行う。**気管支洗浄**，気管支擦過，**経気管支肺生検**などを施行し，**細菌検査**や病理組織診を行う。

1 塗抹検査

　喀痰の中の抗酸菌の有無や菌量を調べる。塗抹検査は迅速に結果がわかるが，結核菌と非結核性抗酸菌，生菌

表1 鏡検における検出菌数記載法

記載法	蛍光法（200倍）	チール・ネールゼン法（1000倍）
−	0/30視野	0/300視野
±	1〜2/30視野	1〜2/300視野
1+	1〜19/10視野	1〜9/100視野
2+	≧20/10視野	≧10/100視野
3+	≧100/1視野	≧10/1視野

（樋口武史，伏脇猛司：抗酸菌塗抹検査，抗酸菌検査ガイド2025（日本結核・非結核性抗酸菌症学会編），p40，南江堂，2025．を南江堂より許諾を得て転載）

か死菌かの区別はできない。

- **鏡検における塗抹検査結果の記載法**：通常は**蛍光法**で染色し，菌が少ない場合は**チール・ネールゼン法**で染色を行う（表1）。菌量の判定は検出菌数記載法にて行う。ガフキー号数による判定方法は廃止された。

2 培養検査

塗抹検査とあわせて行う。生菌か死菌かの区別ができる。結核菌は菌の発育が遅く培地によって3〜8週間かかる。

3 同定検査

喀痰中に抗酸菌を認めても非結核性抗酸菌の可能性もあるため，必ず**菌種同定検査**を行う。結核菌か否かを同定することができる**核酸増幅法検査（PCR法）**は，塗抹検査で検出された抗酸菌の遺伝子を増幅させて検出する方法であり，結核性抗酸菌か非結核性抗酸菌であるかの鑑別をし，**確定診断**が可能である。

4 薬剤感受性検査

結核治療薬に対する感受性の有無は，治療薬の変更や治療期間にも大きく影響するため，結核菌が培養で検出された場合は可能であれば行う。結核は長期の抗結核薬与薬を必要とする一方で，重篤な副作用が知られており，**適切な抗結核薬選択のための**結核菌の薬剤感受性検査が重要である。

4）ツベルクリン反応（ツ反）検査

ツベルクリン反応は，結核菌に対する免疫反応が成立しているか（＝結核菌に感染しているか）を確認する検査である。ツベルクリン精製液を用い，**皮内注射し，遅延型アレルギー反応をみる**。8〜72時間後の局所の皮膚反応（発赤・硬結）を観察し，**大きさを測定する**。結核感染の補助診断法として長年にわたって用いられてきたが，BCGワクチンと同一の抗原を利用しているため，BCG接種を受けていると偽陽性になる可能性がある。現在は，結核予防法の改正により教育機関での定期健康診断ではツ反検査は廃止となった。

5）インターフェロンγ遊離試験（IGRA）

結核感染があると，感作されたT細胞は結核菌特異抗原の刺激によって，インターフェロンγを放出する。IGRAはこのインターフェロンγの産生量やインターフェロンγ産生T細胞の数を測定して，結核感染の有無を調べるものである。ツ反検査と異なりBCG接種の影響を受けない。接触者健診や医療従事者の結核管理など，**潜在性結核感染症**（latent tuberculosis infection：**LTBI**）（→p95，MEMO参照）の診断に用いられる。

しかし，IGRAは結核感染の有無を判断するものであり，結核の既感染と発病の区別はつかない。また高齢者や免疫抑制状態では感度は低下する。

1 クオンティフェロン検査（QuantiFERON-TB：QFT）

結核菌特異抗原で血液を刺激して，インターフェロンγの産生量をELISA法で測定する。

2 TスポットⓇTB検査

末梢血より単核球を分離し，結核菌特異抗原で刺激してインターフェロンγ産生T細胞の数をLISPOT法で測定する。

6）一般血液検査

感染により**白血球・好中球の増加，核左方移動，CRP陽性化，血沈亢進**などの炎症所見をみる。また，抗結核薬の副作用として生じる肝・腎障害，造血障害や電解質異常を調べる。

5. 肺結核患者の管理

1）発生届

肺結核は感染症法により「二類感染症」に分類されるため，肺結核の診断時に医師は，直ちに最寄りの保健所に「発生届」を提出しなければならない。病院の管理者は，結核患者の入院時と退院時には**7日以内**に最寄りの保健所長に届ける必要がある。

2）保健所による積極的疫学調査

保健所は，発生届をもとに肺結核の**感染経路の究明**や，**接触者の把握**などの調査を行う。そして，医療関係者は保健所と患者の治療継続を支援するため連携をとる

必要がある。

3）入院基準

　肺結核患者には他者への感染を防ぐために**「感染症法」**をもとに入院の勧告を行うことができる。しかし感染源の隔離を目的とした入院勧告は，基本的人権を制約する措置である。入院勧告の適法範囲は必要最低限に限定されるべきとの考えから，下記の入院基準が示されており，保健所にも確認しながら進めることが望ましい。

■ **肺結核，気管・気管支結核，喉頭結核，咽頭結核の患者で，次の❶または❷の状態にある場合**
❶ 喀痰塗抹検査結果が「陽性」の場合
❷ 喀痰塗抹検査の結果は「陰性」だが，喀痰以外の検体（胃液や気管支鏡検体）の塗抹検査で「陽性」と判明した患者，または喀痰を含めた上記いずれかの検体の培養または核酸増幅法（PCRなど）の検査で「陽性」と判明した患者のうち，次のaまたはbに該当する場合
　a）感染のおそれがあると判断される者
　b）外来治療では規則的な治療は確保できず早晩大量排菌，または多剤耐性結核＊に至るおそれが大きいと判断される者
　＊**多剤耐性結核**とは，イソニアジドとリファンピシンの両方に耐性を獲得した結核菌による感染症のことで，結核治療薬の不適切な使用や中断によって多剤耐性結核菌が発生する。

4）退院基準

　入院勧告と同様，患者の基本的人権を尊重する観点から，病状が改善し，喀痰から排菌が消失すれば，早期に退院できるよう**入院期間の短縮**が図られる。退院に関する基準として，「退院させなければならない基準」と「退院させることができる基準」の2つが適用される[4]。

■ **❶ 退院させなければならない基準**
　患者の咳や発熱などの症状が消失し，異なる日に採取された喀痰の「**培養結果**」**が連続3回陰性**であることが確認された場合

■ **❷ 退院させることができる基準**
　以下の3つをすべて満たした場合，結核患者の入院期間を短縮できることがある
❶ 2週間以上の標準薬物療法が実施され，咳，発熱などの臨床症状が消失
❷ 2週間以上の標準薬物療法を実施した後の異なった日の喀痰検査（塗抹または培養）の結果が連続して3回陰性
❸ 患者が「治療の継続及び感染拡大防止の重要性」を理解し，退院後の治療の継続および他者への感染防止が可能と判断できる

5）結核医療費の公費負担制度

❶ 入院勧告により感染症指定医療機関に入院した患者は医療費が全額公費負担される（ただし，高額所得者は一部負担あり）
❷ 「❶」以外の患者（通院患者，結核以外の合併症など感染が原因ではない入院患者）を対象に，長期の服薬や検査を余儀なくされるため経済的な負担を軽減することにより，療養意欲を維持する目的で一部医療費が公費負担される

6）治療支援，保健指導，DOTS

　抗結核薬の確実な服用は，結核の治療完遂や耐性結核の予防にとって，大変重要である。入院中だけでなく，退院後の治療でも服薬を継続するために，治療終了まで一貫した支援を行う必要がある。そのため，日本では世界保健機関（WHO）が提唱する**包括的な結核対策戦略**である **DOTS**（Directly Observed Treatment Short-course：**直接監視下短期化学療法**）戦略のもとに服薬支援を行っている。

　また最近では患者が治療を確実に完結できるように，正しい量の正しい薬を，正しい時間に飲むことを監視者がその場で確認する **DOT**（Directly Observed Treatment：**直接服薬確認療法**）も行われている。

　さらにDOTSの推進のために地域連携クリニカルパスの開発・運用に取り組み，専門外の医療関係者や医療関係者以外でも結核患者の治療支援に無理なく参加できるような体制も取られるようになった。

　一方病棟看護師は，患者の服薬に対する思いや価値観を尊重しながら，個々の患者に応じた服薬支援を行い，社会的および経済的な要素も含め総合的に支援し，外来看護へと連携していく必要がある。そして保健所は地域における結核対策の中核を担う行政機関で，特に退院後はDOTSを推進していく上で外来との連携や地域との連携など，患者支援における主軸的な役割を求められている。

6. 肺結核の予防

　現在，乳幼児（1歳に達するまで，標準は生後5〜

8カ月まで）に**予防接種（BCGワクチン）**を行っている。

7. 肺結核の治療

1) 薬物療法

現在は薬物療法が中心であり，大半の結核は薬物療法で治癒が目指せる。不完全・不適切な治療は薬剤耐性結核を生じる原因となるため，標準治療を完遂できることが重要となる。薬物療法の原則は，❶治療開始時は感受性薬剤を最低3剤以上併用する，❷治療中は患者が確実に薬剤を服用することを確認する，❸副作用を早期に発見し適切な処置を行う[5]ことである。

■ **多剤併用療法**

標準治療は，**リファンピシン（RFP），イソニアジド（INH），ピラジナミド（PZA），エタンブトール塩酸塩（EB）またはストレプトマイシン硫酸塩（SM）の4剤**を用いた薬物療法である。

❶**標準治療法**は，RFP＋INH＋PZAにSMまたはEBの4剤併用で2カ月間，RFP＋INHで4カ月間で計6カ月間行う。❷**初期2カ月にPZAを含まないINH，RFPを中心とした3剤投与法**はRFP＋INH＋SM（またはEB）で2カ月，RFP＋INHで7カ月で計9カ月間行う。

原則としては前者を用い，重症肝障害や80歳以上の高齢者などPZA使用不可の場合に限り❷の後者を用いる（図1）。

抗結核薬は有効血中濃度の確保と確実な服用のために原則として**1日1回**の服薬とする。

RFP，IHN，PZAの3剤は強い抗菌力をもち，肺結核治療においてこの3剤を含めた治療が最強とされ，治療効果が期待できる。

また，**抗結核薬の耐性**があることが判明したら，**治療薬剤および治療期間を変更**する。抗結核薬の与薬により肝障害や薬疹などの副作用の発現がみられた場合，一旦休薬することがある。薬疹などのアレルギーの場合には症状が落ち着いたら少量の与薬から開始し**減感作療法**を行う。

治療開始後，結核菌は減少に転じても，胸部X線上に陰影の悪化や高熱の持続などがみられることがある。これを**初期悪化**といい，薬物療法により急激に死滅した大量の結核菌による免疫反応によって起こると考えられるため，標準治療は継続することが多い。

2) 薬物療法以外の治療

結核性髄膜炎や**粟粒結核**などの症例で**副腎皮質ステロイド**を使用する。

多剤耐性肺結核で主病巣が限局して切除可能と判断された場合や，薬物療法のみでは治癒に至らない，あるいは再発の可能性が高い，大量の喀血を繰り返す場合，難治性の気胸などは**外科療法**が検討されることがある。また，持続する多量な喀血については**気管支動脈塞栓術**が検討される。

図1 結核の初回標準治療

①標準治療法

	2カ月	6カ月
RFP		*
INH		*
PZA		
EB (SM)	#	

②初期2カ月にPZAを含まないINH，RFPを中心とした3剤投与法

	2カ月	9カ月
RFP		*
INH		*
EB (SM)	#	

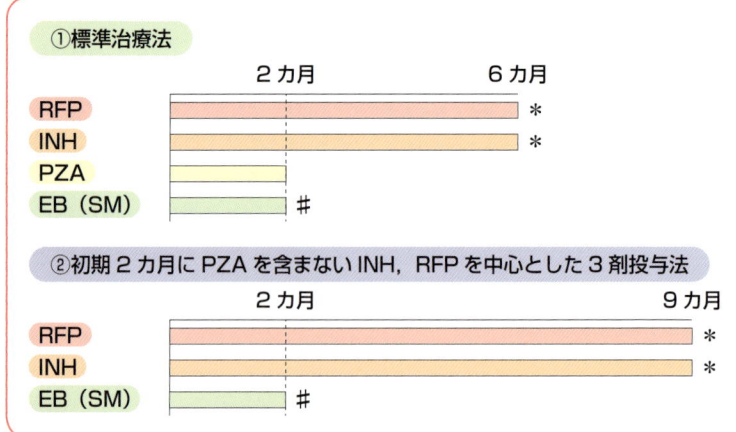

①標準治療法：RFP＋INH＋PZAにSMまたはEBの4剤併用で2カ月間 → RFP＋INH4カ月間
②初期2カ月にPZAを含まないINH，RFPを中心とした3剤投与法：RFP＋INH＋SM（またはEB）で2カ月間 → RFP＋INH7カ月

原則として①標準治療法を用い，病状を勘案し②を用いる。

\#：初期強化期のEB（SM）は，INHおよびRFPに薬剤感受性であることが確認されれば終了する

＊：重症結核（粟粒結核，中枢神経系，広汎空洞型など），結核再発，膿胸・糖尿病・HIV感染など免疫低下をきたす疾患，副腎皮質ステロイド薬などによる免疫低下をきたす治療時には維持期治療を3カ月延長する

（日本結核病学会治療委員会：結核89：683-690, 2014. を参考に作成）（日本結核・非結核性抗酸菌症学会編：結核診療ガイドライン2024, p43, 南江堂, 2024. を南江堂より許諾を得て転載）

II 肺結核の看護ケアとその根拠

1. 肺結核の観察ポイント

1) 呼吸器症状
① 咳嗽，喀痰，血痰，喀血の有無
② 副雑音の有無と種類，副雑音が聴取される部位
③ 呼吸困難の有無と程度
④ 胸痛，胸水貯留の有無

2) 全身状態
① 発熱の有無と熱型
② 倦怠感，体重減少の有無や程度
③ 糖尿病，腎不全，免疫力低下状態といった合併症の有無
④ 安静，清潔，栄養状態のセルフケアの状態

3) 検査所見
治療効果をみるうえで喀痰検査，胸部X線は重要となり，自覚症状の変化とあわせて把握する。

表2 抗結核薬の主な副作用

薬名	副作用
INH（イソニアジド）	・重篤な肝障害 ・皮膚症状 ・末梢神経障害
RFP（リファンピシン）	・肝障害 ・胃腸障害 ・アレルギー症状 ・貧血，血小板減少
PZA（ピラジナミド）	・重篤な肝障害 ・高尿酸血症
EB（エタンブトール）	・視神経障害（視力低下，中心暗点，赤緑色覚弱，視野狭窄）
SM（ストレプトマイシン）	・聴力障害（高音域からはじまる聴力障害，耳鳴り，めまいなどの前庭障害） ・腎機能障害

4) 副作用
主な薬剤の副作用については，**表2**を参照。

5) 精神的苦痛
結核は急な隔離や身体症状の悪化，内服確認の徹底，また感染症法による入退院の決定，就業制限，退院後の生活の変化により**精神的苦痛**を生じることが多いため，注意して観察する。

2. 肺結核の看護の目標
① 結核の病態・治療・感染拡大防止策について理解し，治療薬の服用の継続ができる
② 結核による症状（呼吸困難や咳嗽，発熱など）が軽減し，安楽に療養生活を送ることができる
③ 副作用の症状観察を自ら行い，早期に発見し，適切な治療や対処を受けることができる
④ 病状の悪化や隔離による不安や感情を表出し，適切な支援を受けて心理的負担が軽減または消失する

3. 肺結核の看護ケア

排菌中の患者は，**入院による治療**が行われる。肺結核患者に接する医療従事者は捕集効率や密着性が高く，空気中に浮遊する飛沫核の吸入を防ぐ効果が期待できる**N95マスクを着用**する。N95マスクは顔面に確実にフィットすることで効果が発揮されるため，マスク装着後は辺縁からの空気のもれを確認する**フィットテスト**を行う。また，面会者にも同様の指導が必要である。

1) 症状の緩和

① 咳嗽，喀痰
- 体位の工夫
  ▶ 患者の安楽な体位をとることで，疲労を少なくし，エネルギーの消耗を最小限にする
- **気道の浄化**：体位ドレナージ，呼吸理学療法，ネブライザー，水分補給
- 鎮咳薬，喀痰調整薬の管理

② 血痰，喀血
- 心身の安静の保持，体位の工夫，冷罨法，止血等を行う（→③血痰・喀血参照）

③ 呼吸困難
- 体位の工夫，心身の安静の保持，気道の浄化，酸素療

法の管理，精神的不安の緩和を行う
4 胸痛
- **温湿布**などで胸部を保温し，**安楽な体位をとる**。咳嗽によって胸痛が引き起こされている場合は，鎮咳薬を使用する

5 発熱，寝汗
- 発熱に対しては，対症療法として，解熱薬を用いたり**冷罨法**を実施したりするなど，症状の緩和を図る。また，発汗や不感蒸泄の亢進により**脱水**になりやすいため，必要に応じ水分摂取を勧め，飲水が困難であれば**点滴**などを考慮する。**初期悪化**と認められた場合は免疫反応に伴う発熱で病状の悪化ではないことを説明し，治療が継続できるようにかかわる
  ▶ 発熱は体力を消耗させるので，**熱型をアセスメント**し予測して対応する
- 寝汗は新しい寝衣に着替え，睡眠が妨げられないよう環境の調整も行う

2) 治療完遂と感染拡大防止のためのセルフマネジメント教育

患者自身が肺結核とその治療内容を理解し，不規則な治療や服薬の中断をせずに**治療を完遂できるよう**，**疾病教育**や**治療スケジュール，多剤耐性結核，抗結核薬の副作用**などについて教育を行う。

近年の日本における結核患者は，外国人や高齢者であることが多い。セルフマネジメント能力は肺結核治療を完遂するためには重要であるが，外国人には文化の相違や言語の違いにより教育に困難が生じることがある。

1 抗結核薬の確実な内服と継続
患者自身が服薬の重要性を理解し，確実に内服できるよう習慣づけることが重要である。入院中は医療従事者の目の前で**服薬（DOT）**を行い，地域連携クリニカルパスなどを使用し，患者自身が**服薬記録**をつけ，**内服忘れを防ぐよう**支援を行う。
▶ 不規則な内服や治療の自己中断は耐性菌を生じさせる原因となるため，正しい用量を決められた期間，内服することが必須である

2 副作用の早期発見
治療開始時に患者へ**副作用症状**について説明を行い，副作用症状の出現時には自己判断で内服を中止せず，速やかに**報告**するよう指導を行う。自覚症状がなくても定期的な血液検査を行う。EB内服時には**視力，色覚検査**，SM内服時には**聴力検査**を行い，**副作用の早期発見**に努める。また，RFP内服により**排泄物や体液などがオレンジ色**に着色されるため，服用前に驚かないように事前に説明する。
▶ 抗結核薬は多剤併用のため副作用の出現の可能性は高い

3 他者への感染拡大防止
患者自らが感染源となることを理解し，**感染拡大の予防行動**がとれるよう指導する。
- 結核菌は咳やくしゃみによって飛散するしぶき（飛沫）に含まれており，粒子が大きくマスクを通過しないため，患者は**サージカルマスク**を着用する
- 痰を喀出したティッシュペーパーは，室内の机や床などに散乱させず，専用の**ゴミ箱**に廃棄する。
- 前述の結核発症のリスクファクターに当てはまる人や乳幼児の面会は避ける。また，換気を適宜行い，陰圧室があれば利用することが望ましい。

3) 服薬困難者への支援

拒薬や嚥下障害などにより，**服薬が困難**になる場合，治療未完遂や耐性菌が生じるのを防ぐために，患者本人，家族の同意を得て**経鼻胃管**を用いることがある。その際に胃管抜去防止の目的で身体抑制が必要なことがある。多職種で**臨床倫理カンファレンス**等を行い，治療の必要性，周囲の状況を把握して，身体抑制を行う場合は，苦痛が最小限となる方法を検討し実施する。

4) 精神的支援

患者は，**結核への感染や長期に及ぶ治療に伴う不安**を抱く。表情の変化や言動に留意し**十分な睡眠**がとれているか，治療への**いら立ち**の有無，入院生活での**ストレス**の有無などを確認しながら，できる範囲の**環境調整**を行う。不安な想いの語りを**傾聴**し，必要な情報提供と教育を行って不安の軽減につとめ，信頼関係を構築し患者が治療を完遂できるよう支援する。

5) 日常生活への支援

清潔ケアはストレスを軽減させる方法の1つである。体力・ADLに応じた身体の清潔ケアが提供されているか，満足度が上がるケアが提供されているか確認しなければならない。また，疾患の症状や副作用により**食欲低下**が起こる場合がある。栄養摂取は疾患の治癒に大きな役割をもつため，**患者の嗜好調査や家族からの差し入れ・栄養補助剤などを活用し栄養状態が低下しないよう**工夫する。高齢者のADLの維持にも配慮し，時期を逃さずADL拡大に向けてのケアやリハビリテーションを

> **MEMO 潜在性結核感染症（LTBI）**
>
> 潜在性結核感染者（latent tuberculosis infection：LTBI）とは，活動性結核患者との接触歴があるが，**無症状の結核感染者**のことを指す。結核患者の接触者の約10％は結核症を発病する可能性があることから，保健所の責任によって**接触者健康診断**が行われる。接触者健康診断の目的は，❶感染者を発見し，治療によって発病を予防すること，❷結核発病者を発見し治療すること，❸感染源を特定し，隔離・治療によって，感染拡大を防止することである[1]。
>
> 結核感染の検査（**インターフェロンγ遊離試験：IGRA**）では，**クオンティフェロン（QFT）検査**か**Tスポット®.TB検査**を第一に行う。5歳未満あるいは就学前の乳幼児は，IGRAによる未発病感染の診断感度が低い可能性があるため，**ツベルクリン反応検査（ツ反検査）**を併用する。
>
> 結核に感染しているが，臨床的に明らかな活動性結核に至っていない人のうち，特に発病のリスクが高い人に対して[2]発病リスクを60〜70％に低下することを目的とした**イソニアジド（INH）**か**リファンピシン（RFP）**治療，または両者を使用した治療を開始する。無症状のため，治療の自己中断をすることが多い。患者教育と服薬の継続支援のために，保健師などの地域の医療従事者と連携する。LTBI治療中に発病することがあるため症状の出現に注意し，発病が疑われる場合は，胸部X線，喀痰の結核菌検査をすみやかに行い，結核の発症を判断する。
>
> ［福原美輪子］
>
> **［文献］**
> 1) 日本結核病学会編：結核診療ガイド．p117，南江堂，2018．
> 2) 四元秀毅編：医療者のための結核の知識，第5版．p116，医学書院，2019．

検討する必要がある。

6）退院支援

入院時から治療完遂に向けた退院後の生活環境の調整と再構築の支援を行う。人権への配慮も忘れず患者の社会的背景を加味し，患者とともに最善の方法を模索する必要がある。

7）DOTS推進地域ネットワークとの連携

薬物療法は**最短でも6カ月**かかり，退院後も治療を継続していくことになるが，さまざまな生活環境の中で治療の継続が困難となり，自己中断してしまうこともある。退院後の治療継続のため，**入院中から保健師とカンファレンスを行い**，患者の治療中断のリスクに合わせた**服薬支援体制**を決定する。退院後は**地域DOTS**へ移行し，地域の医療機関・調剤薬局・介護関連施設・福祉部門・在宅看護関係など各患者の個別性に応じて必要な機関と連携を行う。

治療終了後は，再発の有無や経過観察を行うため，2年程度は**医療機関で胸部X線や喀痰検査**を行う必要がある。再発の可能性が高い症例については経過観察期間を延長する。

▶耐性菌の発生や再発を予防するためには初回の治療を完了させることが重要であり，医師，看護師，保健師がそれぞれの立場で連携をしながら治療開始から完了まで支援する

DOTSは個別患者支援計画の評価・見直しを行う利用者カンファレンスに加え，DOTS対象者全員の治療成績分析とDOTS実施方法の評価・見直しを行うコホート検討会がある。コホート検討会の目的は，DOTSの質の向上であり，結核対策で重要な役割を果たしている。

［筒井有紀，福原美輪子］

［引用文献］
1) 四元秀毅編：医療者のための結核の知識 第5版．p19，医学書院，2019．
2) 日本結核病学会編：結核診療ガイド．p9，南江堂，2018．
3) 前掲書2，p11．
4) 厚生労働省：感染症の予防及び感染症の患者に対する医療に関する法律における感染患者の入退院及び就業制限の取り扱い．健感発第907001号，2007．
5) 前掲書2，pp87-88．

［参考文献］
- 厚生労働省：2022年　結核登録者情報調査年俸集計結果．
- 日本結核・非結核性抗酸菌症学会編：結核診療ガイドライン2024．南江堂，2024．
- 御手洗聡，斎藤武文編：基礎からわかる結核診療ハンドブック．中外医学社，2022．
- 四元秀毅，倉島篤行編：結核Up to Data　改訂第2版．南江堂，2019．
- 医療情報科学研究所：病気が見える vol 6　免疫・膠原病・感染症　第2版．メディックメディア，2018．

Column スパイロメトリー：呼吸機能検査

1. スパイロメトリー

　スパイロメトリーはスパイロメータ（図1）を用いて呼吸機能を測定するための検査法で、肺の空気を出し入れする能力（換気能）を評価する。肺気量（吸入されたガス量と呼出されたガス量）の変化を計測することにより、各種肺気量を求めることができる。喘息や慢性閉塞性肺疾患（COPD）、その他の肺疾患など、呼吸に影響を及ぼす疾患の診断・分類や障害の評価・管理のために使用され、治療がうまくいっているか、肺機能が変化していないかなど、長期にわたって肺の健康状態をモニタリングするために用いられる。

図1 スパイロメータ

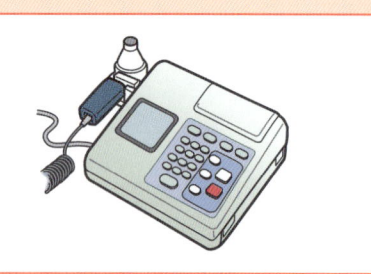

2. スパイログラム

　スパイログラム（図2）とは、スパイロメータによって得られた結果を横軸に時間、縦軸に肺気量の変化で記録したものである。スパイロメータにつながった管に、できるだけ速く強く息を吐き出す。これにより、どれだけの量の息をどれだけの速さで吐き出すことができるかを測定する。スパイログラム

図2 スパイログラムと肺気量分画

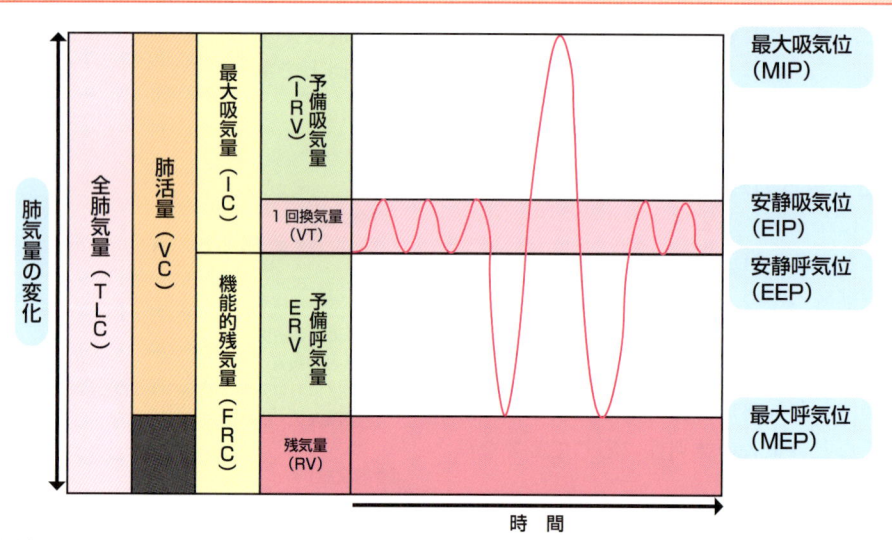

- 各種肺気量を求めることができるが、残気量が測定できないため、機能的残気量や全肺気量は求めることはできない
- 1回の安静呼吸での気量が **1回換気量（VT）** であり、安静呼気位（EEP）から最大呼気位（MEP）までの気量が **予備呼気量（ERV）**、安静吸気位（EIP）から最大吸気位（MIP）までの気量が **予備吸気量（IRV）** である。1回換気量（VT）と予備吸気量（IRV）との和が **最大吸気量（IC）** で、最大吸気量（IC）と予備呼気量（ERV）との和が **肺活量（VC）** である
- **残気量（RV）**：最大呼気位（MEP）で肺の中に残っている気量で、予備呼気量（ERV）と残気量（RV）の和が **機能的残気量（FRC）** である
- **全肺気量（TLC）**：予備吸気量（IRV）、1回換気量（VT）、予備呼気量（ERV）、残気量（RV）の和である
- **努力肺活量（FVC）**：最大吸気位（MIP）からできるだけ速く最大努力呼気をさせた最大呼気位（MEP）までの肺活量
- **1秒量（FEV₁）**：努力肺活量（FVC）の最初の1秒間で呼出された気量

では，肺活量（VC）をはじめとする**肺気量分画（肺の容量の区分）**，**努力肺活量（FVC）**，**1秒量（FEV₁/FVC および FEV₁/VC）**をみることができる（図3）。

ただし，スパイロメトリーでは残気量（RV）の測定ができないため，機能的残気量（FRC）や全肺気量（TLC）は求められないことに注意する。

図3　FVC測定で得られた肺気量分画

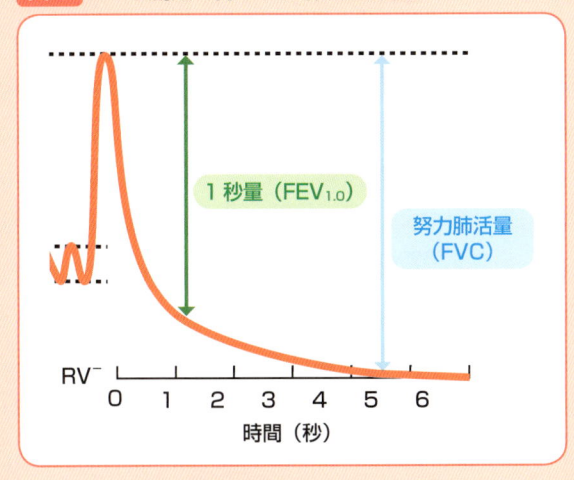

3. フローボリューム曲線

気流量（flow）と肺気量（volume）の関係を示した曲線，特に最大吸気位から最大努力呼気した際に記録される曲線を，**フローボリューム曲線**と呼ぶ。胸郭外気道の狭窄やつぶれやすさの評価に用いられる。縦軸の山の高さは**呼気流速**，横軸は**肺気量**を表している。中枢気道の障害は，最大吸気量から最大呼気流量までの間，末梢気道の障害は最大呼気流量から残気量までの間の曲線に反映される（図4）。

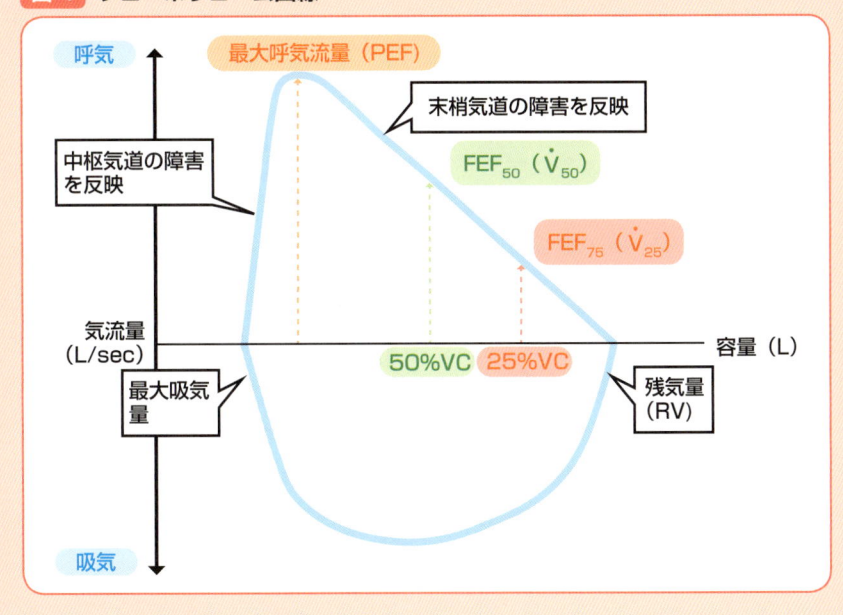

代表的な呼吸器疾患のフローボリューム曲線を図5に示す。正常な肺では，黒色の曲線をたどる。末梢気道が閉塞，狭窄しているため，息を吐き出すことができない**肺気腫（水色）**や**気管支喘息（ピンク）**などでは，下に凸の曲線をとる。肺気腫の場合は，残気量が多く呼気流量も減少するため，気管支喘息よりも左側に位置し，流速も低い。一方，上気道閉塞など中枢気道に問題がある場合は，狭窄などで流速が制限され，呼出途中は流速が制限され，後半部分は通常と同じ曲線となる。**肺線維症**の場合，

図4　フローボリューム曲線

図5 代表的な呼吸器疾患のフローボリューム曲線

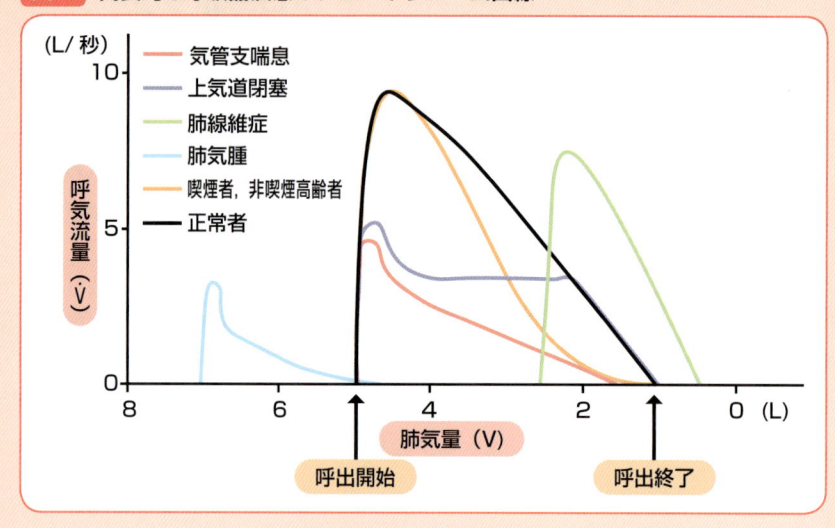

肺が硬くなり広がりにくくなるため，肺気量も正常より少ない。

4. 換気障害の分類

スパイロメトリーの検査値をもとに％肺活量（％VC），1秒率（FEV₁％）を算出し，換気障害の有無や分類の判断を行う（図6）。

- **％肺活量（％VC）**：年齢や身長，性別から予測肺活量を計算し，求められた予測肺活量に対する実際の肺活量の割合
- **1秒率（FEV₁％）**：最大努力呼気の際に空気を吸いきって，息を吐ききるまでの肺活量に対する最初の1秒間に呼出される息の量（1秒量）の割合
  - 拘束性換気障害：％肺活量（％VC）80％未満
  - 閉塞性換気障害：1秒率（FEV₁％）70％未満
  - 混合性換気障害：両方が低い場合

5. 検査の実際

1 情報収集と検査目的の説明

スパイロメトリーの目的や**相対的禁忌（表1）**が

図6 換気障害の分類

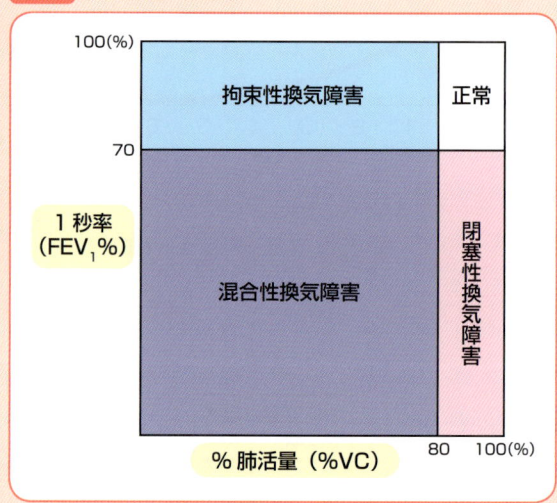

ないかを確認し，**全身状態，喫煙歴，気管支拡張薬の使用**の有無など基本情報を記録する。前回測定値があれば確認し，参考にする。

スパイロメトリー実施の注意点としては，呼吸循環動態の不安定なケースや頭蓋内圧に陽圧をかけられない術後のケースなどは慎重を要する。喘息患者では，努力呼吸により気道の攣縮が起こり，呼吸状態の変調をきたす可能性がある。また，COPD患者

表1 スパイロメトリーの相対的禁忌

循環器への負担 血圧の変動	①1週間以内の急性心筋梗塞 ②低血圧，重症高血圧 ③重症不整脈 ④非代償性心不全 ⑤急性肺性心 ⑥臨床的に不安定な肺塞栓症 ⑦咳嗽失神の既往
頭蓋内圧・ 眼圧上昇	①脳動脈瘤 ②4週間以内の脳外手術 ③継続する症状を伴う脳震盪 ④1週間以内の眼科手術
副鼻腔・中耳圧上昇	①1週間以内の副鼻腔手術または感染 ②1週間以内の中耳手術または感染
胸腔内圧・ 腹圧上昇	①気胸 ②4週間以内の胸部手術 ③4週間以内の腹部手術 ④妊娠後期
感染制御	①結核を含む伝染性感染症の疑い ②血液，多量の分泌物，口腔内病変など

（日本呼吸器学会肺生理専門委員会呼吸機能検査ハンドブック作成委員会編：呼吸機能検査ハンドブック．p9，メディカルレビュー社，2021．より）

では努力呼吸が困難であり，正しい値を得ることが難しい。検査適応の判断や結果の解釈も含め検査中の呼吸状態の観察を行い，異常の早期発見や不安の軽減に努めることが必要である。

　スパイロメトリーは患者にできる限りの息を吐くことを促す検査であるため，被験者の理解と協力が得られなければ正確に検査ができない。そのため被験者には検査の目的や方法をわかりやすく説明し，理解を得たのち実施する。**検査の前に呼吸法を1～2回練習して測定するのもよい。**

2 検査の方法

　検査では，まずVC測定を先に行い，次にFVC測定を行う。

❶ VC測定
①マウスピースに唇をしっかり当ててくわえる
②通常の呼吸をする（普段通り空気を吸い込み，息を吐き出す）
③安定した通常の呼吸を確認した後，ゆっくり限界まで息を吐き出す（最大呼出をさせる）
④次いで，ゆっくり限界まで空気を吸い込む（最大吸気をさせる）
⑤測定を終了する
⑥上記を2回以上繰り返し，そのうち最大の測定値を採用する

❷ FVC測定
①安静呼吸をする
②安定した通常の呼吸を確認した後，迅速に限界まで息を吸う（最大吸気をさせる）
③2秒以内に最大限の力で一気に息を吐き出す
④呼気終了後，最大限の力で最大吸気まで一気に息を吸う
⑤測定を終了する
⑥上記を3回繰り返し，呼気努力の最も良好な測定結果を採用する

［山本麻起子］

[参考文献]
- 石橋賢一：呼吸器疾患（Navigate）．医学書院，2015．

第Ⅱ部 疾患別看護ケア関連図 2．気道系の疾患

8 慢性閉塞性肺疾患（COPD）

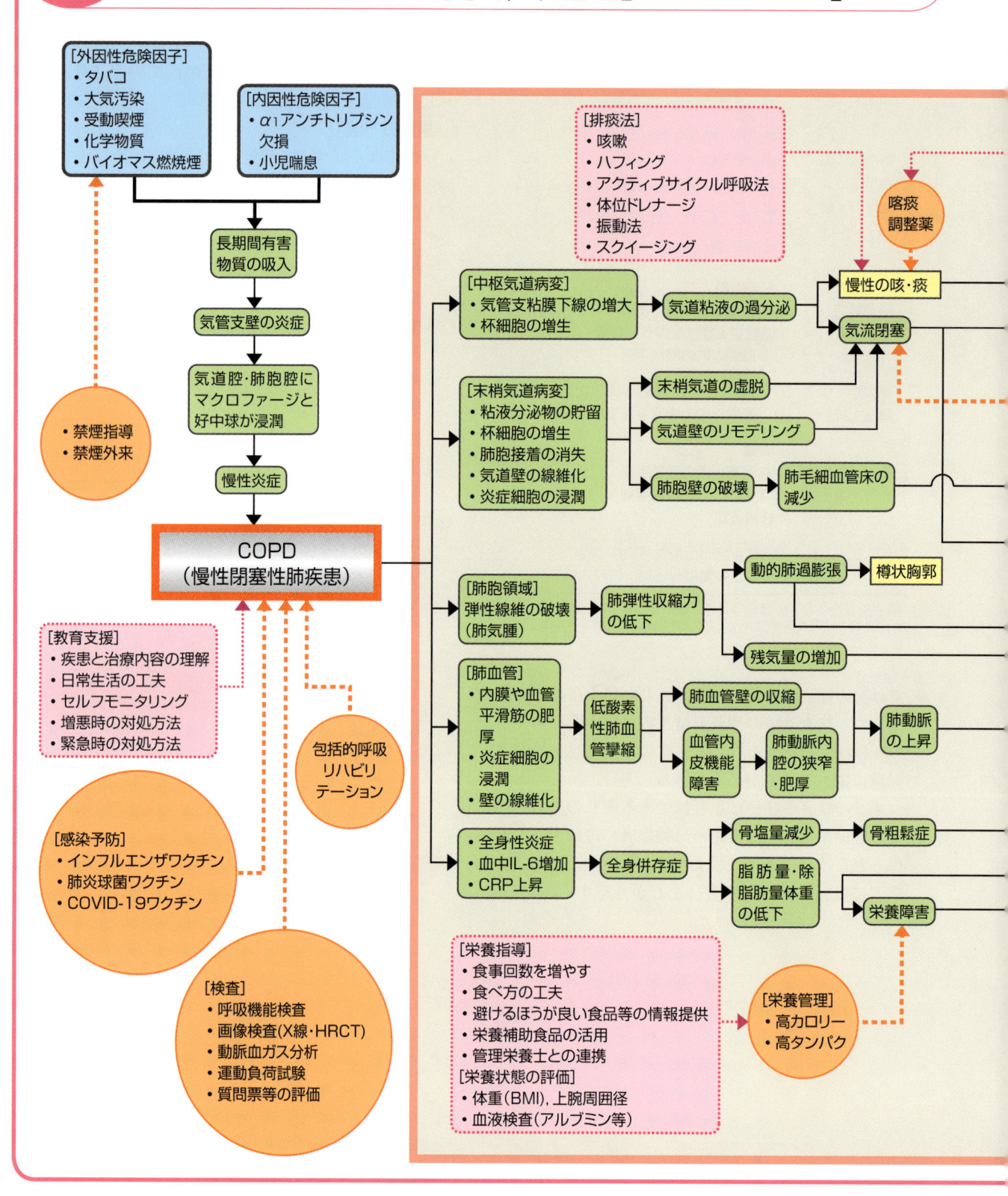

[外因性危険因子]
- タバコ
- 大気汚染
- 受動喫煙
- 化学物質
- バイオマス燃焼煙

[内因性危険因子]
- α₁アンチトリプシン欠損
- 小児喘息

長期間有害物質の吸入
↓
気管支壁の炎症
↓
気道腔・肺胞腔にマクロファージと好中球が浸潤
↓
慢性炎症
↓
COPD（慢性閉塞性肺疾患）

- 禁煙指導
- 禁煙外来

[教育支援]
- 疾患と治療内容の理解
- 日常生活の工夫
- セルフモニタリング
- 増悪時の対処方法
- 緊急時の対処方法

包括的呼吸リハビリテーション

[感染予防]
- インフルエンザワクチン
- 肺炎球菌ワクチン
- COVID-19ワクチン

[検査]
- 呼吸機能検査
- 画像検査（X線・HRCT）
- 動脈血ガス分析
- 運動負荷試験
- 質問票等の評価

[排痰法]
- 咳嗽
- ハフィング
- アクティブサイクル呼吸法
- 体位ドレナージ
- 振動法
- スクイージング

喀痰調整薬

[中枢気道病変]
- 気管支粘膜下線の増大
- 杯細胞の増生
→ 気道粘液の過分泌 → 慢性の咳・痰
→ 気流閉塞

[末梢気道病変]
- 粘液分泌物の貯留
- 杯細胞の増生
- 肺胞接着の消失
- 気道壁の線維化
- 炎症細胞の浸潤
→ 末梢気道の虚脱
→ 気道壁のリモデリング
→ 肺胞壁の破壊 → 肺毛細血管床の減少

[肺胞領域]
- 弾性線維の破壊（肺気腫）
→ 肺弾性収縮力の低下 → 動的肺過膨張 → 樽状胸郭
→ 残気量の増加

[肺血管]
- 内膜や血管平滑筋の肥厚
- 炎症細胞の浸潤
- 壁の線維化
→ 低酸素性肺血管攣縮
→ 肺血管壁の収縮
→ 血管内皮機能障害
→ 肺動脈内腔の狭窄・肥厚
→ 肺動脈の上昇

- 全身性炎症
- 血中IL-6増加
- CRP上昇
→ 全身併存症
→ 骨塩量減少 → 骨粗鬆症
→ 脂肪量・除脂肪量体重の低下 → 栄養障害

[栄養指導]
- 食事回数を増やす
- 食べ方の工夫
- 避けるほうが良い食品等の情報提供
- 栄養補助食品の活用
- 管理栄養士との連携

[栄養状態の評価]
- 体重（BMI），上腕周囲径
- 血液検査（アルブミン等）

[栄養管理]
- 高カロリー
- 高タンパク

凡例: 誘因・原因 → 病態生理・状態 | 症状 | 医学的処置 ⇢ 看護ケア ➜ (疾患)から生じる全体像 | 分類,あるいは特殊な部分

COPDから生じる全体像

[薬剤指導]
- 吸入指導
- 内服管理
- 副作用の説明

[酸素療法の指導]
- 酸素療法の知識
- 機器の管理
- 事故防止の説明
- 業者との連携

[合併症の観察]
- マスクのスキントラブル(発赤や潰瘍)
- 流量や圧による口腔内乾燥,口渇感

- 抗菌薬
- 副腎皮質ステロイド薬
- 感染 → 膿性痰
- 肺胞低換気 → 高二酸化炭素血症 → 頭痛／意識障害／呼吸抑制
- 気管支拡張薬
- 消化性潰瘍
- 酸素療法／換気補助療法／在宅酸素療法

- パニックコントロール
- 換気血流不均等 → ガス交換障害 → 低酸素血症
- 呼吸困難 → 呼吸回数増加 → 呼吸仕事量の増加 → 呼吸筋での消費エネルギー増大 → 体重減少 → ボディイメージの変化
- 口すぼめ呼吸
- 呼吸リハビリテーション
- 呼吸補助筋の肥大

- 肺性高血圧 → 右室や壁肥厚(肺性心) → 右心不全 → 頸動脈怒張／肝腫大／下肢浮腫

[情緒的サポート]
- 傾聴,ケアリング
- 多職種連携(臨床心理士など)
- 社会資源の活用

- 骨格筋減少 → サルコペニア・フレイル → 呼吸筋減少 → 呼吸筋疲労
- 下肢筋力低下 → 転倒・骨折 → 運動耐用能の低下 → ADL低下 → 閉じこもり → 社会的孤立 → 不安・抑うつ・認知症

[運動療法]
- 筋力トレーニング
- 持久力トレーニング

第Ⅱ部 疾患別看護ケア関連図 2. 気道系の疾患
❽慢性閉塞性肺疾患(COPD)

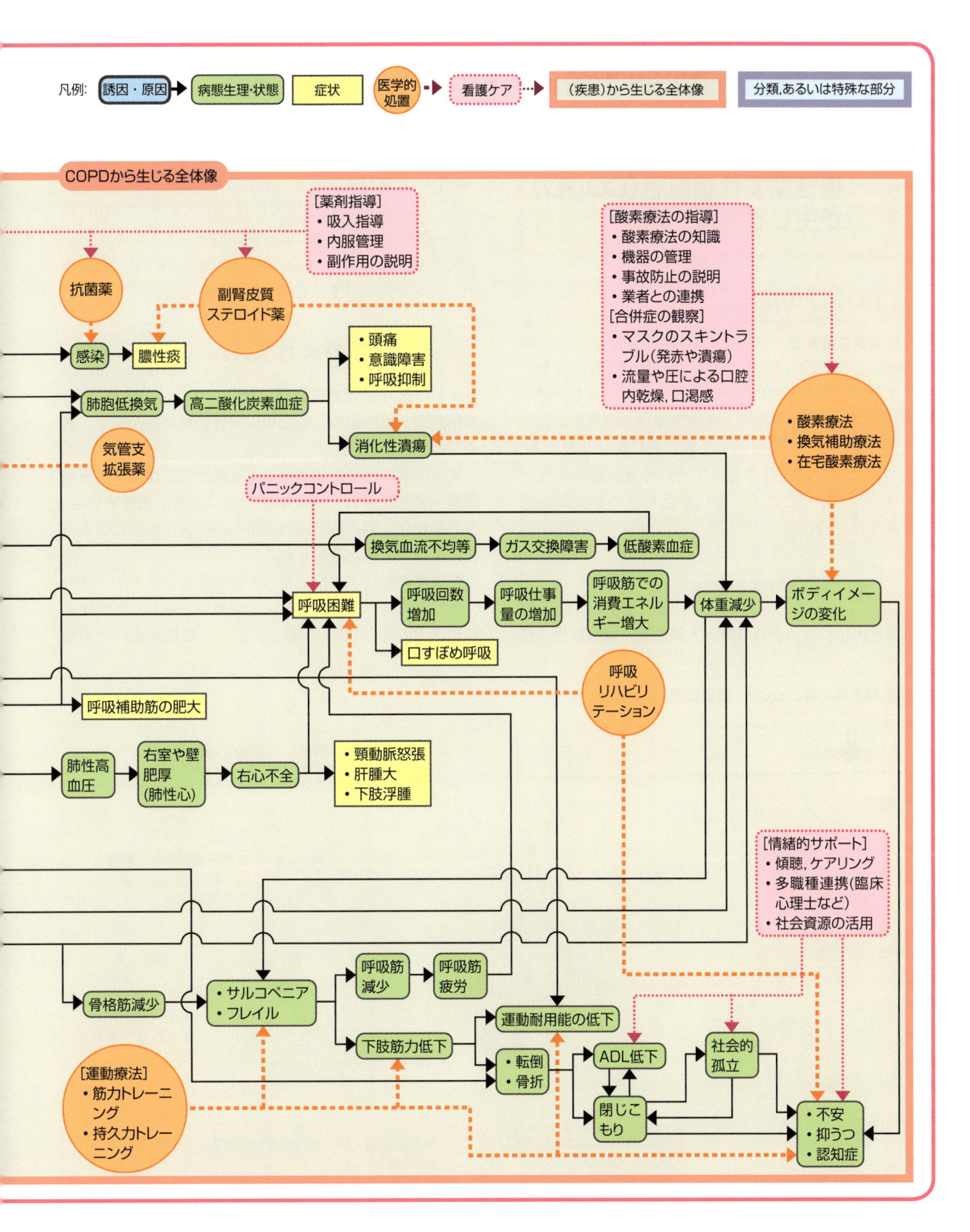

第Ⅱ部　疾患別看護ケア関連図　2．気道系の疾患

8 慢性閉塞性肺疾患（COPD）

I 慢性閉塞性肺疾患（COPD）が生じる病態生理

1. COPDの定義

慢性閉塞性肺疾患（chronic obstructive pulmonary disease：COPD）とは、「タバコ煙を主とする有害物質を長期に吸入暴露することなどにより生ずる肺疾患であり、呼吸機能検査で気流閉塞を示す。気流閉塞は末梢気道病変と気腫性病変がさまざまな割合で複合的に関与し起こる。臨床的には徐々に進行する労作時の呼吸困難や慢性の咳・痰を示すが、これらの症状が乏しいこともある」[1]と定義されている。

2. COPDの危険因子

外因性因子には、タバコ煙、大気汚染、受動喫煙、職業性の粉塵や化学物質への暴露などがある。タバコ煙はCOPDの危険因子であり、患者の約90%には喫煙歴がある。喫煙者では非喫煙者に比べて死亡率は約10倍高い[2]。内因性因子には、遺伝素因のα_1-アンチトリプシン欠乏症（α_1-antitrypsin deficiency：AATD）があるが、日本での有病率は著しく低い。

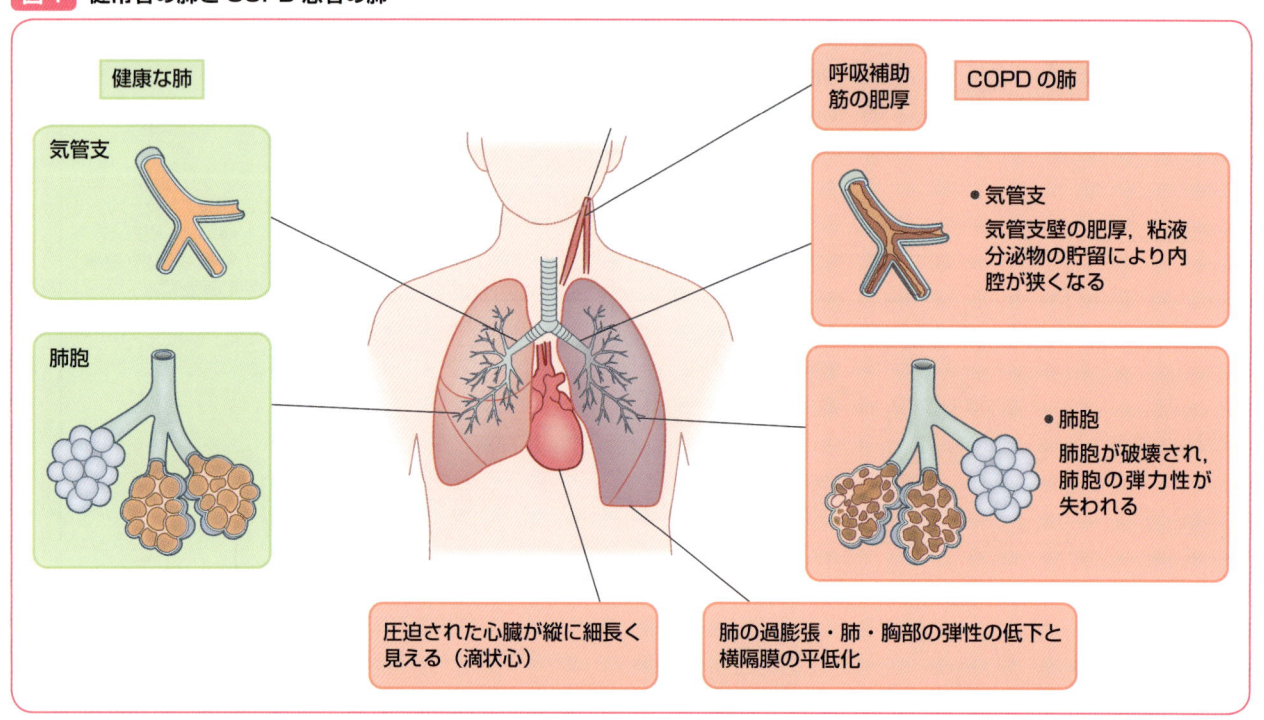

3. COPDのメカニズム

タバコ煙などの**有害物質の吸入**によって、**中枢気道、末梢気道、肺胞領域、肺血管に慢性的な炎症**が生じ、**気流閉塞**を呈する。

気流閉塞には末梢気道病変と気腫性病変があり、**末梢気道病変**部位では、炎症細胞浸潤による気道壁の炎症、壁の線維化、喀痰等の内腔滲出物の貯留、炎症による末梢気道壁の肥厚が惹起される。

気腫性病変は、末梢気道への肺胞接着の消失や、肺の弾性収縮力低下をもたらし末梢気道が虚脱し、気流閉塞の原因となる[3]（図1・2）。また、気腫性病変は、肺胞

図1　健常者の肺とCOPD患者の肺

健康な肺
- 気管支
- 肺胞

COPDの肺
- 呼吸補助筋の肥厚
- 気管支：気管支壁の肥厚、粘液分泌物の貯留により内腔が狭くなる
- 肺胞：肺胞が破壊され、肺胞の弾力性が失われる
- 圧迫された心臓が縦に細長く見える（滴状心）
- 肺の過膨張・肺・胸部の弾性の低下と横隔膜の平低化

図2 COPDのメカニズム

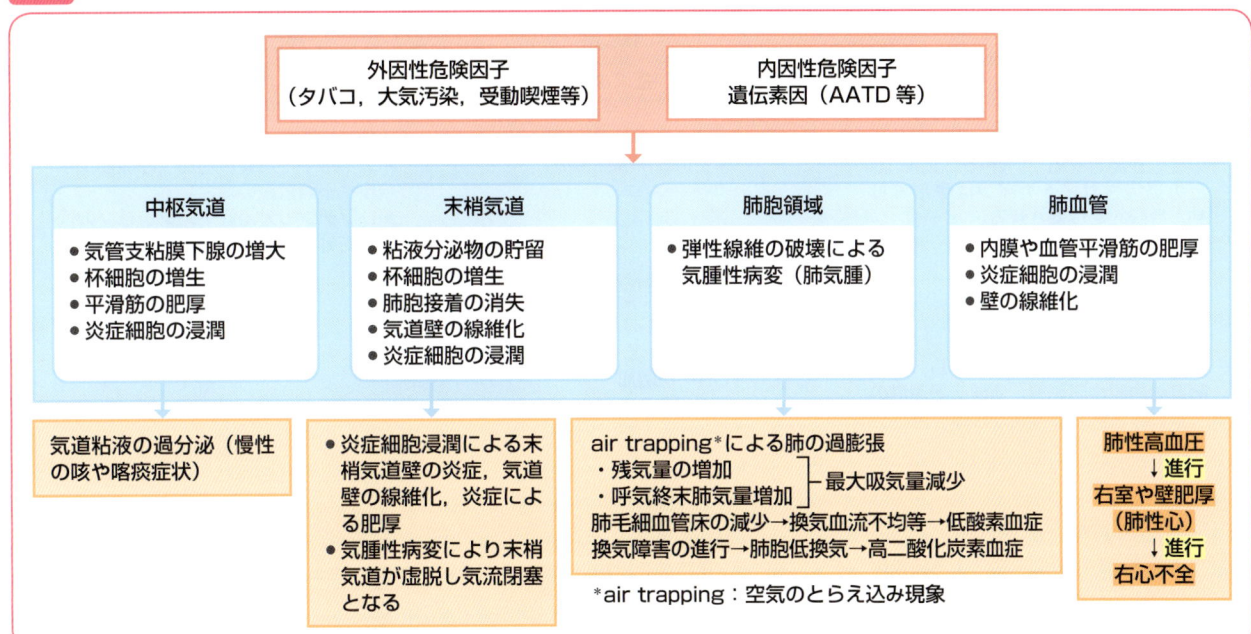

	外因性危険因子 (タバコ，大気汚染，受動喫煙等)	内因性危険因子 遺伝素因（AATD等）	
中枢気道 ・気管支粘膜下腺の増大 ・杯細胞の増生 ・平滑筋の肥厚 ・炎症細胞の浸潤	**末梢気道** ・粘液分泌物の貯留 ・杯細胞の増生 ・肺胞接着の消失 ・気道壁の線維化 ・炎症細胞の浸潤	**肺胞領域** ・弾性線維の破壊による気腫性病変（肺気腫）	**肺血管** ・内膜や血管平滑筋の肥厚 ・炎症細胞の浸潤 ・壁の線維化

- 気道粘液の過分泌（慢性の咳や喀痰症状）
- 炎症細胞浸潤による末梢気道壁の炎症，気道壁の線維化，炎症による肥厚
- 気腫性病変により末梢気道が虚脱し気流閉塞となる
- air trapping* による肺の過膨張
  ・残気量の増加
  ・呼気終末肺気量増加 → 最大吸気量減少
  肺毛細血管床の減少→換気血流不均等→低酸素血症
  換気障害の進行→肺胞低換気→高二酸化炭素血症
- 肺性高血圧 ↓進行 右室や壁肥厚（肺性心） ↓進行 右心不全

*air trapping：空気のとらえ込み現象

構造の破壊に伴い**肺血管床が減少**し，**ガス交換障害や肺動脈圧の上昇**を引き起こす。同時に，**強制呼出時に気道が虚脱**し，肺内の空気が排出されず肺に空気がトラップされる（air trapping）。この末梢気道の虚脱は病期の進行とともに**安静呼吸時にも生じ，肺過膨張**に寄与する。末梢気道の虚脱による air trapping は，労作や運動とともに増強し，さらなる肺過膨張を惹起する。これを**動的肺過膨張**と呼び，COPD患者の**呼吸仕事量の増加，労作時息切れ，運動耐容能の低下**の重要な要因となっている[4]。

さらに，COPDは肺固有の疾患であると同時に，**全身性炎症性疾患**でもある。増悪期だけでなく，安定期でも血中の **IL-6（インターロイキン-6）や CRP（C反応性タンパク）が増加**しており，全身性炎症が認められる。全身性炎症は栄養障害，骨粗鬆症，骨格筋機能障害，心血管疾患リスクと関連している。このような**全身の併存症**[5,6]（図3）は，増悪頻度の増加や身体活動制限など予後の悪化に影響を及ぼす可能性がある[7]。

4. COPDの診断と分類

1）COPDの診断基準

COPDの診断基準は，❶**長期の喫煙歴などの暴露因子**があること，❷気管支拡張薬吸入後のスパイロメトリーで FEV₁/FVC（1秒率）が70%未満であること，❸他の気流閉塞をきたしうる疾患（表1）を除外することである。

2）COPDの分類

COPDの病期は，**気流閉塞の障害の程度**で分類される。指標には，**予測1秒量に対する比率（％FEV₁）**が用いられている（表2）。病型は，胸部CT検査により気腫性陰影が優位である**気腫型（気腫性病変優位型）**と気腫性陰影はないか微細である**非気腫型（末梢気道病変優位型）**に分類される。

3）COPD早期発見のためのスクリーニング

長期の喫煙歴，体動時の呼吸困難や慢性的な咳がある場合はCOPDを疑う。COPDは，適切な検査や治療を受けることで，進行を遅らせることが可能であるため，**早期発見が重要**である。そのため，**COPD集団スクリーニング質問票™**（COPD Population Screener：COPD-PS）を用い，**合計スコアが4点以上であれば呼吸機能検査を実施し診断・治療につなげる**。質問票については成書を参照。

図3　全身の併存症

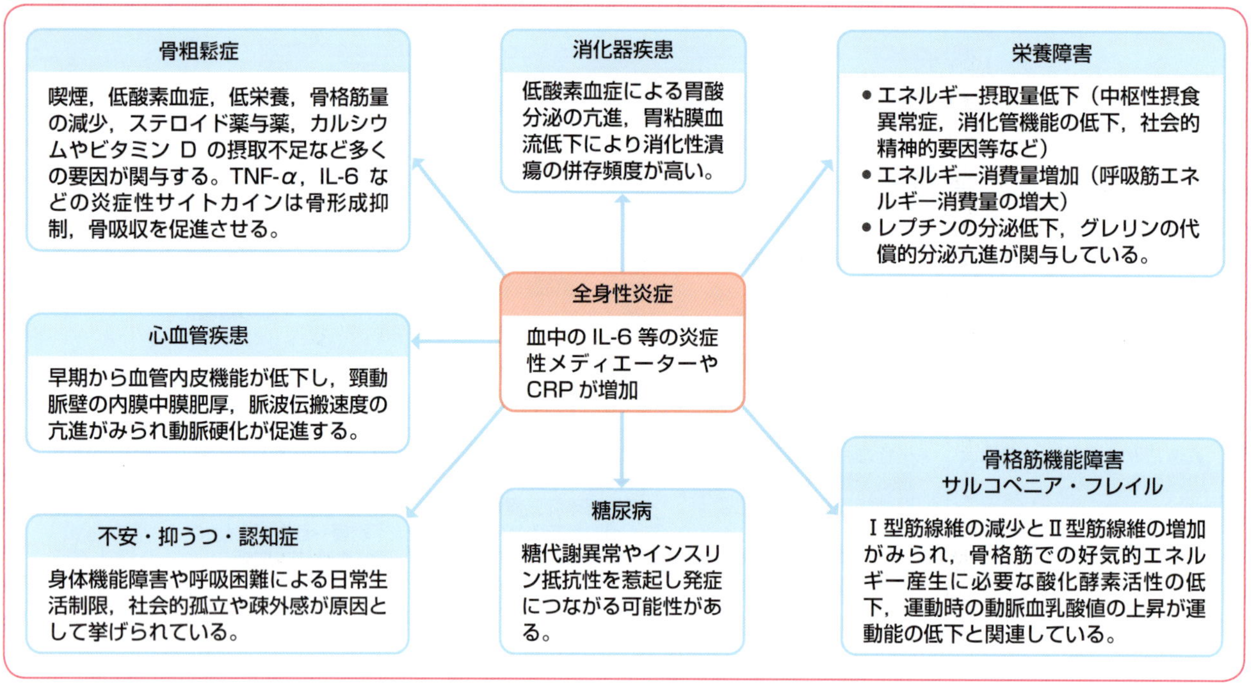

骨粗鬆症
喫煙，低酸素血症，低栄養，骨格筋量の減少，ステロイド薬与薬，カルシウムやビタミンDの摂取不足など多くの要因が関与する。TNF-α，IL-6などの炎症性サイトカインは骨形成抑制，骨吸収を促進させる。

消化器疾患
低酸素血症による胃酸分泌の亢進，胃粘膜血流低下により消化性潰瘍の併存頻度が高い。

栄養障害
- エネルギー摂取量低下（中枢性摂食異常症，消化管機能の低下，社会的精神的要因等など）
- エネルギー消費量増加（呼吸筋エネルギー消費量の増大）
- レプチンの分泌低下，グレリンの代償的分泌亢進が関与している。

全身性炎症
血中のIL-6等の炎症性メディエーターやCRPが増加

心血管疾患
早期から血管内皮機能が低下し，頸動脈壁の内膜中膜肥厚，脈波伝搬速度の亢進がみられ動脈硬化が促進する。

不安・抑うつ・認知症
身体機能障害や呼吸困難による日常生活制限，社会的孤立や疎外感が原因として挙げられている。

糖尿病
糖代謝異常やインスリン抵抗性を惹起し発症につながる可能性がある。

骨格筋機能障害 サルコペニア・フレイル
I型筋線維の減少とII型筋線維の増加がみられ，骨格筋での好気的エネルギー産生に必要な酸化酵素活性の低下，運動時の動脈血乳酸値の上昇が運動能の低下と関連している。

表1　COPD以外の他の気流閉塞をきたしうる疾患

- 喘息
- びまん性汎細気管支炎，副鼻腔気管支症候群，気管支拡張症
- 閉塞性細気管支炎
- リンパ脈管筋腫症
- 間質性肺炎
- 塵肺症
- 肺結核
- 肺がん
- 心不全

表2　COPDの病期分類

病期		定義
I期	軽度の気流閉塞	%FEV$_1$ ≧ 80%
II期	中等度の気流閉塞	50% ≦ %FEV$_1$ < 80%
III期	高度の気流閉塞	30% ≦ %FEV$_1$ < 50%
IV期	きわめて高度の気流閉塞	%FEV$_1$ < 30%

*気管支拡張薬投与後の1秒率（FEV$_1$/FVC）70%未満が必須条件
- 1秒量（FEV$_1$）：最初の1秒間で吐き出せる息の量
- 努力肺活量（FVC）：思い切り息を吸ってから強く吐き出したときの息の量
- 1秒率（FEV$_1$%）：FEV$_1$値をFVC値で割った値対標準
- %1秒量（%FEV$_1$）：性，年齢，身長から求めたFEV$_1$の標準値に対する割合

（日本呼吸器学会COPDガイドライン第6版作成委員会：COPD（慢性閉塞性肺疾患）診断と治療のためのガイドライン 第6版．p53，日本呼吸器学会，2022．より）

5. COPDの症状と身体所見

1）COPDの症状

主な症状として**労作時の呼吸困難（息切れ），慢性の咳嗽と喀痰**がある。呼吸困難の程度は，mMRC息切れスケール（→p35）を用いて評価する。喘鳴は増悪期において伴うことがあるが，安定期のCOPDでは比較的まれである。

2）身体所見

身体診査別に得られる身体所見を表3に示す。COPDの病期分類I期～II期の患者では，症状が自覚されにくい。

6. COPDの検査

1）画像診断

1 胸部X線
- 正面像：肺野の透過性の亢進，肺野末梢の血管陰影の細小化，横隔膜の平低化，心胸郭比の減少（滴状心），

表3 身体所見

視診	・樽状胸郭：肺の過膨張により肋骨が水平となり胸郭が「樽型」となる。 ・呼気の延長，口すぼめ呼吸 ・胸鎖乳突筋の肥大と胸郭の異常（Hoover 徴候） ・チアノーゼ：口唇，顔面，指尖など ・ばち指：肺がん，間質性肺炎等の合併に注意が必要 ・頸動脈の怒張，肝腫大，下肢浮腫：右心不全を疑う
触診	・心尖拍動が触れにくい ・肝臓が触れる ・音声振盪の減弱
打診	・鼓音 ・深呼吸に伴う横隔膜の運動範囲の制限
聴診	・呼気延長 ・呼吸音の減弱 ・異常呼吸音（断続性・連続性副雑音，喘鳴） ・心音が剣状突起領域で最も聴取

表4 肺気腫の視覚評価法（Goddardの方法）[8]

左右，上，中，下の3レベルの合計6部位について，視覚的に肺気腫の程度を5段階評価し，6つの部位で合計したものを肺気腫スコアとする

0	肺気腫なし
1	肺気腫が肺野面積の25%以下
2	肺気腫が肺野面積の25〜50%
3	肺気腫が肺野面積の50〜75%
4	肺気腫が肺野面積の75%以上

6部位の合計　最大24ポイント

肋間腔の開大などを認める
・側面像：横隔膜の平低化，胸骨後腔の開大，心臓後腔の開大などを認める

2 胸部CT

HRCT（high-resolution computed tomography：高分解能CT）使用が推奨され，CT画像では，肺胞壁の破壊に伴う**気腫性病変**や**気道病変**が認められる。肺気腫の程度を5段階で評価する（表4）。

2）呼吸機能検査

スパイロメトリーを用いて，**気管支拡張薬吸入後の閉塞性換気障害（FEV_1/FVC が70%未満）**かどうかの判定を行う。また，ガス交換の指標として**肺拡散能力**（carbon monoxide diffusing capacity：**DLco**）の測定がある。O_2，He（ヘリウム），CO（一酸化炭素），N_2（窒素）の4種混合ガスを用いて，最大呼気位から一気に混合ガスを最大吸気し，10秒間息を止めて行う。この間にCOがどれだけ肺から吸収されたかで測定される[9]。COPDでは，肺胞構造の破壊により換気面積が減少し換気血流比不均等となっているため，**DLcoが低下**する。

強制オシレーション法は，安静換気時に空気の圧力振動を口から気道，肺へ送り込み，返ってくる気流と圧から，**呼吸インピーダンス（一種の抵抗）を測定する**呼吸機能検査である。強制呼出が必要不可欠なスパイロメトリーと異なり，安静換気で測定できることから，小児や高齢者，低肺機能の患者でも施行可能である[10]。COPDでは，気道病変の影響による換気比不均等を反映し，**低周波数領域で抵抗が上昇**するパターンを示す。

3）動脈血ガス分析

ガス交換障害の程度や低酸素血症の有無を評価する。酸素吸入下で高二酸化炭素血症を認める場合は，**CO_2ナルコーシスのリスク評価**に用いる。

4）運動負荷試験

平地歩行試験（6分間歩行試験やシャトルウォーキング試験）によって重症度や予後の評価，治療の効果判定などを行う。運動耐容能の低下は身体活動性やQOLの低下に影響を及ぼす。

- **6分間歩行試験（6-min walk test：6MWT）**：患者が6分間で，できるだけ長く歩くことができる距離を測定する。6MWTから得られる6分間歩行距離は，日常生活における運動機能障害の重症度を判定するだけでなく死亡率とも関係する[11]
- **シャトルウォーキング試験（shuttle walking test：SWT）**：9 mの標識間（10 mコース）をSWT用のCDからの発信音に歩行速度を合わせて往復歩行する。決められた速度で歩く試験であり，最大歩行距離あるいは運動時間を運動能力の指標とする[11]

5）肺循環・右心機能の評価

肺高血圧症の診断には右心カテーテルが必須であるが，侵襲的な検査のため施行されることは少ない。非侵襲的な肺高血圧症の評価は，心臓超音波検査，脳性ナト

リウム利尿ペプチド（brain natriuretic peptide：BNP）またはN末端脳性ナトリウム利尿ペプチド（N-terminal pro-brain natriuretic peptide：NT-proBNP），胸部X線，心電図などが用いられる。

7. COPDの治療と管理

COPDの管理目標は，現状の改善（症状およびQOLの改善，運動耐容能と身体活動性の向上および維持）と将来リスクの低減（増悪の予防，疾患進行の抑制および健康寿命の延長）である。

1）安定期の管理（図4）

安定期では，**禁煙，薬物療法，呼吸リハビリテーション**など非薬物療法と，**長時間作用性抗コリン薬の吸入**が中心となる。重症度に応じて在宅酸素療法や非侵襲的陽圧換気療法をあわせて行う（→㉔呼吸リハビリテーション参照）。

1 禁煙

COPDの**最大の危険因子は喫煙**であり，すべての病期で**禁煙**をすすめる。禁煙は，1秒量の経年的減少の抑制，症状増悪の減少，死亡率の減少など予後の改善が期待できる[12〜14]。受動喫煙もCOPDの危険因子であり，回避も重要である。また，**新型タバコ（加熱式タバコ，電子タバコ）の使用は推奨されていない**[15]ことから，新型タバコを喫煙している患者へも指導は必要である。

2 薬物療法

● 気管支拡張薬

気管支平滑筋の弛緩作用により気道抵抗の低下や肺の過膨張の改善，運動耐容能の向上を認める。薬剤の治療効果は呼吸機能検査，身体症状，QOL，運動耐容能，身体活動性など総合的に評価する。気管支拡張薬には，抗コリン薬，β_2刺激薬，キサンチン系気管支拡張剤（テオフィリン）がある。

図4 安定期COPDの重症度に応じた管理とガイドライン

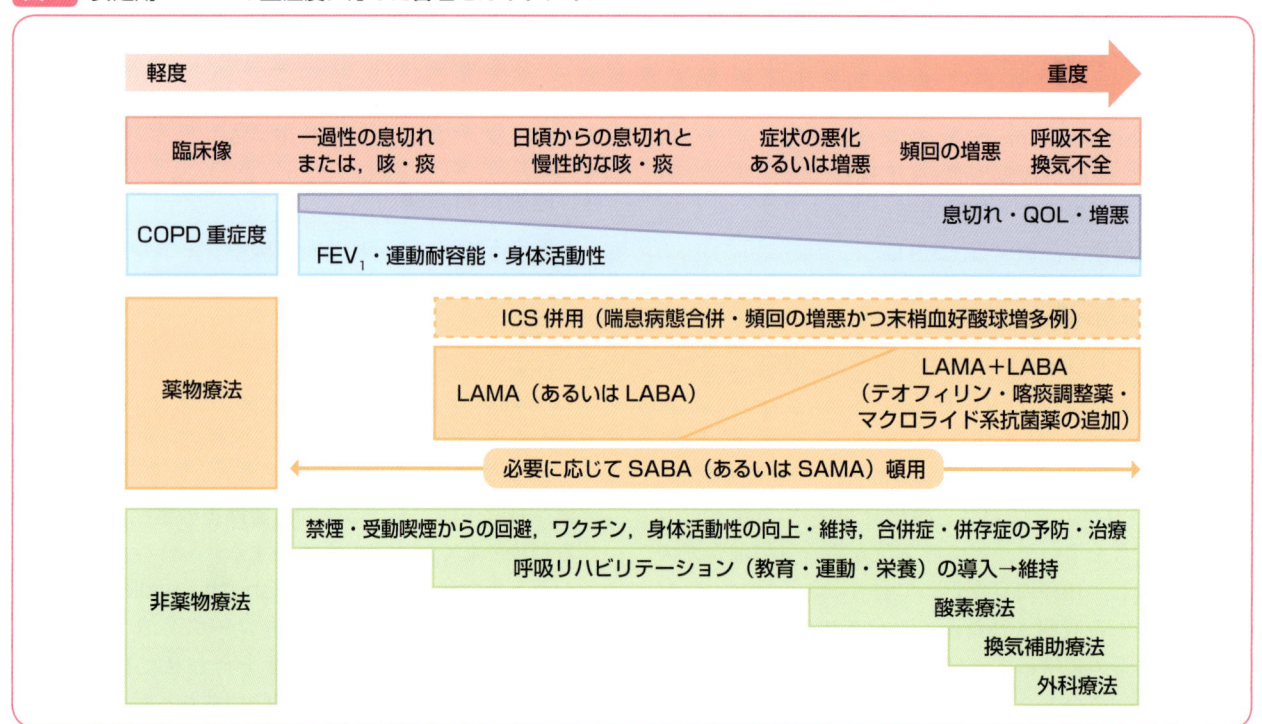

- COPDの重症度は，FEV₁低下の程度のみならず，運動耐容能や身体活動性の障害程度，さらに息切れの強度，QOLの程度（CATスコア）や増悪の頻度と重症度を加味して総合的に判断する。これらの評価は初診時のみでなく，定期的に繰り返すことが大切である。
- 禁煙は，一般のタバコのみならず，電子タバコ・加熱式タバコも例外ではない。また，受動喫煙からの回避のための教育および環境整備を行う。
- ICSは喘息病態合併患者に追加併用を行う。また，頻回の増悪（年間の中等度の増悪が2回以上，および/または，重度の増悪が1回以上）かつ末梢血好酸球増多（参考値300/μL以上）患者においてICSの追加併用を考慮する。ただし，本邦でICS単剤はCOPDに保険適用ではない。
- マクロライド系抗菌薬はCOPDに保険適用ではなく，クラリスロマイシンが好中球性炎症性気道疾患に保険収載されている。
- 肺合併症や全身併存症の診断，重症度の評価および予防，治療を並行する。特に喘息病態の合併は薬物療法の選択に重要な因子である。

（日本呼吸器学会COPDガイドライン第6版作成委員会：COPD（慢性閉塞性肺疾患）診断と治療のためのガイドライン 第6版．p97，日本呼吸器学会，2022．より）

また，痰の性状や病態に基づいて喀痰調整薬を使い分け，痰の排出を促す（→❶咳嗽・喀痰，p19参照）。

3 ワクチン

呼吸器感染症は，COPDを増悪させる危険性があるため，**インフルエンザワクチン，肺炎球菌ワクチン**の接種がすすめられる。インフルエンザワクチンと肺炎球菌ワクチンの併用は，インフルエンザワクチン単独に比較して感染性増悪の頻度が減少する[16]ため，併用が推奨されている。また，ガイドラインでは**COVID-19ワクチン**の接種について，感染や重症化阻止に関して良好な成績が示されており，有害事象を危惧するよりも得られる利点が大きいと示されている[17]。

4 呼吸理学療法（呼吸リハビリテーション）

呼吸理学療法は，呼吸困難や運動耐容能の改善効果があることから，継続することが重要となる。そのためには，理学療法士や作業療法士と連携し，自宅でも患者が実施可能な内容について検討し，日常生活において実施できるよう調整・支援する。

5 酸素療法

長期在宅酸素療法／在宅酸素療法（long-term oxygen therapy：**LTOT**/home oxygen therapy：**HOT**）の目的は，生命予後の改善である。**重度の低酸素血症**の患者では，労作時の息切れの軽減，運動能力向上，睡眠の質改善が期待できる。導入にあたり，薬物療法や呼吸リハビリテーションが十分に行われている必要がある（→コラム「酸素療法」「在宅酸素療法（HOT）」参照）。

6 換気補助療法

非侵襲的陽圧換気療法（noninvasive intermittent positive pressure ventilation：**NPPV**）と**気管切開下陽圧換気療法**（tracheostomy positive pressure ventilation：**TPPV**）がある。導入は侵襲度の低いNPPVが第一選択となる。**NPPV導入基準**として，呼吸困難感，起床時の頭痛や頭重感，過度の眠気，肺性心の徴候（体重増加，頸静脈の怒張，下肢浮腫），夜間の低換気による低酸素血症，高二酸化炭素血症を伴う増悪入院を繰り返す場合に，NPPVの適応を考え，NPPVが不成功，生命を脅かす低酸素血症を認める場合等は，TPPVの適応を考える。

2）増悪期の管理

COPDの増悪とは「息切れの増加，咳や痰の増加，胸部不快感・違和感の出現あるいは増強などを認め，安定期の治療の変更が必要となる状態をいう。ただし，他疾患（肺炎，心不全，気胸，肺血栓塞栓症など）が先行する場合を除く」[18, 19]と定義されている。増悪の原因として呼吸器感染症と大気汚染が多いが，約30％の症例では原因の特定が難しい[20]。

1 増悪の重症度の分類

- **軽度増悪**：短時間作用性気管支拡張薬（short-acting bronchodilators：SABDs）のみで対応が可能な場合
- **中等度増悪**：SABDsに加え，抗菌薬あるいは全身性ステロイド薬与薬が必要な場合
- **重度増悪**：救急外来受診または入院を必要とする場合

2 増悪時の入院適応

安静時呼吸困難の増加，頻呼吸，低酸素血症の悪化，錯乱，傾眠などの精神症状，急性呼吸不全，チアノーゼや浮腫などの新規徴候の出現，初期治療に反応しない，重篤な併存症（心不全，肺塞栓症，肺炎，気胸，胸水，治療を要する不整脈など）を認める場合や十分な在宅サポートが得られない，高齢者，安定期の病期がⅢ期以上である場合は入院の適応となる。

3 増悪期の薬物療法

A（antibiotics）抗菌薬，B（bronchodilators）気管支拡張薬，C（corticosteroids）ステロイド薬の**ABCアプローチ**が基本となる。

❶**抗菌薬（A）**：喀痰の膿性化があれば**細菌感染**の可能性が高い。増悪時の起炎菌として，インフルエンザ菌，肺炎球菌，モラクセラ・カタラーリスなどの頻度が高いため，起炎菌に応じた抗菌薬が与薬される。

❷**気管支拡張薬（B）**：増悪時の第一選択薬は，**短時間作用性β₂刺激薬**（short-acting β₂agonist：**SABA**）吸入であり，症状に応じて1〜数時間ごとに反復与薬する。SABAのみで効果が得られない場合は，**短時間作用性抗コリン薬**（short-acting muscarinic antagonist：SAMA）併用も可能である。気管支拡張薬の吸入で効果が奏功しない場合は，キサンチン製剤（アミノフィリン持続静注）を併用することができるが，有用性は確立されておらず，副作用（嘔気・嘔吐，下痢，頻脈）にも注意が必要である。

❸**グルココルチコイド（C）**：禁忌となる全身性および局所の感染症や消化管潰瘍などの合併病態がなければ，**全身性ステロイド薬（プレドニゾロン換算30〜40mg/日程度を5〜7日間）**の与薬が推奨される。

4 呼吸管理

COPD増悪期における呼吸管理は，図4に沿って行われる。

❶酸素療法

- 室内空気下で**PaO₂＜60Torr，あるいはSpO₂＜90％**の場合には，酸素療法の適応となる。高二酸化

炭素血症の有無により初期の酸素投与量を決定する
- 高二酸化炭素血症がない場合は，SpO_2は94〜98%を目標に酸素投与を行い，酸素流量を調整する
- 高二酸化炭素血症がある場合は，$SpO_2≧88〜92%$を目標とし，**酸素0.5〜2Lの低流量**から開始する。高流量の酸素投与は，二酸化炭素の貯留を促進させ，CO_2ナルコーシスを招くため，pH ≧7.35を維持する。$PaCO_2$の絶対値よりも pH が重要である[21]
- 適宜，動脈血ガス分析を実施し，**呼吸性アシドーシス**がある場合には，**換気補助療法**を検討する[22]

❷ 換気補助療法

増悪に対して十分な薬物療法，酸素療法を行っているにもかかわらず，呼吸状態（低酸素血症や高二酸化炭素血症）が改善しない場合には，換気補助療法の適応となる。気道の攣縮や分泌物の増加により air trapping 現象が増大すると，**内因性 PEEP**（呼気終末期の肺胞内圧が陽圧に維持される状況）が増加し，**呼吸筋疲労**から**換気量低下**を招く。内因性 PEEP に相当する PEEP を加えることで，呼吸仕事量を軽減し，さらに陽圧換気補助を行うことで換気量を増加させることができる[23]。

❸ 人工呼吸管理

NPPV でも呼吸状態の改善がみられない場合は，気管内挿管を実施し**侵襲的陽圧換気**（intermittent positive pressure ventilation：**IPPV**）を行い，酸素化や肺胞低換気の改善を図る。COPD の患者では，気道分泌物吸引の確実性などの利点により，人工呼吸器からの離脱が困難になる場合も多く，気管切開瘻を閉鎖しにくくなるため，人工呼吸器装着については，事前に患者や家族と相談しておく必要がある。

II 慢性閉塞性肺疾患（COPD）の看護ケアとその根拠

1. COPD 患者の観察ポイント

COPD 患者によくみられる咳嗽，喀痰，息切れ，呼吸困難感の症状は主観的なものであり，必ずしも病期とは一致しないため，それらの症状を患者がどのようにとらえているか，また，日常生活への影響を観察し，ケアすることが重要である。

1）身体症状

❶ **身体的所見，併存症の状態**（表3・図3参照）
❷ **咳嗽**：喫煙（受動喫煙など）の有無や薬剤の服用，職場や生活環境，湿性咳嗽なのか乾性咳嗽なのか，どの程度持続しているのか，夜間や早朝などの時間帯や季節による変化，いままで行ってきた咳嗽に対する対処方法を確認する。
❸ **喀痰**：喀痰の性状（色，粘稠度，量）や臭い，痰を出す時の困難さを確認する。
❹ **息切れ，呼吸困難感**：息切れや呼吸困難感を日常生活のどのような場面で感じているか。mMRC 質問票を用いて定量的に評価する。

2）日常生活動作（ADL）

基本的 ADL と手段的 ADL（IADL）を評価し，COPD の症状が日々の生活に与える影響について把握する。患者の QOL の維持と向上のためには，**ADL を評価して息苦しさの程度，動作，生活環境にあわせたケアが必要**になる。

3）自己管理の状況

疾患や治療内容（酸素療法中の患者については，在宅酸素療法など）の理解，薬物療法の遵守状況（内服薬，吸入薬），血圧や脈拍，体温，体重などの**セルフモニタリングの実施の有無**を確認する。

4）心理・社会面

呼吸障害に伴う身体的苦痛は，他者とのコミュニケーションや日々の活動の機会を制限する。家事や畑仕事など家庭内で行っていた役割が担えなくなる，職場での仕事内容や，老人会など地域の活動への参加の有無など，社会的役割が変化していないか確認する。ときには死を身近に感じさせ，恐怖を与えるため，**患者を取り巻く状況の理解，言動や表情，仕草などの変化，抑うつの有無，自尊感情の低下**などを観察する。

2. COPD の看護の目標

❶ 禁煙，薬物療法，酸素療法などの実施により換気障害の改善を図ることができる
❷ COPD の進展や増悪予防に必要な自己管理方法を身につけることができる
❸ 呼吸困難の症状マネジメントを行うことにより日常生

活の制限を緩和することができる
❹患者や家族，介護者の心理的負担が軽減する

3. COPDの看護ケア

1）安定期のケア

❶ 禁煙支援（→ p333）
- 禁煙や受動喫煙の回避の重要性について説明する
- 喫煙につながる生活習慣や環境の見直し，修正する方法を一緒に考える
- 禁煙したくてもタバコをやめられない「ニコチン依存症」の場合は，ニコチン依存度を評価し，禁煙外来の受診を検討する

❷ 薬物療法の支援
薬物療法は適切に実施することで，期待する効果を得ることができる。
- COPDに対する吸入療法は多剤併用のため，使用する吸入器（デバイス）が複数ある場合がある。吸入デバイスの形状や吸入手技が異なるため，**吸入指導は，使用するデバイスの特徴，注意点をふまえ説明する**

❸ 酸素療法・換気補助療法の支援
在宅療養中の場合，患者が安全に療養生活を送れるよう**酸素流量，酸素療法時の注意点（火気厳禁など）**を，患者，家族へ説明する。また，機器のトラブルに対応できるよう訪問看護や在宅酸素業者と連携する（→コラム「酸素療法」参照）。

❹ 運動療法，ADLの支援
COPDの患者は，動作によって**息切れ（呼吸困難感），疲労感が増強**するため，**運動量が低下**することが多い。安静による不活動状態は筋肉量の減少，筋力の低下を招き，**廃用性症候群，心肺機能，認知機能低下**につながる。呼吸リハビリテーションを中心に適切な運動を継続的に行うことが大切である（→❷呼吸リハビリテーション，p325参照）。
- **運動療法**の必要性を説明する
- 運動の頻度，強度，時間，種類を医師に確認し，**患者に合わせた運動プログラムを実施する**
- **修正Borgスケール**（→p35）7～8，呼吸困難感の増強，胸痛や眩暈など，**通常と違う自覚症状が出現した場合は運動療法を中止する**
- 息切れが増強しやすい歩行，更衣，排泄，入浴，食事などをするときの工夫や**呼吸法**について説明する

❺ 栄養管理への支援
呼吸筋のエネルギー消費は増大するが，活動量低下や呼吸困難感から十分なエネルギー摂取ができず**栄養障害**となることがある。食事による**腹部膨満を避ける**ため，腸内ガスを発生させる食品は控えめにする，1回の食事量を少なくし回数を増やす，場合によっては栄養補助食品を活用するなどの工夫が必要である。

また，摂取した糖質やタンパク質，脂質は，エネルギーに変換する際に酸素が消費されて二酸化炭素が産生される。消費される**酸素量と産生される二酸化炭素量の割合のことを呼吸商**といい，糖質1.0，タンパク質0.8，脂質0.7である[24]。同じエネルギー量を摂取する場合，**糖質よりも脂質のほうが，体内で産生される二酸化炭素量が少ないため，排出する二酸化炭素を抑えることができる**。特に高二酸化炭素血症を合併している患者にとって，**糖質**でのエネルギー摂取は，二酸化炭素の貯留を助長させる可能性もあり，脂質をうまく使ってエネルギーを補給することも重要である。

❻ 増悪の予防や早期発見，対応の教育
- **セルフモニタリング（血圧，脈拍，呼吸（SpO$_2$），体温，体重，自覚症状など）の方法と日誌**をつける必要性を説明し，日誌の内容について振り返りを行う
- 増悪時の対応については，**アクションプラン**を作成する。アクションプランには，増悪時の症状と程度，連絡先（かかりつけ医，訪問看護師など），緊急受診をする際の持ち物，酸素吸入や酸素量の増加，抗菌薬やステロイド薬の内服などの対応策を，主治医より事前に指示を受け，対応できるよう教育する

❼ 心理・社会的側面への支援
療養生活での**疑問や不安**などを語ることができる機会を提供し，**情緒的サポート（傾聴，労い，称賛）**が得られるよう支援する。

医療費や福祉サービスだけでなく，**仕事が継続できる**よう，職場にも在宅酸素濃縮器を設置したり，可能であればデスクワーク中心にしたりするなど，仕事内容の調整や，出張先で酸素濃縮器の設置を依頼する，飛行機の搭乗時の酸素濃縮器の持ち込みなど，患者のニーズに合わせた情報提供と調整を行う。

2）急性期（増悪期）のケア

❶ 治療内容の理解
急性増悪では，安定期に比して新たに出現，増悪した症状，今までの経過や治療方針について理解し，与薬される**薬剤の効果や副作用**に注意する。

2 心理的側面への支援

増悪による入院が繰り返されるようになると，呼吸困難感とともに骨格筋機能障害（筋量減少，筋力低下，筋萎縮）や栄養障害，うつ状態などを招きADL低下につながることがある。また，増悪をきっかけに致命的な状態に陥り，救命のために人工呼吸器が装着されることもあるため，**患者と家族に対して現在の状況をわかりやすい言葉で伝え，寄り添うことによって不安の緩和に努め**る。そして，状態が落ち着いた際には，次の増悪時にはどうしたいのかを話し合うことをすすめ，**意思決定支援**を行う。

3 呼吸・循環動態の観察

NPPV導入後も呼吸状態が改善しない，循環動態が不安定である，意識状態が悪化している場合にはTPPVへ移行が考慮されるため，呼吸，循環，意識状態などを観察し，異常時には速やかに医師へ報告する。また，COPD患者に高濃度酸素を投与するとCO_2ナルコーシスを起こす危険があるため注意する。

［山尾美希］

［引用文献］

1) 日本呼吸器学会COPDガイドライン第6版作成委員会：COPD（慢性閉塞性肺疾患）診断と治療のためのガイドライン 第6版．p10，日本呼吸器学会，2022．
2) Snider GL: Chronic Obstructive pulmonary disease: risk factors, pathophysiology and pathogenesis. Annu Rev Med 40：411-429, 1989.
3) 前掲書1，p31．
4) 藤本圭作，川内翔平：慢性閉塞性肺疾患（COPD）における動的肺過膨張の重要性とその評価方法．日呼ケアリハ学誌 29(3)：430-435，2020．
5) 前掲書1，pp35-37．
6) 髙橋仁美・他編：動画でわかる呼吸リハビリテーション 第5版．p228，中山書店，2020．
7) Sievi NA, et al: Impact of comorbidities on physical activity in COPD. Respiratory 20: 413-418, 2015.
8) Goddard PR, et al: Computed tomography in pulmonary emphysema. Clin Radiol 33: 379-387, 1982.
9) 日本呼吸器学会肺生理専門委員会，呼吸機能検査ハンドブック作成委員会編：呼吸機能検査ハンドブック．p26，メディカルレビュー社，2021．
10) Shirai T, Kurosawa H: Clinical application of the forced oscillation technique. Intern Med 55: 559-566, 2016.
11) 上月正博編，海老原覚，後藤葉子：イラストでわかる患者さんのための呼吸リハビリ入門．p15，中外医学社，2021．
12) Anthonisen NR, et al: Effects of smoking intervention and the use of inhaled anticholinergic bronchodilator on the rate of decline of FEV1.The Lung Health Study. JAMA 272: 1497-1505, 1994.
13) Anthonisen NR, et al: The effect of a smoking cessation intervention on 14.5-year mortality: a randomized clinical trial. Ann Intern Med 142: 233-239, 2005.
14) Kanner RE, et al: Lower respiratory illnesses promote FEV(1) decline in current smokers but not ex-smokers with mild chronic obstructive pulmonary disease: results from the lung health study. Am J Respir Crit Care Med 164: 358-364, 2001.
15) 日本呼吸器学会，加熱式タバコや電子タバコに関する日本呼吸器学会の見解と提言（改訂2019-12-11）．https://www.jrs.or.jp/activities/guidelines/file/hikanetsu_kenkai_kaitei.pdf（2025年3月閲覧）
16) Furumoto A, et al: Additive effect of pneumococcal in patients with chronic lung disease. Vaccine 26: 4284-4289, 2008.
17) Fan YJ, et al: Safety and efficacy of COVID-19 vaccines: a systematic review and meta-analysis of different vaccines as phase 3. Vaccines（Basel）9(9): 989, 2021.
18) Donaldson GC, et al: Relationship between exacerbation frequency and lung function decline in chronic obstructive pulmonary disease. Thorax 57: 847-852, 2002.
19) Spencer S, et al: Impact of preventing exacerbations on deterioration of health status in COPD. Eur Respir J 23: 698-702, 2004.
20) Sapey E, Stockley RA: COPD exacerbations. 2: aetiology. Thorax 61(3): 250-258, 2006.
21) 前掲書1，p154．
22) 前掲書1，p155．
23) Appendini L, et al: Physiologic effects of positive end-expiratory pressure and mask pressure support during exacerbations of chronic obstructive pulmonary disease. Am J Respir Crit Care Med 149: 1069-1076, 1994.
24) 道又元裕監：これならわかる！呼吸器の看護ケア．p41，ナツメ社，2022．

［参考文献］

- 河内文雄・他編：一歩先のCOPDケア—さあ始めよう，患者のための集学的アプローチ．医学書院，2016．
- 林清二監，倉原優：COPDの教科書—呼吸器専門医が教える診療の鉄則．医学書院，2016．
- 長尾大志：レジデントのためのやさしイイ呼吸器教室 第2版．日本医事新報社，2018．

Column 酸素療法

1. 酸素療法とは？

低酸素血症に対し，吸入酸素濃度（FiO_2）を高めて，適量の酸素を投与する治療法を酸素療法という[1]。

2. 適応

一般的な酸素療法の開始基準を表1に示す。PaO_2やSaO_2の指標のみならず，低酸素血症の症状（表2）を認め，低酸素血症が疑われる場合や低酸素血症となる可能性がある場合は，低酸素血症が確認できなくても酸素療法を開始する。図1のフローチャートに従い酸素化の評価や動脈血液ガス分析の結果より，酸素流量の調整もしくは非侵襲的陽圧換気（NPPV）や気管挿管などの処置を行う。必要なければ中止する。

表1 酸素療法の開始基準

①室内気にて$SaO_2$94%（≒PaO_2 75Torr）以下（ただし，Ⅱ型呼吸不全で慢性呼吸不全の急性増悪の場合は，SpO_2 88%（あるいはPaO_2 55Torr）以下）
②低酸素血症が疑われる状態（治療開始後に確認が必要）

（日本呼吸ケア・リハビリテーション学会酸素療法マニュアル作成委員会，日本呼吸器学会肺生理専門委員会編：酸素療法マニュアル．pp16-17，メディカルレビュー社，2017．より）

表2 低酸素血症の症状

PaO_2	臨床症状
60Torr以下	頻脈，動悸，高血圧，頻呼吸，失見当識
40Torr以下	チアノーゼ，不整脈，不穏・興奮，低血圧，乏尿，重度の呼吸困難
30Torr以下	意識消失
20Torr以下	昏睡，徐脈，ショック，チェーン・ストークス呼吸，心停止

（日本呼吸ケア・リハビリテーション学会酸素療法マニュアル作成委員会，日本呼吸器学会肺生理専門委員会編：酸素療法マニュアル．p7，メディカルレビュー社，2017．をもとに筆者が作成）

■ SpO_2とPaO_2の関係

❶用語の定義
表3を参照。

❷ SpO_2から，PaO_2を予測する

パルスオキシメーターで測定するSpO_2は，動脈血液ガス分析で測定されるSaO_2と，ほぼ同等の値を示す（SaO_2 75%以上の場合）（図2）。血液ガス分析のSaO_2はPaO_2と相関するため，例えば，SpO_2 90%は，血液ガス分析上ほぼSaO_2 90%，PaO_2 60Torrと予測される（図3，→p113）。PaO_2 60Torr以下は，呼吸不全の境界線であり，SpO_2 90%以下は注意を要す。このように，SpO_2からある程度のSaO_2を予測することができる。

3. 目標

酸素療法は，SpO_2 94〜98%を目標とする。慢性呼吸不全の急性増悪を疑うポイントとしては，HCO_3^-が増加（28mEq/L以上）している場合，慢性呼吸不全の身体的特徴を認める場合，高二酸化炭素血症の症状や身体所見を認める場合などであり，SpO_2を88〜92%の範囲，pHは7.35以上に維持できるよう管理する[2]。

いずれにおいても，酸素化のみでなく，自覚症状や呼吸状態，意識・循環動態などを総合的に判断する。特にpHの変化は重要であり，pH≧7.35であれば$PaCO_2$が高値でも，代謝性代償（比較的安定した状態）と判断されるが，pH＜7.35となる場合は病態の悪化と判断する。また，呼吸回数25回/分以上の頻呼吸は，酸素化が保たれていても，さらに呼吸不全が悪化するおそれがある。酸素吸入療法を実施しても，pHや酸素化の改善がみられない場合は，NPPVや気管挿管による人工呼吸管理を検討する。

4. 方法

酸素投与の方法は，低流量システム・高流量システム・リザーバーシステムに大別される（表4）。そ

図1　急性低酸素血症患者への酸素処方

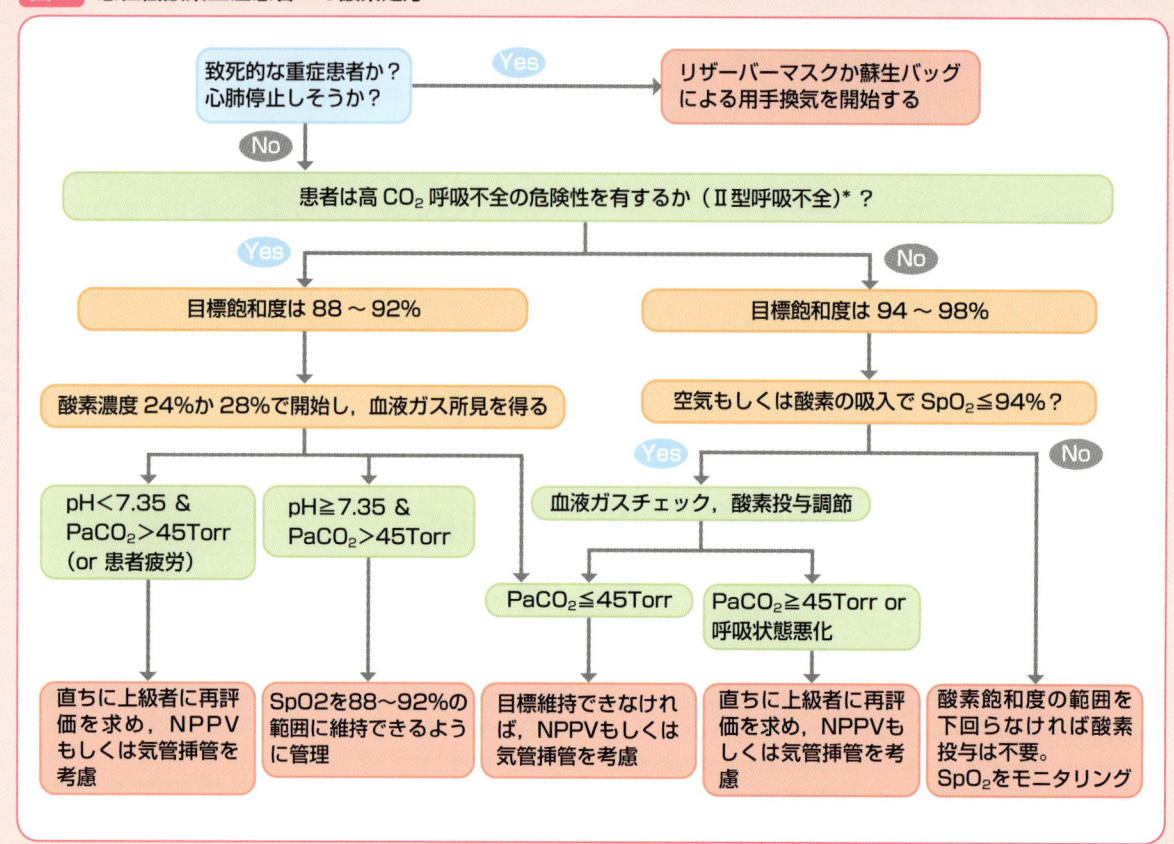

```
                    致死的な重症患者か？         Yes      リザーバーマスクか蘇生バッグ
                    心肺停止しそうか？        ────→    による用手換気を開始する
                             │
                             │ No
                             ▼
              患者は高CO₂呼吸不全の危険性を有するか（Ⅱ型呼吸不全）*？
                    │                                    │
                 Yes│                                    │No
                    ▼                                    ▼
           目標飽和度は88〜92%                    目標飽和度は94〜98%
                    │                                    │
                    ▼                                    ▼
       酸素濃度24%か28%で開始し，            空気もしくは酸素の吸入でSpO₂≦94%？
       血液ガス所見を得る                         │              │
            │          │                       Yes│              │No
            ▼          ▼                          ▼
    pH<7.35 &      pH≧7.35 &             血液ガスチェック，酸素投与調節
    PaCO₂>45Torr   PaCO₂>45Torr                │              │
    （or 患者疲労）                     PaCO₂≦45Torr    PaCO₂≧45Torr or
            │          │                       │         呼吸状態悪化
            ▼          ▼                       ▼              ▼              ▼
    直ちに上級者に  SpO₂を88〜92%の      目標維持できなけれ  直ちに上級者に再評  酸素飽和度の範囲を
    再評価を求め，  範囲に維持できるよう  ば，NPPVもしくは   価を求め，NPPVも   下回らなければ酸素
    NPPVもしくは    に管理               気管挿管を考慮     しくは気管挿管を考  投与は不要。
    気管挿管を考慮                                          慮                 SpO₂をモニタリング
```

*：高流量鼻カニュラ酸素療法は，NPPVの代替え，あるいは，NPPV受け入れ・施行困難時に検討して良い
（日本呼吸ケア・リハビリテーション学会酸素療法マニュアル作成委員会，日本呼吸器学会肺生理専門委員会編：酸素療法マニュアル．p18，メディカルレビュー社，2017．より）

表3　用語の定義

動脈血酸素分圧	PaO₂	動脈血中の酸素分圧
動脈血酸素飽和度	SaO₂	動脈血中の酸素飽和度
経皮的酸素飽和度	SpO₂	パルスオキシメーターで測定する酸素飽和度

図2　SpO₂とPaO₂の関係

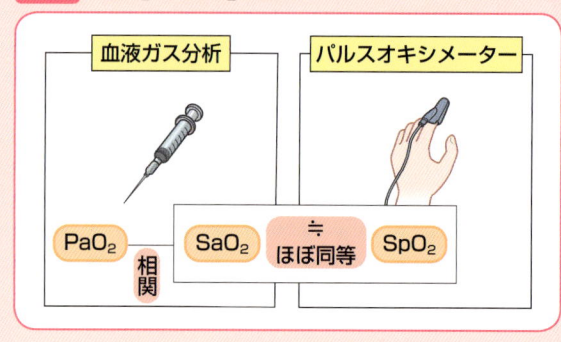

血液ガス分析：PaO₂ —相関— SaO₂　≒ほぼ同等　SpO₂：パルスオキシメーター

図3 酸素解離曲線

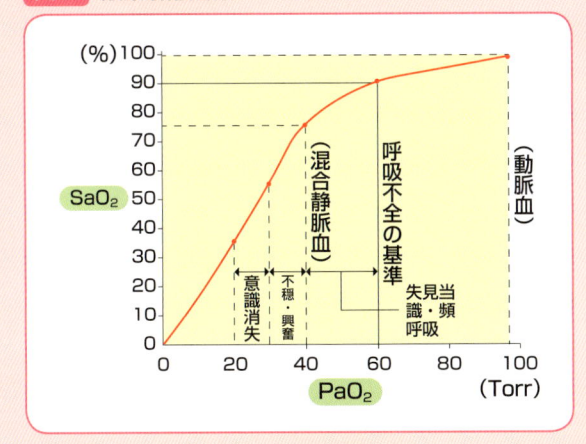

グラフ：縦軸 SaO₂ (%) 0〜100、横軸 PaO₂ (Torr) 0〜100
- 意識消失、不穏・興奮、失見当識・頻呼吸
- 混合静脈血、呼吸不全の基準、動脈血

表4 酸素投与方法システムと特徴

	特徴
低流量システム	・患者の1回換気量以下の酸素ガスを供給する方法 ・不足分は，鼻腔周囲の室内気を吸入することで補う
高流量システム	・患者の1回換気量以上の酸素ガスを供給する方法 ・患者の呼吸パターンに関係なく設定した濃度の酸素を吸入させることができる
リザーバーシステム	・呼気相に使われない酸素をリザーバーバッグ内にためて，次の呼気相にたまった酸素を吸い込む方式 ・高濃度酸素を吸入させることができる

れぞれの特徴を理解し，患者の呼吸状態やADLなどを総合的に評価して酸素を投与する。

各酸素投与器具とその特徴を表5に示す。なかでも，❶鼻カニュラ，❷簡易酸素マスク，❼リザーバー付酸素マスクは，簡便性・酸素化の評価の点で優れ，臨床上最も多く用いられている。酸素流量と吸入酸素濃度（FiO_2）の変化を表6に示した。

5. 合併症

1 CO₂ナルコーシス

CO₂ナルコーシスとは，**高二酸化炭素血症により重度の呼吸性アシドーシスとなり中枢神経系の異常（意識障害）を呈する病態**のことで，原因は**肺胞低換気**である[2]。

脳血管障害や薬物中毒などの中枢神経障害，重症筋無力症などの神経筋疾患，COPDなどの肺・気道疾患や胸郭の異常といった疾患では，高二酸化炭素血症をきたしやすい。

主な症状として，❶意識障害，❷高度の呼吸性アシドーシス，❸自発呼吸の減弱がある。呼吸促迫，頻脈，発汗，頭痛，羽ばたき振戦などの神経刺激症状から始まり，進行すると，傾眠，昏睡，縮瞳，乳頭浮腫などがみられる。

高二酸化炭素血症では，酸素飽和度90％以上を目標として低濃度酸素投与から始め，NPPVや挿管下人工呼吸療法を視野に入れ，管理する。

2 酸素中毒：高濃度酸素吸入による肺実質障害

高濃度の酸素環境下では，**肺障害**が生じる。健常者に対して，1気圧の100％酸素吸入を行った場合でも，さまざまな経時的変化が引き起こされる（表7）。

原因は，**活性酸素による細胞傷害**であり，その病態は，抗酸化防御機構の処理能力を上回る活性酸素産生（直接的傷害）と，肺へ集積して活性化された炎症細胞からの炎症性メディエーターなどの放出（間接的傷害）により，肺胞上皮細胞や血管内皮細胞が障害されるためと考えられている。

FiO_2が60％以下であれば，酸素中毒は生じにくいため，酸素中毒の予防には，PaO_2 60〜70Torr（SpO_2 90〜93％）を目標に，可能な限りFiO_2を低下させるように管理する。

3 医療関連機器褥瘡

長期酸素療法では，カニュラやバンド部分の長時間の圧迫などが皮膚に加わることで，皮膚および粘膜移行部が損傷する。これを**医療関連機器褥瘡（MDRPU）**という[3]。サイズや形状の不一致，装

表5 各酸素使用器具の特徴

		適応・構造・注意点
低流量システム	①鼻カニュラ	・安価で簡便，また酸素マスクに比べ，患者の不快感が少なく，頻用されている ・食事や会話に適しているが，常に口呼吸の患者には推奨できない ・吸入酸素濃度は，同じ酸素流量であっても低換気の患者では上昇し，過換気の患者では低下する ・酸素流量6L/分を超えると空気の噴出が強くなり，不快感が増すことや鼻腔内が乾燥し損傷するため，使用はすすめられない
	②簡易酸素マスク	・$PaCO_2$上昇の心配のない患者に頻用されている ・吸入酸素濃度が調整できない ・マスク内にたまった呼気ガスを再呼吸しないように酸素流量は通常5L/分以上にするため，吸入酸素濃度は40％以上になり，低濃度酸素吸入には適さない ・やむを得ず酸素流量5L/分以下で使用する場合，患者の$PaCO_2$が上昇する危険性に留意する
	③開放型酸素マスク	・マスク本体が開放されているが，少ない流量でもCO_2の再呼吸を防ぐことができる ・簡易酸素マスク同様，吸入酸素濃度を正確に調整できない ・圧迫感が少なく会話や飲水がしやすいメリットがある
	④オキシアーム®	・マスクによる圧迫感や鼻カニュラによる乾燥した酸素による鼻粘膜への刺激，口呼吸患者では鼻からの酸素が十分に得られない問題点が解決された，最近開発された開放型酸素送流システムである ・マスクおよび鼻カニュラとほぼ同等の吸入酸素濃度が確保できる ・ヘッドセットを装着したままの睡眠は難しい
	⑤経皮気管内カテーテル	・直接経皮的に気管内にカテーテルを挿入して酸素投与を行う方法である ・鼻カニュラによる酸素投与法に比べ，酸素流量を40〜50％減量することができる ・鼻カニュラに比べて，外見上目立たない ・合併症は，血痰，挿入部の皮下気腫，咳・喀痰の増加，気道分泌物によるカテーテルの閉塞，カテーテルによる気管内損傷，カテーテルの位置異常などがあり，多くの合併症は実施早期に生じる ・毎日のカテーテル洗浄が必要である
高流量システム	⑥ベンチュリマスク	・患者の1回換気量に左右されず，吸気酸素濃度が24〜50％の安定した酸素を吸入することができる ・設定酸素濃度ごとに推奨酸素流量が決められている。推奨される流量以下では酸素濃度を維持できない
	⑦ネブライザー付酸素吸入器	・ベンチュリマスクにネブライザー機能を備えたもので，十分な加湿が必要な開胸術後で喀痰喀出困難な患者などに適している ・余剰な供給ガスと呼気ガスを流出させる側孔の付いたエアロゾールマスクを使用する ・酸素流量と総流量との関係は，ベンチュリマスクと同じで，装置の酸素濃度調節ダイヤルに表示されているような高濃度酸素吸入は成人患者にはできない
	⑧高流量鼻カニュラ（→p136）	・総流量60L/minまで投与が可能であり，上下気道の死腔に貯留した呼気ガスを洗い出すことができる ・患者の1回換気量や呼吸数の影響を受けず，FiO_2 21〜100％まで安定して供給できる ・37℃相対湿度100％のガスを供給でき，気道のクリアランスが図れる ・軽度のPEEP効果が期待でき，呼気終末の肺容量が増加する ・鼻カニュラの径は大きく，鼻腔が完全にふさがれたり外れやすい
リザーバーシステム	⑨リザーバー付酸素マスク	・酸素チューブから流れる酸素とリザーバーバッグにたまった酸素を吸入するため，高濃度の酸素吸入ができる ・通常，吸入酸素濃度が60％以上に適している ・二酸化炭素の蓄積を防止するためと，リザーバーバッグ内に十分な酸素をためるために，酸素流量は6L/分以上に設定する。酸素流量が少ないと呼気ガスを再呼吸するため$PaCO_2$が上昇する可能性がある
	⑩リザーバー付鼻カニュラ ⑪ペンダント型リザーバー付鼻カニュラ	・高濃度酸素吸入法としてよりも，酸素節約効果を期待して使われる ・内蔵のリザーバーは薄い膜でできており，それに水滴がつくとリザーバーとして機能しなくなるので，加湿機との併用は避ける
その他	⑫酸素テント	・酸素マスクや鼻カニュラでの酸素吸入ができない患者に用いられ，主に新生児や乳児に高濃度酸素を供給する方法 ・患者処置ごとに吸入酸素濃度が大きく変動する ・加湿，加温された酸素の長期曝露による細菌や真菌の増殖に注意が必要である
	⑬気管切開用マスク（トラキマスク）	・気管切開患者に対して，気管切開部を被覆して直接気管に酸素を供給するマスク ・気管に直接酸素を投与するため，酸素を十分加湿する必要がある ・ネブライザーやベンチュリのマスク部分を交換して使用する

（日本呼吸ケア・リハビリテーション学会酸素療法マニュアル作成委員会，日本呼吸器学会肺生理専門委員会編：酸素療法マニュアル，pp35-54，メディカルレビュー社，2017．をもとに作成）

表6 吸入酸素濃度と酸素流量

吸入酸素濃度の目安（%）	酸素流量（L/分）		
	酸素カニュラ	簡易酸素マスク	リザーバー付酸素マスク
24	1		
28	2		
32	3		
36	4		
40	5	5〜6	
44	6		
50		6〜7	
60		7〜8	6
70			7
80			8
90			9
90〜			10

（日本呼吸ケア・リハビリテーション学会酸素療法マニュアル作成委員会，日本呼吸器学会肺生理専門委員会編：酸素療法マニュアル．p35，37，49，メディカルレビュー社，2017．を参考に作成）

表7 健常者100%酸素吸入時の臨床所見

吸入時間（時間）	臨床所見
0〜12	● 肺機能正常 ● 気管・気管支炎 ● 胸骨下痛
12〜24	● 肺活量低下
24〜30	● 肺コンプライアンス低下 ● 肺胞－動脈酸素分圧較差（A-aDO$_2$）増加 ● 運動時低酸素血症
30〜72	● 肺拡散機能低下

（日本呼吸ケア・リハビリテーション学会酸素療法マニュアル作成委員会，日本呼吸器学会肺生理専門委員会編：酸素療法マニュアル．p91，メディカルレビュー社，2017．より／Schmidt GA et al：Ventilatory failure. Murray JF, Nadel JA（eds）：Textbook of Respiratory Medicine（3rd）, WB Saunders Co, Philadelphia, pp2443-2470, 2000．より）

着部位の循環不全，骨突出，皮膚の菲薄化や浮腫などが要因となる。酸素療法では，**鼻カニュラ装着に伴う鼻の下や耳介の発赤や潰瘍，マスクタイプでは鼻柱や耳介の発赤・潰瘍**が好発する。皮膚の生理機能を良好に維持もしくは向上させるために毎日**スキンケア**を行い，皮膚圧迫の部位の外力を低減させるための**フィッティング**や**被覆材の保護**など，MDRPUの発症予防および改善に向けたケアを行う。

［橋野明香］

[文献]
1) 日本呼吸器学会肺生理専門委員会・日本呼吸管理学会酸素療法ガイドライン作成委員会編：酸素療法マニュアル．p2，メディカルレビュー社，2017．
2) 前掲書1，p88．
3) 日本褥瘡学会：MDRPU ベストプラクティス 医療関連機器圧迫創傷の予防と管理．p6，照林社，2016．

第Ⅱ部 疾患別看護ケア関連図 2．気道系の疾患

9 気管支拡張症

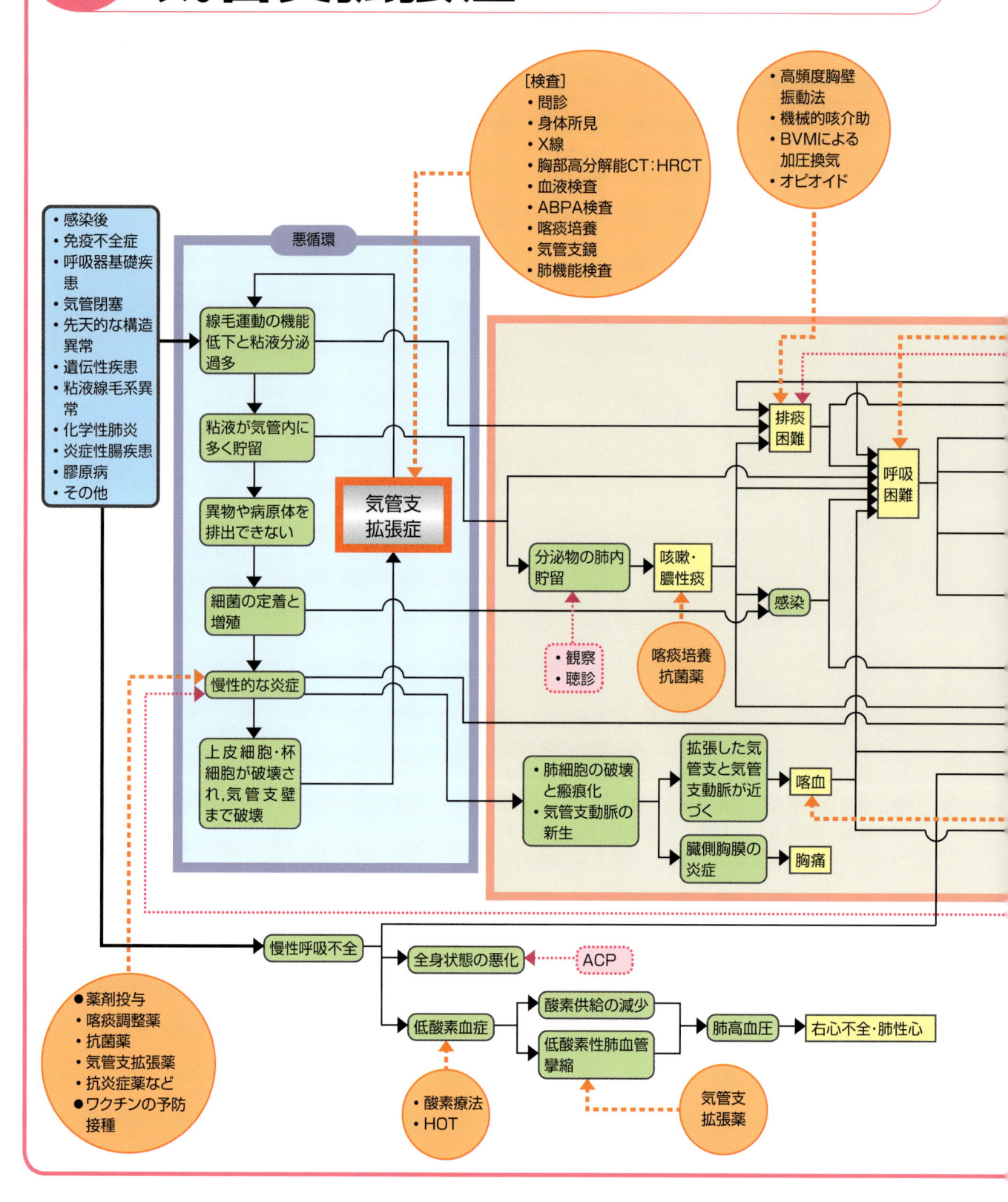

[検査]
- 問診
- 身体所見
- X線
- 胸部高分解能CT：HRCT
- 血液検査
- ABPA検査
- 喀痰培養
- 気管支鏡
- 肺機能検査

- 高頻度胸壁振動法
- 機械的咳介助
- BVMによる加圧換気
- オピオイド

悪循環

- 感染後
- 免疫不全症
- 呼吸器基礎疾患
- 気管閉塞
- 先天的な構造異常
- 遺伝性疾患
- 粘液線毛系異常
- 化学性肺炎
- 炎症性腸疾患
- 膠原病
- その他

線毛運動の機能低下と粘液分泌過多
→ 粘液が気管内に多く貯留
→ 異物や病原体を排出できない
→ 細菌の定着と増殖
→ 慢性的な炎症
→ 上皮細胞・杯細胞が破壊され，気管支壁まで破壊

気管支拡張症

分泌物の肺内貯留 → 咳嗽・膿性痰

- 観察
- 聴診

喀痰培養・抗菌薬

- 肺細胞の破壊と瘢痕化
- 気管支動脈の新生

拡張した気管支と気管支動脈が近づく → 喀血

臓側胸膜の炎症 → 胸痛

排痰困難

呼吸困難

感染

慢性呼吸不全 → 全身状態の悪化 ← ACP

低酸素血症 → 酸素供給の減少／低酸素性肺血管攣縮 → 肺高血圧 → 右心不全・肺性心

- 酸素療法
- HOT

気管支拡張薬

- ●薬剤投与
  - 喀痰調整薬
  - 抗菌薬
  - 気管支拡張薬
  - 抗炎症薬など
- ●ワクチンの予防接種

第Ⅱ部 疾患別看護ケア関連図 2. 気道系の疾患

❾ 気管支拡張症

凡例: 誘因・原因 → 病態生理・状態 → 症状 → 医学的処置 ⇢ 看護ケア → (疾患)から生じる全体像 / 分類,あるいは特殊な部分

看護ケア・医学的処置

- 呼吸理学療法
- PEP
- 早期離床
- 運動
- 体位ドレナージ
- 自律性排痰法
- スクイージング
- 吸引

- 酸素療法
- NHFC
- NPPV
- IPPV
- 気管切開
- TPPV

- 気管挿管

- 呼吸に影響の少ない睡眠薬与薬

- 睡眠支援
- 環境調整

- 傾聴
- 声掛け
- 精神的サポート

症状・病態

- 窒息（急変対応）
- 努力様呼吸
- 呼吸回数増加
- コミュニケーション障害
- 食欲・食事摂取能力低下
- 誤嚥
- 発熱
- 栄養状態低下
- 呼吸予備力低下
- 咳嗽力低下
- 呼吸不全
- 酸素化低下
- 高二酸化炭素血症
- 不眠
- 死亡
- 不安
- ストレス
- 鎮静薬
- 分泌物貯留などによる換気面積低下,ガス交換能低下
- 窒息（急変対応）

気管支拡張症から生じる全体像

看護ケア

- ●二次感染の予防
- 排痰法の指導
- 薬剤の規則正しい使用
- 栄養管理
- 運動
- 禁煙

- 栄養状態評価
- 栄養・水分摂取介助
- 食事形態変更

- 止血剤与薬
- 挿管
- 動脈塞栓術
- 外科手術

第Ⅱ部　疾患別看護ケア関連図　2．気道系の疾患

9 気管支拡張症

Ⅰ 気管支拡張症が生じる病態生理

1. 気管支拡張症の定義

気管支拡張症は，疾患名ではなく症候群で，気管支内腔が非可逆的に拡張した状態と定義される[1]。

2. 気管支拡張症が生じるメカニズム

気管支拡張症の気管支は，さまざまな原因により生じた度重なる慢性的な気道炎症により，**上皮細胞・杯細胞が破壊され，気管支壁まで破壊**される（図1）。これにより，気道粘膜の線毛機能が損なわれ，粘液分泌過多が起こり，粘液が気管内に多く貯留し，気道の病原性微生物や有害物質の**排出力（クリアランス）が低下**する。

さらに，繰り返される炎症により気道の弾性組織，平滑筋，気管支軟骨などの組織が破綻し，**気管支の永久的な拡張**を起こす。

拡張した気管支の感染防御能は低下し，感染や気道損傷の悪循環が起きる。これにより気管支拡張が進行する。

3. 気管支拡張症の原因と分類

気管支拡張症の原因は呼吸器疾患だけではなく，遺伝性疾患や免疫不全など多岐にわたる（表1）。気管支拡張症の分類には，発症要因や症状，病変の広がりなど複数存在する。

1 発症要因による気管支拡張症の分類

気管支壁異常・気管支軟骨の形成不全などの遺伝的要因と，気道粘液線毛輸送の障害，反復・持続的な炎症，免疫不全，免疫過剰反応，機械的閉塞や構造の物理的変化などの後天性に発症するものなどがある。

2 症状による分類

① wet type：慢性咳嗽，大量喀痰，喀血がみられる
② dry type：ほぼ無症状で乾性咳嗽を示す

3 病変の広がりによる分類

- 限局性気管支拡張症
- 中葉舌区症候群
- 中葉舌区以外の部位の限局性タイプ
- びまん性気管支拡張症

4. 気管支拡張症の症状

1) 慢性呼吸不全による症状

気管支拡張症は特発性による発生もあるが，慢性閉塞性肺疾患（COPD）などのさまざまな慢性呼吸器疾患の

図1　正常な気管支と気管支拡張症の気管支断面図

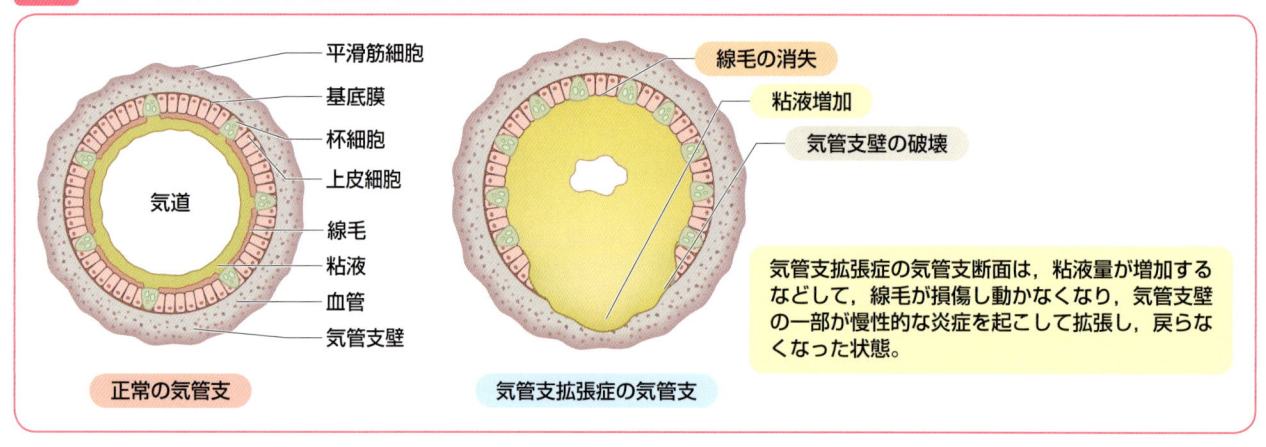

正常の気管支：平滑筋細胞／基底膜／杯細胞／上皮細胞／気道／線毛／粘液／血管／気管支壁

気管支拡張症の気管支：線毛の消失／粘液増加／気管支壁の破壊

気管支拡張症の気管支断面は，粘液量が増加するなどして，線毛が損傷し動かなくなり，気管支壁の一部が慢性的な炎症を起こして拡張し，戻らなくなった状態。

表1　気管支拡張の原因と疾患

原因		疾患
気管支，肺の先天的形態異常		Williams-Campbell症候群，Mounier-Kuhn症候群，気管支閉鎖症，気管気管支，肺分画症，片側肺動脈単独欠損症
アンチプロテアーゼの欠損		$α_1$-アンチトリプシン欠損症
気管支分泌液の異常		囊胞性線維症
気管支粘膜線毛の機能異常		線毛機能不全症候群（Kartagener症候群）
免疫不全	先天性	X連鎖無ガンマグロブリン血症，選択的IgA欠損症，IgGサブクラス欠損症，分類不能型免疫不全症など
	後天性	HIV感染，AIDS，抗がん薬や免疫抑制剤使用など
感染症		細菌，結核，非結核性抗酸菌症，ウイルス，真菌
後天性の気管支閉塞	気管支内腔の閉塞	腫瘍，異物，気管支結石など
	気管支外からの圧迫	腫瘍，リンパ節腫大など
ガスや粉塵の吸入		煙，アンモニア，パラコート，塩素など
アレルギー		喘息，アレルギー性気管支肺アスペルギルス症
免疫反応		肺移植後の拒絶反応，骨髄移植後の移植片対宿主病，膠原病（関節リウマチなど），炎症性腸疾患，再発性多発性軟骨炎
牽引性気管支拡張		肺炎や結核の治癒後，間質性肺炎，器質化肺炎，慢性過敏性肺炎，放射線肺臓炎，薬剤性肺障害，急性呼吸窮迫症候群（器質化期），サルコイドーシス（慢性期）
医原性		肺術後，縦隔形成術後

（中園貴彦・他：気管支拡張症. 画像診断 35(3)：357-370, 2015. を一部改変）

状態悪化の末に至る病態である。気管支拡張症はCOPDや間質性肺炎など，基礎疾患による症状を引き継ぐ（症状は→❽慢性閉塞性肺疾患（COPD），⓮慢性呼吸不全参照）。

2）膿性痰・喀血

排痰困難と繰り返す感染により貯留した痰は膿性となり排出される。また，炎症により破壊され，拡張した気管支と気管支動脈が近くなり，薄くなった組織の破綻により喀血を起こす。

3）感染による症状

発熱，倦怠感，胸痛などが起こる。

5. 気管支拡張症の検査・診断

気管支拡張症の診断は**胸部CT所見**で下記①〜③のいずれかがあれば**診断される**[2]。

①伴走する肺動脈よりも気管支系が大きい
②気管支の自然な先細りが欠如している
③末梢肺野胸膜から1cmの範囲に気管支が認められる

胸部CT画像で容易に診断可能だが，さまざまな背景疾患・合併症が存在することや，経過中に関連する疾患を発症する場合もあるため，形態的な診断に加えて，関連疾患にも留意する必要がある。

1）問診

①現病歴：発症時期，症状増悪の有無など
②呼吸器症状の有無：喀痰（色・量・質），咳嗽（時間帯・季節性の有無），血痰，息切れ，喘鳴など
③副鼻腔炎を伴う症状の有無：鼻閉感，後鼻漏，鼻汁，臭覚消失，顔面痛など
④胃食道逆流を疑う症状：胃酸の逆流，胸焼け，胸痛など
⑤膠原病を疑う症状の有無：皮疹，関節痛など

⑥幼少期の呼吸器症状の有無
⑦職業歴：煙，アンモニア，パラコートなどの吸入
⑧アレルギー歴：喘息など
⑨喫煙歴
⑩家族歴
⑪薬歴：とくに免疫抑制薬や抗がん薬の与薬歴

2）身体所見

聴診所見として**低調な断続性副雑音（水泡音）**と喘鳴の聴取症例がある。全身倦怠感や体重減少も出現する。

原因疾患の所見として黄色爪症候群（黄色爪），関節リウマチ（変形・結節・腫脹），マルファン症候群（くも状指・高身長・漏斗胸），ばち状指などを診査する。

3）検査

1 胸部 X 線

胸部 X 線の感度は低く，軽度の病変は抽出されない。慢性的な気管支炎症状を有する患者でも約50％の感度である[3]。進行すると肥厚し拡張した気管支壁が，線路のように並行して走り末梢まで認められる**線状陰影(tram line 徴候)**や，壁の薄い嚢胞状陰影，嚢胞内の**液面形成（niveau），粘液栓**などを認める[4]画像所見により，**円筒状（cylindrical），静脈瘤状（varicose），嚢状（cystic）**に分類され，病変の広がりにより**限局性**と**まん性**に分かれる。

2 胸部高分解能 CT（HRCT）

2つ以上の気道の内腔が，近接する動脈径より大きい（動脈径との比率が1.5以上：正常0.7程度）ことで，気管支拡張症と判断する。体軸横断像で肥厚および拡張した気道が，より口径の小さい動脈に接している像（signet ring sign）を認める。また，正常な気管支では末梢になるほど径が細くなるが，気管支拡張症では先細りがなく（**taparing の消失**），ほぼ胸膜まで中サイズの気管支がみられる（**末梢気管支の顕在化**）。

3 血液検査

血液検査では，血算／血液像より血液中の白血球の数やC-反応性タンパク質（CRP）の値から炎症所見の評価を行う。気管支拡張症を併発する免疫不全の検査目的で血清免疫グロブリン（総 IgG，IgA，IgM）の検査を行う。

4 アレルギー性気管支肺アスペルギルス症（ABPA）の精査

ABPA（allergic bronchopulmonary aspergillosis）は，長期間にわたる慢性的な気道の炎症により，中枢側の気管支拡張症を引き起こすことがあるため，精査を行い，診断されたらABPAに対する適切な治療を実施する。

5 喀痰培養検査

一般細菌と抗酸菌検査を実施する。緑膿菌やインフルエンザ桿菌の慢性気道感染は気管支拡張症の増悪頻度と関連している。緑膿菌が定着している場合は，死亡率が3倍に増加する[5]。

6 気管支鏡検査

出血部位や病変の検索のために行われる。気管支鏡で気管支洗浄液の培養検査を実施し確定診断につなげる。粘液栓や気管閉塞が疑われる場合には，診断と治療を兼ねて実施する。

7 呼吸機能検査

1秒率（FEV_1%）は気管支拡張症の重症度評価に有用である。気管支拡張症の51％の症例で**閉塞性障害**を認め，20％の症例で**拘束性障害**を認める[6]。診断時の評価だけでなく，疾患進行のモニタリングにも用いる。

6. 気管支拡張症の治療

安定期には，症状緩和および感染症治療が中心であり，くわえて原因疾患の治療も同時に行う。

治療目標は，急性増悪の回数減少，QOLの改善，症状の軽減，呼吸機能の改善，入院・死亡の予防である。

慢性安定期の治療・管理イメージを図2に示す。

1）薬物療法

喀痰調整薬の使用から開始し，無効であれば変更や追加を行い，症例により**気管支拡張薬**を与薬する。

1 喀痰調整薬

粘液性の喀痰を認めることが多いため喀痰調整薬を適切に使い分けることにより，痰の粘稠度や喀出困難の改善が期待できる。1剤から開始し，効果が乏しい場合には他剤の追加や変更を行う。

2 気管支拡張薬

COPDや気管支喘息を合併している場合には，各疾患の安定化を図るため，ガイドラインの推奨度に応じて積極的に与薬する。患者の肺機能に応じて，**ドライパウダー式（DPI），定量噴霧式吸入器（pMDI）**など適切な吸入器を選択する。

● 慢性安定期の抗菌薬

年3回以上の急性増悪を起こす症例において，マクロライド系抗菌薬の3カ月以上の長期与薬が増悪頻度の減少に効果がある[7]。

図2 気管支拡張症の慢性安定期の治療・管理

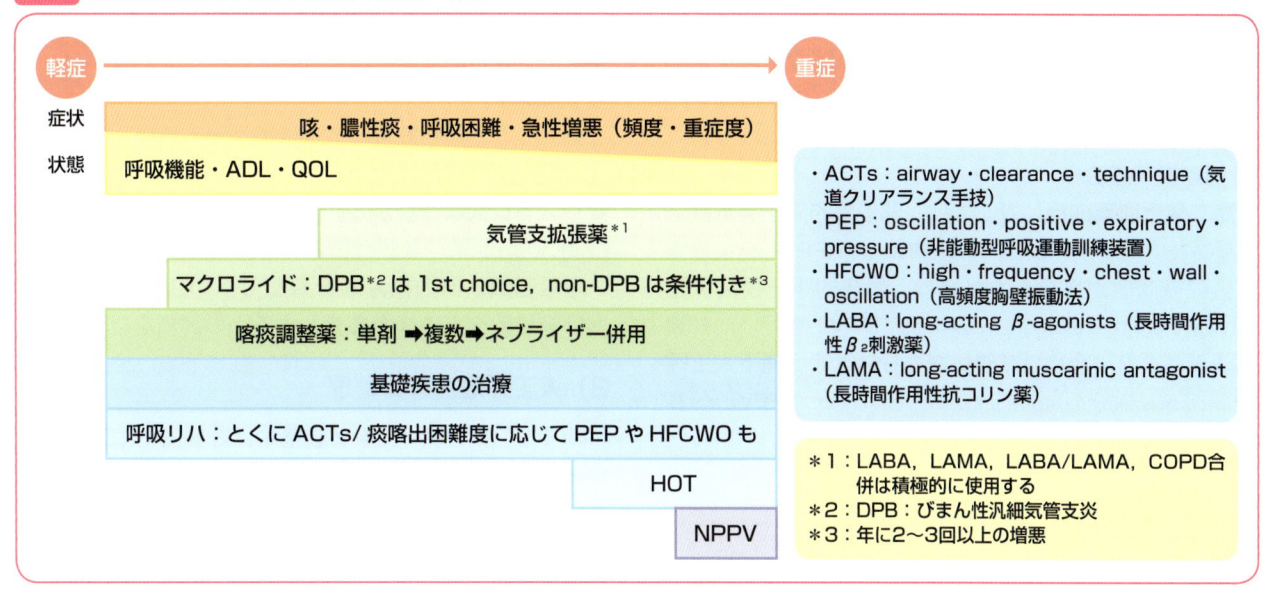

症状：咳・膿性痰・呼吸困難・急性増悪（頻度・重症度）
状態：呼吸機能・ADL・QOL

- 気管支拡張薬 *1
- マクロライド：DPB *2 は 1st choice, non-DPB は条件付き *3
- 喀痰調整薬：単剤 ➡ 複数 ➡ ネブライザー併用
- 基礎疾患の治療
- 呼吸リハ：とくに ACTs/痰喀出困難度に応じて PEP や HFCWO も
- HOT
- NPPV

- ACTs：airway・clearance・technique（気道クリアランス手技）
- PEP：oscillation・positive・expiratory・pressure（非能動型呼吸運動訓練装置）
- HFCWO：high・frequency・chest・wall・oscillation（高頻度胸壁振動法）
- LABA：long-acting β-agonists（長時間作用性β₂刺激薬）
- LAMA：long-acting muscarinic antagonist（長時間作用性抗コリン薬）

*1：LABA, LAMA, LABA/LAMA, COPD合併は積極的に使用する
*2：DPB：びまん性汎細気管支炎
*3：年に2〜3回以上の増悪

（門脇徹：気管支拡張症の治療と管理．気管支拡張症 Up to Date（長谷川直樹，森本耕三編），p135，南江堂，2022．を南江堂より許諾を得て改変し転載）

●急性増悪期の抗菌薬

急性増悪に対しては喀痰培養の検出菌情報をもとに抗菌薬を与薬する．喀痰培養に関する情報がない場合には，14日間を目安に抗菌薬の与薬を行う（**エンピリック療法**）[8]．外来での治療は感受性のある抗菌薬が第一選択となる．

3 その他
●抗炎症薬（吸入ステロイド・スタチンなど）

吸入ステロイド（経口も同様）については COPD，喘息，アレルギー性気管支肺アスペルギルス症以外への与薬は推奨されていない．

●ワクチン

肺炎球菌ワクチンやインフルエンザワクチンを接種して，感染予防に努める．

●鎮咳薬

中枢レベルで咳を抑制する中枢性鎮咳薬は痰の排出を阻害し，感染症の悪化や気流閉塞を悪化させる可能性があるため原則禁忌であるが，咳嗽により呼吸状態の悪化や苦痛がある場合，喘息発作中でないことを確認したうえで，使用を検討する．

●呼吸状態安定化を目的としたオピオイドの使用

呼吸困難などの苦痛を定期的に評価し，急性期か終末期かにかかわらず，呼吸困難に対してオピオイドの使用が推奨[9]されている．緩和目的での使用の際には倫理的な配慮が必要となる（→25呼吸器疾患の緩和ケア参照）．

2）非薬物療法

安定期には，栄養状態の維持・改善や体力維持のための運動，気管支粘膜の正常な線毛運動を維持するために禁煙を行う．息切れや肺機能低下・喀痰量増加などの症状に対しては，後述する呼吸リハビリテーションをはじめとする排痰手技やデバイスを使用し，気道クリアランスを保つ．

急性期・増悪期に呼吸不全となった場合には呼吸管理目的，または緩和目的で呼吸管理デバイスを用いた治療を行う．

1 排痰支援

慢性安定期では，体位ドレナージやハフィングなどで，痰の喀出を促す．自力での喀出が難しい場合は，**非能動型呼吸運動訓練装置**（oscillation positive expiratory pressure：PEP）である Flutter®，Acapella® などを使用して，痰の喀出量を増加させる．

増悪期では，理学療法士による**気道クリアランス手技**（airway clearance technique：ACT）を1日1〜2回行う．排痰が困難な症例においては，**自動周期呼吸法**（active cycle of breathing technique：ACBT）や**高頻度胸壁振動法**（high frequency chest wall oscillation：HFCWO）を考慮する．

2 酸素療法

呼吸困難に低酸素血症を伴う場合には積極的な酸素療法を行う．急性増悪時には CO_2 貯留に注意しながら使用

する。呼吸困難・低酸素血症が遷延する場合には**高流量鼻カニュラ酸素療法（ネーザルハイフロー，HFNC）**を行う。慢性期においてはCOPDと同様の導入基準で**長期酸素療法**（long-term oxygen therapy：LTOT）を開始する。

3 補助換気療法

高二酸化炭素血症に対しては，**非侵襲的陽圧換気療法**（non-invasive positive pressure ventilation：NPPV）を実施する。呼吸状態が悪化した場合は，**侵襲的陽圧換気療法**（invasive positive pressure ventilation：IPPV）を行い，長期挿管が必要な場合には気管切開を行い**気管切開下人工呼吸**（tracheostomy positive pressure ventilation：TPPV）へ移行する。

3）外科的治療

1 肺切除術

血痰・喀血，無気肺や感染が繰り返し起こり，病変が限局しているときは**肺切除術**（区域・葉切除・片肺全摘）が行われる。術後合併症として無気肺や肺瘻，創感染，不整脈，膿胸などがある。

2 血管塞栓術

喀血の治療として**気管支動脈塞栓術**（bronchial artery embolization：BAE）が行われる。BAEとは，カテーテルを血管内に挿入し，喀血が生じている気管支動脈を塞栓物質で詰めて出血しないようにする治療法である。

II 気管支拡張症の看護ケアとその根拠

1. 気管支拡張症の観察ポイント

1）既往歴

本項I-5-1）「問診」（→p119）を参照。

2）呼吸状態

1 咳・痰・喀血

咳は**乾性咳・湿性咳**を観察する。痰は**漿液性痰，粘液性痰，膿性痰，血性痰**などの性状を観察する。炎症に伴い血管が増加し，咳による衝撃などで喀血することがあるため，喀血の有無を観察する。

2 呼吸音

気管内分泌物による**低音性の断続性副雑音（水泡音）**が聴取される。

3 呼吸困難

肺内への分泌物貯留による低換気から呼吸困難が生じる。咳や呼吸困難は苦痛の増強や睡眠不足へつながり**不安**や**ストレス**につながる。

4 呼吸様式

呼吸回数・努力様呼吸を観察し，NHFCやNPPVなど呼吸補助デバイスを必要とするかの評価を行う。

3）人工呼吸器等の管理

NPPV，IPPV，TPPV装着中は呼吸器との同調性の確認が重要である。呼吸器装着後は患者に適した呼吸器設定に細かな変更を必要とする。

NHFCは呼吸自体を補助しないため，呼吸停止や気道閉塞の患者には使用できない。したがってNHFCの使用中の患者は**呼吸停止**や**気道閉塞徴候**に注意する（→コラム「高流量鼻カニュラ酸素療法」参照）。

4）全身状態

1 発熱

気管支拡張症自体は発熱することはないが，細菌やウイルスによって感染を合併し発熱する。発熱は水分喪失につながる。

2 食欲低下・栄養状態

咳嗽・喀痰回数の増加によるエネルギー消費が増加する。喀出する痰には多くの水分とタンパク質が含まれており，喀痰の増加は**水分とタンパク質の喪失**となる。**食欲不振**による**低栄養**や**脱水**にも注意する。

3 胸痛

末梢気道の拡張と臓側胸膜に至る肺炎を合併し，**胸痛**が発生することがある。

4 右心不全

気管支拡張症特有ではないが，びまん性の呼吸病変患者で肺の基礎疾患によって生じた肺高血圧のため，右心室の拡大と肥厚が生じ，その結果**右心不全**へ至る。肺機能障害により生じた心機能障害を**肺性心**という。

2. 気管支拡張症の看護の目標

❶痰が喀出でき，気道のクリアランスが維持できる
❷服薬や吸入，呼吸リハビリテーションを行い，咳嗽や息苦しさなどの症状が緩和する

❸自己管理を行って増悪の予防ができる

3. 気管支拡張症の看護ケア

1）自己管理に向けての支援

慢性的かつ永続的な気管支の拡張を起こしている病状を，患者・家族が正しく理解し，増悪防止のための自己管理ができるように教育する。

１ 規則正しく内服・吸入を行う

指示された気管支拡張薬の吸入や喀痰調整薬の内服を行う（→p334）。

２ 十分な水分摂取・栄養摂取

発熱や呼吸困難・排痰量の増加から低栄養・脱水となる。脱水は喀痰の粘稠度を上げ，排痰困難の要因となるため水分摂取を促す。栄養状態を評価しながら高タンパク高カロリーの食事の摂取推進と水分摂取を促す。

３ 排痰の促進

患者の状態に合わせた排痰方法を選択し実施する。

４ 感染予防

マスク着用やうがい，手洗いの励行を行う。インフルエンザワクチンや肺炎球菌ワクチンの接種をすすめる。

５ 体力の維持

息苦しさや咳嗽などの呼吸器症状の増強，特に痰の増加に伴う栄養状態の低下により，体力が減少しADLや活動量が低下する。寝たきりやひきこもりとならないよう，患者の呼吸状態や運動機能にあわせて可能な限り離床を促し，運動療法を継続する。

６ 在宅酸素療法

自宅での長期酸素療法を実施する必要がある患者に対し，酸素を吸入しながらの生活について教育を行う（→コラム「在宅酸素療法（HOT）」，p340参照）。

2）増悪時の対応

増悪時は体位や呼吸補助デバイス（NHFC，NPPVなど）を有効に使用して呼吸状態の安定を目指す。呼吸困難を繰り返す患者では精神的動揺や興奮・不安からパニック状態となり，さらに呼吸状態が悪化し，治療を継続できなくなることがあるため，声掛けを行い不安の除去に努める（パニックコントロールについては→❷呼吸リハビリテーション，p336参照）。

3）緊急時の対応：喀血・気管分泌物による閉塞など

１ 気道確保・酸素化の維持

大量の喀血の場合は，気道確保をする。吸引などで気道異物や口腔内異物の除去を行い，酸素投与を行う。必要に応じて挿管準備や，バッグバルブマスクによる加圧換気（肺過膨張手技）を行う。

２ 観察

意識レベル，気道閉塞徴候の有無，胸郭の動きによる自発呼吸の有無，排痰の性状や量，経皮的酸素飽和度（SpO_2），バイタルサイン，精神状態などを観察する。

３ その他

循環動態の管理や止血剤の与薬のための血管を確保し，必要な検査や緊急処置の準備を行う。精神的動揺が強い場合は声掛けや薬剤与薬による安静を保つ。

4）アドバンス・ケア・プランニング（ACP）

気管支拡張症はさまざまな原因による気道の非可逆的疾患に伴うend stageの疾患である。悪化する期間に個人差はあるものの，悪化や軽快を繰り返し，ゆるやかに呼吸機能が低下する。治療を継続しながらも状態が悪化した際には，呼吸器管理や緩和ケアも必要となる時期がある（→❷呼吸器疾患の緩和ケア参照）。そのため，患者・家族とともにACP（advance care planning）を繰り返し，治療方針や増悪時の対応，残された時間の過ごし方を検討する（→コラム「呼吸器疾患患者へのアドバンス・ケア・プランニング（ACP）」，p362参照）。

[北尾剛明]

[引用文献]

1) Barker AF: Bronchiectasis. N Engl J Med 346(18): 1383-1393, 2002.
2) Hill AT, et al: British Thoracic Society Guideline for bronchiectasis in adults. Thorax 74（Suppl 1）: 1-69, 2019.
3) Currie DC, et al: Interpretation of bronchograms and chest radiographs in patients with chronic sputum production. Thorax 42（4）: 278-284, 1987.
4) 石浦嘉久，澤井裕介，野村昌作：気管支拡張症の鑑別診断と治療のアプローチ．呼吸器ジャーナル 68（4）：558-564, 2020.
5) Finch S, et al: A comprehensive analysis of the impact of pseudomonas aeruginosa colonization on prognosis in adult bronchiectasis. Ann Am Thorac Soc 12(11): 1602-1611, 2015.
6) Aksamit TR, et al: Adult patients with bronchiectasis: a first look at the US Bronchiectasis Research Registry. Chest 151(5): 982-992, 2017.
7) Chalmers JD, et al: Long-term macrolide antibiotics for the treatment of bronchiectasis in adults: an individual participant data meta-analysis. Lancet Respir Med 7(10): 845-854, 2019.
8) Polverino E, et al: European Respiratory Society guidelines for the

management of adult bronchiectasis. Eur Respir J 50(3): 1700629, 2017.
9) van der Maaden T, et al: Development of a practice guideline for optimal symptom relief for patients with pneumonia and dementia in nursing homes using a Delphi study. Int J Geriatr Psychiatry 30 (5): 487-496, 2015.

[参考文献]
- 長谷川直樹，森本耕三編：気管支拡張症 Up to Date. 南江堂, 2022.
- 高橋仁美，宮川哲夫，塩谷隆信編：動画でわかる呼吸リハビリテーション 第5版. pp 195-196，中山書店，2020.
- 岡安理司，桑迫勇登：気管支拡張症—原因となる疾患はさまざま 感染と痰のコントロールがカギ. LiSA 24(9)：842-847, 2017.
- 宮川哲夫，一場友実：排痰の生理学と気道クリアランス法. Clinical Engineering 32(4)：223-233，2021.
- 日本呼吸器学会 NPPV ガイドライン作成委員会編：NPPV（非侵襲的陽圧換気療法）ガイドライン 改訂第2版. p 3，南江堂，2015.
- 救急医療における終末期医療のあり方に関する委員会：救急・集中治療における終末期医療に関するガイドライン～3学会からの提言～. 日本救急医学会，日本集中治療医学会，日本循環器学会，2014.

Column 気管切開

気管切開とは，気管軟骨を切開して作成した気管孔に気管カニューレを挿入し，気道を確保する手術のことである。

1. 気管切開の適応

以下の場合に気管切開が行われる。
1. **上気道の閉塞**
   - 咽頭や喉頭の腫瘍や狭窄
   - 顔面（特に咽頭や上気道）や頸部の外傷などで気管挿管が困難
   - 舌や咽頭・喉頭などの炎症性浮腫
   - 声帯麻痺
2. **呼吸不全で人工呼吸補助が必要な場合**（人工呼吸管理の長期化，人工呼吸器離脱困難）
   - COPD（慢性閉塞性肺疾患）の肺胞低換気
   - 呼吸筋麻痺，筋神経障害（重症筋無力症，脳性麻痺，薬物中毒など）
3. 気道分泌物による換気障害
4. その他，頸部の手術時や気道異物の場合の**一時的気道確保目的**

2. 気管切開の種類

気管切開は，患者の状態から傷病や病態の治癒・改善が見込まれる**一時的**な気管切開と，傷病や病態の改善が見込まれない場合の**永久的**な気管切開に分けられる。一時的な気管切開では，病態の改善や状態にあわせて**切開孔を閉鎖**することが可能である。一方，咽頭・喉頭腫瘍による気管の切除や喉頭全摘出，筋神経疾患による呼吸機能障害など，回復の見込めない状態の場合は，気管の切断断端を皮膚と縫合し**永久気管孔**を作成する。

気管切開は，外科的気管切開と経皮的気管切開に分類される。**外科的気管切開**は直接的に気管を切開し，**気管カニューレを気管内に挿入する方法**である。気道のトラブル（上気道閉塞，意識障害）による緊急性が高い場合は，輪状甲状靱帯切開を行い緊急気道確保を行う場合もある。

経皮的気管切開は，**気管を切開せず**，専用のキットを使用して穿刺し，気管孔を形成して気管カニューレを挿入する方法である。

3. 気管切開の流れ

1 **外科的気管切開**

外科的気管切開の流れを以下に示す。外科的気管切開は手術室で行われることが多い。
1. 頸部の診察，血液検査により**凝固異常の有無，抗凝固薬使用の有無**など気管切開術が実施可能であるか評価する
2. 人工呼吸器管理を行っている場合は，設定を含め呼吸状態を評価する
3. 口腔内の保清を行い，経腸栄養を行っている場合は誤嚥を防止するため術前の注入は中止することが望ましい
4. 気管切開術実施中にモニタリングが行えるよう，**心電図モニターやSpO_2モニターを装着**する
5. 患者の状態に合わせ，**鎮静薬，鎮痛薬，筋弛緩薬，局所麻酔薬**を使用する

図1 外科的気管切開の切開部位

舌骨
甲状切痕
甲状軟骨
輪状軟骨
甲状腺
気管輪
気管軟骨

気管切開術逆U字切開法

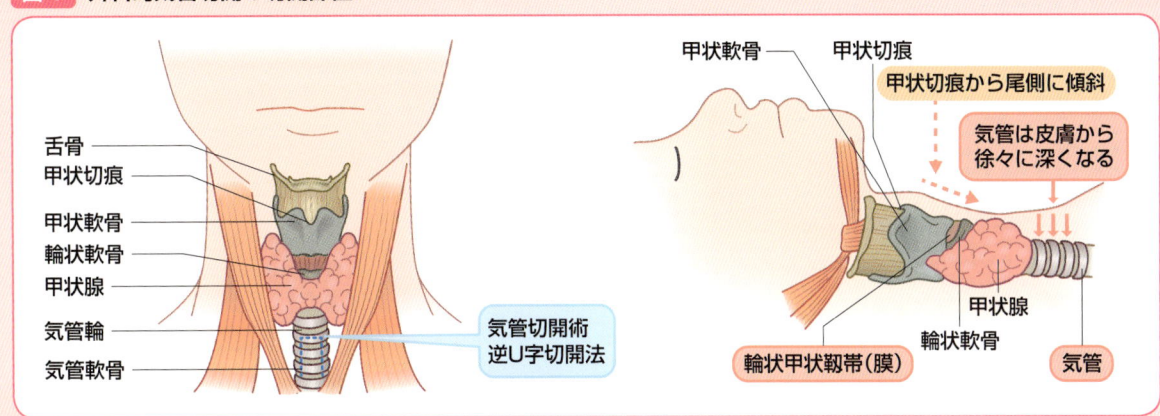

甲状軟骨　甲状切痕
甲状切痕から尾側に傾斜
気管は皮膚から徐々に深くなる
甲状腺
輪状甲状靱帯（膜）　輪状軟骨　気管

図2 外科的気管切開の切開方法

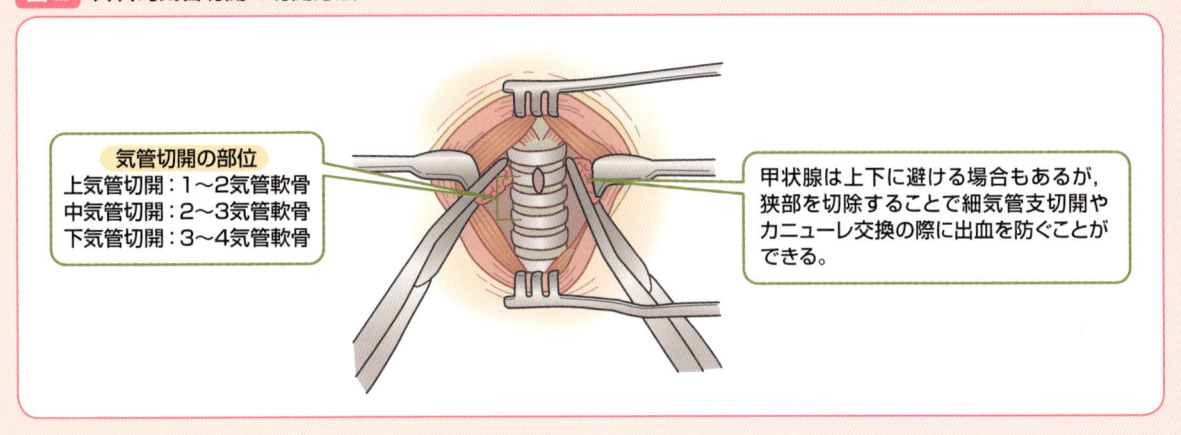

気管切開の部位
上気管切開：1～2気管軟骨
中気管切開：2～3気管軟骨
下気管切開：3～4気管軟骨

甲状腺は上下に避ける場合もあるが，狭部を切除することで細気管支切開やカニューレ交換の際に出血を防ぐことができる。

❻仰臥位で肩枕を使用し，体位を整える（**頭部後屈・頚部伸展**）
❼術野を**消毒**し，清潔野を確保する
❽気管に触れながら**皮膚切開**を行い，**皮下組織や脂肪組織の剥離**を行う。前頸静脈を温存させるよう剥離していく
❾**第2～4気管軟骨**を同定・露出して切開する：**気管切開術逆U字切開法**や**楕円形開窓**を用いることが多い（図1・2）
❿開創部より気管挿管チューブを確認しながら引き抜き，潤滑油を付着させた**気管カニューレ**を挿入する（事前にカフに空気を入れて空気の漏れや破損などを確認する）
⓫気管カニューレの内筒を抜き，カフに**空気**を入れる
⓬**人工呼吸器**を装着する
⓭胸部X線撮影を行い，位置を確認する
⓮必要に応じて皮膚切開創の縫合を行う
⓯気管カニューレを固定し，気管切開部に**Y字ガーゼ**を挿入する
⓰出血の有無，バイタルサイン，酸素化・換気状態を確認し，体位を整える

2 経皮的気管切開

経皮的気管切開は専用のキットを使用して行う。ベッドサイドでも行えることが特徴である。経皮的気管切開の流れは，「■1外科的気管切開」の❶～❻

図3 経皮的気管切開の部位

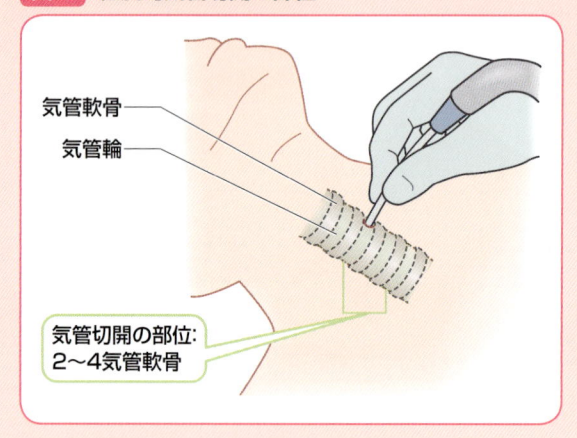

- 気管軟骨
- 気管輪
- 気管切開の部位：2〜4気管軟骨

までと同様であるため、❼以降を記載する。
❼ **気管支内視鏡**の準備を行う
❽ 皮下と皮下組織、気管内に**局所麻酔**を行う
❾ 気管支内視鏡を気管内に挿入し、**第2〜4気管軟骨**を同定し光を当て穿刺部を確認する（図3）
❿ **穿刺針**を正中に**穿刺**し、少量の水を入れた注射器で空気が引けるのを確認する。あわせて気管支鏡でも針が正中にあることを確認する
⓫ 穿刺針を抜き外筒のみを残し、**ガイドワイヤー**を気管内に入れて外筒は抜去する
⓬ 細い**ダイレーター**を挿入し適切な深さまで進め、徐々に太いダイレーターで**気管孔を拡張**していく
⓭ 潤滑油を塗布した**気管チューブ**をガイドワイヤーに通して挿入する
⓮ ガイドワイヤーとダイレーターを抜去し、気管チューブのカフに**空気を入れる**
⓯ **内筒カニューレ**を挿入する
⓰ **人工呼吸器**を気管チューブに接続し、気管支内視鏡で正しい位置に固定されたことを確認する
⓱ 気管切開の部位とチューブは同じ大きさであることが多いため、皮膚の閉鎖は不要である

4. 気管切開の合併症

気管切開術中、術後の合併症を表1・2に示す。

表1 気管切開中の合併症

合併症	原因と特徴
出血	・切開に伴うもの、気管粘膜下の結合組織や血管の損傷 ・甲状腺の損傷 ・切開部が低い場合は気管腕頭動脈瘻の損傷 ・切開部が高い場合は第1気管輪や輪状軟骨の損傷により甲状腺峡部出血を起こす
気管狭窄	・輪状軟骨や第1気管輪の損傷により気管内肉芽が増生、気管輪状甲状が保持できない
皮下気腫・縦隔気腫・緊張性気胸	・気管カニューレの迷入・誤挿入による損傷 ・誤挿入のまま陽圧換気を行うことによるもの
気管カニューレの狭窄・閉塞	・気管カニューレ内腔への血液の貯留
声門下狭窄	・切開部が高い場合に第1気管輪や輪状軟骨の損傷により生じる

表2 気管切開術後の合併症

合併症	原因
出血	・術後も持続する切開に伴う出血
気管切開チューブの狭窄・閉塞	・切開や気管の損傷に伴う出血 ・気管カニューレの挿入による分泌物の増加
感染	・不適切な手術操作、不十分な消毒（緊急気道確保時など） ・気管孔創部の感染
肺炎	・気管カニューレの設置による分泌物の増加、血液、術中の薬液などの吸引

5. 気管切開術中・後の看護

気管切開に臨む患者は、**自力での気道確保が難しい状態**にあり、気管切開中の鎮静や術中の操作、出

血，気管カニューレのトラブルなどで低換気となり**低酸素血症を生じる**。そのためSpO_2値や呼吸数の変動に注意し，血圧の低下や頻脈などの循環動態をはじめ全身状態の観察を行う。また，**創部痛**や**体動**が出現するため，適切に**鎮静**や**鎮痛**が行われているかを確認する。

術後は，胸部X線撮影で**気管カニューレ**が適正に挿入されていることや，**気胸**や**縦隔気腫**がないことを確認する。人工呼吸器を使用する際のチューブの重みで気管カニューレの角度が保たれにくいことを念頭に置き，気管カニューレのバンドのゆるみがないか，カフが見えていないか，呼吸状態の変化はないか，カニューレ内に**吸引カテーテル**が挿入できるか[1]などを観察し，気管カニューレの逸脱や誤挿入を早期に発見する。

また，術直後は開口部から気管へのルートが確立しておらず，気管チューブが抜けた場合に再挿入が困難となる。そのため，経口でのバッグバルブマスク換気や**再挿管**の準備を行い，いつでも対応ができるようベッドサイドに準備する。

気管カニューレが刺激となり**気道分泌物が増加**する。出血や気道分泌物による誤嚥性肺炎を防ぐため，気管カニューレ内や気管内の**吸引**を行い，**頭側を30〜40度挙上**させる。

6. 日常的な気管切開管理

日々のケアとして，適切な気管カニューレの管理

表3　気管カニューレの種類と特徴

機能や構造		特徴
カフ	あり	・気管切開術直後や誤嚥が多い場合や，人工呼吸管理が必要な場合に用いられる ・カフにより液体の流入を防ぎ誤嚥を防止できる（完全な予防は不可能） ・気管への刺激が強い ・嚥下がしづらい ・カフ圧自動調節機能付きのカニューレもある
	なし	・誤嚥の可能性が低い場合に選択される。人工呼吸器の装着は不可
管	単管	・気道分泌物による閉塞のリスクが低く，気管カニューレの交換が必要
	副管	・外筒と内筒からなり，内筒を取り外して洗浄できるため喀痰が多く気管内腔が汚染されやすい場合に選択される
側孔	あり	・スピーチカニューレの使用で発声が可能 ・カフ上の吸引が可能 ・窒息のリスクがある
	なし	・発声練習は不可
その他	アジャストフィット	・チューブが柔らかいため，気管や胸郭の変形にあわせて自由に変形できる ・フランジの位置を調整しチューブの深さも調整できる
保持用気管切開チューブ	開口部レティナ®	・気道確保および喀痰排出が目的 ・誤嚥が少なく気管孔を介在しておく場合に使用される ・気管内腔に接する部分が少なく気管への刺激も少ない ・ワンウェイバルブを装着でき，発声可能なものもある

（須藤敏：気管切開チューブ（気管カニューレ）について．沖縄県医師会報 53(6)：86-88，2017．／亀井優嘉里・他：気管切開とその後の管理．多根総合病院医学雑誌 11(1)：3-8．2022．を参照して作成）

と気道の浄化，トラブル時の対応，精神的な支援などが必要である。

1 気管カニューレの管理
❶適切な気管カニューレの選択
気管カニューレは，構造的な面や機能的な面から分けられる（表3）。患者の状態や病態に合わせて適切な気管カニューレを選択する。サイズや形状の合わない気管カニューレを留置すると気管内壁に接触して損傷し，**びらんや肉芽**が生じる。また，**腕頭動脈瘻**が形成され出血する場合もある。

❷カフ圧の調整
カフ圧は，カフ圧計を用いて気管内壁の動脈圧を超えないよう**20～25mmHg**に調整する。カフ圧が過剰な場合は，接触する気管粘膜の壊死や食道の圧排により嚥下が困難になることがある。**カフ圧が不足する場合**は，カフと気管壁との間に隙間ができ，分泌物の垂れ込みが発生し，誤嚥性肺炎を引き起こすことがある。**体位変換によりカフ圧が変化する**ことがあるため，カフ漏れのチェックやケア後の呼吸状態の変化や患者の表情をよく観察し，異常の早期発見に努める。

❸気管カニューレの固定
気管カニューレが**頸部に垂直な状態**であるよう，留置角度を調整し固定させる。気管カニューレの位置がずれると，片肺挿管となったり気管壁が損傷して出血や瘻孔ができたりと，換気障害や出血による気管チューブの閉塞などさまざまな障害の原因となるため，正しい位置にあるかを確認する。

カニューレホルダーや綿ひもを用いて固定させるが，指1本分ほどのゆるみをつけて固定する。カニューレ抜去の予防のため，きつく締めすぎると，ホルダーやひもによる皮膚トラブルを起こす。

❹カニューレ内筒の洗浄
複管式の気管カニューレを使用している場合は，気道分泌物が内筒にこびりつき狭窄や閉塞を起こすため，**1日1回は必ず洗浄**する。施設では消毒を行う場合もあるが，水道水でブラシやガーゼを用いて洗浄し，乾燥させてもよい。

❺気管孔の感染予防
Y字ガーゼなどで**気管孔**を保護する。出血や分泌物などが付着して汚染したガーゼが長時間皮膚に接触すると，皮膚トラブルの原因になるため，汚染のたびに交換を行う。気管カニューレ周囲に付着した痰などはガーゼや綿棒でふき取る。

2 気道浄化
本来取り込んだ空気が鼻腔や口腔内を通り抜ける際に加温・加湿され，ほこりや細菌などが除去されて肺に到達する。しかし，気管切開を行った場合，気管孔から空気が出入りするため，外気の冷たく乾いた空気やほこりや細菌などを直接肺に取り込むことになり，**感染の原因となり気道分泌物の増加や粘性を高め，気管支けいれんを招く原因**ともなる。

気道分泌物が貯留し凝固することで気管カニューレの閉塞が起こり，患者が換気不全や窒息する危険がある。そのため，**加温や加湿，気道粘膜融解薬の与薬，体位ドレナージ**などを行い，気道内分泌物や痰の吸引を適切に行う。加湿に関しては，人工鼻を使用することもあるが気道分泌物が多い患者では，人工鼻が汚染され**窒息**することがあるため注意が必要である（→コラム「気管吸引」，p25参照）。

3 トラブル時の対応
❶気管カニューレの抜去
気管カニューレが抜去された場合は，患者の意識状態の確認を行い，気道を確保し，ただちに医師へ報告する。自発呼吸の有無を確認して必要時は酸素投与を開始したり，自発呼吸がない時はバッグバルブマスクを用いてマスク換気を行う。

抜去した気管カニューレ再挿入に関しては，気管切開直後の場合は気管孔が確立していないため，困難な場合が多く**経口からの再挿管**となる場合がある。気管孔が確立していても，気管内の肉芽や甲状腺を損傷し出血や感染のリスク，気管カニューレ誤挿入を招くため，病院であれば**マスク換気**などを行いながら医師の到着を待つ。在宅などの場合は，医師に報告して指示にて新しい気管カニューレの再挿入を行うが，再挿入困難な場合は医師に報告する。

気管カニューレの再挿入時は，これまで使用していた気管カニューレがうまく入らない場合もあるた

め，1サイズ細い気管カニューレも準備する。

❷ 気管孔や気管内の肉芽形成

長期間気管カニューレを留置した場合に，気管内（カニューレ先端部）に**肉芽**ができることがある。肉芽は，**出血**や**窒息**のリスクとなるため，カニューレの交換や抜去，レーザー治療などを行うことがある。気管カニューレが頸部と並行になるよう固定を調整し，不必要な気管内吸引を避けるなど気管内肉芽の形成を予防する。

同様に，気管孔にも肉芽が形成され，気管カニューレ交換時に出血したり気道を閉塞してしまうこともある。硝酸銀で焼灼して除去したり，カニューレのサイズを変更したりなどの対応を行う。

4 気管切開チューブの交換

気管カニューレの逸脱・迷入は気管切開**当日から12日**の間に多く，初回のカニューレの交換は気管切開孔の創部が**安定**するまで，できるだけ遅らせたほうが安全である。**特定行為研修修了者の特定行為としての気管カニューレの交換**は，気管切開後2週間を経過して瘻孔が完成した患者を対象としている[2]。

気管切開は継続使用により小さな傷がついて損傷したり，痰などによる汚染や閉塞が起こったりしやすくなるため，その後は**2～4週間**（気管カニューレを販売するメーカーが推奨する交換頻度に則る）で定期的に交換を行う。創部を継続的に観察し，医師とともに気管カニューレ交換時期について検討する。

5 精神的な支援

気管カニューレの挿入により声を出して**コミュニケーションができない**ことは，患者に大きな**ストレス**を与える。そのため，適応があれば**スピーチカニューレ**を導入する，**タブレット**や**フィンガーボード**を活用，使用頻度の高い**イラスト**の使用などにより，簡単に素早く意思疎通ができるよう工夫する。看護師も患者の意図を汲み取れるようかかわる。

また，**入浴時**には気管孔からのお湯の侵入を防ぐため肩までつかれない，就寝時に布団などで気管孔が塞がると**窒息**してしまうなど，日常生活で制限を受けたり危険が潜んでいる。患者ごとの対処法や解決策を患者とともに模索し，安全に生活できるよう支援する。

[岡本美穂]

[引用文献]
1) 亀井優嘉里・他：気管切開とその後の管理. 多根総合病院医学雑誌 11(1)：3-8, 2022.
2) 日本気管食道科学会編：外科的気道確保マニュアル 第2版. pp75-81. 2023.

[参考文献]
- 日本外傷学会・日本救急医学会監, 日本外傷学会外傷初期診療ガイドライン改訂第6版編集委員会：改訂第6版 外傷初期診療ガイドライン JATEC. へるす出版, 2021.
- 日本救急医学会監, 日本救急医学会指導医・専門医制度委員会, 日本救急医学会専門医認定委員会編：改訂第5版 救急診療指針. へるす出版, 2018.

Column 人工呼吸療法（IPPV・NPPV）

1. 人工呼吸療法

1 人工呼吸療法とは

人工呼吸療法とは，人工呼吸器を使用して呼吸を機械的に補助または代替する方法で，肺胞換気量を維持することや，呼吸筋を休めて呼吸仕事量を減らすこと，酸素化などのガス交換能の改善を目的として，肺に直接，圧をかけ，ふくらます非生理的な陽圧換気である。**呼気は患者の肺の弾性により受動的に排出され，補助しない**。

人工呼吸療法には，**侵襲的陽圧換気**（invasive positive pressure ventilation：IPPV）[*1] と**非侵襲的陽圧換気**（noninvasive positive pressure ventilation：NPPV）とがあり，IPPV のうち気管切開下で行う陽圧換気を **TPPV**（tracheostomy positive pressure ventilation）という。睡眠時無呼吸症候群の治療に使用される **CPAP**（continuous positive airway pressure），重症心不全患者に使用される **ASV**（adaptive servo ventilation）は NPPV に含まれる[*2]。

[*1]：IPPV は間欠的陽圧換気という人工呼吸器の調節換気モードの略称でもあるため，注意する
[*2]：CPAP，ASV はモードの名称だが，睡眠時無呼吸症候群，重症心不全の専用治療機器の名称としても使われる

在宅で行う人工呼吸療法は **HMV**（home mechanical ventilation）と略され，**在宅 NPPV は COPD**（慢性閉塞性肺疾患），肺結核後遺症など広く使用されているが，**在宅 TPPV は58.9％を神経筋疾患が占めている**[1]。

2 人工呼吸療法の適応

人工呼吸療法の適応には，神経筋疾患や薬物による呼吸中枢障害により十分な換気が得られない状態や，肺炎，肺水腫，肺線維症など肺実質に障害があり，ガス交換能が低下した状態がある。

人工呼吸療法の**開始時期**は，慢性呼吸不全を除き，一般的には以下の4つの基準がある。

① 1回換気量が150mL以下
② 呼吸回数が5回/分以下，あるいは35回/分以上
③ pHの低下を伴う動脈血二酸化炭素分圧（PaCO₂）60Torr 以上
④ 空気下の呼吸で動脈血酸素分圧（PaO₂）50Torr以下，酸素投与下で60Torr以下

呼吸機能が低下し，十分な酸素を臓器に送れない状態になると，早期より人工呼吸療法が開始される。

COPDなどの慢性呼吸不全では，**呼吸性アシドーシスを伴う高二酸化炭素血症**（pH≦7.35かつPaCO₂≧45Torr）に加え，酸素療法で改善しない**低酸素血症，呼吸筋疲労**（呼吸補助筋の使用，腹部の奇異性動作，肋間筋の陥没など）や呼吸仕事量の増加を示唆する重度の呼吸困難があれば人工呼吸療法が開始される。

2. 侵襲的陽圧換気（IPPV）

生命維持が危機的な状況にあって，酸素投与だけでは酸素化が不十分であり，呼吸困難の併発や呼吸努力が強い場合に，**救命処置として口または鼻腔からチューブを挿管し人工呼吸器が装着される**。侵襲が大きいため，**鎮静や鎮痛を必要**[2] とし，**人工呼吸器関連肺炎**（ventilator-associated pneumonia：VAP）など患者の状態を悪化させる合併症のリスクもあるため，一日も早い**ウィーニング（離脱）**を目標とするが，自発呼吸がない，または弱く長期に人工呼吸が必要な場合は**気管切開**（→p124）を行い，気管チューブを挿入して人工呼吸器を装着する TPPV に変更される。

1 人工呼吸器の設定

人工呼吸器の設定は，呼吸器のモードとして大きく **ACV**（assist control ventilation），**PSV**（pressure support ventilation），**SIMV**（synchronized intermittent mandatory ventilation）に分けられる（表1）。

患者の呼吸状態に合わせて，表1や表2からモードや換気の方法が選択される。

他にも，換気が改善され酸素化が十分であることや，人工呼吸が患者の呼吸に負荷をかけないよう，表3のような項目が細かく設定される。

2 IPPVの合併症やトラブル

IPPVは，**人工気道を用いて陽圧換気を行うため人工気道や人工呼吸器に関するトラブルや合併症，

表1 基本的な呼吸器のモード

換気モード	特徴
補助／調節換気：ACV	・すべての呼吸をフルサポートし，呼吸仕事量を減らす ・患者の自発呼吸の有無にかかわらず，設定された換気量あるいは吸気圧による換気を強制的に行う ・自発吸気を感知すると患者の呼吸と強制換気は同期する。同期させるためのフロー（吸気流速）トリガー（感知）もしくは圧トリガーの設定が必要 ・患者が吸気リズムを決定することは可能
持続陽圧換気：PSV	・患者の自発呼吸を感知し，一定の圧で吸気を補助するため送気される ・補助する圧のみ設定され，設定された圧を維持するために必要な吸気流量が低下すると送気が終了する ・自発呼吸がないと使用できない
同期的間欠的強制換気：SIMV	・患者の自発呼吸をトリガーした際，設定された換気回数内ではサポート（強制換気）される。設定換気回数以上の自発呼吸ではサポートされない ・SIMVにPSVを併用することで，サポートされない自発呼吸時の呼吸仕事量を軽減できる ・一定時間無呼吸が続けば強制的に送気される

表2 換気様式

		特徴
従量式	VCV（volume control ventilation）	・1回換気量を設定する ・換気量の維持はできるが，状態の変化による最高気道内圧の上昇など，気道内圧の規定はできない
従圧式	PCV（pressure control ventilation）	・吸気圧を設定し，患者の要求に応じて流量が調整できる ・吸気時間が一定
圧補正従量式	PRVC（pressure regulated volume control）	・設定した1回換気量に応じて流量が調整でき，最大吸気圧が制限される ・患者の要求している1回換気量と設定が適していない場合は適切な呼吸補助ができない

長期の臥床や鎮静に関する合併症が発生する（表4・5）。

3 IPPV中の看護について

人工呼吸管理中は，SpO₂値，呼吸回数や1回換気量，分時換気量などの人工呼吸器のパラメーター，呼吸音や胸郭の動きに左右差はないか，**肺副雑音**がないか，痰の貯留の有無などの呼吸状態に加え，**血圧や脈拍数，不整脈の有無などの循環動態，意識レベルや鎮静の深さ，苦悶表情はないか**などの患者の全身状態の把握を行い，状態悪化を早期に発見し対処することが重要である。

❶合併症予防対策

人工呼吸管理中は表5に示す合併症が発症する可能性が高い。特に**人工呼吸器関連肺炎**（ventilator-associated pneumonia：**VAP**）は，もともと重度の呼吸不全や全身状態悪化患者が合併することが多い。VAPに罹患することにより重篤な多臓器不全に陥る場合も少なくないため，VAP発症の予防は重要である（→❻誤嚥性肺炎，p78，コラム「気管挿管中の患者の口腔ケア」，p180参照）。

VAP予防のためのバンドルアプローチとしては，❶**手指衛生**の徹底，❷**仰臥位の回避**（胃内容物などの逆流を防ぐため**30〜45度の頭高位**），❸人工呼吸回路の交換を頻回にしない，❹**過剰な鎮静**をしない（過鎮静を避け，鎮静の中断や鎮静プロトコルに従う），❺人工呼吸からの**離脱**をすすめる（**自発呼**

表3 人工呼吸器の主な設定項目

FiO₂ (fraction of inspiratory oxygen)：吸気酸素分画（吸入酸素濃度）	・吸気中の酸素濃度
V_T または TV (tidal volume)：1回換気量	・1回に吸気する際の送気量
吸気圧	・気道内圧がどのレベルまで達するかを決定
吸気時間	・空気を吸う時間の長さ ・吸気と呼気の終わりの流量が基線（0）に達しているかなどで決定
吸気流量	・VCV設定時，吸気する際の流量 ・吸気時間が1.0〜1.5秒となるよう設定
呼吸回数	・1分間あたりの換気回数を設定
PEEP (positive end-expiratory pressure)：呼気終末陽圧換気	・呼気終末に，気道内圧が0とならないよう一定の圧をかける（肺胞虚脱を防ぎ肺内シャントが是正される）
EIP (end-inspiratory pause)：吸気終末休止	・吸気終末のポーズ（肺胞を一定時間保持することができ，過膨張した肺胞から膨らみにくい肺胞へのガスが再分配される）
PS (pressure support)：プレッシャーサポート	・気道内圧を設定した圧まで上昇（過剰な気道内圧がかからず自発呼吸との同調性が高くなる。換気量が一定ではない〈患者の呼吸状態に左右される〉ことに注意が必要）
トリガー感度	・患者の吸気努力を流量（フロー）もしくは圧で検知

表4 人工気道や人工呼吸器に関するトラブルの内容および原因

現象	分類	例	原因・場所
漏れる	リーク	回路外れ・破損，カフ漏れ，気管チューブの抜け	回路・気管チューブ 患者（胸腔ドレーン留置中）
詰まる	気道抵抗上昇	気管支攣縮，気道分泌物，気管チューブの折れ曲がり	回路・気管チューブ 患者
広がらない	コンプライアンスの低下	肺炎，ARDS，肺水腫，気胸	患者
合ってない	非同調	不適切な設定	人工呼吸器

吸トライアルや人工呼吸器離脱プロトコルを適用）といった対策を行う。

　他にも，カフ圧管理を適切に行ったり，**声門下腔分泌物吸引ポート**のある気管チューブを使用し，口腔内の痰の垂れ込みを防ぐこと，口腔内の清潔（→コラム「気管挿管中の口腔ケア」参照）を保持することなども重要な予防対策となる。

　人工呼吸管理中は，人工気道を使用し送気されるため，加温や加湿を行ったとしても**乾燥**しやすく，痰の粘稠度が上がり気道の浄化ができず，**気道内の狭窄や閉塞**が起こる。そのため，**体位ドレナージ**や**痰溶解剤**などを使用しながら，**痰の排出**を促す。ただし，**過度な加温は気道熱傷**の可能性もあるため，加湿器内に十分な水があるかを確認し，空焚きしな

いよう十分に注意する。
　また，人工呼吸器の回路に結露が生じると，たまった水が気道や人工呼吸器に入り，トラブルのもとになる。加温加湿回路を使用するか，ウォータートラップを装着する必要がある。

❷ **人工呼吸器離脱に向けたケア**

　呼吸状態や全身状態が改善した際，人工呼吸管理から**離脱**させるために，器械による**強制換気**から，徐々に人工呼吸モードを**自発呼吸**に近くなるよう変更し，自発呼吸へ移行させるプロセスを**ウィーニング**という。ウィーニングを行う際は，各施設で決められた**人工呼吸器離脱プロトコル**にのっとって進められる。ウィーニングの開始基準を表6に，人工呼吸療法を主導する3学会が作成したプロトコルを図1に示す。

3. 非侵襲的陽圧換気（NPPV）

　NPPVは，気管挿管や気管切開せず，**マスクを使用して換気することができる人工呼吸療法**である。慢性呼吸不全や睡眠時無呼吸症候群など，在宅で活用されることが多い。マスクの着脱が容易で会話や経口摂取が可能だが，排痰管理が困難な場合がある。また，**自発呼吸が不安定または消失，患者の協力が得られない**などの場合はNPPV適応外であり，IPPVを行う。

❶ NPPVで使用される換気モード

　NPPVで使用される主なモードを表7，設定項目を表8にまとめた。NPPVの使用においては，患者が自覚する不快な症状をなるべく軽減し，NPPVの受け入れや継続が可能となるように細かい設定の調整を行う。

❷ NPPV中の看護

　NPPV導入の際には，疾患と治療の効果や実施するうえでの注意点などについてわかりやすく説明し，まずは送気を手や頬に当てて体感することからはじめ，**段階を追ってマスクの装着**を行っていく。呼吸の仕方に慣れるまでは**短時間で低圧から開始**

表5　IPPVの合併症と原因

合併症	原因
人工呼吸器関連肺炎（VAP）	● 口腔内汚染 ● 唾液や胃液逆流による誤嚥 ● 不適切な吸引手技，カフ圧管理
咽頭喉頭浮腫	● 挿管や気管チューブの挿入による咽頭喉頭の損傷
気胸，皮下気腫，人工呼吸器関連肺障害（VALI），血圧低下	● 過度な圧や量など不適切な人工呼吸器設定 ● 高濃度酸素投与による酸素中毒
褥瘡，廃用性症候群	● 長期臥床による筋力低下，鎮静
せん妄，不眠，ストレス性潰瘍	● 精神的ストレス，ICU入室

表6　ウィーニングの開始基準

適切な酸素化	$FiO_2≦0.4$で$PaO_2≧60mmHg$，$PEEP≦5〜10cmH_2O$，$PaO_2/FiO_2≧150〜300$
血行動態の安定	HR≦140回/分，血圧の安定，昇圧薬の使用なしあるいは最小限の使用
発熱がない	体温<38℃
呼吸性アシドーシスなし	$PaCO_2≦45mmHg$
ヘモグロビン量	Hb≧8〜10g/mL
適切な精神状態	覚醒しておりGCS≧13，持続的な鎮静薬の使用なし
代謝の安定	電解質が最適である

（日本医科大学麻酔科学教室：人工呼吸からのプロトコル．https://nms-anesthesiology.jp/pdf/protocol5.pdf（2025年3月31日閲覧）より）

図1 人工呼吸器離脱プロトコールの流れ

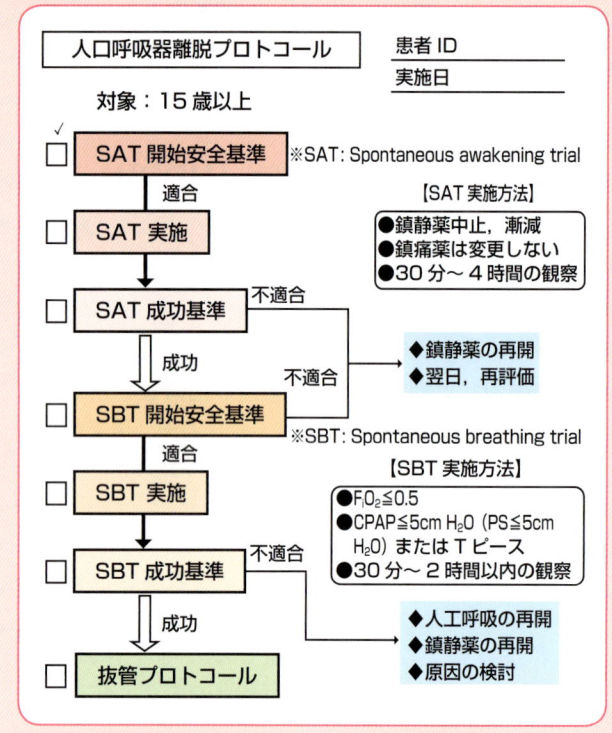

```
人工呼吸器離脱プロトコール    患者ID____
                              実施日____
対象:15歳以上
☐ SAT開始安全基準  ※SAT: Spontaneous awakening trial
      ↓適合
☐ SAT実施          【SAT実施方法】
                   ●鎮静薬中止,漸減
                   ●鎮痛薬は変更しない
                   ●30分〜4時間の観察
☐ SAT成功基準 ─不適合→ ◆鎮静薬の再開
      ↓成功              ◆翌日,再評価
☐ SBT開始安全基準
      ↓適合   ※SBT: Spontaneous breathing trial
☐ SBT実施          【SBT実施方法】
                   ●FiO₂≦0.5
                   ●CPAP≦5cm H₂O (PS≦5cm H₂O) またはTピース
                   ●30分〜2時間以内の観察
☐ SBT成功基準 ─不適合→ ◆人工呼吸の再開
      ↓成功              ◆鎮静薬の再開
                         ◆原因の検討
☐ 抜管プロトコール
```

SAT:自発覚醒トライアル,SBT:自発呼吸トライアル
(日本集中治療医学会・日本呼吸療法医学会・日本クリティカルケア看護学会:人工呼吸器離脱に関する3学会合同プロトコル.2015.より)

表7 NPPVの主なモード

Sモード	患者の自発呼吸に合わせて圧をかけて呼吸を補助する
Tモード	吸気・呼気のタイミング,時間,呼吸回数を機械が決める
S/Tモード	自発呼吸に応じてSモード運転を行うが,一定時間内に自発呼吸が検出されない時にバックアップとして強制換気を行う
CPAPモード	吸気呼気ともに一定の圧をかける
ASVモード	患者の呼吸の変化に合わせて自動的にプレッシャーサポートを調節し換気量を安定化させる

表8 NPPVの主な設定項目

FiO₂	吸入酸素濃度
EPAP	吐くときの気道内陽圧(人工呼吸器のPEEPと同じ)
IPAP	吸うときの気道内陽圧(人工呼吸器のPEEP + PSと同じ)
Rate	バックアップ呼吸数/分
I-Time	吸うときに圧を送る時間
Rize	吸い始めの勢い(EPAPからIPAPに立ち上がる速さ)

＊IPAPとEPAPの差が呼吸をサポートする圧(プレッシャーサポート,pressure support:PS)となり呼吸不全を改善する

表9 NPPV装着による合併症

原因	合併症
マスク	皮膚潰瘍(MDRPU)
リーク	眼の乾燥・充血,トリガー不能によるファイティング
圧・流量の不適切	上気道粘膜の乾燥,胃部膨満による嘔気,呑気,気胸
その他	精神的不安,睡眠障害

し,徐々に圧を高め患者の訴え(もう少し息をしたい,空気の勢いが強すぎるなど)を細かく聞き取り調整する。

NPPV継続のためには,**合併症**(表9)の予防が重要である。そのため,図2を参考に患者のマスク装着感や呼吸様式などに合わせて**インターフェイスの選択**を行い,マスクによる圧迫と不快感を軽減させるため,**フィッティング**を適宜行う。また,マスクによる**皮膚トラブル**や,圧やフローによる**目・口腔内の乾燥,腹部膨満感**といった諸症状へ対処し,その方法について患者や家族にも教育する。

4. 在宅人工呼吸療法(HMV)

HMVとは,呼吸器疾患や筋神経疾患などで**長期**

図2 インターフェイス（マスク）の種類

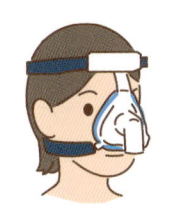

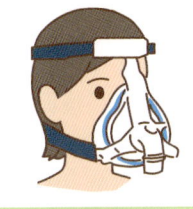

	鼻マスク（ネーザルマスク）	鼻口マスク（フルフェイスマスク）	トータルフェイスマスク	ヘルメット型
長所	・会話や飲食が可能 ・閉塞感が少ない	・口呼吸でも酸素化が可能	・局部への圧迫がない ・リークが少ない	・フィッティングしやすい ・会話や飲食が可能
短所	・口を開けると必要な換気量が得られない ・鼻周囲に圧迫がかかる	・痰吸引時は外さなければならない ・圧迫感，閉塞感が強い	・経口摂取や痰吸引時は外さなければならない ・目が乾燥する	・閉塞感が強い

*NPPVではマスクのフィッティングが，治療の受け入れ，継続，効果に対して非常に重要であり，適切なマスク（種類・サイズ）の選択，着脱方法の練習，フィッティングの調整は必須である
*NPPVではマスクに呼気ポートが1カ所ついており，ある程度のリークは必要（意図するリーク）であり，機械が補正している

に補助換気が必要な患者が，在宅で人工呼吸器による補助換気を行う療法である。在宅で使用される人工呼吸器は病院用に比べて構造が**シンプルかつコンパクト**になっており，**外出や災害時に対応できる**よう，AC電源以外にも内蔵バッテリーや外部バッテリーを備えているものが多い。また1台で**NPPVもTPPVも行える**ものもあり，**NPPVからTPPVへの変更も在宅で可能**である。機器の使用状況や患者データを病院などに**遠隔表示**することができる機種もある。

HMV患者は人工呼吸器に対する**精神的負担が大きい**だけでなく，食事や排泄など日常生活の介助や痰の吸引，医療機器の管理など**介護者の負担や不安**は計り知れない。かかりつけ医だけでなく，24時間対応の訪問看護ステーションや介護ヘルパー，訪問入浴などの**在宅サービスとの連携**が不可欠である。なおHMVおよび医学的管理にかかる訪問診療・訪問看護は，**医療保険**の適用となり，療養生活の支援には，**介護保険や障害福祉サービス**が利用できる。

［長田敏子，橋野明香］

[引用文献]
1) 呼吸不全に関する在宅白書作成ワーキンググループ編：呼吸不全に関する在宅ケア白書2024．日本呼吸器学会・他，2024．
2) 日本呼吸療法医学会人工呼吸中の鎮静ガイドライン作成委員会：人工呼吸中の鎮静のためのガイドライン．https://square.umin.ac.jp/jrcm/contents/guide/page03.html（2025年3月31日閲覧）

[参考文献]
- 日本呼吸ケア・リハビリテーション学会・他編：呼吸器疾患患者のセルフマネジメント支援マニュアル．日本呼吸ケア・リハビリテーション学会誌32（特別増刊号），2022．
- 日本呼吸器学会COPDガイドライン第6版作成委員会編：COPD診断と治療のためのガイドライン2022 第6版．メディカルレビュー社，2022．
- 日本呼吸器学会NPPVガイドライン作成委員会編：NPPV（非侵襲的陽圧換気療法）ガイドライン 改訂第2版．南江堂，2015．
- 川口有美子，小長谷百絵編著：在宅人工呼吸器ケア実践ガイド―ALS生活支援のための技術・制度・倫理．医歯薬出版，2016．
- 株式会社レアネットドライブ ナースハッピーライフ編集グループ著，長尾和宏監：看護の現場ですぐに役立つ人工呼吸器ケアの基本 第2版．秀和システム，2021．

Column 高流量鼻カニュラ酸素療法

1. 高流量鼻カニュラ酸素療法(HFNCOT)とは

高流量鼻カニュラ (high flow nasal cannula : HFNC) は，鼻腔内に高流量の**酸素空気混合ガス**を投与するデバイスであり，HFNC を用いた酸素療法を**高流量鼻カニュラ酸素療法** (high flow nasal cannula oxygen therapy : HFNCOT) という[1]。しばしば**ネーザルハイフロー**と呼称され，呼吸不全の病態改善を図る治療として有用性が高い。

総流量60L/min で FiO_2 21～100%までの高流量・高濃度の混合ガスを，**相対湿度100%まで加湿**して，口径の大きな**鼻カニュラ**から，直接上気道内に投与することができる。

HFNC には5つの生理学的特徴があり（**表1**），呼吸仕事量の減少や1回換気量増加などの効果を得られ，呼吸困難が軽減する。しかし，HFNCOT の臨床効果については，エビデンスが十分ではない。

表1 HFNC の生理学的特徴

特徴	内容
高濃度で正確なFiO₂の設定ができる	1回換気量や呼吸数の影響をほとんど受けず，FiO_2 21～100%で安定して供給できる。
解剖学的死腔の洗い出しができる	口腔，鼻腔などに溜まった呼気ガスを高流量のガスにより洗い出すことにより，二酸化炭素の再吸入を防ぐことができる。
上気道抵抗を軽減できる	吸気流速を上回る高流量のガス供給を行うことにより，吸気時の鼻咽頭の虚脱を防ぎ，気道抵抗を低下させることができる。
PEEP効果が得られる	持続的に高流量ガスを供給するため，呼気終末期に陽圧が生じる。呼気終末の肺容量が増加し，肺胞のリクルートメントが可能となる。
気道の粘液線毛クリアランスを維持できる	37℃，相対湿度100%まで加温加湿が可能なため，気道の乾燥を防ぐことができる。線毛機能を維持し，分泌物の除去，無気肺の予防や呼吸器感染リスクを軽減させる。

2. 適応と禁忌

HFNCOT において用いる HFNC は，酸素マスクや NPPV と異なり**食事や会話が可能**であり，加湿・排痰促進による無気肺や感染予防にも効果があるため，**酸素マスク，または NPPV の前段階やNPPV 困難例**などで使用する。

1 適応

FiO_2 100%まで設定できるため，**Ⅰ型呼吸不全全般に使用**することが可能である。HFNCOT のPEEP 効果は 2～3 cmH_2O と低めであり重症例では適さない。**急性呼吸不全患者に対する HFNC は気管挿管による合併症を回避するために使用される**[2]。

HFNCOT は FiO_2 を一定に保つことができるため，**ベンチュリマスク**と同等であるが，表1の生理学的特徴により，死腔換気量や呼吸仕事量を減少させ，肺胞換気量を増加させる効果から，**軽度Ⅱ型呼吸不全にも効果がある可能性**がある。しかし，急性増悪による呼吸状態悪化に対し，換気補助によって病態改善を図る場合は，PEEP を設定できる NPPV の代用にするべきではない。

2 禁忌

自発呼吸消失，気道確保困難，循環動態が不安定な患者の場合には適応とはならない。また，**興奮やせん妄状態にある患者**は，鼻カニュラの継続した装着が困難であるため，対象としない。

3. 機器の組み立て

1 必要物品

酸素ブレンダー，専用回路，専用鼻カニュラ，加温加湿器，蒸留水から構成されている。機器を使用する際には組み立てが必要となる（図1）。

2 流量および FiO₂ の設定

病態に合わせて設定を行うが，**流量は30L/min**が一般的である。FiO_2 は SpO_2 88～92%を目標として設定し，適宜調整を行う。

3 蒸留水の確認

加温加湿器に使用する**蒸留水**の使用消費が極めて

早く，空焚きすると**気道内が乾燥**するため自動給水装置と空焚き防止のアラームを使用する。

4 鼻カニュラの選択と装着

患者の**鼻孔**を確認し，適正なサイズを決定する。体動があると鼻カニュラが鼻腔からずれやすく，呼吸状態の悪化を招く危険があるため，正しく装着できているか確認する。

4. 看護ケア

1 観察項目：バイタルサイン

- **呼吸**：呼吸回数，呼吸様式，呼吸音，SpO_2，呼吸困難の有無など
- **循環**：血圧，心拍数，四肢末梢冷感など
- **意識レベル**：JCS（Japan Coma Scale）や GCS（Glasgow Coma Scale）の評価，せん妄の有無

2 乾燥予防

高流量のガスが流れるため，乾燥に伴う**口腔粘膜**や**鼻腔粘膜の状態**を確認する。乾燥予防のため，**含嗽を促す**，または**口腔ケア**を実施する。痛みや冷たさを感じる場合は加温加湿器の設定温度を調整する。

3 皮膚トラブルの予防

鼻カニュラやバンドの接触による皮膚（耳介，頬）・粘膜（鼻腔）損傷を生じる可能性がある。これらは，医療関連機器による圧迫で生じる，**医療関連機器褥瘡**（Medical Device Related Pressure Injury：MDRPI）[3]とされ，予防が必須である。正しいサイズや**フィッティング**，皮膚の圧迫を解除し，皮膚の清潔を保ち，接触部位に被覆材を貼付するなど，患者の状態に合わせて行う。

4 不快感や不安の軽減

HFNCの装着感については，高流量による鼻腔内の**違和感や疼痛**，**圧迫感**，**騒音による苛立ちや不眠**，**鼻カニュラが容易にずれることへの不安**などの報告がある[4]。HFNCOTを継続するためにも，患者の声に耳を傾け，不快感や不安を軽減するケアを実施する。

［岡本美穂］

図1 機器の組み立て

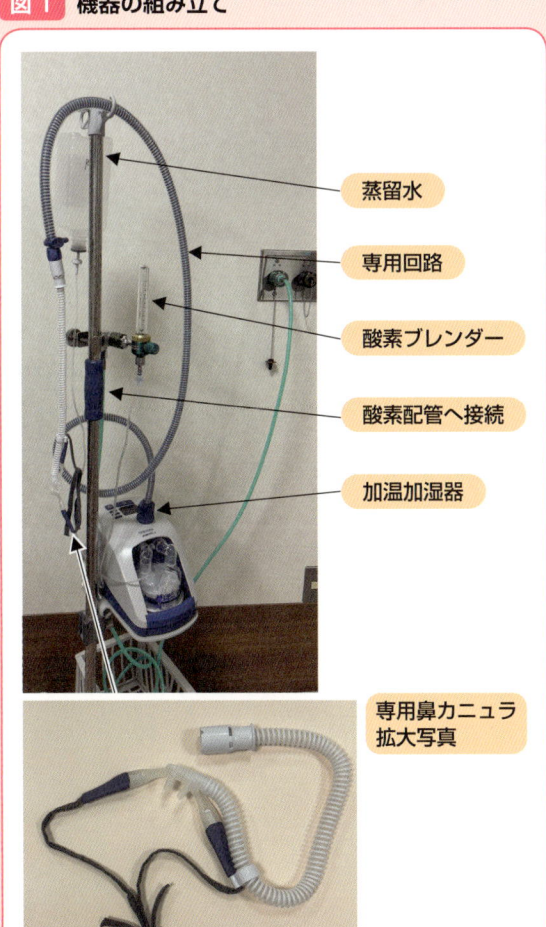

- 蒸留水
- 専用回路
- 酸素ブレンダー
- 酸素配管へ接続
- 加温加湿器
- 専用鼻カニュラ拡大写真

［文献］
1) 日本呼吸ケア・リハビリテーション学会酸素療法マニュアル作成委員会，日本呼吸器学会肺生理専門委員会編：酸素療法マニュアル．p58，メディカルレビュー社，2017．
2) ARDS診療ガイドライン作成委員会編：ARDS診療ガイドライン2021．日本呼吸療法医学会・日本呼吸器学会・日本集中治療医学会発行．https://www.jsicm.org/publication/guideline.html（2025年4月15日閲覧）
3) 日本褥瘡学会編：MDRPU ベストプラクティス 医療関連機器圧迫創傷の予防と管理．p6，照林社，2016．
4) 今戸美奈子・他：ハイフローセラピーの装着感及びスキントラブルの実態．日呼ケアリハ学誌 27(2)：163-167，2018．

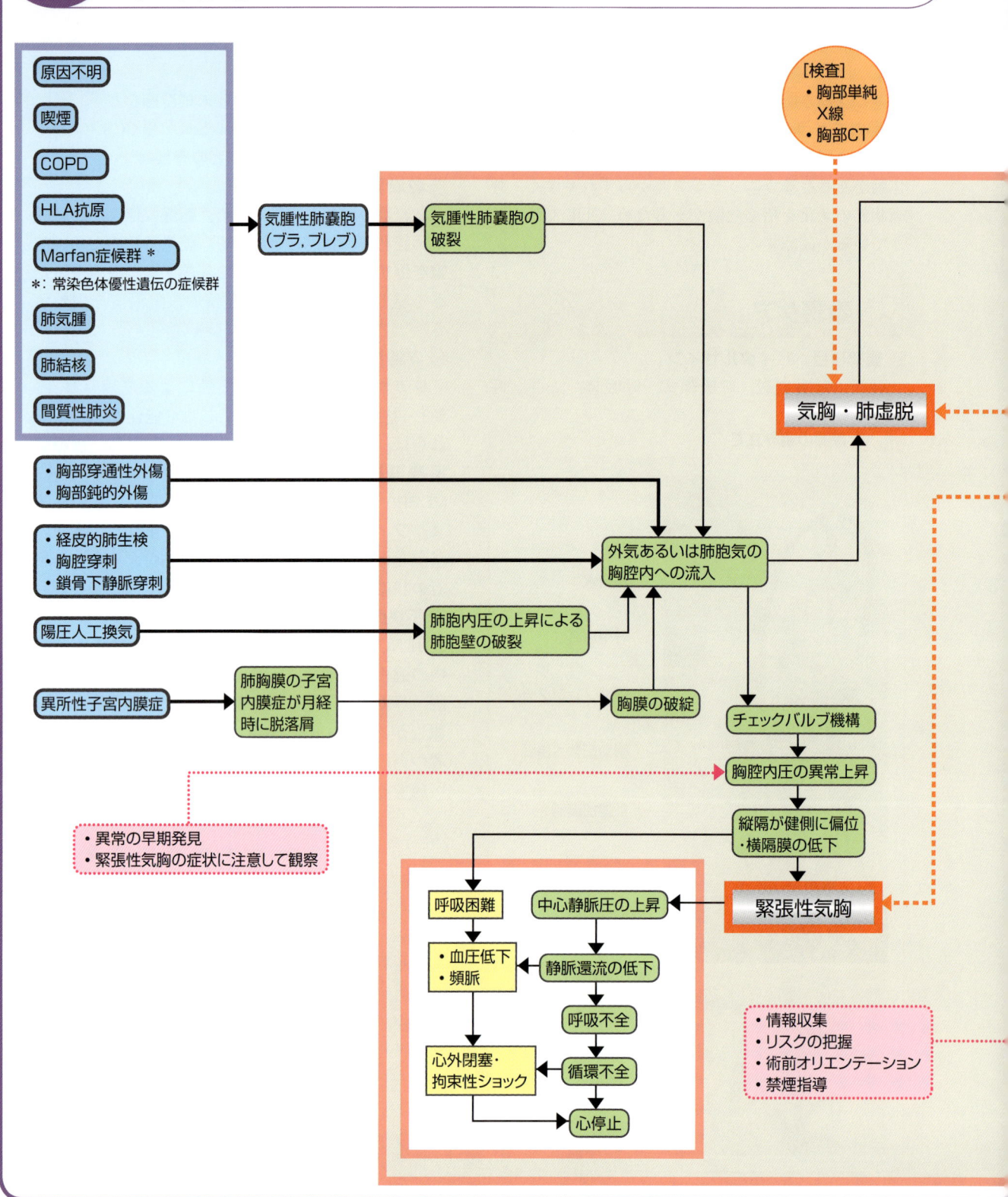

第Ⅱ部　疾患別看護ケア関連図　3．胸膜疾患

10　気胸

[検査]
- 胸部単純X線
- 胸部CT

誘因・原因
- 原因不明
- 喫煙
- COPD
- HLA抗原
- Marfan症候群 ※
  ※：常染色体優性遺伝の症候群
- 肺気腫
- 肺結核
- 間質性肺炎

→ 気腫性肺嚢胞（ブラ，ブレブ） → 気腫性肺嚢胞の破裂

- 胸部穿通性外傷
- 胸部鈍的外傷

- 経皮的肺生検
- 胸腔穿刺
- 鎖骨下静脈穿刺

- 陽圧人工換気 → 肺胞内圧の上昇による肺胞壁の破裂

- 異所性子宮内膜症 → 肺胸膜の子宮内膜症が月経時に脱落屑 → 胸膜の破綻

→ 外気あるいは肺胞気の胸腔内への流入

→ **気胸・肺虚脱**

→ チェックバルブ機構 → 胸腔内圧の異常上昇 → 縦隔が健側に偏位・横隔膜の低下 → **緊張性気胸**

- 異常の早期発見
- 緊張性気胸の症状に注意して観察

呼吸困難 → ・血圧低下 ・頻脈 → 心外閉塞・拘束性ショック → 心停止

中心静脈圧の上昇 ← 静脈還流の低下 → 呼吸不全 → 循環不全 → 心停止

- 情報収集
- リスクの把握
- 術前オリエンテーション
- 禁煙指導

気胸から生じる全体像

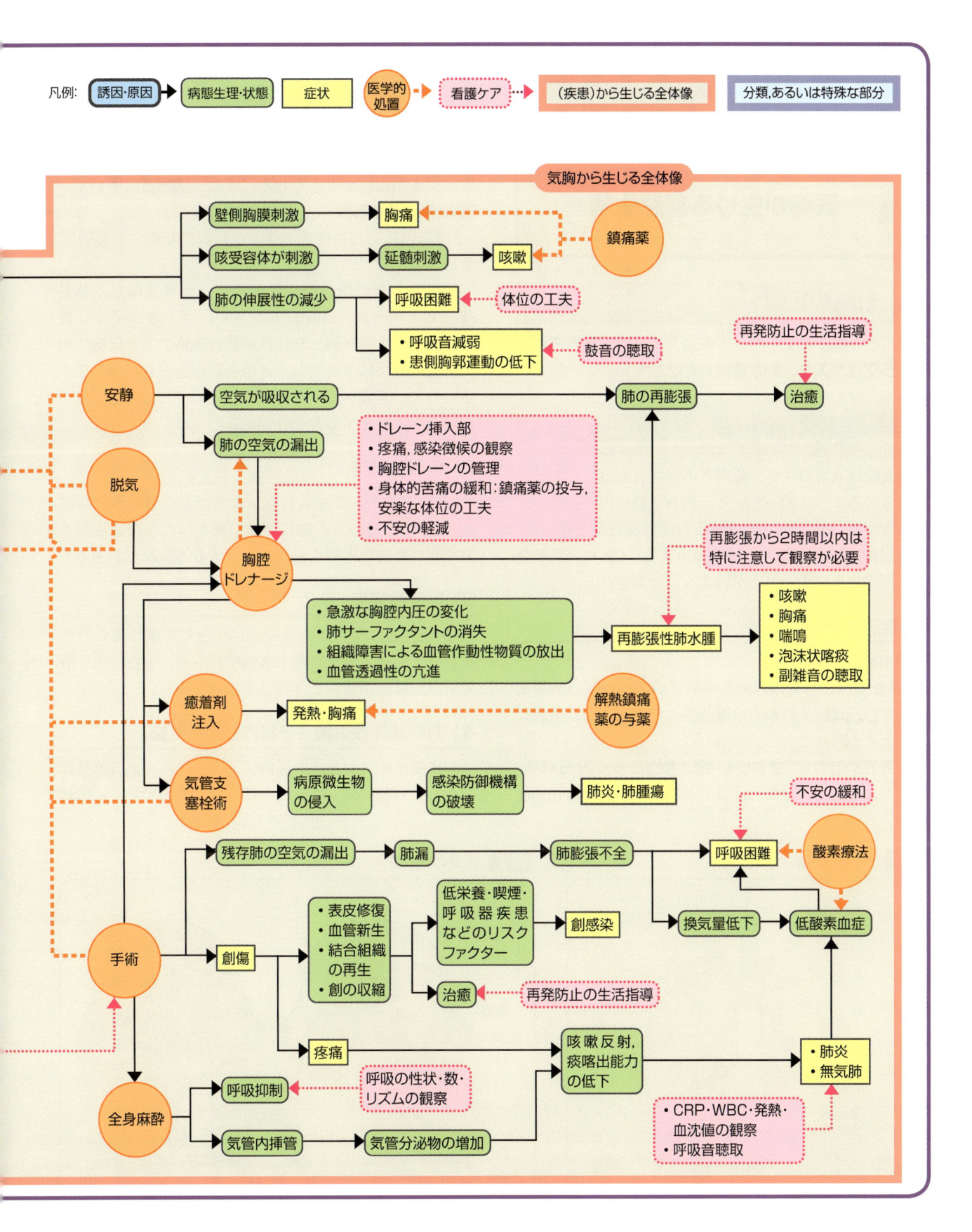

凡例: 誘因・原因 → 病態生理・状態 → 症状　医学的処置 ⇢ 看護ケア　(疾患)から生じる全体像　分類,あるいは特殊な部分

- 壁側胸膜刺激 → 胸痛 ⇠ 鎮痛薬
- 咳受容体が刺激 → 延髄刺激 → 咳嗽 ⇠ 鎮痛薬
- 肺の伸展性の減少 → 呼吸困難 ⇠ 体位の工夫
- 呼吸音減弱／患側胸郭運動の低下 ⇠ 鼓音の聴取

安静
- 空気が吸収される → 肺の再膨張 → 治癒 ⇠ 再発防止の生活指導
- 肺の空気の漏出

脱気 → 胸腔ドレナージ
- ドレーン挿入部
- 疼痛, 感染徴候の観察
- 胸腔ドレーンの管理
- 身体的苦痛の緩和：鎮痛薬の投与, 安楽な体位の工夫
- 不安の軽減

胸腔ドレナージ →
- 急激な胸腔内圧の変化
- 肺サーファクタントの消失
- 組織障害による血管作動性物質の放出
- 血管透過性の亢進
→ 再膨張性肺水腫 → 咳嗽／胸痛／喘鳴／泡沫状喀痰／副雑音の聴取

⇠ 再膨張から2時間以内は特に注意して観察が必要

- 癒着剤注入 → 発熱・胸痛 ⇠ 解熱鎮痛薬の与薬
- 気管支塞栓術 → 病原微生物の侵入 → 感染防御機構の破壊 → 肺炎・肺腫瘍

手術
- 残存肺の空気の漏出 → 肺漏 → 肺膨張不全 → 呼吸困難 ⇠ 酸素療法 ⇠ 不安の緩和
- 創傷 →
  - 表皮修復／血管新生／結合組織の再生／創の収縮
  - 低栄養・喫煙・呼吸器疾患などのリスクファクター → 創感染
  - 治癒 ⇠ 再発防止の生活指導
- 疼痛 → 咳嗽反射, 喀痰出能力の低下 → 肺炎・無気肺
- 換気量低下 → 低酸素血症

全身麻酔
- 呼吸抑制 ⇠ 呼吸の性状・数・リズムの観察
- 気管内挿管 → 気管分泌物の増加

- CRP・WBC・発熱・血沈値の観察
- 呼吸音聴取

第Ⅱ部　疾患別看護ケア関連図　3．胸膜疾患

10 気胸

Ⅰ 気胸が生じる病態生理

1. 気胸の定義

何らかの機序によって，本来は気体のない胸腔内に胸膜から空気が入り，肺が虚脱した状態をいう。

2. 気胸の分類と生じるメカニズム

胸膜腔は通常陰圧で，肺固有の弾性収縮力に対し肺を伸展させるように働いている。何らかの原因で胸膜が破綻をきたし，外界あるいは肺との間に交通ができると，空気が胸膜腔内に流入し肺は縮小する[1]（図1）。気胸発生の原因機序によって下記のように分類される。

1）自然気胸

■ 原発性自然気胸

「びまん性肺病変に起因しないブラ・ブレブ（胸膜瘢痕を含む）（図2）の破裂が確認されたか，または破裂によると考えられたもの」[2]をいう。

長身でやせた20歳前後の若年男性に多くみられる。原因として，身長と肺の成長の不均衡（胸郭の成長速度に肺，胸膜が追いつかず胸腔の陰圧によって脆弱な部分に生ずる損傷）が考えられる。また，喫煙者に多い。

■ 続発性自然気胸

「臨床的に明白な疾患・薬剤が原因で発症するもの」[2]をいう。

肺気腫などの慢性閉塞性肺疾患，気管支喘息，肺結核，マルファン（Marfan）症候群，ブレオマイシン性肺線維症による気胸，転移性肺悪性腫瘍による気胸，突発性食道破裂による気胸などの基礎疾患が存在し発生するもので，基礎疾患のため肺機能が低下しており軽度の気胸でも重症化するおそれがある。

2）外傷性気胸

「胸壁・肺・気管・気管支・食道などの外傷性破綻によるもの」[3]をいう。胸に刃物が刺さったり交通事故などで折れた肋骨が肺を傷つけたりする場合などがある。

3）医原性気胸

「医療行為に伴う偶発的accidentとして生じるもの」[3]をいう。鎖骨下静脈穿刺や経胸壁針生検，また，人工呼吸管理中に圧損傷により起こる場合もある。

4）月経随伴性気胸（子宮内膜症性気胸）

月経随伴性気胸とは胸郭内に子宮内膜組織が異所性に存在し，月経に伴って気胸を繰り返すものである。臓側

図1　気胸の状態

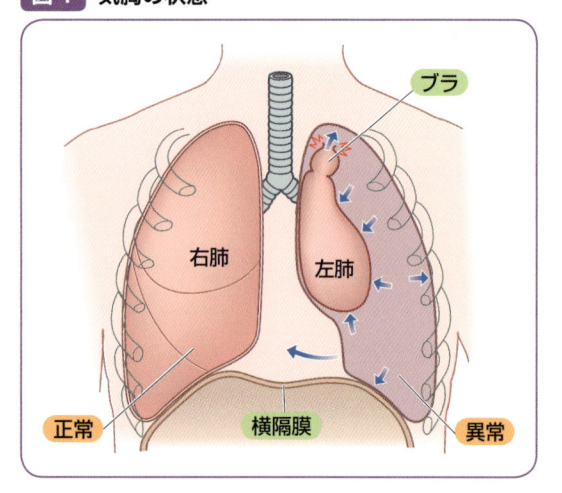

右肺　左肺　ブラ　正常　横隔膜　異常

図2　ブラとブレブ

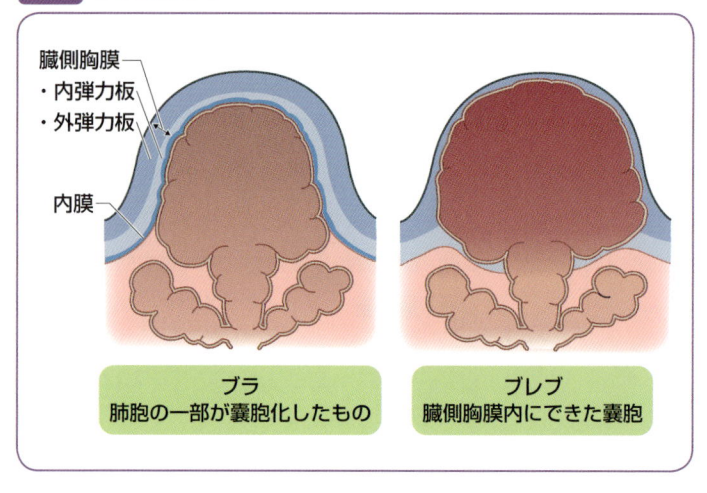

臓側胸膜
・内弾力板
・外弾力板
内膜

ブラ　肺胞の一部が嚢胞化したもの
ブレブ　臓側胸膜内にできた嚢胞

胸膜または横隔膜に存在する子宮内膜系組織の性周期にあわせて増殖，出血，脱落，消退を繰り返すことで発症する。

3. 気胸の症状とメカニズム

主症状は，**胸痛，呼吸困難，咳嗽**である。胸痛の程度はさまざまであるが，激痛を訴えて受診することはほとんどない。胸部違和感などの自覚症状出現後，2〜3日しても改善がないため受診する場合が多い。まれに**無症状**から健康診断の胸部単純X線写真で指摘される場合もある。

1) 胸痛

急激な患側の胸痛で**肩に放散**することが多い。**左側の場合，中高年者では急性心筋梗塞と鑑別を必要とする。**

▶ 胸壁には皮膚痛覚，深部痛覚，内臓痛覚を感じる知覚受容体が分布しているが，肺組織自体と臓側胸膜にはない。胸壁にある内臓痛覚は**体壁（壁側胸膜，横隔膜）痛**を感じ，脊髄神経（肋間神経，横隔膜神経）を介して伝えられ，痛みが病変のある部位にほぼ一致して感じられる。この痛みは咳，呼吸運動などで増強する

2) 呼吸困難

肺の虚脱によりさまざまな程度の呼吸困難が生じる。**続発性自然気胸**では，基礎疾患の存在のため，軽度の気胸でも呼吸困難が高度となる。

▶ 肺の伸展性の減少から肺の換気障害により呼吸困難が出現する

3) 咳嗽

喀痰を伴わない**乾性咳嗽**が生じる。

4. 気胸の検査・診断・身体所見

1) 検査・診断

1 胸部X線

もっとも有力なのが胸部X線所見である。胸壁から乖離した臓側胸膜を認め，**虚脱した肺**が確認されれば診断が確定する。

肺野に肺血管陰影がみられない透過性が亢進した**黒い領域（胸腔内の空気の貯留）**と，その内側に虚脱した肺がみられる。**軽度の気胸**では，呼気時撮影で虚脱した肺の容積が減少するため，胸腔内の空気の占める割合は大きくなり，発見しやすい。胸部X線像による**自然気胸（肺の虚脱度）の分類**を図3に示す。

2 胸部CT

CT検査は**ブラ，ブレブ**の存在部位や大きさなどのX線検査で確認しにくい点が観察できる。また，**続発性自然気胸**における**気腫性変化**の把握や**胸膜癒着**の有無や**肺内病変**の観察にも有用である。

また，挿入した**ドレーン位置**の確認が必要な場合や**気胸サイズ**と臨床像とが乖離する場合，外科的療法を考慮する場合にも施行される。

図3 肺虚脱の程度による気胸の分類

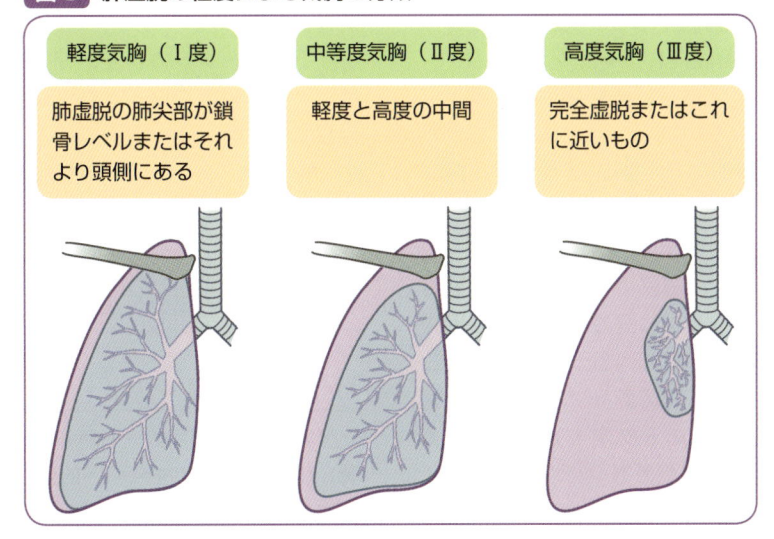

軽度気胸（Ⅰ度）	中等度気胸（Ⅱ度）	高度気胸（Ⅲ度）
肺虚脱の肺尖部が鎖骨レベルまたはそれより頭側にある	軽度と高度の中間	完全虚脱またはこれに近いもの

2）身体所見

- 視診：患側胸郭運動の低下，胸郭の変形
- 触診：声音振盪の減弱・消失
- 打診：患者胸部の鼓音
- 聴診：患側呼吸音の減弱・消失

5. 気胸の治療

気胸の治療は，**虚脱した肺を再膨張，改善する**ことと**再発予防**が目的である。虚脱の程度と臨床所見，患者背景などを総合的に判断し治療法が選択される。治療には内科的治療と外科的治療がある。内科的治療では気胸の再発率が高い。

1）内科的治療

1 安静・経過観察

軽度の肺虚脱で自覚症状が軽度であれば，空気は自然に吸収されるため，**安静のみで経過をみる**。安静とは，日常生活は通常通りに行ってもよいが，激しい運動は避けてもらうことを指す。1週間以上の安静で改善がみられない場合は**胸腔ドレナージ**を行う。

2 胸腔穿刺，穿刺脱気

軽度の肺虚脱であれば，経胸壁に静脈留置針で穿刺し，三方活栓と注射器をつけて用手的に**脱気**（胸腔内に貯留した空気を抜く）を行う。穿刺針で肺を損傷する危険性があるため，呼吸状態に注意する。

3 胸腔ドレナージ（→ p153）

肺虚脱が中等度（Ⅱ度）以上，片側胸郭の15％より高度に虚脱している場合，両側気胸，緊張性気胸，血気胸では，穿刺脱気よりも**胸腔ドレナージ**が必要となる[4]。胸腔ドレナージは，胸腔内にドレーンを挿入して，肺を膨張させる。ドレーン留置後は**再膨張性肺水腫**の危険が高まるため，水封式ドレーンバックに接続するが吸引はしない。24時間経過しても肺が膨張していなければ，**持続吸引**を開始する。

4 胸膜癒着療法

「癒着剤を胸腔に注入して，胸膜の癒着を図り気胸再発を防止する」[5]方法をいう。主に**高齢者や手術が困難な患者**に行う。使用する**癒着剤**は，自己血，高張糖液，OK-432，テトラサイクリン系抗菌薬，タルク（保険適用外）などがある。OK-432，テトラサイクリン系抗菌薬，タルクは，胸膜を化学的に刺激させ，胸膜炎を起こし癒着させる作用がある。一度の癒着剤注入により気漏が止まらず，何回か繰り返して注入が必要となることもある。副作用として，**発熱**と**胸痛**などがみられる。

癒着療法にタルクを使用した高齢患者では，急性呼吸窮迫症候群（ARDS）に陥った報告がある[6]。

5 気管支鏡下気管支塞栓術

気管支鏡下で，気漏の原因となっている**責任気管支を閉塞させて気胸の改善を図る方法**をいう。胸腔ドレナージを継続しても気漏が消失せず，手術のリスクが高い場合に選択される。充填剤には，**シリコン製気管支充填材**（endobronchial watanabe spigot：EWS），**フィブリン糊，ジェルフォーム**などが使用される。合併症に**閉塞性肺炎，肺膿瘍**などがある。

2）外科的治療

手術適応は，**再発を繰り返す気胸，ドレーン留置後気漏が1週間持続，両側性気胸，著明な血胸，膨張不全肺，緊張性気胸**の他，職業的に手術治療が必要な場合（**航空機操縦士，ダイバー**など）がある。

手術では，ブラやブレブ切除と胸膜癒着処理（**胸膜剥離，胸膜癒着術**）が行われる。

開胸手術と胸腔鏡下手術とがあるが，近年は侵襲も少なく，利点も多い**ビデオ下胸腔鏡手術**（video-assisted thoracicsurgery：**VATS**）での手術例が増加している（→㉓胸部手術療法における周術期の看護，p308参照）。VATSの利点は，術後疼痛の軽減，手術侵襲が少なく呼吸機能の低下を防ぐ，早期離床，入院期間の短縮，早期の社会復帰が可能，術創が小さく目立たないことである。VATSは胸腔ドレナージに比べて，同側気胸の再発率が低く，入院期間が短いため，胸腔ドレナージの代替手段となるとの報告もある。しかし，開胸手術に比べてVATSの気胸再発率は高い[7]。VATSは癒着の少ない手術であるが，そのためブラの新生部分と壁側胸膜間に癒着が生じず，ブラの破裂を防ぎきれないため再発率が高いと考えられている[8]。

術後合併症としては，**無気肺，肺炎，創感染**などがある。

6. 気胸の合併症

1）緊張性気胸

空気の漏出部位が一方向弁となり（**チェックバルブ機構**）（図4），胸腔内へ一方的に空気が漏出し，加速度的に**胸腔内が陽圧**になった気胸である。肺は完全に虚脱

図4 緊張性気胸の状態

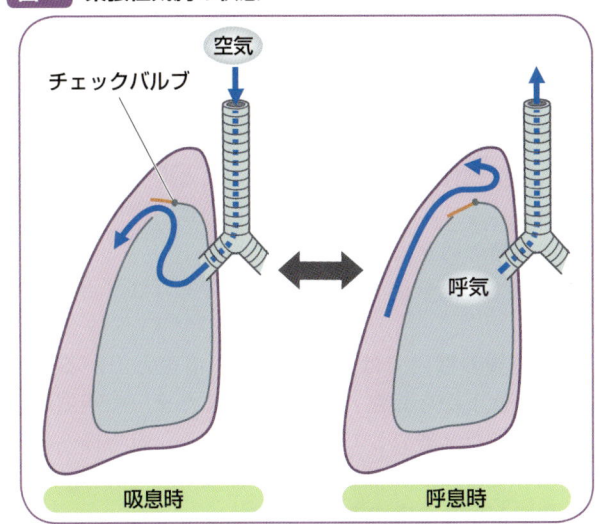

（日本気胸・嚢胞性肺疾患学会編：気胸・嚢胞性肺疾患規約・用語・ガイドライン2009年度版．p4，金原出版，2009．をもとに作成）

し，胸部X線で縦隔が健側に偏位する。胸腔内圧が異常に高まり静脈還流が阻害され，**循環不全，呼吸不全**を呈する。**頻脈，血圧低下，チアノーゼ**などを認める場合は，緊張性気胸を疑う。放置すれば貯留した空気により心臓を圧迫し，ポンプ機能が障害されて，心拍出量が低下し，**ショック状態（心外閉塞，拘束性ショック）**になる。生命の危機に陥るため，ただちに**脱気（胸腔穿刺，胸腔ドレナージ）**が必要である。

2）再膨張性肺水腫

高度に，あるいは**長期にわたって虚脱していた肺を再膨張させる場合**に起こりやすい。これは，急激な胸腔内圧の変化，肺サーファクタントの消失，組織障害による血管作動性物質の放出，血管透過性の亢進などの考えがあるが統一見解はない。

症状としては，**急激な咳嗽，泡沫状喀痰，胸痛，喘息，肺野に副雑音**が聴取され，重症化すると**呼吸困難**や**チアノーゼ**が出現し，**血圧低下，呼吸停止**に至る。再膨張から肺水腫が生じるまでの時間は比較的短く，**2時間以内**に生じる例がほとんどである。

治療は，**酸素投与，副腎皮質ステロイドの与薬，利尿薬の与薬，必要時には人工呼吸器の装着**を行う。

II 気胸の看護ケアとその根拠

1. 気胸の観察ポイント

1）患者背景

- 現病歴，既往歴，喫煙歴
- 社会的状況：学校，職業，活動
  ▶ 患者背景から，気胸の症状増悪と治療過程に影響をきたす要因などを把握する。慢性呼吸器疾患などの基礎疾患があると，より症状が強く出現する。また治療過程，再発予防のために社会活動が制限されるが，一方的な指導にならないように情報を把握する

2）身体症状

- 胸痛の有無と部位
- 呼吸回数，呼吸の深さやパターン
- 呼吸困難や咳嗽の有無
- 呼吸音の聴診
- 胸部打診
  ▶ 聴診，打診で確認できる場合は，かなり**肺虚脱**していると考える

3）全身状態および合併症

- バイタルサイン
- 酸素飽和度
- 合併症の徴候
- 緊張性気胸
- 再膨張性肺水腫
- 術後合併症：無気肺，肺炎，創感染
  ▶ 合併症の早期発見に努める。特に緊張性気胸は，対応が遅くなると死の危険が増大するため，緊急処置の必要性を判断する

4）不安の内容と程度

呼吸困難は生命の危機を感じさせ，不安を増強させる。
- 不安の訴えの有無
- 言動，表情
- 睡眠状況

5) 検査所見

画像からどの程度の肺の虚脱か，治療により改善傾向にあるのかを確認する。
- 胸部X線
- 胸部CT

6) 患者の認識

- 病態の理解
- 治療の方法と必要性の理解
- 自己管理能力の獲得

2. 看護の目標

1. 疼痛や呼吸困難が軽減し，安楽に過ごすことができる
2. 脱気により十分な換気が維持でき，呼吸状態が改善する
3. 胸腔ドレナージ挿入中は，ドレーンの抜去や2次感染を起こさない
4. 再発予防の必要性を理解して，日常や社会生活を送ることができる

3. 看護ケアのポイント

1) 苦痛の軽減

1 呼吸困難への援助
- 安静
  ▶酸素消費量を最小限にする
- 体位の工夫：ファウラー位，セミファウラー位，患者の好む安楽な体位にする
  ▶前述のような体位によって，横隔膜が下がりやすくなる。横隔膜を1cm下げると換気量は200〜300mL増える
- 酸素療法：医師の指示で必要量の酸素療法を実施する

2 疼痛緩和

安楽な体位や不安の軽減に努めることで疼痛の増強を防ぐ。**ドレーン挿入中の疼痛**に対しては，医師の指示により**鎮痛薬**を与薬して疼痛緩和を行う。

2) 患者教育

- 肺の**虚脱が軽度**であれば，**外来診療**になる。自宅で症状の悪化があれば，肺の虚脱が増悪している危険があり，ただちに外来を受診するように指導する
- **喫煙**は自然気胸の危険因子であるため，喫煙習慣がある患者には**禁煙指導**をする
- 社会活動が制限を受けるために，治療法について正しく理解してもらうことが重要である
  ▶**原発性自然気胸の好発年齢は20歳前後**であり，社会的活動性の高い年齢層であることから，療養に専念しにくい。自然気胸の治療目的は治療期間の短縮と再発の防止に努めることである
- **航空機への搭乗**は治癒後1年未満であれば主治医に相談する
  ▶旅客機の機内では気圧が0.8気圧前後と下がる。気圧の低下から肺胞・肺嚢胞の中にたまった空気が過膨張になり破裂して気胸が惹起する。航空機への搭乗の可否は，喫煙歴，気胸の種類，基礎疾患，治療法などから考慮する
- **スキューバダイビング**は，永久に禁止する
  ▶潜水により気圧が高くなる。例えば水深20mであれば3気圧となる。潜水，浮上による圧変化により，肺胞内の空気が膨張し破壊され気胸が惹起される
- 過激な労働や運動は避ける
- マスクの着用・うがいの励行などの感染予防を行う
- 強く咳き込まないよう指導する

3) 胸腔ドレーン挿入中の看護

→❷③胸部手術療法における周術期の看護（→p308），コラム「胸腔ドレナージ」（→p153）参照。

4) 術後看護

→❷③胸部手術療法における周術期の看護（→p308）参照。

[右近清子]

[引用文献]

1) 下方薫：気胸．泉考英編，標準呼吸器病学．p150，医学書院，2000．
2) 日本気胸・嚢胞性肺疾患学会編：気胸・嚢胞性肺疾患規約・用語・ガイドライン2009年度版．p3，金原出版，2009．
3) 前掲書2，p4．
4) 神崎正人：気胸．弦間昭彦・他編，呼吸器疾患最新の治療2025-2026，p146，南江堂，2025．
5) 前掲書2，p46．
6) Shinno Y, et al: Old age and underlying interstitial abnormalities are risk factors for development of ARDS after pleurodesis using limited amount of large particle size talc. Respirology 23(1): 55-59, 2018.
7) Daemen JHT, et al: Chest tube drainage versus video-assisted thoracoscopic surgery for a first episode of primary spontaneous pneumothorax: a systematic review and meta-analysis. Eur J

Cardiothorac Surg 56(5): 819-829, 2019.
8) 勝野剛太郎・他：自然気胸に対するVATS術後再発症例の検討. 日臨外会誌 64 (10)：2378-2383, 2003.

[参考文献]
- 牛木辰男, 小林弘祐：カラー図解 人体の正常構造と機能 Ⅰ呼吸器. 日本医事新報社, 2021.
- 日本気胸・嚢胞性肺疾患学会編：肺病態から見た気胸. 日本気胸・嚢胞性肺疾患学会雑誌 20（増刊）：3-38, 2020.
- 渡辺洋一・他：難治性気胸, 気管支瘻に対するEWS（Endobronchial Watanabe Spigot）を用いた気管支充填術の有用性. 気管支学 23 (6)：510-515, 2001.
- 松元幸一郎, 中西洋一：安全な海外旅行のために 慢性呼吸器疾患患者. 臨床と研究 85(9)：1289-1292, 2008.
- 山崎博臣：ダイビングの安全基準―自覚症状が乏しいがダイビングにあたり注意が必要な内科疾患. 日本高気圧環境・潜水医学会雑誌 43(2)：71-74, 2008.

NOTE

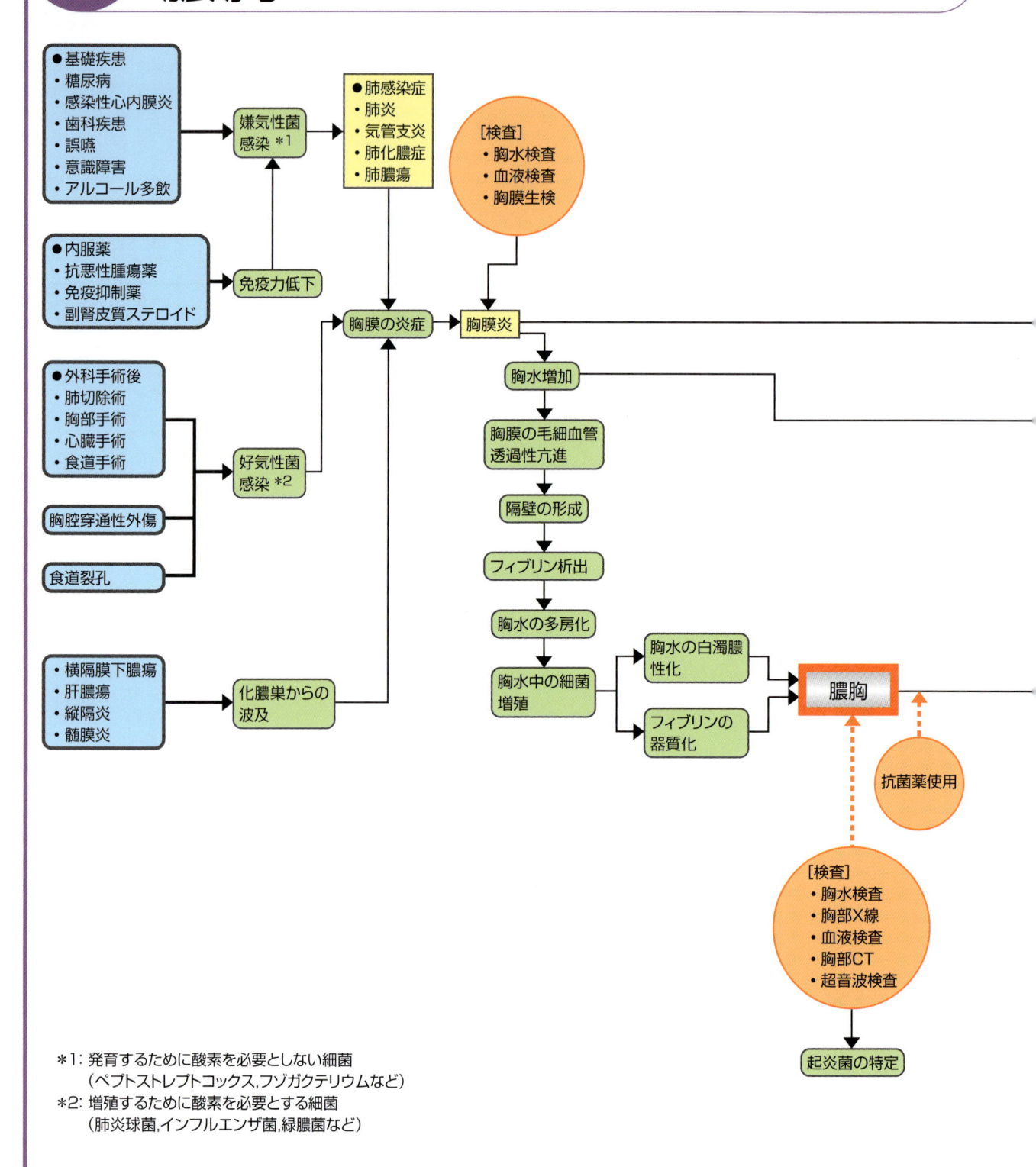

第Ⅱ部　疾患別看護ケア関連図　3．胸膜疾患

11 膿胸

```
●基礎疾患
・糖尿病
・感染性心内膜炎    →  嫌気性菌     →  ●肺感染症
・歯科疾患             感染＊1          ・肺炎
・誤嚥                                  ・気管支炎
・意識障害                               ・肺化膿症
・アルコール多飲                         ・肺膿瘍

●内服薬
・抗悪性腫瘍薬       →  免疫力低下
・免疫抑制薬
・副腎皮質ステロイド

                                                  ［検査］
                                                  ・胸水検査
                                                  ・血液検査
                                                  ・胸膜生検

                           →  胸膜の炎症  →  胸膜炎

●外科手術後
・肺切除術
・胸部手術              好気性菌
・心臓手術       →     感染＊2
・食道手術

胸腔穿通性外傷

食道裂孔

                                         胸水増加
                                            ↓
                                      胸膜の毛細血管
                                        透過性亢進
                                            ↓
                                         隔壁の形成
                                            ↓
                                        フィブリン析出
                                            ↓
                                        胸水の多房化
                                            ↓
・横隔膜下膿瘍                           胸水中の細菌   →  胸水の白濁膿性化
・肝膿瘍         →   化膿巣からの        増殖              →  フィブリンの器質化
・縦隔炎              波及                                                  →  膿胸
・髄膜炎

                                                                        抗菌薬使用

                                                                        ［検査］
                                                                        ・胸水検査
                                                                        ・胸部X線
                                                                        ・血液検査
                                                                        ・胸部CT
                                                                        ・超音波検査
                                                                            ↓
                                                                        起炎菌の特定
```

＊1：発育するために酸素を必要としない細菌
　　（ペプトストレプトコックス，フゾガクテリウムなど）
＊2：増殖するために酸素を必要とする細菌
　　（肺炎球菌，インフルエンザ菌，緑膿菌など）

膿胸から生じる全体像

凡例: 誘因・原因 → 病態生理・状態 → 症状 → 医学的処置 --→ 看護ケア → （疾患）から生じる全体像　　分類,あるいは特殊な部分

- フィブリン膜形成 → ドレナージ不可 ←-- 線維素溶解療法
- ドレナージの適切な管理 --→ 胸腔ドレナージ・排液・洗浄
- 掻爬術
- 合併症
  - 気胸
  - 出血
  - 迷走神経性ショック
  - 血圧低下
  - 徐脈　など
- 膿性胸水貯留 → 胸膜の肥厚・線維化 → 肺の拡張障害（拘束性換気障害）
- 外科的治療
  - 膿胸嚢の除去
  - 膿胸腔の縮小
- 膿性喀痰
- 解熱鎮痛薬使用 --→ ドレーン挿入による疼痛
- 創痛
- 酸素投与
- 術後管理
- 胸痛 → 咳がしにくい 喀痰出困難 → 痰貯留 → 呼吸困難
- 安楽な体位
- 座位・ファウラー位
- 不安の緩和
- 咳嗽
- ネブライザー
- スクイージング
- 喀痰吸引
- 体位ドレナージ
- 室温・湿度の調整
- 発熱
- 栄養・水分管理
- 安静
- ADL援助
- 喀痰調整薬
- 全身症状・倦怠感・食欲不振 → 脱水 → 痰の粘稠度増強
- 有瘻性膿胸 ←-- 開窓術 ←-- 術後管理
- 細菌・毒素（エンドトキシン）の血液侵入 → 全身的な感染 → 敗血症 → 敗血症性ショック → 多臓器不全

第Ⅱ部　疾患別看護ケア関連図　3．胸膜疾患

11 膿胸

Ⅰ 膿胸が生じる病態生理

1. 膿胸の定義

膿胸とは，胸膜の炎症により**胸腔内に膿性の胸水（滲出液）が貯留した状態**を指す。

2. 膿胸のメカニズム

下記 **1**〜**5** による細菌感染により胸膜に炎症（胸膜炎）が起こり，漿液性胸水が貯留する（**滲出期**）。炎症が遷延化すると，胸膜の毛細血管の透過性亢進によりフィブリン（血液凝固にかかわるタンパク質）が胸腔内に析出し，隔壁が形成され胸水が多房化した状態となる（**線維素膿性期**）。その胸水の中で細菌が増殖し，胸水が白濁膿性を呈する。線維芽細胞が胸膜に滲出し，フィブリンが器質化して胸膜の硬化や肥厚が起こる（**器質化期**）。

滲出期から線維素膿性期までは約2〜14日，線維素膿性期から器質化期までは約3〜4週間を要する[1]。

1 肺感染症由来

肺炎や肺化膿症に続発するものが多い。**肺化膿症**とは，肺の中に細菌が侵入し，そこで増殖して肺組織が壊死に至り，空洞化する。そこに膿がたまり，膿瘍形成を認める病態をいう。

高齢者や糖尿病患者，副腎皮質ステロイドの長期使用者など免疫機能の低下，歯科疾患（齲歯，歯周炎），口腔内が不衛生な状態，アルコール多飲，意識障害などが誘因となる。また，慢性膿胸では結核菌に由来するものも依然多い。

2 外科手術後

胸部手術後の縫合不全により，**気管支瘻**が生じ膿胸となる。また，肺切除後だけでなく，心臓・食道，まれに上腹部手術後にも膿胸が発生することがある。

3 胸腔の穿通性外傷後

外傷により胸腔内との交通ができ，細菌が侵入し胸腔内で細菌が増殖し膿胸に至る。

4 食道穿孔

食道穿孔部より細菌が縦隔に侵入し増殖する。さらに縦隔胸膜炎を起こし膿胸に至る。

5 隣接臓器化膿巣からの波及

横隔膜下膿瘍や肝膿瘍，縦隔炎のように，胸膜と隣接している臓器の炎症が，胸膜に波及し，**胸膜炎**を起こし膿胸に至る。

3. 膿胸の分類と症状

1）分類

1 臨床病期による分類[2]
- **急性膿胸**：発症からおおむね3カ月以内の経過と判断されるもの
- **慢性膿胸**：3カ月以上の経過と判断されるもの

2 病理学的による分類[3,4]
- **滲出期**：毛細血管透過性亢進により，血液中の水の成分やタンパク質が浸み出し胸水が貯留する
- **線維素膿性期**：フィブリンの析出により隔壁が形成され，胸水の多房化が起こる
- **器質化期**：フィブリンが器質化し，胸膜の硬化や肥厚が起こる

3 膿胸腔の範囲による分類
- **全膿胸**：片側肺の完全虚脱（図1）があるもの
- **部分膿胸**：上記以外を部分膿胸という。

図1 肺の完全虚脱・全膿胸

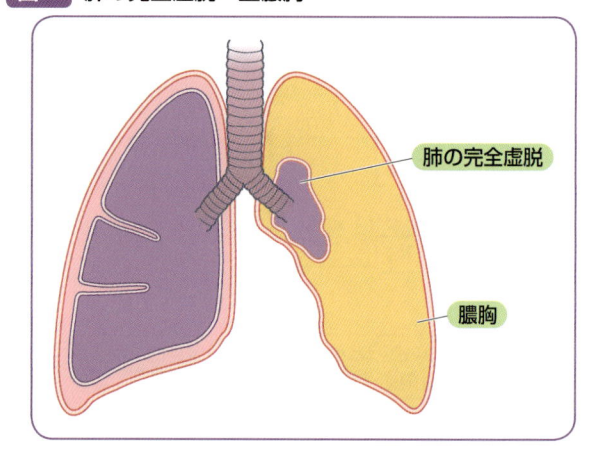

148

4 瘻孔の有無による分類
- 有瘻性膿胸：他臓器との瘻孔があるもの
- 無瘻性膿胸：他臓器との瘻孔がないもの

2）症状

- 発熱
- 咳嗽
- 胸痛：胸膜刺激により出現
- 呼吸困難：胸膜の肥厚，胸水の貯留により肺の膨張が制限されるため
- 膿性痰（鉄錆色・悪臭を伴う）：嫌気性菌が起炎菌のときは悪臭を伴うことが多い
- 全身倦怠感
- 重症化した場合，胸郭の左右非対称，または敗血症を伴い，血圧低下，ショック状態となる

4. 膿胸の診断・検査

1）血液検査

- 白血球上昇（特に好中球）
- C反応性タンパク（CRP）上昇
- 乳酸脱水素酵素（LDH）上昇
- 赤沈亢進

2）胸水検査

胸腔内穿刺を行い胸腔内の胸水を採取し，膿胸の診断を行う。膿胸では肉眼的性状（膿性），悪臭，白血球分画の上昇，細胞数上昇，pHの低下，LDH・総タンパクの上昇，糖の低下がみられることが多い。細菌培養検査では嫌気・好気培養を行い，起炎菌を特定する。真菌性も念頭に置く。

結核性胸膜炎では，アデノシンデアミナーゼ（ADA）が**40U/L以上**となる[5]。ADAは，細胞内で核酸の代謝にかかわるアデノシンを分解する酵素で，結核性胸膜炎を発症すると，胸腔に侵入した結核菌や感作CD$_4$陽性リンパ球がTh$_1$細胞によるアレルギーを引き起こし，ADAが増えるのではないかと考えられている。膿胸では偽陽性になることも多いため注意する。

3）胸部X線検査

急性膿胸では，胸部X線にて，均質な**胸水貯留陰影像**を呈する（図2）。慢性化に伴い，**胸膜の肥厚・癒着**などが起こり，胸部X線陰影像は多彩な像を呈する。

4）胸部CT検査

胸部CT検査は胸部X線検査で膿胸が疑われた場合に行う検査で，膿胸腔の詳細な情報（胸水の位置，性状，肺虚脱の程度など），胸水が1カ所か複数カ所か，フィブリンの存在など胸水の性状，胸膜の肥厚などを確認する。同時に原因疾患が診断できることも多い[1]。

5）超音波検査（エコー検査）

胸水の存在診断の他に，病期をある程度推定できる。

図2 胸部X線陰影像の見方

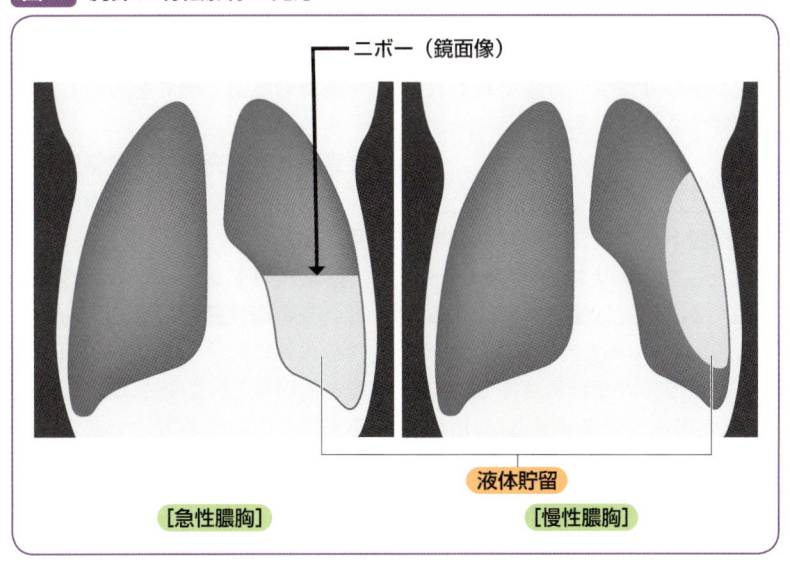

ニボー（鏡面像）

液体貯留

［急性膿胸］　　［慢性膿胸］

滲出期は，漿液性胸水であるため均質な低エコー域として描出される。線維素膿性期以降では，フィブリン膜や隔壁が描出され，胸膜の肥厚も確認できる。フィブリンの存在はCTでは明らかでなくても超音波では確認できることがある。

また，胸腔ドレーン挿入時や手術の前に胸水の存在と胸腔と腹腔の境界を確認し，アプローチする位置の決定にも用いられる[1]。

5. 膿胸の治療

1) 胸腔ドレナージ（→ p153）

抗菌薬により胸水が消退しない，胸水の量が多い，胸水が被包化していない，微生物検査が陽性，膿性胸水，有瘻性膿胸疑いがある場合などに**胸腔ドレナージの適応**となる[6]。病巣部へドレーンを到達させて，**細菌巣・膿性分泌物を体外に排出**させる。また，ドレーンを利用して定期的に**胸腔内洗浄**を行う。特に**急性膿胸**では，発症後早期にドレナージを行うことが必須である。

画像上，フィブリン膜（被包化）があれば十分なドレナージは期待できない可能性が高いので，**フィブリン溶解剤**を併用するか，早期から外科へコンサルテーションし，**外科手術**を検討する。

2) 薬物療法

特定された起炎菌に対して，適切な**抗菌薬**を使用する。起炎菌は，*Viridans streptococci* や *Streptococcus pneumoniae*，嫌気性菌が多く，院内発症の場合は *Staphylococcus aureus* や Gram陰性桿菌（腸内細菌科）が多い[7]。

抗菌薬の治療は，胸水量がかなり減少するまで行われるため，3～4週間以上継続することもある[8]。

3) 線維素（フィブリン）溶解療法

フィブリン膜が形成され**胸腔ドレナージが効かない場合**，**線維素溶解酵素剤を注入し**フィブリン膜を溶解しドレナージを有効にする治療である[9]。急性膿胸に対する線維素溶解療法は効果が報告される一方で，有害事象が増加する可能性もあり，ガイドラインでは推奨度は決定不能とされている[10]。また，国内では薬剤が膿胸治療に対して承認されていないため，適応外使用となる。使用を検討する場合は施設内倫理委員会の審査を受けることがのぞましいとされている[10]。

4) 外科的治療

術式は，急性期と慢性期，瘻孔の有無で選択される。**被膜**（膿性胸水を覆い包む膜）が形成された場合や，慢性的な炎症により**胸膜肥厚**を起こした場合は，肺が完全に膨張しない（**肺拡張障害**）ため，外科的治療を行う。また，感染の遷延化防止のためにも行われる。

1 急性膿胸
- **掻爬術（剥皮術）**

主に**急性膿胸**で行われる術式で，フィブリンが析出し胸腔ドレナージが効かない時期に，胸腔内に形成されたフィブリンによる被膜を剥離・切除し，肺を遊離させ肺の膨張を促す方法である。胸膜が硬化していなければ肺が再膨張し，膿胸腔の閉鎖が期待できる。**胸腔鏡**によるアプローチが一般的である。

2 慢性膿胸

① 膿胸嚢の除去：膿胸嚢摘除術（肺剥皮術，胸膜肺葉切除術，胸膜肺全摘除術）

胸腔ドレナージを施行しても肺が膨張しない**慢性膿胸**に対し行われる。肺剥皮術は**醸膿胸膜**を切除し，肺の再膨張を図る手術である。肺の萎縮や膿瘍化があれば，膿胸嚢とともに肺を切除する**胸膜肺全摘**や**胸膜肺葉切除**が行われる。

② 膿胸腔の縮小：膿胸腔閉鎖術（筋肉充填術，大網充填術，胸郭形成術）

慢性膿胸に対し，肺の拡張を期待せず膿胸腔を縮小・閉鎖させる方法で，下記の術式がある。

- **筋肉充填術**：膿胸腔を充填して縮小する術式で，膿胸腔内に広背筋や前鋸筋などを挿入する
- **大網充填術**：膿胸腔まで大網を挙上させ，必要な部位に癒着させる
- **胸郭形成術**：肋骨を切除し骨性胸郭側から膿胸腔を縮小させる
- **骨膜外空気充填法**：壁側胸膜を骨膜外に剥離して胸膜の外に空気を入れて膿胸腔を縮小する

③ 開窓術

閉鎖式のドレナージでは感染がコントロールできない場合や**有瘻性膿胸**の場合，肋骨を1～2本切除し，胸腔内を体外に開放する。一定期間ガーゼ交換を行って膿胸腔を清浄化し，前述した充填術などを用いて膿胸腔の縮小を図り閉窓する方法である。近年では，開窓術後に**陰圧吸引閉鎖療法**が用いられることもある。

II 膿胸の看護ケアとその根拠

1. 観察ポイント

1) 既往歴の把握

1 呼吸器疾患
- 肺炎や肺膿瘍，肺結核症，肺がん，胸部外傷

2 消化器疾患，腹部感染症
- 食道がん，食道穿孔，肝膿瘍，横隔膜下膿瘍

3 その他の疾患
- 齲歯，歯周病，歯の治療歴，感染性心内膜炎，糖尿病

4 薬物治療
- 副腎皮質ステロイド・抗悪性腫瘍薬・免疫抑制薬などの使用の有無

5 手術歴
- 胸部，肺，心臓，食道の手術歴の有無

6 嚥下障害
- 意識障害・脳血管障害・泥酔など誤嚥が起こり得る状況の有無

2) 身体所見・症状

1 発熱，咳嗽・喀痰
- 炎症による刺激に伴い，咳嗽反射を起こし，発熱を有する
- 肺感染症由来であれば，湿性咳嗽，喀痰を伴う
- 痰の色や性状：鉄錆色（肺炎球菌），緑色（緑膿菌），悪臭（嫌気性菌）

2 息切れ，呼吸困難
- 膿性胸水・胸膜肥厚により，肺の伸展性が減少する（拘束性換気障害）ため，浅い呼吸がみられる

3 胸痛
- 胸膜炎の該当する領域に限局した痛みが生じる

4 食欲不振，体重減少
- 発熱や疼痛により，体力の消耗や食欲不振を伴う

3) 治療

1 胸腔ドレーン挿入中 （コラム「胸腔ドレナージ」参照）
- 排液量，排液の性状，色調の変化
- 呼吸困難の有無，呼吸時の痛みの有無
- 呼吸性変動・空気漏れ（エアリーク）・皮下気腫の有無
- ドレーン挿入部の痛みの有無と程度
- ドレーン挿入部周囲のスキントラブルの有無と程度
- ドレーンの固定状況
- ADLの状況

2 外科的治療後
- 創の状態
- 感染徴候（創周囲の発赤・腫脹・熱感）の有無
- ガーゼ汚染の有無・量・性状
- 創痛の有無・程度
- ADLの状況

2. 看護の目標

1. 咳嗽，呼吸困難，胸痛，発熱などの症状が軽減し安楽に過ごすことができる
2. 胸腔ドレナージや開窓術の際に二次感染を起こさない
3. 敗血症性ショックを起こさない
4. 胸腔ドレナージ中は，ドレーンの抜去を起こさない

3. 看護ケアのポイント

1) 排痰ケア

1 室温・湿度の調整

痰の90％は水分であり，体内の水分量が低下すると痰の粘性が増す。さらに気道が乾燥すると線毛運動が阻害され痰の喀出が困難となるため，**室温湿度を調整する**。

- 一般的な温度湿度
  - 温度：夏季25～27度，冬季20～22度
  - 湿度：夏季45～65％，冬季40～60％

2 ネブライザーの使用

3 喀痰調整薬の使用

4 体位ドレナージ

開始前後は，呼吸状態・顔色・チアノーゼ・脈拍など状態変化が起こりやすいため，患者の表情やSpO_2，脈拍などのモニタリングを行いながら実施する。

5 喀痰吸引

自己で痰の喀出ができない場合は，喀痰吸引を行う。

2) 安静・水分栄養管理

1 十分な水分補給

発熱・発汗などにより脱水になりやすい。また，脱水により痰も粘稠となり喀出が困難となる。

2 栄養管理

病状の悪化・回復に影響を与えるため，低栄養を避ける。

3 安静の保持

安静により体力の消耗を最小限にする。

3）苦痛・息切れの緩和

1 座位・ファウラー位など安楽な体位の工夫
2 医師の指示にもとづき酸素を投与する
3 発熱時の解熱・悪寒時の保温
4 疼痛コントロール

急性膿胸では**胸痛**を伴うことがあり，深呼吸や咳のとき以外にも，常に痛む場合がある。問診で痛みの部位，痛みが起きる際の状況や持続時間を聴取し，痛みの程度については**フェイススケール**や visual analogue scale（VAS）を用いアセスメントし，安楽な体位の工夫や鎮痛薬を使用する。

心理的な支援として患者の訴えに耳を傾け，患者の思いを確認し，患者にやさしく触れ，痛みを理解していることを伝え，安心感を与える。

4）日常生活援助

- 口腔内の環境が不良な患者では，口腔内の観察と口腔ケアを行う
- 患者の病状・ADLにあわせ，清潔・移動・食事・排泄などの援助を行う

5）胸腔ドレナージ中の看護

コラム「胸腔ドレナージ」（→p153）参照。

6）外科的治療後の看護

㉓胸部手術療法における周術期の看護（→p308）参照。

[小林千穂]

[文献]

1) 出口博之, 谷田達男：膿胸. 北村諭・他編, 別冊・医学のあゆみ 呼吸器疾患 Ver 6, p335, 医歯薬出版, 2013.
2) 日本結核病学会治療委員会：結核性膿胸の取扱いに関する見解. 結核 50(7)：215-219, 1975.
3) Hamm H, Light RW: Parapneumonic effusion and empyema. Eur Respir J 10(5): 1150-1156, 1997.
4) Shen KR, et al: The American Association for Thoracic Surgery consensus guidelines for the management of empyema. J Thorac Cardiovasc Surg 153(6): e129-e146. 2017.
5) 日本結核病学会編：結核診療ガイド. p40, 南江堂, 2018.
6) 前掲1, p336.
7) Bedawi EO, et al: ERS/ESTS statement on the management of pleural infection in adults. Eur Respir J 61(2): 2201062, 2023.
8) 倉原優：ポケット呼吸器診療 2023. p61, シーニュ, 2023.
9) 前掲1, p337.
10) 日本呼吸器外科学会：膿胸治療ガイドライン. http://www.jacsurg.gr.jp/committee/guideline_em.pdf（2025年4月3日閲覧）

Column 胸腔ドレナージ

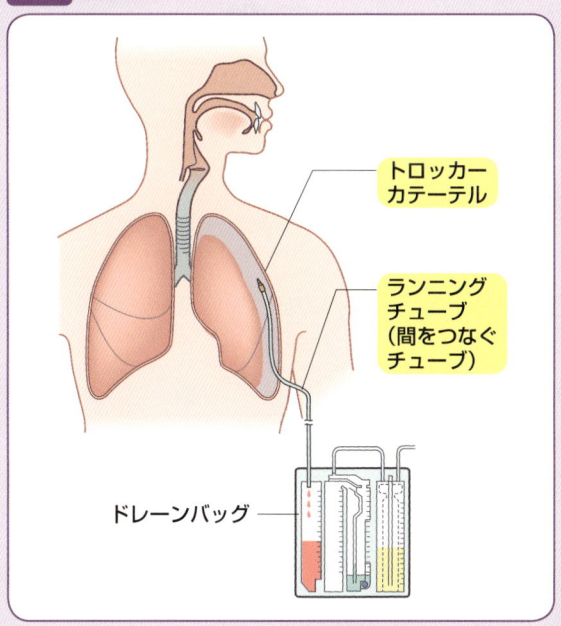

1. 胸腔ドレナージとは

　胸腔は，胸郭と呼ばれる骨格と横隔膜で形成されており，胸腔内は**陰圧**に保たれている。肺を覆う臓側胸膜と肋骨の内側を覆う壁側胸膜の間が**胸膜腔**であり，少量の胸水により摩擦が軽減されている。疾患や外傷，または手術操作などにより，胸腔内に空気や液体が貯留すると，肺の膨張が妨げられ，十分な換気ができなくなる。このようなときに，胸腔内に**トロッカーカテーテル**という**ドレーン**を挿入し，貯留した空気や液体，膿などを排出することを胸腔ドレナージ（図1）という。ドレナージの方法として，胸腔内が一定以上の陽圧となると排出される**水封式脱気**と，持続的に胸腔内を一定の圧に保つ**低圧持続吸引**がある。

2. 適応と禁忌

1 適応
- 胸腔内気体貯留（外傷性気胸，特発性気胸など）
- 胸腔内液体貯留（外傷性血胸，胸水貯留，膿瘍貯留，乳び胸，外科開胸手術後の液体貯留など）

2 禁忌

　絶対的禁忌はないが，**抗血小板・抗凝固薬などを内服中やDICなどによる凝固障害・血小板減少，広範な胸膜の癒着がある場合**は相対的禁忌となる。PT（プロトロンビン時間），APTT（活性化部分トロンボプラスチン時間）が正常の**2倍以内**，血小板**5〜10万/μL以上**が目安とされている[1]。

3. 胸腔ドレーンの挿入

1 胸腔ドレナージの方法

① 水封式脱気

　胸腔内の空気を排除するのに，一定以上の陽圧となると**脱気**できるように水位で吸引圧を調整するものや**ハイムリッヒバルブ**と呼ばれる**逆流防止弁**がついたものを使用する。

② 低圧持続吸引器（図2）

　胸腔内は陰圧に保たれているため，胸腔内に管を挿入しただけでは，逆に空気が入り込んでしまう。そのため，**胸腔内を一定の圧に保ちながら排液を促す必要があり**，低圧持続吸引器を使用する。機器に

図1 胸腔ドレナージ

- トロッカーカテーテル
- ランニングチューブ（間をつなぐチューブ）
- ドレーンバッグ

図2 低圧持続吸引器

水封された専用の**ドレナージバッグ**を接続し，持続吸引することで脱気や排液を促す．

❸**ドレーンチューブのサイズと留置部位**
　胸腔ドレーンは，目的により，**表1**，**図3**を目安にドレーンの太さやドレーン先端の目標位置を考

表1　目的別ドレーンのサイズと挿入部位の目安

目的	ドレーンの太さ	挿入部位	ドレーン先端
脱気 （気胸）	・16〜24Fr ・サイズの小さいドレーンを用いる	・空気は胸腔内の上部に貯留するため，中腋窩線上の第2肋間か第3肋間から挿入する	肺尖部の前胸壁側
排液 （胸水，血液，膿瘍など）	・20〜40Fr ・血液は凝固してドレーンが閉塞する恐れがあるためサイズの大きいドレーンを用いる	・体液は胸腔内の最下部に貯留するため，中腋窩線上の第5肋間か第6肋間から挿入する	背側

（三野健：胸腔ドレナージ．甲田栄一・他監，三野健・他編，呼吸器疾患 疾患の理解と看護計画，pp93-94，学研メディカル秀潤社，2013／山川幸枝：胸腔ドレナージ．石原英樹・他編，呼吸器看護マニュアル，pp244-248，中山書店，2014．を参考に筆者作成）

図3　胸腔ドレナージ

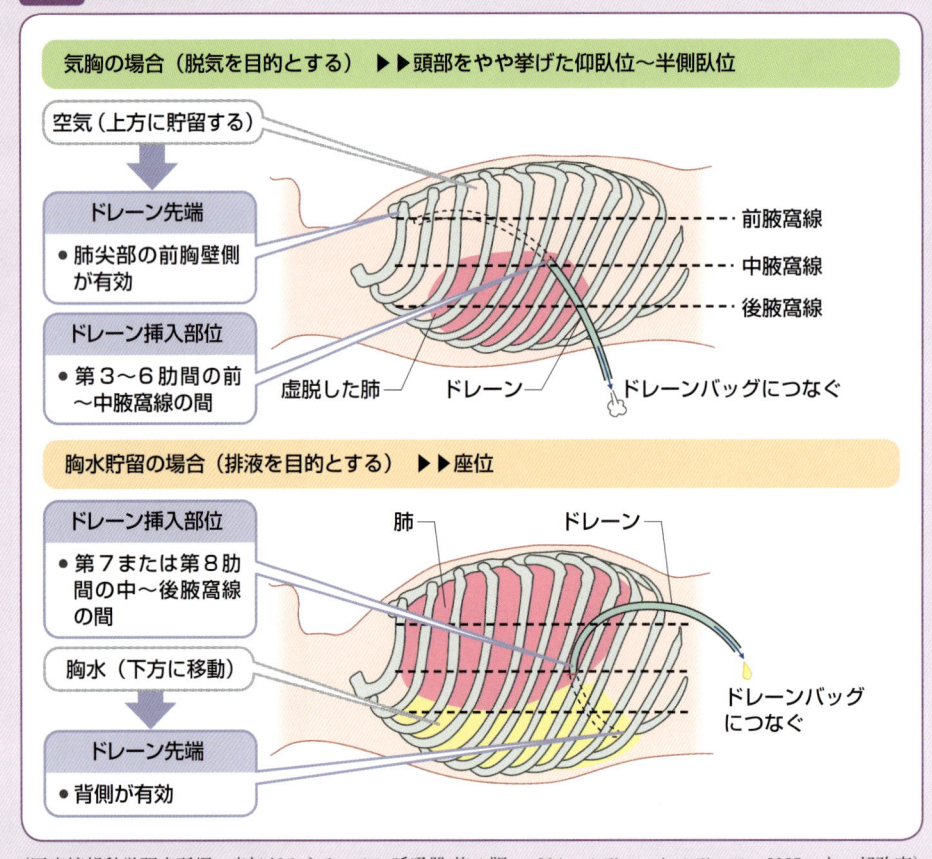

気胸の場合（脱気を目的とする）　▶▶頭部をやや挙げた仰臥位〜半側臥位

- 空気（上方に貯留する）
- ドレーン先端
  ・肺尖部の前胸壁側が有効
- ドレーン挿入部位
  ・第3〜6肋間の前〜中腋窩線の間

前腋窩線／中腋窩線／後腋窩線
虚脱した肺　ドレーン　ドレーンバッグにつなぐ

胸水貯留の場合（排液を目的とする）　▶▶座位

- ドレーン挿入部位
  ・第7または第8肋間の中〜後腋窩線の間
- 胸水（下方に移動）
- ドレーン先端
  ・背側が有効

肺　ドレーン　ドレーンバッグにつなぐ

（医療情報科学研究所編：病気がみえる vol4 呼吸器 第4版．p304，メディックメディア，2025．を一部改変）

慮して挿入される。**トロッカーカテーテル**は，気胸や血胸などの場合，基本的にシングルルーメンを用いるが，膿胸やがん性胸膜炎などで，胸腔内に薬液を注入する必要がある場合は，側管から薬液を注入できるダブルルーメンを使用することもある。

重力の関係上，空気は胸腔内の上方に，液体は下方に貯留しやすい。そのため，**ドレーン先端を脱気**を目的とする場合は**肺尖部**，排液を目的とする場合は**背側**に留置する。また，血気胸など両者を目的とする場合は，**背側の肺尖部近傍に追加挿入**とする場合もある。

2 トロッカーカテーテルを用いた胸腔ドレナージ挿入手順

❶体位を整える
空気を抜くときは頭部をやや挙げた**仰臥位～半側臥位**，胸水を抜くときは座位をとる。

❷刺入部の確認
超音波検査にて事前に胸水量を推定し，穿刺部位を確認して，気胸や臓器の損傷の予防を図る[2]。

❸皮膚切開
無菌操作により，皮膚，皮下組織，肋骨骨膜，壁側胸膜に局所麻酔が行われる。メス刀で切開し，肋間の軟部組織から胸膜まで鉗子で広げ，鉗子で胸膜を鈍的に破り，胸腔内に貫通させる。

❹胸腔ドレーンの挿入
胸壁トンネル内にドレーンを挿入し，トロッカーカテーテルを胸腔ドレーン排液バッグに接続し，水封室の水面に呼吸に伴う変動（呼吸性移動）があるかを確認する。変動があれば，ドレーンが胸腔内にある目安となる。また，胸腔にドレーンが挿入されると，呼気時にチューブ内が水滴で曇るのが認められる。

❺位置の確認
胸部X線検査でドレーンの位置を確認する。

❻胸腔ドレーンの固定
適切な位置に挿入されていることが確認された後，胸腔ドレーン挿入部を縫合糸で固定し，伸縮性のあるテープで，チューブをしっかりと固定する。テープは，皮膚に緊張がかからないように2カ所以上で固定する。

3 胸腔ドレーン挿入前・挿入時の看護

❶観察項目
胸部X線写真，意識レベル，血圧，脈拍，呼吸状態，SpO_2，顔色，抗凝固薬内服や出血傾向の有無，消毒や局所麻酔薬アレルギーの有無，ドレーン挿入の必要性と目的，合併症についての患者の理解の程度と同意の有無

❷看護
- 処置の目的や内容について患者の理解度を確認し，処置中やドレーン挿入中の体動制限に協力が得られるように**説明**を行う
- 胸腔ドレナージに必要な**物品を準備**する。ショック時の対応のために，心電図モニターを装着し，救急カートを準備しておく
- 医師の指示した**体位**を患者にとってもらう
- 挿入する際は**無菌操作**で行う
- 挿入側上肢を頭側へ挙上し，肋間を広げる。患者の羞恥心に配慮して，清潔操作が行える十分かつ必要最低限の露出とし，ほかの部分はバスタオルなどで覆う
- **体位保持**のため枕やクッションを使用し，処置中の体動を予防し，安楽に過ごせるよう努める
- 挿入時には痛みや呼吸困難，気分不良があれば知らせるように説明すると同時に，患者の表情や呼吸と循環のモニタリングを行う

4. 胸腔ドレーン挿入中の管理

1 吸引圧の設定
吸引圧は，一般的に－5～－15 hPa（cmH_2O）に設定する。急激な大量の脱気や胸水などにより，虚脱していた肺の再膨張が一気に起こり，肺血流の再灌流および血管透過性亢進が生じた結果，**再膨張性の肺水腫**（→p161）を引き起こすことがある。虚脱時間が長く，虚脱が大きいほど発生しやすく，肺毛細血管から肺胞へ血液成分の漏出が起こることで，多量の**泡沫状血性痰**を認め，水泡音や喘鳴を聴取することが多い。そのため，500～1,500mL/

日を目安に徐々に**排液**し、排液が多いときには吸引圧をかけずに水封で自然排液を促すこともある。

2 吸引の状態の確認
❶呼吸性移動
正常に吸引できている場合は、低圧持続吸引器の水封部分の水位（図4）やチューブ内にある液体が呼吸にあわせて動くことで**呼吸性移動**を確認する。通常では、吸気時に水封室細管の水位が上昇（患者側へ）し、呼気時に下降（外界側）するが、人工呼吸器による陽圧換気の場合は逆となる。

呼吸性移動がみられない場合は、ドレーンの位置異常や閉塞・屈曲の可能性がある。肺が十分に拡張し、排液が減少すると呼吸性移動が消失することもある。

❷エアリーク（空気漏れ）
エアリークは、何らかの原因により空気が漏れることで、脱気や排液ができなくなり、ドレナージ不良となる。エアリークは、低圧持続吸引器の水封部分に**気泡**を生じる、または、チューブ内の排液面が呼吸性移動とは異なる大きな移動を生じることで発見する。エアリークの主な原因としては、❶肺から胸腔内への空気漏れ、❷ドレーンの接続不良、❸刺入部からの空気の吸い込みの可能性が考えられる。

> **図4　水封室の水位**
>
> ［水封室の写真］
> 水封室

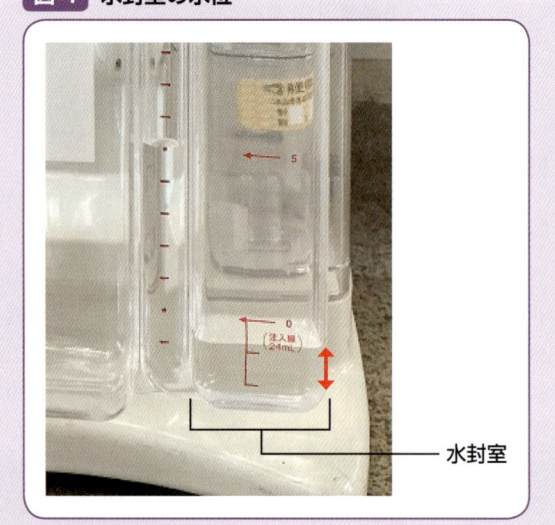

エアリークが、どのようなとき（安静時・体動時・吸気・呼気のタイミングなど）に、どの程度認めるか、**皮下気腫**の有無もあわせて観察を行う。ドレーンの接続部より挿入部に近い部分を鉗子でクランプし、エアリークが認められるときは**ドレーンの接続不良や破損**の可能性が高く、消失する場合は、**刺入部からの空気の吸い込み**、患者側の問題の可能性が高い。

❸安全対策
- 刺入部やドレーンからの**感染を防止**するため、**ドレッシング**を行い刺入部の状態を観察する
- ドレーンの動揺により**疼痛**が起こったり、**計画外抜去**が起こったりする可能性があるため、固定状態を確認する
- **皮膚トラブル予防**のため、適宜テープの貼り替えと皮膚の観察を行う。その際はチューブが深まったり、抜けがないかを確認する
- トラブルに備え、低圧持続吸引器に**ドレーン鉗子**（2本）をセットしておく
- 使用の際は電源コードを挿して使用し、患者の移動前は機器が停止しないようバッテリーの状態を確認する
- 充電状態の確認をし、電源コードができるだけ患者の日常生活の妨げにならないように工夫する

3 合併症と対処について
❶胸腔・腹腔内臓器損傷
肺の損傷は、適切にドレナージできていれば**自然軽快**することが多いが、心大血管損傷を起こすこともあり、**心タンポナーデ**や**大量血胸**などの致死的病態となることがある。損傷が疑われる場合は、外科へのコンサルテーションが必要である。

❷ドレナージ不良
チューブの位置異常、凝血などにより**チューブ内が閉塞**するとドレナージ不良となる。固定位置の調整や体位変換などで対応する。また、ドレーンが皮下へ誤挿入されたり、ドレーンチューブの先端の位置が浅くなることにより**皮下気腫**が起こるため、疑った場合は画像検査による確認が行われる。

❸再膨張性肺水腫

高度の気胸がある場合や急速な排液などにより，肺の再膨張により肺毛細血管から肺胞へ血液成分の漏出が起こることで**肺水腫**となる（→p161）。再膨張性肺水腫の予防のため，胸水は一気に抜かず1回に500～1000mLほどで一時クランプし，その後も徐々に排液を行う。1回の排液量が1500mL以上とならないよう注意する[3]。肺水腫による低酸素症や強い呼吸困難がある場合は，人工呼吸管理を行う必要がある。

5. 胸腔ドレーン挿入中の看護

1 観察項目

- **呼吸状態**：呼吸回数，呼吸パターン，呼吸困難の有無，呼吸音，SpO_2
- **循環動態**：血圧，脈拍
- **疼痛の有無**（意識レベル）
- **ドレーン管理**：排液の色・性状，エアリークの有無と程度，呼吸性移動の有無，吸引圧，ドレーンの屈曲・捻転・閉塞の有無，ドレーンの固定状態，皮下気腫の有無と程度，胸部X線での胸腔内のエア（肺虚脱）の程度，貯留液の量
- **感染徴候の有無**：ドレーン挿入部の発赤・腫脹・排膿の有無，排液の性状，発熱，採血データ（白血球数/CRPの上昇の有無）

2 看護

- 胸腔ドレーン挿入中は，有効なドレナージが安全に行えることを目標とし，ドレーン挿入部や排液の観察と管理を行う
- 刺入部やドレーンが胸壁などに触れると**強い疼痛**や**呼吸困難**が生じる可能性が高い。そのため，患者の苦痛の程度や呼吸状態を十分観察し，非ステロイド性炎症薬（NSAIDs）などで**鎮痛**を図り，痛みを我慢しないように説明する
- 胸腔ドレーンや低圧持続吸引器の不適切な使用により，**肺虚脱**や**感染**などを起こすこともあるため，使用時には定期的に**保安点検**を行う
- 患者には胸腔ドレーンの継続挿入の目的，必要性，管理上の注意事項を説明し，危険のないよう療養してもらう必要がある。その際は，ドレナージを行うことにより，患者の日常生活が制限されることを念頭におき，**清潔**など日常生活で必要な援助や**環境整備**を行う

6. 胸腔ドレーンの抜去基準

一般的に，①胸部X線上，肺の膨張が良好，②エアリークがない，③排液量が少ない（100mL以下/日）ことを目安にドレーンの抜去を考慮する。

抜去前，**クランプテスト**（コッヘルでドレーンを2カ所ほどはさみ，チューブ内の交通を遮断してから12～24時間後，胸部X線検査を行い，肺の虚脱がないことを確認する）を行うことが多い。

［西村将吾］

[引用文献]
1) 新井正康：胸腔穿刺・胸腔ドレナージ法. 救急・集中治療 31(2)：485, 2019.
2) Kvale PA, et al: Palliative care in lung cancer: ACCP evidence-based clinical practice guidelines (2nd edition). Chest 132 (Suppl 3)：368S-403S, 2007.
3) Ault MJ, et al: Thoracentesis outcomes: a 12-year experience. Thorax 70(2): 127-132, 2015.

[参考文献]
- 日本救急医学会監, 日本救急医学会指導医・専門医制度委員会・他編：救急診療指針, 改訂第5版. へるす出版, 2018.
- 3学会合同呼吸療法認定士認定委員会：第28回3学会合同呼吸療法認定士 認定講習会テキスト. 2023.

第Ⅱ部 疾患別看護ケア関連図 4．呼吸不全と呼吸調整障害

12 肺水腫

[検査]
- 胸部X線
  - 蝶形陰影
  - 胸水貯留
  - 心拡大
- 心エコー
  - 左心不全の所見
- 血液検査
  - BNP値上昇
  - CK-MBトロポニンなど心筋マーカーの上昇

心原性肺水腫

- 心筋梗塞，大動脈弁閉鎖不全などによる急性左心不全
- 心電図異常・拡張早期性ギャロップ（Ⅲ音）
- 左心拍出量の減少
- 左房圧上昇
- 肺静脈圧の上昇
- 肺胞毛細血管圧の上昇
- 間質液の増加
- 肺うっ血

非心原性肺水腫

- ・神経原性肺水腫
  ・脳血管疾患 → 交感神経活動亢進による末梢血管収縮
- ・低アルブミン血症
  ・過剰な輸液負荷 → 血漿膠質浸透圧の低下
- ・胸腔穿刺による胸水の急速脱水後 → 間質液圧が急に下がる
- ・がん性リンパ管症
  ・縦隔腫瘍 → リンパ管の間質液再吸収の低下
- サイトカイン放出により肺胞や間質に炎症が起こる → 肺胞毛細血管壁と肺胞壁の透過性亢進

- ●肺へ直接的障害
  ・胃内容物の誤嚥
  ・細菌性肺炎
  ・吸入性肺炎など
- ●肺へ間接的障害
  ・敗血症
  ・多発外傷
  ・大量輸液
  ・大量輸血など

→ 間質液の増加 → 肺うっ血

- 胸部X線
  - 両側びまん性浸潤影
  - 心拡大なし
- 心エコー検査
  - 右心負荷の所見
- 血液検査
  - WBC，CRPの高値

肺水腫

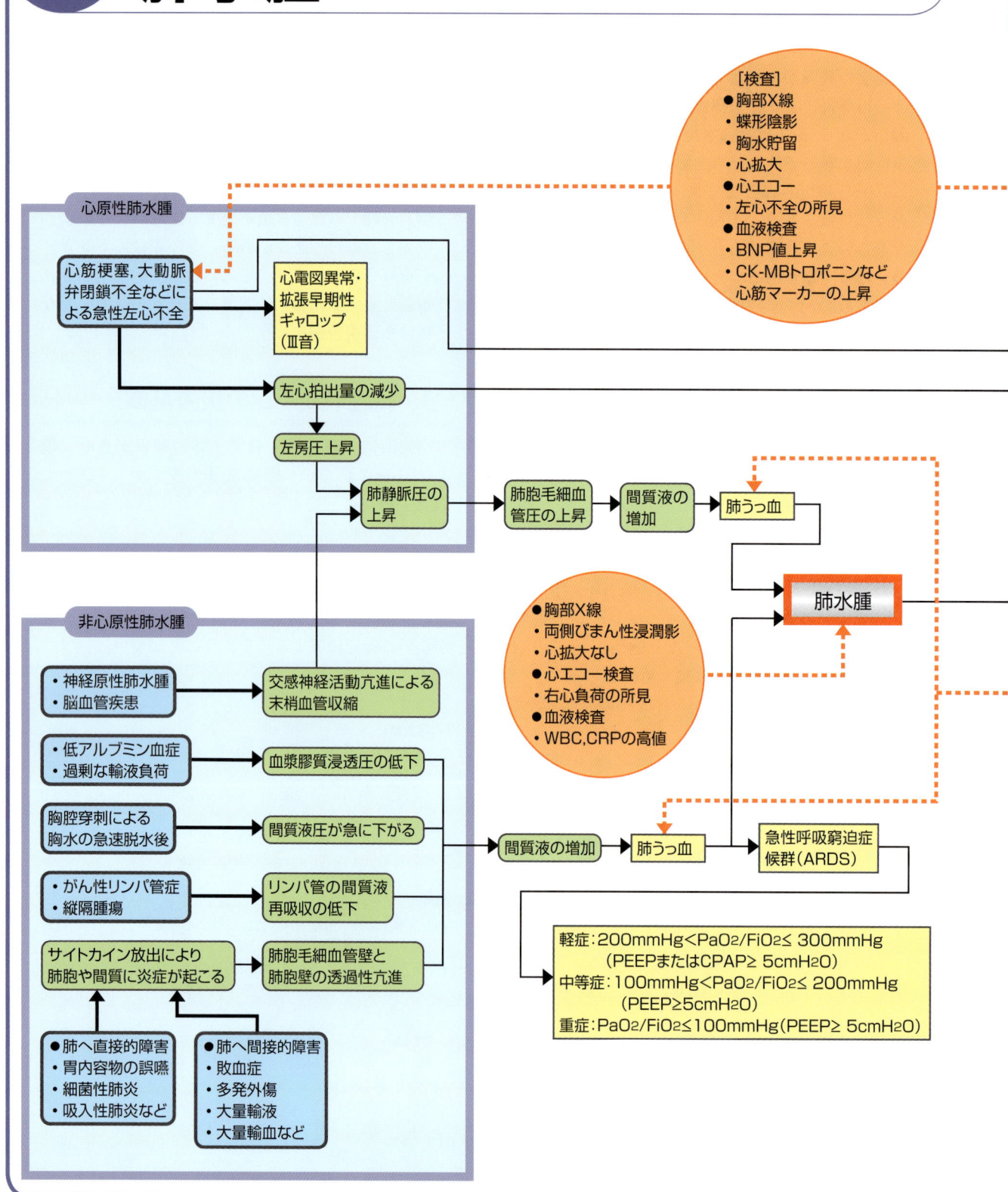

急性呼吸窮迫症候群（ARDS）

軽症：200mmHg＜PaO2/FiO2 ≤ 300mmHg
　　　（PEEPまたはCPAP≥ 5cmH2O）
中等症：100mmHg＜PaO2/FiO2 ≤ 200mmHg
　　　（PEEP≥5cmH2O）
重症：PaO2/FiO2≤100mmHg（PEEP≥ 5cmH2O）

肺水腫から生じる全体像

凡例:
- 誘因・原因
- 病態生理・状態
- 症状
- 医学的処置
- 看護ケア
- (疾患)から生じる全体像
- 分類、あるいは特殊な部分

症状・状態

- 上半身挙上
- セミファウラー位

胸痛／胸部圧迫感／悪心・嘔吐 ← モルヒネ・鎮痛薬

- 安楽な体位
- 転落予防
- 環境調整

息苦しさ／頻呼吸／起座呼吸／努力呼吸

不安／恐怖感 ← 不安の緩和・苦痛緩和

低酸素血症

[検査]
- パルスオキシメーター
- 動脈血液ガス分析

- 酸素投与
- NPPV

- 利尿薬
- 輸液制限
- 血管拡張薬

間質性肺水腫（水泡音の聴取）→ 肺胞壁が壊れ、肺胞内、気管内へ間質液や血球が漏出する

→ ピンク色泡沫状痰 → 喘鳴／湿性咳嗽／喀痰出困難

→ 肺胞性肺水腫 → 換気不全

→ 呼吸困難／顔面蒼白／四肢冷感／チアノーゼ → 不穏

高二酸化炭素血症 ← 鎮静薬

- 血圧低下
- 尿量減少

→ ショック状態 → 意識障害

● 血液浄化
- 持続的血液濾過透析（CHDF）
- 体外限外濾過法（ECUM）

- 強心薬
- 昇圧薬

- 与薬ライン安全管理
- 正確な与薬

● 補助循環
- 大動脈内バルーンパンピング（IABP）
- 経皮的心肺補助装置（PCPS）

- 呼吸管理
- ME機器類モニタリング
- ルート類固定
- 安全管理

- 気管挿管
- 人工呼吸器

第Ⅱ部 疾患別看護ケア関連図　4．呼吸不全と呼吸調整障害
⓬肺水腫

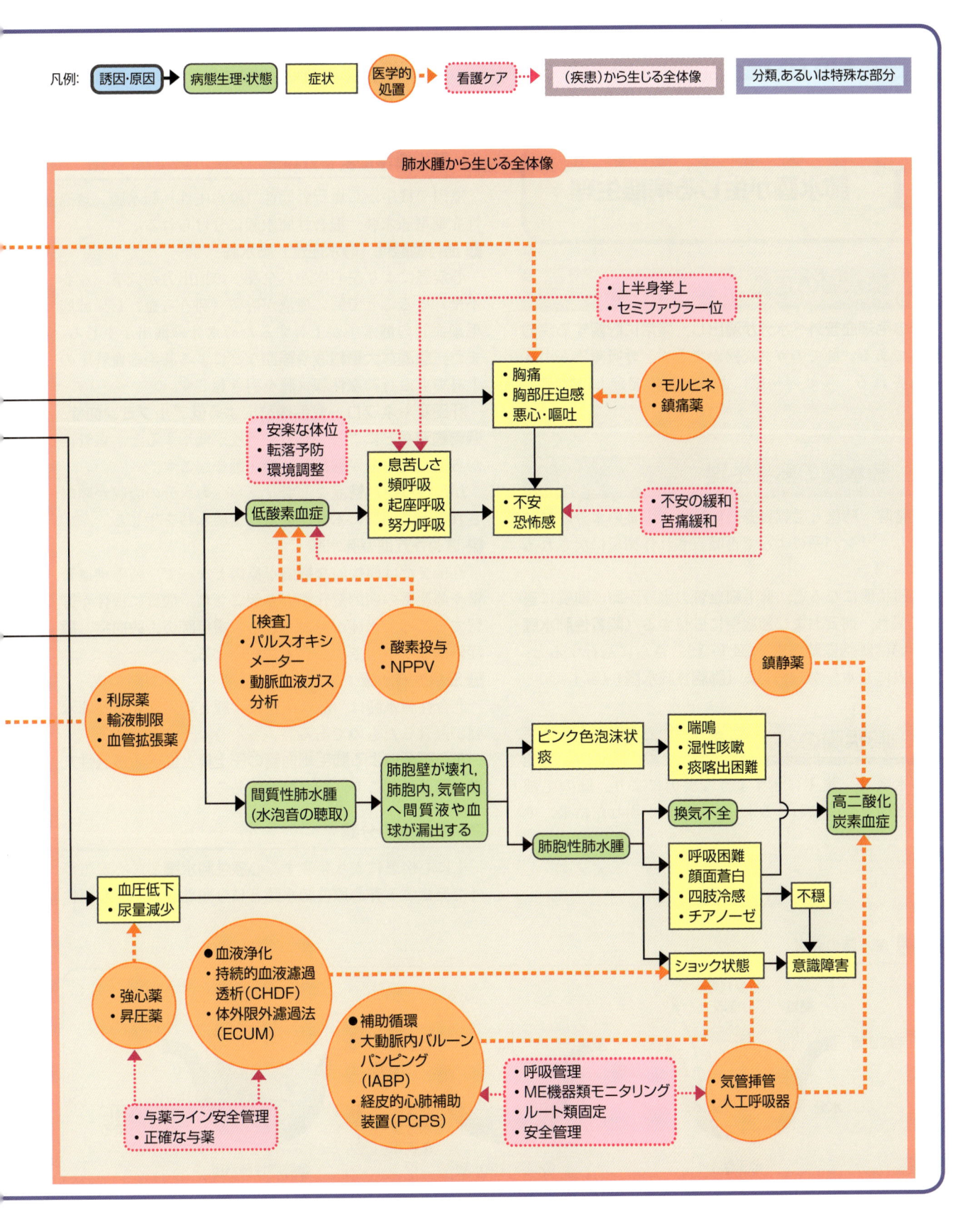

第Ⅱ部　疾患別看護ケア関連図　4．呼吸不全と呼吸調整障害

12 肺水腫

Ⅰ 肺水腫が生じる病態生理

1. 肺水腫の定義

肺の毛細血管外へ水分が漏出し，異常に貯留する病的状態である。肺でのガス交換ができず，呼吸障害が引き起こされる。多岐の病態により急激に発症し，増悪する。

2. 肺水腫の解剖生理

正常時，肺胞と毛細血管の間には，少量の水分がにじみ出し，リンパ系によって再吸収され体循環に戻される（図1-①）。

病的状態になると，肺毛細血管の水分が肺の間質に過剰に漏れ，間質および肺胞壁に貯留する（**間質性肺水腫あるいは肺胞壁肺水腫**）（図1-②）。さらに進行すると，肺胞内にも水分が貯留する（**肺胞性肺水腫**）（図1-③）。

3. 肺水腫のメカニズム・分類

肺水腫は，表1に示すような要因により，肺の毛細血管と間質の間における水分バランスが崩れた結果，生じる。

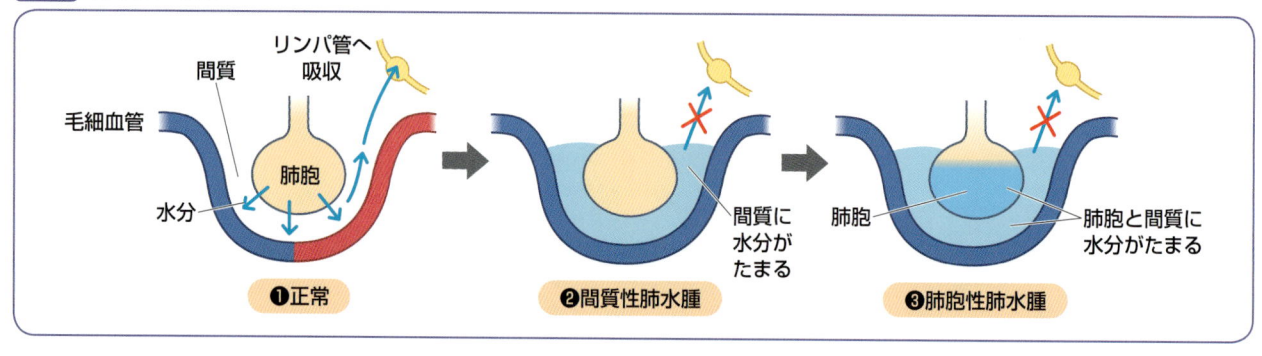

1）発生機序による分類

原因や機序から血行動態性（静水圧性）肺水腫，透過性亢進型肺水腫，混合性肺水腫に分けられる。

1 血行動態性（静水圧性）肺水腫

心疾患により左心室から全身への拍出力が低下（左心不全）することで肺に血液が貯留（肺うっ血）し，肺胞毛細血管の静水圧が上昇するため水分の漏出が生じる。また，急激な**大量輸液や輸血**などによる肺毛細血管圧の上昇でも血行動態性肺水腫を引き起こす。

肝硬変や**ネフローゼ症候群による低アルブミン血症**，**過剰輸液**などによって膠質浸透圧が低下すると，血管内から間質へ水分が漏出し，肺水腫を起こす。

がん性リンパ管症などでリンパへの水分の吸収が障害されると，間質に水分が貯留して肺水腫を生じる。

2 透過性亢進型肺水腫

直接または間接的な**損傷**が原因となって，肺毛細血管壁や肺胞壁の病的変化が引き起こされ，間質に液体が貯留することで水腫が形成される。**重症肺炎，敗血症，重症外傷**などさまざまな疾患に続発する。

3 混合性肺水腫

混合性肺水腫は，静水圧性肺水腫と透過性亢進型肺水腫が混合したものである。

左心不全による肺毛細血管の圧上昇と血管の透過性亢進が同時に起こり，肺水腫が生じる。

2）その他の分類

主に心疾患により発症する**心原性肺水腫**と，心疾患以外で発症する**非心原性肺水腫**とに分類される。非心原性

図1　肺水腫の病態

毛細血管／間質／リンパ管へ吸収／肺胞／水分
❶正常

間質に水分がたまる
❷間質性肺水腫

肺胞／肺胞と間質に水分がたまる
❸肺胞性肺水腫

表1 肺水腫の発生機序による分類

	肺水腫の要因	疾患例
血行動態性（静水圧性）肺水腫	肺毛細血管圧の上昇	急性心筋梗塞，大動脈弁疾患による急性心不全など（心原性肺水腫）
	血漿膠質浸透圧の低下	低アルブミン血症，過剰な輸液負荷など
	肺リンパ系の機能不全	がん性リンパ管症，縦隔腫瘍など
透過性亢進型肺水腫	肺毛細血管壁と肺胞壁の透過性亢進	ARDSなど
混合性肺水腫	肺毛細血管圧上昇，血管透過性の亢進	頭部外傷，てんかん発作後，褐色細胞腫，再膨張性肺水腫など

＊心原性肺水腫以外は，非心原性肺水腫

肺水腫は，急性呼吸窮迫症候群（ARDS）によるものが大半を占める。しかし，ARDSの20％に左心不全を合併すると考えられており，完全に分離して評価できないこともある（→⓭急性呼吸窮迫症候群（ARDS）参照）。

非心原性肺水腫には**再膨張性肺水腫**があり，これは虚脱していた肺を急速に再膨張させた際に，肺に急激に水分がたまって発症する。胸水貯留や気胸の治療後に発生しやすいのが特徴である。

4. 肺水腫の症状

主な症状として，**低酸素を起因とする呼吸困難**があげられる。呼吸困難が極めて高度になると，**起座呼吸・努力呼吸・過呼吸**となり，喘鳴，咳嗽，胸部圧迫感，頻脈がみられ，**不穏状態・意識障害**を引き起こす。

心不全では，仰臥位で静脈環流量が増え，呼吸困難が悪化するため，患者は起座呼吸をとろうとする。一方，ARDSでは，基礎疾患による炎症を反映して発熱を認める場合が多く，労作時呼吸困難から**安静時呼吸困難へ悪化**する。

低酸素の状態が進むと**チアノーゼ**が出現し，**ショック症状（顔面蒼白，虚脱，冷汗，呼吸不全，脈拍触知不能）**をみせる。聴診により肺野で**断続性副雑音**（coarse crackles）が聴取される。また，気道内分泌物は，**ピンク色泡沫状痰（淡血性）**であふれるように多量となり，**喀痰排出困難**となる。

5. 肺水腫の検査・診断

急激に症状が悪化するため，対症療法開始と同時に原因の検査を行う。

1 身体所見

呼吸困難，起座呼吸，喘鳴がみられる。肺野で**断続性副雑音**（coarse crackles）が聴取され，**ピンク色泡沫状痰**が増える。

心原性肺水腫の場合，心不全に伴う頸動脈の怒張のほか，心音で**拡張早期性ギャロップ（Ⅲ音）**が聴取され，経皮的酸素飽和度（SpO$_2$）が低下する。

2 血液ガス分析

間質性肺水腫では，低酸素血症（PaO$_2$低下）がみられ，過呼吸によって二酸化炭素分圧（PaCO$_2$）も低下し，**呼吸性アルカローシス**がみられる。

肺胞性肺水腫に進むと，換気不全による高二酸化炭素血症（PaCO$_2$上昇）が加わり，**呼吸性アシドーシス**が顕著となる。

3 胸部X線画像

心原性肺水腫では，肺門を中心としたうっ血像（**蝶形陰影**）や葉間肥厚像，右優位の胸水貯留，心拡大がみられる。

非心原性肺水腫では，末梢性の両側びまん性浸潤影があり，心拡大はみられない。

4 心臓超音波検査（心エコー検査）

心原性肺水腫では，心室の拡大や左室収縮機能低下などの**左心不全の所見**がある。

非心原性肺水腫では，心室のサイズは正常である。

5 血液検査

心原性肺水腫では，血漿BNP値（脳性ナトリウム利尿ペプチド）の上昇や心筋マーカー上昇がみられる。急性循環不全に伴い肝腎機能低下や電解質異常もみられる。

6 血行動態（右心カテーテル）検査

左心不全では肺動脈楔入圧が18mmHg以上となるためARDSと心原性肺水腫の鑑別診断に有用とされる。測定にはスワン・ガンツ・カテーテルを肺動脈に留置する必要があるため，患者の全身状態を考慮して実施を検討する。

6. 肺水腫の治療

ここでは主に心原性肺水腫の治療について述べる（非心原性肺水腫の大半をしめるARDSについては→⓭急性呼吸窮迫症候群（ARDS）参照）。

1）呼吸管理

急激に増悪する低酸素血症の改善のため，**鼻カニュラやリザーバー付き酸素マスク**（→p114），**高流量鼻カニュラ酸素療法**などにより**酸素投与**を開始する。同時に，静脈還流量を減少させるよう**上半身を挙上（セミファウラー位など）**する。

PaO_2や$PaCO_2$の改善がない場合や努力呼吸や頻呼吸などの症状の改善がない場合は，**非侵襲的陽圧換気療法（NPPV）**を試みる。NPPVを使用することにより，肺間質の拡張障害，肺コンプライアンスの低下などに対する治療効果が期待できる。それでも改善しなければ**気管挿管**を行い，**人工呼吸管理**を開始する。

2）薬物療法

肺うっ血に対し，前負荷を軽減させて左室拡張末期圧を低下させるため，**浸透圧利尿薬やループ利尿薬**などで尿量を確保する。また**水分出納バランス（IN/OUT）**を管理し，輸液量を制限する。心血行動態にあわせて**血管拡張薬・強心薬・昇圧薬**も併用される。

呼吸困難に伴う不安・痛みなど苦痛軽減のため，**鎮痛・鎮静薬や塩酸モルヒネの与薬**も検討される。塩酸モルヒネを使用する際は，血管の拡張に伴う血圧低下や呼吸中枢の反応性低下により呼吸抑制を生じる可能性があるため慎重に検討する。

3）非薬物療法

- **血液浄化**：利尿できず，肺うっ血の改善がみられない場合，体液過剰を解消する目的で**持続的血液濾過透析（CHDF），体外限外濾過法（ECUM）**などの適応となる
- **補助循環**：血行動態が維持できない場合，**大動脈内バルーンパンピング（IABP），体外式膜型人工肺**（veno-arterial extracorporeal membrane oxygenation：**VA-ECMO**）などの適応となる

II 肺水腫の看護ケアとその根拠

1. 肺水腫の観察ポイント

肺水腫の状態では，生命危機を脱するための救急処置をはじめ，ICUへの入室，各種検査など，迅速な対応が必要である。したがって，看護師は患者の状態をモニタリングし，速やかに治療が開始できるよう的確に状況を判断する。

1 呼吸状態
- 息苦しさ，頻呼吸，起座呼吸，努力呼吸，病状進行に伴う発作性夜間呼吸困難
- 喘鳴，湿性咳嗽，ピンク色泡沫状痰，痰の喀出状況
- 聴診で全肺野もしくは下肺野で断続性副雑音（coarse crackles）
- パルスオキシメーター（SpO_2）値

2 全身症状
- 心原性肺水腫は心筋梗塞などが先行疾患として存在するため，胸痛，胸部圧迫感，嘔気・嘔吐
- 血圧低下，尿量の減少
- 頻脈，心電図モニター波形異常
- 四肢冷感，顔面蒼白，チアノーゼ，皮膚湿潤，浮腫

3 精神症状
- 不安の訴え，せん妄，不穏症状，意識障害

4 血行動態のモニタリング
- スワン-ガンツ・カテーテルによる血行動態の測定，動脈圧ラインによる血圧の管理

2. 肺水腫の看護の目標

❶ 適切な呼吸管理により，呼吸困難が軽減する
❷ 低酸素血症による意識障害・せん妄による危険（転倒，ルート類抜去）を起こさない
❸ 検査，治療，処置を受け，呼吸困難による死への恐怖が軽減する

3. 肺水腫の看護ケアのポイント

1）呼吸管理
　肺水腫による**呼吸状態は急激に悪化する**ため，迅速な処置が必要である。呼吸状態の悪化に伴い，呼吸困難が出現・増強するため，まず座位もしくはセミファウラー位などもっとも**安楽な体位**をとり，**酸素投与**を行う。
　高濃度の酸素投与でも低酸素血症が改善されず，高二酸化炭素血症を併発すると，**意識障害**が起こる。ただちにNPPVあるいは気管挿管・人工呼吸器装着が必要となるため，呼吸状態を継続的に観察し，緊急対応できるように準備を行う。多量の泡沫痰吸引に時間をかけ過ぎて，呼吸を妨げないよう素早い対処をする。

2）安全管理
　輸液ルート，モニター，酸素投与などを一度に装着することが必要となるうえ，低酸素状態にある患者の恐怖や不安は呼吸困難を増長させ，**不穏状態**となる場合が多い。したがって，各ライン類の**事故（自己）抜去を予防**（ルートやチューブ類が引っかからないように位置に注意し，常に整理する）し，正確な与薬を行う。また，転落予防対策も行う。

3）苦痛緩和
　痛みや息苦しさ，不安に対し，**鎮痛・鎮静薬**の使用を考慮する。人工呼吸管理中は適切な鎮静の管理を行う。
　また，皮膚湿潤や悪寒も伴うので，**保温・室温調節・寝衣調節**などの環境調整も必要である。

4）精神的支援
　呼吸困難は死を連想させる体験であるため，苦痛症状の緩和に努めるとともに，病状や処置について随時説明を行い，不安の軽減を図る。人工呼吸器装着中であること，今後の離脱の見通しなどを説明し，患者が現実を認知できるようにかかわる。

5）家族，キーパーソンのサポート
　患者の急激な病状悪化と重症化に伴い混乱した家族に対し，検査や治療処置の状況について理解できるように適宜説明を行う。短時間でも不安を傾聴し，家族の状況や心理状態にあわせた声かけをする。

［岡本美穂］

[参考文献]
- 荒井他嘉司：開胸，開腹手術後の肺合併症．3学会合同呼吸療法認定士認定講習会テキスト，pp326-327，3学会合同呼吸療法認定士認定委員会，2008．
- 日本循環器学会：急性・慢性心不全ガイドライン（2017改訂版）．https://www.j-circ.or.jp/cms/wp-content/uploads/2017/06/JCS2017_tsutsui_h.pdf（2023年10月1日閲覧）
- 3学会合同ARDS診療ガイドライン2016作成委員会編：ARDS診療ガイドライン2016．一般社団法人日本呼吸器学会，一般社団法人日本呼吸療法医学会，一般社団法人日本集中治療医学会，2016．

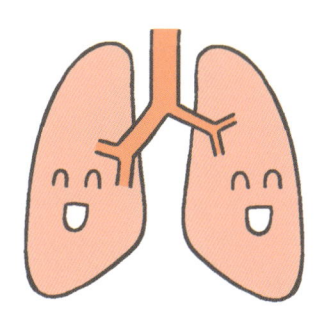

13 急性呼吸窮迫症候群（ARDS）

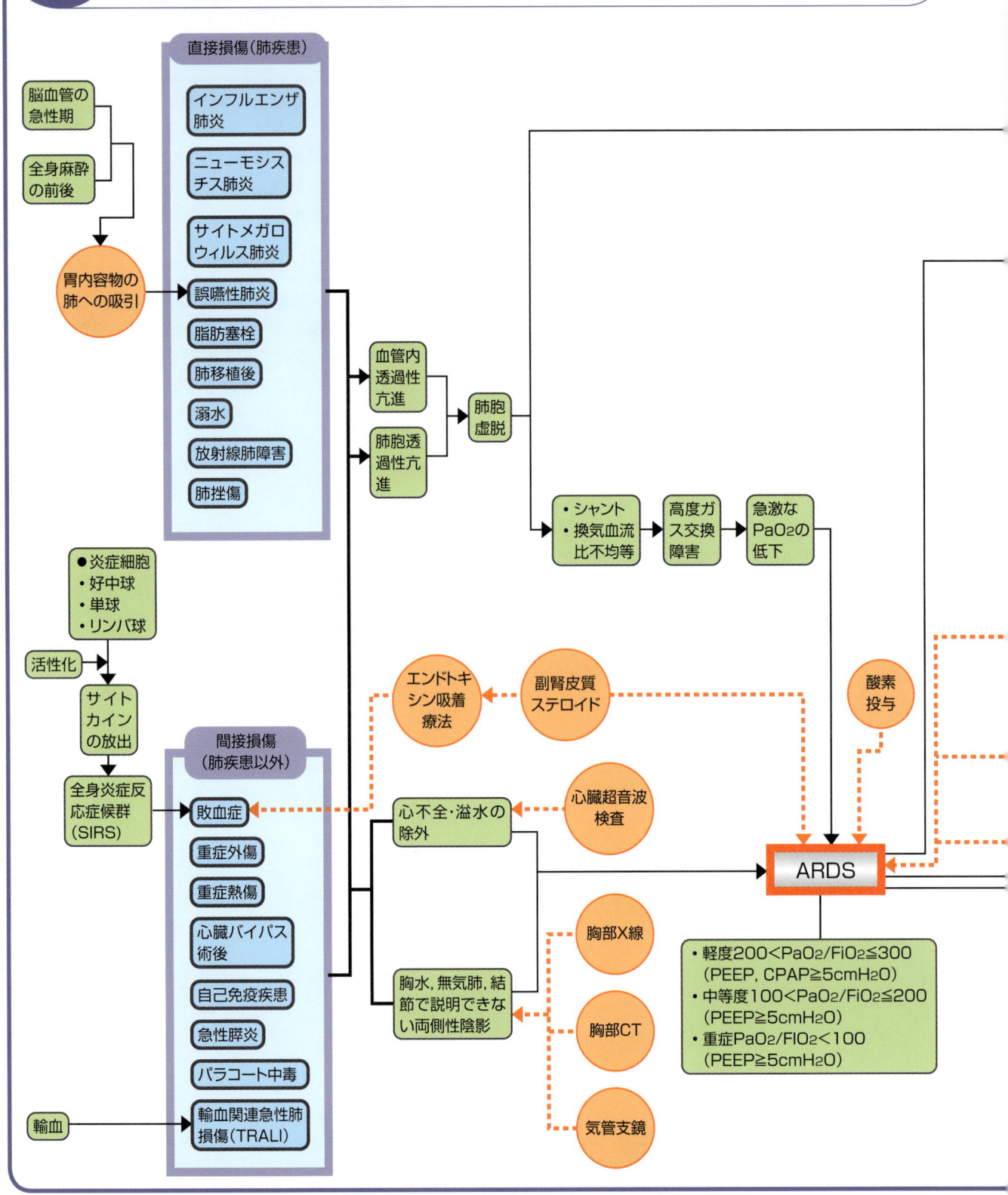

第Ⅱ部　疾患別看護ケア関連図　4．呼吸不全と呼吸調整障害

直接損傷（肺疾患）
- インフルエンザ肺炎
- ニューモシスチス肺炎
- サイトメガロウィルス肺炎
- 誤嚥性肺炎
- 脂肪塞栓
- 肺移植後
- 溺水
- 放射線肺障害
- 肺挫傷

- 脳血管の急性期
- 全身麻酔の前後
→ 胃内容物の肺への吸引

- 炎症細胞
- 好中球
- 単球
- リンパ球

活性化 → サイトカインの放出 → 全身炎症反応症候群（SIRS）

間接損傷（肺疾患以外）
- 敗血症
- 重症外傷
- 重症熱傷
- 心臓バイパス術後
- 自己免疫疾患
- 急性膵炎
- パラコート中毒
- 輸血関連急性肺損傷（TRALI）

輸血 →

血管内透過性亢進 / 肺胞透過性亢進 → 肺胞虚脱 → ・シャント ・換気血流比不均等 → 高度ガス交換障害 → 急激なPaO₂の低下

エンドトキシン吸着療法　副腎皮質ステロイド

心不全・溢水の除外 ← 心臓超音波検査

胸水，無気肺，結節で説明できない両側性陰影

胸部X線
胸部CT
気管支鏡

酸素投与

ARDS
- 軽度 $200 < PaO_2/FiO_2 \leq 300$（PEEP, CPAP≧5cmH₂O）
- 中等度 $100 < PaO_2/FiO_2 \leq 200$（PEEP≧5cmH₂O）
- 重症 $PaO_2/FiO_2 < 100$（PEEP≧5cmH₂O）

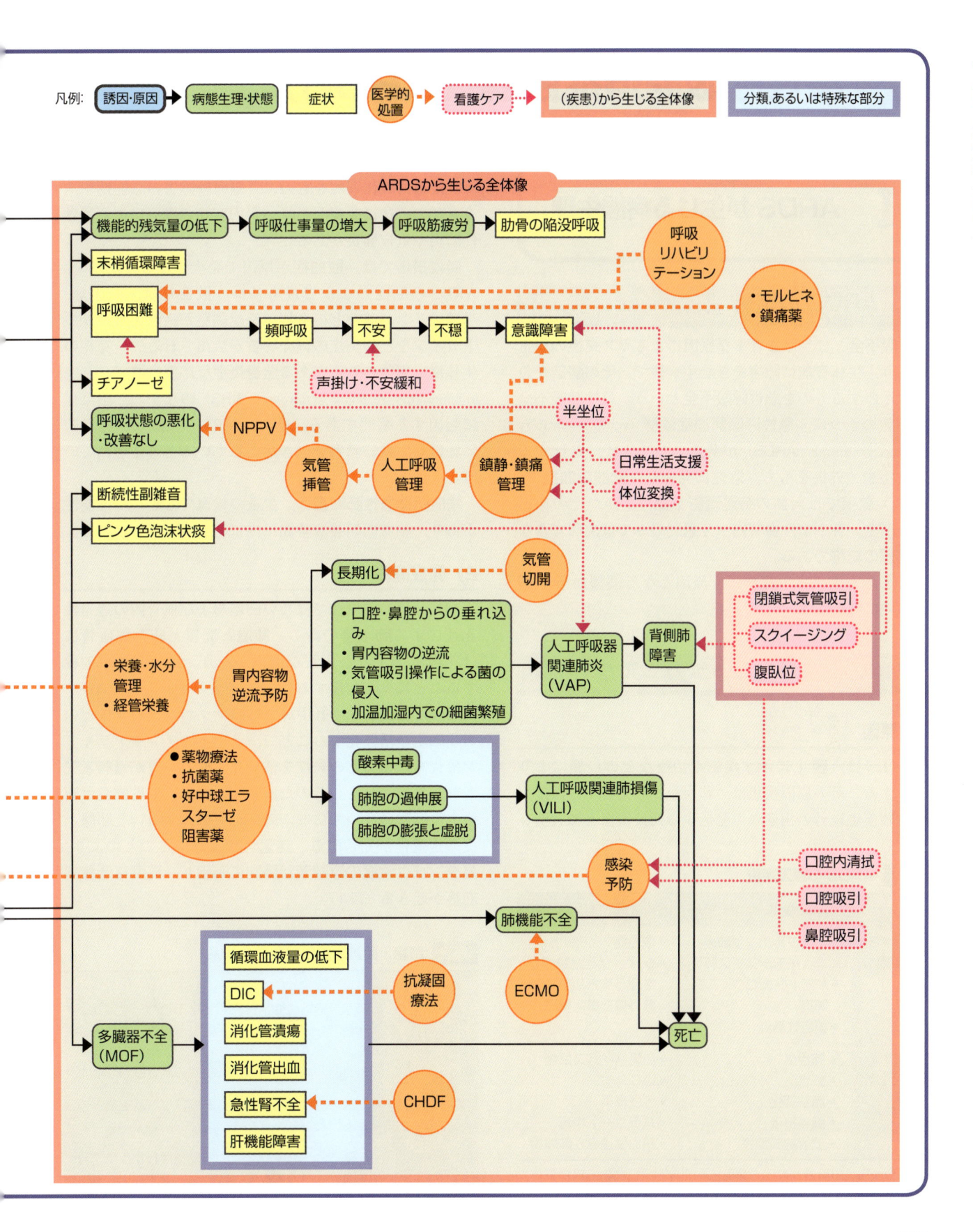

⓭急性呼吸窮迫症候群（ARDS） 4．呼吸不全と呼吸調整障害

第Ⅱ部 疾患別看護ケア関連図

凡例: 誘因・原因 → 病態生理・状態 ／ 症状 ／ 医学的処置 → 看護ケア ／ （疾患）から生じる全体像 ／ 分類，あるいは特殊な部分

ARDSから生じる全体像

- 機能的残気量の低下 → 呼吸仕事量の増大 → 呼吸筋疲労 → 肋骨の陥没呼吸
- 末梢循環障害
- 呼吸困難 → 頻呼吸 → 不安 → 不穏 → 意識障害
- チアノーゼ
- 呼吸リハビリテーション
- モルヒネ・鎮痛薬
- 声掛け・不安緩和
- 呼吸状態の悪化・改善なし ← NPPV ← 気管挿管 ← 人工呼吸管理 ← 鎮静・鎮痛管理 ← 半坐位
- 日常生活支援
- 体位変換
- 断続性副雑音
- ピンク色泡沫状痰
- 長期化 ← 気管切開
- 口腔・鼻腔からの垂れ込み／胃内容物の逆流／気管吸引操作による菌の侵入／加温加湿内での細菌繁殖 → 人工呼吸器関連肺炎（VAP） → 背側肺障害
- 閉鎖式気管吸引／スクイージング／腹臥位
- 栄養・水分管理・経管栄養
- 胃内容物逆流予防
- 薬物療法・抗菌薬・好中球エラスターゼ阻害薬
- 酸素中毒／肺胞の過伸展／肺胞の膨張と虚脱 → 人工呼吸関連肺損傷（VILI）
- 感染予防
- 口腔内清拭／口腔吸引／鼻腔吸引
- 肺機能不全
- 循環血液量の低下／DIC／消化管潰瘍／消化管出血／急性腎不全／肝機能障害
- 抗凝固療法
- ECMO
- 多臓器不全（MOF）
- CHDF
- 死亡

165

第Ⅱ部　疾患別看護ケア関連図　4．呼吸不全と呼吸調整障害

13 急性呼吸窮迫症候群（ARDS）

Ⅰ　ARDSが生じる病態生理

1. ARDSの定義

　呼吸不全とは，さまざまな原因によるガス交換の異常により，生体機能に障害をきたす病態で，その病態が急速に増悪するものを**急性呼吸不全**という。急性呼吸不全の病態の1つに，**急性呼吸窮迫症候群**（acute respiratory distress syndrome：ARDS）がある。ARDSは，先行する基礎疾患・外傷をもち，急性に発症した**低酸素血症**で，胸部X線上では両側の**肺浸潤影**を認め，かつその原因が心不全，腎不全，血管内水分過剰のみでは説明できない病態の総称である。
　ほとんどすべての症例は，原因となる**侵襲から1週間以内**に発症する。

2. ARDSが生じるメカニズム

1）原因

　ARDSは，表1に示す疾患や治療などの侵襲により発症する。その原因疾患は，肺疾患から発症する直接損傷と肺疾患以外の病態から発症する間接損傷とに大別される。
　直接損傷の代表的なものに，脳血管障害の急性期や全身麻酔の前後に発症しやすい胃内容物の吸引による誤嚥性肺炎や重症肺炎がある。
　間接損傷では，**敗血症**が原因で発症するものが多く，ARDSの原因のなかで最も多い。敗血症は，好中球，単球，リンパ球などの血液の炎症細胞が活性化し，サイトカインなどの炎症の媒介物質が放出される，全身性の生体反応病態の総称である**全身炎症反応症候群**（systemic inflammatory response syndrome：SIRS）のなかの，感染症に起因する病態である。その，SIRSの病態が，特異的に肺に強い臓器障害を引き起こしていると考えられている。
　輸血関連急性肺障害は，少量の輸血でも起こる可能性があり，輸血開始後6時間以内に発症するといわれる。

2）発症機序

　ARDSは，心原性ではない肺胞および血管内の透過性亢進による**肺水腫**である。肺胞と間質と肺毛細血管には，表2のような正常な関係があり，この関係が破綻することにより発症する。
　原因疾患により，好中球，肺胞マクロファージなどの炎症細胞が活性化することで，サイトカインやアラキドン酸代謝産物などの炎症を活発化させる物質が過剰産生され，放出される。そのため，肺毛細血管内皮細胞と肺胞上皮細胞の2つの防壁が破綻し，肺微小血管と肺胞上皮の透過性が亢進する。透過性が亢進することにより，**高タンパク濃度の浮腫液が肺胞に漏出し，高度な低酸素血症**が起きる（図1）。

表1　ARDSの原因疾患

	直接損傷（肺疾患）	間接損傷（肺疾患以外）
頻度の高い原因	・インフルエンザ肺炎 ・ニューモシスチス肺炎 ・サイトメガロウイルス肺炎 ・誤嚥性肺炎	・敗血症 ・ショックと大量輸血を伴う胸部以外の重症外傷と重症熱傷
頻度の低い原因	・肺挫傷 ・溺水 ・脂肪塞栓 ・肺移植後 ・放射線肺障害	・心臓バイパス術後 ・DIC ・急性膵炎 ・パラコート中毒 ・輸血関連急性肺障害

（3学会合同ARDS診療ガイドライン2016作成委員会編：ARDS診療ガイドライン2016（Part 1）．p33，総合医学社，2016．より改変）

表2　肺胞・間質・肺毛細血管の関係

肺胞	・肺胞上皮細胞により縁どられている ・肺胞上皮細胞は水分を通さないため，間質から肺胞内への水分の流入を防ぐ ・肺胞上皮細胞は，肺胞内の水分を間質へくみ出すという機能があり，肺胞内の水分貯留を防ぐ
間質	・肺胞と肺毛細血管の間にあり，リンパを含んでいる
肺毛細血管	・正常では，肺毛細血管内皮細胞はわずかに水分を通す。タンパク質はほとんど通さない

3）病態生理

　正常な肺では，換気量と血液量のバランスにより，効率的なガス交換が行われる。ARDSの場合は，肺胞上皮と肺毛細血管内皮の破綻による透過性亢進によって**肺水腫**をきたしているため，肺毛細血管の血流はあるが，**換気が行われない**。そのため，血液がガス交換されないまま，肺を通過して体循環に戻ってしまう。このような状態を**シャント**（→⓮慢性呼吸不全，p186参照）と呼び，ARDSにおける，高度ガス交換障害（低酸素血症）の原因の1つである。シャントの部分はガス交換されないため，酸素を投与してもあまり反応しない。

　さらに，換気量と血液量のバランスが崩れ，十分なガス交換が行われない**換気血流比不均等（換気血流ミスマッチ）**（→⓮慢性呼吸不全，p186参照）や，肺胞から肺毛細血管に至る経路の拡散能が浮腫状態により低下することで，**低酸素血症**をきたす。

　また，Ⅱ型肺胞上皮細胞から生成分泌される肺サー

図1　正常肺胞とARDSの病態

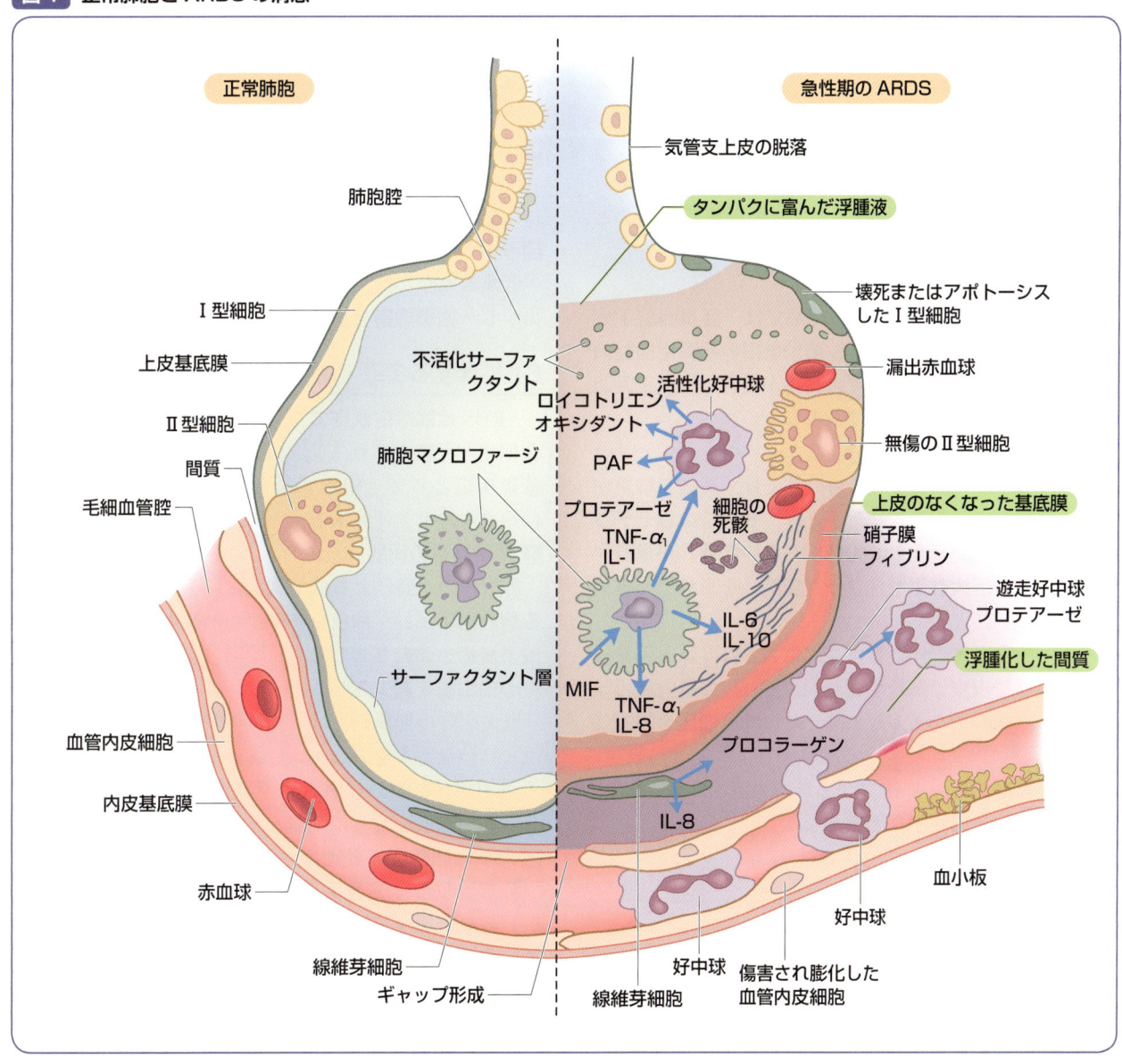

（横田浩史：ALIとARDSの呼吸療法．3学会（日本胸部外科学会・日本呼吸器学会・日本麻酔科学会）合同呼吸療法認定士認定委員会編，呼吸療法テキスト　改訂第2版，p227，克誠堂出版，2005．を一部改変）

ファクタント（肺表面活性物質）は，肺胞の表面張力を低下させ，肺胞虚脱と肺水腫を防止する働きがある。しかし，ARDSでは，そのⅡ型肺胞上皮細胞が脱落するため，肺サーファクタント生成の減少により，**肺胞虚脱**を起こす。

4）発症経過と病期

1 急性期（浸出期）

発症から1〜7日以内のこの時期では，好中球などの炎症細胞の沈着やフィブリン，高濃度のタンパク質，間質と肺胞内の水分により肺サーファクタントを不活化する**硝子膜**が形成される。Ⅰ型肺胞上皮細胞の壊死や**肺胞出血**の所見がみられる。

また，肺胞内の水分充満による換気量の低下，シャント，肺コンプライアンス（肺の伸展性）の低下により，呼吸仕事量が増大し，**人工呼吸管理の適応時期**でもある。**呼気終末陽圧**（positive end expiratory pressure：PEEP）により，肺胞を開いてガス交換の保持が必要となる。

2 亜急性期（器質化（増殖）期）

発症から7〜21日後のこの時期では，Ⅱ型肺胞上皮細胞や筋線維芽細胞が増殖し，肺動脈内の**器質化血栓**の形成が生じることがある。ガス交換が改善し，**人工呼吸器の離脱**も検討される時期である。

3 慢性期（線維化期）

発症から21〜28日後のこの時期では，線維芽細胞が増殖し，間質や肺胞の線維化が進み，肺構造の**リモデリング**（肺の構造が変化して元に戻らない状態）が進行する。壁の薄い**巨大な気腫性ブラ（囊胞）**を形成し，破裂する（**気胸**）ことがある。

また，肺胞傷害に伴い肺血管が傷害され，肺血管攣縮や肺微小血管内皮に血栓形成が促進され，血管内腔の狭窄・閉塞，線維化などが起こり，時に**肺高血圧**を招くことがある。

人工呼吸器では，PEEPによる肺胞の開きは悪くなり，**人工呼吸器からの離脱が困難**となる。

5）症状・身体所見

1 呼吸困難

ARDSは**肺胞虚脱**と**シャント**による**換気血流比不均等**から**低酸素血症**をきたし，**呼吸困難**を引き起こす。はじめは**労作性**の呼吸困難を呈するが，時間経過とともに安静時においても呼吸困難を生じるようになり，**浅速性の呼吸**となる。浅速性の呼吸は，肺胞虚脱によって，肺が開きにくくなり機能的残気量が減少するために起こる。

高濃度の酸素投与を行っても低酸素血症が持続するため，呼吸困難の改善は容易ではなく，呼吸仕事量を増大させ，**呼吸筋疲労**を引き起こし，**肋骨の陥没呼吸**がみられる。

2 呼吸音

肺水腫を起こしているため呼吸音は，**断続性副雑音（fine crackles）**を聴取することが多い。

3 不安

呼吸不全が進行すると呼吸困難も増強するため，意識が明瞭である場合は不安が生じることが多い。

4 不穏，意識障害

呼吸不全の進行とともに，浅速性の呼吸となり十分な換気ができず，脳への酸素供給が減り，不穏や意識障害をきたすことが多い。

5 ARDSを引き起こす原疾患による症状

敗血症や細菌性肺炎および誤嚥性肺炎などの原疾患では，発熱や咳嗽，痰などの症状を生じる。

6 チアノーゼ，末梢循環障害

低酸素血症が持続するため，**四肢末梢のチアノーゼ**が出現し，**循環障害**を呈する。

6）随伴する疾患・病態

ARDSは臨床症候群であり，それ自体が本来の疾患の合併症とも考えられる[1]。これらの病態の一部は，先行基礎疾患としてARDSの原因であると同時に，ARDSに続発する可能性もある。

1 循環器系の病態

肺胞内の水腫による低酸素血症陽圧人工呼吸換気による胸腔内圧上昇，輸液量の制限（肺胞内の浮腫による低酸素血症を改善させるため）などにより**循環血液量不足**や**心拍出量を減少**させる。

敗血症時の初期輸液は，循環の安定化による患者予後改善につながる重要な介入である。循環血液量過多によるARDS（あるいは酸素化不良）の悪化を恐れるあまり，初期輸液を過度に制限することは適切ではない[2]。

2 肺や呼吸機能の変化

肺コンプライアンスが著しく低下しているため，気胸，縦隔気腫，気腫性肺囊胞，皮下気腫などの危険性が増加する。

重症例や繰り返す感染による事例では，肺の線維化が後遺症として残り，慢性呼吸不全に至る場合もある。

また，肺の線維化が慢性化して肺高血圧が合併すると，難治性であり，**右心不全**に至る。

3 播種性血管内凝固症候群（DIC）

ARDS症例では，総じて凝固活性の亢進と線溶活性の抑制が起きており，ARDSとDIC（disseminated intravascular coagulation）は互いに増悪させる病態であると考えられている[3]。ARDS症例におけるDIC合併率は25～70%であり[4]，逆にDIC症例にも高い頻度でARDSが合併する[4,5]。

DICがARDSを悪化させる機序として，DICにおける肺循環障害によって肺コンプライアンスの低下とガス交換障害が惹起される。DICの基礎病態に感染症が関与する場合は，急性呼吸不全を合併する頻度が増加し，死亡率も高くなる。

4 多臓器不全・敗血症性ショック

ARDSに合併する臓器不全の発生頻度としては，**腎不全**40～55%，**肝不全**12～95%，**意識障害**7～30%，**消化管出血**7～30%，**凝固異常**0～26%，**ショック**などの**心血管系機能不全**10～23%との報告や，ARDS全症例が多臓器不全を併発し，不全臓器数は平均4臓器であったなどの報告がある[5,6]。また，ARDS症例では多臓器障害が進行するにつれて段階的にその生命予後が悪化する[7]。ARDS症例の死亡原因は，呼吸不全そのものよりも**敗血症性ショックや多臓器不全によるものが多い**[8]ため，**全身管理が重要**である。

5 人工呼吸管理に関する疾患や病態

● 人工呼吸器関連肺炎（VAP）

人工呼吸を開始してから48時間以降に新たに発生する細菌性肺炎である。ARDS患者では，VAP（ventilator-associated pneumonia）の発症率は約37%で，全体の35%が早期VAP，65%が晩期VAPである。VAPをはじめとする院内肺炎は，ARDSの原因でもあり相互に複雑に影響しあっているため，VAP予防を念頭に置いた人工呼吸管理を必要とする[9]。

● 人工呼吸器関連肺損傷（VALI）

VALI（ventilator associated lung injury）は人工呼吸管理自体による肺損傷のことで，広がりやすい肺胞が過伸展したり，肺の過伸展や虚脱した肺胞が膨張と虚脱を繰り返したりすることで産生される炎症性サイトカインにより起こる。

また，人工呼吸管理中のPEEPや換気圧が高い場合は，**気胸**が発症しやすい。緊張性気胸を発症した場合，診断が遅れると致死的低酸素に陥る。

人工呼吸管理中は高濃度酸素を投与する場合があるが，高濃度酸素暴露による肺損傷を避けるため，通常は**酸素濃度60%以下を目標とすることが推奨される**[10]。

3. ARDSの診断・検査

1）診断基準

表3に示す。

2）鑑別診断が必要な疾患

ARDSは上記の診断基準4項目で診断されるが，ARDSと似たような症状や徴候を示す疾患（表4）がある。それらの疾患は治療方法が異なるため，鑑別診断が必要となる。

3）検査

1 画像所見

胸部X線画像で評価が難しい場合には，CTによる評価が検討される。

- **胸部X線**：ARDSのX線画像の特徴は，両側性の陰影であるが，陰影部分は必ずしもびまん性ではなく，**左右非対称**である。また，上下肺野で陰影の程度に差

表3 ARDSの診断基準と重症度分類

重症度分類	軽症	中等度	重症
PaO_2/F_iO_2 （酸素化能，mmHg）	$200 < PaO_2 / F_iO_2 \leq 300$ （PEEP，CPAP ≧ 5 cmH$_2$O）	$100 < PaO_2 / F_iO_2 \leq 200$ （PEEP ≧ 5 cmH$_2$O）	$PaO_2 / F_iO_2 < 100$ （PEEP ≧ 5 cmH$_2$O）
発症時期	侵襲や呼吸症状（急性/増悪）から1週間以内		
胸部画像	胸水，肺虚脱（肺葉/肺全体），結節ではすべてを説明できない両側性陰影		
肺水腫の原因 （心不全，溢水の除外）	心不全，輸液過剰ではすべて説明できない呼吸不全：危険因子がない場合，静水圧性肺水腫除外のため心エコーなどによる客観的評価が必要		

PaO_2：動脈血酸素分圧，F_iO_2：吸入酸素濃度（分画），PEEP：呼気終末陽圧，CPAP：持続気道陽圧

（3学会合同ARDS診療ガイドライン2016作成委員会編：ARDS診療ガイドライン2016（Part 1）．p28，総合医学社，2016．より）

表4 鑑別診断が必要な疾患	
● 心原性肺水腫（左心不全による）	● 肺炎
● 急性間質性肺炎	● 過敏性肺臓炎
● びまん性肺胞出血	● 悪性腫瘍
● 特発性器質化肺炎	● 薬剤性肺障害
● 急性好酸球性肺炎	

（3学会合同ARDS診療ガイドライン2016作成委員会編：ARDS診療ガイドライン2016（Part 1），p28，総合医学社，2016．をもとに作成）

が見られることもある
- **胸部CT**：間接肺損傷では，背側に**浸潤影**が分布し，腹側には**すりガラス状陰影**が見られる．直接肺損傷では，背側以外に浸潤影が分布している傾向がある

2 血液検査所見
- WBC，CRPの高値（肺血症などで白血球数が逆に減少する場合がある）
- 腎機能，肝機能データの異常
- 凝固系の異常
- 脳性ナトリウム利尿ペプチド（BNP）やNT-proBNPの高値（心原性肺水腫との鑑別のため）
- 血中PCT（プロカルシトニン）濃度の上昇，血症プレセプシンの増加（肺血症性ARDSにおける血液マーカー）
- 血清SP-D，KL-6などの増加（血管内皮細胞傷害を反映）

3 動脈血液ガス分析
- 頻回に血液ガス分析データの確認を行うため，動脈ラインを確保し，適宜採血を行う
- 発症初期は，頻呼吸により$PaCO_2$は低下し**呼吸性アルカローシス**をきたすが，病態が進行すると換気不全のため，$PaCO_2$は上昇する

4 心臓超音波検査
心臓超音波検査を行い，心不全・溢水を除外する．

5 気管支内視鏡・気管支肺胞洗浄（bronchoalveolar lavage：BAL）
表4の疾患との鑑別に用いられる．また，感染性肺炎が原因の場合は，病原体検索のため用いられる．

4. ARDSの治療

ARDSはさまざまな原因疾患の侵襲により発症するため，原因疾患を改善しなければ，ARDSの改善も望めない．よって，人工呼吸器による呼吸管理を行いながら，ARDSの原因となっている基礎疾患の検索と治療を行う．また，栄養管理や感染予防などの肺以外の全身管理も同時進行で行う必要がある．

1）呼吸管理

1 気道確保
ARDSに対する気道確保の方法としては，**経口気管挿管が推奨される**[11]．頸椎の安静が必要な場合や可動域が少ない場合は，経鼻挿管が行われるが，副鼻腔炎や鼻翼の壊死などの合併症のリスクがある．経口・経鼻気管挿管の双方ができない場合や，人工呼吸器管理の長期化が予測されるときには，気管切開が実施される．

2 人工呼吸器の設定
ARDSに有用な呼吸器の設定はないが，人工呼吸器関連肺損傷（VALI）予防のために，最高気道内圧を低く保つことができる**圧規定換気**（pressure control ventilation：PCV）を用いることが多い．換気設定では，PEEPを5 cm H_2O以上で開始し，持続的に肺胞を開いておくことにより無気肺を予防する．肺胞の過伸展を予防するため**1回換気量**（tidal volume：**TV**）は**6〜8 mL/kg（低容量換気）**とし，12 mL/kg以上としてはならない．また，吸気終末のプラトー圧を30 cmH_2O以下になるように設定する**肺保護換気**を行う．

3 補助換気療法
- **非侵襲的陽圧換気（NPPV）**：ARDS患者の初期の呼吸管理として鼻マスクやフェイスマスクを用いてNPPV（noninvasive positive pressure ventilation）を行う．ただし，循環動態や呼吸状態を観察し，NPPV開始1〜2時間で改善傾向があるか，さらに開始後4〜6時間でNPPV施行前に設定した目標に達しない場合は，挿管して人工呼吸管理を実施する

4 呼吸理学療法
酸素化の改善，気道内に貯留した分泌物の排除，末梢気道の開存，肺胞換気の維持と改善，人工呼吸器の早期離脱，ADLの改善，早期離床を目的とした，徒手的治療手技や体位変換を行う．ARDSの場合に行われる呼吸理学療法は，**体位変換や体位ドレナージ**を主に実施する．

- **体位の管理**：VAP予防のため，患者の体位は仰臥位を長時間保持しないよう，適宜体位変換を行う．誤嚥の可能性が高い場合は，消化液や栄養剤の逆流を防ぐため30〜45度挙上した**頭高位**を取る[12]
- **腹臥位**：背側肺障害の合併があり，**高度の低酸素血症**をきたしている患者が適応となる．腹臥位になり背側

を上にすることにより，肺胞内の血流がよくなり，酸素化能の改善を目的としている．腹臥位管理の適応と禁忌について**表5**に示す
- 体位ドレナージ：**痰の移動や無気肺の改善**のため体位ドレナージを行う．体位ドレナージと一緒にスクイージングも行われる

5 離脱時期（過程）の呼吸管理と抜管の基準
- 離脱（weaning）開始条件：人工呼吸器からの離脱が遅れると肺炎などの合併症が増え，患者の予後にも影響するため，離脱は安全かつ最短で行う必要がある．離脱の開始条件を**表6**に示す
- 換気補助の軽減方法および抜管指標：抜管する前に，まず**自発覚醒トライアル**（spontaneous awakening trial：SAT）を行い，鎮痛薬の残存効果がないことを確認してから，**自発呼吸トライアル**（spontaneous breathing trial：SBT）を行う（表7）

2) 薬物療法

1 副腎皮質ステロイド
敗血症が原因のARDSの急性期に，少量の副腎皮質ステロイドが使用されている．副腎皮質ステロイド使用時には，副作用に，**易感染，高血糖**等があるため，感染管理，血糖管理に注意する必要がある．

表5 腹臥位管理の適応と禁忌

適応	・背側肺損傷がある ・人工呼吸器管理で，十分なPEEPや高いF_iO_2でも酸素化が得られない ・左右側臥位の体位変換で，PaO_2の上昇が20mmHg以上のとき
絶対的禁忌	・顔面・骨盤骨折 ・腹部の熱傷 ・腹部の開放創 ・脊椎が不安定な状態 ・25mmHg以上の頭蓋内圧亢進状態 ・急性出血状態 ・致死的不整脈
相対的禁忌	・気管切開術直後 ・脊椎術後 ・開腹術後 ・多発外傷 ・治癒されていない不整脈 ・患者が非協力である ・せん妄状態 ・強い不安と疼痛がある

（神津玲，千住秀明：呼吸理学療法．石坂彰敏編，初学者に必要なARDS診療ノウハウ，p101，診断と治療社，2008．を改変）

2 好中球エラスターゼ阻害薬
発症早期に使用される．

3 抗凝固療法
DICや血小板減少などの全身の凝固系異常を合併した場合に用いる．

4 抗菌薬
ARDSの原因疾患である敗血症，インフルエンザ肺炎，誤嚥性肺炎などの各疾患の原因細菌によって抗菌薬が使い分けられる．

表6 離脱開始条件

①ARDSの背景病態が改善傾向にあること
②酸素化能が十分であること （$F_iO_2 \leq 0.6$で，$PaO_2/F_iO_2 \geq 200mmHg$，経皮的酸素飽和度（$SpO_2$）$\geq 90\%$，$F_iO_2 \leq 0.4$かつPEEP ≤ 5 cmH_2Oで$PaO_2 \geq 60 \sim 100mmHg$など）
③吸気を行う能力があること
④循環動態の安定（昇圧薬が持続投与されていても高用量でなく投与量が安定していればよい）

（3学会合同ARDS診療ガイドライン2016作成委員会編：ARDS診療ガイドライン2016（Part 1），p85，総合医学社，2016．より）

表7 換気補助の軽減方法および抜管指標

① PSVではサポート圧を2～3cmH_2Oずつ下げる．PSVでSBTを行う場合は，サポート圧5～7cmH_2O以下で行う
② TーピースでSBTを行う場合は，人工呼吸回路からTーピース回路に変更する
③ SBTは最短30分観察し，下記のSBT成功基準を満たせば抜管後上気道狭窄や再挿管のリスクを評価した上で抜管する．SBTは1日1回のみとし最長120分とする
④ SBT成功基準 (1) 呼吸数<30～35回/分 (2) 開始前と比べ明らかな低下がない（たとえば$SpO_2 \geq 94\%$，$PaO_2 \geq 70mmHg$） (3) 心拍数<140bpm，新たな不整脈や心筋虚血の徴候を認めない (4) 過度の血圧上昇を認めない (5) 以下の呼吸促迫の徴候を認めない（SBT前の状態と比較する） 　①呼吸補助筋の過剰な使用がない 　②シーソー呼吸（奇異性呼吸） 　③冷汗 　④重度の呼吸困難感，不安感，不穏状態

（3学会合同ARDS診療ガイドライン2016作成委員会編：ARDS診療ガイドライン2016（Part 1），p86，総合医学社，2016．より）

3) 血液濾過・浄化療法

1 エンドトキシン吸着療法
血液中のエンドトキシン内毒素を除去する目的で行われる。

2 持続的血液濾過透析（CHDF）
CHDF（continuous hemodiafiltration）は**腎不全**を合併したARDSに対し，体内の水分・代謝産物の除去を目的として行われる。

4) 栄養管理
ARDSに対する栄養管理は，感染や予後の面からみて，大切な支持療法である。必要栄養量は，患者の状態にあわせて調整する。目安として**1日の総カロリーを25kcal/kg/日**として実施する。供給方法としては，**経腸栄養**と**経静脈栄養**がある。経腸栄養の場合の欠点は，腸管麻痺などによって胃内容物逆流による誤嚥や肺炎のリスクが高いことが挙げられる。リスクを抑えるため，経腸栄養に**半固形剤**を混入して供給するとよい。

5) 水分管理
輸液などによる水分負荷は，血管透過性亢進の原因となり浮腫の増悪をもたらすため，血行動態に影響を及ぼさない範囲で輸液を制限し，**肺浮腫軽減**を図る。敗血症性ショックなどで循環不全がある場合は，十分な補液と昇圧薬による循環維持が必要である。ショックサインがない症例では水分制限と利尿薬により酸素化が改善され，人工呼吸使用日数の短縮につながる。

6) 鎮痛・鎮静管理
ICUに入室するARDS患者は，肺の炎症や咳嗽による胸部の痛み，人工呼吸器装着による痛み，処置やケアによる痛みなどが生じる。また非日常空間において混乱し，不安を感じるなどさまざまな要素が重なり，**不穏**や**せん妄**の状態となるため，適切な**鎮静**と**鎮痛**を行う。

痛みによるストレス反応は，カテコラミンを増加させ動脈血管収縮を引き起こし，組織還流不全から組織酸素分圧の低下，脂肪分解，筋肉衰退，静脈血栓のリスクがあるなど，有害結果をもたらす。そのため，患者が自己申告できる場合はNRS（numerical rating scale）やビジュアルアナログスケール（visual analogue scale：VAS），できない場合はBPS（behavioral pain scale）で痛みを評価する。

鎮痛には，**静注オピオイド**を第一選択とし，オピオイド薬の減量や副作用対策時には**解熱消炎鎮痛薬**などの非オピオイド薬の使用を検討する。

鎮静には，ベンゾジアゼピン系薬（ミダゾラム）や非ベンゾジアゼピン系薬（プロポフォール，デクスメデトミジン塩酸塩など）が使用され，**リッチモンド興奮・鎮静スケール**（Richmond agitation-sedation scale：RASS）（表8）を用いて，鎮静深度を調整する。人工呼吸管理の初期は，呼吸器と同調させる必要があるため，比較的深い鎮静が必要となるが，抜管の遅延や死亡率の増加をもたらす可能性があり，禁忌でなければ浅い鎮静深度で管理することが推奨されている[13]。

維持期から回復期にかけては，**人工呼吸器のウイニング（離脱）**を目指し，**間欠的鎮静**を行う。生活リズムに日内変動をつけるため，日中は鎮静を中止し呼吸理学療法を実施し，夜間は呼吸筋を休ませる意味で鎮静をかけるなどして，人工呼吸器の離脱を目指した準備を行う。

7) 体外式膜型人工肺（ECMO）
体外式膜型人工肺（extracorporeal membrane oxygenation：ECMO）は，保護的人工呼吸器管理では対応できない**重症ARDS**にのみ適応される。一般的に，合併症（出血，塞栓症，下肢阻血など）のリスクが少ない，静脈から脱血して静脈に戻すveno-venous（VV）ECMOが導入される。

II ARDSの看護ケアとその根拠

1. ARDSの観察ポイント

1 呼吸状態
急速な呼吸状態悪化の経過をたどるため，継続的に呼吸状態の観察を行う。
- 安静時・労作時の呼吸困難
- 呼吸様式：頻呼吸，努力呼吸，肋骨の陥没呼吸
- 断続性副雑音
- ピンク色泡沫状痰
- 人工呼吸器装着中の観察ポイント（→ p130）

2 循環動態
- 右心不全や急性肺性心の合併がみられるため，心エコーの所見で心機能の状態を把握する
- 浮腫や腹部膨満感，嘔気，食欲不振など右心不全の症

表8　リッチモンド興奮・鎮静スケール（RASS）

スコア	用語	説明
＋4	好戦的な	明らかに好戦的な，暴力的な，スタッフに対する差し迫った危険
＋3	非常に興奮した	チューブ類またはカテーテル類を自己抜去；攻撃的な
＋2	興奮した	頻繁な非意図的な運動，人工呼吸器ファイティング
＋1	落ち着きのない	不安で絶えずそわそわしている，しかし動きは攻撃的でも活発でもない
0	意識鮮明な，落ち着いている	
－1	傾眠状態	完全に鮮明ではないが，呼びかけに10秒以上の開眼およびアイ・コンタクトで応答する
－2	軽い鎮静状態	呼びかけに10秒未満のアイ・コンタクトで応答
－3	中等度鎮静状態	呼びかけに動きまたは開眼で応答するがアイ・コンタクトなし
－4	深い鎮静状態	呼びかけに無反応，しかし，身体刺激で動きまたは開眼
－5	昏睡	呼びかけにも身体刺激にも無反応

RASSの評価方法
[ステップ1]
- 30秒間患者観察（スコア0〜＋4で判定）

[ステップ2]
- 大声で名前を呼ぶか，開眼するように言う
- 10秒以上アイ・コンタクトができなければ繰り返す（スコア－1〜－3で判定）
- 動きが見られなければ，肩を揺するか，胸骨を摩擦する（スコア－4〜－5で判定）

（福永真由子，讃井將満：ARDSにおける全身管理 —原因疾患の治療に併せて適切な支持療法を．INTENSIVIST 1（1）：101-110, 2009．を改変）

状
3 全身状態
- 呼吸状態とともに，低酸素血症に随伴する症状（頻呼吸，頻脈，不整脈，チアノーゼ，不穏・興奮，見当識障害）と基礎疾患による症状
- 発熱
- 末梢循環障害（ショック）

4 検査所見
- 胸部X線・CTの所見（治療経過や，無気肺・気胸・新たな肺炎などの合併症の有無の確認）
- 動脈血液ガス分析
- 白血球の増多
- CRPの上昇

5 意識レベル・精神状態
- 不安，ストレス
- 不穏，意識障害の有無と程度

2. ARDSの看護目標

1. 適切な呼吸の全身管理を行い，呼吸症状，全身症状に伴う苦痛が緩和する
2. DICや敗血症性ショック，多臓器不全などの致命的な合併症の発症/増悪予防ができる
3. 人工呼吸器装着時の合併症を起こさない
4. 患者のそばでの付き添い，意思疎通，ストレス緩和により，患者が精神的に安定する
5. 重篤化しやすい病気や治療について随時十分な説明を行うことにより，家族の不安が軽減する

3. ARDSの看護ケア

1) 人工呼吸管理

　呼吸機能の悪化により人工呼吸管理を行う際は，**VAPによる新たなARDSの発症を防ぐことが重要**である。そのため，気管挿管チューブの固定，口腔内の清

表9 VAP予防のためのバンドルアプローチ

項目	背景	実施内容
手指衛生の徹底	確実な手洗い・手指衛生の励行により，人の手を媒介した病原菌の水平伝播による院内感染（VAPを含む）を予防する。	・患者診療区分への入退室前後や接触前後，患者の体液・分泌物に触れたあとに手を洗う ・呼吸器回路の接続前後 ・目に見える汚れがある場合，流水と石鹸を用いた手洗い ・目に見える汚れがない場合は，速乾式アルコール製剤を使用
人工呼吸器回路を頻回に交換しない	人工呼吸器回路の開放により回路内腔を通じて下気道汚染の可能性が高まる。	・患者ごとに交換 ・目に見える汚れや破損がある場合に交換 ・定期的な交換を禁止はしないが，7日未満での交換は推奨しない ・回路内の水滴は，体位変換前に無菌的な手技で除去する
適切な鎮痛・鎮静を図る（過鎮静を避ける）	過鎮静は人工呼吸期間延長の原因となり，VAP発生頻度が増加する。	・RASSスケール使用し，−3〜0となるよう投与量を調節する ・鎮痛・鎮静薬の使用状況と鎮静評価を記載し，毎日数回行う ・日中の鎮静薬中断・減量を検討する（鎮痛薬の中断は行わない） ・筋弛緩薬は特別な理由があるとき以外は持続投与しない
人工呼吸管理からの離脱の評価	気管挿管はVAPのリスク因子であるため，気管挿管期間を短縮させる。	・施設に定められた人工呼吸離脱プロトコルを作成 ・毎日，人工呼吸器装着患者についてSBTが実施可能か検討する ・開始基準を満たした場合，SBTを実施する

（日本集中治療医学会ICU機能評価委員会：人工呼吸関連肺炎予防バンドル 2010改訂版. https://www.jsicm.org/pdf/2010VAP.pdf（2025年3月18日閲覧）をもとに作成）

潔・保湿の保持，気道クリアランスなど，**VAP予防のためのバンドルアプローチ**（表9）を行う。また，肺保護戦略として，高い気道内圧にならないよう適切な人工呼吸器の圧の管理，高濃度酸素吸入による肺損傷などの予防を念頭に，人工呼吸管理を行う。

鎮痛・鎮静管理においては，特に患者が**痛みを**申告できる場合は，痛みや不安をきめ細く評価するために，「痛み」について全医療スタッフが認識し，患者と密接にコミュニケーションをとる必要がある。

2）気道管理（閉鎖式吸引操作）

人工呼吸器を外さずに，**閉鎖式吸引カテーテルキット**を用いて吸引する方法である。
- 人工呼吸器の設定が**気道圧開放換気**（airway pressure release ventilation：APRV）の場合，気管チューブより回路をはずすと，肺胞虚脱を起こし，酸素化能の低下をきたすため，**閉鎖式吸引**を行う。ほかに，MRSAなどの感染がある場合にも，MRSAが検出されている痰の飛散防止のため閉鎖式吸引を行う
- 閉鎖式吸引カテーテルキットは，毎日交換する。カテーテルに日付を記入しておく

3）口腔内ケア（→p180）

口腔から侵入した菌による，肺炎を防ぐため，口腔内ケアを実施する。特に経口挿管中の場合は，チューブにより口腔内の分泌物が付着していたり，チューブ自体がケアの妨げになったりするため，ブラッシングと保湿をしっかり行う。イソジンガーグル®は，口腔内の乾燥を併発するため使用せず水道水で実施する。

4）カフ圧の管理

換気圧や量の確保，VAPや気管粘膜損傷の予防のため，カフ圧を適切に管理する。カフ圧の管理は，カフ圧計を用いて，15〜25cmH$_2$Oでコントロールする。各勤務で2回は実施して適性な圧を保持する。

5）体位変換・ドレナージ

新たな肺合併症の予防と，長期臥床による**褥瘡や関節拘縮を予防**するためにも体位変換を行う。また，背側の貯留分泌物の排出を促すため，**腹臥位**を実施する。腹臥位により呼吸・循環状態が悪化する危険があるため，呼吸様式の変化や循環動態を適切にモニタリングする。看護師と理学療法士が協力して，安全に施行できるよう，患者に声をかけながら行う。痛みが伴う場合は，ケア前に先行して鎮痛薬の使用も考慮する。

6）日常生活への援助

人工呼吸管理で，ベッド上安静，また高度低酸素血症

などによってもセルフケアが難しいため，全身清拭や洗髪，足浴，手浴，排泄などの日常生活の援助を行う。

7）精神的援助

人工呼吸器による強制換気やベッド上安静，気管挿管や気管切開によって会話できないことへの**ストレスと不安**が強くなる。医療者は，筆談や文字盤を活用したコミュニケーションを積極的に行い，患者の思いや訴えを理解する。また，カレンダーの掲示や日時を説明するなどして，患者が現状を理解しやすくする工夫を行う。

ARDSは重症化しやすく致死的合併症の併存率も高く，ICUでの人工呼吸管理で本人と会話できず，家族は大きな不安やストレスを抱えやすい。病気や治療について随時家族に十分な説明を行う。治療を行っても改善が見込めないこともあり，「もしものとき」や「最期のとき」のためにACPが必要なこともある。

8）早期モビライゼーション

人工呼吸管理中の長期ベッド上安静による筋力低下や感覚障害などの症状を呈す**ICU-acquired weakness（ICU-AW）**の発症を予防するため，早期モビライゼーションを行う。人工呼吸中の日中に，浅い鎮静で患者と意思疎通ができる際は，座位，端座位，車いす移乗，立位，歩行と段階的にリハビリテーションをすすめる。

［飯干亮太］

[引用文献]
1) 3学会合同 ARDS 診療ガイドライン2016作成委員会編：ARDS 診療ガイドライン2016（Part 1），p69，総合医学社，2016.
2) 前掲書1，pp69-70.
3) 前掲書1，p73.
4) Bone RC, et al: Intravascular coagulation associated with the adult respiratory distress syndrome. Am J Med 61(5): 585-589, 1976.
5) Gando S, et al: Systemic inflammation and disseminated intravascular coagulation in early stage of ALI and ARDS: role of neutrophil and endothelial activation. Inflammation 28(4): 237-244, 2004.
6) Dorinsky PM, Gadek JE: Mechanisms of multiple nonpulmonary organ failure in ARDS. Chest 96(4): 885-892, 1989.
7) Irish Critical Care Trials Group: Acute lung injury and the acute respiratory distress syndrome in Ireland: a prospective audit of epidemiology and management. Crit Care 12(1): R30, 2008.
8) Estenssoro E, et al: Incidence, clinical course, and outcome in 217 patients with acute respiratory distress syndrome. Crit Care Med 30(11): 2450-2456, 2002.
9) Markowicz P, et al: Multicenter prospective study of ventilator-associated pneumonia during acute respiratory distress syndrome. Incidence, prognosis, and risk factors. ARDS Study Group. Am J Respir Crit Care Med 161(6): 1942-1948, 2000.
10) 前掲書1，p72.
11) 前掲書1，p88.
12) 志馬伸朗：人工呼吸器関連肺（VAP）．呼吸臨床 1(3)：e00008，2017.
13) 日本集中治療医学会 J-PAD ガイドライン作成委員会：日本版・集中治療室における成人重症患者に対する痛み・不穏・せん妄管理のための臨床ガイドライン．日集中医誌 21(5)：539-579，2014.

[参考文献]
- 3学会合同 ARDS 診療ガイドライン2021作成委員会：ARDS 診療ガイドライン2021一般の方向け解説の作成に関する委員会報告．日集中医誌 31(3)：219-225，2024.

Column 気管挿管

1. 気管挿管の適応

❶ **上気道の機能的閉塞**：脳障害（脳出血，脳動脈瘤破裂，脳浮腫等），心肺停止，肝性昏睡，中枢抑制薬や急性アルコール中毒などの意識障害による舌根沈下

❷ **上気道の解剖学的異常による閉塞**：上気道の外傷，腫瘍などによる物理的狭窄

❸ **陽圧換気を必要とする場合**：NPPV 適応外となった重篤な呼吸障害で人工呼吸管理が必要な場合。

❹ **全身麻酔**：麻酔により上気道の機能的閉塞や人工呼吸管理が必要な場合

❺ **気管，気管支の吸引**：肺炎による喀痰吸引，外傷による血液分泌物吸引，肺水腫等の分泌物吸引が必要な場合（場合により気管支内視鏡を使用して行う）

❻ **予防的挿管**：重症の気道外傷，気道熱傷，多発外傷などで呼吸状態が悪化し，挿管が困難となる可能性が高い場合や，呼吸筋疲労による呼吸状態悪化や循環動態が不安定で呼吸状態の悪化が予測される場合

2. 必要物品

- 喉頭鏡：成人では 3〜4 号のブレードを用いる
- 気管チューブ：成人男性8.0〜9.0mmID，成人女性7.0〜8.0mmID 前後を用いる。あらかじめカフチェックを行い，潤滑ゼリーを塗布しておく
- マギール鉗子：経鼻挿管時に必要とする
- スタイレット：気管チューブに挿入し，チューブの形を変形させる補助用の硬い芯材
- バッグバルブマスク
- 枕（5〜10cm 程度）：低すぎたり高すぎたりすると喉頭展開が困難になる
- カフ注入用注射器 10mL
- 潤滑剤：潤滑ゼリー，定量噴霧式表面麻酔剤
- 固定用テープ，バイトブロック
- 聴診器
- 酸素供給源：酸素パイピング，酸素ボンベ
- 吸引装置：吸引器，吸引カテーテル
- 口腔ケア用品
- 薬剤：鎮静薬，鎮痛薬，筋弛緩薬，抗不整脈薬，副交感神経遮断薬，昇圧薬
- モニター類
  - 心電図，血圧計，パルスオキシメーター
  - 場合により観血的動脈ライン，定性的呼気二酸化炭素検知器（挿管チューブとバッグバルブマスクの間に装着し，呼気の中の二酸化炭素を検知することで気管挿管と食道挿管を鑑別する）

3. 気管挿管の流れ

気管挿管の前に，可能な限り口腔内，鼻腔内の清浄化を行う。義歯や差し歯，動揺歯の有無を確認し，義歯や差し歯は外す。必要物品と救急カートを準備する。

❶ **体位**：枕を用いて，スニッフィングポジション（sniffing position）（頸椎前屈，頭部伸展）（図1）をとる（頸椎障害を除く）

❷ **酸素吸入**：100%の酸素投与をバッグバルブマスク法で行い挿管中の低酸素を予防する

図1 挿管に最適な頭位：スニッフィングポジション

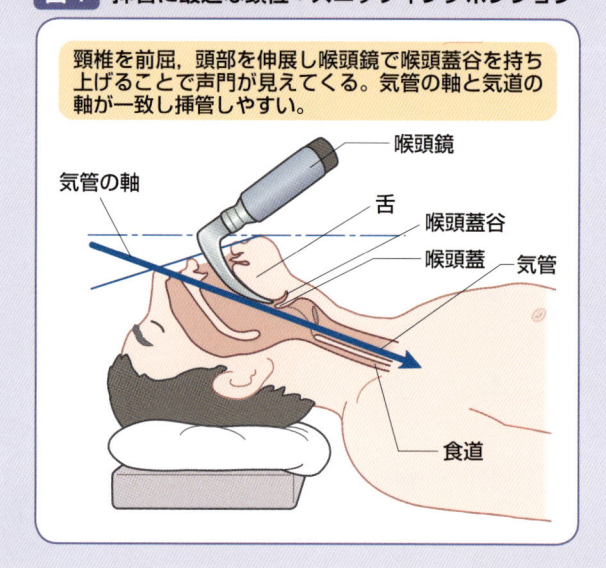

頸椎を前屈，頭部を伸展し喉頭鏡で喉頭蓋谷を持ち上げることで声門が見えてくる。気管の軸と気道の軸が一致し挿管しやすい。

（気管の軸／喉頭鏡／舌／喉頭蓋谷／喉頭蓋／気管／食道）

図2 BURP法の手順

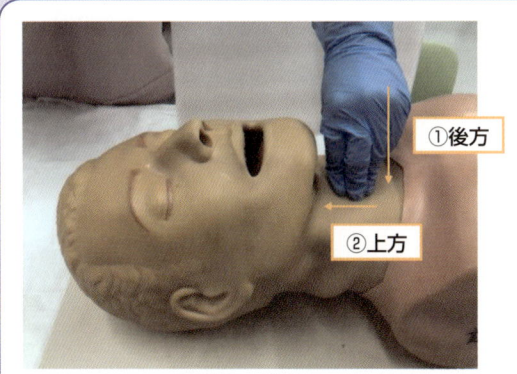

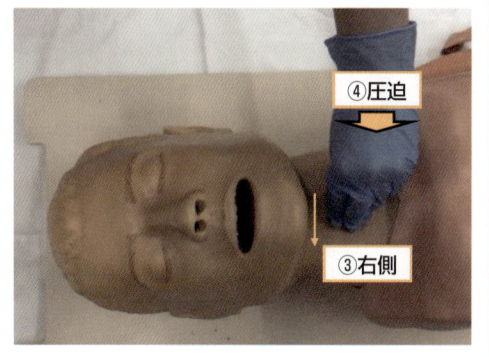

①後方　②上方　　　　　　　③(術者からみて)右側へ　④圧迫

図3 喉頭の様子

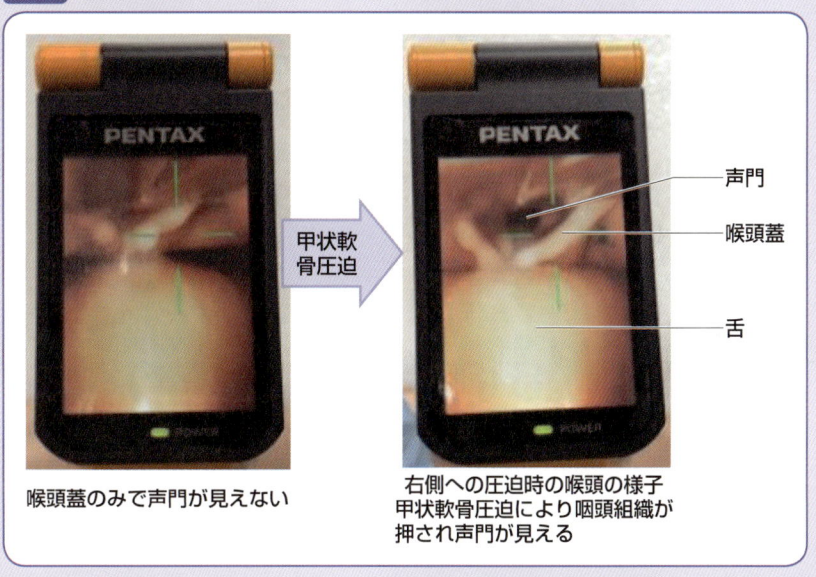

甲状軟骨圧迫 → 声門／喉頭蓋／舌

喉頭蓋のみで声門が見えない　　右側への圧迫時の喉頭の様子
　　　　　　　　　　　　　　甲状軟骨圧迫により咽頭組織が
　　　　　　　　　　　　　　押され声門が見える

▶胃内容物があり，バッグ換気により胃内容物の逆流が予測される場合は，酸素吸入のみを行い，輪状軟骨を圧迫し，食道閉鎖後に挿管する

❸**麻酔薬，筋弛緩薬の使用**：鎮痛薬使用のメリットとして患者の苦痛減少，挿管時の血圧上昇や頻脈，咽頭刺激による迷走神経反射（徐脈，血圧低下）の減少などがある。鎮痛薬使用のデメリットには**舌根沈下**，交感神経抑制による**血圧低下**などがある

❹**喉頭展開**：喉頭鏡を用いて術者が行う。医師が患者を開口させたら，利き手と反対の手に**喉頭鏡**を，医師の利き手に**気管チューブ**を確実に渡す。
　喉頭展開をしても，喉頭・声門全体がよく見えるとは限らない。挿管介助時は，頸部圧迫により**声門**が見え挿管しやすくするために，**甲状軟骨の圧迫（BURP法）**を実施する場合もある。

BURP法（図2・3）では，甲状軟骨を❶後方，❷上方，❸（術者からみて）右側へ，❹圧迫し，喉頭展開の難易度や状況により，圧迫部位や力を入れる方向を微調整する。気道の解剖を理解し，術者とコミュニケーションをとり，実際に圧迫方法を確認しながら介助する。

喉頭展開後に挿管困難を予測するため，声帯，喉頭蓋の見え具合を4段階で分類するCormack

表1 Cormack分類

グレード	状態	挿管可能の判断
Grade Ⅰ	完全に声門が目視可能	問題なし
Grade Ⅱ	声門の前方のみ目視不可能。口頭を軽く圧迫すると目視できる	やや困難
Grade Ⅲ	喉頭蓋は目視できるが声門は見えない	かなり困難
Grade Ⅳ	喉頭蓋が目視できない	不可能

(Cormack RS, Lehane J：Difficult tracheal intubation in obstetrics. Amaesthesia 39（11）：1105-1111，1984.（2025年4月1日閲覧）をもとに作成)

図4 挿管の位置確認の聴診

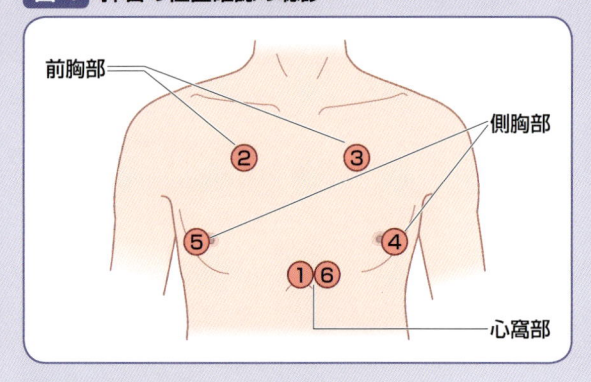

図5 片肺挿管

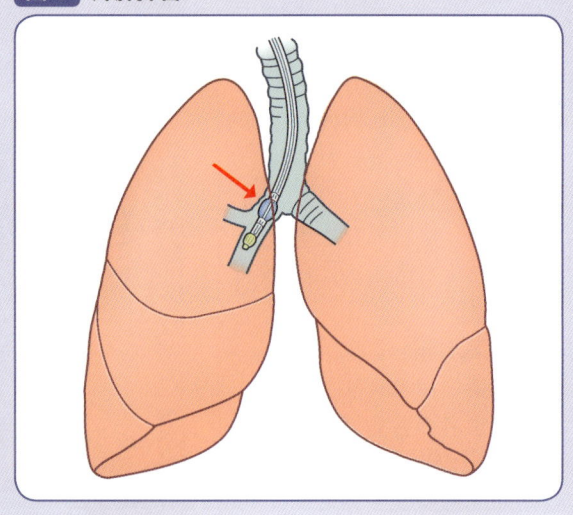

分類（表1）が用いられる。Grade Ⅲ以上は挿管困難のリスクが高く，耳鼻咽喉科医の協力やビデオ喉頭鏡，ラリンジアルマスクなどの気道確保器具を使用して気道確保を行う。

❺**気管チューブの挿入・カフへの空気の注入**：経口挿管の場合は気管チューブに**スタイレット**を挿入し，スタイレットの先端が気管チューブより出ないように固定する。気管チューブの挿入を容易にするためスタイレットの先端に角度をつける。**気管内に挿入後，術者の指示に従いスタイレットを抜去する**。このとき気管チューブの位置がずれないよう，気管チューブを保持する。経鼻挿管の場合はマギール鉗子を用いて気管チューブを誘導する

❻**挿管後の確認**
  ①視診：前胸郭が吸気に合わせ上下するかを確認する
  ②**5点聴診側**（図4）：①〜⑤を聴診し，最後に心窩部の音を再聴取する
  ●食道に挿管した場合，ゴボゴボといった水泡音が聴取される
  ●気管チューブが深く入りすぎて**片肺挿管**になっていた場合，呼吸音が聴取できない。気管から気管支へ至る分岐の角度が右気管支のほうが小さいため片肺挿管の多くは右肺で起こる
  ③**CO_2モニター（カプノメーター，$EtCO_2$モニター）**：CO_2検知により呼気の検出を確認する

❼**気管チューブの固定**：挿入の深さを確認する。患者が気管チューブをかんで，気管チューブが閉塞する場合，**バイトブロック**を使用する
  ●挿入する深さは**成人男性で21〜23cm，成人女性で20〜22cm**
  ●**食道挿管の可能性**や，深めにすることによる片肺挿管（図5）の可能性，浅いことによる声門部分でカフを膨らませる可能性もあるので注意が必要である

図6 エアウェイスコープ

気管チューブ
マイクロファイバースコープ先端
ディスプレイ
イントロック

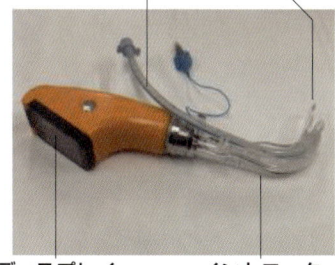

気管内チューブガイドに挿入した気管チューブ ｜ 気管チューブをセットし挿入する ｜ 画面で声門を確認しながら挿管する

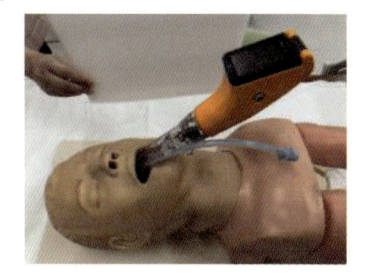

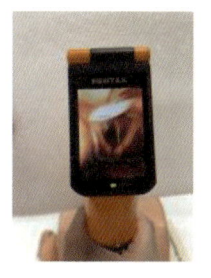

4. 気管挿管の合併症

- 食道挿管
- 片肺挿管
- 誤嚥
- 機械的損傷：歯や口唇の損傷，出血，気管穿孔，縦隔気腫
- 有害反射：高血圧，低血圧，徐脈，頻脈，気管支けいれん，喉頭けいれんなど

5. ビデオ喉頭鏡

- エアウェイスコープ（図6）

喉頭鏡とファイバースコープが一体化しており，気管内チューブガイドに気管チューブをセットし，声門を手元のカメラで確認しながら挿入することができる。声門を確認しながら挿入できるので，食道挿管等を起こしにくい。

- McGRATH™ MAC（図7）

喉頭鏡に近い操作で，直視とカメラによる間接視が行える。

［福原裕美子］

図7 McGRATH™ MAC

モニタ
カメラ
ハンドル
ブレード

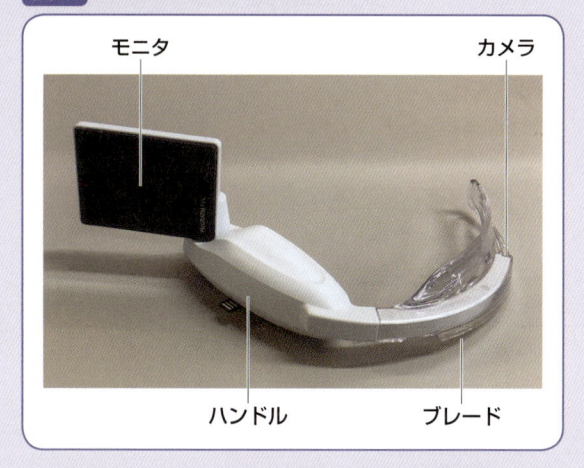

[参考文献]
- 堀進悟監，佐々木淳一編：救急レジデントマニュアル 第6版．医学書院，2018．
- 讃岐美智義：麻酔科研修チェックノート 改訂第7版．羊土社，2022．
- 日本麻酔科学会：気道管理ガイドライン2014（日本語訳）より安全な麻酔導入のために．2015．
- 木山秀哉：耳鼻咽喉科領域の気道確保困難．耳鼻咽喉科展望 59(3)：145-156，2016．

Column 気管挿管中の患者の口腔ケア

　気管挿管は気道確保や誤嚥予防を目的として行われるが，集中治療室（intensive-care-unit：ICU）などで，**長期に留置することにより口腔内および口腔周囲への障害，人工呼吸器関連肺炎**（ventilator-associated-pneumonia：VAP）などを生じる危険性がある。院内感染のうち，肺炎が占める割合は約15%で，ICUでは27%，CCUでは24%と，重症患者の管理を行う場所で高い割合で発生している[1]。

　気管挿管中の患者は**常時開口した状態**のため，**口腔内が乾燥**し，口腔粘膜損傷による**出血**が生じやすい。また，開口抑制や気管挿管チューブなどの障害物により，口腔内が狭くなり，視野も遮られ**口腔ケアが困難**な状況となりやすい。さらに，鎮静薬・麻酔薬・副交感神経遮断薬などの影響で**唾液の分泌が低下**し，口腔内の自浄作用が低下する。そのため，バイオフィルムである**デンタルプラークが蓄積**して，生体防御機構（免疫力）や抗菌薬に対して抵抗性を示す。

　口腔内細菌（グラム陰性菌群，肺炎球菌など）の増殖や，口腔粘膜の萎縮，開口操作での亀裂，抗菌薬使用による口腔内常在菌の菌交代現象，それに伴う真菌や院内感染菌の定着と増殖が起こり，経口挿管中の口腔内の細菌数は，抜管後より多い（図1）。そのため，**歯に付着した歯垢の除去（図2）**と，**口腔内の汚染物の回収による口腔内環境の確立**が重要となる。

1. 口腔ケアの目的

①口腔内の細菌や微生物の繁殖を防ぐ
②気管挿管中の合併症（VAPを含む）を予防する
③唾液の分泌を促進し，口腔内の自浄作用を保ち，口腔内乾燥を予防する
④口腔機能低下を予防する
⑤齲歯予防および歯周病を予防する
⑥口腔内の清潔を保持し悪臭を除去し，爽快感を得る

図1　気管挿管中の菌の侵入経路

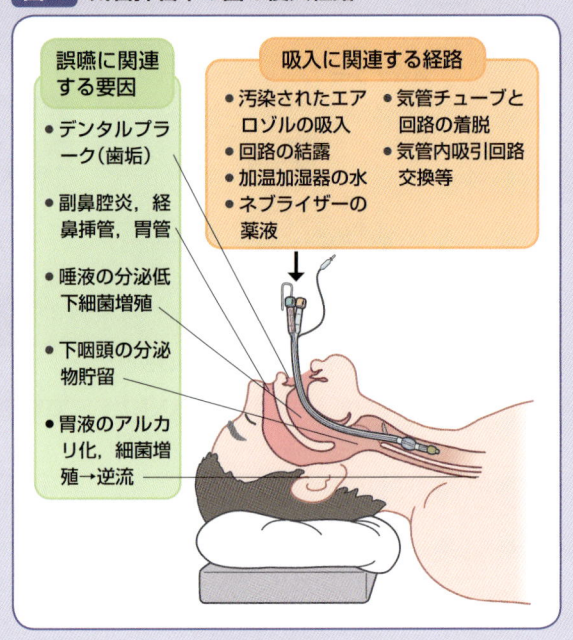

誤嚥に関連する要因
- デンタルプラーク（歯垢）
- 副鼻腔炎，経鼻挿管，胃管
- 唾液の分泌低下細菌増殖
- 下咽頭の分泌物貯留
- 胃液のアルカリ化，細菌増殖→逆流

吸入に関連する経路
- 汚染されたエアロゾルの吸入
- 回路の結露
- 加温加湿器の水
- ネブライザーの薬液
- 気管チューブと回路の着脱
- 気管内吸引回路交換等

図2　歯の汚れやすい部分

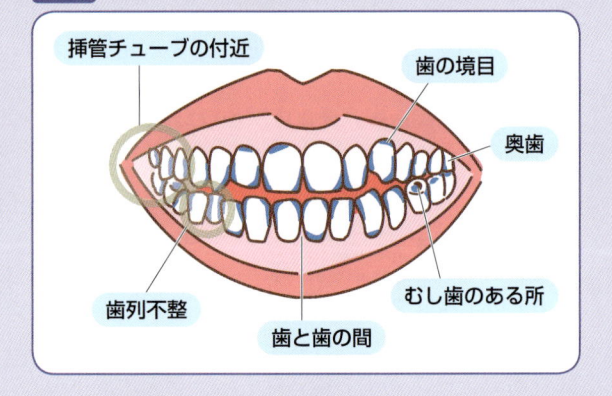

挿管チューブの付近／歯の境目／奥歯／むし歯のある所／歯と歯の間／歯列不整

2. 対象

　気管挿管下で呼吸管理が行われている成人患者[2]である。経口挿管を前提としているが，経鼻挿管，気管切開，非挿管の患者であっても応用は可能である。

3. 方法：ケアの種類と実施頻度

口腔ケアの種類ごとの方法を表1に示す。汚染物回収（ブラッシング・洗浄法／清拭法）と維持ケアを24時間で組み合わせて実施する例を図3に示すが，患者の個別性や各施設の状況に応じて実施する。

4. 必要物品

汚染物回収ケアと維持ケアの必要物品を表2に示す。

5. 口腔の観察とアセスメントツール

口腔アセスメントは初回に必ず行う。その後は，ブラッシングケア時に状況に応じて適宜評価する。

表3の口腔アセスメントツールは，評価者のばらつきを低減し，標準化された質の高い口腔ケアを提供するための評価として有用である。

気管挿管下で検証されたスケールがないため，これらのアセスメントツールの気管挿管中の患者に対するエビデンスは提示できない。しかし，口腔内の

表2 必要物品[3]

汚染物回収ケア	維持ケア
①個人防護具（飛散防止のためのゴーグルも含む） ②カフ圧計 ③歯ブラシ（ヘッドが小さくて操作しやすいもの） ④口腔内の拭き取り用具（スポンジブラシまたは綿棒，口腔ケアティッシュ） ⑤径が太くこしのある吸引チューブ ⑥口腔湿潤剤	
⑦20mL シリンジ ⑧開口補助具・バイトブロック ⑨舌ブラシ・歯間ブラシ ⑩ペンライト ⑪気管チューブ固定用品 ⑫洗浄水・洗口液 ⑬歯科用ミラー ⑭舌圧子	

表1 ケアの種類と方法

	汚染物回収ケア		維持ケア （粘膜ケアを含む）
	清拭法	ブラッシングケア・洗浄法	
方法	洗口液を含んだスポンジブラシで口腔内を奥から手前に向かって清拭する	歯垢を除去するため歯ブラシを用いてブラッシングし，洗浄により汚染物を回収する	ケア間隔は均等で，粘膜ケア後に口腔内へ湿潤剤を塗布する
実施人数	1人	1人ないしは2人	1人
回数	1日1〜2回		1日4〜6回

図3 汚染物回収ケアと維持ケアの組み合わせパターン例

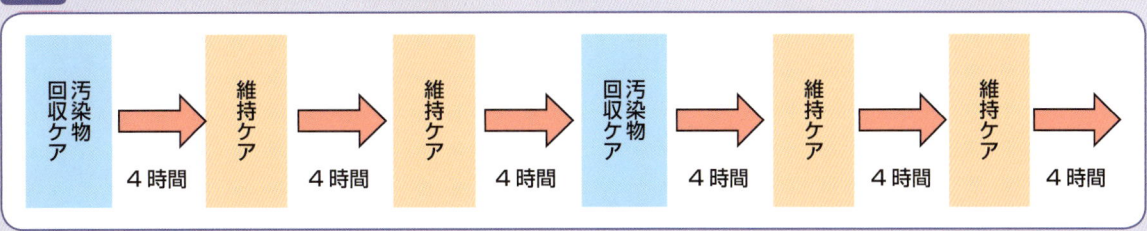

汚染物回収ケア → 4時間 → 維持ケア → 4時間 → 維持ケア → 4時間 → 汚染物回収ケア → 4時間 → 維持ケア → 4時間 → 維持ケア → 4時間

（日本クリティカルケア看護学会口腔ケア委員会：気管挿管患者の口腔ケア実践ガイド．p4，2021．を参考に筆者が作成）

表3 口腔のアセスメントツール[4〜7]

① Oral Assessment Guide（OAG）	Eilers らによって，がん化学療法患者の口腔粘膜や疼痛の評価として開発された口腔評価ツールである。
② Revised Oral Assessment Guide（ROAG）	がん患者の口腔内評価ツールである OAG をほかの患者へも応用できるようにしたものである。
③ Clinical Oral Assessment Chart（COACH）	治療や専門的介入の必要性を判断するための口腔アセスメントチャートである。
④ The Oral Health Assessment Tool（OHAT）	在宅や施設入所の高齢者を対象とした口腔問題の評価のために開発されたものである。

観察を一定の基準のもとに行うことは，口腔ケアを提供するうえでは重要である。また，自施設で決定したアセスメントツールで評価を行い，院内基準を決め，点数が高い場合には歯科コンサルテーションの依頼を検討する。

6. 口腔ケアの手順

1 実施前
①患者へ口腔ケア実施の説明を行う
②制限がなければ，**頭部挙上（30〜45度）**[8] した仰臥位とする
▶**循環動態不安定，脳灌流圧低下などがある場合**はベッドアップを避ける[9]。頭部挙上は，逆流防止には有効であるが，気道内への誤嚥を促進したり，気道内クリアランスを減じたりする可能性もある。**ベッドアップが不可の人は側臥位**とするか，対象者の頭部を横に向ける。これにより，頸部の伸展を予防でき，気道の下側が圧迫され流れ込みを減らすことができる[10]
③バイタルサインの確認，両肺野の聴取を行う
④輸液ラインやドレーンの位置を確認する
⑤ケアの実施者は標準予防策を行いエプロンや手袋，ゴーグルなどの個人防護具を装着する

⑥カフ圧を確認し，**適正なカフ圧（20〜30cmH$_2$O）**を保つ
▶20cmH$_2$O 以下のカフ圧が持続することは，VAP に対する独立危険因子である[11]ため，適正圧（20〜30cmH$_2$O）への調整を行う
⑦気管チューブの挿入の長さを確認する。テープによる皮膚損傷を防止するため，剥離剤などを用いてから剥がす
⑧口腔内の観察は院内で決めた**評価ツール**を用いて行い，記録に残す
⑨口腔内，カフ上部に貯留している**分泌物を吸引**し，流れ込みを防ぐ
⑩施術者の立ち位置は，患者の頭頂部を12時としたときに，3〜4時（患者の右側に位置する場合は8〜9時）とし，患者の口腔内がよく観察できるようベッドの高さと位置を調節する。

2 汚染物回収（ブラッシング・洗浄法／清拭法と維持ケア）の手順
①口腔内の乾燥している部位には口腔湿潤剤を塗布し汚染物を軟化させる。汚染物や分泌物をスポンジブラシなどで除去する

［清拭法］
（1）洗口液もしくは口腔湿潤剤を含んだ**スポンジブラシ**で口唇，歯，歯肉，歯間，口腔粘膜を清拭し，奥から手前に向かって清拭する。

［洗浄法］（2名で実施する：気管チューブ保持者／ブラッシング実施者）
（1）気管チューブ保持者は，気管チューブの誤挿入や誤抜去に注意してチューブを保持しつつ，患者の表情や体動，呼吸様式を観察する
（2）もう1人の看護師が誤嚥のリスクに注意しながら，**ブラッシング**および**洗浄，吸引**を実施する。歯ブラシはペングリップ法で持ち，1本ずつ磨き歯垢を除去する。挿管患者では口腔ケアや気管チューブの移動でバッキングすることがあるため，愛護的に行う。また，咬まれるリスクがあるためバイトブロックを添える
（3）**吸引**は洗浄水を注入する先に吸引チューブを

挿入し，洗浄水ができるだけ咽頭に流れ込まないよう注意する
(4) **洗浄**は，20mLシリンジを用いて，歯の周囲を中心に1回量3～5mLずつ洗浄水を注入する
(5) 洗浄水を注入する際には，歯の周囲が洗浄できるようにシリンジの角度に注意して実施する
(6) カフ上部吸引を実施する
②スポンジブラシ等で口腔内の気管チューブを拭く
③口腔・咽頭の汚染物や分泌物は吸引チューブを用いて確実に回収する
④気管チューブの口腔から外に出た部分も綿棒などで清拭する
⑤口腔湿潤剤を口腔内に薄く塗布し，口唇が乾燥している場合にはリップクリームを塗布する
⑥開口している場合にはケア終了後にマスクなどを装着し乾燥を予防する

3 実施後
①気管チューブの挿入の長さを確認して再固定を行い，カフ圧の調整を行う。呼吸音を確認し分泌物の貯留がないことを確認する
②バイタルサイン測定を行い患者の状態を観察する
③口腔ケアが終了したことを告げ，安楽な体位へ戻す
④使用した物品の後片付けを行う

7. 口腔ケア時の注意点

❶気管チューブの移動に際しては計画外抜去の予防に留意する
❷粘膜障害や出血傾向があり看護師のみの対応が困難な場合は，歯科があれば紹介し協働してケアを実施する

[園田さおり]

[引用文献]
1) 菊谷武監：口をまもる生命をまもる基礎から学ぶ口腔ケア. p56, Gakken, 2007.
2) 日本クリティカルケア看護学会口腔ケア委員会：気管挿管患者の口腔ケア実践ガイド. p2, 2021.
3) 前掲書2, p4.
4) 松村真澄：Eilers口腔アセスメントガイドと口腔ケアプロトコール. 看護技術 58(1)：12-16, 2012.
5) 白石愛：口腔のアセスメントの実際. リハビリテーション栄養 7(2)：174-177, 2023.
6) 岸本裕充, 長谷川陽子, 高岡一樹, 他：食べられる口をCREATEするためのオーラルマネジメント. 日本静脈経腸栄養学会雑誌 31(2)：687-692, 2016.
7) 晴山婦美子・他編, 看護に役立つ口腔ケアテクニック 第2版, pp12-15, 医歯薬出版, 2019.
8) 前掲書1, p57.
9) Scott JM, et al：気道チューブと口腔ケア. Wiegand Dl, Carlson KK編著, 卯野木健監訳, AACN（米国クリティカルケア看護師協会）クリティカルケア看護マニュアル 原著第5版. pp24-29, エルゼビアジャパン, 2007.
10) 日本口腔ケア学会看護部会：ライフステージに沿った口腔ケアガイド. p228, メヂカルフレンド社, 2023.
11) Rello J, et al: Pneumonia in intubated patients: role of respiratory airway care. Am J Respir Crit Care Med 154(1): 111-115, 1996.

[参考文献]
- 岩重洋介編著：看護・コメディカルの口腔ケア実践ハンドブック. p82, サイオ出版, 2022.

第Ⅱ部 疾患別看護ケア関連図　4．呼吸不全と呼吸調整障害

14 慢性呼吸不全

- 閉塞性肺疾患：COPD, 気管支喘息など
- 間質性肺疾患：特発性肺線維症, 慢性過敏性肺臓炎, 肺膠原病など
- 肺結核後遺症
- 悪性腫瘍：肺がん, 多発性肺転移, がん性胸膜炎など
- びまん性気管支拡張症
- 脊椎後側弯症
- 神経・筋疾患：筋萎縮性側索硬化症, 筋ジストロフィーなど
- 呼吸中枢の異常：Pickwickian症候群, 特発性肺胞低換気症候群など

- 拡散障害
- 換気血流比不均等
- シャント
- 肺胞低換気

→ PaO_2 60Torr以下が1カ月以上つづく

→ 慢性呼吸不全

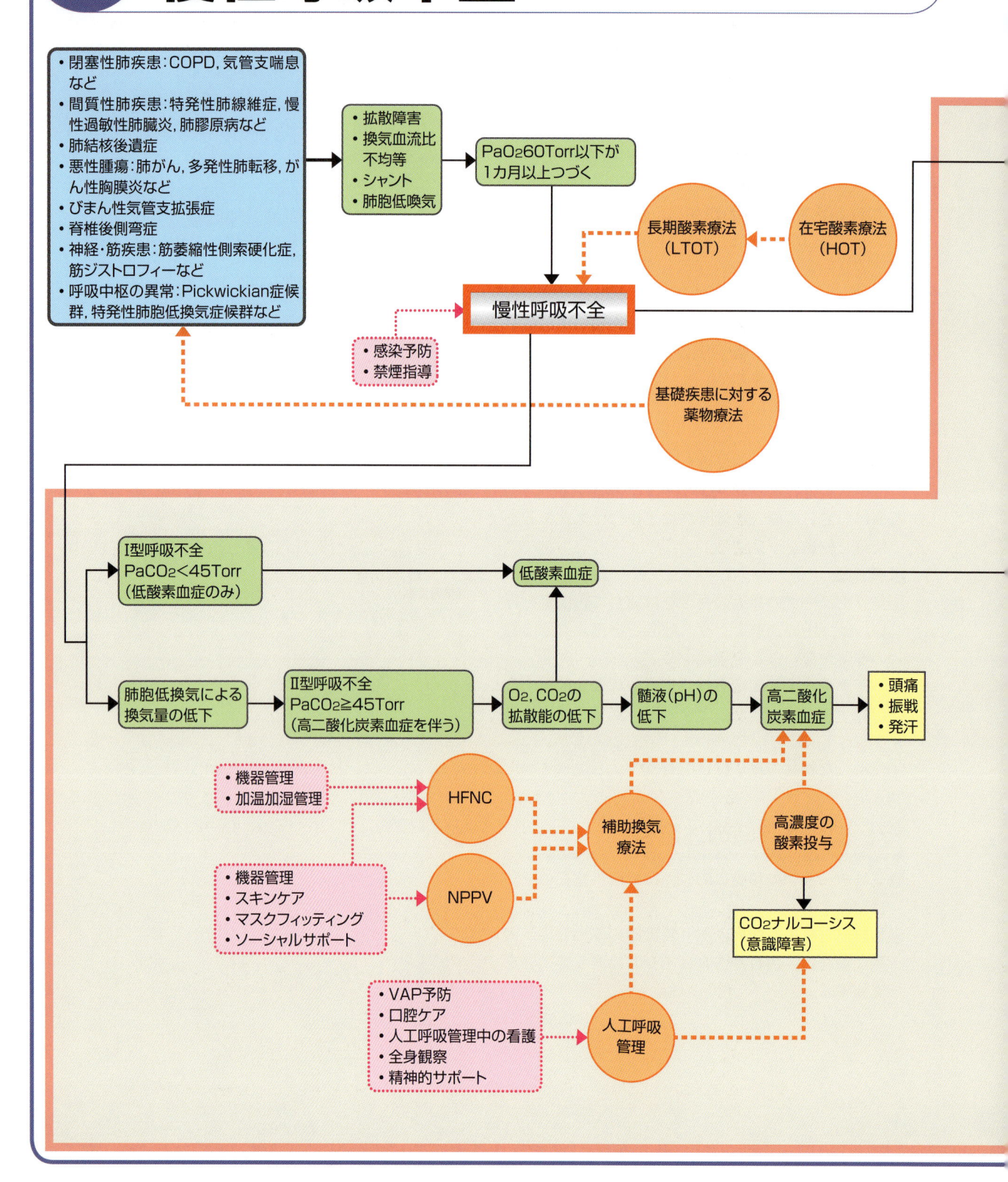

- 長期酸素療法（LTOT）
- 在宅酸素療法（HOT）

- 感染予防
- 禁煙指導

基礎疾患に対する薬物療法

Ⅰ型呼吸不全
$PaCO_2$<45Torr
（低酸素血症のみ）

→ 低酸素血症

肺胞低換気による換気量の低下 → Ⅱ型呼吸不全 $PaCO_2$≧45Torr（高二酸化炭素血症を伴う）→ O_2, CO_2の拡散能の低下 → 髄液（pH）の低下 → 高二酸化炭素血症

- 頭痛
- 振戦
- 発汗

- 機器管理
- 加温加湿管理

→ HFNC

- 機器管理
- スキンケア
- マスクフィッティング
- ソーシャルサポート

→ NPPV

→ 補助換気療法

高濃度の酸素投与

→ CO_2ナルコーシス（意識障害）

- VAP予防
- 口腔ケア
- 人工呼吸管理中の看護
- 全身観察
- 精神的サポート

→ 人工呼吸管理

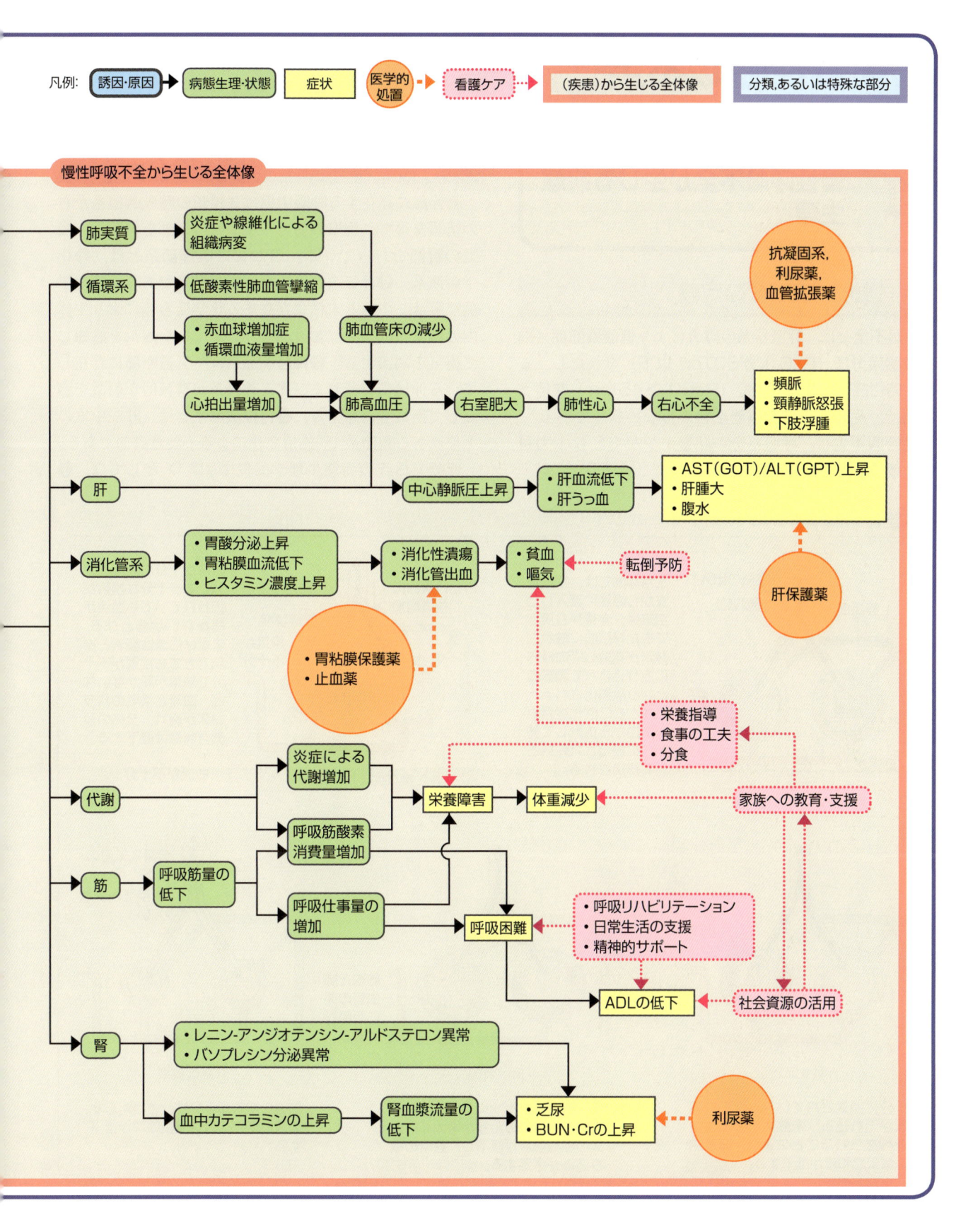

慢性呼吸不全から生じる全体像

凡例: 誘因・原因 → 病態生理・状態 / 症状 / 医学的処置 ⇢ 看護ケア / (疾患)から生じる全体像 / 分類,あるいは特殊な部分

- 肺実質 → 炎症や線維化による組織病変
- 循環系 → 低酸素性肺血管攣縮
  - ・赤血球増加症
  - ・循環血液量増加
  - → 心拍出量増加 → 肺血管床の減少 → 肺高血圧 → 右室肥大 → 肺性心 → 右心不全 → ・頻脈 ・頸静脈怒張 ・下肢浮腫
  - 抗凝固系,利尿薬,血管拡張薬 ⇢
- 肝 → 中心静脈圧上昇 → ・肝血流低下 ・肝うっ血 → ・AST(GOT)/ALT(GPT)上昇 ・肝腫大 ・腹水
  - 肝保護薬 ⇢
- 消化管系 →
  - ・胃酸分泌上昇
  - ・胃粘膜血流低下
  - ・ヒスタミン濃度上昇
  - → ・消化性潰瘍 ・消化管出血 → ・貧血 ・嘔気 ⇠ 転倒予防
  - ・胃粘膜保護薬 ・止血薬 ⇢
- 代謝 →
  - 炎症による代謝増加
  - 呼吸筋酸素消費量増加
  - → 栄養障害 → 体重減少
  - ⇠ ・栄養指導 ・食事の工夫 ・分食
  - ⇠ 家族への教育・支援
- 筋 → 呼吸筋量の低下 → 呼吸仕事量の増加 → 呼吸困難
  - ⇠ ・呼吸リハビリテーション ・日常生活の支援 ・精神的サポート
  - → ADLの低下 ⇠ 社会資源の活用
- 腎 →
  - ・レニン-アンジオテンシン-アルドステロン異常
  - ・バソプレシン分泌異常
  - 血中カテコラミンの上昇 → 腎血漿流量の低下 → ・乏尿 ・BUN・Crの上昇 ⇠ 利尿薬

第Ⅱ部　疾患別看護ケア関連図　4．呼吸不全と呼吸調整障害

14 慢性呼吸不全

I 慢性呼吸不全が生じる病態生理

1. 慢性呼吸不全の定義

呼吸不全とは，呼吸器系の障害により**低酸素血症（動脈血酸素分圧（PaO$_2$）が60Torr以下）**をきたし，また，**時に高二酸化炭素血症（PaCO$_2$＞45torr）を伴う状態**で，生体が正常な機能を営み得ない状態である[1]。**慢性呼吸不全**は，呼吸不全の状態が少なくとも1カ月以上続くものと定義されている[2]。

2. 慢性呼吸不全の病態とメカニズム

脳幹部に存在する**呼吸中枢**は3種類の呼吸調節系からの情報を得て，胸壁の筋肉や横隔膜の運動を調節し，**換気の調節**を行っている。3つの呼吸調節系とは，❶化学調節系，❷神経調節系，❸行動調節系である。❶化学調節系は，中枢と末梢に存在する化学受容体により生体内の酸素（O$_2$）と二酸化炭素（CO$_2$）のレベルを感知して換気を調節する。❷神経調節系は，気道や肺に存在している伸展受容器および迷走神経系が機械的な刺激を感知して換気を調節する。❸行動調節系とは，呼吸中枢の上位にある調節系で，感情変化による不随意調節である。

低酸素血症の病態生理学的機序（図1）としては，❶

図1　低酸素血症を起こす病態

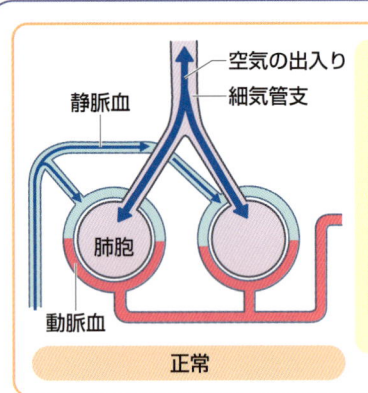

【正常】
空気の出入り／細気管支／静脈血／動脈血／肺胞
正常な肺では，細気管支から細胞に流入した空気は，全身から戻ってきた静脈血に触れ，酸素が拡散して血液内に取り込まれて動脈血となり酸素化される。このとき二酸化炭素も静脈血から拡散して肺胞内に放出され呼気として排出される。

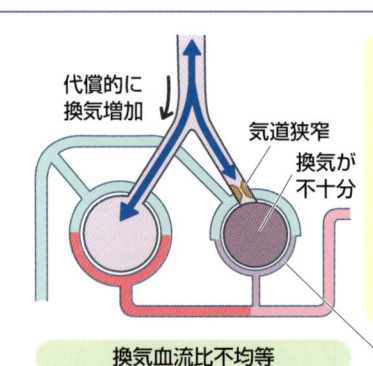

【換気血流比不均等】
代償的に換気増加／気道狭窄／換気が不十分／血流が不十分
血液が十分に酸素と接触できず十分な換気が行われていても血液が届かない状態となる，または血流は酸素と接触できても換気が不十分で酸素が届かないなど，血流と換気のバランスが崩れ，全体の酸素含有量は低下する。

【シャント】
分時換気量の低下／換気が少ない
十分に換気されていない肺胞に血液が流れ込み，未酸素化のまま全身へ送られることにより，血液中の酸素飽和度が低下する。

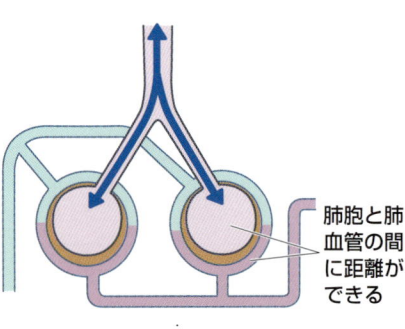

【拡散障害】
肺胞と肺血管の間に距離ができる
肺胞壁の線維化や炎症，水腫など肺胞と血液間の距離が増大し，ガスの拡散速度が低下し，酸素の取り込みが不足する。

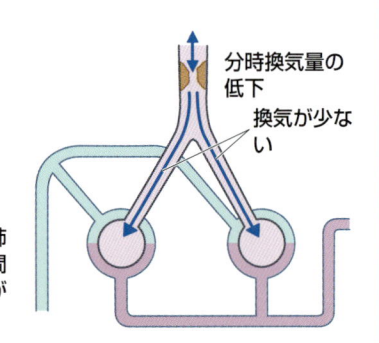

【肺胞低換気】
分時換気量の低下／換気が少ない
肺胞に空気が十分にいきわたらず，血液と空気のガス交換効率が低下する。

肺胞低換気，❷換気血流比不均等，❸拡散障害，❹シャントがある。これらが混在した状態で呼吸調節系が働いても体内の酸素と二酸化炭素のレベルを適切に保てなくなり，呼吸不全を引き起こす。

1) 肺胞低換気

神経筋疾患，肺・胸郭の異常や抗不安薬や麻薬性鎮痛薬による呼吸中枢の抑制などが要因である。これらにより呼吸中枢からの横隔膜や呼吸補助筋への神経伝達に異常が生じたり，換気にかかわる神経や筋の障害，胸郭変形による換気運動の制限，気道の狭窄・閉塞や肺の虚脱などにより換気量が低下する。他にも，異物や炎症，腫瘍などによる上気道の閉塞で換気量が低下をきたす。

換気量が減少すると，生体の代謝に必要な酸素を供給できず（低酸素血症），代謝で生成された二酸化炭素を完全に排泄できない（高二酸化炭素血症）。

肺胞低換気では肺胞気酸素分圧（P_AO_2）の低下を招くため，動脈血酸素分圧（PaO_2）との格差である肺胞気動脈血酸素分圧較差（A-aDO_2）は開大しない。

A-aDO_2とは，酸素が肺胞内から肺動脈血内に移動する際に低下する圧のことであり，正常は10mmHg以下である。肺胞と毛細血管の間を酸素が通過する際に，肺胞壁の肥大だけでなく血流の障害などがあると，酸素が十分に拡散できず，圧の差が増大する（図2）。

2) 換気血流比不均等

ガス交換が十分に行われるためには，肺胞換気量と肺血流量が保たれ，かつ，換気量と血流量が適切である必要がある。しかし，健常肺でも，血流は重力の影響で下肺に多く分布するため，肺内の換気血流比は不均等に分布している。

気道疾患や間質性肺疾患，肺胞疾患など，気道肺胞系や肺血管系の異常により，換気が非常に少ない肺胞や血流が非常に少ない肺胞が生じる。換気が非常に少ない肺胞では，血流があっても拡散される酸素が少なく，血液中の酸素含有量が少なくなる。血流が非常に少ない肺胞では，換気量は十分であるが，酸素が拡散されても酸素化される血液量が少ないため酸素含有量は少ない。さらに，障害のある肺胞の代償として換気障害のない肺胞の換気量は増加するが，その肺胞毛細管血の酸素はすでに飽和状態に近く，余計に酸素を取り込むことができない。結果的に，肺胞毛細血管内全体の酸素含有量が低下する。そのため，A-aDO_2は開大する。酸素吸入によって動脈血酸素分圧（PaO_2）は改善する。

3) 拡散障害

肺胞膜の障害・肥厚，肺胞面積の減少，肺毛細血管血液量の減少，貧血などにより，肺胞腔から毛細血管内の赤血球内ヘモグロビンまでの間で細胞内の酸素の拡散が障害され，血液中の酸素含有量が低下する。運動時では，赤血球が肺胞を通過する時間が短くなるため，酸素の拡散低下によって赤血球まで到達せず，静脈血が酸素化されない。A-aDO_2は開大し，低酸素血症を呈する病態となる。二酸化炭素は酸素に比べ約20倍速く拡散するため，拡散障害があっても肺胞低換気がない限り，$PaCO_2$は上昇しない。

4) シャント（左右シャント）

右室から拍出された血液が肺動静脈瘻や無気肺などにより，肺胞気（肺胞にある気体）に接触しないため酸素化されず左心系に流入する病態のことで，A-aDO_2が開大し，酸素吸入を行ってもPaO_2が上昇しにくいことが特徴である。

図2 肺胞気動脈血酸素分圧較差（A-aDO_2）（酸素が肺胞から肺動脈血内に移動する際に低下する圧）

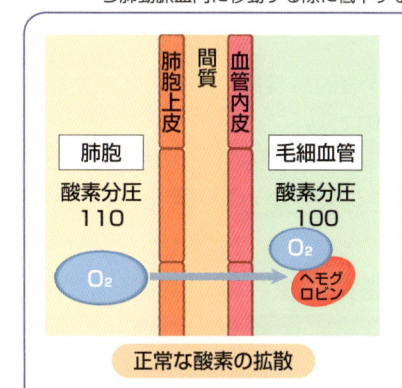

正常な酸素の拡散
- 肺胞 酸素分圧 110
- 毛細血管 酸素分圧 100

肺胞上皮や間質，血管内皮が正常な場合，酸素の拡散には問題がなく，酸素分圧の低下は10mmHg以内である。

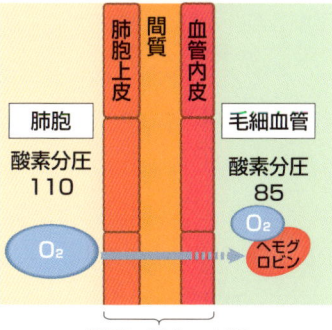

酸素の拡散に障害がある場合
- 肺胞 酸素分圧 110
- 毛細血管 酸素分圧 85
- 肥厚・肥大・水腫

肺胞上皮や血管内皮の肥厚，間質の肥大や水腫などにより酸素の拡散が障害され，毛細血管中の酸素分圧が大幅に低下し，酸素分圧の差が20mmHg以上になる。

3. 慢性呼吸不全の分類

慢性呼吸不全を呈する疾患を表1に示す。呼吸不全は，動脈血酸素分圧（PaO₂）≦60Torrに加えて，動脈血二酸化炭素分圧（PaCO₂）の上昇を伴うか否かによって，Ⅰ型とⅡ型に分類される（表2）。

1) 動脈血高二酸化炭素血症の有無による分類

1 Ⅰ型呼吸不全

Ⅰ型呼吸不全は換気血流比不均衡や拡散障害，左右シャントにより生じ，PaO₂≦60Torrに加えA-aDO₂が開大する。換気運動は障害されないため，二酸化炭素は貯留しない。

2 Ⅱ型呼吸不全

Ⅱ型呼吸不全は，肺胞低換気により生じるA-aDO₂が正常で二酸化炭素の蓄積を伴う低酸素血症である。

2) 換気による分類

換気による分類には，閉塞性換気障害と拘束性換気障害，混合性換気障害がある。正常予測値に対する実測された肺活量（%VC）が80%未満の場合を拘束性換気障害，1秒率（FEV₁.₀%）が70%未満である場合は閉塞性換気障害，両者をあわせもつものを混合性換気障害とされる（→p98）。

1 拘束性換気障害（代表的な疾患：肺線維症，間質性肺炎，肺水腫，無気肺など）

肺の弾力性の低下や胸郭・胸膜病変，胸郭の変形などで，肺容積が縮小および減少しVCが減少する。%VCの低下のほか，肺拡散能の低下や静肺コンプライアンスなどを伴う。

2 閉塞性換気障害（代表的な疾患：気管支喘息，COPD，など）

気道の狭窄による通過障害が原因で1秒量（FEV1.0）やFEV1.0%が低下し，気流制限があることを示す。

3 混合性換気障害

混合性換気障害には，以下の3つがある。
① 肺結核後遺症やじん肺など閉塞性換気障害と拘束性換気障害を同時にきたす疾患
② COPDなどの閉塞性換気障害と間質性肺炎などの拘束性換気障害をきたす疾患の合併
③ COPDは閉塞性換気障害であるが高度に進行すると，肺が膨張し，それ以上胸郭が広がらず，拘束性換気障害が生じる

4. 慢性呼吸不全の症状・臨床所見

呼吸不全の症状は，低酸素血症に起因するものと高二酸化炭素血症に起因するものに大別され（表2），呼吸不全を引き起こした基礎疾患に影響される。

1) 低酸素血症

呼吸困難や頻呼吸，チアノーゼ，心拍出量の増大（心拍数・1回拍出量の増加），肺高血圧などの症状や所見がある。酸素分圧の値によって現れる症状を表3に示す。これらは，換気能力の低下，換気仕事量の増大と換気効率の低下や，低酸素血症による換気需要の亢進によって生じる。

2) 高二酸化炭素血症

体内に二酸化炭素が蓄積することで症状が出現する。頭痛やうっ血乳頭，振戦などの症状がみられ，アシドーシスによる意識障害，交感神経の緊張（心拍出量の増大，血圧の上昇）などがある。急激な二酸化炭素の蓄積は意識障害をきたす（CO₂ナルコーシス）。水素イオンの上昇によるアシドーシスが原因と考えられている。

CO₂ナルコーシスとは，体内への高度な二酸化炭素蓄積によって，中枢神経系の異常を呈した状態であり，自発呼吸の減弱，意識障害が生じる。二酸化炭素の脳への直接作用ではなく，脳脊髄液のpHの低下によるものである。

慢性に経過したⅡ型呼吸不全では，腎での代償が十分なされているため，pHがほぼ正常に保たれている。こ

表1 慢性呼吸不全を呈する疾患

①閉塞性肺疾患：COPD，びまん性汎細気管支炎，気管支喘息
②間質性肺疾患：特発性間質性肺炎（特発性肺線維症，非特異性間質性肺炎），慢性過敏性肺臓炎，膠原病肺，塵肺
③肺結核後遺症
④悪性腫瘍：肺がん，多発性肺転移，がん性リンパ管症，がん性胸膜炎
⑤びまん性気管支拡張症
⑥脊椎後側弯症
⑦神経・筋疾患：筋委縮性側索硬化症，筋ジストロフィー
⑧呼吸中枢の異常：Pickwickian症候群，特発性肺胞低換気症候群

表2 呼吸不全の分類と病態

分類	Ⅰ型呼吸不全 (低酸素血症性呼吸不全)		Ⅱ型呼吸不全 (低換気性呼吸不全)
PaO_2	≦60Torr		
$PaCO_2$	≦45Torr		>45Torr
疾患	・各種微生物による重症肺炎 ・間質性肺疾患 ・肺血栓塞栓症など	・気管支喘息の増悪 ・COPD	・呼吸中枢の抑制（薬剤，脳血管障害） ・頭部や胸部の外傷 ・神経・筋疾患（ALSなど）など
病態	・換気血流比不均等（図1） ・拡散障害（図1） ・右−左シャント（図1）		・肺胞低換気（図1）
	・原因が複雑に組み合わさって酸素の取り込みが不足し，低酸素血症に陥る ・換気運動は障害されず，拡散能の高い二酸化炭素は排出され，$PaCO_2$は上昇しない		・換気運動そのものが行われにくくなり，肺胞への換気量も減少するため，酸素の取り込みが不足すると同時に，二酸化炭素が排出できず蓄積する

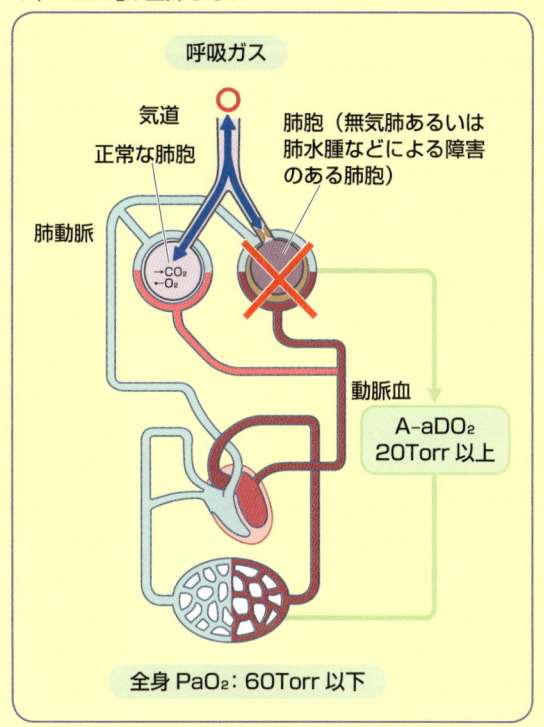

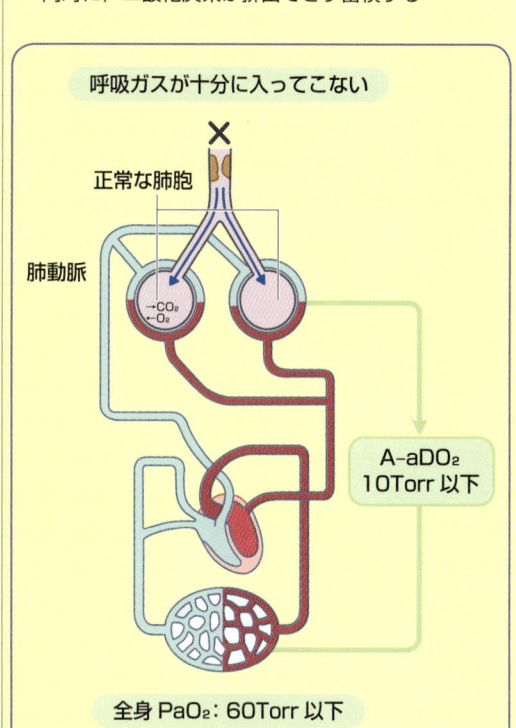

（左図）呼吸ガス／気道／正常な肺胞／肺胞（無気肺あるいは肺水腫などによる障害のある肺胞）／肺動脈／動脈血／A-aDO₂ 20Torr以上／全身PaO₂：60Torr以下

（右図）呼吸ガスが十分に入ってこない／正常な肺胞／肺動脈／A-aDO₂ 10Torr以下／全身PaO₂：60Torr以下

A-aDO₂が大きければ，肺胞内に酸素は入ってきているが，そこから先の血液に酸素が渡っていないことを意味する

のため，$PaCO_2$が高値でもCO_2ナルコーシスにはならない。しかし，気道感染，睡眠薬や不用意な酸素投与などにより，高二酸化炭素血症が急激に増悪すると**CO_2ナルコーシスに至ることが多い**[1]。

3）肺性心

肺血管床の減少，肺胞低酸素，肺動脈血酸素分圧（PaO_2）の低下，アシドーシスは，肺血管攣縮を引き起こし，肺動脈血管の抵抗が高まり，**肺高血圧**を発症する。肺高血圧が持続し，右室の拡張・肥厚を呈した**右心不全の状態を肺性心**という[1]。**下肢の浮腫，肝腫大，頸静脈怒張，心拍数・1回拍出量の増加**を認める。

4) 合併症

慢性呼吸不全に合併する病態と症状を表4に示す。

5) その他

慢性呼吸不全を呈する基礎疾患による，以下のような症状が観察される。

1 咳嗽，喀痰

基礎疾患によっては，気道分泌物の増加に伴う**喀痰**や**咳嗽（乾性，湿性）**，血管壁の破綻による**血痰**などがみられることがある。

2 活動性，運動量の低下

労作時の呼吸困難により，徐々に活動性が低下する。これに伴い，骨格筋量が減少し，活動早期に**乳酸産生が増加**するため，呼吸困難や筋疲労を感じやすくなり，ますます活動性が低下する悪循環に陥る。活動性や運動量の低下は，社会的孤立や自尊心の低下につながり，精神症状（うつや不安）の原因にもなる。

5. 慢性呼吸不全の検査・診断

慢性呼吸不全の診断は，呼吸不全の定義に基づき，動脈血液ガス分析の結果と病歴（発症時の状況や経過，持続時間など）の聴取，身体所見，各種画像所見，血液検査所見，微生物学的検査所見などを総合して，Ⅰ型・Ⅱ型，慢性・急性・慢性呼吸不全の急性増悪かを診断する。慢性呼吸不全の急性増悪では誘因（感染症，心不全など）が何かを検索する。

診断に動脈血液ガス分析は必須であり，病態安定時における**低酸素血症（$PaO_2 \leq 60Torr$）を証明する。高二酸化炭素血症を合併しているか（Ⅰ型かⅡ型か）を判断する。A-aDO_2の開大の有無，酸素投与でのPaO_2の改善の有無**によって呼吸不全の病態が鑑別される。

肺機能検査では，**1秒率（FEV1%）・肺活量（VC）の減少，全肺気量（TLC）・残気量・機能的残気量（FRC）の増加**の有無を評価する。

6. 慢性呼吸不全の治療

慢性呼吸不全の治療は，慢性安定期と急性増悪期の2つに大別し，基礎疾患別に治療を行う。

表3 酸素分圧低下による症状

酸素分圧	症状
60Torr以下	頻脈，動悸，高血圧，頻呼吸，失見当識
40Torr以下	チアノーゼ，不整脈，重度の呼吸困難，不穏，興奮，低血圧，血尿
30Torr以下	意識消失
20Torr以下	昏睡，徐脈，チェーン・ストークス呼吸，ショック状態，心停止

（日本呼吸ケア・リハビリテーション学会 酸素療法マニュアル作成委員会，日本呼吸器学会 肺生理専門委員会編：酸素療法マニュアル．pp7-8，メディカルレビュー社，2017．をもとに作成）

表4 慢性呼吸不全の病態と症状

臓器障害	病態	症状
肺循環障害・右心機能障害	肺血管の構造の破壊，低酸素性肺血管攣縮による肺動脈血管抵抗の増大など	下肢浮腫，頸静脈怒張，心拍数増加
呼吸筋疲労	呼吸筋の仕事量増大	慢性的な呼吸困難
中枢神経障害	脳細胞の嫌気性代謝亢進，二酸化炭素分圧の上昇	CO_2ナルコーシス，うつ・不安
消化管障害	胃酸分泌低下，胃粘膜血流低下	胃潰瘍，十二指腸潰瘍
肝障害	右心不全による門脈を介した肝臓への還流圧の低下	黄疸
腎障害	血中カテコラミン上昇による腎動脈抵抗の上昇，レニン-アンジオテンシン系の活性化やアルドステロン上昇によるナトリウムや水の貯留	乏尿
貧血	症候性（続発性）貧血，多血症	ふらつき，めまい
栄養障害	エネルギー摂取量の減少，呼吸筋のエネルギー消費増大，骨格筋の減少	体重減少，るいそう，労作時呼吸困難，下肢疲労感

（文献5, 6をもとに作成）

1）慢性安定期

❶原因疾患の改善，❷患者の QOL および生命予後の改善，❸増悪の予防の3つを治療の目標とする。

基礎疾患そのものに効果のある治療法が望ましいが，多くの場合，病態は不可逆的であり，加齢により進行する。そのため，安定期の治療の目標は，残された機能を最大限に効率的に利用することである。

治療は，**酸素療法や補助呼吸療法**と多職種による包括的呼吸リハビリテーション（→❷呼吸リハビリテーション参照）である。高二酸化炭素血症を合併する場合は**非侵襲的陽圧換気療法**（non-invasive positive pressure ventilation：NPPV）を導入する。

2）急性増悪期

慢性呼吸不全の増悪は，**呼吸器感染，気胸，心不全**などが誘因となり起こる。通常から気道抵抗が強く，呼吸仕事量や肺胞死腔が増大し，ガス交換率が低下しているため，換気の予備力が乏しく重篤な呼吸不全に陥りやすい。

基礎疾患・増悪の誘因に対する治療として，**抗菌薬や気管支拡張薬，副腎皮質ステロイドの与薬，胸腔ドレナージ，気管支鏡による異物や分泌物の除去**などを行う。低酸素血症に対しては，**酸素投与や高流量鼻カニュラ酸素療法**（→p136）を行う。

薬物療法や酸素投与にもかかわらず病態が悪化する症例に対しては，**NPPVや侵襲的人工呼吸管理**を行う。

また，酸素輸送の改善として，安定した循環動態の維持，貧血に対する治療，栄養の補正を行う。

II 慢性呼吸不全の看護ケアとその根拠

1. 慢性呼吸不全の観察のポイント

1）既往歴

- COPD，間質性肺炎，肺結核，神経・筋疾患の既往歴
- 頸髄損傷
- 喫煙歴
- 感染・アレルギーなどの既往歴
- 咳嗽・喀痰の既往歴
- 呼吸刺激物質の吸入歴・生活環境・職業歴
- 家族歴

2）身体所見

視診，触診，聴診，打診などによって以下の点について評価する。

- **胸部・呼吸状態**：呼吸パターン（口すぼめ呼吸，鼻翼呼吸，呼吸補助筋を使用しての呼吸の有無），呼吸数，吸気と呼気の比，呼吸の深さ，シーソー呼吸やフーバー徴候（→p105）などの奇異呼吸の有無，呼吸困難やその程度，咳の有無や程度（湿性，乾性），痰の有無や程度，性状，量（増加や色の変化），副雑音の左右差や部位（→コラム「異常呼吸音・肺副雑音」，p76参照），異常呼吸音の有無，ビア樽状胸郭など胸部変形の有無
- **頸部**：呼吸補助筋（胸鎖乳突筋，斜角筋）の肥厚と活動性の増加，頸動脈の怒張
- **腹部**：腹部の動き（胸式呼吸か腹式呼吸の確認），消化器症状の有無
- **四肢**：チアノーゼ，ばち状指の有無，下肢の浮腫の有無，筋萎縮の程度，関節可動域
- **意識レベル**（傾眠，記憶障害，不穏，錯乱状態など）
- 体重減少，るいそうの有無

3）その他

- 基礎疾患に対する薬物治療の遵守状況
- 酸素濃縮器や携帯酸素の使用歴，使用状況，取り扱いの理解度
- 疾患や在宅酸素療法（HOT），在宅人工呼吸療法（HMV）などに対する理解度と受け止め方
- 症状による日常生活への影響と支援の有無
- 社会的役割，就業状況
- 社会資源（訪問看護や訪問介護の利用，患者会への参加など）

2. 看護目標

❶呼吸リハビリテーション（酸素療法を含む）を用いて，呼吸機能の悪化を予防できる
❷セルフマネジメント能力を獲得し，疾患の増悪や症状をコントロールし，安楽に過ごすことができる
❸残された機能を最大限に生かし，社会活動性を高め，質の高い生活を送る
❹適切な社会資源を活用し本人と家族の負担が軽減する

3. 慢性呼吸不全（慢性安定期）の看護

慢性呼吸不全の看護は，❶慢性安定期と❷急性増悪期に分けられる[1]。

慢性呼吸不全の安定期においては，「呼吸リハビリテーション」が推奨される（→❷呼吸リハビリテーション参照），また疾患別の看護を提供する。

1）酸素療法の実施・継続

低酸素血症による全身への影響は大きく，生命予後やQOLを悪化させることから，慢性呼吸不全の治療には酸素療法が必須である。**長期酸素療法**（long term oxygen therapy：**LTOT**）を，在宅で施行するのが**在宅酸素療法**（home oxygen therapy：**HOT**）である。HOTの有効性については，**重度の低酸素血症を示すCOPDでは，1日15時間以上の酸素療養は生命予後の改善が報告されている**[4]。また，**肺結核後遺症ではHOTは平均肺高血圧を経年的に低下させ，予後の改善に寄与する**[5]。肺線維症では予後改善効果はないが，運動中の酸素投与は低酸素血症の改善や運動能力の向上に有効である[6]。このように疾患によってLTOTやHOTの有効性は異なる。

酸素投与は，SpO_2 **90%を目標とし，1日18時間以上の吸入を行うよう教育が必要である**。また，**労作時は酸素消費量が多くなり低酸素血症を呈しやすくなること**，**睡眠時はREM睡眠中の低呼吸により低酸素を呈する**ことが多いため，導入時にこれらの酸素流量が決定される。特に，間質性肺炎や肺結核後遺症などの拘束性換気障害を呈する基礎疾患を有する場合は，労作時に著明な低酸素血症をきたすため，日常生活活動（ADL）によるSpO_2値の低下を測定し，適切な酸素量が投与されるように介入する。

特に**入浴，食事，移動時**など酸素をもっとも必要とするときに，酸素吸入の煩わしさからカニュラを外したり，「携帯酸素が重い」「恥ずかしい」「重病人と思われたくない」などの物理的・心理的抵抗から，外出時に酸素吸入を行わないなど，継続して酸素吸入を行わない人も多い。そのため，在宅での酸素療法が継続できるよう，必要性を納得するまで説明し，酸素療法が継続できない理由を聞き，解決策を一緒に考える。

2）禁煙

禁煙は必須であり，禁煙指導を行う（→p333）。

3）薬物療法

内服薬や吸入薬を含め確実に服用するよう指導する。

4）感染予防行動

呼吸理学療法（体位ドレナージや排痰法など）の実施に加え，うがい，口腔ケア，手洗いの励行，外出時のマスクの着用を指導する。インフルエンザワクチンや肺炎球菌ワクチンの接種を行う。

5）運動療法

呼吸訓練（口すぼめ呼吸や腹式呼吸）や，ストレッチング，柔軟体操などの胸郭可動域訓練，歩行などの全身持久力トレーニング（有酸素運動），筋力トレーニング（下肢筋力の強化を中心とする）を，毎日時間を決めて実施する。

6）栄養管理

呼吸筋に消費されるエネルギー量が増大することから，それを補うだけのエネルギーの摂取が必要とされる（**高カロリー食**）。しかし，飲み込む際に息を止めること，高カロリーを摂取するには摂取量も多いことから，**食事は苦痛**となりやすい。そのため，ごま油やアイスクリームなどのカロリーの高い食べやすい食品を選ぶ，分割摂取するなど工夫して，体重が維持できるよう目標を設定して実施する。

7）自己管理教育

自己管理（セルフマネジメント）には，**症状マネジメント，徴候マネジメント，ストレスマネジメント**を含む。看護師はこれらの患者教育を行う。

自己管理能力の獲得には，**自己効力感（行動を実施するための自信）**を高めることが大切であり，日常生活の中で目標設定をして，達成を評価するとよい。

❶ 症状マネジメント

慢性呼吸不全では，**呼吸困難（息切れ）がもっとも苦痛**となる。この症状をマネジメントするために，看護師は，口すぼめ呼吸や腹式呼吸などの呼吸リハビリテーション，息切れを起こしにくい日常生活活動（ADL：衣服の着脱方法や歩行方法，物の持ち上げ方，排泄の方法，歯磨きや身体を洗う方法など）を教える。また，急に呼吸困難が増強したときの対処方法（パニックコントロール）を教え，患者自身の力でその状態から回復できるよう，指導する。

2 徴候マネジメント

慢性呼吸不全の増悪は，SpO_2の低下，強い呼吸困難，痰の増量や性状の変化，チアノーゼ，浮腫などの症状が通常の状態を逸脱する。早期に増悪症状に気づき，受診するなどの適切な対処行動がとれるよう，悪化徴候の見方を教える。日頃から手帳や日誌などに身体の調子や症状の程度を記録するよう指導する(セルフモニタリング)。

また，医師に，あらかじめ，症状出現時の対処方法(抗菌薬や利尿薬の内服，酸素吸入量の増量など)について指示を受けておき，患者が実践できるように指導しておく。

緊急連絡先などの一覧を患者に渡し，電話のそばなど目に付くところに貼っておいてもらう。

3 ストレスマネジメント

慢性呼吸不全の患者は，HOTやHMVの導入によって自宅での生活に著しい変化が求められることから，ADLやQOLが低下し，抑うつや不安に陥りやすい。したがって，患者自身がストレスを管理できる能力を身につける必要がある。

リラクセーション技法を習得し，興味がもてる趣味や遊びに打ち込み気晴らしをする，人間関係や環境を調整して，ストレスの強度や持続時間を減少させる，否定的な考えや認知を適切なものへと変化させる認知行動療法を利用し，患者に合った方法を一緒に考える。

8) 社会活動性の維持・向上

慢性呼吸不全患者は，多くが呼吸困難，咳嗽，喀痰などの症状に苦しみ，いかに安楽に過ごすかを常に考えながら生活している。呼吸困難や活動性の低下は，社会参加，趣味・余暇活動を制限し，社会的孤立を招く。閉じこもりにならないように，外出や友人との交流，患者会への参加など，社会活動へ参加を促す。これらの活動を行うことによって，残された機能を最大限に活かすこと，ひいては，生きがいにつながることから，QOLを高めることになる。

9) 社会資源の活用

慢性呼吸不全患者では，日常生活活動(ADLやIADL)が著しく障害されることから，これらの支援に加え，医療機関への送迎などの介護負担，酸素濃縮器・吸入器などの医療機器の導入，HOTや薬剤等に関連した医療費等の経済負担が，本人や家族にのしかかる。

したがって，身体障害者福祉制度や介護保険制度などの社会資源(訪問介護や訪問リハビリテーション，訪問介護，デイサービスなど)を最大限に活用し，本人や家族の負担軽減を図ることも重要である。

4. 慢性呼吸不全(急性増悪期)の看護

慢性呼吸不全の増悪期では，基礎疾患となる治療に加え，増悪の誘因への治療および症状の緩和のための治療が実施される(→❺市中肺炎／院内肺炎／医療・介護関連肺炎，❽慢性閉塞性肺疾患(COPD)，⓱特発性間質性肺炎など基礎疾患の項目を参照)。

増悪によって呼吸機能は悪化し，多くは不可逆的な進行や重篤な呼吸不全を呈する。増悪から回復した場合は，増悪の原因について患者や家族と話し合い，予防に対する対策を講じる。また，増悪による重篤な呼吸不全を呈する場合は，本人の意思を確認できないことがあるため，どのような治療やケアを望むかについても話し合うプロセス(ACP)を行う。

[橋野明香，山下洋平]

[引用文献]

1) 一和多俊男：呼吸不全の病態生理．日呼ケアリハ学誌 26(2)：158-162，2016．
2) 日本呼吸ケア・リハビリテーション学会 酸素療法マニュアル作成委員会，日本呼吸器学会 肺生理専門委員会編：酸素療法マニュアル．pp6-8，メディカルレビュー社，2017．
3) 日本呼吸ケア・リハビリテーション学会呼吸リハビリテーション委員会・他編：慢性呼吸不全の診断基準と病態．呼吸リハビリテーションマニュアル—患者教育の考え方と実践，pp184-186，照林社，2007．
4) No authors listed: Long term domiciliary oxygen therapy in chronic hypoxic cor pulmonale complicating chronic bronchitis and emphysema. Report of the Medical Research Council Working Party. Lancet 1(8222): 681-686, 1981.
5) 佐々木結花，他：在宅酸素療法を施行した肺結核後遺症症例における予後および肺循環諸量の変化の検討．日胸疾会誌 35(5)，511-517，1997．
6) Morrison DA, Stovall JR: Increased exercise capacity in hypoxemic patients after long-term oxygen therapy. Chest 102(2):542-550, 1992.

[参考文献]

- 日本呼吸器学会 NPPV ガイドライン作成委員会編：NPPV(非侵襲的陽圧換気療法)ガイドライン 改訂第2版．南江堂，2015．
- 坪井知正：高流量鼻カニュラ(HFNC)と非侵襲的換気療法(NIV)の適応と使用法 —HFNCとNIVは何を基準に使い分ければよいのか？ 呼吸器ジャーナル 67(1)：14-26，2019．
- 日本緩和医療学会 緩和医療ガイドライン委員会編：がん患者の呼吸症状の緩和に関するガイドライン 2016年版．https://www.jspm.ne.jp/files/guideline/respira01.pdf(2025年5月20日閲覧)

第Ⅱ部　疾患別看護ケア関連図　4．呼吸不全と呼吸調整障害

15 睡眠関連呼吸障害：閉塞性睡眠時無呼吸症候群

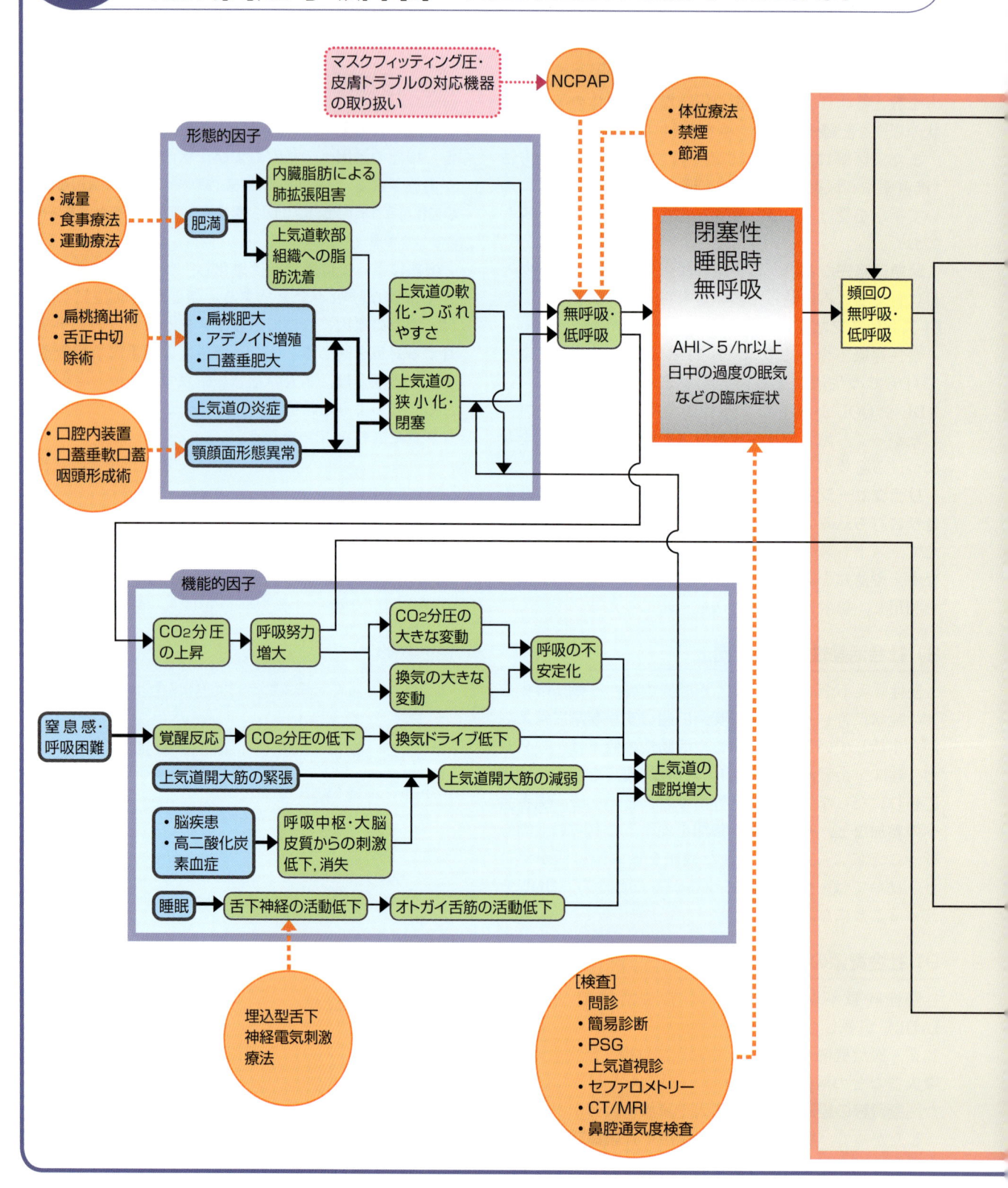

形態的因子

- 減量
- 食事療法
- 運動療法

→ 肥満
- 内臓脂肪による肺拡張阻害
- 上気道軟部組織への脂肪沈着

- 扁桃摘出術
- 舌正中切除術

→
- 扁桃肥大
- アデノイド増殖
- 口蓋垂肥大

→ 上気道の軟化・つぶれやすさ

- 上気道の炎症

- 口腔内装置
- 口蓋垂軟口蓋咽頭形成術

→ 顎顔面形態異常

→ 上気道の狭小化・閉塞

→ 無呼吸・低呼吸

マスクフィッティング圧・皮膚トラブルの対応機器の取り扱い → NCPAP

- 体位療法
- 禁煙
- 節酒

閉塞性睡眠時無呼吸
AHI＞5/hr以上
日中の過度の眠気
などの臨床症状

→ 頻回の無呼吸・低呼吸

機能的因子

CO₂分圧の上昇 → 呼吸努力増大 →
- CO₂分圧の大きな変動
- 換気の大きな変動
→ 呼吸の不安定化

窒息感・呼吸困難 → 覚醒反応 → CO₂分圧の低下 → 換気ドライブ低下

上気道開大筋の緊張 → 上気道開大筋の減弱 → 上気道の虚脱増大

- 脳疾患
- 高二酸化炭素血症
→ 呼吸中枢・大脳皮質からの刺激低下，消失

睡眠 → 舌下神経の活動低下 → オトガイ舌筋の活動低下

埋込型舌下神経電気刺激療法

[検査]
- 問診
- 簡易診断
- PSG
- 上気道視診
- セファロメトリー
- CT/MRI
- 鼻腔通気度検査

凡例: 誘因・原因 → 病態生理・状態 ／ 症状 ／ 医学的処置 ⇢ 看護ケア ／ （疾患）から生じる全体像 ／ 分類,あるいは特殊な部分

閉塞性睡眠時無呼吸から生じる全体像

- 低酸素血症
  - 頻回の覚醒 → 換気再開 → 入眠 → 睡眠の断片化
    - ・過度の日中傾眠
    - ・倦怠感
    - ・知能低下
    - ・性格変化
    - ・異常行動
  - 再酸素化 → 酸化ストレス
    - → 血管内皮機能障害
    - → 血漿 INF-α1 インターロイキン (IL-6) の上昇 → インスリン抵抗性 → 高血糖 → 2型糖尿病
    - → (視床下部-下垂体-副腎系) 調節異常
  - 交感神経亢進
    - → ・レニン-アンジオテンシン系上昇
      ・ノルアドレナリン上昇 → 末梢血管の収縮 → 夜間高血圧
      - ・糸球体内圧増加
      - ・糸球体過剰濾過
      - ・糸球体硬化
      - ・間質線維化
      → 慢性腎臓病 (CKD)
    - → 脈の急激な変動 → ・心房細動 ・不整脈 ・徐脈
  - 嫌気性代謝 → 脂肪酸分解低下による高脂血症・高トリグリセライド血症 → 血管が傷害されプラーク破綻 → 突然死
  - 低酸素性肺血管攣縮 (右室後負荷) → 肺高血圧 → 右室容量負荷増大 → 肺性心 (右心不全) → 心拍出量低下 → 冠動脈血流低下
  - 冠動脈攣縮 → 心筋虚血発作
  - 肝臓での脂質産生の誘導 → 脂質異常
  - 心筋梗塞

- 高二酸化炭素血症
  - → 早朝の頭痛
  - → 脳血流量の増大 → 頭蓋内圧上昇

- 胸腔内圧高度陰圧化
  - → 静脈還流増加 → 胸腔内圧上昇
  - → 再酸素化
  - → ANP持続分泌 (心房性Na利尿ペプチド)
    - → 夜間の頻尿増加
    - → 血管内から血管外への水分移動による血液量減少 → 赤血球産生亢進による多血症 → 心腔の拡大 → 自律神経系の変化 → 心筋受攻性亢進 → 心房細動

第Ⅱ部 疾患別看護ケア関連図 ⑮睡眠関連呼吸障害：閉塞性睡眠時無呼吸症候群 4. 呼吸不全と呼吸調整障害

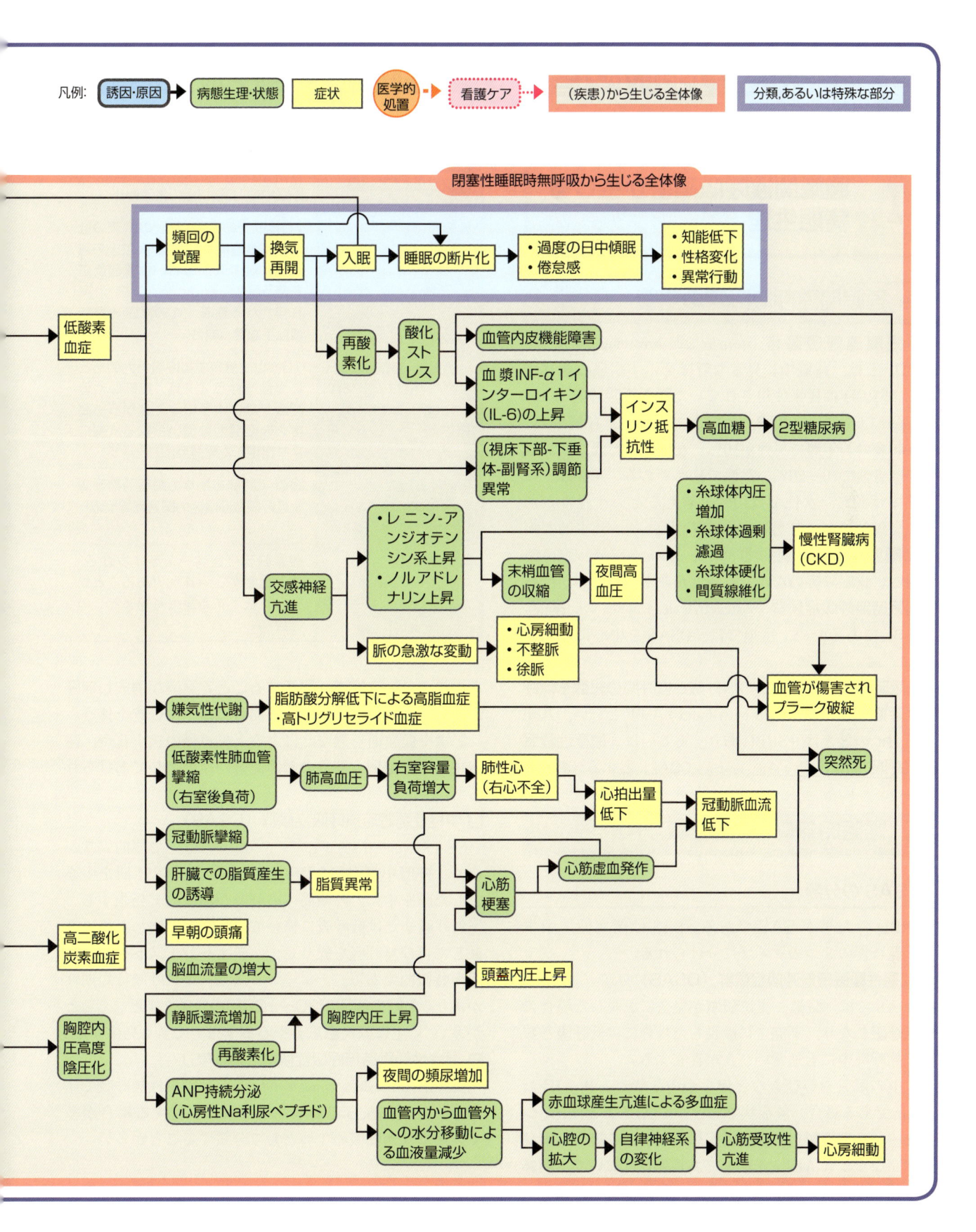

195

第Ⅱ部　疾患別看護ケア関連図　4．呼吸不全と呼吸調整障害

15 睡眠関連呼吸障害：閉塞性睡眠時無呼吸症候群

I 睡眠関連呼吸障害が生じる病態生理

1. 睡眠関連呼吸障害の定義

睡眠関連呼吸障害（sleep related breathing disorders：SRBD）とは，睡眠中に異常な呼吸を示す病態の総称である。SRBD は従来使用されていた**睡眠呼吸障害**（sleep disordered breathing：SDB）と同義である[1]。有病率は，30～40歳の若年層で男性が10%，女性は5%弱で，50歳代では男性で10～20%，女性で10%である。70歳以上の男性では20%，女性では10%を超えるという報告があり，高年齢層および男性で有病率が高い[2]。代表的な疾患は**睡眠時無呼吸症候群**（sleep apnea syndrome：SAS）である。睡眠障害のなかでも頻度が非常に高いのが**閉塞性睡眠時無呼吸症候群**（obstructive sleep apnea syndrome：OSAS）であるため，本項では，OSAS を中心に説明する。

睡眠時間1時間あたりの無呼吸と低呼吸の総数を**無呼吸低呼吸指数**（apnea hypopnea index：AHI）といい，AHI ≧ 5/hr のときは「SRBD あり」あるいは「**閉塞性睡眠時無呼吸**（obstructive sleep apnea：OSA）」とする（表1）。

2. 睡眠時無呼吸症候群の分類

1) SAS の分類

SRBD の大半が SAS である。SAS は閉塞性，中枢性，混合性の3つのタイプに分けられる。

① 閉塞性睡眠時無呼吸症候群（OSAS）

OSAS では，気道，主に咽頭が完全に虚脱した場合には**無呼吸**となり，不完全に虚脱した場合には**低呼吸**となる。無呼吸中にも通常いびきが存在する。

日中の眠気やいびきなど何らかの症状があり AHI ≧ 5/hr である場合，無症状であっても AHI ≧ 5/hr かつ高血圧，2型糖尿病，冠動脈疾患などがある場合および症状がなくとも AHI ≧ 15/hr である場合において，胸郭や腹部の呼吸努力は認められるが，睡眠に伴う舌根沈下

表1　睡眠障害に関連する用語

睡眠時無呼吸	睡眠中の10秒以上の気流停止
低呼吸	10秒以上の30％以上の気流の低下と基準値に対して3％以上の酸素飽和度の低下あるいは覚醒反応を伴う場合 許容される基準：4％の酸素飽和度低下が伴う場合
呼吸努力関連覚醒反応（respiratory effort related arousal：RERA）	10秒以上継続する呼吸努力のあとに覚醒を伴う（一見，無呼吸や低呼吸がないようにみえながらも高度の呼吸努力を強いられる状態により出現した覚醒反応）
呼吸障害指数（respiratory disturbance index：RDI）	睡眠1時間あたりの睡眠時無呼吸＋低呼吸数呼吸努力関連覚醒反応
酸素飽和度低下（oxygen desaturation index：ODI）	酸素飽和度がベースラインから，ある程度（3～4％であることが多い）低下する睡眠時間あたりの回数

などにより，上気道が閉塞することで気流が消失し無呼吸となるものをいう。呼吸再開時には，いびきを伴う。

肥満や顎顔面形態などによる上気道径の狭小化や，睡眠中の上気道開大筋群の調節障害が原因としてあげられる。

② 中枢性睡眠時無呼吸症候群（CSAS）

CSAS（central sleep apnea syndrome）は，形態的異常がなく，呼吸中枢が何らかの障害を受け，REM 期を中心とした睡眠中に，呼吸筋への刺激が消失して発生する。無呼吸または低呼吸に続いて，呼吸が漸増した後に漸減して再び無呼吸を繰り返す**チェーン・ストークス呼吸**が特徴的である。チェーン・ストークス呼吸は周期性があり，1回の周期が30～120秒のサイクルとなることが多い[3]。主に脳疾患患者や心不全患者に多く発生する。

③ 混合性睡眠時無呼吸症候群（MSAS）

MSAS（mix sleep apnea syndrome）は中枢性無呼吸で始まり，後半になって閉塞性無呼吸に移行する場合が多く，閉塞性無呼吸の1つとして分類することが多い。

2）重症度分類

- 軽症：AHI 5/hr 以上，15/hr 未満
- 中等症：AHI 15/hr 以上，30/hr 未満
- 重症：AHI 30/hr 以上

3. 閉塞性睡眠時無呼吸症候群の発生機序

　OSASの発症に関連する因子には，形態的因子と機能的因子がある。これらの原因により**上気道が閉塞する**と，無呼吸が始まり体内の酸素は減少し，二酸化炭素が蓄積する。そのため，呼吸努力が次第に増加し，一定以上となると脳波が短い時間で覚醒して無呼吸が終わる（**覚醒反応**）。無呼吸が終わった直後は**過呼吸**となり，血液中の酸素と二酸化炭素濃度は正常な値に戻る。

1）形態的因子

　上気道閉塞を起こす形態的な因子を**表2**に示す。これらの中で，肥満は最大のリスクファクターである。肥満による上気道軟部組織への脂肪沈着によって，上気道内腔は常に狭小化し，吸気時に容易に閉塞する。

2）機能的因子

1 上気道の神経性調節異常

　吸気中は上気道内腔の陰圧が高く，上気道は狭く，閉塞しやすい。通常は，横隔膜などの呼吸筋が収縮し始める前に上気道開大筋群の緊張度が増し，上気道が閉塞しないように働いている。また，上気道開大筋群の中で重要な働きをする**オトガイ舌筋**（舌の下部の大部分を形成し，舌本体を前方に引っ張る）が上気道の虚脱を防ぐよう，筋活動を行っている。しかし，呼吸中枢や大脳皮質の上気道筋支配領域からの刺激が低下または消失し，舌下神経活動が抑制されてオトガイ舌筋の機能（舌を収縮させて前に出すことで喉が広がり通りがよくなる）が低下すると，気道内腔の陰圧が上気道開大筋の緊張を上回り，上気道の狭窄や閉塞を起こす（図1）。

2 呼吸調節系の不安定性

　上気道の神経性調節異常だけでなく，呼吸調節系の呼吸不安定性をあわせもつことがある。通常，睡眠中の呼吸は化学調節が主体となり，呼吸中枢にて制御されている。しかし無呼吸や低呼吸などの呼吸イベントにより，動脈血二酸化炭素分圧（$PaCO_2$）が高くなると，呼吸努力を増大して$PaCO_2$を戻そうとする。呼吸努力を増大

表2　上気道閉塞をきたす形態的因子

軟部組織の因子	①肥満による上気道軟部組織への脂肪沈着 ②扁桃肥大，アデノイド増殖，口蓋垂肥大 ③巨舌 ④上気道の炎症（アレルギー性鼻炎，慢性副鼻腔炎，咽頭炎など） ⑤軟口蓋面積（長さを含む）の増大
頭蓋顔面骨の因子	①上顎骨の後方偏位 ②下顎骨の後方偏位，狭小 ③下顎骨の未発達，小顎症 ④舌骨の前・下方変位 ⑤下部鼻咽頭～上部下咽頭の全域に及ぶ咽頭腔の狭小化と易虚脱性
体位の因子	①仰臥位 ②頸部の屈曲 ③肺気量の変化 ④循環血液量の変化

（文献4～6をもとに筆者が作成）

図1　閉塞性睡眠時無呼吸症候群における気道閉塞・狭窄

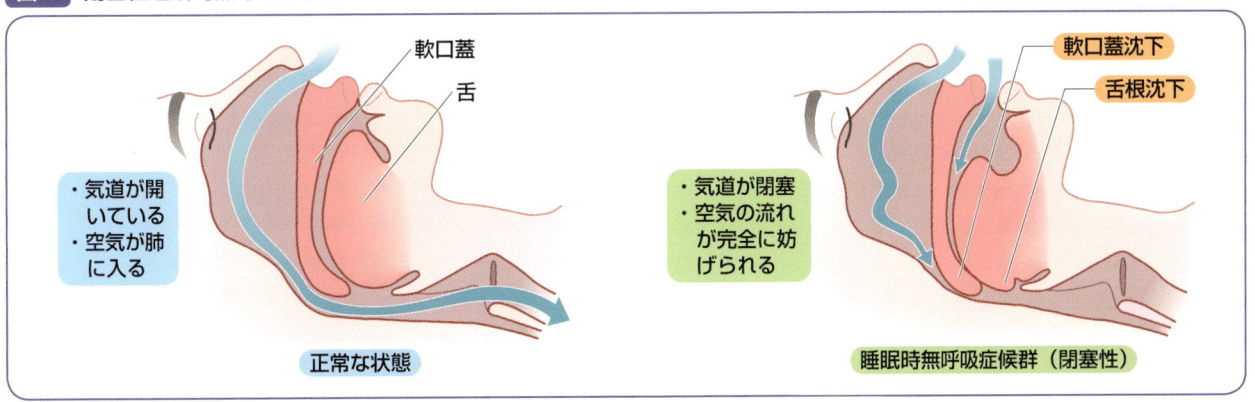

軟口蓋／舌

- 気道が開いている
- 空気が肺に入る

正常な状態

軟口蓋沈下／舌根沈下

- 気道が閉塞
- 空気の流れが完全に妨げられる

睡眠時無呼吸症候群（閉塞性）

（日本大学医学部付属板橋病院睡眠センター：睡眠時無呼吸症候群．https://www.itabashi.med.nihon-u.ac.jp/sleep_center/mukokyu-syokogun.html（2025年3月21日閲覧）

した結果，過剰な換気により$PaCO_2$が低くなると換気を抑制して，$PaCO_2$を一定に保つように調節する。そのため，呼吸イベントが持続し続けることで**呼吸努力は増大**する。

　換気の変化に対する$PaCO_2$の変動が大きい場合や，$PaCO_2$の変化に対する換気の変動が大きい場合は，**呼吸が不安定**となる。呼吸が不安定であり，神経性調節異常による**換気ドライブ**（呼吸中枢に呼吸を促進する指令が行くこと）**が低下**した際には，上気道の虚脱が増し，OSASが引き起こされる。

3 覚醒閾値

　脳波上の一過性の覚醒反応は，閉塞性無呼吸を終息させるために必要な生体防御反応であると考えられていたが，実際は上気道の閉塞を解除させるのに必須ではなく，閉塞性無呼吸の10〜25％は覚醒反応を伴わずに上気道の閉塞が解除されている。また，覚醒反応によって引き起こされる換気量の増大が，血液中の二酸化炭素濃度を低下させ，呼吸不安定性を引き起こして閉塞性無呼吸を繰り返す要因になっている可能性がある。

4. 閉塞性睡眠時無呼吸症候群の症状

　OSASの症状は，覚醒反応による日中の過眠や呼吸障害による**起床時の頭痛・頭重感**などの「**覚醒時の症状**」と，**いびきや不眠・中途覚醒**などの「**睡眠時の症状**」がある。**日中の眠気**は，家庭にいる者では**昼寝**をすることができるケースも多く，過度の眠気としてとらえられていないこともある。症状と原因を**表3**に示す。

　日中の眠気は，自覚症状スケールである**エプワース眠気尺度**（The Epworth Sleepiness Scale：ESS）などを用いて評価する（表4）。診断時の補助的な情報収集や，治療効果や症状変化の把握に有用である。

5. 閉塞性睡眠時無呼吸症候群の合併症

　無呼吸・低呼吸に伴う低酸素血症，気道閉塞に伴う胸腔内圧の高度陰圧化などを起因とした心血管系疾患，換気の再開に伴うストレスによる代謝系疾患などがある（表5）。

6. 閉塞性睡眠時無呼吸症候群の検査・診断

1）検査

　睡眠ポリグラフ（Polysomnograph：PSG）**検査**を行うことが，最も確実な診断方法である。PSG検査は，脳波（electroencephalography：EEG），眼電図（electrooculogram：EOG），オトガイ舌筋筋電図（EMG），前脛骨筋筋電図，心電図（ECG），鼻と口の気流（thermister），胸腹部の換気運動，体位センサ，パルスオキシメーター（酸素飽

表3 閉塞性睡眠時無呼吸症候群の主な臨床症状と考えられている原因

	症状	原因
夜間	無呼吸・低呼吸	気道閉塞・呼吸中枢系の異常
	いびき	気道狭窄
	息苦しさ・窒息感，あえぎ呼吸	気道狭窄や閉塞に伴う無呼吸・低呼吸とそれらに伴う低酸素血症
	頻繁な中途覚醒・不眠	
	夜間頻尿	気道閉塞に伴う胸腔内圧の高度陰圧によるANP（心房性ナトリウム利尿ペプチド）の持続分泌
日中	日中の過剰傾眠，起床時の熟睡感の欠如，全身倦怠感，運転・仕事中の居眠り	睡眠の断片化と深睡眠の欠如による高度の睡眠不足
	知能低下・集中力低下・性格変化・行動異常	夜間の高二酸化炭素血症による脳血管の拡張に伴う頭蓋内圧の上昇，睡眠の断片化と深睡眠の欠如による高度の睡眠不足
	起床時の口渇感	夜間口呼吸による口腔内・咽頭などの乾燥
	起床時の頭痛	夜間の高二酸化炭素血症による脳血管の拡張に伴う頭蓋内圧の上昇
	インポテンツ・性欲減退	REM睡眠が障害されることによる夜間勃起減少の障害，テストステロンの低下，交感神経の過剰興奮などが要因と考えられているが詳細は解明されていない

（文献7〜9をもとに作成）

表4 ESS 日本語版

JESS™ (Japanese version of the Epworth Sleepiness Scale)
ESS 日本語版

もし，以下の状況になったとしたら，どのくらいうとうとする（数秒〜数分間眠ってしまう）と思いますか，最近の日常生活を思いうかべてお答えください。

以下の状況になったことが実際になくても，その状況になればどうなるかを想像してお答えください（1〜8の各項目で，○は1つだけ）。すべての項目にお答えしていただくことが大切です。できる限りすべての項目にお答えください。	うとうとする可能性はほとんどない	うとうとする可能性は少しある	うとうとする可能性は半々くらい	うとうとする可能性が高い
1）座って何かを読んでいるとき（新聞，雑誌，本，書類など）	0	1	2	3
2）座ってテレビを見ているとき	0	1	2	3
3）会議，映画館，劇場などで静かに座っているとき	0	1	2	3
4）乗客として1時間続けて自動車に乗っているとき	0	1	2	3
5）午後に横になって，休息をとっているとき	0	1	2	3
6）座って人と話をしているとき	0	1	2	3
7）昼食をとった後（飲酒なし），静かに座っているとき	0	1	2	3
8）座って手紙や書類などを書いているとき	0	1	2	3

Copyright. Murray W. Johns and Shunichi Fukuhara. 2006.

11点以上：異常な眠気

（福原俊一・他：日本語版 the Epworth Sleepiness Scale（JESS）—これまで使用されていた多くの「日本語版」との主な差異と改訂．日本呼吸器学会雑誌 44（11）：896-898，2006．より）

度）の測定を含む終夜の記録であり，SDBを判定できる．総睡眠時間が計測できるため，**無呼吸低呼吸指数（AHI）を正確に算出できる**が，PSG検査を行える施設は限られている．

明確な併存疾患がなく，かつ中等度から重症OSAが疑われる場合，PSG検査の代わりに在宅で行うことができる簡易モニター（**検査施設外睡眠検査**，out of center sleep testing：OCST）を用いた検査が行われることがある．自宅で検査を行うことができるため，より普段の睡眠に近い状態での検査が可能である．一方で，患者自身や家族が検査機器を装着する必要があるため，データ不良が多くなることが欠点となる．OCSTでは睡眠時間が特定できず，RERAなどが判定できないため，AHIが過小評価されることが多い．そのため陰性の結果であっても，OSASの疑いが強い場合は，PSG検査を施行することが推奨される．

2）診断

OSASの診断基準は，夜間の自覚症状（不眠，中途覚醒，窒息感）や日中の眠気などの症状，高血圧や脳卒中などの併存疾患があることと，**睡眠ポリグラフ（PSG）検査**で睡眠1時間あたりの**有意な呼吸事象**（閉塞性あるいは混合性AHIやRERA）が5回以上（もしくは，AHIやRERAが15回以上）であることで診断される．

7. 閉塞性睡眠時無呼吸症候群の治療

治療の目的は，自覚症状の軽減と生命予後の延長にある．治療は，睡眠時に咽頭が閉塞するのを何らかの方法で防ぎ，**気道を確保する**ために行われる．

1）持続気道陽圧療法（CPAP）

OSASに対する標準治療法は，**CPAP**（Continuous Positive Airway Pressure）である（図2）．**AHI≧20/hrであれば，CPAPの適応**（OCSTのみで診断された場合，AHI≧40/hrであればCPAP治療の適応）となる．保険算定条件としては，**日中の傾眠，起床時の頭痛**などの自覚症状，日常生活に支障をきたしていることがあげら

表5 閉塞性睡眠時無呼吸症候群の合併症

合併症	考えられている原因・疫学
高血圧	・低酸素血症によって交感神経が緊張し，夜間のレニン - アンジオテンシン系・ノルアドレナリンを上昇させ，夜間・起床時の高血圧や治療抵抗性の高血圧をきたす ・OSA（AHI ≧ 5 /hr）患者の約50％に高血圧が認められ，高血圧患者の59％（AHI ≧ 5 /hr）に OSA が認められる
虚血性心疾患	・低酸素血症に伴う冠動脈攣縮による心筋虚血発作を引き起こす ・OSA（AHI ≧30/hr）患者の40〜70歳男性の発症リスクは（AHI＜ 5 /hr）の患者の1.7倍である ・急性冠症候群患者の49.6％，経皮的冠動脈インターベンション後の患者の45.3％に OSA（AHI ≧15/hr）が認められる
肺高血圧・右心不全	・低酸素性肺血管攣縮（右室後負荷）から肺高血圧，肺性心を引き起こす ・OSA（AHI＞20/hr）患者の17％に認められている
不整脈・突然死	・低酸素血症による頻回の覚醒・換気再開により急に交感神経が興奮することで脈の急激な変動が起こり，不整脈や徐脈が出現し，場合によっては突然死を引き起こす ・SDB（AHI ≧30/hr）患者の4.8％に心房細動，5.3％に心室性頻拍を認めている。心房細動の患者における SDB 有病率も，74％ あるいは81.4％と高い ・夜間の不整脈は OSA 患者の50％ 近くに認められる。睡眠中に比較的よく認められるのは，心房細動，非持続性心室頻拍，洞停止，2 度房室ブロック，心室性期外収縮などであり，PSG 検査中の心電図解析では，重症 SDB（AHI ≧30/hr）は，対照群（AHI＜ 5 /hr）に比べて夜間の不整脈のリスクが 2〜4 倍高い
糖尿病	・頻回の中途覚醒・再換気による再酸素化による血漿 TNF α・インターロイキン 6 の上昇，視床下部下垂体副腎系の調節異常によりインスリン抵抗性を示しそれに伴い高血糖が持続するようになる ・OSA 患者（AHI あるいは 4 ％ODI ≧ 5 ）における 2 型糖尿病の有病率は15〜30％と報告され，OSA の重症度が増すと 2 型糖尿病の有病率も高くなる ・2 型糖尿病患者の OSA 有病率は86％（AHI ≧ 5 /hr），30％以上（AHI ≧15/hr）と報告がある。1 型糖尿病の OSA 有病率は46％である
脳血管障害	・SAS による夜間から早朝にかけての高血圧，糖尿病，高脂血症などを起因として引き起こされる ・脳卒中または TIA 後の患者の66.8％が AHI ≧ 5 /hr であるとの報告がある
多血症	・気道閉塞に伴う胸腔内圧の高度陰圧化によって ANP（心房性ナトリウム利尿ペプチド）が持続分泌されることにより，血管内から血管外へ水分が移動し血液量の減少をもたらす。その結果，赤血球産生亢進に至る
過眠・精神症状	・夜間の頻繁な覚醒による睡眠の質の低下，疲労の蓄積による

例：OSA：閉塞性睡眠時無呼吸，AHI：無呼吸低呼吸指数，SDB：睡眠呼吸障害，SAS：睡眠時無呼吸症候群，ODI：酸素飽和度低下指数，TIA：一過性脳虚血発作，PSG 検査：終夜睡眠ポリグラフ検査

(文献11，12をもとに作成)

れる。

　CPAP は，適切な圧をかけることで上気道の閉塞を予防し，無呼吸を防止できるが，根治治療ではないため，患者は半永久的に CPAP を続けなければならない。

　CPAP 治療により，予後や多くの関連する病態が改善するが，就寝時の手間や，就寝時のマスク装着，口渇や鼻閉などの不快感やわずらわしさから継続率が60〜80％ともいわれている。スムーズな導入と，治療を継続するための支援が重要な課題である。

2）口腔内装置（OA）

　CPAP 治療の適応とならない軽〜中等症の症例や，CPAP が継続して装着できない症例で，**口腔内装置（oral appliance：OA）**（図3）といわれる**マウスピース**が使用される。OA により，下顎もしくは舌を前方に移動させて，上気道の閉塞・狭窄を改善させる。CPAP に比べると効果は劣るが，CPAP よりも装着が簡易であり，長期的な治療の継続に優れている。一方，**OA の副作用**として，唾液過多または唾液減少，歯や歯肉の痛みや違和感，歯の移動とそれに伴う咬合異常などがある。

図2 持続気道陽圧療法（CPAP）

CPAP治療時の気道の様子

CPAP
マスク

空気を送り込み，上気道を広げる

図3 口腔内装置（OA）

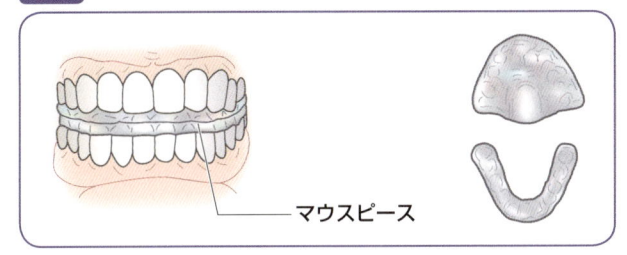

マウスピース

3）生活習慣の改善

1 減量

肥満は，OSA最大の危険因子であり，重症度を高める。BMIや首の周囲径などの指標とともに有病率が増加する。しかし，肥満は改善可能であるため，食事療法や，**レジスタンス運動と有酸素持久運動を併用した運動療法**による減量を中心とした**生活習慣の改善**を行う。**減量**することで，上気道の閉塞・狭窄を減少させ，無呼吸・低呼吸の改善が期待できる。また，減量は，心血管イベントリスクを低減させる可能性もある。ただし，生活習慣のみで目標値まで改善させることは困難であり，CPAPやOAなどの併用が推奨される。

BMI 35 kg/m² 以上の高度肥満患者に対して，食事制限を目的とした胃切除術など肥満外科手術が行われる。

2 抗不安薬・飲酒の制限

ベンゾジアゼピンなどの中枢神経系を抑制する抗不安薬やアルコールは，上気道の筋肉を弛緩させるため，服用を制限する。

3 禁煙

喫煙による上気道の炎症によりOSASが悪化する可能性がある[13]ため，禁煙をすすめる。

4 体位療法

OSAの約半数の患者では，睡眠中の体位が**仰臥位**のときに咽頭気道の閉塞により無呼吸が悪化し，逆に**側臥位や上半身を30〜60°高くした半座位で無呼吸が軽減**する[14]。そのため，睡眠中の特定体位（主に仰臥位）を予防する目的で行われる。体位療法は，軽度な体位依存性OSAの患者やCPAP導入および維持が困難な患者においては，効果的な治療法になる可能性がある。

体位療法は標準化されたものはなく，現時点では，補助的な治療にすぎないため，行う場合は，側臥位での無呼吸軽減の効果を確認したうえで，患者に指導する。

4）外科的治療

CPAP，OAが使用不可能な患者において，外科的治療でAHIなどの改善が期待できる場合に行われることがある。減量術のほか下記のような手術が行われる。

1 口蓋垂軟口蓋咽頭形成術（UPPP）

UPPP（uvulo-palato-pharyngoplasty）は上気道を拡大させる手術で，口蓋扁桃肥大の患者などが対象となる。重症例の効果は低いが，軽症〜中等症でCPAPの治療を継続できない症例に有効とされている。多くの場合，扁桃摘出術が同時に行われる[15]。

2 扁桃摘出術

小児のOSASの原因の1つである扁桃肥大・アデノイド増殖に対して行われる。

3 鼻閉改善手術

鼻閉の患者の鼻腔の通気性を改善し，**CPAP**を適正な圧で実施するために，**鼻中隔矯正術，粘膜下下鼻甲介切除**などが行われる。

4 舌正中切除術

巨舌症に対して行われる。

5 植込み型舌下神経電気刺激療法

手術で鎖骨下に埋め込んだパルスジェネレーターが，睡眠中の呼吸に同期して微弱な電気の刺激で顎下にある舌下神経を刺激し，舌を収縮させて前に出すことで，上気道が広がり空気の通りがよくなる。臨床での実施は頭頸部の専門的な外科手技や，術後の管理体制が整った特定の施設に限られている。

5）薬物療法

現時点で単独で有効性が確立されているものはないが，血液中の酸素量を増やし，睡眠中の無呼吸や低呼吸を減少させるとして，**アセタゾラミド**が睡眠時無呼吸症候群に対して処方される。

CPAP 使用中にも残遺する眠気については，**覚醒促進薬モダフィニル**が保険適用を取得しているが，適正使用ガイドに従って使用する必要がある[16]。

II 閉塞性睡眠時無呼吸症候群の看護ケアとその根拠

1. 閉塞性睡眠時無呼吸症候群の観察ポイント

1）自覚症状

表 3 の自覚症状の有無について問診を行う。

自覚症状はなく，家族，パートナーや職場の同僚などによって発見されることも多いため，身近な人にも問診を行う。

2）他覚症状（表 3 参照）

- 表 3 に示した肥満，上気道の形態異常，舌の形態に関係した異常がないかを確認する

3）合併症（表 5 参照）

- 高血圧症，脂質異常症，糖尿病の既往歴
- 心房細動などの不整脈
- 心不全：治療抵抗性の高血圧をはじめ，SDB の合併症がすでに出現していないか，適切な治療がなされているか，血液データ，心電図，CT などの検査結果を把握する

4）疾患・治療に対する理解度と受け止め

- 疾患・治療・合併症の知識の理解度と受け止め方
- 生活習慣改善に関する知識と行動変容への意欲の有無・程度

2. 閉塞性睡眠時無呼吸症候群の看護の目標

❶ 疾患を理解し，治療を継続することができる
❷ 生活習慣を改善し，自覚症状が軽減する
❸ 合併症の発症や重症化を予防することができる

3. 閉塞性睡眠時無呼吸症候群の看護ケア

1）CPAP の導入と継続のための支援

CPAP の導入にあたっては，その必要性や効果を患者が理解する必要がある。日中の主観的眠気，覚醒維持時間の改善，効果の維持，高血圧や耐糖能異常，糖尿病などの合併症の悪化予防や予後改善のためには毎日 4～6 時間以上の CPAP を使用する必要がある。

CPAP を継続使用するためには，最初の**マスクフィッティング**がもっとも大切である。常時，空気が流れることによる不快感が継続を難しくする原因となるため，日中の短時間の装着から始め，徐々に装着時間を伸ばし長時間の装着に慣れてから夜間に使用する。CPAP の継続ができない場合は，OA，舌下神経電気刺激療法の適応となる。

定期受診の必要性も説明し，受診ごとに CPAP を継続して装着できているか，継続の妨げとなっているものがないかなど，入院中から外来まで継続してかかわる。また，継続する上での困難を共有し，患者が行っている対処方法を認め，支持するかかわりが，患者の自己肯定感を高め，継続実施内の自発的動機付けへの支援となる。

▶医療保険適用で CPAP などの NPPV を使用するには 1 回／月の受診が必須である

2）生活習慣の改善のための患者教育

1 疾患や治療の知識の提供と動機付け

- 自覚症状と疾患の関係や，その原因について理解できているかを確認し，生活習慣の是正や治療の必要性の理解を促す
- 治療による不便さなどのデメリットに対する対処法を伝え，治療による効果を説明して，治療を開始する動

機付けを行う
- 自分の身体に起きている症状に気づくことができるように，ESSなどを用いて客観的に評価し，変化を可視化するのも効果的である。治療による症状改善を患者自身が自覚できれば，治療継続につながる

2 生活習慣の改善

自覚症状が軽い患者に，日常生活を改善させるのは難しい。まずは，達成可能な目標を一緒に考え，目標が達成できたら次のステップへと進むように努めることが，日常生活改善行動を継続するうえで重要である。また，**達成感**がもてるように数値化できるような目標や，改善したことで変化した身体の状態を一緒に確認して，自分で変化に気づくことができるように支援する。

生活習慣改善においては，看護師だけでなく栄養士や理学療法士，薬剤師などと多職種でかかわり，患者のモチベーションを高められるように協働して介入する。

● 減量

肥満に対しては，減量を中心とした日常生活の改善が重要である。減量だけで自覚症状が改善する場合もあるため，現在の生活習慣（食事や運動）について患者とともに見直し，バランスの良い食事や適度な運動が行えるよう，生活パターンの見直しを行う。

● 禁煙

禁煙を行うにあたって，喫煙とOSASの関連について説明し，**禁煙補助薬**の使用や**行動変容のための行動科学的アプローチ**を行いながら禁煙ができるよう支援する（→p333）。

● 飲酒の制限

飲酒することで上気道開大筋を弛緩させ，上気道抵抗が増す。また，飲酒をする人はしない人に比べてOSASのリスクが25％増加する[17]とされており，日常的な飲酒習慣がOSASのリスクを高めることがわかっている[18]。これらのリスクを患者へ説明し，休肝日を増やしていき徐々に禁酒ができるよう促す。

● 側臥位での就寝などの体位の工夫

体位療法に用いられる標準的なデバイスはないため，患者が自身で体位を工夫する必要がある。気道を確保しやすい高さの枕や頭の位置を調整することや，背中にタオルやクッションを入れたり，ゴルフボールやテニスボールをパジャマの内側に縫い付けたり，壁際で寝たりしてすぐに仰臥位にならないようにするなど，睡眠時の姿勢の工夫について教育する。

● ストレスマネジメント

ストレスによる過食や飲酒は肥満の原因でもある。ストレスの原因を解決することやストレスマネジメントを適切に行うことができるよう支援する。

［高月雅絵］

[文献]

1) 日本呼吸器学会・他監，睡眠時無呼吸症候群（SAS）の診療ガイドライン作成委員会編：睡眠時無呼吸症候群（SAS）の診療ガイドライン2020．p2，南江堂，2020．
2) 前掲書1，p5．
3) 日本救急医学会　医学用語解説集．https://www.jaam.jp/dictionary/index.html（2025年3月21日閲覧）
4) 日本循環器学会・他：2023年改訂版　循環器領域における睡眠呼吸障害の診断・治療に関するガイドライン：ダイジェスト版循環器領域における睡眠呼吸障害の診断・治療に関するガイドライン．p24，2023．
5) 日本大学医学部附属板橋病院睡眠センター：睡眠時無呼吸症候群．https://www.itabashi.med.nihon-u.ac.jp/sleep_center/mukokyu-syokogun.html（2025年3月21日閲覧）
6) 榊原博樹：睡眠時無呼吸症候群と上気道の解剖学的異常．THE LUNG perspectives 17(1)：20-25, 2009．
7) 日本循環器学会・他：2023年改訂版　循環器領域における睡眠呼吸障害の診断・治療に関するガイドライン．pp25-26，2023．
8) 前掲書1，pp14-15．
9) 日本性機能学会，日本泌尿器科学会編：ED診療ガイドライン　第3版．p21，リッチヒルメディカル，2018．
10) Takegami M, et al: Development of a Japanese version of the Epworth Sleepiness Scale (JESS) based on item response theory. Sleep Med 10(5): 556-565, 2009.
11) 日本循環器学会・他：2023年改訂版　循環器領域における睡眠呼吸障害の診断・治療に関するガイドライン．pp21-23，2023．
12) 前掲書1，pp48-55．
13) 福原俊一・他：日本語版the Epworth Sleepiness Scale（JESS）にこれまで使用されていた多くの「日本語版」との主な差異と改訂．日呼吸器会誌 44(11)：896-898，2006．
14) 前掲書1，p66．
15) 西島嗣生・他：閉塞性睡眠時無呼吸（OSA）におけるCPAP以外の治療．日内会誌 109(6)：1082-1088，2020．
16) アルフレッサファーマ：モディオダール®錠適正使用ガイド（2024年4月改訂）manual.pdf（modiodal-tekiseishiyou.jp）（2025年4月16日閲覧）
17) Simou E, et al: Alcohol and the risk of sleep apnoea:a systematic review and meta-analysis. Sleep Med 42: 38-46, 2018.
18) Peppard PE, et al: Association of alcohol consumption and sleep disordered breathing in men and women. J Clin Sleep Med 3(3): 265-270, 2007.

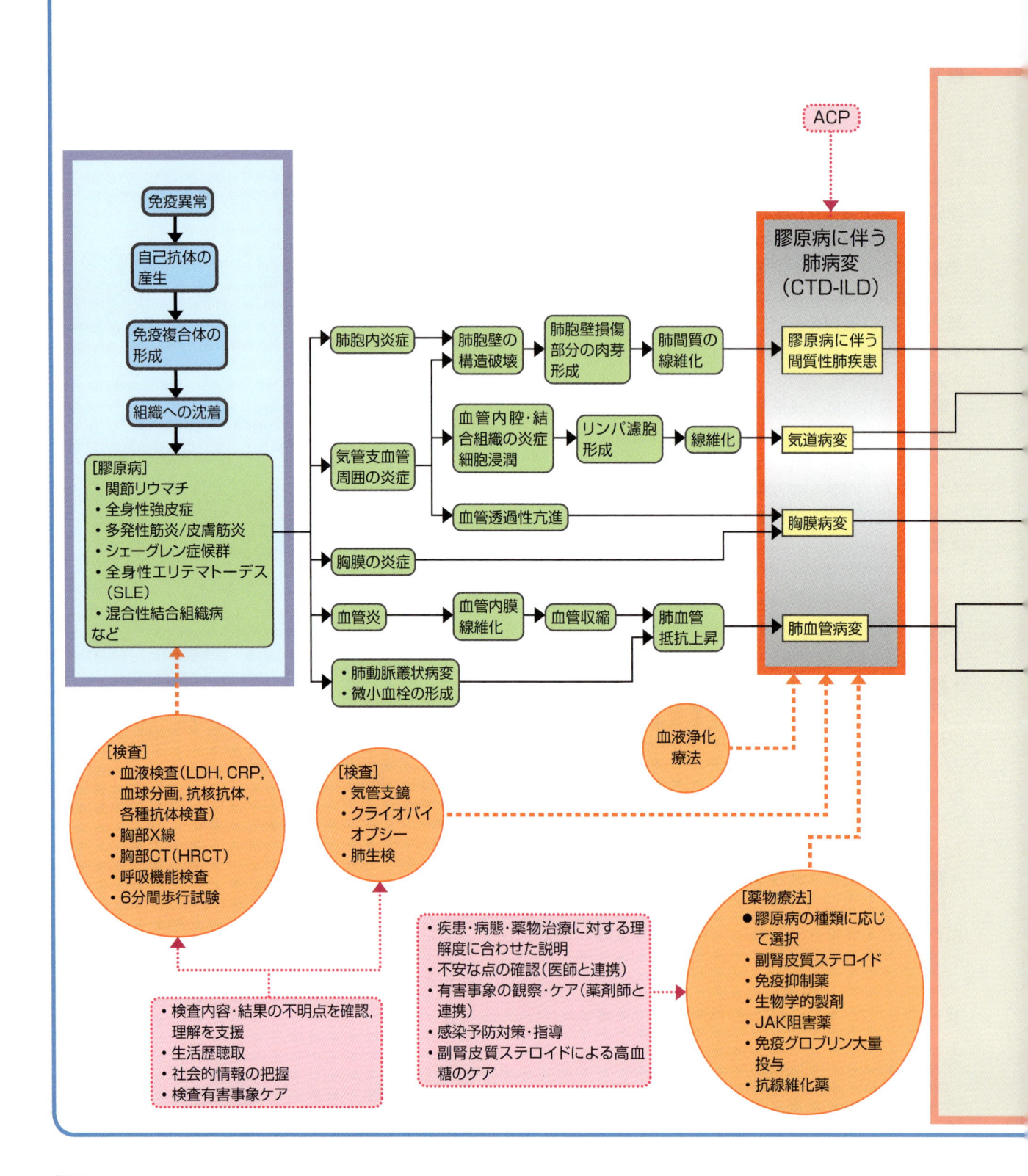

第Ⅱ部　疾患別看護ケア関連図　5．全身性疾患

16 膠原病に伴う肺病変

```
免疫異常
　↓
自己抗体の産生
　↓
免疫複合体の形成
　↓
組織への沈着
　↓
［膠原病］
・関節リウマチ
・全身性強皮症
・多発性筋炎/皮膚筋炎
・シェーグレン症候群
・全身性エリテマトーデス（SLE）
・混合性結合組織病
　など
```

- 肺胞内炎症 → 肺胞壁の構造破壊 → 肺胞壁損傷部分の肉芽形成 → 肺間質の線維化
- 気管支血管周囲の炎症 → 血管内腔・結合組織の炎症細胞浸潤 → リンパ濾胞形成 → 線維化
- 血管透過性亢進
- 胸膜の炎症
- 血管炎 → 血管内膜線維化 → 血管収縮 → 肺血管抵抗上昇
- ・肺動脈叢状病変
  ・微小血栓の形成

ACP

膠原病に伴う肺病変（CTD-ILD）
- 膠原病に伴う間質性肺疾患
- 気道病変
- 胸膜病変
- 肺血管病変

［検査］
・血液検査（LDH, CRP, 血球分画, 抗核抗体, 各種抗体検査）
・胸部X線
・胸部CT（HRCT）
・呼吸機能検査
・6分間歩行試験

［検査］
・気管支鏡
・クライオバイオプシー
・肺生検

血液浄化療法

・検査内容・結果の不明点を確認，理解を支援
・生活歴聴取
・社会的情報の把握
・検査有害事象ケア

・疾患・病態・薬物治療に対する理解度に合わせた説明
・不安な点の確認（医師と連携）
・有害事象の観察・ケア（薬剤師と連携）
・感染予防対策・指導
・副腎皮質ステロイドによる高血糖のケア

［薬物療法］
●膠原病の種類に応じて選択
・副腎皮質ステロイド
・免疫抑制薬
・生物学的製剤
・JAK阻害薬
・免疫グロブリン大量投与
・抗線維化薬

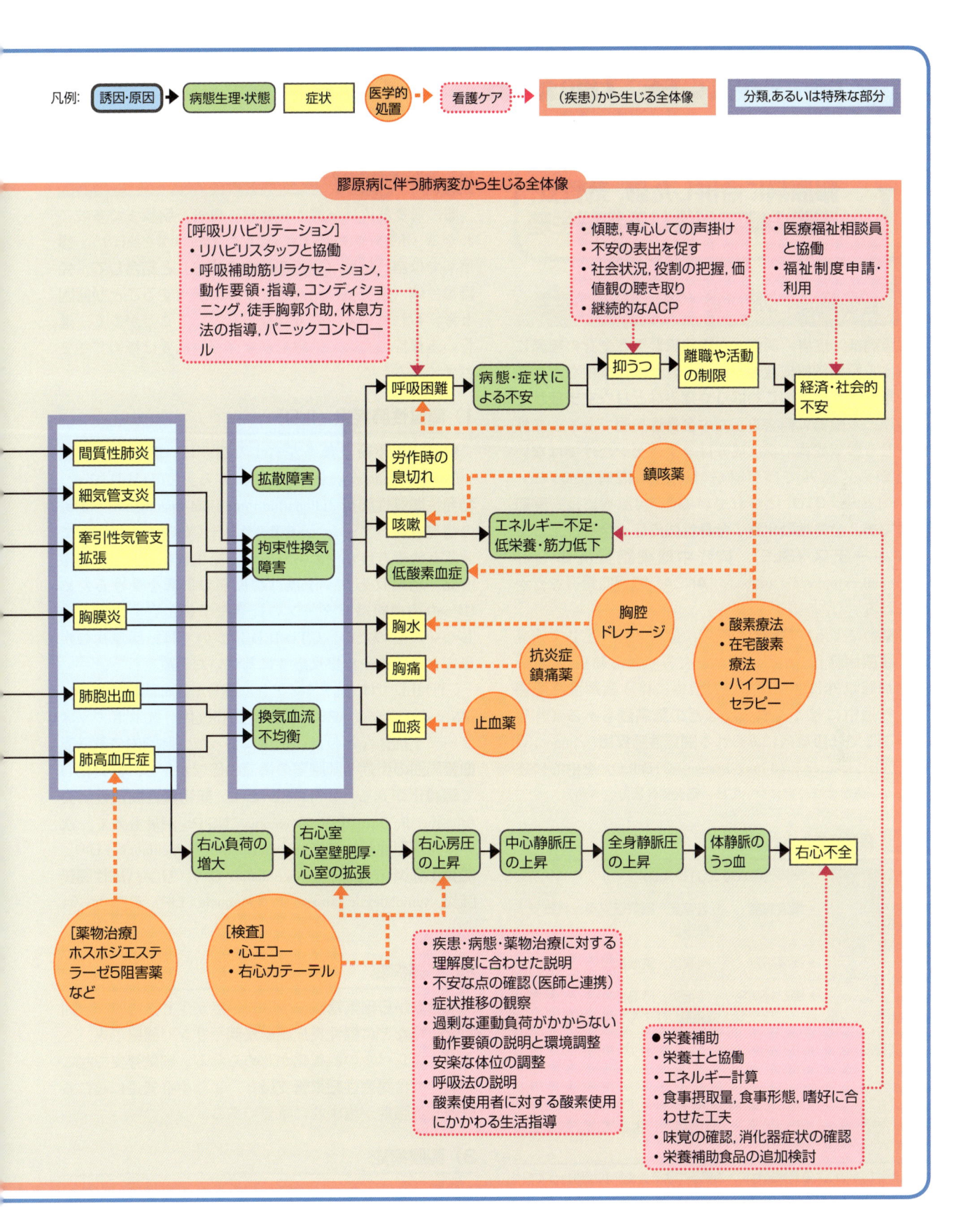

凡例: 誘因・原因 → 病態生理・状態 症状 医学的処置 ⤳ 看護ケア ⇢ （疾患）から生じる全体像 分類，あるいは特殊な部分

膠原病に伴う肺病変から生じる全体像

[呼吸リハビリテーション]
- リハビリスタッフと協働
- 呼吸補助筋リラクセーション，動作要領・指導，コンディショニング，徒手胸郭介助，休息方法の指導，パニックコントロール

- 傾聴，専心しての声掛け
- 不安の表出を促す
- 社会状況，役割の把握，価値観の聴き取り
- 継続的なACP

- 医療福祉相談員と協働
- 福祉制度申請・利用

症状の流れ:
- 呼吸困難 → 病態・症状による不安 → 抑うつ → 離職や活動の制限 → 経済・社会的不安
- 労作時の息切れ
- 咳嗽 ← 鎮咳薬
- エネルギー不足・低栄養・筋力低下
- 低酸素血症
- 胸水 ← 胸腔ドレナージ
- 胸痛 ← 抗炎症鎮痛薬
- 血痰 ← 止血薬

誘因・病態:
- 間質性肺炎 → 拡散障害
- 細気管支炎 → 拘束性換気障害
- 牽引性気管支拡張
- 胸膜炎
- 肺胞出血 → 換気血流不均衡
- 肺高血圧症

- 酸素療法
- 在宅酸素療法
- ハイフローセラピー

右心系の経過:
右心負荷の増大 → 右心室心室壁肥厚・心室の拡張 → 右心房圧の上昇 → 中心静脈圧の上昇 → 全身静脈圧の上昇 → 体静脈のうっ血 → 右心不全

[薬物治療]
ホスホジエステラーゼ5阻害薬 など

[検査]
- 心エコー
- 右心カテーテル

- 疾患・病態・薬物治療に対する理解度に合わせた説明
- 不安な点の確認（医師と連携）
- 症状推移の観察
- 過剰な運動負荷がかからない動作要領の説明と環境調整
- 安楽な体位の調整
- 呼吸法の説明
- 酸素使用者に対する酸素使用にかかわる生活指導

- 栄養補助
- 栄養士と協働
- エネルギー計算
- 食事摂取量，食事形態，嗜好に合わせた工夫
- 味覚の確認，消化器症状の確認
- 栄養補助食品の追加検討

第Ⅱ部　疾患別看護ケア関連図　5．全身性疾患

16 膠原病に伴う肺病変

Ⅰ 膠原病に合併した肺，気管支，胸膜の病変が生じる病態生理

1. 膠原病に伴う肺病変（膠原病肺）の定義

　膠原病は，皮膚，関節，内臓諸臓器など全身の組織に分布する膠原線維に**変性**が生じ，自己抗体産生などの**免疫異常**，筋骨格系のこわばりや痛みなどリウマチ症状を基盤に，多臓器に障害をきたす**全身性疾患**である。変性が生じる膠原線維の構成成分はコラーゲンだけではないことから，海外では膠原病は**結合組織病**（connective tissue disease：**CTD**）とされている[1]。膠原病には，**関節リウマチ**，**全身性硬化症／全身性強皮症**，**全身性エリテマトーデス（SLE）**，**抗好中球細胞質抗体**（anti-neutrophil cytoplasmic antibody：**ANCA**）**関連血管炎**などが含まれる。

　膠原病によって**気管支や胸膜，血管，肺に生じる病変**を「**膠原病肺**」という。膠原病でみられる肺病変には，膠原病肺以外にも，膠原病の治療に伴う**薬剤性肺障害**や，経過中に起こる**感染症**などの肺病変もある（表1）が，ここでは膠原病にみられる**間質性肺疾患**（connective tissue disease-interstitial lung disease：**CTD-ILD**）を中心に述べる（→薬剤性肺障害については，⑳医原性肺障害参照）。

表1　膠原病でみられる肺病変

膠原病肺	●間質性肺疾患（CTD-ILD）	
	●気道病変	気管支・細気管支炎，気管支拡張症
	●胸膜病変	胸膜炎，胸膜線維化，胸水
	●肺血管病変	血管炎，肺高血圧症，血栓塞栓症，びまん性肺胞出血
薬剤性肺障害	●膠原病の治療として使用した薬剤による合併症	
感染症*	●細菌，抗酸菌（結核を含む），ウイルス，ニューモシスチス，真菌などによる感染，誤嚥性肺炎	

＊膠原病の病態による易感染性に，治療薬による免疫抑制が加わって日和見感染症のリスクが高じる

2. 膠原病肺のメカニズム

　肺の病変部位は気管から肺胞，血管，胸膜まで多岐にわたる（本書冒頭に示された解剖図の全域に影響を及ぼす）。膠原病では**自己抗原**（自己の体内の成分）と結合して，**免疫複合体**（抗原抗体結合物）が肺に沈着することが原因と考えられている。病変は混在していることが多く，進行の多様性も含めて，膠原病に伴う肺病変は極めてさまざまである[3, 4]。

1）間質性肺疾患（ILD）

　膠原病の生命予後を左右する病変は，**間質性肺疾患**（interstitial lung disease：**ILD**）である。CTD-ILDでは，**特発性間質性肺炎**（idiopathic interstitial pneumonias：**IIPs**）の病理組織パターン（→⑰特発性間質性肺炎参照）によって診断と治療方針が決められるが，発生機転，経過，画像所見，治療反応性，予後は膠原病の影響を受けるためIIPsの病理組織パターンの経過や予後と完全には一致しない。そのため，CTD-ILDについては，膠原病の疾患ごとに予後や治療反応性に基づいた治療を行う。

　CTD-ILDでは，抗アミノアシルtRNA合成酵素（aminoacyl-tRNA synthetase：**ARS**）や抗MDA5抗体，抗トポイソメラーゼⅠ抗体などの自己抗体によって，**肺胞内や気管支血管周囲の炎症と肺胞壁の構造の破壊**が生じ，**器質化して線維化が進む**。CTD-ILDでは，**非特異性間質性肺炎**（non-specific interstitial pneumonia：**NSIP**）が最も多く，次いで**通常型間質性肺炎**（usual interstitial pneumonia：**UIP**），**器質化肺炎**（organizing pneumonia：**OP**），**リンパ球性間質肺炎**（lymphocytic interstitial pneumonia：**LIP**）が認められる。

2）気道病変

　気管支から細気管支にかけて炎症が生じ，内腔や周囲結合組織などに慢性炎症細胞浸潤やリンパ濾胞形成，さまざまなレベルの線維化が認められる。細気管支で起こる炎症では**閉塞性細気管支炎**と，より中枢気道に起こる**気管支拡張症**が臨床的に重要である。

3）胸膜病変

　胸膜に沈着あるいは胸膜で産生された免疫グロブリン

(Ig) や補体による免疫複合体が，胸膜の毛細血管に作用して透過性を亢進させ，胸水を生じさせる。また，胸膜に炎症が生じた場合は，**胸膜炎**を呈する。

4) 肺血管病変

IgG や C3 などの**自己抗原（自己の体内の成分）**と結合した免疫複合体は，炎症によるメディエーターを介して，肺胞壁，大血管，末梢血管内に沈着し，血管炎や血管内皮細胞傷害を生じさせ，**血管中膜の線維化や血管収縮**が起こる。肺胞では炎症により肺胞周囲の毛細血管が損傷し，**肺胞出血を引き起こす**[5]。また，内皮細胞や平滑筋細胞，線維芽細胞，マクロファージなどが叢状になり**血管の塊（plexiform lesion）**や**微小血栓**が生じ，肺血管抵抗が上昇して，肺動脈圧が異常に高い状態である**肺高血圧**が生じる。

3. 膠原病の疾患ごとの肺病変の特徴

膠原病の肺病変は多彩であり，膠原病の種類によってそれぞれの発現頻度が異なる。**表2**に肺病変の頻度を示す。

1) 関節リウマチ（RA）

関節リウマチ（rheumatoid arthritis：RA）は，全身の慢性炎症性疾患で，関節滑膜の炎症（滑膜炎）による破壊性の**多発関節炎**が特徴である。**免疫異常**や**血管炎**などにより，全身の結合組織に関節外症状を呈する。

RA に伴う肺病変は，**間質性肺炎，気管支拡張症や細気管支炎などの気道病変，胸膜炎や胸水**である。RA 患者の 4〜68%で[9]肺病変の合併が認められるが，多くは無症状での診断である[10]。RA に伴う肺病変の危険因子としては，**喫煙者，男性，リウマトイド因子高値**の症例に多いとされる。また，基礎疾患として ILD を有することが多く，**感染や薬剤性肺障害などを機に急性増悪**する。

2) 全身性硬化症／全身性強皮症（SSc）

全身性硬化症／全身性強皮症（systemic sclerosis：SSc）は，**皮膚および全身諸臓器の炎症性・線維化変化と血流障害**が特徴の疾患である。

全身性強皮症の70〜90％に CTD-ILD の合併が認められ[9]，特に，核小体型抗核抗体（抗 Scl-70 抗体，抗 U3RNP 抗体など）を有する症例や，男性や重度の皮膚硬化，CK 高値の症例での合併が多い。全身性強皮症**発症後 3〜5 年までの間に進行**し，多くの症例は慢性的に経過し治療を要さないが，呼吸不全に陥る例では治療介入が必要である。

肺高血圧症の合併の頻度は 5 %[11]で，全身性強皮症の発症から10年以上経過して発症することが特徴的である。

表2 膠原病の疾患（一部）ごとの肺病変

	間質性肺疾患		気道病変	血管病変	胸膜病変
	頻度	間質性肺炎			
関節リウマチ（RA）	○	UIP, NSIP, OP, DAD	○	△	○
全身性強皮症（SSc）	◎	NSIP, UIP		◎	
多発性筋炎／皮膚筋炎（PM/DM）	◎	NSIP, DAD, UIP, OP		△	○（稀に気胸）
シェーグレン症候群（SS）	○	DAD, DLH・LIP	○	△	△
全身性エリテマトーデス（SLE）	△	NSIP, DAD, OP, UIP	△	○ 肺胞出血・血栓塞栓・肺高血圧は◎	◎
混合性結合組織病（MCTD）	○	UIP, NSIP	△	△ 肺高血圧は◎	△

◎：しばしばみられる，○：時にみられる，△：比較的稀にみられる，空欄：きわめて稀
OP：器質化肺炎，NSIP：非特異性間質性肺炎，UIP：通常型間質性肺炎，DAD：びまん性肺胞障害，DLH：動的肺過膨張，LIP：リンパ球性間質性肺炎

（文献 1〜8 をもとに作成）

3）多発性筋炎 / 皮膚筋炎（PM/DM）

多発性筋炎 / 皮膚筋炎（polymyositis/dermatomyositis：PM/DM）は，**骨格筋**に生じる炎症性疾患であり，**四肢近位筋**を中心とする**多発性炎症**により，**筋力低下や筋萎縮**がみられる。咽頭筋や頸部屈筋が侵された場合，**嚥下障害**を呈する。

抗ARS抗体を有する症例は高頻度（抗Jo-1抗体はほぼ全例）に慢性的に経過するILDが合併する。抗MDA5抗体を有する症例では**急速進行性ILD**を合併することがあるので，病状の変化に注意が必要である。また，嚥下障害に起因する感染症が原因で**誤嚥性肺炎**が生じる場合がある。**手や関節痛 / 関節炎**などの症状が出現する。抗ARS抗体と抗MDA5抗体が，ILD発症に関連しているとされる。

4）シェーグレン症候群（SS）

シェーグレン症候群（Sjögren's syndrome：SS）は，外分泌腺へのリンパ球の浸潤による慢性炎症により，涙腺や唾液腺が破壊されて**涙や唾液の分泌能が低下**する疾患である。

涙腺や唾液腺以外へも病変が及び，ILDはその1つである。ILDの合併は比較的低頻度であり，細胞性，濾胞性細気管支炎，細気管支拡張などの気道病変と，肺胞や細気管支壁へのリンパ球浸潤（リンパ増殖性疾患）が特徴である。

SSにおけるILDの危険因子には，男性，60歳以上，喫煙歴あり，リウマトイド因子や抗CCP抗体価の高値などがある。

5）全身性エリテマトーデス（SLE）

全身性エリテマトーデス（systemic lupus erythematosus：SLE）は，多様な自己抗体が産生され，自己抗体や免疫複合体による全身性の慢性炎症疾患で，膠原病の中でも著しく多彩な臓器病変を呈する疾患である。

肺病変には，**肺胞出血**や**肺塞栓**，**胸膜炎**がみられ，ILDの頻度は低く，加齢と罹患期間が肺障害に関連する。肺高血圧症の合併は1.7％[11]であるが，治療抵抗性であることが多い。SLEの活動性が高い時期と肺高血圧症の発症時期は一致しやすい。比較的急速に肺動脈圧の上昇が進行し，短期間で心不全へ進展する症例も少なくない。

6）混合性結合組織病（MCTD）

混合性結合組織病（mixed connective tissue disease：MCTD）は，SLE，SSc，PMの**臨床症状が混在する全身性自己免疫疾患**である。

SLE様所見を呈する症例では**胸膜炎や胸水の貯留**も認められる。肺動脈末梢の内腔狭窄や閉塞により生じる**肺高血圧症**がみられ，予後不良因子である。厚生労働省の調査によると，肺高血圧症の合併は約5％[11]であるが，症状の有無にかかわらず心エコー検査などで肺高血圧症と診断されたのは16～19％との報告もあり[12]，肺高血圧症の発症を早期に発見することが重要である。

MCTDにおけるILDの発症の病因は不明であるが，胃食道逆流による不顕性誤嚥や，抗U1RNP抗体陽性例でのILD発症の関連が示唆されている。

4. 膠原病肺の臨床症状と身体所見

膠原病による症状に加え，肺病変による呼吸器症状のほか，肺高血圧症による症状も出現する。臨床症状を**表3**にまとめた。

1）間質性肺疾患

もっとも多い症状は**労作時の息切れ，乾性咳嗽**である。聴診では後肺野・肺底部を中心に**高調性断続性副雑音（捻髪音）**（fine crackles）を聴取する。

表3 膠原病肺の臨床症状と身体所見

	臨床症状	身体所見
間質性肺疾患	労作時呼吸困難，乾性咳嗽	肺底部の捻髪音，ばち指，チアノーゼ，努力呼吸
気道病変	乾性咳嗽，労作時呼吸困難，発熱（気管支拡張症）喀痰	チアノーゼ
胸膜病変	呼吸困難，胸痛，咳嗽，発熱	胸水貯留部分での呼吸音の減弱
肺血管病変	呼吸困難，血痰・喀血，労作時呼吸困難，易疲労感，胸痛，動悸，咳嗽，喀血	高血圧，II音肺動脈成分の亢進 ●右心負荷時：傍胸骨拍動 ●右心不全時：頸静脈怒張，右心性III音，肝腫大，下肢浮腫，腹水

（日本循環器学会・他：肺高血圧症治療ガイドライン（2017年改訂版），2018．をもとに作成）

2）気道病変

細気管支炎による**咳嗽**（特に**乾性咳嗽**）と**労作時呼吸困難**，**発熱**，**感冒症状**がみられる。また，気管支拡張症による**呼吸困難**，**喀痰**などがみられる。

3）胸膜病変

胸水の貯留に伴う**呼吸困難**，**胸痛**，**咳嗽**などの症状や，胸膜炎による**発熱**，**胸痛**などの症状を呈する。

4）肺血管病変

肺胞出血による**呼吸困難**，**血痰・喀血**，**貧血**がみられる。肺高血圧症の**早期**で**無症状**のことが多く，肺動脈性肺高血圧症の進行に伴い症状や身体所見が出現する。

5. 膠原病肺の検査・診断

1）検査

1 胸部X線

定期的に病勢の進行を早期に発見するために行われる。線維化の比較のためには側面像による**下葉後肺底区**の変化を評価する。すりガラス様陰影や結節様陰影がみられる場合，増悪を評価するためにCT撮影が行われる。

2 胸部CT（HRCT，高分解能CT）

肺病変の**広がり**，**程度**，**分布**などを詳細に調べる。初期は**すりガラス様陰影**を認める。進行すると器質化し，線維化性の病変では**蜂巣肺**を形成する。線維化が進行すると肺容積が縮小する。

3 血液検査

CTD-ILDの活動性評価のためKL-6，SP-A，SP-D，LDHの評価が行われる。膠原病関連項目として，**自己抗体**，**抗核抗体**などを測定する。自己抗体検査は種類が多く，最初からすべてを検査することは困難である。疑わしい抗体検査に加えて，抗核抗体が陽性である場合はどの種類の抗核抗体が存在するか，さらに検査を行う。

肺高血圧症による右心負荷，右心不全の評価のため，BNPやNT-proBNPを測定する。高値の場合は，**肺高血圧症**が疑われるため，精査を行う。

4 呼吸機能検査

間質性肺炎と肺高血圧症の早期発見と進行性の評価に有用である。**肺活量（%FEV）の低下**と**拡散能（%DLco）の低下**がみられる。

5 6分間歩行試験（6-minutes walking test：6MWT）

予後予測や**ILDの活動性**を評価する。試験中の歩行距離や低酸素状態，脈拍応答，労作時呼吸困難は，膠原病による関節痛や末梢循環障害などの影響を受けることを考慮する。

6 気管支内視鏡検査

経気管支肺生検や**気管支肺胞洗浄**を行い，病理組織や炎症細胞の解析を行う。施行可能な施設は，クライオバイオプシー（凍結生体組織検体採取）によって，穿刺や洗浄よりも診断に有用な大きな検体を採取する。

▶クライオバイオプシーとはクライオプローブの先端を冷却し，その先端部が病変に接触することにより周囲の組織が凍結される。凍結された組織はプローブの先端部と接着しているため，そのまま引きちぎることで挫滅が少なく，大きな検体を採取することが可能な方法である[13]。

7 肺生検

胸腔鏡下肺生検や開胸肺生検で肺の組織を採取し，病理検査で確定診断を行う。

8 心エコー

肺高血圧症が疑われる（表4）あるいは発症する可能性のある患者に実施する。特に肺高血圧症を合併しやすいSScでは年に1回，SLEやMCTDでは膠原病の悪化時および呼吸困難や自覚症状発現時に行う。

9 心カテーテル検査

肺動脈性肺高血圧症の確定診断，分類，重症度や治療判定のため実施される。

表4 肺高血圧症が疑われる際の検査とその基準

検査	肺高血圧症を疑う基準
肺機能検査	%DLco＜60%，%VC/%DLco≧1.4
血液検査	BNPまたはNT-proBNP高値
心電図	右室負荷による所見（肺性P波，右軸変異，QRS幅の拡大など）
胸部X線画像	心拡大，中枢側肺動脈の拡張（肺動脈本幹部の拡大），左第2弓突出，末梢肺野の透過性亢進

（日本循環器学会・他：肺高血圧症治療ガイドライン2017．pp11-13，38-39，2018．／日本呼吸器学会・他：膠原病に伴う間質性肺疾患診断・治療指針2020．をもとに作成）

2）診断

1 問診・鑑別診断

膠原病肺の症状の項目に記載のある症状に加え，**家族歴や原疾患の治療内容**についても詳細に聴取する。

ILDによる症状が先行して発現し受診する場合は，**膠原病を疑わせる症状**（表5）があれば，精査を行う。

膠原病の治療中で**呼吸器症状**が出現した場合には，鑑別するべき病態を考慮したうえで，検査所見や画像所見によりCTD-ILDの診断を行う（図1）。

抗リウマチ薬は薬剤性肺炎を引き起こしやすく，免疫抑制薬は感染症が問題になることも多い。ILDの合併の有無で治療薬剤を選択する必要があるため，膠原病治療開始前後で**呼吸症状**などが出現した場合は，**薬剤性肺炎**や**感染症**などの鑑別を行うことが重要である。

表5　膠原病を示唆する症状

- 機械工の手（母指尺骨側面と他指の橈側側面に生じる亀裂や細かい皮むけ，角化性後）
- 指尖潰瘍
- 手掌毛細血管拡張
- レイノー現象
- 光線過敏
- 炎症性関節炎あるいは多関節の朝のこわばり（60分超）
- 説明できない手指の浮腫
- 説明できない手指の伸側の固定的皮疹（Gottron徴候）
- 説明できない発熱，体重減少

図1　膠原病肺の鑑別診断

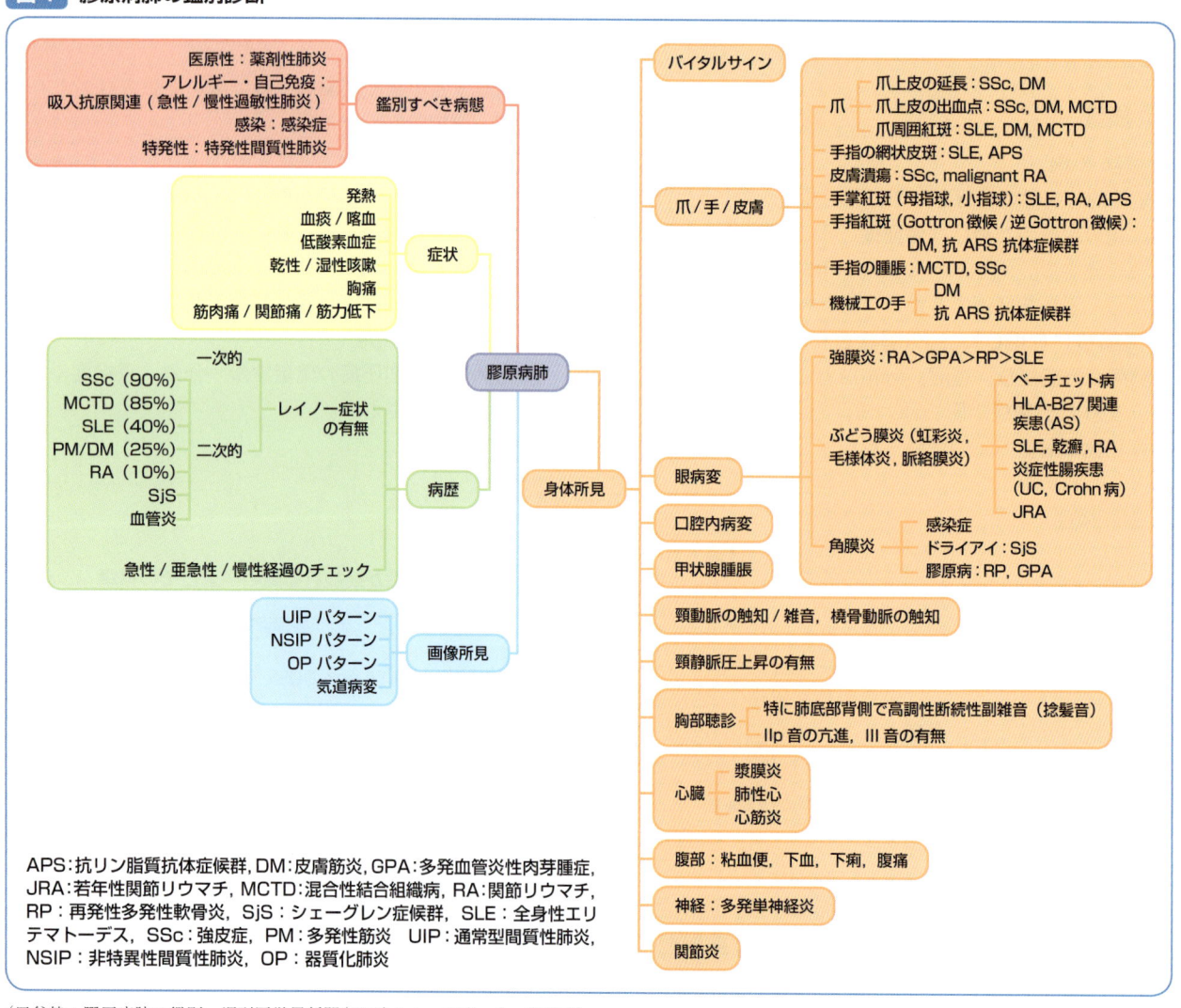

鑑別すべき病態
- 医原性：薬剤性肺炎
- アレルギー・自己免疫／吸入抗原関連（急性／慢性過敏性肺炎）
- 感染：感染症
- 特発性：特発性間質性肺炎

症状
- 発熱
- 血痰／喀血
- 低酸素血症
- 乾性／湿性咳嗽
- 胸痛
- 筋肉痛／関節痛／筋力低下

病歴
- レイノー症状の有無
  - 一次的
  - 二次的：SSc（90%），MCTD（85%），SLE（40%），PM/DM（25%），RA（10%），SjS，血管炎
- 急性／亜急性／慢性経過のチェック

画像所見
- UIPパターン
- NSIPパターン
- OPパターン
- 気道病変

身体所見
- バイタルサイン
- 爪／手／皮膚
  - 爪：爪上皮の延長：SSc, DM／爪上皮の出血点：SSc, DM, MCTD／爪周囲紅斑：SLE, DM, MCTD
  - 手指の網状皮斑：SLE, APS
  - 皮膚潰瘍：SSc, malignant RA
  - 手掌紅斑（母指球，小指球）：SLE, RA, APS
  - 手指紅斑（Gottron徴候／逆Gottron徴候）：DM, 抗ARS抗体症候群
  - 手指の腫脹：MCTD, SSc
  - 機械工の手：DM, 抗ARS抗体症候群
- 眼病変
  - 強膜炎：RA＞GPA＞RP＞SLE
  - ぶどう膜炎（虹彩炎，毛様体炎，脈絡膜炎）：ベーチェット病／HLA-B27関連疾患（AS）／SLE, 乾癬, RA／炎症性腸疾患（UC, Crohn病）／JRA
  - 角膜炎：感染症／ドライアイ：SjS／膠原病：RP, GPA
- 口腔内病変
- 甲状腺腫脹
- 頸動脈の触知／雑音，橈骨動脈の触知
- 頸静脈圧上昇の有無
- 胸部聴診：特に肺底部背側で高調性断続性副雑音（捻髪音），IIp音の亢進，III音の有無
- 心臓：漿膜炎／肺性心／心筋炎
- 腹部：粘血便，下血，下痢，腹痛
- 神経：多発単神経炎
- 関節炎

APS：抗リン脂質抗体症候群，DM：皮膚筋炎，GPA：多発血管炎性肉芽腫症，JRA：若年性関節リウマチ，MCTD：混合性結合組織病，RA：関節リウマチ，RP：再発性多発性軟骨炎，SjS：シェーグレン症候群，SLE：全身性エリテマトーデス，SSc：強皮症，PM：多発性筋炎　UIP：通常型間質性肺炎，NSIP：非特異性間質性肺炎，OP：器質化肺炎

（皿谷健：膠原病肺の鑑別．週刊医学界新聞(3243)：4，2017．を一部改変）

6. 膠原病肺の治療

1）治療目標

間質性肺疾患（CTD-ILD）の治療目標としては，**症状の改善**と**生命予後の改善**および社会生活を含めた**生活の質の改善**にある。臓器病変の評価もふまえ，発症様式や臨床経過を考慮した治療目標を提案する（表6）。社会・経済的問題を含む患者の現状と希望を考慮し，患者と十分に話し合って決める。

2）治療

膠原病ごとに肺病変の特徴が異なり，無治療でも長期間安定しているケースもあれば，短期間で進行するなど多様である。**軽症の場合は経過観察**を行い，急性進行例や日常生活に支障をきたす**中等症以上の症例に対して治療**が行われる。

治療効果が認められている薬剤は**副腎皮質ステロイド**と**免疫抑制薬**であるが，他の臓器の障害も考慮して与薬の至適量を決める。また，疾患および他臓器の障害の程度により使用される免疫抑制薬の組み合わせが決定される（表7）。

1 副腎皮質ステロイド

プレドニゾロンは，炎症やアレルギーなどの異常な免疫反応を強く抑える目的で与薬される。副腎皮質ステロイド単独（プレドニゾロン 0.5〜1 mg/kg/day）あるいは，免疫抑制薬と組み合わせる。急速に進行する症例では，ステロイドパルス療法（メチルプレドニゾロン500〜1,000mg/day×3日間）を施行後，プレドニゾロンの治療に移行する。副腎皮質ステロイドは，長期間の使用により**副作用**が生じる（表8）。

2 免疫抑制薬

免疫抑制薬は，体内で起こっている過剰な免疫反応や炎症反応を抑える作用がある。ステロイドだけでは効果が乏しい場合にステロイドと一緒に使用して治療効果を高めたり，副作用によりステロイドを減量しなければならない場合などで使用されることが多い。

❶シクロホスファミド（CYC/CPA：エンドキサン®），❷アザチオプリン（AZA：アザニン®，イムラン®），❸シクロスポリン（CYA：ネオーラル®，シクロスポリン）/タクロリムス水和物（TAC：プログラフ®，タクロリムス），❹ミゾリビン（MZR：ブレディニン®，ミゾリビン）/ミコフェノール酸モフェチル（MMF：セルセプト®，ミコフェノール酸モフェチル），❺メトトレキサート（MTX：リウマトレックス®，メトトレキサート）を，膠原病の種類に合わせて選択される。SScでは，副腎皮質ステロイド薬単独では十分な効果が得られず，免疫抑制薬で治療が行われる。

表6 間質性肺疾患（CTD-ILD）の発症・挙動に応じた治療目標

疾患の挙動	発症様式	想定されるILDパターン	主な膠原病	治療目標
可逆性がある（自然軽快もある）	急性	OP	RA，SS，SLE	改善
可逆性があるが，悪化のリスクあり	急性	DAD NSIP ± OP	DM（抗MDA5抗体陽性など），SLE，PM，MCTD	寛解（救命）
	亜急性	NSIP ± OP	DM/PM（抗ARS抗体陽性など），SLE，MCTD，SS	改善，進行防止 再燃防止
持続するが安定 急性増悪もあり	慢性	NSIP UIPの一部	RA，SS，SSc，DM/PM，MCTD，SLE	状態の維持 急性増悪の予防
進行性，安定化する可能性があるが非可逆性 急性増悪もあり	慢性	fibrotic NSIP UIP	SSc，RA，SS	状態の安定化 急性増悪の予防
治療にかかわらず，進行性，非可逆性 急性増悪もあり	慢性	fibrotic NSIP の一部 UIP	SSc，RA，SS	進行を遅くする 急性増悪の予防

ILD：間質性肺疾患，DAD：びまん性肺胞障害，OP：器質化肺炎，NSIP：非特異性間質性肺炎，UIP：通常型間質性肺炎，RA：関節リウマチ，SS：シェーグレン症候群，SLE：全身性エリテマトーデス，DM：皮膚筋炎，PM：多発性筋炎，SSc：全身性強皮症，MCTD：混合性結合組織病
（日本呼吸器学会・日本リウマチ学会合同 膠原病に伴う間質性肺疾患診断・治療指針作成委員会：膠原病に伴う間質性肺疾患診断・治療指針2020．p43，2020．より）

表7　膠原病に伴う肺病変の病態からみた治療内容および特徴

膠原病	肺病変	病態	治療	治療効果や治療選択および注意点
関節リウマチ（RA）	細気管支炎，胸膜炎，間質性肺炎	酸化ストレスによる肺のタンパクシトルリン化	副腎皮質ステロイド，免疫抑制薬，生物学的製剤	・副腎皮質ステロイドは短期的な鎮痛・抗炎症作用が期待できる ・UIPでは副腎皮質ステロイドの効果は低い ・OPは，副腎皮質ステロイドへの反応はよいが急速に進行し致命的になる場合がある ・漸減時は免疫抑制薬を併用する場合がある ・重症例や急性進行性の場合は，ステロイドパルス療法に免疫抑制薬を併用する ・3カ月以上合成抗リウマチ薬を継続してもコントロール不良な場合は，生物学的製剤を選択する
全身性強皮症（SSc）	慢性間質性肺炎	コラーゲンの過剰沈着	副腎皮質ステロイド，免疫抑制薬，生物学的製剤	・副腎皮質ステロイド単独療法で十分な効果は得られない場合は副腎皮質ステロイドと免疫抑制薬を併用するあるいは，エンドキサン間欠的静注（intravenous cyclophosphamide：IVCY）を併用する ・維持療法として，免疫抑制薬（セルセプト®またはイムラン®）を選択する ＊高用量の副腎皮質ステロイドやシクロスポリンは腎クリーゼの誘因となる可能性があり与薬に注意を要する
多発性筋炎／皮膚筋炎（PM/DM）	急速進行～慢性間質性肺炎	免疫異常・炎症	副腎皮質ステロイド，免疫抑制薬，生物学的製剤，血漿交換療法	・高用量（1 mg/kg/day程度）副腎皮質ステロイドを与薬する ・ステロイドパルス療法や免疫抑制薬を併用する（特にDMの場合） ・急性進行性の場合，ステロイドパルス療法に免疫抑制薬または免疫グロブリン大量静注療法（IVIG）を併用する ・副腎皮質ステロイドや免疫抑制薬の効果が不十分な場合，血漿交換療法を行う場合がある
シェーグレン症候群（SS）	間質性肺炎，悪性リンパ腫	リンパ増殖性疾患	副腎皮質ステロイド，免疫抑制薬	・効果に応じて免疫抑制薬を使用する
全身性エリテマトーデス（SLE）	ループス肺臓炎，肺胞出血，胸膜炎	免疫異常・炎症，免疫複合体凝固異常	副腎皮質ステロイド，免疫抑制薬，血漿交換療法	・高用量ステロイドと免疫抑制薬を併用する ＊慢性経過の場合は治療対象とならない
混合性結合組織病（MCTD）	急性間質性肺炎，肺高血圧症	血管内皮細胞増生	副腎皮質ステロイド，免疫抑制薬	・急性型では高用量ステロイドの与薬する ・治療抵抗例では免疫抑制薬を併用する ＊ステロイドの効果は良好である ＊急性型では致死的な呼吸不全をきたすため，ただちに治療を開始するが，慢性型では経過観察を行う

（文献14～16をもとに筆者作成）

　その他の免疫抑制薬として，**生物学的製剤，ジャック（Janus Kinase：JAK，ヤヌスキナーゼ®）阻害薬，免疫グロブリン大量静注療法**（intravenous immunoglobulin：**IVIG**）がある。

　膠原病と類縁疾患に承認されている**生物学的製剤**は，サイトカインまたはその受容体を標的とする薬剤5種10剤（TNF阻害薬やIL-5s阻害薬など），細胞表面機能分子を標的とする薬剤2種2剤（T細胞今共刺激分子阻害薬，B細胞阻害薬）である。生物学的製剤与薬下では，**感染症や心機能障害，腸管穿孔**などの副作用が出現するため，与薬にあたっては慎重に検討される。特に，感染症の頻度は高く，**細菌性肺炎，結核，ニューモシスチス肺炎など日和見感染**にも注意が必要である。

　JAK阻害薬は，人間の細胞に存在する4種類のJAK

表8 副腎皮質ステロイドの副作用症状

重症副作用	軽症副作用
感染増悪・誘発……●	満月様顔貌……●
消化性潰瘍………◎	体重増加……●
糖尿病，過血糖…◎	皮膚症状（ざそう，多毛症，色素沈着）……●
精神変調…………◎	多尿……●
急性副腎不全……◎	月経異常……●
血圧上昇…………◎	白血球増多……●
骨粗鬆症…………◎	浮腫……●
血栓症……………○	多汗……●
ステロイド筋症…◎	胸やけ……●
白内障・緑内障…○	食欲異常亢進…●
	皮下うっ血，紫斑…●
	頭痛……●
	不眠……●
	脱力感……●

発現頻度●：5％以上または不明，◎：0.1％以上5％未満，○：0.1％未満

（炎症性サイトカインのシグナル伝達に関わる細胞内分子）の働きを阻害することで**炎症を抑える**効果がある。

免疫グロブリン大量静注療法（IVIG）は，精製された免疫グロブリンG（一定量の免疫抗体が濃縮されている）を大量に与薬する。ILD合併筋炎に対する有効性の報告がある[17]。

3 抗線維化薬

抗線維化薬は，組織の線維化の進行抑制や急性増悪の抑制効果が示されている。

ニンテダニブエタンスルホン酸塩（オフェブ®）はIPFと，SScに伴うILDに適応となる。CTD-ILDのうち，進行性の線維化と診断されれば使用可能である。ピルフェニドン（ピレスパ®）はCTD-ILDには未承認だが，IPF以外の線維化性ILDに対する臨床試験が進められている。

4 血液浄化療法

ILDや急性肺障害においては，エンドトキシンのほかさまざまなサイトカインが病態に関連している。これらのエンドトキシンや循環血液中の免疫複合体およびリウマチ因子を除去する目的で血液浄化療法が行われる。

血液吸着療法（サイタフェレシス）と**血漿交換療法**（プラズマフェレシス）に大別される。IIPsの急性増悪において，血液吸着療法である**エンドトキシン吸着**（ポリミキシンB固定化線維カラムによる直接血液灌流法，polymyxin B-immobilized fiber column-Direct hemoperfusion：PMX-DHP）**療法**が行われており，それに準じてCTD-ILDでも行われている。血漿交換療法がILDに関連して保険適用の対象となるのは，SLEと抗MDA5抗体陽性皮膚筋炎に伴う急速進行性間質性肺炎の患者である。CTD-ILDにおける有用性についてはエビデンスレベルが不十分であり，あくまで試みてもよいとされる治療法である。

5 肺移植

進行性かつ内科的治療抵抗性で，生命予後が肺疾患で限定されると考えられる場合，適応を考慮する。肺移植の適応となりえる疾患は，膠原病に伴う肺動脈性肺高血圧症および膠原病合併間質性肺炎である[18]。

6 肺高血圧症に対する治療

膠原病合併肺高血圧症では，原疾患に伴う全身の臓器病変の存在が他の肺高血圧症とは異なり，肺高血圧症を構成する因子（心病変や抗リン脂質抗体など）が複数関与していることが特徴である。酸素療法，抗凝固薬，利尿薬，血管拡張薬（PGI2，ETR拮抗薬，PDE5阻害薬など）の与薬など，原発肺高血圧症の治療に準ずる。

7 酸素療法

CTD-ILDは，緩徐な進行とともに**慢性呼吸不全**を呈し，低酸素血症をきたすため酸素療法を行う。特に線維化が進んだILDでは，軽度の労作においても著明なSpO_2の低下を招くため，高流量の投与を必要とする。

また，急性増悪の場合，ネーザルハイフローセラピーも実施されるが，CTD-ILDにおける有効性に関するエビデンスは不十分である（→コラム「高流量鼻カニュラ酸素療法」参照）。

8 人工呼吸管理

ILDは急速に進行する場合や**急性増悪**を呈することもあり，救命を目的とした人工呼吸管理を行う。人工呼吸管理の適応については，下記に示されるような状態を，多臓器の専門科による多角的に評価をしたうえで検討される。

- 膠原病そのものに起因する免疫異常
- 嚥下機能の低下による誤嚥
- 治療薬剤による易感染状態
- 人工呼吸関連肺炎のリスクが高い
- 急性呼吸不全の原因病態の可逆性判断が困難である
- 肺以外の合併症を有し全身管理が必要

人工呼吸器からの離脱が困難で，自宅でも継続して人工呼吸管理が必要となる場合もあるため，患者背景やADL，QOLなどを考慮する。

II 膠原病肺の看護ケアとその根拠

膠原病肺に対する看護ケアについては，⓱特発性間質性肺炎の看護ケアに準ずる。

1. 膠原病肺の観察ポイント

1）呼吸機能・心機能の状態

- 表3の身体所見および呼吸器症状，安静時・労作時の呼吸数，努力呼吸の有無（呼吸補助筋の動き），胸部聴診（含気の状況，捻髪音の有無や部位），酸素療法中であれば労作によるSpO_2の値，呼吸器症状による日常生活への影響（ADL状況）を観察する
- 胸部X線，HRCT，呼吸機能検査，動脈血液ガス分析，心エコー，心電図などから，換気障害の程度や酸素化能の評価および肺高血圧症の有無を確認する

2）膠原病各疾患の状態

膠原病の基礎疾患および多臓器病変の病態・治療状況，膠原病の症状と症状による日常生活への影響について把握する。

3）治療薬剤による副作用症状の有無，程度

副腎皮質ステロイドや免疫抑制薬の副作用の出現の有無やその程度を確認する。

4）感染徴候

発熱，咳嗽増加，痰の増加・性状変化，悪寒，労作時の息切れの増加などの症状や，血液検査［白血球，好中球，CRP（C反応性タンパク），LDH（乳酸脱水素酵素），β-Dグルカン］の結果を確認する。

2. 膠原病肺の看護の目標

❶労作時呼吸困難，咳嗽などの呼吸器症状の増強や，心不全徴候に早期に気が付き，適切な治療を受けることができる
❷病態と治療について理解し，服薬の継続，感染症の予防，定期的な受診ができる
❸膠原病の症状や呼吸器症状による身体的苦痛が緩和され，ADLが維持できる
❹疾患進行に合わせたACPを行うことができる。

3. 膠原病肺の看護ケア

膠原病は，全身性炎症疾患であり，肺病変以外にも**多臓器の病変を有している**ことが多い。そのため，膠原病専門医や多臓器病変の専門医も含めた多角的な視点で患者や家族の治療およびケアを検討し，**呼吸リハビリテーション**を実施する。

4. 診断時の精神的ケア

膠原病は**診断が困難**であり，CTD-ILDは膠原病内科と呼吸器内科がかかわって診療を行うことが望ましい疾患である。患者は呼吸困難を自覚してから受診するまでの期間，その後，受診してから専門医療機関にかかるまでの期間やさらに診療科をまたぎながら検査を重ねる期間など，**治療開始までに長期の過程を経ている**。患者は「何のための検査なのか」「結果はどういう意味をもつのか」「治療はどういうものなのか」など，常に疑問や不安が渦巻いている状況であることを意識して声掛けや説明を行う。複雑な病態や治療は，説明を受けたり，後から説明書を読んだりしても，一度に理解することは難しい。細かいことでも医療者に聞くことができる雰囲気をつくり，**信頼関係を構築する**ことが重要である。

5. 呼吸器症状の軽減

病気の進行に伴う慢性呼吸不全，増悪などの急性期は，特に低酸素血症による**息切れ・呼吸困難**と**咳嗽**がみられる。呼吸困難や咳嗽に対しては，SpO_2値の低下がみられるようであれば，適切な酸素流量とデバイス（カニュラ，フェイスマスクなど）で**酸素療法**を開始する。慢性的に進行する場合は低酸素に対する呼吸困難に鈍くなり，SpO_2が低値でも自覚症状に乏しいことがあるため，注意が必要である。

労作時では著明な**低酸素血症**をきたすため，酸素流量の調整が必要である。低酸素血症に伴う肺血管攣縮は肺動脈圧を上昇させるため，適切な酸素療法を行い，**右心負荷および右心不全の発生や進行**を防ぐ。

6. 治療継続のための自己管理教育

　基礎疾患とCTD-ILDについて，患者と家族に対して丁寧に説明を行い，**主体的に治療へ参加できる**よう動機付け，**定期的な受診を継続**するよう伝える。CID-ILDの主治療である副腎皮質ステロイドや免疫抑制薬，あるいは生物学的製剤などの**効果や有害事象**についての丁寧な説明と，理解度の確認，副作用症状の増強時には知らせるよう教育が必要である。特に在宅療養時に**自己管理**ができるかについても，患者の理解力や行動力から管理能力をアセスメントし，必要時は家族や訪問看護師などによる支援を依頼する。

1）服薬指導

　服薬回数や服薬量の誤りは治療の効果を阻害するため，確実に服用されているかを確認する。関節リウマチなど手指が変形している患者は，ヒートシールやシート，薬袋から薬剤を取り出せないこともあるため，薬剤師と協働して，患者が1人でも行える方法を一緒に考える。

2）使用する薬物の副作用の説明と対処方法の指導

　副腎皮質ステロイドや使用する免疫抑制薬，生物学的製剤などの効果や有害事象について丁寧な説明と，理解度の確認を行う。特に在宅療養時に**自己管理**ができるかどうか確認し，課題がある場合の支援体制を整える。

1 易感染状態

　CTD-ILDでは使用薬剤による免疫抑制だけでなく，膠原病そのものによる**免疫機能の低下**もあり，**感染リスクは高い**。感染すると呼吸機能が悪化するとともに，基礎疾患であるCTDも増悪・進行するため，予防と対策が必要である。

　本人や家族の**手洗い**，うがいの励行や**マスクの着用**を促す。やわらかい歯ブラシを使用しての適切なブラッシング，口内炎・齲歯の治療を促す。インフルエンザワクチンや肺炎球菌ワクチン，COVID-19ワクチン，B型肝炎ワクチンなどについて，定期的に**予防接種**を受けるよう指導する。**偶発感染症**として，**扁桃炎，膀胱炎，腎盂炎**などがあるので，それぞれの症状についても患者に説明し，早期発見に努める。

2 骨粗鬆症

　腸管のカルシウム吸収抑制，腎尿細管のカルシウム再吸収低下にともなう**骨粗鬆症**が起こる。移動時には**転倒**しないよう注意を喚起する。ベッドは低くし，転びやすい履き物は避ける。

3 消化性潰瘍

　胃酸の分泌増加と胃粘膜の抵抗性の低下にともない，消化性潰瘍が起こるため，**胃粘膜保護薬**が処方される。**上腹部痛**の有無，**食事摂取量**などに注意して観察する。

4 肥満

　脂肪合成の促進にともなう**体幹中心性肥満**と**満月様顔貌（ムーンフェイス）**などが現れる。副腎皮質ステロイドの減量とともに症状が緩和することを説明する。

5 出血の予防

　タンパク異化作用亢進のため，皮膚や血管壁が薄くなる。**軽い圧迫や打撲**でも**皮下出血**を生じるため，**皮膚を保護するような着衣**をすすめるとともに，打撲や受傷に注意するよう説明する。

6 下痢・食思不振

　抗線維化薬オフェブ®では**下痢**の頻度が高い。止痢剤を使用して慎重に経過を観察し，医師に報告する。

7 高血糖

　副腎皮質ステロイドを使用する場合，主成分である糖質コルチコイドのインスリン拮抗ホルモンとしての作用により，肝臓での糖新生の促進や，インスリン感受性低下によって**血糖値が上昇**する。特に糖尿病の既往がある患者では，治療開始時から血糖値などの**血糖変動**に注意する。急性期治療では特に副腎皮質ステロイド与薬量も多く，高血糖となりやすいため，**速効型インスリン**をスライディングスケールを用いて使用することもある。

8 光線過敏症

　抗線維化薬ピレスパ®，ピルフェニドンは特発性肺線維症（IPF）の治療薬であり，CTD-ILD治療には未承認であるが，CTD-ILDに対する臨床試験が進行中であり，適応拡大が期待される。**ピレスパ®**には**光線過敏症**の有害事象がある。出現率は51.7％と高く[19]，外出時に長袖や帽子を着用することや，防止効果の高い**日焼け止め**（SPF50＋，あるいはPA＋＋＋のもの）を使用するように説明する。他に**肝機能障害**や**食欲低下**などもみられることがある。

9 精神症状

　不眠や興奮症状などが現れる場合がある。必要に応じて医師の指示のもとに精神安定薬などの服用を勧め，精神的安定が図られるよう援助する。

3）日常生活への援助

　療養生活の過ごし方について上記内容に加えて，パンフレットなどを用いて禁煙や栄養管理などについても説

明する（→㉔呼吸リハビリテーション参照）。

1 息切れ・咳嗽時の対処

咳が頻発すると息苦しさと，体力の消耗が起こる。休息の仕方や，安静の保持だけでは体力低下を招くため，**息切れが起きにくい動作**要領の説明をして，身体活動性を維持できることを目指す。**環境調整（加湿と換気）**を行う。適切な**鎮咳薬**の使用方法も検討する。

2 禁煙指導

増悪予防や呼吸困難の防止のために，禁煙は必要である。**禁煙外来**の受診を検討する。

3 嚥下機能低下予防

膠原病による嚥下機能の低下があり誤嚥のリスクが高い場合，**誤嚥性肺炎**になりやすい。そのため，言語聴覚士（ST）や歯科医師と連携し，嚥下機能の評価に対応した嚥下訓練や食事形態，食べ方の工夫などを教育する。

4 栄養管理

呼吸仕事量の増加で失ったエネルギーの補完と体力の維持のために，栄養士などと協働し，**必要栄養量の確保**ができているか確認する。食事の用意がどの程度可能か，嚥下の状況，食事形態，食事の内容に問題があれば，本人や家族と相談し，適切なエネルギー摂取を行えるための工夫や調整を行う。

4）社会経済面の支援

肺動脈性肺高血圧症は難治性呼吸器疾患として**指定難病**に認定されているため，これらの診断を受けた場合は**医療費助成**が受けられるよう申請を行う。膠原病の基礎疾患によっては，指定難病の認定を受けることができる場合があるため，医療ソーシャルワーカー（MSW）と連携して，必要な手続きなどを行えるよう支援する。

呼吸不全に対して**在宅酸素療法**（home oxygen therapy：HOT）を導入する場合は，保険料3割負担の場合，およそ23000円／月の費用がかかる。また，抗線維化薬など，一部の薬剤は非常に高額である。**呼吸不全であれば呼吸機能障害**を取得し，自治体の規定に従って**福祉医療費の還付**を受けるかなど，**医療ソーシャルワーカー（MSW）**と連携して，利用できる制度を活用できるようにする。

就業中の患者が，**仕事を継続できる**ような治療計画との**両立支援**も重要である。酸素機器も職場に合わせて選択し，治療開始後も家族役割を果たせるかなど，治療のみならずもともとの生活の情報と，本人の価値をふまえて，一緒に今後の生活を組み立てられるよう支援する。

7. CTD-ILDにおけるACP

膠原病の診断後にILDを合併した場合でも，膠原病の症状に先行してILDの診断をされた場合でも，どのような生活を送りたいかの希望について対話を重ねる必要がある。単純に救急蘇生をするかという話ではなく，日常のコミュニケーションを通して患者本人やキーパーソンが病態や状況を理解し，周囲との関係を大切にしてその人らしく生きるための支援を行うことで，将来の終末期の療養生活の質を上げることにもつながる[20]。

〔大澤拓，橋野明香〕

[引用文献]

1) 日本呼吸器学会・日本リウマチ学会合同 膠原病に伴う間質性肺疾患診断・治療指針作成委員会：膠原病に伴う間質性肺疾患診断・治療指針2020．p2，2020．
2) Guinee DG, Travis WD: The lungs in connective tissue disease. Hasleton P, et al (ed), Spencer's Pathology of the Lung, 6th Ed, Cambridge University Press, Cambridge, 2013, pp804-846.
3) 根市雄一郎：膠原病肺のoverview．呼吸器ジャーナル70(4)：505-513，2022．
4) 山内浩義，坂東誠司：膠原病肺．呼吸器ジャーナル71(3)：389-394，2023．
5) 塩沢俊一：膠原病学 改訂6版―免疫学・リウマチ性疾患の理解のために．pp552-564，丸善出版，2019．
6) 徳田均：膠原病と呼吸器合併症．日本内科学会雑誌98(10)：58-65，2009．
7) 半田知宏，三嶋理晃：他科に学ぶ自己免疫疾患 膠原病性間質性肺炎．日耳鼻 120：899-906，2017．
8) Fischer A, et al: Interstitial lung disease in connective tissue disorders. The Lancet 380(9842):689–698, 2021.
9) Beth W, et al: management of connective tissue diseases associated interstitial lung disease: a review of the published literature. Curr Opin Rheumatol 28(3): 236-245, 2016.
10) 前掲書1，p104．
11) 東条毅：膠原病四疾患における肺高血圧の頻度に関する全国疫学調査．厚生省特定疾患皮膚結合組織疾患調査研究班混合性結合組織病分科会，平成10年度研究報告書，pp3-6，1999．
12) Wigley FM, et al: The prevalence of undiagnosed pulmonary arterial hypertension in subjects with connective tissue disease at the secondary health care level of community-based rheumatologists (the UNCOVER study). Arthritis Rheum 52: 2125-2132, 2005.
13) 日本呼吸器内視鏡学会：クライオ生検（cryobiopsy）．気管支鏡説明文書 第2版，p1，2023．
14) 倉原優：ポケット呼吸器診療2023．p161，シーニュ，2023．
15) 皿谷健：膠原病肺の鑑別．週刊医学界新聞(3243)：4，2017．
16) 豊嶋幹生，千田金吾：膠原病肺の病態からみた治療方法．分子呼吸器病学 2(2)：119-123，1998．
17) Anh-Tu Hoa S, et al: Critical review of the role of intravenous immunoglobulins in idiopathic inflammatory myopathies. Semin Arthritis Rheum 46: 488-508, 2017.
18) 難治性呼吸器疾患・肺高血圧症に関する調査研究―肺移植．厚生労働科学研究費自補助金 難治性疾患制作研究事業，http://irdph.jp/

lung/index.php（2024年9月22日閲覧）
19) 塩野義製薬：抗線維化剤ピルフェニドン錠，ピレスパ錠200mg，添付文書．2022．
20) 日本呼吸ケア・リハビリテーション学会，日本呼吸理学療法学会，日本呼吸器学会編：呼吸器疾患患者のセルフマネジメント支援マニュアル．日呼ケアリハ学誌 32（特別増刊号）：177, 2022．

[参考文献]
- Fischer A, et al: An official European Respiratory Society/American Thoracic Society research statement: interstitial pneumonia with autoimmune features. Eur Respir J 46: 976-987, 2015.
- 竹ノ内盛志，萩野昇：ジェネラリストが知りたい膠原病のホントのところ．メデイカル・サイエンス・インターナショナル，2021．

NOTE

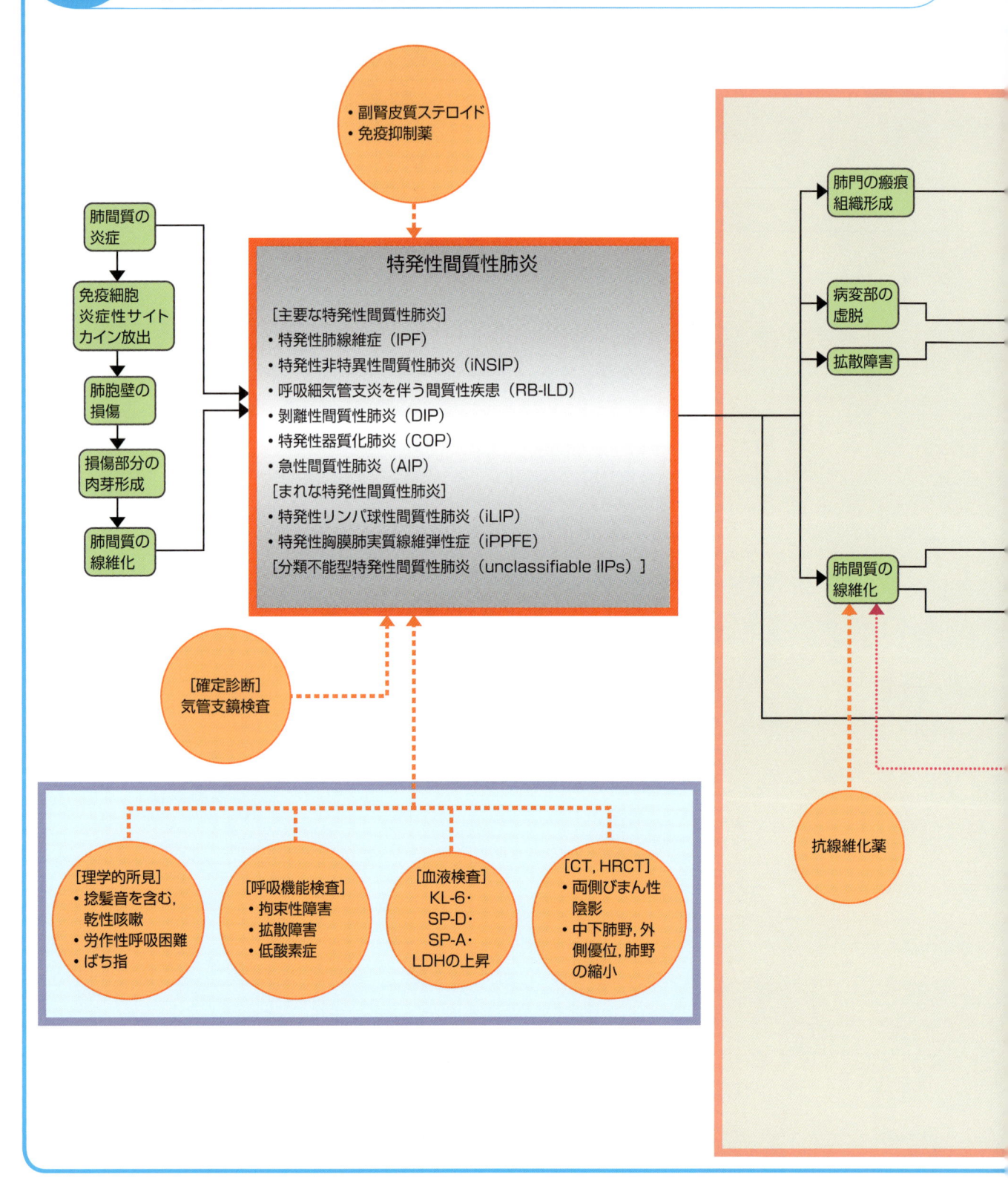

第Ⅱ部　疾患別看護ケア関連図　6. 間質性肺疾患

17 特発性間質性肺炎

- 副腎皮質ステロイド
- 免疫抑制薬

特発性間質性肺炎

[主要な特発性間質性肺炎]
- 特発性肺線維症（IPF）
- 特発性非特異性間質性肺炎（iNSIP）
- 呼吸細気管支炎を伴う間質性疾患（RB-ILD）
- 剥離性間質性肺炎（DIP）
- 特発性器質化肺炎（COP）
- 急性間質性肺炎（AIP）

[まれな特発性間質性肺炎]
- 特発性リンパ球性間質性肺炎（iLIP）
- 特発性胸膜肺実質線維弾性症（iPPFE）

[分類不能型特発性間質性肺炎（unclassifiable IIPs）]

肺間質の炎症 → 免疫細胞炎症性サイトカイン放出 → 肺胞壁の損傷 → 損傷部分の肉芽形成 → 肺間質の線維化

[確定診断]
気管支鏡検査

[理学的所見]
- 捻髪音を含む, 乾性咳嗽
- 労作性呼吸困難
- ばち指

[呼吸機能検査]
- 拘束性障害
- 拡散障害
- 低酸素症

[血液検査]
KL-6・SP-D・SP-A・LDHの上昇

[CT, HRCT]
- 両側びまん性陰影
- 中下肺野, 外側優位, 肺野の縮小

- 肺門の瘢痕組織形成
- 病変部の虚脱
- 拡散障害
- 肺間質の線維化

抗線維化薬

特発性間質性肺炎から生じる全体像

凡例: 誘因・原因 → 病態生理・状態 / 症状 / 医学的処置 ⇢ 看護ケア ⇢ (疾患)から生じる全体像 / 分類、あるいは特殊な部分

- 気管支の牽引
- 気管支のねじれ
→ 易刺激性増強 → 乾性咳嗽 ⇠ 鎮咳薬

ガス交換能の低下 → 低酸素血症 → チアノーゼ / 右心負荷 → 肺性心 → 労作時呼吸困難・倦怠感・浮腫

低酸素血症 → せん妄 / 呼吸困難

肺コンプライアンスの低下 → 拘束性換気障害 → 高二酸化炭素血症

捻髪音

発熱 → 脱水症状 / [全身症状] 倦怠感・関節痛・悪心・食欲不振 など

医学的処置:
- 酸素療法
- HFNC
- 陽圧換気
  - NPPV
  - IPPV
- [スパイロメトリー]
  - 全肺気量の減少
  - 肺活量の減少（%VC<80%）
  - 肺気量分画の減少
  - 肺拡散能の低下（DLco）など
- 補液
- 麻薬性鎮痛薬
- 鎮静薬

[苦痛緩和]
- 安楽な体位調整
- 適切な酸素投与
- 呼吸リハビリテーション
- モビライゼーション
- 夜間睡眠の確保
- 療養環境の調整
- せん妄予防

[患者指導]
- 疾病に対する指導
- 禁煙
- 感染防止
- 確実な薬剤の内服

- 栄養管理
- 水分出納の管理
- 必要な安静保持
- 解熱（解熱剤、クーリング）

終末期ケア

[終末期の援助]
- 多職種カンファレンスの調整
- 心理的ケア
- 負担の少ない愛護的なケア
- 家族への心理的ケア
- 人生会議（ACP）についての確認（患者・家族の望む医療やケアの確認）

219

第Ⅱ部 疾患別看護ケア関連図 6．間質性肺疾患

17 特発性間質性肺炎

Ⅰ 特発性間質性肺炎（IIPs）が生じる病態生理

1. 特発性間質性肺炎（IIPs）の定義

間質性肺炎とは，肺の間質に起こる炎症性疾患の総称であり，胸部X線上で**両側びまん性の陰影**を認める疾患である。炎症が起こる原因は多彩で，職業的な粉塵の吸入，薬剤によるもの，膠原病などに随伴して起こる場合や，原因が特定できないものがある。そのうち，**原因が特定できない**間質性肺炎の総称が**特発性間質性肺炎**（idiopathic interstitial pneumonias：IIPs）である。

2. 特発性間質性肺炎（IIPs）の解剖生理

肺胞は，大気と肺胞を取り巻く毛細血管の間で，酸素と二酸化炭素のガス交換が行われる場所である。この肺胞壁と毛細血管を支持している組織のことを「**肺間質**」という。

間質性肺炎は，肺間質である薄い肺胞壁に炎症が生じて損傷し，炎症の治癒過程で**線維化**して**肺間質が肥厚**する（図1）。さらに炎症細胞の**浸潤**に伴い，呼吸細気管支，肺胞道，肺胞などの気腔に起きた滲出は，吸収・融解されながら肉芽組織に置換され（**器質化**），腔内線維化を起こす。間質の肥厚や肺胞腔内の線維化により，空気と血管との接触が妨げられ酸素が取り込まれにくくなる**拡散障害**が生じる（図2）。また，肺胞の炎症や線維化により換気が少ない肺胞が出現し，血流と換気の不均等分布が増大する（**換気血流比不均等**）。

図1 病変と線維化の成立

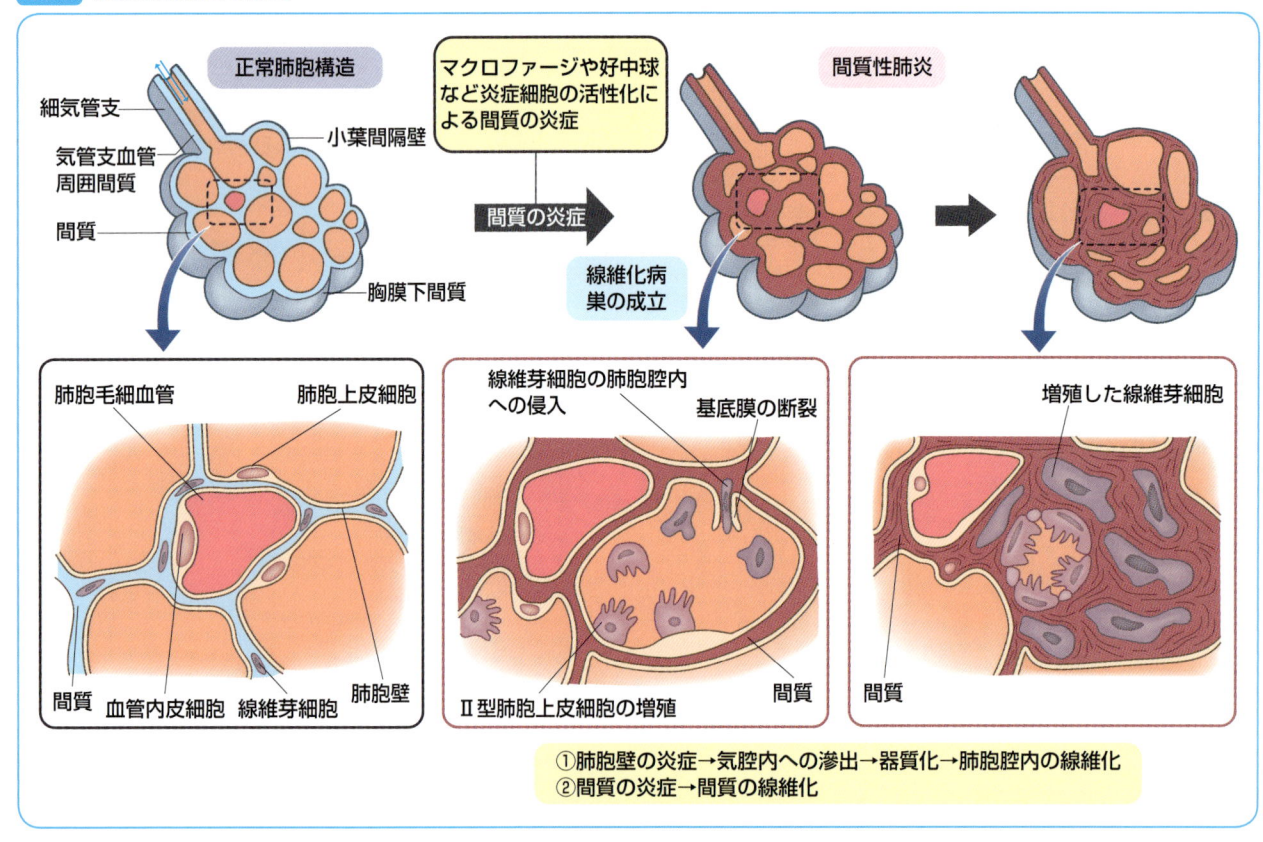

①肺胞壁の炎症→気腔内への滲出→器質化→肺胞腔内の線維化
②間質の炎症→間質の線維化

図2 拡散障害

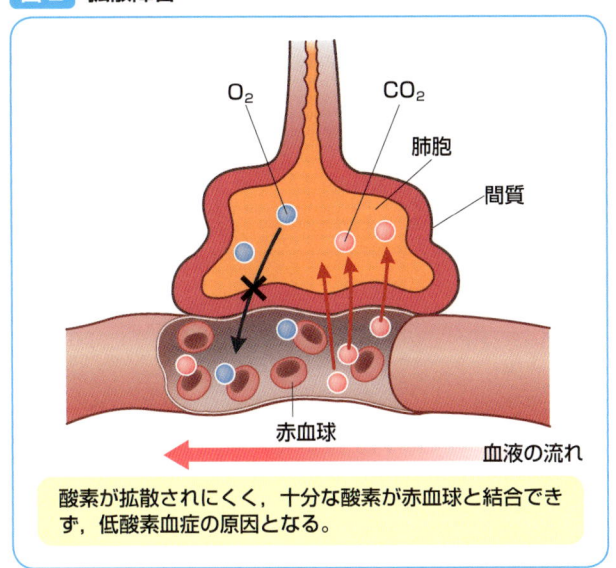

酸素が拡散されにくく、十分な酸素が赤血球と結合できず、低酸素血症の原因となる。

図3 肺間質の線維化による換気障害

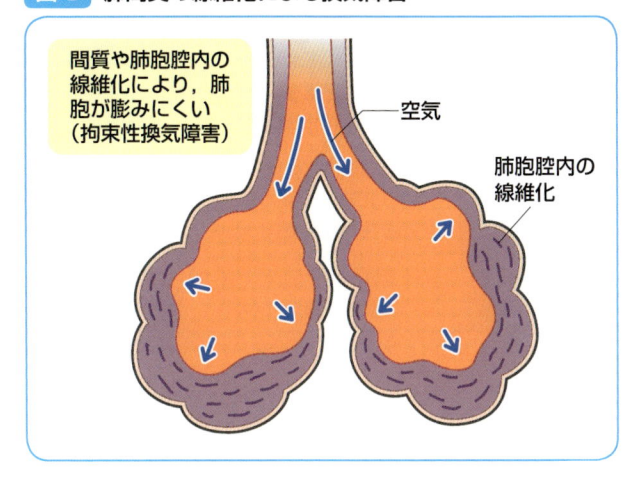

間質や肺胞腔内の線維化により、肺胞が膨みにくい（拘束性換気障害）

そのため、呼吸によって肺胞内に酸素が取り込まれても、十分な酸素が血中に拡散しにくくなり、**低酸素血症**に陥りやすい。特に、運動時は血流が速くなり、赤血球が肺胞と接する時間が短くなるため、溶解する酸素が減少し、低酸素血症となりやすい（**労作時低酸素血症**）。二酸化炭素は酸素にくらべ、約20倍速く拡散するため、拡散障害があっても肺胞低換気がない限り、二酸化炭素は体内に貯留しない。

また、線維化により肺線維の縮みが高度となり、肺が膨らみにくく元に戻りにくくなる。これを**肺コンプライアンス（弾力性）の低下**という。肺コンプライアンスが低下すると、**拘束性換気障害**（→コラム「スパイロメトリー」, p98参照）となり全肺気量、残気量（RV）、機能的残気量（FRC）が減少し、必要な換気量が不足する。**換気量の低下**はガス交換において、二酸化炭素を排出しづらい状況となるため、高二酸化炭素血症を呈する。特発性間質性肺炎（IIPs）で**二酸化炭素動脈血分圧（PaCO$_2$）の上昇**を認める場合は、**終末期**であることが多い[1]。そして、最終的には不可逆性の**広範囲な肺線維症**をきたす（図3）。

3. 特発性間質性肺炎（IIPs）の分類

1）病型分類

間質性肺炎のうち、原因不明であるものが**特発性間質性肺炎（IIPs）**と呼ばれ、**指定難病**である。

IIPs は、❶主要な特発性間質性肺炎は**特発性肺線維症**（idio-pathic pulmonary fibrosis：IPF）や**特発性非特異性間質性肺炎**（idiopathic non-specific interstitial pneumonia：iNSIP）などの6型、❷まれな特発性間質性肺炎は2型、❸分類不能型特発性間質性肺炎の3つに分けられる（表1）。

また発症経過によって、❶慢性経過をとり線維化を伴いながら進展する疾患群（慢性線維化性間質性肺炎）、❷喫煙との関連が強く疑われる疾患群、❸急性・亜急性疾患群の3群に分類される（表2）。

日本での特発性間質性肺炎における相対的頻度は、IPF 52.6%、iNSIP 17.2%、特発性器質化肺炎（COP）9.4%であり、特発性間質性肺炎の半数以上を IPF が占めている。

表1 IIPs の新しい分類

主要な特発性間質性肺炎
● 特発性肺線維症（IPF） ● 特発性非特異性間質性肺炎（idiopathic NSIP：iNSIP） ● 呼吸細気管支炎を伴う間質性肺疾患（RB-ILD） ● 剥離性間質性肺炎（DIP） ● 特発性器質化肺炎（COP） ● 急性間質性肺炎（AIP）
まれな特発性間質性肺炎
● 特発性リンパ球性間質性肺炎（idiopathic LIP：iLIP） ● 特発性 PPFE（idiopathic PPFE：iPPFE）
分類不能型特発性間質性肺炎（unclassifiable IIPs）

（日本呼吸器学会 びまん性肺疾患診断・治療ガイドライン作成委員会編：特発性間質性肺炎 診断と治療の手引き 改訂第4版. p3, 南江堂, 2022. より）

表2 IIPsの発症経過による分類

カテゴリー	臨床病理学的疾患名	病理組織パターン	発症経過
慢性線維化性	・特発性肺線維症（IPF） ・特発性非特異性間質性肺炎（iNSIP）	・通常型間質性肺炎（UIP） ・非特異性間質性肺炎（NISP）	・慢性 ・亜急性〜慢性
喫煙関連	・呼吸細気管支炎を伴う間質性肺疾患（RB-ILD） ・剥離性間質性肺炎（DIP）	・呼吸細気管支炎（RB） ・剥離性間質性肺炎（DIP）	・慢性
急性／亜急性	・特発性器質化肺炎（COP） ・急性間質性肺炎（AIP）	・器質化肺炎（OP） ・びまん性肺胞傷害（DAD）	・急性〜亜急性 ・急性

（日本呼吸器学会 びまん性肺疾患診断・治療ガイドライン作成委員会編：特発性間質性肺炎 診断と治療の手引き 改訂第4版．p3．南江堂，2022．を一部改変）

1 特発性肺線維症（IPF）

病理組織所見や画像パターンでは，**通常型間質性肺炎**（usual interstitial pneumonia：UIP）のパターンを示す．高度の線維化が進行して不可逆性の**蜂巣肺形成をきたし，慢性かつ進行性**の経過をたどる．呼吸機能が進行性に悪化し，予後は**不良**である．喫煙や胃逆流性食道炎，慢性ウイルス感染などが危険因子と考えられている．

2 特発性非特異性間質性肺炎（iNSIP）

組織学的に**均一な病変分布**のパターンを示す．治療が奏効する可逆性の症例から，治療抵抗性で線維化が進行する予後不良な症例まで多彩である．経過観察中に**膠原病**が発症する場合もある．

3 呼吸細気管支炎を伴う間質性肺疾患（RB-ILD）

RB-ILD（respiratory bronchiolitis-associated interstitial lung disease）は，**喫煙関連間質性肺炎**として位置づけられており，罹患者は100％喫煙者であることが特徴である．**40〜50歳代**が好発であり，咳嗽や労作性息切れの症状は，他の間質性肺疾患よりも軽度であることが多い．剥離性間質性肺炎（DIP）と組織学的に類似するが，DIPよりも予後は良好である．

4 剥離性間質性肺炎（DIP）

DIP（desquamative interstitial pneumonia）はRB-ILDと同様，**喫煙関連間質性肺炎**として分類され，喫煙者の割合が90％を占めるまれな疾患である．RB-ILDと比べると，**ばち指**など全身の症状を伴う．副腎皮質ステロイドの反応性は一般的には良好である．

5 特発性器質化肺炎（COP）

COP（cryptogenic organizing pneumonia）は，**器質化肺炎**（Organizing pneumonia：OP）パターンの病理組織所見を呈する疾患のうち，**原因不明**のものである．症状や画像所見は細菌性肺炎に類似しているが抗菌薬療法は無効である．副腎皮質ステロイドに反応が良く予後は一般的に良好であるが，再発する例も多い．

6 急性間質性肺炎（AIP）

AIP（acute interstitial pneumonia）は，急性呼吸窮迫症候群（ARDS）と同様の臨床症状を呈する，**劇症型特発性肺疾患**である．ARDSと異なり誘因（肺血症，肺感染症，外傷，薬剤など）は認められないことが多い．AIPの肺障害は**重篤**であり予後は一般的に**不良**であるが，その組織障害には可逆性が認められ，呼吸不全を乗り切った症例では完全回復する場合もある．

7 特発性リンパ球性間質性肺炎（iLIP）

iLIP（idiopathic lymphocytic interstitial pneumonia）はびまん性に**リンパ球**が肺胞隔壁に浸潤する疾患で，女性に多い．咳や呼吸困難，体重減少，発熱，寝汗などの症状を呈する．形質細胞疾患，シェーグレン症候群，関節リウマチ，全身性エリテマトーデス（SLE）などの**自己免疫疾患**の患者にみられる．発症は緩徐であるが，**肺線維症やリンパ腫**に進行することがある．まれな疾患であり予後も，不明とされている．

8 特発性胸膜肺実質線維弾性症（iPPFE）

iPPFE（idiopathic pleuroparenchymal fibroelastosis）は，遺伝的および自己免疫的な機序が関与し，肺感染症を契機に発症すると考えられている．**上葉の胸膜や胸膜下肺実質の線維化**を伴う病変がみられ，下葉に間質性肺炎が併存する場合もある．慢性経過の肺線維症である．

9 分類不能型特発性間質性肺炎

臨床所見・胸部画像所見・外科的肺生検所見を用いた**集学的検討**（multidisciplinary discussion：MDD）を行っても，特異的診断に至らない間質性肺炎である．疾患活動性が低くもしくは重症であるため肺生検ができない症例も含む．分類不能型IIPsはIPFと比較して予後良好である．

表3 安静時室内気におけるIIPsの重症度分類判定表

重症度	安静時動脈血酸素分圧（PaO₂）値	6分間歩行時のSpO₂値
I	80Torr以上	
II	70〜79Torr	90%未満の場合はIIIにする
III	60〜69Torr	90%未満の場合はIVにする（危険な場合は測定不要）
IV	60Torr未満	測定不要

（日本呼吸器学会びまん性肺疾患診断・治療ガイドライン作成委員会編：特発性間質性肺炎 診断と治療の手引き 改訂第4版．p7，南江堂，2022．を一部改変）

表4 IIPsと鑑別すべき間質性肺疾患

疾患名	関連する疾患，職業，抗原など
膠原病	関節リウマチ，強皮症，皮膚筋炎／多発性筋炎，全身性エリテマトーデス，シューグレン（Sjögren）症候群，混合結合組織病，ANCA関連血管炎（顕微鏡的多発血管炎）など
急性および慢性過敏性肺炎	家屋（夏型過敏性肺炎），鳥飼育（鳥飼病），農作業（農夫肺），塗装業（イソシアネート過敏性肺炎），キノコ栽培（キノコ栽培肺）など
じん肺	鉱山業，トンネル作業など（珪肺など），断熱・絶縁作業，電気工事，配管工事，解体業など（石綿肺），溶接業（溶接工肺），金属ヒューム吸入，金属研磨（超合金肺），ベリリウム（慢性ベリリウム肺）など
薬剤性肺炎	
感染症	細菌性肺炎，ウイルス性肺炎，ニューモシスチス肺炎など
その他	急性および慢性好酸球性肺炎，サルコイドーシス，肺Langerhans細胞組織球症，リンパ脈管筋腫症（LAM），肺胞蛋白症など

（日本呼吸器学会びまん性肺疾患診断・治療ガイドライン作成委員会編：特発性間質性肺炎 診断と治療の手引き 改訂第4版．p45，南江堂，2022．より）

2) 発症経過による分類（表2参照）

　特発性間質性肺炎の発症経過としては，急性（1カ月以下），亜急性（1〜3カ月），慢性（3カ月以上）があり，疾患によって発症経過が変わるため，病歴として確認し診断につなげる。さらに，各病型の確定診断は，外科的生検によって間質性肺炎の病理組織パターンに基づいて行われる。

3) 重症度分類

　日本においては，安静時の動脈血酸素分圧値と歩行時SpO₂値によりI〜IVで分類される（表3）。

4. 特発性間質性肺炎（IIPs）の検査・診断

　特発性間質性肺炎は原因不明の間質性肺炎であり，原因が明らかな，全身性疾患に伴う他のびまん性肺陰影を呈する疾患を除外する（表4）。疾患の鑑別には，十分な問診や身体所見，画像検査，血液検査，組織検査などを行う。

　特に，膠原病性間質性肺炎は鑑別疾患として非常に重要であり，膠原病を示唆する皮膚・関節症状，口腔粘膜所見，筋痛や筋力低下などの所見がないか，診察を行う。

1) 病歴

　職業歴や生活環境，薬剤の使用歴など，発症との関連がないか詳細に聴取する。IPFでは，喫煙者が多い。

2) 症状・身体所見

1 症状

　主要症状は，乾性咳嗽と労作性呼吸困難である。進行すれば低酸素血症となりチアノーゼ，末梢性浮腫，肺性心などがみられる。また，体重減少や倦怠感などの呼吸器以外の症状もみられることもある。合併症として，肺高血圧症，肺がん，気腫性病変，肺感染症などがある。

2 身体所見

　胸部の聴診では，両側下肺野を中心に，吸気終末時に高調性継続性副雑音（捻髪音：fine crackles）がしばしば聴取される。炎症を起こして虚脱した肺胞に，空気が送気される際に発生する。捻髪音は，自覚症状が出現する以前から聴取される。

　慢性に経過するIPFでは，ばち指を認めることが多い。うっ血が原因と考えられているが，発生機序は明らかではない。

3）呼吸機能検査

1 拘束性換気障害：%肺活量（% VC）<80%

努力肺活量（FVC）あるいは肺活量（VC）の減少，全肺気量（TLC）の減少により，拘束性換気障害を認める。

2 肺拡散能障害：DLco <80%

肺拡散能障害は，FVC や VC の低下に先行して認められることもある。

3 低酸素血症：安静時 PaO_2<80Torr，安静時 $A-aDo_2$≧20Torr，6 分間歩行時 SpO_2≦90%

早期には，安静時の低酸素血症はないか軽度であるが，労作時低酸素血症は認められる。

＊厚生労働省の診断基準では，上記の 1 ～ 3 のうち 2 項目以上（低酸素血症については 3 項目のうち 1 項目以上）を満たすことが必須条件である

4）血液検査

肺胞上皮由来のバイオマーカーである **KL-6**（シアル化糖鎖抗原），**SP-D**（サーファクタントプロテイン D），**SP-A**（サーファクタント特異的タンパク A），**血清 LDH 項目の上昇**がみられる。これらは，病態のモニタリングや治療反応性の評価などに有用とされるが，疾患特異性がないため確定診断やパターン分類の診断には有用ではない。ほかにも，**CEA** や **CA-19** などの**腫瘍マーカー**が軽度上昇を示すこともある。**膠原病**が疑われる場合は，自己抗体などの血清学的な検索が行われる。

5）画像検査

1 胸部 X 線

両側びまん性肺陰影，下肺野を中心とした輪状，網状影（間質性陰影）（図4）を認める。

2 胸部 CT

高分解能 CT（high resolution CT：HRCT）により，両肺底部，胸膜直下優位に蜂巣状陰影（図4）が認められるとき IPF と診断されることが多い。

6）気管支内視鏡検査

胸部 X 線，胸部 CT，呼吸機能検査等で間質性肺炎の異常所見がみられた場合は，確定診断を行うため，気管支内視鏡検査が行われる。検査時に肺を生理食塩水で洗浄・吸引する**気管支肺胞洗浄**（bronchoalveolar lavage：BAL）を行い，回収した液体に含まれる細胞成分を検査することで，間質性肺炎の種類や病勢を推察することが

図4 画像検査

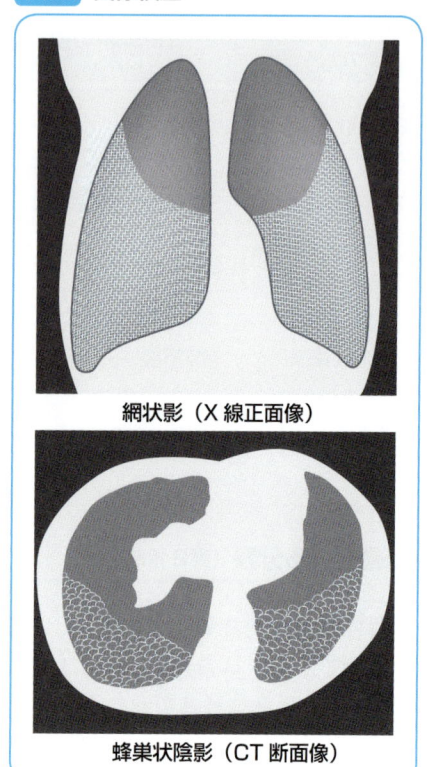

網状影（X 線正面像）

蜂巣状陰影（CT 断面像）

できる。

また，肺の組織を生検する**経気管支肺生検（TBLB）**は，組織が数 mm 大と小さく間質性肺炎の種類を特定するのは困難だが，ほかの悪性疾患，肉芽腫，感染症などを除外するために行われる。

7）心エコー，右心カテーテル検査

IPF では**肺高血圧症**を合併することがある。心エコーの**推定肺動脈圧**測定は非侵襲的なスクリーニング検査として実施するが，確定診断には**右心カテーテル検査**が必要となる。IPF において，平均肺動脈圧（mPAP）が **20mmHg 以上は早期肺高血圧症**と定義される。

5. 特発性間質性肺炎（IIPs）の治療

1）薬物療法

IIPs は，病型ごとに治療反応性や臨床経過が大きく異なる（図5）ため，それぞれに治療目標や使用薬剤も異なる。治療や予後について，表5にまとめた。

IPF 以外に対しては，**副腎皮質ステロイド**や**免疫抑制**

薬を中心とした薬により治療が行われるが、**線維化を遅らせる効果はほとんどない**。難治性のIPFは、**慢性的に線維化が生じるため、抗線維化薬**が第一選択薬として用いられる。

また進行性の疾患であるため、治療目標は進行を抑制し、悪化を予防することである。初診時や悪化した場合は専門医による治療が望ましい。進行が日単位であれば救急受診、月単位なら早急に紹介受診、その他は通常通りの紹介受診でよいと考えられている。

2）対症療法

過度な**咳嗽**による苦痛緩和のため**鎮咳薬**を使用する。慢性的に線維化が進行し、慢性閉塞性肺疾患（COPD）などの呼吸器疾患に比べ、**労作時に著明な低酸素血症をきたすため、安静時より労作時に高流量の酸素を投与する**ことも多い。

病期が進行すれば、**高流量鼻カニュラ酸素療法**（high-flow nasal cannula：HFNC）や**非侵襲的陽圧換気**（non-invasive positive pressureventilation：NPPV）、気管挿管のうえ、**侵襲的陽圧換気**（invasive positive pressureventilation：IPPV）による呼吸のサポートが必要となる。

終末期では強い呼吸困難に対して、**塩酸モルヒネ**などの**麻薬性鎮痛薬**を使用することもある。

図5 臨床病理学的疾患名と治療反応性

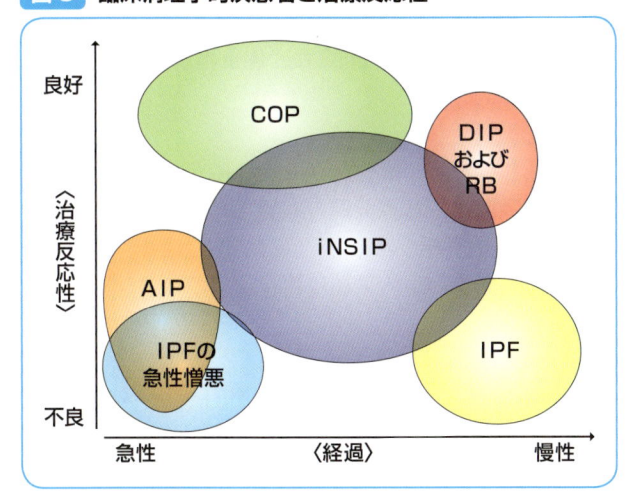

（日本呼吸器学会 びまん性肺疾患診断・治療ガイドライン作成委員会編：特発性間質性肺炎 診断と治療の手引き 改訂第4版．p144, 南江堂, 2022. より）

表5 特発性間質性肺炎の各病期の治療と予後

病型		治療	予後
IPF（特発性肺線維症）		・抗線維化薬／肺移植 ・急性増悪時：パルス療法含むステロイド療法／免疫抑制薬の併用与薬	・不良（中間生存期間3〜5年）
iNSIP（特発性非特異性間質性肺炎）	細胞性	・ステロイド単独治療／ステロイド減量・早期漸減目的で免疫抑制薬	・IPFと比較して良好
	線維性	・ステロイド結果／免疫抑制薬との併用／抗線維化薬（ニンテダニブ）	・呼吸機能が低下した場合はIPFと同様
RB-ILD（呼吸細気管支炎を伴う間質性肺疾患）		・禁煙／ステロイド	・良好
DIP（剥離性間質性肺炎）		・禁煙／ステロイド	・良好（10年生存率約70%）
COP（特発性器質化肺炎）		・ステロイド単独治療 ・呼吸不全を伴う場合：ステロイドパルス療法	・良好
AIP（急性間質性肺炎）		・ステロイド治療／免疫抑制薬 ・支持療法	・不良
iLIP（特発性リンパ球性間質性肺炎）		・ステロイド／免疫抑制薬	・不明（様々）
iPPFE（特発性PPFE）		・抗線維化薬（検証されていない）	・病変により異なる
unclassifiable IIPs（分類不能型特発性間質性肺炎）		・進行例：ステロイド／免疫抑制薬とステロイド併用／抗線維化薬	・IPFと比較して良好, NSIPより不良

（日本呼吸器学会 びまん性肺疾患診断・治療ガイドライン作成委員会編：特発性間質性肺炎 診断と治療の手引き 改訂第4版．南江堂, 2022. を参照して作成）

3）生活管理

　喫煙は病態悪化のリスク因子でもあるため，**喫煙者に対しての禁煙指導は必須である**。特発性と診断されているケースでも，IPFとの鑑別が難しい他の間質性肺炎が疑われる場合は，**職場調整や鳥製品の破棄，鳥飼育を禁止**し身の回りの環境を詳細に問診する。

　また感染症は急性増悪の誘因となる。うがいや手洗い，マスク着用，インフルエンザウイルスや肺炎球菌に対するワクチン接種などで**感染症を予防**する。また，便秘や腹部膨満などにより**呼吸困難**が増強するため，**緩下剤**の使用を検討する。

4）予後

　IPFでは治療が著効することが少なく，急性増悪をきたした場合は非常に予後不良となる。しかしIPFと急性間質性肺炎以外のIIPsでは，急性型を除き比較的良好であることが多い。

II　特発性間質性肺炎（IIPs）の看護ケアとその根拠

1. 特発性間質性肺炎（IIPs）の観察ポイント

1）問診
- 自覚症状の有無と程度，頻度，増悪や寛解の状況
- 職業や生活状況（粉塵吸入，ペットの飼育など）
- 本人・家族の喫煙の有無や状況，既往歴，服薬歴，アレルギー歴，家族歴

2）身体所見

1 呼吸状態
- 呼吸困難の有無や程度，呼吸困難出現時の状況（労作の程度とSpO_2値の変化）
- 呼吸回数，呼吸の深さ，呼吸補助筋使用などの呼吸促迫の症状の有無
- 低酸素血症に伴うチアノーゼの出現，SpO_2値
- 乾性咳嗽の有無，咳嗽の強さ，頻度，併発する苦痛の有無
- 聴診による呼吸音の減弱や増強，左右差両下肺野（背部の聴診）の捻髪音を主とした副雑音（ラ音）の有無
- ばち指

2 循環動態
- 低酸素血症，高二酸化炭素血症に伴う心拍数，血圧の変化，動悸など
- 急性増悪時などのショック症状（ショックの5P：顔面蒼白，冷汗，呼吸不全，虚脱，脈拍不触）
- 右心負荷に伴う頸静脈の怒張の有無やその他のうっ血症状（浮腫，尿量，肝腫大，体重増加，心胸郭比拡大），肺高血圧

3 意識状態
- 低酸素血症や高二酸化炭素血症に伴う興奮やせん妄などの意識障害，意識混濁の有無

4 感染徴候の有無
- 発熱の有無や熱型，発熱に伴う症状の有無，倦怠感の有無

5 栄養状態・水分出納
- 食事摂取状況や水分出納バランス（in-outバランス）

6 精神状態
- 不安の有無，表情や言動，睡眠状況，うつ傾向の有無，家族支援やサポートの有無

2. 特発性間質性肺炎（IIPs）の看護の目標

❶ 治療・酸素療法の必要性を理解し，治療・定期受診の継続と適切な酸素療法を実施することができる
❷ 日常生活動作（ADL）時の呼吸困難を軽減できる工夫を行い，身体的苦痛が緩和される
❸ 増悪を防ぐ日常生活（禁煙，感染予防行動など）を送ることができる

3. 特発性間質性肺炎（IIPs）の看護のケア：増悪期

　IIPsは慢性的な経過をたどるが，**感染や心不全，肺塞栓**などにより**急性呼吸不全**になることがある。急性増悪や急性呼吸不全がみられる間質性肺炎は予後不良であり，また，急性増悪に対する人工呼吸器の使用による予後も極めて不良である[2]。死亡率が高いことを考慮し，本人や家族と**人工呼吸管理を行うか慎重に検討する必要**があり，**苦痛の緩和を目的とした支持療法，対症療法**を実施する。

1）呼吸管理

1 酸素療法・非侵襲的陽圧換気療法

　IIPsでは，CO_2の貯留は終末期に進まないとみられ

226

にくい。**感染を契機に急性増悪した場合は**，分泌物の貯留や炎症，呼吸筋疲労などにより，**換気量の低下や換気血流比不均等**が増大し，**高二酸化炭素血症**を起こすことがある。ここから，**安静時にも低酸素血症**をきたすようになり，**少しの労作で著明な SpO_2 の低下**がみられる。

SpO_2 値に反して患者は**呼吸困難を訴えない**，もしくは軽度の呼吸困難を感じる程度であることが多い。そのため，SpO_2 値を表示させながらゆっくり動作を行い，適宜休憩をはさむなどの指導を行う。労作時 SpO_2 低下に対し高流量の酸素量投与が必要な場合は，**CO_2 ナルコーシス**を引き起こさないよう十分監視を行う。改善しない場合は，医師へ相談し，**HFNC や NPPV の導入**を検討する。HFNC や NPPV は気管挿管を回避し，**人工呼吸器関連肺炎**（ventilator associated pneumonia：**VAP**）を防ぐことで死亡率低下につながることが期待されるが，IPF における有効性は評価されていない。

2 人工呼吸管理

著明な低酸素血症，それに伴う呼吸困難，高二酸化炭素血症など HFNC や NPPV では呼吸状態が回復しない場合は，人工呼吸器による呼吸管理を行う。

2）薬物療法

副腎皮質ステロイドや免疫抑制薬が有用な間質性肺炎では，薬剤与薬により，比較的予後が良好になることが多い。

しかし IPF では副腎皮質ステロイドが著効せず，免疫抑制薬や抗線維化薬が用いられる。医師の指示通りに確実に与薬し，症状や経過を慎重に観察する。また，薬物与薬によるアレルギーや肝・腎障害，免疫抑制による敗血症の徴候がないか十分注意し観察する。

3）苦痛の緩和

■ 安楽な体位の調整

座位やファウラー位をとることで機能的残気量（FRC）を増加させる。機能的残気量が増加することにより換気量が増加し，ガス交換の助けとなり安楽な呼吸につながる。また，分泌物が多い場合など，分泌物が多いほうを上にした**側臥位**や**腹臥位**をとることで，換気と血流の均衡が保たれやすくなり，ガス交換が行いやすくなる。

IIPs は慢性的な持続する症状と，急性増悪による著しい症状の繰り返しにより症状が進行すると，患者のADL や QOL が維持されにくくなる。そのため**呼吸困難や咳嗽**などの症状に応じ，**塩酸モルヒネ**などの**鎮痛薬**や**ベンゾジアゼピン**などの**鎮静薬**の使用について，医師と確認しておくことが重要である。

4）栄養・水分出納（in-out）管理

1 栄養管理

低栄養状態は間質性肺炎の発症，悪化，回復の妨げになる。呼吸困難や咳嗽に関連した誤嚥，倦怠感などの症状により食事摂取が困難となることも少なくない。そのため食事状況を含めた栄養状態のアセスメントを行う。

2 水分出納の管理

炎症による発熱に伴い**発汗などの不感蒸泄が亢進**する。さらに頻呼吸などの呼吸努力が加わると，必要な水分量が増加し脱水に陥りやすくなるため，患者の尿量チェックや不感蒸泄量のアセスメントをする。患者に無理のない範囲で飲水を促し，十分に飲水ができない場合は，**輸液療法**について医師と相談する。

5）感染防止

口腔内の清潔を保つことにより新たな呼吸器感染を防止する。口腔内の乾燥の程度を観察し，必要な加湿を行うことで**気道浄化**を図る。しかし，マスクによる酸素投与や NPPV などが行われている場合は，酸素供給や換気が制限されることにより，低酸素血症による呼吸困難を生じる可能性があるため，口腔ケア時にマスクを外すことで低酸素血症の症状の出現に十分注意する。

また，副腎皮質ステロイドや免疫抑制薬などの薬物療法により**易感染状態**となる。呼吸器症状だけでなく，**帯状疱疹**などの全身症状が起こりやすい状態でもあるため，症状があれば早期に受診するよう説明する。

4. 特発性間質性肺炎（IIPs）の看護のケア：慢性期

1）日常生活への援助

1 疾病の理解と治療継続の必要性の指導

IIPs は，拘束性の換気障害であること，**不可逆性**の病態であることを理解し，増悪しないようにしていくことの重要性を説明する。セルフモニタリングを行い，症状が安定している場合でも定期的に受診する必要性について説明する。また，発熱や呼吸症状などの症状出現時には，すぐに受診をするよう指導する。

副腎皮質ステロイドや鎮咳薬などの服用は，症状緩和に欠かせないものであるという理解を得て，正しく服用できるよう指導する。

抗線維化薬を服用する場合，副作用として**皮膚症状**が

あらわれる場合がある。皮膚がんの発症リスクとなる**光線過敏症**やかゆみ，**発疹**などがあり，太陽光線を極力浴びないよう**帽子の着用**や**日焼け止め**を塗るなどを説明する。他にも，**嘔気**や**下痢**などの消化器症状や，**眠気**や**ふらつき**，**頭痛**などの精神神経系症状が起こることもある。副作用がある場合でも内服時は自己判断で中止せず，医療機関に相談するよう伝える。

2 禁煙指導

喫煙は気管支や肺に刺激を与え，咳嗽や呼吸困難を引き起こすため**禁煙は必須**である。また**副流煙**なども症状を悪化させるため家族を含めた指導も行う。

3 感染防止

炎症により生体防御反応が低下し，皮膚や粘膜に新たな感染が起こりやすいため，**身体の清潔保持**や**感染予防**に努める。慢性期においても，多くの病型で副腎皮質ステロイドや免疫抑制薬などの薬物療法が行われるため，**易感染状態**であることは変わりない。特に，**上気道感染**を起こすと**急性増悪**につながるため，症状が安定している時期にインフルエンザや肺炎球菌などの**予防接種**を忘れずに受けるようすすめる。

4 在宅酸素療法（HOT）の管理

IIPsでは，安静時よりも**労作時**に顕著な**低酸素血症**を呈する。そのため，労作時は高流量の酸素投与を行うことが多い。**HOT**を導入し，安静時および労作時の適切な酸素投与が行えるよう，患者と家族に教育を行う。**オキシマイザー®**なども活用し，**労作時の低酸素状態をできるだけ防ぐよう調整する**。

5 呼吸リハビリテーション

肺間質の線維化により，急性期を脱した後も**呼吸障害**が持続する。可能な限り機能を回復，維持させ，患者自身が自立できることを支援する。

患者が労作時も呼吸困難をできるだけ軽減できるよう，患者の呼吸様式にあった**呼吸法**を指導する。呼吸困難の自覚のない患者では，素早い動作後にSpO$_2$値の急激な低下がみられるため，**SpO$_2$モニター**を装着して数値を示しながら，**低酸素血症が進行しないADL動作**を獲得できるよう，理学療法士と協働して教育を行う。

運動によるIIPsへの効果については，身体活動性が生命予後と有意に関連している[3]ため，活動的な生活習慣を維持するよう指導する。活動性を維持するには，ゆっくり動くことはもちろん，適宜休憩をはさみ，安楽な体位で深呼吸を行うなど指導する。また，家族にもリハビリテーションについて理解や協力を得ることも必要である。

6 精神的サポート

呼吸困難などの呼吸症状や発熱・倦怠感などの全身症状などによる身体的苦痛や，強い呼吸困難が死を連想させ，思い通りに生活が送れないことで**精神的な苦痛**が生じる。さらに，IIPsは**不可逆的な病態**であり，予後への不安や社会的，スピリチュアルな苦痛も生じやすい。患者が病気についてどのように受け止めているか十分理解し，悩みや不安を打ち明けてもらえるための関係性を築くことが重要である。精神的な苦痛が生じているときは，いつでも医療者に相談し，必要時は精神科医や臨床心理士への紹介や相談を行う。

5. 指定難病

IIPsは国の**指定難病**の対象疾患であり，厚生労働省によって要件・診断基準が提示されている。詳細については，難病情報センターの医療費助成制度に関するホームページを参照されたい[4]。難病医療費助成制度や高額医療費制度を使用して，治療中の経済的負担を減らすことができる。そのため，医療ソーシャルワーカー（MSW）と連携して申請手続きを進める。

6. 終末期：緩和ケア

急激な急性増悪や治療の効果が得られなかった場合，**低酸素症**や**高二酸化炭素血症**に伴う**呼吸困難**が増悪する。酸素療法やNPPVを使用しても安楽な呼吸を提供することが難しく，**塩酸モルヒネ**などの**麻薬性鎮痛薬**やその他の**鎮静薬**により**身体的な苦痛を除去する**ケアを必要とする。患者は強い呼吸困難や意識障害により**症状を訴えることも困難となる**ことも多い。患者に起こっている症状を十分にアセスメントし，適切に苦痛の緩和を行い，患者の症状や動きなどを見ながら効果を判定する。

IIPsの多くを占めるIPFは予後不良の疾患であり，有効な治療法がないため対症療法を行いながら残された時間を過ごすことも少なくない。患者自身が望む医療やケアを選択できるよう，患者自身が意思表示できる段階で，**人生会議**（advance care planning：ACP）（→p362）を行い，**患者-家族-医療者間**で共有することが重要である。また，多職種間カンファレンスによって情報を共有し，患者・家族が望む終末期医療を行う体制を整える。

［西村将吾］

[引用文献]
1) 日本呼吸器学会びまん性肺疾患診断・治療ガイドライン作成委員会編：特発性間質性肺炎―診断と治療の手引き　改訂第4版．p22, 南江堂, 2022.
2) Mallick S：Outcome of patients with idiopathic pulmonary fibrosis (IPF) ventilated in intensive care unit. Respir Med 102(10): 1355-1359, 2008.
3) Nishiyama O, et al: Physical activity in daily life in patients with idiopathic pulmonary fibrosis. Respir Investig 56(1): 57-63, 2018.
4) 難病情報センター：指定難病患者への医療費助成制度のご案内. https://www.nanbyou.or.jp/entry/5460（2025年3月25日閲覧）

[参考文献]
- 岡元和文監：ICU治療指針Ⅰ．救急・集中治療 31(2), 2019.
- 厚生労働省：指定難病の概要，診断基準等，臨床調査個人票（告示番号1～341）．概要，診断基準等，85 特発性間質性肺炎. https://www.nanbyou.or.jp/wp-content/uploads/upload_files/File/085-201804-kijyun.pdf（2025年3月25日閲覧）

NOTE

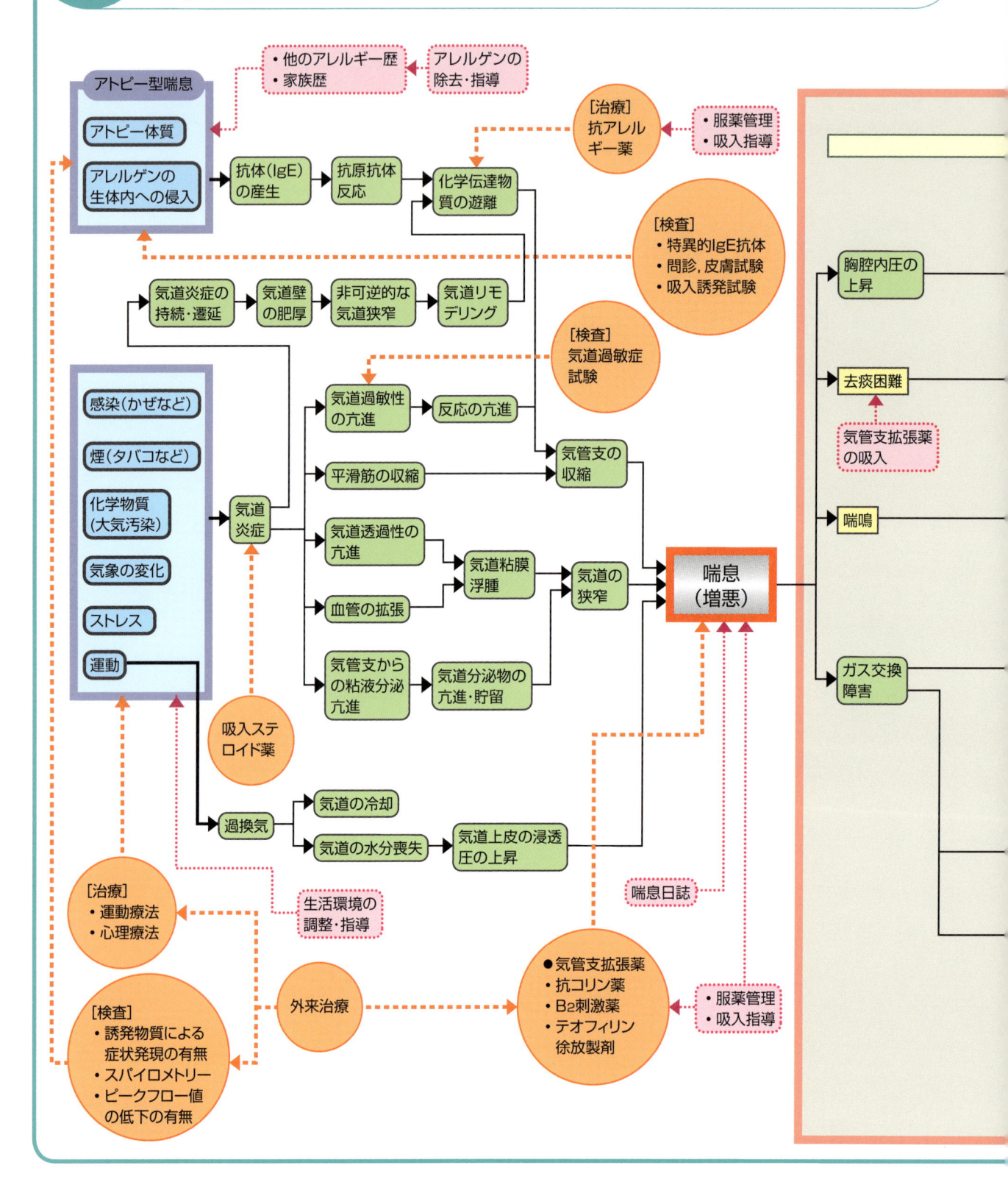

第Ⅱ部 疾患別看護ケア関連図　7．免疫・アレルギー性肺疾患

18　喘息

アトピー型喘息
- アトピー体質
- アレルゲンの生体内への侵入

・他のアレルギー歴
・家族歴

アレルゲンの除去・指導

[治療] 抗アレルギー薬
・服薬管理
・吸入指導

抗体(IgE)の産生 → 抗原抗体反応 → 化学伝達物質の遊離

[検査]
・特異的IgE抗体
・問診, 皮膚試験
・吸入誘発試験

気道炎症の持続・遷延 → 気道壁の肥厚 → 非可逆的な気道狭窄 → 気道リモデリング

[検査] 気道過敏症試験

- 感染(かぜなど)
- 煙(タバコなど)
- 化学物質(大気汚染)
- 気象の変化
- ストレス
- 運動

気道炎症

気道過敏性の亢進 → 反応の亢進
平滑筋の収縮 → 気管支の収縮
気道透過性の亢進
血管の拡張 → 気道粘膜浮腫 → 気道の狭窄
気管支からの粘液分泌亢進 → 気道分泌物の亢進・貯留

吸入ステロイド薬

過換気 → 気道の冷却／気道の水分喪失 → 気道上皮の浸透圧の上昇

喘息（増悪）

→ 胸腔内圧の上昇
→ 去痰困難
気管支拡張薬の吸入
→ 喘鳴
→ ガス交換障害

[治療]
・運動療法
・心理療法

生活環境の調整・指導

喘息日誌

[検査]
・誘発物質による症状発現の有無
・スパイロメトリー
・ピークフロー値の低下の有無

外来治療

● 気管支拡張薬
・抗コリン薬
・β2刺激薬
・テオフィリン徐放製剤

・服薬管理
・吸入指導

230

凡例: 誘因・原因 → 病態生理・状態 | 症状 | 医学的処置 ⇢ 看護ケア | （疾患）から生じる全体像 | 分類、あるいは特殊な部分

喘息から生じる全体像

→ 重症化 →

- 静脈還流減少 → 頸静脈の怒張
- 排痰援助／含嗽
- 痰の貯留 ← 薬物療法
- 水分の補給 → 脱水
- 吸入／吸引
- 電解質の検査／補液 → 電解質の異常
- アシドーシス補正
- 痰の粘稠度の上昇
- 痰の喀出困難
- 呼吸困難
- 脈拍の増加
- 努力呼吸
- 呼気の延長
- 精神面のケア
- 睡眠障害
- 不安
- 食欲低下 ← 栄養管理
- 発汗／疲労
- 呼吸困難増強
- 奇異呼吸
- 呼吸音減弱
- 頻脈
- 高CO2血症
- 低O2血症
- チアノーゼ
- 意識レベル低下
- 呼吸性アシドーシス
- 代謝性アシドーシス
- 徐脈／不整脈／血圧低下
- 心肺停止 → 死亡
- 心肺蘇生
- PaO2低下
- SpO2低下
- 血液ガス分析
- 酸素投与 ← 酸素濃度／流量の管理
- 気管挿管／人工呼吸管理

第Ⅱ部　疾患別看護ケア関連図　7．免疫・アレルギー性肺疾患

18 喘息

I 喘息が生じる病態生理

1. 喘息の定義

　成人喘息は，**気道の慢性炎症**を本態とし，変動性をもった**気道狭窄**による**喘鳴，呼吸困難，胸苦しさや咳**などの臨床症状で特徴づけられる疾患である[1]。

　近年，薬剤・治療の進歩により，**症状のコントロールがしやすくなり，喘息死は減少**している。しかし，コントロールに難渋する症例や，急性増悪（発作）で致死的状態に移行することがあるため，重症度に応じた治療を行う。以下によく使われる用語を説明する。

- **喘鳴**：気道の狭窄による呼吸時の「ゼーゼー」「ヒューヒュー」という音
- **増悪（発作）**：平常時に比べ明らかに息切れ，咳嗽，喘鳴，胸痛などの呼吸症状が増強するとともに呼吸機能が低下し，治療の強化・追加が必要となる状態[2]

2. 喘息が生じるメカニズム

1）病態生理

　喘息の病態は慢性の**気道炎症**を特徴とし，気道炎症には，好酸球，リンパ球，マスト細胞などの炎症細胞や気道上皮細胞，気道平滑筋細胞などの気道構成細胞，2型サイトカインなどの種々の液性因子が関与する。炎症が長く続くと，**気道過敏性亢進**を生じ，これに外因性・内因性の刺激が加わると，**気管支平滑筋の収縮，気道の浮腫，気道粘液の分泌亢進**などによる**気道狭窄**を引き起こす（図1）。

- **外因性刺激**：感染（かぜなど），煙（タバコなど），化学物質（大気汚染など），気象の変化など
- **内因性刺激**：ストレス，運動，過労など

　気流制限は可逆的であり，**気管支拡張薬**を使用すると気流制限は改善する。しかし，気道炎症が持続・遷延し，増悪を頻回に繰り返すと，気道壁が肥厚して硬くなり，気道の狭窄が元に戻らなくなる（**非可逆的**）。この現象を気道の**リモデリング**と呼ぶ。気道のリモデリングをきたすと重症化し，治療に難渋することが多い。

2）病型

　代表的な病型に**アトピー型**と**非アトピー型**があり，アトピー型は環境アレルゲンに対する特異的な**IgE抗体**が存在するが，非アトピー型はそれが存在しない。

　アトピー型には，原因アレルゲンに曝露すると数分後に即時性の気道閉塞を起こすもの（**即時型喘息反応**），一時寛解しても3〜8時間後に再び気道狭窄を示すもの（**遅発型喘息反応**）がある。

3. 喘息の症状

1）症状

　主症状は，**喘鳴，呼吸困難，咳嗽，胸苦しさ，喀痰**である。症状は，**夜間や早朝に増強**することが多い。

2）喘息の重症度と増悪強度分類

　喘息の重症度は，症状の頻度，強度，夜間の症状，日常のピークフロー値（PEF値），1秒率（%FEV$_1$）とその日内変動により4段階に分類される（表1）。喘息症状・増悪強度の把握は，増悪時の適切な治療・管理を行う上で重要である（表2）。

4. 喘息の検査

1 呼吸機能検査

- **スパイロメトリー**：喘息では気道閉塞を反映して，**1秒量（FEV$_1$），1秒率（FEV$_1$%），予測値に対する1秒量（%FEV$_1$），最大呼気流量（ピークフロー，PEF）の低下**を認める
- **気道可逆性試験**：気管支拡張薬を吸入させて，吸入前後の1秒量（FEV$_1$）の変化を測定し，1秒量が**12％以上かつ200mL以上改善**すると可逆性があると判断する
- **気道過敏性検査**：喘息が疑われるものの，気流閉塞が認められない，あるいは気道可逆性が認められない場合に行う。最低濃度の**気管支収縮薬**を吸入し，気道の

図1 正常な人の気道と喘息患者の気道

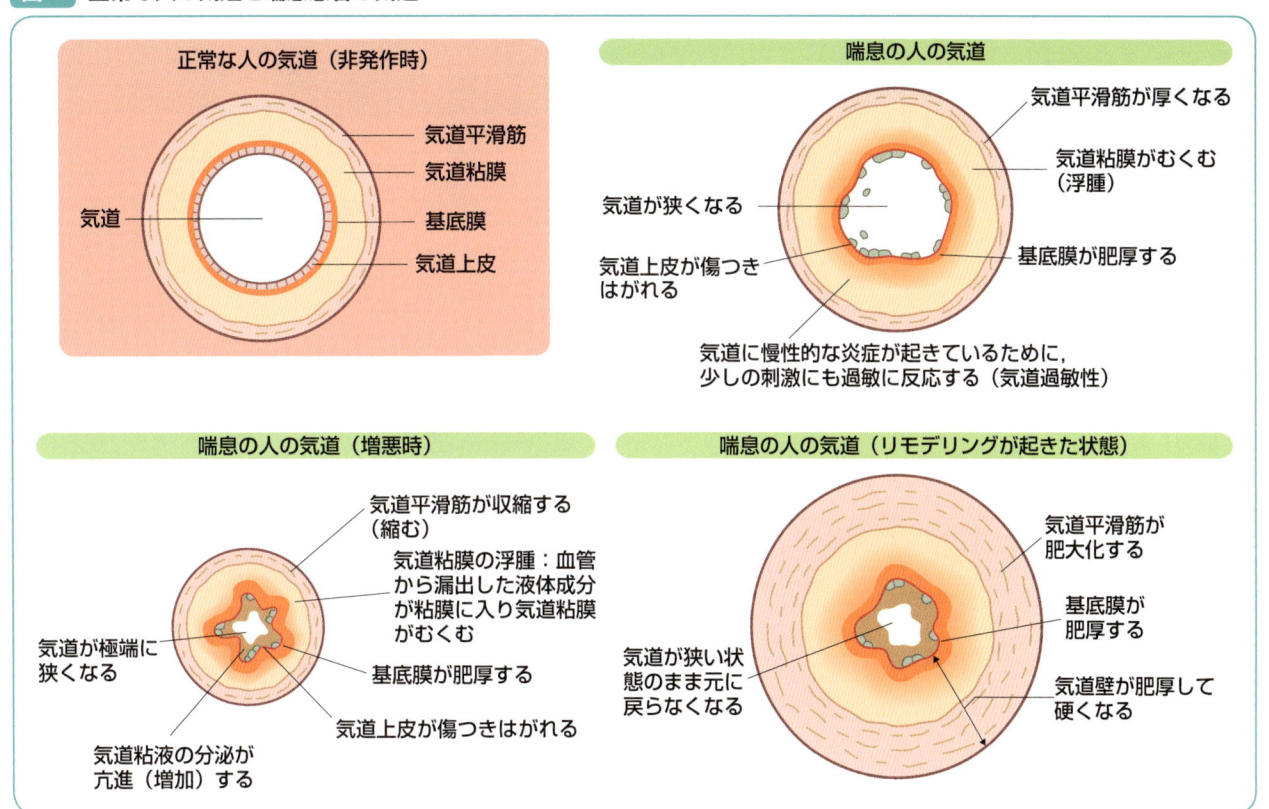

正常な人の気道（非発作時）
- 気道
- 気道平滑筋
- 気道粘膜
- 基底膜
- 気道上皮

喘息の人の気道
- 気道平滑筋が厚くなる
- 気道粘膜がむくむ（浮腫）
- 気道が狭くなる
- 気道上皮が傷つきはがれる
- 基底膜が肥厚する
- 気道に慢性的な炎症が起きているために，少しの刺激にも過敏に反応する（気道過敏性）

喘息の人の気道（増悪時）
- 気道平滑筋が収縮する（縮む）
- 気道粘膜の浮腫：血管から漏出した液体成分が粘膜に入り気道粘膜がむくむ
- 気道が極端に狭くなる
- 基底膜が肥厚する
- 気道上皮が傷つきはがれる
- 気道粘液の分泌が亢進（増加）する

喘息の人の気道（リモデリングが起きた状態）
- 気道平滑筋が肥大化する
- 基底膜が肥厚する
- 気道が狭い状態のまま元に戻らなくなる
- 気道壁が肥厚して硬くなる

表1 未治療の喘息の臨床所見による重症度分類（成人）

重症度[1]		軽症間欠型	軽症持続型	中等症持続型	重症持続型
喘息症状の特徴	頻度	週1回未満	週1回以上だが毎日ではない	毎日	毎日
	強度	症状は軽度で短い	月1回以上日常生活や睡眠が妨げられる	週1回以上日常生活や睡眠が妨げられる	日常生活に制限
				しばしば増悪	しばしば増悪
	夜間症状	月に2回未満	月に2回以上	週1回以上	しばしば
PEF FEV₁[2]	%FEV₁, %PEF	80％以上	80％以上	60％以上80％未満	60％未満
	変動	20％未満	20〜30％	30％を超える	30％を超える

*1：いずれか1つが認められればその重症度と判断する
*2：症状からの判断は重症例や長期罹患例で重症度を過小評価する場合がある。呼吸機能は気道閉塞の程度を客観的に示し，その変動は気道過敏性と関連する。％FEV₁=（FEV₁測定値/FEV₁予測値）×100，％PEF=（PEF測定値/PEF予測値または自己最良値）×100
（日本アレルギー学会喘息ガイドライン専門部会監，「喘息予防・管理ガイドライン2024」作成委員会作成：喘息予防・管理ガイドライン2024．p8，協和企画，2024．より）

収縮反応をみる。テスト前に比べて，FEV_1が20％低下，もしくは呼吸抵抗が2倍増加で**気道過敏性陽性**と判断する

2 血液検査

末梢血中の好酸球が多い場合は，**好酸球性気道炎症**の存在を示唆する。ただし，薬剤アレルギーなどでも上昇

表2 喘息症状・増悪強度の分類（成人）

増悪強度[1]	呼吸困難	動作	検査値[3]			
			% PEF	SpO$_2$	PaO$_2$	PaCO$_2$
喘鳴／胸苦しい	急ぐと苦しい 動くと苦しい	ほぼ普通	80%以上	96%以上	正常	45Torr 未満[4]
軽度（小発作）	苦しいが横になれる	やや困難				
中等度（中発作）	苦しくて横になれない	かなり困難 かろうじて歩ける	60〜80%	91〜95%	60Torr 超	45Torr 未満
高度（大発作）	苦しくて動けない	歩行不能 会話困難	60%未満	90%以下	60Torr 以下	45Torr 以上
重篤[2]	呼吸減弱 チアノーゼ 呼吸停止	会話不能 体動不能 錯乱，意識障害，失禁	測定不能	90%以下	60Torr 以下	45Torr 以上

＊1：増悪強度は主に呼吸困難の程度で判定し，他の項目は参考事項とする。異なった増悪強度の症状が混在するときは増悪強度の重いほうをとる
＊2：高度よりさらに症状が強いもの，すなわち，呼吸の減弱あるいは停止，あるいは会話不能，意識障害，失禁などを伴うものは重篤と位置付けられ，エマージェンシーとしての対処を要する
＊3：気管支拡張薬投与後の測定値を参考とする
＊4：喘息増悪時，通常は過換気となりPaCO$_2$は低下する。PaCO$_2$が正常域または上昇している場合は，気道狭窄が進んでいる可能性がある
（日本アレルギー学会喘息ガイドライン専門部会監，「喘息予防・管理ガイドライン2024」作成委員会作成：喘息予防・管理ガイドライン2024．p9，協和企画，2024．より）

するため注意が必要である。

アトピー型の喘息では，**血清総IgE値が高値**となり，**アレルゲン特異的IgE抗体が陽性**となる。

- **動脈血液ガス分析**：急性増悪（発作）の強度判定に重要となる。発作初期は，過換気によりPaCO$_2$が低下するが，重度になると肺胞低換気によりPaO$_2$が高度に低下し，PaCO$_2$が増加する
- **3 喀痰検査**
  喀痰中好酸球比率：喀痰中の**好酸球の比率が2〜3%以上**であれば，**好酸球性気道炎症**と判断する。
- **4 胸部X線**
  安定している喘息患者では正常であることが多いが，**急性増悪では過膨張**を示すことが多い。
- **5 胸部高分解能CT（HRCT）**
  重症の喘息では，中枢から末梢の気管支壁が肥厚していることが多いが，COPDでも同様に認められるため，肺気腫による肺胞の破壊がないなどHRCTによる鑑別が必要である。

5. 喘息の治療

治療の目標は，喘息症状をなくすことである。喘息の治療薬は，気道の炎症を抑え喘息をコントロールする「長期管理薬」と増悪時に気管支を拡げ症状を緩和する「増悪治療薬」に大別される（表3）。

1）主な治療薬

1 副腎皮質ステロイド

気道の炎症を抑え発作を予防する。長期管理薬では副作用が少ない**吸入ステロイド薬**（inhaled corticosteroid：ICS）が基本であり，ガイドラインでは，ICSを主軸として強度に応じて薬剤を追加する**喘息治療ステップ**（表4）（→p236）を推奨している。経口薬はICSを使用しても管理が困難な場合や他の合併症がある場合に使用する。

2 β$_2$刺激薬

気管支拡張薬であり，**短時間作用性β$_2$刺激薬**（short acting β$_2$ agonist：SABA）と**長時間作用性β$_2$刺激薬**（long acting β$_2$ agonist：LABA）がある。SABAは増悪時に，LABAは喘息の長期管理薬として用いる。

▶ ICSとLABAの合剤であるシムビコート®や後発薬のブデホルは即効性の気管支拡張効果も有しており，症状が悪化したときに追加吸入することで症状が改善する。この治療法を**SMART療法**（single inhaler maintenance and reliever therapy）という。

表3 喘息の主な治療薬

	長期管理薬	増悪治療薬
抗炎症薬	吸入 ステロイド薬：キュバール™，フルタイド，パルミコート®，オルベスコ，アズマネックス®，アニュイティ 経口 ステロイド薬：プレドニゾロン，プレドニン®，メドロール®，リンデロン® など	経口 ステロイド薬：プレドニゾロン，プレドニン®，リンデロン®
抗炎症薬／気管支拡張薬の配合剤	吸入 ステロイド薬／長時間作用性β₂刺激薬配合剤：アドエア，シムビコート®，ブデホル，フルティフォーム®，レルベア，アテキュラ® 吸入 ステロイド薬／長時間作用性β₂刺激薬／抗コリン薬配合剤：テリルジー®，エナジア®	吸入 シムビコート®，ブデホルの追加吸入（SMART療法）
気管支拡張薬	吸入 長時間作用性β₂刺激薬：セレベント 吸入 長時間作用性抗コリン薬：スピリーバ® レスピマット® 経口 テオフィリン徐放製剤：テオドール®，テオロング® 経口 長時間作用性β₂刺激薬：スピロペント®，メプチン® テープ 長時間作用性β₂刺激薬：ホクナリン®テープ，ツロブテロールテープ	吸入 短時間作用性β₂刺激薬：サルタノール，メプチン®，ベネトリン® 経口 テオフィリン製剤：ネオフィリン®
抗アレルギー薬	経口 ロイコトリエン受容体拮抗薬：オノン®カプセル，キプレス®，シングレア® 経口 ロイコトリエン受容体拮抗薬以外の薬：リザベン®，アイピーディ®，ザジテン®，アレジオン® など 吸入 インタール®	
分子標的薬	皮下注射 ・抗IgE抗体：ゾレア®　　・抗IL-5受容体α抗体：ファセンラ® ・抗IL-5抗体：ヌーカラ　　・抗IL-4受容体α抗体：デュピクセント®	

3 抗コリン薬

気管支拡張薬であり，**長時間作用性抗コリン薬**（long acting muscarinic antagonist：**LAMA**）はLABAが使用しにくい症例やICS/LABAを使用しても症状が改善しない症例に使用する。

4 テオフィリン徐放製剤

気管支拡張作用，抗炎症作用などを有し，他の治療の効果が乏しい場合に追加使用する。

5 ロイコトリエン受容体拮抗薬（LTRA）

LTRA（leukotriene receptor antagonist）は気管支拡張作用と気道炎症抑制作用をあわせもち，喘息症状を改善する。

6 分子標的薬（生物学的製剤）

喘息の病態に関与する特定の分子に結合することでアレルギー反応（炎症）を抑える。主に，LABA，LTRAをICSに加えてもコントロール不良の重症例に使用を検討する。さらに，副作用が危惧される経口ステロイド薬を減量できることから，分子標的薬が推奨されている。

分子標的薬は，重症喘息患者に健康上の利益をもたらしつつも，バイオマーカーに基づいた有効症例の選定や高額な治療薬価，適正な治療アルゴリズムの策定等，今後取り組むべき課題も多い[3]。

- **抗IgE抗体**：アレルギー型重症喘息で与薬される。IgEと結合して，IgEとマスト細胞の結合を抑制することにより，IgEによる炎症性細胞の活性化を阻止する。気道に好酸球増多を伴う**ステロイド依存性の喘息**において，有効性を示す
- **抗IL-5抗体，抗IL-5受容体α抗体**：好酸球の活性化に重要な役割を果たすIL-5とIL-5Rαの結合を阻害する。その結果，**好酸球**が著しく**減少**し効果が発揮される
- **抗IL-4受容体α抗体**：IL-4やIL-13と細胞が結合するのを防ぐ。好酸球の末梢血から肺組織への移行抑制，IgEの産生抑制などの効果がある
  ▶ 重症喘息においてデュピクセント®，ヌーカラ，ゾレア®は在宅自己注射が可能であり，通院にかかる時間的・精神的な負担の軽減や，定期的な自己注射による治療効果の維持を目的として導入される

表4 喘息治療ステップ

		治療ステップ1	治療ステップ2	治療ステップ3	治療ステップ4
長期管理薬	基本治療	ICS（低用量）	ICS（低〜中用量）	ICS（中〜高用量）	ICS（高用量）
		上記が使用できない場合，以下のいずれかを用いる	上記で不十分な場合に以下のいずれか1剤を併用	上記に下記のいずれか1剤，あるいは複数を併用	上記に下記の複数を併用
		LTRA テオフィリン徐放製剤 ※症状が稀なら必要なし	LABA（配合剤使用可[6]） LAMA LTRA テオフィリン徐放製剤	LABA（配合剤使用可[6]） LAMA（配合剤使用可[7]） LTRA テオフィリン徐放製剤 抗IL-4Rα鎖抗体[8,9] 抗TSLP抗体[8,9]	LABA（配合剤使用可） LAMA（配合剤使用可[7]） LTRA テオフィリン徐放製剤 抗IgE抗体[3,8] 抗IL-5抗体[8] 抗IL-5Rα鎖抗体[8] 抗IL-4Rα鎖抗体[8] 抗TSLP抗体[8] 経口ステロイド薬[4,8]
	追加治療[1]	アレルゲン免疫療法[2]			
増悪治療[5]		SABA	SABA[6]	SABA[6]	SABA

ICS：吸入ステロイド薬，LABA：長時間作用性β_2刺激薬，LAMA：長時間作用性抗コリン薬，LTRA：ロイコトリエン受容体拮抗薬，SABA：短時間作用吸入β_2刺激薬，抗IL-5Rα鎖抗体：抗IL-5受容体α鎖抗体，抗IL-4Rα鎖抗体：抗IL-4受容体α鎖抗体

* 1：喘息に保険適用を有するLTRA以外の抗アレルギー薬を用いることができる
* 2：ダニアレルギー，特にアレルギー性鼻炎合併例で安定期%FEV$_1$≥70%の場合はアレルゲン免疫療法を考慮する
* 3：通年性吸入アレルゲンに対して陽性かつ血清総IgE値が30〜1,500IU/mLの場合に適用となる
* 4：経口ステロイド薬は短期間の間欠的投与を原則とする。短期間の間欠投与でもコントロールが得られない場合は必要最小量を維持量として生物学的製剤の使用を考慮する
* 5：軽度増悪までの対応を示し，それ以上の増悪については「急性増悪（発作）への対応（成人）」の項を参照
* 6：ブデソニド/ホルモテロール配合剤で長期管理を行っている場合は同剤を増悪治療にも用いることができる
* 7：ICS/LABA/LAMAの配合剤（トリプル製剤）
* 8：LABA，LTRAなどをICSに加えてもコントロール不良の場合に用いる
* 9：中用量ICSとの併用は医師によりICSの高用量への増量が副作用などにより困難と判断された場合に限る

（日本アレルギー学会喘息ガイドライン専門部会監，「喘息予防・管理ガイドライン2024」作成委員作成：喘息予防・管理ガイドライン2024. p124, 協和企画，2024. より）

II 喘息の看護ケアとその根拠

1. 喘息の観察ポイント

1）問診

表2に示す3領域（増悪強度，呼吸困難，動作）やそのときの状況，対応と経過について聴取する。また，既往歴，家族歴，生活歴（図2）についても原因を特定するために詳細に聴取する。食事や嗜好品の変化や仕事や人間関係のストレスなども誘因になることから，何が引き金となるのかを聴取する。

2）呼吸状態

1 症状・増悪強度の観察

バイタルサインに加え，呼吸困難や動作状況，ピークフロー値，動脈血液ガス（PaO_2，$PaCO_2$）を確認し，増悪強度を判断する（表2参照）。

2 呼吸音の聴取

Wheezeの重症度分類を表5に示す。聴診では，呼気性喘鳴（Wheezes）が特徴的であるが，気道狭窄が強くなると吸気時にも聴取されるようになる。さらに最重症になると呼吸音（喘鳴）は減弱する。**呼吸音減弱は呼吸停止前のサイン**であり，医師への速やかな報告と気道

図2 問診の内容

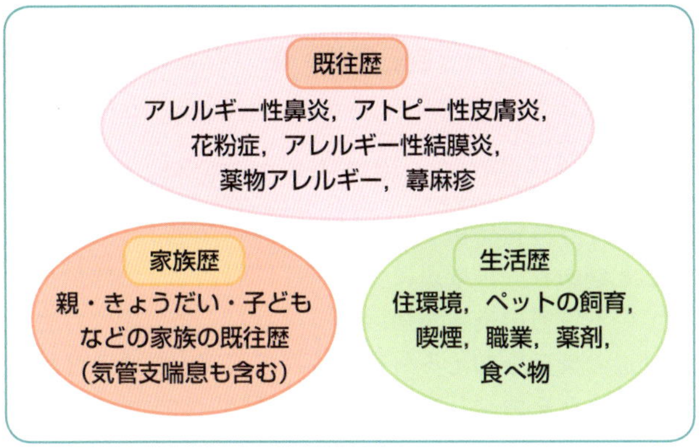

既往歴
アレルギー性鼻炎，アトピー性皮膚炎，花粉症，アレルギー性結膜炎，薬物アレルギー，蕁麻疹

家族歴
親・きょうだい・子どもなどの家族の既往歴（気管支喘息も含む）

生活歴
住環境，ペットの飼育，喫煙，職業，薬剤，食べ物

表5 Wheezeの重症度分類（Johnson分類）

Grade 0	喘鳴が聴取できない
Grade 1	強制呼気時のみで喘鳴
Grade 2	平静呼気で喘鳴
Grade 3	平静呼吸で吸気・呼気で喘鳴
Grade 4	呼吸音減弱（silent chest，サイレントチェスト）

確保の準備が必要となる。

3 咳嗽や喀痰の有無と量・性状

喘息の咳嗽は，**夜間や早朝**に出現しやすく，発作時には好酸球の増加により**黄色痰**を喀出することがある。

3）全身状態

1 頸静脈の怒張

気道閉塞により，肺の過膨張に伴って胸腔内圧が上昇し静脈還流が減少する。

2 チアノーゼ

口唇や顔面，指先などにみられ，末梢組織での**低酸素血症や血流障害**を呈する。

3 意識レベル

低酸素血症による意識レベルの低下や，発作が頻回で，発作強度も高度な状態になると，疲労や息が止まることへの**不安**から**錯乱**し，**不穏状態**になることがある。また，高度や重篤な状態では，肺胞低換気によりCO_2の排出が困難となり，急激に$PaCO_2$が上昇した場合，**CO_2ナルコーシス（傾眠や昏睡などの意識障害）**に陥る。

2. 看護の目標

1）増悪（発作）時

❶喘息悪化の危険因子の回避や除去を行い，適切に治療を受けることで喘息死を回避する
❷増悪（発作）が治まり，死への恐怖や不安が軽減する

2）慢性期

❶増悪因子やコーピングパターン（自身の対処方法）を理解し，自分にあった管理方法を実践できる
❷増悪（発作）や喘息症状がない状態を保つ（症状コントロール）
❸夜間や早朝の咳や呼吸困難がなく，十分な夜間睡眠がとれ，日中に活動できる

3. 増悪（発作）時の対応

喘息は急激な呼吸困難発作で，短時間で死に至ることがあり，2017年では年間1,794人[4]，2022年では1,004人[5]が死亡している。1998〜2003年の日本アレルギー学会喘息死特別委員会の調査では，発作開始後1時間以内での死亡が13.6%，3時間以内が29.7%であった[6]。死亡例の約50%は過去に重篤発作による入院歴がある[6]ため，喘息患者には，増悪時の迅速な対応と，増悪予防の自己管理指導を徹底する必要がある。

1）バイタルサインのチェック

全身状態および**意識レベル，血圧，脈拍，体温，SpO_2，呼吸状態**などバイタルサインをチェックする。その他，**喘鳴や顔貌，会話，皮膚の状態（冷汗やチアノーゼ）**などを観察する。

2）安楽な姿勢

増悪時は，患者が好む楽な姿勢をとらせる。起座位は，横隔膜が下がり呼吸面積を広げることにより呼吸運動がしやすくなる。起座位の場合，オーバーテーブルに枕などを置き，呼吸をしやすいように援助する（図3）。

3）吸入

SABAの吸入を行う。吸入中に動悸や頻脈，嘔気などの副作用の出現があれば中止し，医師に報告する。

図3 安楽な体位

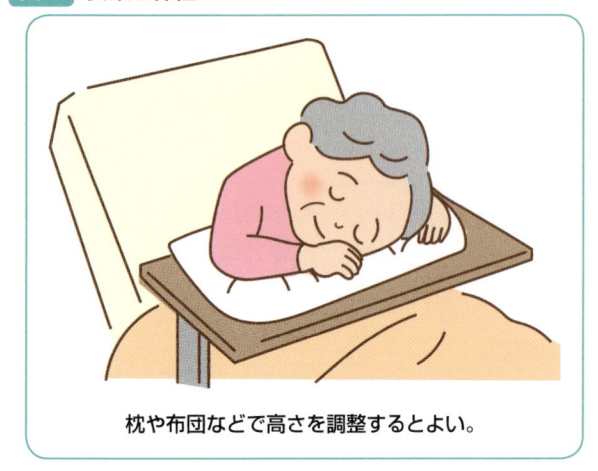

枕や布団などで高さを調整するとよい。

4) 輸液管理

副腎皮質ステロイド薬やアミノフィリンの点滴を行う。アミノフィリン点滴時は，**血中テオフィリン濃度**を確認し，**中毒症状**に注意する。増悪時は，頻呼吸や経口摂取が困難な場合が多く，**脱水症**を合併している徴候があれば，脱水症の治療（**輸液療法**）も並行して行う。

5) 酸素管理

SpO_2の低下が認められた場合は**酸素投与**を行い，$SpO_2$95% 前後を維持できるように酸素流量を調整する。酸素投与時は，呼吸数，脈拍数，SpO_2を継続して観察を行う。

6) 精神的支援

増悪時は，著明な呼吸困難により**恐怖**や**不安**を感じ，より**パニック**になるため呼吸困難が増強する。できる限りそばに付き添い声かけを行って精神的なサポートを行う。

重度の末梢気道の狭窄があると息が吐き出せず，肺が過膨張となっている場合があり，頻呼吸はさらに肺過膨張を増強させ，呼吸困難の増強にもつながる。よって，**頻呼吸時**には，呼気を意識した呼吸へ調整できるように**声かけ**を行う。パニックで頻呼吸となっている場合はタッチングなどで落ち着かせ**ゆっくり呼吸をするように**促す。

4. セルフマネジメント教育（患者教育）

患者が自身の療養生活の中で必要な知識・技術をもち，症状や徴候をとらえ，自身でうまく対処したり，折り合いをつけたりしながら，日常生活が送れるように**セルフマネジメント（自己管理）**能力を高める支援を行う。

1) 疾患や治療内容と継続治療の必要性

増悪時の自覚症状が改善すると長期管理薬の継続を怠ることがあり，再増悪につながる。喘息は，慢性的に生じている気道の炎症が病態であるため，発作のないときも気道の炎症を抑える薬剤を吸入または内服する必要性があることを強調して説明する。

そして，ICS，気管支拡張薬，喀痰調整薬など，患者が自分の症状緩和のために必要な薬剤とその作用を理解し病気のコントロールができるように教育する。

2) 正しい吸入薬の使用方法

吸入器によって使用方法が異なることから，適切に吸入できるように指導する（→ p336）。また，ICSを吸入した後は，口腔内真菌感染症の防止対策としてうがいを指導する。

3) 在宅自己注射

生物学的製剤の在宅自己注射には，ペンタイプとシリンジタイプがある。患者や家族の理解度，手指の巧緻性に合わせ，自己注射の手技や穿刺部位，注射針の破棄方法などを教育する。いずれの製剤も2～4週ごとに注射するため，注射日を決めて忘れないよう指導する。

4) 日常生活の管理

■ 禁煙

喘息の悪化や治療抵抗性の大きな要因のため，**禁煙**が必須である。

■ 感染予防

上気道感染により発作が誘発されるため，外出時のマスクの着用や含嗽・手洗いの励行を指導する。

■ 気温の変化や乾燥した空気を避ける

冷たい空気や乾燥した空気は，気道への刺激となるため避ける。対策として，外出時はマスクを着用して気道に冷たい空気や乾燥した空気が直接入るのを避ける，服を重ね着して身体の冷えを防ぐ，外と家の中の温度差を極力少なくするなどが挙げられる。

■ 過労やストレスを避ける

過労により呼吸筋の運動量や代謝が増加し，**疲労が蓄積**することで呼吸状態の悪化につながることを説明す

る。また，仕事や人間関係などによる**ストレス**からも発作の誘因となることを説明し，周囲の理解を得ることも大切であることを説明する。

■ **アトピー性の要因が関与する場合**

環境調整により**アレルゲン**を排除し，室内を清潔に保つ。

■ **悪化徴候とその対応**

呼吸困難，喘鳴，胸苦しさなどの症状が出現したときに増悪時に使用する薬剤を使用すること，使用しても改善がない場合は**受診**することを指導する。「**喘息患者カード**」を持たせ，急性増悪時に救急処置を行うことができるよう，救急病院診療部の所在を教えておく。

■ **セルフモニタリングと対処**

日々の症状や吸入の状況を記載する**喘息日誌**や，**ピークフロー値を自己測定**しモニタリングするなどの方法を活用し，喘息症状の変化に患者自身が対応できるよう教育する（→コラム「喘息管理のセルフマネジメント：ピークフローモニタリング」参照）。ピークフロー値の変化に合わせ，早期に気管支拡張薬を吸入することで発作の予防が可能となる。また，定期受診の必要性について説明する。

[鬼塚真紀子]

[引用文献]
1) 日本アレルギー学会喘息ガイドライン専門部会監，「喘息予防・管理ガイドライン2021」作成委員作成：喘息予防・管理ガイドライン2021．p 2，協和企画，2021．
2) 前掲書1，p39．
3) 本間哲也・他：気管支喘息を中心としたアレルギー性疾患における分子標的治療—現状と将来．日内会誌 107：771-778，2018．
4) 厚生労働省：平成29年（2017）人口動態統計（確定数）の概況．死因簡単分類別にみた性別死亡数・死亡率（人口10万対）．https://www.mhlw.go.jp/toukei/saikin/hw/jinkou/kakutei17/index.html（2025年6月1日閲覧）
5) 厚生労働省：令和4年（2022）人口動態統計（確定数）の概況．死因簡単分類別にみた性別死亡数・死亡率（人口10万対）．https://www.mhlw.go.jp/toukei/saikin/hw/jinkou/kakutei22/（2025年6月1日閲覧）
6) 宮本昭正監編：ナース・患者のための 喘息マネジメント入門．pp42-43，技術評論社，2017．

[参考文献]
1) 田中裕士編：もう悩まない！喘息・COPD・ACOSの外来診療 名医が教える吸入薬の使い分けと効果的な指導法．羊土社，2016．
2) 吉田誠：気管支喘息治療薬．臨床と研究 99(2)：205-211，2022．
3) 金廣有彦：吸入ステロイド薬．日本臨牀 80（増刊号6）：421-426，2022．
4) 環境再生保全機構：喘息などの情報館．https://www.erca.go.jp/yobou/zensoku/basic/adult/knowledge/medicine.html（2025年4月1日閲覧）
5) 安酸史子・他編：ナーシング・グラフィカ㉕ 成人看護学(3)セルフマネジメント，第4版．メディカ出版，2022．

Column 喘息管理のセルフマネジメント：ピークフローモニタリング

喘息は，発作を引き起こさないようにする日常の管理が重要となる。ピークフローモニタリングは，患者自らが悪化の徴候を早期にとらえ，対処する喘息管理方法である。

1 ピークフロー（PEF）とは

ピークフロー（peak expiratory flow：PEF）は，息を思いきり吸い込んだ状態から，力いっぱい吐き出したときの**最大呼気速度**（息を吐き出す最大の速さ）のことをいい，気道閉塞の変動を客観的に評価することができる。

2 ピークフローの正常値

年齢・性別・身長などから予測値として求めることができる。呼吸状態には個人差があり，**過去の最良値**を基準とするほうがよい。最良値に対する比率を％ピークフロー値（％PEF）といい，％PEFは，80％以上であれば呼吸機能が良好な状態である。

3 ピークフローモニタリングによる喘息予防と管理

PEFは1日の中でも変化（日内変動）がみられることから，**毎日2〜3回，朝・（昼）・夜の測定**を記録する。日内変動が大きいときは，気管支の状態が不安定で気道の過敏性が高まっているため，**日内変動率（日内変動率（％）＝（最高値−最低値）÷最高値×100）は，20％以内が管理の目標**である[1]。20％を超える場合は，再度アレルゲンが除去できているか環境整備を行い，早期に受診するなど悪化予防に努める。

発作時は，気道の収縮や粘膜の浮腫，分泌物の増加などをきたすため，PEFは普段よりも**低くなる**。また，患者が胸部圧迫感や呼吸困難などの症状を自覚する場合にも，PEFを測定することで，気道閉塞の程度を知ることができる。

4 患者・患児教育の実際

ピークフローの測定値や日々の喘息の症状などを「ぜん息日誌」に記録し，自己管理に役立てるよう教育する。

ぜん息日記には，**ピークフロー値**の他に，**発作**があったか，**自覚症状**（咳，痰，鼻汁，発熱の有無や程度など），**日常生活**が送れたか，**睡眠状況**，**薬の使用状況**（定期薬と発作時の薬の使用），生活で変わったことがあったかなど，喘息の症状を起こした原因や誘因を振り返って記載すると自己管理につながる。ぜん息日誌は，環境再生保全機構による「成人ぜん息の基礎知識」[2]などを参考にするとよい。

- ピークフロー値は，**毎日**，決まった**時間・条件下**で測定する（図1）よう指導し，患者の％PEFの**80％値，60％値**を計算して書き込む
- イエローゾーン，レッドゾーンでの対応方法を教える（図2）
  - イエローゾーン（％PEF：60％〜80％）：発

図1 ピークフローの測り方

① 毎回同じ姿勢（立位またはいすに座位）で測定する
② メーターの針を0に合わせる
③ メモリに指がかからないよう片手で持ち，思いきり大きく息を吸い込む

④ 息が漏れないようマウスピースを唇でしっかり覆い，素早く一気に吹く
⑤ 針が止まったところの目盛りを読み取る
⑥ ①〜⑤を3回繰り返し，最大値を手帳に記録する

図2 ゾーン管理システム（例）[2]

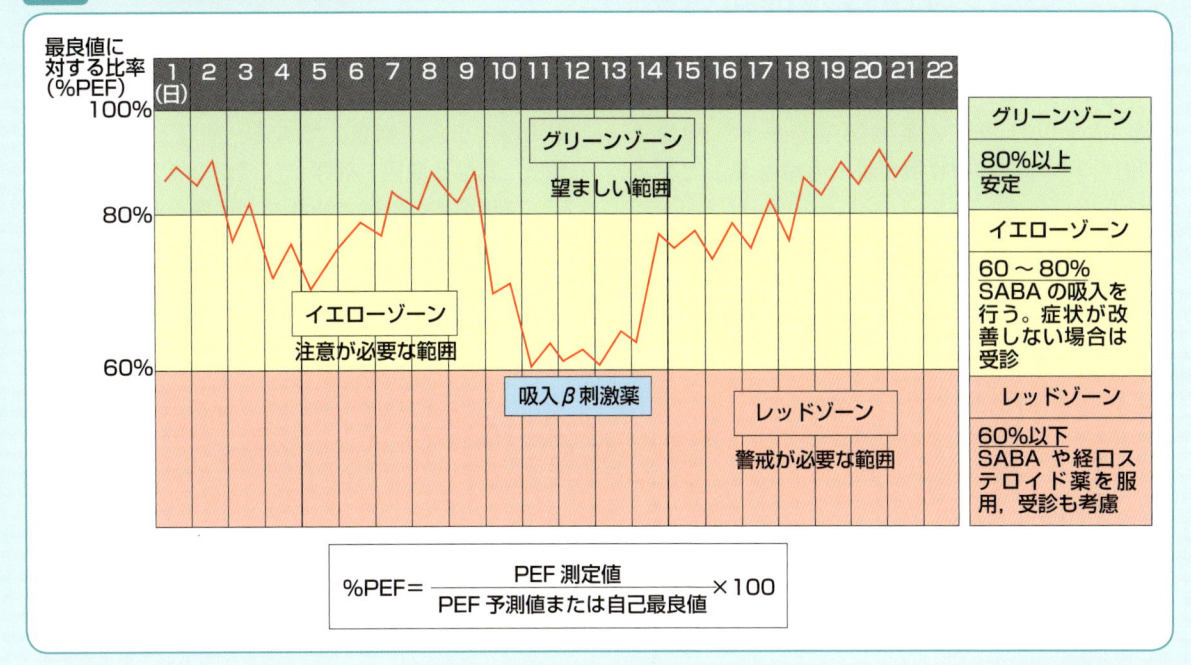

ゾーン	%PEF	対応
グリーンゾーン	80%以上	安定
イエローゾーン	60〜80%	SABAの吸入を行う。症状が改善しない場合は受診
レッドゾーン	60%以下	SABAや経口ステロイド薬を服用，受診も考慮

$$\%PEF = \frac{PEF測定値}{PEF予測値または自己最良値} \times 100$$

作の場合と長期的な喘息コントロールの悪化の場合が考えられるため，発作の場合は短時間作用性β_2刺激薬を吸入する。2〜3日経っても症状が続くようであれば，受診する
- **レッドゾーン（%PEF：60%未満）**：短時間作用性β_2刺激薬や経口ステロイド薬を服用し，症状の改善がみられない場合は受診する
- 医療者が定期的にグラフ（図2）を確認し，必要に応じて薬剤の調整や日常生活の過ごし方などを指導する

[橋野明香]

[文献]

1) 日本アレルギー学会ガイドライン委員会／喘息ガイドライン専門部会監：喘息予防・管理ガイドライン2021，p8-10，協和企画，2021．
2) 環境再生保全機構：成人ぜん息の基礎知識．https://www.erca.go.jp/yobou/zensoku/basic/adult/control/condition/peakflow.html（2025年2月閲覧）

Column 喘息とCOPDのオーバーラップ（ACO）

1. 喘息とCOPDのオーバーラップ（ACO）の定義

ACO（asthma and COPD overlap）は，喘息の特徴とCOPDの特徴がオーバーラップ（重なる）する病態であり，「慢性の気流閉塞を示し，喘息とCOPDのそれぞれの特徴を併せもつ疾患」と定義される[1]。

2. ACOの特徴（表1）

気管支喘息（以下，喘息）は「気道の慢性炎症を本態とし，臨床症状として変動性をもった気道狭窄（喘鳴，呼吸困難）や咳で特徴づけられる疾患」である。一方，慢性閉塞性肺疾患（COPD）は「タバコ煙を主とする有害物質を長期に吸入曝露することなどにより生じた肺疾患であり，呼吸機能検査で気流閉塞を示す疾患」である。喘息とCOPDの両者は，異なる原因・機序で病態が形成され，気道炎症・気流閉塞の特徴・症状などは異なるが，それぞれの特徴をあわせもつ（表1）。

ACO患者は，喘息あるいはCOPD患者に比べて以下の特徴を有する。

- 臨床症状を認める頻度が高い（発現頻度が高い順

表1 喘息とCOPD，ACOの特徴

特徴	喘息	COPD	ACO
発症年齢	通常小児期に発症するが，どの年齢でもみられる。	通常40歳以上	通常40歳以上であるが，小児期や若いときに症状がある場合もある。
呼吸器症状のパターン	症状は変化し（日内や長期間で），活動制限がある。運動，感情，ほこりやアレルゲン曝露がトリガーとなる。	慢性で通常持続的な症状，特に運動時にみられるが，調子の良い日と悪い日もみられる。	労作時呼吸困難などの呼吸器症状は持続的であるが，日内変動なども顕著である。
肺機能	現在もand/or過去に可逆性の気流閉塞がある。気管支拡張薬吸入による可逆性，気道過敏性	FEV_1は治療で改善するが，気管支拡張薬吸入後$FEV_1/FVC<0.7$である。	気流閉塞は十分に可逆的ではないが，現在または過去に可逆的である。
寛解時の肺機能	症状がなければ正常かもしれない。	持続的な気流閉塞	持続的な気流閉塞
既往歴や家族歴	多くの患者がアレルゲンに感作されており，小児喘息の既往や喘息の家族歴を有する。	有害な粒子やガスの曝露歴（多くの場合は喫煙やバイオマス曝露）がある。	〈現在または過去に〉医師が喘息と診断した病歴，アレルゲン感作，喘息の家族歴がある。かつ/または有害物質の曝露歴がある。
時系列経過	しばしば自然または治療により改善するが，結果として固定性の気流閉塞をきたす場合もある。	一般的に，治療にもかかわらず，ゆっくりと年単位で進行する。	治療により症状は部分的ではあるが有意に改善する。進行はみられ，治療の必要性は高い。
胸部X線	通常正常	重度な肺過膨張所見や他のCOPDの所見	COPDと同様
増悪	増悪はあるが，治療により増悪リスクがかなり改善される。	増悪は治療により軽減できる。併存症があれば，障害を起こしやすくなる。	増悪はCOPDよりさらに起こしやすい。併存症は障害を起こしやすい。
典型的な気道炎症	気道内および血液中の好酸球and/or好中球の増加	血液・気道内の好中球の増加，好酸球は喘息ほど増加しない。	血液・喀痰中の好酸球and/or好中球の増加

（浅井一久・他：気管支喘息―COPDオーバーラップ症候群（ACOS）．日内会誌 104（6）：1082-1088，2015．を一部改変）

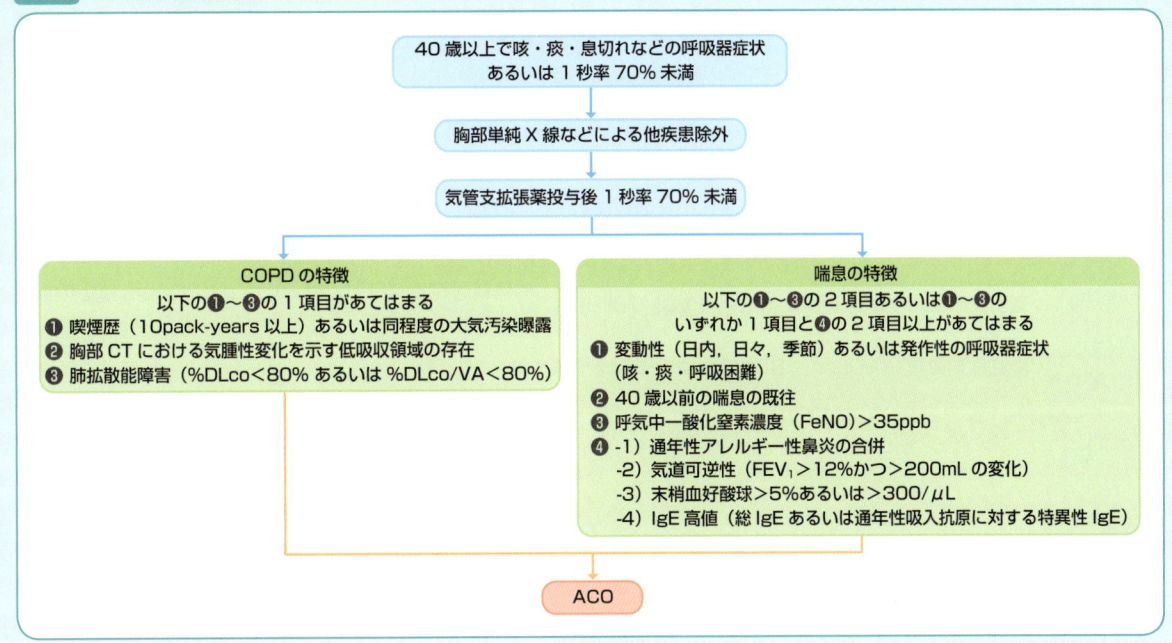

図1　ACOの診断手順

```
          40歳以上で咳・痰・息切れなどの呼吸器症状
              あるいは1秒率70％未満
                      ↓
          胸部単純X線などによる他疾患除外
                      ↓
          気管支拡張薬投与後1秒率70％未満
                      ↓
   ┌──────────────────┴──────────────────┐
```

COPDの特徴	喘息の特徴
以下の❶〜❸の1項目があてはまる ❶ 喫煙歴（10pack-years以上）あるいは同程度の大気汚染曝露 ❷ 胸部CTにおける気腫性変化を示す低吸収領域の存在 ❸ 肺拡散能障害（%DLco＜80％あるいは%DLco/VA＜80％）	以下の❶〜❸の2項目あるいは❶〜❸のいずれか1項目と❹の2項目以上があてはまる ❶ 変動性（日内，日々，季節）あるいは発作性の呼吸器症状（咳・痰・呼吸困難） ❷ 40歳以前の喘息の既往 ❸ 呼気中一酸化窒素濃度（FeNO）＞35ppb ❹ -1) 通年性アレルギー性鼻炎の合併 　　-2) 気道可逆性（FEV_1＞12%かつ＞200mLの変化） 　　-3) 末梢血好酸球＞5％あるいは＞300/μL 　　-4) IgE高値（総IgEあるいは通年性吸入抗原に対する特異性IgE）

→ ACO

（日本呼吸器学会喘息とCOPDのオーバーラップ（Asthma and COPD Overlap：ACO）診断と治療の手引き第2版作成委員会編：喘息とCOPDのオーバーラップ（Asthma and COPD Overlap：ACO）診断と治療の手引き2023．p3，メディカルレビュー社，2024．より）

に喘鳴，呼吸困難，咳嗽，喀痰）
- 増悪を起こしやすい
- QOLの低下がみられる
- 呼吸機能の低下が加速される（発作のある喘息を合併したCOPD患者は呼吸機能が早く低下する
- 死亡率が高い
- 医療機関の利用頻度が多く，医療費が高い

3. ACOの有病率

喘息について，日本では過去に喘息と診断された患者を対象にACOの有病率を算出した研究があり，ACOの有病率は27.1％，COPD患者でのACOの有病率は4.2〜49.7％とされる[1]。

4. ACOの診断

ACOの診断手順を図1に示す。
1 初診患者の場合の診断
40歳以上で咳，痰，呼吸困難などの呼吸症状，あるいは呼吸機能検査で1秒率70％未満であり，問診や身体所見，画像診断などで鑑別すべき疾患を否定した上で，**気管支拡張薬**与薬後の1秒率を測定する。

2 喘息あるいはCOPD患者でACOを疑う場合の診断

喘息あるいはCOPDで治療中の患者において，表2に示す症状や既往などがみられる場合は，ACOの可能性を疑い，手順に従って診断を行う。

5. ACOの治療と管理目標

ACOの治療指針については，臨床研究などが乏しいことから十分なエビデンスはない。喘息やCOPDの治療指針を参考に，妥当と考えられる治療が推奨されている。

ACO治療では，症状を緩和してQOLと肺機能を改善させることを目標とし（表3），危険因子の低減や薬物療法，リハビリテーションなど包括的な長期管理を行う。また，ACOの重症度分類（表4）をもとに薬物療法を開始する。すべての重症度で吸

表2 喘息あるいはCOPD患者でACOを疑う場合

	喘息患者で COPDの特徴のオーバーラップを疑う場合	COPD患者で 喘息の特徴のオーバーラップを疑う場合
	COPDの特徴	喘息の特徴
症状	慢性の症状（労作時呼吸困難，慢性の咳・痰）	変動性（日内変動，日々変動，季節性）・発作性
既往	喫煙歴（10pack-years以上）あるいは同程度の大気汚染曝露	40歳以前の喘息の既往，通年性アレルギー性鼻炎の合併
呼吸機能	気管支拡張薬与薬後1秒率（FEV$_1$/FVC）70%未満	気道可逆性（FEV$_1$＞12%かつ≧200mL以上の変化）
肺拡散能	肺拡散能障害（%DLco＜80%または%DLco/VA＜80%）	—
FeNO	—	呼気中一酸化窒素濃度（FeNO）＞35ppb
血液検査	—	末梢血好酸球＞5%または＞300/μL IgE高値（総IgEあるいは通年性吸入抗原に対する特異的IgE）

（日本呼吸器学会喘息とCOPDのオーバーラップ（Asthma and COPD Overlap：ACO）診断と治療の手引き第2版作成委員会編：喘息とCOPDのオーバーラップ（Asthma and COPD Overlap：ACO）診断と治療の手引き2023．pp74-77，メディカルレビュー社，2024．をもとに作成）

表3 ACOの管理目標

① 症状およびQOLの改善
② 呼吸機能障害の改善および気道狭窄の制御
③ 運動耐容能・身体活動性の向上および維持
④ 呼吸機能の経年低下および疾患進行の抑制
⑤ 増悪の予防
⑥ 合併症・併存症の予防と治療
⑦ 生命予後の改善と健康寿命の延長
⑧ 治療薬による副作用の回避

（日本呼吸器学会喘息とCOPDのオーバーラップ（Asthma and COPD Overlap：ACO）診断と治療の手引き第2版作成委員会編：喘息とCOPDのオーバーラップ（Asthma and COPD Overlap：ACO）診断と治療の手引き2023．p9，メディカルレビュー社，2024．より）

表4 ACOの重症度分類

ACOの重症度	喘息重症度分類	COPD病期分類
グレード1	軽症間欠型 軽症持続型	Ⅰ期（%FEV$_1$≧80%）
グレード2	中等症持続型	Ⅱ期（50%≦%FEV$_1$＜80%）
グレード3	重症持続型	Ⅲ期（30%≦%FEV$_1$＜50%）
グレード4	最重症持続型	Ⅳ期（%FEV$_1$＜30%）

（日本呼吸器学会喘息とCOPDのオーバーラップ（Asthma and COPD Overlap：ACO）診断と治療の手引き第2版作成委員会編：喘息とCOPDのオーバーラップ（Asthma and COPD Overlap：ACO）診断と治療の手引き2023．p9，メディカルレビュー社，2024．より）

入ステロイド薬（inhaled corticosteroid：ICS）と**気管支拡張薬を導入する**（表5）。症状に応じて，テオフィリンやロイコトリエン受容体拮抗薬（LTRA）を追加，増悪予防として**マクロライド系抗菌薬**を与薬することもある。

6. ACOの看護

1 危険因子の回避

喘息とCOPDそれぞれの疾患の危険因子の回避と吸入薬や内服の管理に関する**セルフマネジメント**

表5 ACOのタイプに応じた薬物療法

COPD重症度		喘息重症度	軽症間欠型	軽症持続型	中等症持続型	重症持続型～最重症持続型
基本治療	患者報告アウトカム	mMRC[※1] 0～1 CAT[※2] <10	ICS（低用量）＋LABA or ICS（低用量）＋LAMA	ICS（低～中用量）＋LABA or ICS（低～中用量）＋LAMA	LABA＋LAMA＋ICS（中～高用量）	LABA＋LAMA＋ICS（中～高用量）
		mMRC ≧ 2 CAT ≧ 10	LABA＋LAMA＋ICS（低用量）	LABA＋LAMA＋ICS（低～中用量）		
追加治療			LTRA，テオフィリン徐放製剤，喀痰調整薬		左記に加えてマクロライド（一部の生物学的製剤）	左記に加えて生物学的製剤，経口ステロイド薬
			アレルゲン免疫療法			
増悪時ないし頓用吸入として			吸入SABA頓用			

※1：Modified Medical Research Council Dyspnea Scale（修正MRC息切れスケール）
※2：COPD Assessment Test（COPDアセスメントテスト）
（日本呼吸器学会喘息とCOPDのオーバーラップ（Asthma and COPD Overlap：ACO）診断と治療の手引き第2版作成委員会編：喘息とCOPDのオーバーラップ（Asthma and COPD Overlap：ACO）診断と治療の手引き2023．p127，メディカルレビュー社，2024．より）

教育を行う。アレルゲン，タバコ煙，大気環境汚染物質，ウイルスや細菌などの感染病原体などへの曝露を避け，室内の清掃，空気清浄機の設置による危険因子の低減方法について指導する。また，薬物の影響，過度なストレス，過労なども増悪因子であるため，回避できるよう生活リズムやスタイルの見直しを患者と検討する。特に**喫煙**はCOPDの根本的な原因でもあり，喘息の発作誘発因子の1つであるため，**禁煙指導は必須**である。

2 薬物療法

喘息やCOPD同様に**吸入薬での治療・管理**を長期的に行う。特に，吸入ステロイド薬（ICS）が併用されていない場合は，ICSの導入を行うため，ICSの**服用方法やうがい**，副作用などについて説明する。吸入薬に関しては，定期的に吸入手技の確認や正しい管理が行えているかをチェックし，**吸入継続のアドヒアランスの維持・向上**に努める。

痰の多い場合には，**マクロライド系抗菌薬や喀痰調整薬**を使用するため，症状のモニタリングや副作用に対する対処方法について教育する。

3 その他

増悪を予防するための自己管理として，呼吸リハビリテーション，栄養療法，インフルエンザや肺炎球菌などのワクチン接種，また症状や重症度によっては酸素療法や換気補助療法などの管理が必要であり，そのための教育や指導が必要となる。

今後はACO患者がたどる病みの軌跡や，苦痛症状とその緩和方法などについて症例の集積により効果的な支援方法を確立することが望まれている。

［伊藤航］

［文献］

1) 浅井一久・他：気管支喘息―COPDオーバーラップ症候群（ACOS）．日内会誌 104（6）：1082-1088，2015．
2) 日本呼吸器学会喘息とCOPDのオーバーラップ（Asthma and COPD Overlap：ACO）診断と治療の手引き第2版作成委員会編：喘息とCOPDのオーバーラップ（Asthma and COPD Overlap：ACO）診断と治療の手引き2023．p3, 9, 28, 127，メディカルレビュー社，2024．

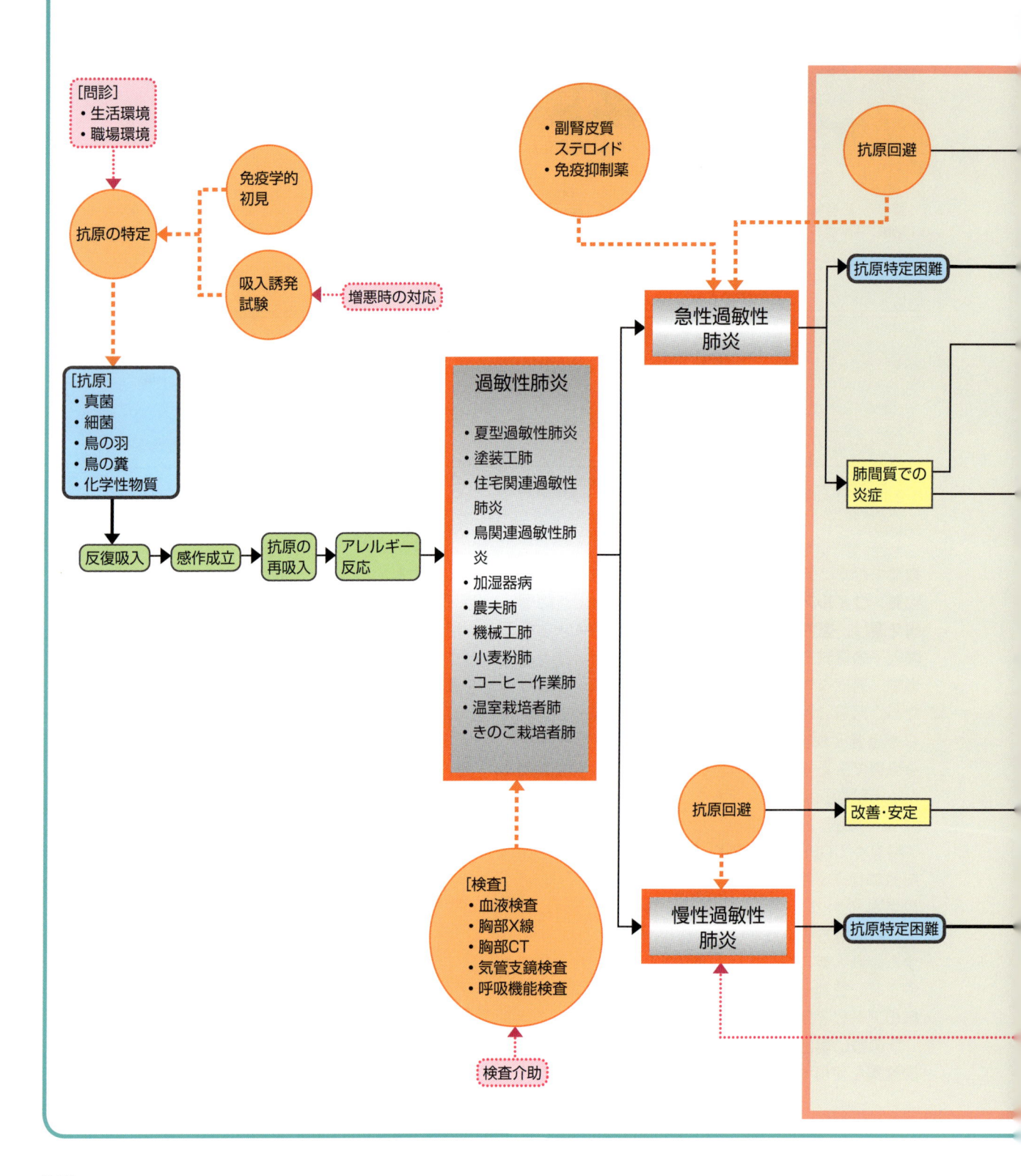

第Ⅱ部 疾患別看護ケア関連図 7．免疫・アレルギー性肺疾患

19 過敏性肺炎

[問診]
- 生活環境
- 職場環境

抗原の特定

免疫学的初見

吸入誘発試験

増悪時の対応

[抗原]
- 真菌
- 細菌
- 鳥の羽
- 鳥の糞
- 化学性物質

反復吸入 → 感作成立 → 抗原の再吸入 → アレルギー反応

過敏性肺炎
- 夏型過敏性肺炎
- 塗装工肺
- 住宅関連過敏性肺炎
- 鳥関連過敏性肺炎
- 加湿器病
- 農夫肺
- 機械工肺
- 小麦粉肺
- コーヒー作業肺
- 温室栽培者肺
- きのこ栽培者肺

- 副腎皮質ステロイド
- 免疫抑制薬

抗原回避

急性過敏性肺炎

抗原特定困難

肺間質での炎症

[検査]
- 血液検査
- 胸部X線
- 胸部CT
- 気管支鏡検査
- 呼吸機能検査

検査介助

抗原回避 → 改善・安定

慢性過敏性肺炎

抗原特定困難

246

過敏性肺炎から生じる全体像

凡例：
- 誘因・原因 → 病態生理・状態 → 症状
- 医学的処置 --▶ 看護ケア
- （疾患）から生じる全体像
- 分類，あるいは特殊な部分

過敏性肺炎から生じる全体像

一時帰宅・試験外泊 → 再燃あり → 増悪時の対応
一時帰宅・試験外泊 → 再燃なし → 退院
環境改善 → 改善

セルフマネジメント
- 抗原回避
- 服薬管理
- セルフモニタリング
- 感染予防

抗原回避のための環境整備
- 問題点の把握
- 自宅訪問調査
- 方法を一緒に考える

抗原暴露持続 → 急性呼吸不全 → チアノーゼ
肺炎進行 → 急性呼吸不全 → 呼吸困難

- 酸素療法
- 人工呼吸器

- 実施の準備・介助
- 安全な管理

- 冷罨法
- 水分補給

発熱
- 補液
- 解熱薬

- 安楽な体位調整
- 不安に対する援助
- 日常生活援助

咳嗽
- 鎮咳薬

高調性断続性副雑音（捻髪音）

抗原への再曝露 → 炎症細胞の浸潤
低濃度・長期間抗原曝露 → 炎症細胞の浸潤
炎症細胞の浸潤 → 肉芽形成 → 肺の線維化 → 肺コンプライアンスの低下 → 換気量低下 → 労作時低酸素血症 → 慢性呼吸不全／呼吸困難

抗線維化薬

在宅酸素療法

高調性断続性副雑音（捻髪音）
炎症細胞の浸潤 → 全身倦怠感
咳嗽 ← 鎮咳薬

セルフマネジメント
- 抗原回避
- 服薬管理
- セルフモニタリング
- 感染予防

第Ⅱ部　疾患別看護ケア関連図　7．免疫・アレルギー性肺疾患

19 過敏性肺炎

I 過敏性肺炎が生じる病態生理

1. 過敏性肺炎の定義

過敏性肺炎（hypersensitivity pneumonitis：HP）は，**抗原**（真菌・細菌，鳥の糞，化学物質など）を繰り返し吸入することにより，これらの抗原に感作されて胞隔や細気管支にリンパ球浸潤を主体とした炎症を引き起こす，アレルギー・免疫性疾患である。過敏性肺炎は**びまん性肺疾患**に含まれる[1]。

2. 過敏性肺炎のメカニズム

過敏性肺炎の病態は，**少量の抗原を繰り返し吸入する**ことによって**感作**が成立する。その後，再び抗原を吸入したときに，肺の局所で**抗原と特異抗体（Ⅲ型アレルギー）**あるいは**感作リンパ球（Ⅳ型アレルギー）**が反応することで病変が形成されて**アレルギー性の間質性肺炎**となる[2,3]。

過敏性肺炎における線維化の発生機序は十分に解明されていないが，**抗原曝露が長期化し炎症細胞の浸潤が長期になると**，マクロファージや単球，リンパ球により肉芽が形成され（**びまん性肉芽腫性間質性肺炎**），線維化に至ると考えられている。

曝露後，発症に影響を与える内的，外的要因が複雑にからみ合い，個体の疾患感受性を規定している。そのため，原因抗原に曝露されていても発症に至るのは**4〜20％程度**である[4]。

- 内的要因：個体の遺伝的背景や加齢による免疫システムの変化など
- 外的要因：喫煙，ウイルス感染，肺局所の炎症など

3. 過敏性肺炎の病因・疫学・分類

1）病因

過敏性肺炎の原因となる**抗原**は300種類以上ある[5]。

表1　慢性過敏性肺炎の原因抗原

疾患名	発症環境	原因抗原
夏型過敏性肺炎	住宅	T. mucoides: Trichosporon mucoides, T. asahii: Trichosporon asahii
塗装工肺	自動車塗装	イソシアネート
住居関連過敏性肺炎	住宅	Candida albicans, Aspergillus spp., Cephalosporium acremonium など
鳥関連過敏性肺炎	鳥飼育歴	鳥排泄物
	自宅庭への飛来	鳥排泄物
	鶏糞肥料使用	鳥排泄物
	剥製	羽毛
	間接曝露	隣人のハト，公園・神社・駅の野鳥，野バトの群棲
	羽毛ふとん使用	羽毛
加湿器肺	加湿器の使用	Penicillium, Cephalosporium, Thermoactinomyces
農夫肺	酪農作業	Saccharopolyspora rectivirgula, Thermoactinomyces vulgaris など
	トラクター運転	Rhizopus 属
機械工肺	自動車工場	合成水溶性機械洗浄液中
小麦粉肺	菓子製造	小麦粉
コーヒー作業肺	コーヒー豆を炒る作業	コーヒー豆塵埃
温室栽培者肺	ラン栽培	不明
	キュウリ栽培	不明
きのこ栽培者肺	シイタケ栽培	シイタケ胞子

（日本呼吸器学会　過敏性肺炎診療指針2022作成委員会編：過敏性肺炎診療指針　2022．p7，克誠堂出版，2022．をもとに改変）

動物由来タンパク（鳥関連抗原など），真菌/細菌，あるいは無機物（イソシアネートなど）が抗原となる。代表的な抗原別疾患名を表1に示す。塗装工肺や農夫肺のように職業に関連した抗原や，鳥関連・住居関連過敏性肺炎などのように日常生活に関連した抗原がある。発生源は大まかに以下の4つに分けられる。

❶水の汚染：換気装置，居住環境，職業性
❷植物関連：農作業，食品加工，穀類，木材
❸動物関連：鳥関連，鳥類以外の動物，食品加工
❹工業における無機物：化学物質，金属，薬物

2）疫学

過敏性肺炎は50〜60歳代で診断され，**平均65歳以上**の高齢者に多く認められるが，若年，子供でも認められる[6]。**線維性過敏性肺炎**では，非線維性過敏性に比べ，より高齢で，**抗原が不明，低肺活量，低拡散能**などの特徴がある。急性・慢性別の国内疫学調査を表2に示す。

3）分類

過敏性肺炎は，急性，亜急性，慢性の3群に分類されていたが，現在では**急性**と**慢性**の2群に分類される（表2，図1）。

1 急性過敏性肺炎

すべて非線維性過敏性肺炎で，高濃度の抗原に曝露されてから**4〜8時間後**に症状が現れる。予後は良好である。日本では，**夏型過敏性肺炎**が最も多い。

2 慢性過敏性肺炎

低濃度の抗原を**数カ月〜数年**かけて繰り返し吸い込むことで，徐々に進行する。慢性過敏性肺炎は，非線維性過敏性肺炎と線維性過敏性肺炎の両病型を取りうる。

疾患の進行や予後は，線維性・非線維性過敏性肺炎かによって違い，線維性過敏性肺炎は進行性で予後不良である。

再燃症状軽減型は，初期には発熱，倦怠感を伴う症状が一時的に改善するものの再発を繰り返し慢性的な経過を示す。再燃症状軽減型の一部は図1のように線維性となる。

潜在性発症型は線維性過敏性肺炎で発熱などの初期症状を伴わず，肺の線維化が進行し，呼吸困難や咳嗽が慢性的に経過する。

4. 過敏性肺炎の症状・身体所見

■ 急性過敏性肺炎

通常4〜8時間後で発症し，発熱・呼吸困難・咳・全身倦怠感などインフルエンザ様症状や，胸部圧迫感，喘鳴，チアノーゼなどを示す。

■ 慢性過敏性肺炎

数カ月から数年間の経過で徐々に進行し，労作時呼吸

表2 急性・慢性過敏性肺炎の疫学調査

急性過敏性肺炎			慢性過敏性肺炎		
疾患名	症例数	%	疾患名	症例数	%
夏型	621	74.4	鳥関連	134	60.4
農夫肺	68	8.1	夏型	33	14.9
空調器肺	36	4.3	住居関連	25	11.3
鳥飼病	34	4.1	農夫肺	4	1.8
その他	19	2.3	イソシアネート誘発	3	1.4
原因抗原不明	57	6.8	その他	23	10.4
計	835	100	計	222	100

（宮崎泰成，稲瀬直彦：過敏性肺炎の病態と治療の最前線．日内会誌 106（6）：1212-1220，2017．を参考に作成）

図1 過敏性肺炎（HP）病型

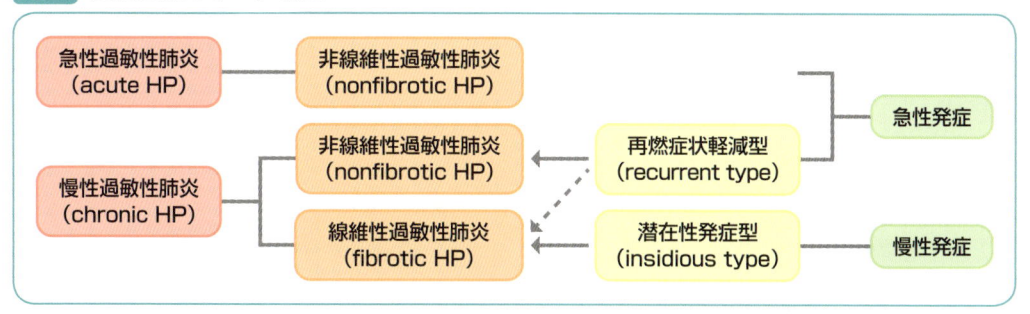

急性過敏性肺炎（acute HP）── 非線維性過敏性肺炎（nonfibrotic HP）

慢性過敏性肺炎（chronic HP）── 非線維性過敏性肺炎（nonfibrotic HP）／線維性過敏性肺炎（fibrotic HP）

再燃症状軽減型（recurrent type）→ 急性発症
潜在性発症型（insidious type）→ 慢性発症

（日本呼吸器学会　過敏性肺炎診療指針2022作成委員会編：過敏性肺炎診療指針2022．p2，克誠堂出版，2022．より）

困難，全身倦怠感，**咳嗽**などの症状を示す。

■ 身体所見

高調性継続性副雑音（捻髪音：fine crackle）を聴取する。捻髪音は他のびまん性肺疾患と共通の所見であるが，**吸気時スクウォーク（squawk）**は本症の特徴的な所見である。また，**ばち指**を認めることもある。

5. 過敏性肺炎の検査・診断

1) 診断

過敏性肺炎は，主に抗原曝露の特定，胸部高分解能CT（HRCT）パターン（非線維性，線維性），BAL液リンパ球/病理組織学的所見に基づいて診断されるが，個々の所見は単独では診断に十分ではない。❶**抗原曝露の特定**（問診や血清IgG検査，吸入曝露試験など），❷**胸部画像パターン**，❸**気管支肺胞洗浄(bronchoalveolar lavage：BAL) 液のリンパ球増多/病理組織学的所見**の3項目の特徴的な所見を**組み合わせて診断確信度を決定**する。曝露抗原が特定できないことも多く間質性肺疾患に精通した呼吸器内科医，放射線科医，病理医を交えて，多職種で合議して診断する。

■ 病歴の聴取（抗原の特定と環境調査）

原因抗原に関する病歴聴取は，**質問票（表3）**などを用いて定型的で包括的に行う。**曝露の期間，強度，頻度，症状への関与，季節の変化や一時的な活動**（農作業，衣替え，避暑地の別荘への移動，趣味など）による**曝露の変化**に対しても継続的に聴取する[7]。

また，問診時には得られていない情報が後日，患者や家族から得られることもあるため追加情報として職種間で共有する。

2) 検査

❶ 血液検査（KL-6・SP-D）

KL-6・SP-Dは，間質性肺炎の診断マーカーとして用いられ，過敏性肺炎で上昇する。治療後には，KL-6およびSP-Dが低下することが知られており[8]，診断だけでなく臨床経過，予後予測の指標になる。

またマーカーの季節性変動は，過敏性肺炎の診断補助としても有用である。抗原曝露に伴い上昇し，抗原回避により低下するため，**冬期に上昇**する場合には羽毛製品を使用することによる**鳥関連過敏性肺炎**，**梅雨や夏期に上昇**する場合には**夏型過敏性肺炎**が考えられる[9]。

表3 抗原曝露質問票

抗原	曝露量・曝露時間
□自宅のカビ	カビのある場所（　　　　　） □臭いのみ □日当たり悪い □湿気多い □雨漏り・浸水あり □木造20年以上 備考：
□鳥との接触	□飼育している □近隣の飼育・小屋・巣 □散歩時の接触・餌付 □庭の飛来・羽毛・鳥糞 備考：
□羽毛製品（羽毛布団・上着・枕・はたき・剥製など）	使用時期（　　　　　） □本人が使用 □家族のみ使用 □使用しないが保管 備考：
□鶏糞肥料	使用時期（　　　　　） 備考：
□加湿器	使用時期（　　　　　） □超音波式 □加熱式 □水を継ぎ足して使用 備考：
□その他	曝露量（　　　　　） 曝露時間（　　　　　） 備考：

（日本呼吸器学会　過敏性肺炎診療指針2022作成委員会編：過敏性肺炎診療指針　2022．p16，克誠堂出版，2022．より改変）

❷ 動脈血液ガス分析

病気が進行すると**拡散能（DL$_{CO}$）が低下**することで酸素の取り込みが不十分となり PaO$_2$，SaO$_2$の低下がみられるようになる。動脈血液ガス分析は，病勢の評価や誘発試験の判定基準として用いられる。

❸ 免疫学的所見（血清IgG測定）

抗トリコスポロン・アサヒ抗体は夏型過敏性肺炎，また鳥特異的IgG抗体は鳥関連過敏性肺炎の診断の一助となる。

❹ 画像所見[8]

● 胸部X線
  ● 急性過敏性肺炎：中下肺野優位に粒状影，すりガラス状陰影を認める
  ● 慢性過敏性肺炎：網状影，容積減少を認め，時に病

変に左右差を認める
- 胸部CT
  - 急性過敏性肺炎：小葉中心性粒状影，モザイク分布のすりガラス陰影を認める
  - 慢性過敏性肺炎：牽引性気管支拡張，蜂巣肺，胸膜下に散在する浸潤影を認める

5 呼吸機能検査

呼吸機能検査では，% FVC・% DL$_{CO}$ が低下し**拘束性換気障害**と**拡散障害**を認める。また，経年的な呼吸機能の低下が大きいため過敏性肺炎の予後予測因子として用いられる[8]。

6 気管支肺胞洗浄（BAL）

過敏性肺炎では一般的にBAL液リンパ球分画が上昇する。しかし，線維性過敏性肺炎ではBAL液リンパ球分画が低値となる傾向がみられ，さらにBAL液リンパ球分画低値と急性増悪の発症が関連するとの報告もあり，過敏性肺炎の予後予測に有用と考えられている[8]。

7 環境誘発試験・抗原吸入誘発試験

原因抗原の曝露による誘発試験には下記の2つがあり，誘発試験開始前に症状がほとんどない状態を確認して行われる。

- 環境誘発試験

日本は夏型過敏性肺炎の頻度が高く，自宅に帰宅させる環境誘発試験が有用である。帰宅すると4～8時間で再燃することが多い[10]。しかし，抗原の曝露量が少ない場合があるため，症状の出現がなければ2～3日間自宅で過ごしてもらうことを考慮する[11]。

- 抗原吸入誘発試験

慢性過敏性肺炎では，環境誘発試験による症候の再現が短期間ではっきりしないため，抗原吸入誘発試験が行われる。しかし，抗原吸入誘発試験は病状の増悪を誘発する危険がある。実施前，6時間後，24時間後にX線撮影（CT），肺機能検査，動脈血ガス分析，白血球，CRP，症状，体温をチェックし慎重に行う[12,13]。

6. 過敏性肺炎の治療

1）原因抗原からの回避

過敏性肺炎の治療で，もっとも重要なのは**抗原回避**である。**急性過敏性肺炎**は，抗原回避のみで改善することも多い。入院後に自然経過で改善すれば，急性過敏性肺炎の診断を強く支持する根拠になる[14]。また，慢性過敏性肺炎では，抗原が特定されなかった群の生存率が低い傾向にある。そのため，原因となる抗原を特定し回避することは，急性・慢性の両者において重要となる。

2）生活環境改善（原因抗原の除去）

入院治療により症状が改善しても退院後に原因抗原に曝露すると症状が再燃する。そのため，疾患に応じた環境改善を行う（表4）。環境改善が不完全な場合，症状が再燃したり抗原曝露が持続し線維化が進行したりと予後に影響するため，可能な限り**原因抗原を除去**する。また，環境改善後には一時帰宅や試験外泊を行い，症状の出現がないか評価する。

3）薬物療法

1 副腎皮質ステロイド・免疫抑制薬[15]

急性過敏性肺炎では，入院による抗原からの回避のみで軽快することもある。抗原を回避しても呼吸不全が進行する場合，副腎皮質ステロイドの与薬が行われる。

表4 環境の改善方法（例）

疾患名	環境改善方法
夏型過敏性肺炎	・*Trichosporon* が繁殖した寝具，畳，カーペットを処分する ・風通しや日当たりが悪い，湿気の多い場所の大掃除を行う ・真菌・細菌は，腐木，湿った畳，雨漏りした壁に繁殖するため，リフォームや改築を行う ・改善しない場合は，転居を考慮する
鳥関連過敏性肺炎	・鳥の飼育の中止を強く勧める ・鳥小屋周囲の糞や羽毛などに大量の抗原が残っているため，撤去と清掃を行う ・羽毛布団やダウンジャケットなど羽毛製品が抗原となっている場合，使用を中止し処分する。使用者が同居家族の場合も同様に処分する ・鳥の多い公園や駅は，極力避けるようにする ・庭やベランダへの鳥の飛来を防止する
農夫肺や塗装工肺	・防塵マスクの着用やエアフィルターなどを用い，抗原の吸入を防ぐ ・抗原の吸入を防ぐことが困難な場合，転職や職場の配置転換も考慮する
加湿器肺	・フィルターや水槽の洗浄を十分に行う ・使用している加湿器の使用を中止し，処分する

（日本呼吸器学会　過敏性肺炎診療指針2022作成委員会編：過敏性肺炎診療指針2022．p78，克誠堂出版，2022．を参考に作成）

慢性過敏性肺炎でも，まず抗原回避を行うが，抗原を回避しても肺機能検査が悪化する症例では，長期の副腎皮質ステロイドおよび免疫抑制薬の与薬が行われる。

2 抗線維化薬

線維化の強い慢性過敏性肺炎では，進行性線維化を伴う間質性肺疾患として，抗線維化薬の与薬が行われる。抗線維化薬は，寛解を治療目標とした薬ではなく，進行を抑制し生命予後を改善することを治療目標にして使用される。

7. 合併症[16]

線維性過敏性肺炎では，肺線維化を伴う間質性肺炎として，以下の合併症に注意が必要である。

1）肺気腫（気腫合併肺線維症）

過敏性肺炎では喫煙歴や抗原の種類によらず，慢性過敏性肺炎に肺気腫を合併することがある。胸部 HRCT において，上肺野優位の肺気腫と下肺野優位のびまん性肺線維症を伴う間質性病変を呈する疾患が**気腫合併肺線維症**（combined pulmonary fibrosis and emphysema：CPFE）と定義されている。肺線維症の拘束性換気障害と肺気腫の閉塞性換気障害が相殺され，肺活量および1秒率は正常もしくはやや低下するにとどまるが，**著明な拡散能（DL_{CO}）の低下**を示すことが多く，また，高率に肺高血圧症を合併する。

2）肺がん

肺がんの合併率が特発性肺線維症とほぼ同様であったとの報告もあり，肺がんの合併についても注意する。そのため，定期的な胸部X線，胸部CTにより注意深い観察を行う。

3）気胸／縦隔気腫

線維性過敏性肺炎にしばしば気胸や縦隔気腫を合併し，治療に難渋する症例がある。副腎皮質ステロイド与薬が気胸の難治化にかかわるとされている。治療は無症状の場合には経過を観察するが，呼吸状態の悪化やⅡ度以上の気胸に対しては，**ドレナージ術**が適応となる。縦隔気腫の場合も，通常は対症療法で経過を観察する。

4）肺高血圧症

肺高血圧症・右心不全は，進行した線維性過敏性肺炎の重要な合併症の1つである。CTにおいて，**肺動脈径／大動脈径比が高値**であることは，予後不良因子であると報告されており，心電図検査・心臓超音波検査・CT検査による肺動脈径の定期的な評価が必要である。

II 過敏性肺炎の看護ケアとその根拠

1. 過敏性肺炎の観察ポイント

1 環境調査

患者自身が抗原曝露を自覚していない場合もあり，原因抗原を見つけ出すためにも環境調査は重要である。

- 古い木造の家屋の居住の有無，カビの生えている場所の有無
- 羽毛布団の使用の有無，使用期間
- 鳥の飼育，ハトなどの鳥類との接触の有無，接触頻度や期間
- 加湿器や空調の使用の有無，購入時期や掃除頻度
- 職業歴：カビや粉塵を吸い込む職業（例：養鶏，酪農作業，自動車塗装など）
- 趣味の有無：カビや粉塵を吸い込む趣味（例：鳥の飼育，サックスなどの管楽器の演奏など）

2 呼吸状態

- 呼吸困難（安静時・労作時）の有無と程度，呼吸回数，呼吸パターン，胸郭の動き，SpO_2値，チアノーゼの有無，呼吸音（捻髪音・吸気時スクウォークの有無），持続する咳嗽や痰による苦痛の有無や程度

3 全身状態

- 発熱の程度，食事摂取量，水分出納，呼吸困難や咳嗽による苦痛や倦怠感によって安楽や日常生活活動（ADL）低下の有無

4 薬物療法の副作用[17〜19]

- 副腎皮質ステロイドや免疫抑制薬，抗線維化薬の使用時の副作用の有無や程度
- 副腎皮質ステロイドの副作用：易感染性，副腎皮質機能不全，糖尿病，消化性障害，精神障害など
- 免疫抑制薬の副作用：腎障害，高血圧，振戦などの神経障害
- 抗線維化治療薬の副作用
  ①ニンテダニブ：下痢，嘔気・嘔吐，腹痛，肝機能障害
  ②ピルフェニドン：光線過敏症，食欲不振，胃部不

快，嘔気，肝機能障害
- 5 検査所見
- 血液検査，動脈血液ガス分析，胸部画像検査，呼吸機能検査の所見と，治療の経過や患者の自覚症状の変化

2. 過敏性肺炎の看護の目標

1. 呼吸困難や咳嗽など呼吸症状が軽減し，苦痛が緩和される
2. 疾患・治療を理解し，抗原曝露の回避行動を取って再発予防・進行を抑制することができる

3. 過敏性肺炎の看護ケア

1) 症状緩和

呼吸困難や発熱，咳嗽などの症状緩和のための援助を行う。
- 発熱：冷罨法，解熱薬使用，水分摂取，補液を行う
- 呼吸困難：呼吸状態の観察，体位調整，不安に対する援助，日常生活援助を行う。労作時の動作をゆっくり行うなど，呼吸困難を増強させない ADL 指導を行う
- 咳嗽：鎮咳薬の与薬を行う

2) 治療薬服用遵守と副作用のモニタリング

副腎皮質ステロイドや免疫抑制薬，抗線維化薬の確実な与薬を行う。副作用の観察も行う。

3) 呼吸管理

病気が進行し呼吸不全を認めた場合，医師の指示により酸素療法，人工呼吸療法を行う。

■ 酸素療法

安静時には SpO_2 が保持され酸素投与は不要なこともあるが，労作時には SpO_2 が低下し酸素投与が必要になる。酸素療法を行うことで行動を制限し ADL や QOL が低下しないように，適切に酸素療法を継続する必要性を患者に説明し，実施状況を確認する。

■ 人工呼吸療法

酸素療法にて十分な呼吸管理ができなくなった場合，人工呼吸療法へ移行する。人工呼吸療法に移行する場合は，患者および家族が適応を判断することができるように状態や状況を説明し話し合う。

4) 日常生活援助

日常生活の中で自覚する症状には個人差があるが，拘束性換気障害・拡散能の低下から労作時の**低酸素血症**や**息切れ**が増強しやすい。増悪時などは特に，動作による患者の SpO_2 値や息切れの程度をアセスメントし，清潔，移動，食事，排泄など，ADL を必要に応じて援助する。

5) 労作時の呼吸困難への対処法の指導

軽度の労作による低酸素血症や息切れが容易に発生するため，パルスオキシメータを活用して労作時の SpO_2 をモニタリングしたり，**修正 Borg スケール**（→p35）を活用して息切れを評価したりする[20]。できるだけ SpO_2 が低下しないように数値を示し，患者自身に状態を認識してもらいながら ADL の程度を習得できるよう教育を行う。

6) 環境改善のための援助

生活環境・職場環境の問診により，問題となる環境を把握する。可能であれば，患者・家族の承諾を得て自宅を訪問し**環境調査**を行う。

抗原除去のため，環境改善方法を患者・家族とともに考え，**環境改善**は患者の入院中に行ってもらうようにする。しかし，リフォームや転居，転職などが必要になると，金銭的・社会的な負担が生じ完全な抗原回避ができないこともある。その際には，少しでも抗原曝露量を減少できるように患者・家族とともに方法を検討し，退院後の生活への影響を最小限にする。

農夫肺，塗装工肺などの**職業性過敏性肺炎**の場合，抗原回避のために転職や職場の配置転換が理想的ではあるが，困難な場合も少なくない。その際には，**防塵マスク**などを用いて仕事を継続する[21]。

7) 不安に対する心理的援助

過敏性肺炎の罹患による病気の受け止め方は人それぞれであるが，抗原回避のため転職したり趣味をやめることで，**社会的な役割や生きがいの喪失**につながることもある。また，原因抗原が特定できなかったり，病気が進行し息切れが増強したりすることで**不安**を感じやすい状態になるため，心理面への支援が必要である。同じ病気や症状であっても，不安の感じ方は個人の背景によって一人ひとり違う。個々の患者の想いを理解するため**傾聴**に努め，日常生活のなかで感じる問題に対して患者とともに有効な手段を考え，患者自身で解決に向けた行動が

とれるように支援する。

8）退院に向けたセルフケア支援（自己管理教育）

1 抗原回避
抗原回避の必要性を説明し，患者の住居や趣味など生活環境の中に原因抗原がないか検討し，可能な限り抗原曝露を避けて日常生活を過ごすように説明する。

2 服薬管理
服薬アドヒアランス向上のため，薬物療法で得られる効果と副作用，治療目標などを十分に説明し，理解を得られるようにする。副腎皮質ステロイドや抗線維化薬は，重篤な副作用を認めることがあるため，自己判断による減量や中止はせず，主治医に相談するように指導する。

抗線維化薬の副作用である**下痢**や**食欲不振**が強くなると，効果を実感できず服薬を継続できないことがあるため，治療で予想される効果と副作用，副作用への対応策を指導する。**消化器症状**に対しては，薬剤の減量や胃腸薬，制吐剤などを検討する。また，**光線過敏症**に対しては，多くは**日焼け止めクリームの使用**で予防可能であるため[22]，塗り忘れず活動するよう指導する。

3 セルフモニタリング
セルフモニタリングの必要性を説明し，退院後に日誌などを用いて症状を記録してもらい，患者自身で体調変化に気づくことができるようにする。SpO_2値，安静時・労作時の呼吸困難，呼吸数，食欲不振，体重減少など，体調変化があれば自己判断はせず，早めにかかりつけ医に相談するように指導する。また，患者自身でセルフモニタリングできない場合には，家族や介護者にモニタリングしてもらうようにする。

4 感染予防
かぜやインフルエンザなどの感染症により，急性増悪を引き起こす可能性がある。手洗いの励行，部屋の換気や清掃，十分な睡眠や栄養，人ごみを避けるなど感染予防の必要性を説明し，患者自身で感染予防策を実行できるように指導する。また，家庭内での感染を防ぐためにも患者だけでなく家族にも協力を得られるようにする。

［岩村俊彦］

[文献]

1) 日本呼吸器学会過敏性肺炎診療指針2022作成委員会編：過敏性肺炎診療指針 2022. p1, 克誠堂出版, 2022.
2) 宮崎泰成, 稲瀬直彦：過敏性肺炎の病態と治療の最前線. 日内会誌 106(6)：1212-1220, 2017.
3) 門田淳一, 弦間昭彦, 西岡安彦編：呼吸器疾患最新の治療 2021-2022. pp313-315, 南江堂, 2021.
4) 前掲書2, p1213.
5) 前掲書1, p6.
6) 前掲書1, p4.
7) 前掲書1, p18.
8) 前掲書1, p83.
9) 前掲書1, pp29-31.
10) 前掲書1, p87.
11) 前掲書1, p58.
12) 稲瀬直彦：過敏性肺炎の最近の動向. 日内会誌 105(6)：991-996, 2016.
13) 前掲書2, p1218.
14) 前掲書1, pp69-71.
15) 宮崎泰成：過敏性肺炎における診療のポイント. 日内会誌 111(6)：1084-1091, 2022.
16) 前掲書1, pp79-80.
17) 浦部晶夫・他編：今日の治療薬（2021年版）. pp269-277, 313-337, 南江堂, 2021.
18) 日本ベーリンガーインゲルハイム：オフェブカプセル100・150mg 添付文書. https://www.info.pmda.go.jp/downfiles/ph/GUI/650168_3999039M1022_1_05G.pdf（2025年3月25日閲覧）
19) 塩野義製薬：ピレスパ錠200mg 添付文書. https://www.info.pmda.go.jp/downfiles/guide/ph/340018_3999025F1021_1_00G.pdf（2025年3月25日閲覧）
20) 3学会合同セルフマネジメント支援マニュアル作成ワーキンググループ・他編：呼吸器疾患患者のセルフマネジメント支援マニュアル. pp105-106, 日本呼吸ケア・リハビリテーション学会, 2022.
21) 前掲書1, pp70-77.
22) 前掲書20, pp81-82.

NOTE

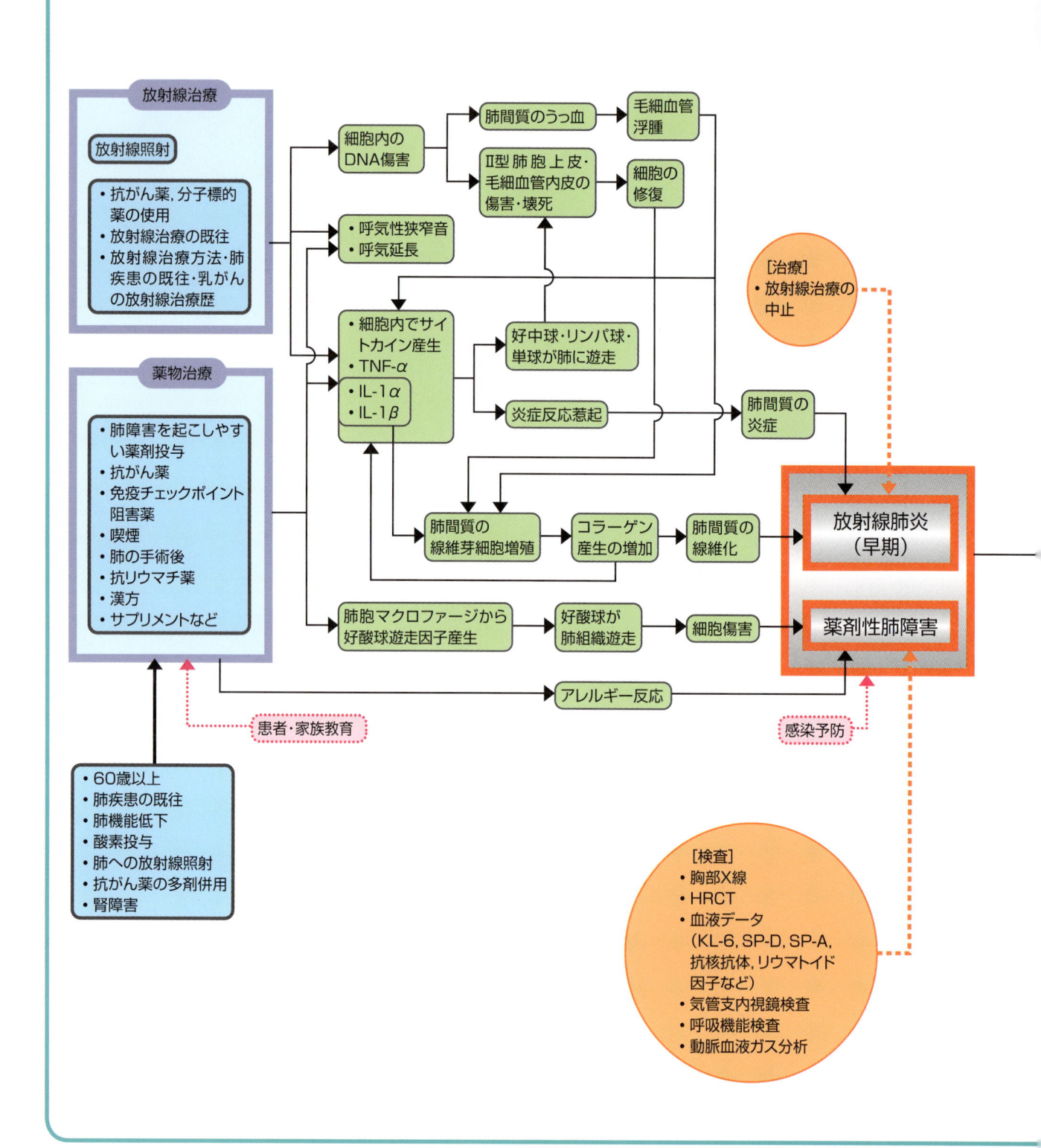

第Ⅱ部 疾患別看護ケア関連図　7．免疫・アレルギー性肺疾患

20 医原性肺障害

放射線治療

放射線照射
- 抗がん薬，分子標的薬の使用
- 放射線治療の既往
- 放射線治療方法・肺疾患の既往・乳がんの放射線治療歴

薬物治療
- 肺障害を起こしやすい薬剤投与
- 抗がん薬
- 免疫チェックポイント阻害薬
- 喫煙
- 肺の手術後
- 抗リウマチ薬
- 漢方
- サプリメントなど

- 60歳以上
- 肺疾患の既往
- 肺機能低下
- 酸素投与
- 肺への放射線照射
- 抗がん薬の多剤併用
- 腎障害

細胞内のDNA傷害 → 肺間質のうっ血 → 毛細血管浮腫

Ⅱ型肺胞上皮・毛細血管内皮の傷害・壊死 → 細胞の修復

- 呼気性狭窄音
- 呼気延長

- 細胞内でサイトカイン産生
- TNF-α
- IL-1α
- IL-1β

好中球・リンパ球・単球が肺に遊走

炎症反応惹起

肺間質の線維芽細胞増殖 → コラーゲン産生の増加 → 肺間質の線維化

肺間質の炎症

肺胞マクロファージから好酸球遊走因子産生 → 好酸球が肺組織遊走 → 細胞傷害

アレルギー反応

放射線肺炎（早期）

薬剤性肺障害

[治療]
- 放射線治療の中止

患者・家族教育

感染予防

[検査]
- 胸部X線
- HRCT
- 血液データ（KL-6, SP-D, SP-A, 抗核抗体, リウマトイド因子など）
- 気管支内視鏡検査
- 呼吸機能検査
- 動脈血液ガス分析

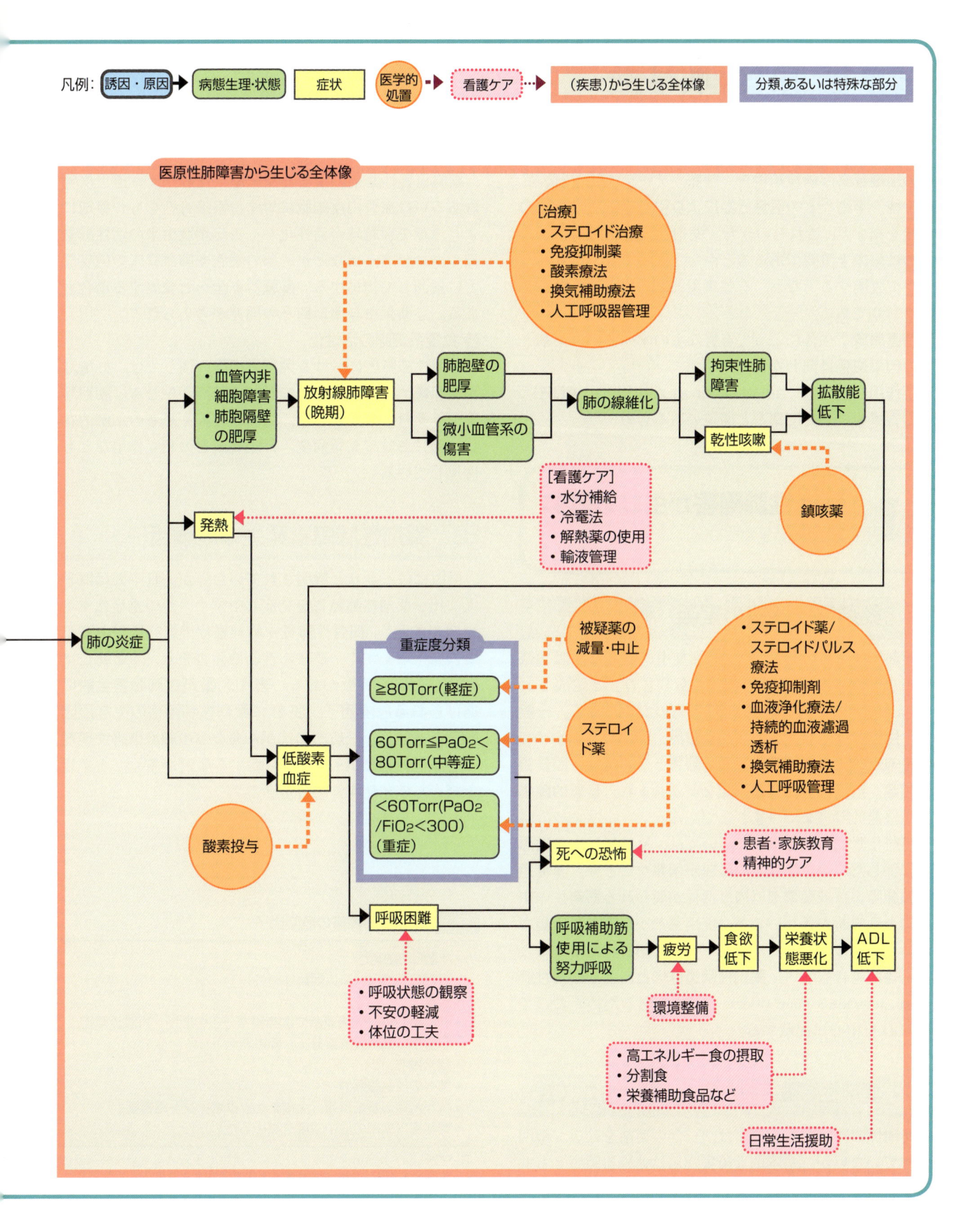

20 医原性肺障害

第Ⅱ部 疾患別看護ケア関連図 7. 免疫・アレルギー性肺疾患

凡例：　誘因・原因 → 　病態生理・状態　　症状　　医学的処置 ⇢ 看護ケア　　(疾患)から生じる全体像　　分類,あるいは特殊な部分

医原性肺障害から生じる全体像

[治療]
- ステロイド治療
- 免疫抑制薬
- 酸素療法
- 換気補助療法
- 人工呼吸器管理

- 血管内非細胞障害
- 肺胞隔壁の肥厚

→ 放射線肺障害（晩期） → 肺胞壁の肥厚 / 微小血管系の傷害 → 肺の線維化 → 拘束性肺障害 / 乾性咳嗽 → 拡散能低下

鎮咳薬

[看護ケア]
- 水分補給
- 冷罨法
- 解熱薬の使用
- 輸液管理

肺の炎症 → 発熱

肺の炎症 → 低酸素血症

重症度分類
- ≧80Torr（軽症）
- 60Torr≦PaO$_2$＜80Torr（中等症）
- ＜60Torr（PaO$_2$/FiO$_2$＜300）（重症）

被疑薬の減量・中止

ステロイド薬

酸素投与

- ステロイド薬/ステロイドパルス療法
- 免疫抑制剤
- 血液浄化療法/持続的血液濾過透析
- 換気補助療法
- 人工呼吸管理

死への恐怖

- 患者・家族教育
- 精神的ケア

呼吸困難 → 呼吸補助筋使用による努力呼吸 → 疲労 → 食欲低下 → 栄養状態悪化 → ADL低下

- 呼吸状態の観察
- 不安の軽減
- 体位の工夫

環境整備

- 高エネルギー食の摂取
- 分割食
- 栄養補助食品など

日常生活援助

第Ⅱ部　疾患別看護ケア関連図　7．免疫・アレルギー性肺疾患

20 医原性肺障害

医原性肺障害とは，薬剤の与薬，放射線照射，輸血などの治療行為，内視鏡検査，静脈カテーテル法などの診断手技，手術などの**医療行為により引き起こされた肺の病変**を指す[1]。これらのうち，薬剤と放射線照射によるものは臨床上重要であることから，本項では，これらについて説明する。なお，有害事象と副作用の違いは以下のとおりである。

- **有害事象**：生体にとって有害なものすべてで，薬剤との因果関係は問わない
- **副作用（副反応，adverse drug reaction：ADR）**：有害事象において薬剤と関連のあるもの

I 薬剤性肺障害が生じる病態生理

1. 薬剤性肺障害の定義

薬剤性肺障害とは，「薬剤を投与中に起きた呼吸器系の障害のなかで，薬剤と関連があるもの」と定義される[2]。薬剤には，医師が処方するものだけでなく，**一般薬，生薬，サプリメント，健康食品，麻薬**などのすべての薬剤が含まれる。呼吸器系の障害とは，**肺胞・間質領域病変，気道病変，血管病変**などが含まれ，器質的障害から機能的障害までさまざまである。

薬剤与薬後の有害事象については，原疾患による増悪や合併した二次感染症との鑑別が困難なことや，非可逆性の肺障害は被疑薬剤（因果関係が疑われる薬剤）の中止による判断が難しいこと，併用薬剤が与薬される場合が多いことなどから，原因を１つの薬剤に特定することは困難な場合も多い。**薬剤性肺炎はほとんどが間質性肺疾患**（Interstitial Lung Disease：ILD）であるため，ここではILDを中心に記載する。

2. 薬剤性肺障害の病態およびメカニズム

薬剤性肺障害発生の機序は，一部の薬剤を除いて解明できていないが，基本的な障害作用は他臓器障害とも共通すると想定され，大きく２つに分類される。

1 細胞傷害性機序

細胞傷害性薬剤によるⅡ型肺胞上皮細胞，気道上皮細胞あるいは血管内皮細胞に対する直接毒性をもつ薬剤により単球や顆粒球が活性化し，炎症細胞由来の活性酵素種やプロテアーゼなどが，肺の細胞や肺血管床の内皮などに浸潤して損傷する。多臓器不全へと発展する場合もある。与薬量や与薬期間との関連が考えられる。

2 免疫系細胞の活性化

薬剤性肺障害における**免疫系細胞**の関与では，好酸球が肺組織へ浸潤することで**好酸球肺炎**が生じる。初回与薬や与薬量にかかわらず，遺伝性素因や患者の年齢的背景，肺における先行病変，併用薬剤との相互作用なども関連している。

3. 薬剤性肺障害発生の危険因子

原因ははっきりと解明されていないが，日本人は欧米人に比べ薬剤性肺障害を発症しやすく，かつ重症化する症例が多い[3]。間質性肺炎や肺線維症の既往歴がある患者に発生しやすく，びまん性肺胞障害をきたすと死亡率が高いという特徴がある。**表１**に薬剤性肺障害全般にあげられる危険因子，**表２**に薬剤性肺障害の主な原因薬剤をあげる。一般的に抗がん薬などの細胞傷害性薬剤は**与薬開始後90日以内に発症**する症例が多く，１年以上経過して発症する場合もある[8]。

表１　薬剤性肺障害の危険因子

- 年齢60歳以上
- 既存の肺病変（特に間質性肺炎）
- 喫煙
- 肺の手術後（血流遮断による酸素分圧の低下・再灌流障害，麻酔中の高濃度酸素分圧）肺機能低下
- 酸素投与
- 肺への放射線照射
- 抗がん薬の多剤併用，免疫チェックポイント阻害薬
- 腎障害（薬剤の血中濃度を高めるため）

（日本呼吸器学会薬剤性肺障害の診断・治療の手引き第２版作成委員会編：薬剤性肺障害の診断・治療の手引き　第２版　2018．pp3-7，メディカルレビュー社，2018．をもとに作成）

表2 薬剤性肺障害を引き起こす主な薬剤

	間質性肺炎	肺胞出血	胸水貯留
抗がん薬など	抗がん薬 テンシロリムス（トーリセル®），マイトマイシンC（マイトマイシン），ゲムシタビン塩酸塩（ジェムザール®），シタラビン（キロサイド®），ペメトレキセドナトリウム水和物（アリムタ®），ビノレルビン酒石酸塩（ナベルビン®），イリノテカン塩酸塩水和物（トポテシン®），エトポシド（ベプシド®），シスプラチン（ランダ®） 分子標的薬 ゲフィチニブ（イレッサ®），エルロチニブ（エルロチニブ），エベロリムス（アフィニトール®），トレチノイン（ベサノイド®），リツキシマブ（リツキサン®） 免疫チェックポイント阻害薬 アテゾリズマブ（テセントリク®），デュルバルマブ（イミフィンジ®），ペムブロリズマブ（キイトルーダ®） 抗癌性抗生物質 ブレオマイシン塩酸塩（ブレオ®） など	ゲムシタビン塩酸塩（ジェムザール®）など抗がん薬	ダサチニブ水和物（スプリセル®）
抗リウマチ薬・潰瘍性大腸炎治療薬	メトトレキサート（メトトレキサート），レフルノミド（アラバ®），インフリキシマブ（レミケード®），エタネルセプト（エンブレル®），メサラジン（ペンタサ®） など	メトトレキサートなど	
免疫抑制薬	エベロリムス（サーティカン®），シクロスポリン（ネオーラル®），シロリムス，シクロホスファミド（エンドキサン®），タクロリムス水和物（プログラフ®） など	シロリムス，シクロスポリン（ネオーラル®），タクロリムス水和物（プログラフ®） など	
サイトカイン製剤	インターフェロンα，ペグインターフェロンα2a・α2b，インターロイキン-2（イムネース®） など		
漢方薬	小柴胡湯，柴苓湯，清心蓮子飲，防風通聖散，当帰芍薬散 など		
抗線維化薬	ピルフェニドン（ピレスパ®），ニンテダニブエタンスルホン酸塩（オフェブ®）		
抗菌薬	セフェム系（セファメジン®，パンスポリン®，メイアクトMS®，ロセフィン® など），ペニシリン系（ペニシリンG，ゾシン®，スルバシリン®，サワシリン® など），ミノサイクリン塩酸塩（ミノマイシン®），レボフロキサシン水和物（クラビット®），クラリスロマイシン（クラリシッド®），メロペネム水和物（メロペン®）		ミノサイクリンなど
解熱消炎鎮痛剤・非ステロイド性炎症薬・総合感冒薬	アセチルサリチル酸（アスピリン），ロキソプロフェンナトリウム水和物（ロキソニン®），ジクロフェナクナトリウム（ボルタレン®），アセトアミノフェン（カロナール®） など		
抗循環器病薬	アミオダロン塩酸塩（アンカロン®），クロピドグレル硫酸塩（プラビックス®），アムロジピンベシル酸塩（ノルバスク®，アムロジン®），ダビガトランエテキシラートメタンスルホン酸塩（プラザキサ®），リバーロキサバン（イグザレルト®） など	アミオダロン塩酸塩（アンカロン®）	
抗凝固薬・抗血小板薬・血栓溶解薬		ワルファリンカリウム（ワーファリン），アセチルサリチル酸（アスピリン），エドキサバントシル酸塩水和物（リクシアナ®），t-PA など	
造影剤	ヨード系造影剤	ヨード系造影剤	
輸血・貧血治療薬	人赤血球濃厚液，人血小板濃厚液（放射線照射），人赤血球濃厚液（放射線照射），顆粒球コロニー刺激因子（granulocyte-macrophage colony stimulating factor：GM-CSF）など		
健康補助食品	コエンザイムQ10，ニューアイリタン，キトサン，アマメシバなど		

（文献4～7を参考に筆者が作成）

4. 薬剤性肺障害の分類

1）臨床病型と病理組織による分類

薬剤性肺障害は，病変部位ごとに，❶肺胞・間質領域病変（肺水腫や肺胞出血，びまん性肺胞障害，通常型間質性肺炎をはじめとした間質性肺炎），❷気道病変（気管支喘息，細気管支炎），❸血管病変（血管炎，肺高血圧症），❹胸膜病変（胸膜炎）の4つに分類される。

2）重症度分類

PaO_2値によって，表3のように薬剤性肺障害の重症度を分類し，速やかに治療を開始する。

5. 薬剤性肺障害の症状と身体所見

薬剤の使用から発症までの期間は薬剤ごとにある程度特徴があり，消炎鎮痛薬や抗菌薬では1～2週間，漢方薬やインターフェロンで2カ月前後，抗結核薬では3カ月程度，白金製剤では5～6カ月が多い[9]。

症状としては，**乾性咳嗽，38℃以上の発熱，労作時の呼吸困難感，背部の呼気終末での高調性継続性副雑音（捻髪音），胸痛**（胸膜炎，胸水貯留），**喘鳴**（気道病変），**血痰**（肺胞出血）などが出現する。SpO_2は正常範囲内であることが多く（肺水腫やARDSの場合は低下する），感冒症状に類似していることから見過ごされやすい。なかには急激に重症化し，死に至るものもある。呼吸困難に伴う全身症状として，**発熱，皮疹**などのアレルギー症状が出現する。

6. 薬剤性肺障害の診断・検査

薬剤性肺障害の診断は，図1のフローチャートを参考に検査・診断が進められる。特発性間質性肺炎（idiopathic interstitial pneumonias：IIPs）や膠原病肺，過敏性肺炎などとの鑑別診断，感染症や心疾患による胸部異常陰影か否かの鑑別が必要である。

1）各種検査

1 問診・診察

基礎疾患の治療状況（病院から処方された薬剤），市販薬や民間療法として用いられる**薬剤や食品，サプリメント**などのすべての薬剤や食品の摂取歴，住環境や職場環境を聴取する。呼吸器症状やアレルギー症状の有無と症状出現の時期，**関節腫脹や皮疹**など膠原病を示唆する身体所見について詳細な問診，視診・触診・聴診を行う。

2 胸部X線

早期変化の捕捉は困難である。画像所見では，**両側肺野に広がるすりガラス陰影**であるか浸潤影が多い。

3 胸部CT（HRCT，高分解能CT）

HRCT（high-resolution CT）では，他の原因によるILDやIIPsと同様に，小葉内間質肥厚を伴う**すりガラス陰影**などがみられる。

4 血液データ

- **KL-6**（シアル化糖鎖抗原），**SP-D**（肺サーファクタントプロテインD），**SP-A**（肺サーファクタントプロテインA）：KL-6，SP-D，SP-Aは肺胞上皮細胞の傷害の程度を鋭敏に示す**間質性肺炎のマーカー**である。KL-6は，器質化肺炎や好酸球性肺炎での上昇は認めにくく，肺腺がんや膵がん，感染症，肺胞タンパク症，放射線肺臓炎でも上昇する。SP-D，SP-Aは感染症でも上昇するため，総合的に判断する必要がある。与薬前・中はKL-6，SP-A，SP-Dの評価を定期的に行う
- **その他**：IgEの高値，末梢好酸球数増加（アレルギー疑い），LDHの上昇（肺胞上皮傷害による），肝機能，腎機能，凝固機能の異常の有無を検査する。CRPやβ-Dグルカン，プロカルシトニンの上昇とサイトメガロウイルス抗原の陽性反応の有無の確認は，感染症鑑別のため有用である。膠原病肺を示唆する場合には抗核抗体，MPO-ANCA，リウマトイド因子，抗好中

表3 薬剤性肺障害重症度分類案と治療

重症度	PaO_2	治療*
軽症	≧80 Torr	被疑薬中止
中等症	60 Torr ≦ PaO_2 < 80 Torr	ステロイド治療：PSL換算で0.5～1.0mg/kgで開始
重症	<60 Torr（PaO_2/FiO_2<300）	パルス療法＋ステロイド継続治療　治療抵抗例には免疫抑制薬やPMX
胸部HRCT画像でびまん性肺胞障害を疑う場合	—	同上

PSL：prednisolone（プレドニゾロン），PMX：Polymyxin
* 治療の対応は概略を示したもので，被疑薬中止やステロイドで速やかに反応する際には速やかに治療も軽減する

（日本呼吸器学会薬剤性肺障害の診断・治療の手引き第2版作成委員会編：薬剤性肺障害の診断・治療の手引き　第2版　2018．p48．メディカルレビュー社，2018．より）

図1 薬剤性肺障害の診断のためのフローチャート

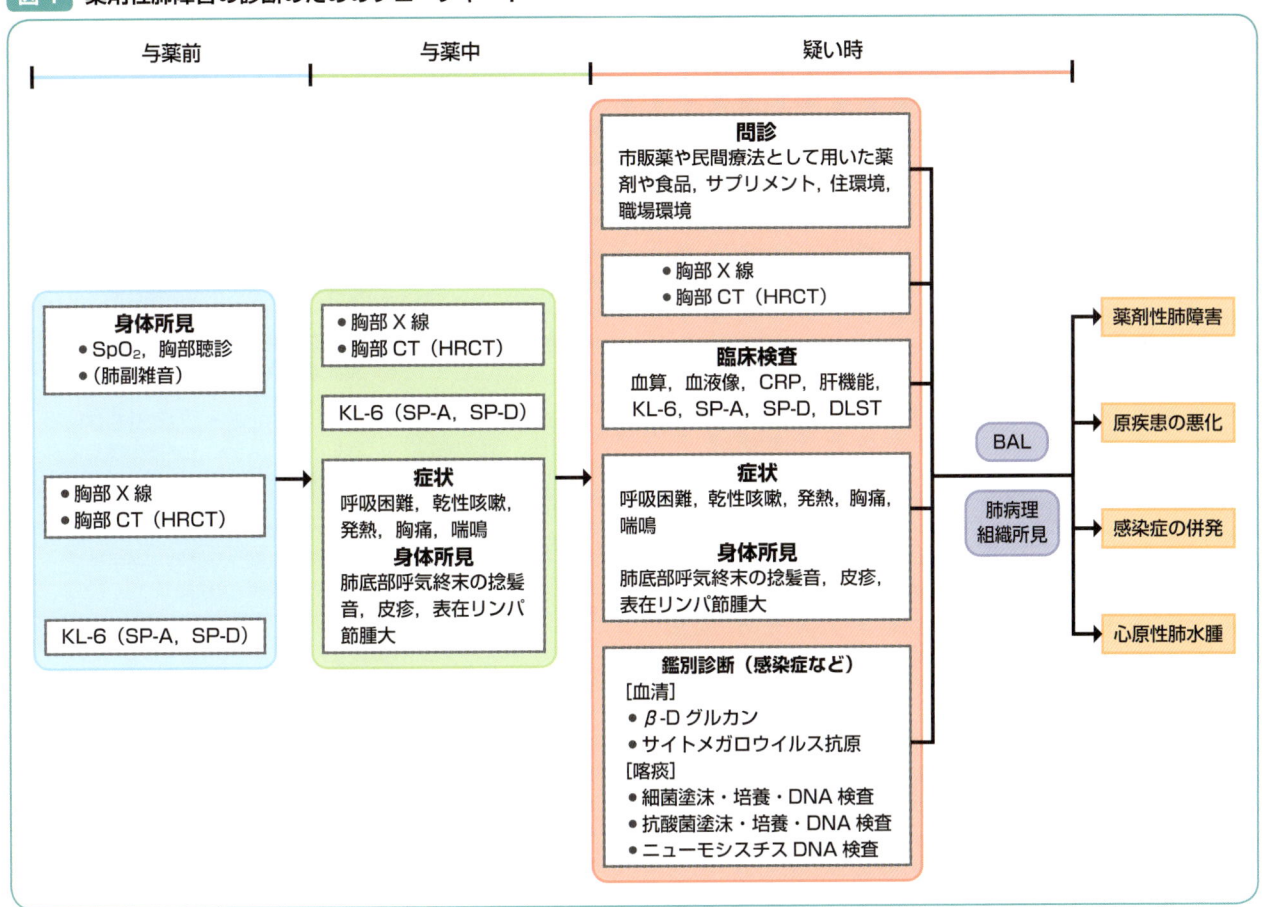

与薬前
- 身体所見
  - SpO$_2$, 胸部聴診
  - （肺副雑音）
- 胸部X線
- 胸部CT（HRCT）
- KL-6（SP-A, SP-D）

与薬中
- 胸部X線
- 胸部CT（HRCT）
- KL-6（SP-A, SP-D）
- 症状
  - 呼吸困難，乾性咳嗽，発熱，胸痛，喘鳴
- 身体所見
  - 肺底部呼気終末の捻髪音，皮疹，表在リンパ節腫大

疑い時
- 問診
  - 市販薬や民間療法として用いた薬剤や食品，サプリメント，住環境，職場環境
- 胸部X線
- 胸部CT（HRCT）
- 臨床検査
  - 血算，血液像，CRP，肝機能，KL-6, SP-A, SP-D, DLST
- 症状
  - 呼吸困難，乾性咳嗽，発熱，胸痛，喘鳴
- 身体所見
  - 肺底部呼気終末の捻髪音，皮疹，表在リンパ節腫大
- 鑑別診断（感染症など）
  - [血清]
    - β-D グルカン
    - サイトメガロウイルス抗原
  - [喀痰]
    - 細菌塗抹・培養・DNA検査
    - 抗酸菌塗抹・培養・DNA検査
    - ニューモシスチスDNA検査

→ BAL
→ 肺病理組織所見

→ 薬剤性肺障害
→ 原疾患の悪化
→ 感染症の併発
→ 心原性肺水腫

（日本呼吸器学会薬剤性肺障害の診断・治療の手引き第2版作成委員会編：薬剤性肺障害の診断・治療の手引き　第2版　2018．p15，メディカルレビュー社，2018．を一部改変）

球細胞質抗体の陽性反応の有無を検査する。肺水腫では，BNPやNT-proBNPの上昇の有無も確認する。

5 喀痰検査

細菌塗抹・培養検査，抗酸菌塗抹・培養検査，ニューモチスチスDNA検査などを行い，肺炎球菌，結核菌，マイコプラズマ，ウイルスや真菌などの鑑別すべき感染症の判断を行う。

CRPの増加は認めるが，白血球の増加は必ずしも認めない。

6 気管支肺胞洗浄（BAL）

BAL（bronchoalveolar lavage）は肺における好酸球性炎症の診断に有効である。悪性疾患や感染症などの除外診断，肺胞出血や間質性肺炎の鑑別にも活用されるが，薬剤性であるとの診断を確定させるものではない。

気管支肺胞洗浄液（bronchoalveolar lavage fluid：BALF）では総細胞数増加，細胞核での好酸球数（薬剤による）やリンパ球（免疫系機序による間接的障害作用による），好中球の上昇がみられる。

7 呼吸機能検査

拘束性肺障害，**一酸化炭素肺拡散能力**（diffusing capacity of the lung for carbon monoxide：DLco）**低下**がみられる。**過換気を伴うため，PaO$_2$の低下がみられない場合もあり，PaCO$_2$の変動に留意する。**

8 動脈血液ガス分析

PaO$_2$の低下，PaCO$_2$が正常または上昇，肺胞気-動脈血酸素分圧較差（alveolar-arterial oxygen difference：A-aDO$_2$）**の開大，PaO$_2$/F$_I$O$_2$（P/F比）の低下**を認める。

9 薬剤性リンパ球刺激試験（偽陰性率も高い）

患者のリンパ球を**被疑薬**と反応させ，分裂や分化の程度を測定する検査であり，被疑薬の推定のために実施する。しかし抗がん薬では偽陰性，小紫胡湯やメトトレキサートでは偽陽性となりやすい。免疫チェックポイント

阻害薬での有用性は不明であり，結果の解釈は注意を要する[10]。

2）診断

画像所見や検体検査では薬剤性肺障害に特有の所見はないため，臨床，画像，臨床検査成績，病理などを総合して診断する（表4）。特に，原因となる薬剤（食品）の摂取歴について，問診を十分に行い**被疑薬を中止**し，症状の軽快などから診断を確定する。原疾患の進行や感染症，心不全などの鑑別を行う（表5）。

7. 薬剤性肺障害の治療

表3に示すとおり，重症度によって治療が行われる。

1 薬剤の中止（減量）

被疑薬は速やかに中止する。呼吸不全がなく肺障害が軽度の場合は，被疑薬の中止のみで経過を観察する。被疑薬の中止後に肺病変が増悪する場合もあるため，臨床症状や画像所見を確認する。

表4　薬剤性肺障害の診断基準

診断基準	注釈
原因となる薬剤の摂取歴	●市販薬，健康食品，非合法の麻薬・覚醒薬にも注意 ●与薬中，与薬終了後に発症する場合がある
当該薬剤による類似病型の肺障害の報告	●臨床所見，胸部画像所見，病理パターンなど過去の薬剤性肺障害に関する報告（医薬品医療機器総合機構など）
他の原因疾患の否定	●問診や諸検査による感染症，心原性肺水腫，原疾患増悪などの鑑別診断
被疑薬の中止による病態・症状の改善	●必ずしも中止のみでは改善しない場合もあり，ステロイド薬の使用により軽快
被疑薬の再与薬による増悪	●致死的肺障害を誘発するリスクがあり，誘発試験や意図的な再与薬は一般的には推奨されない

（文献10，11を参考に作成）

表5　薬剤性間質性肺疾患（Drug-Induced Interstitial Lung Disease：DILD）における鑑別疾患

疾患名	臨床所見	関連事項	胸部画像所見
DILD	無症状～急性進行性の呼吸困難，乾性咳嗽±発熱	●薬剤投与と発症との時間的関連 ●薬剤中止による改善	さまざまな間質性肺疾患と類似した所見
感染性肺炎	発熱，悪寒，湿性咳嗽，筋肉痛，頭痛	●微生物培養 ●PCR検査 ●各種抗原検査 ●血清β-Dグルカン ●抗微生物薬による改善	大葉性肺炎，気管支肺炎，敗血症性塞栓，膿瘍など
肺胞出血	血痰，喀血，貧血	●肺胞毛細血管障害 ●自己抗体（ANCAなど） ●凝固異常 ●腎障害	●胸部X線：中下肺野の両側散布性浸潤影 ●胸部CT：びまん性または地図状すりガラス陰影／コンソリデーション
肺水腫	呼吸困難，咳嗽，泡状痰	●静水圧性（心不全または腎不全）肺水腫 ●透過性肺水腫 ●心臓超音波検査 ●BNP，NT-proBNP	●静水圧性肺水腫：肺門周囲の淡い陰影，カーリーライン，蝶形陰影 ●透過性肺水腫：散在性広範囲の実質性陰影 ●胸水（静水圧性で高頻度）
放射線肺臓炎	呼吸困難，乾性咳嗽，胸痛±発熱	●放射線照射との時間的関連（3～12週後）	●照射野にほぼ一致した浸潤影 ●照射野から離れたすりガラス陰影や浸潤影
癌性リンパ管症	進行性の呼吸困難，咳嗽	●胃がん，乳がん，肺がん，膵臓がんが多い	●胸部X線：線状影や網状粒状影 ●胸部CT：両側性または片側性のすりガラス陰影，小葉間隔壁肥厚

（冨岡洋海：薬剤性肺障害に伴う間質性肺疾患．日内会誌 111（6）：1106-1113，2022．を一部改変）

2 副腎皮質ステロイド療法

被疑薬を中止しても病状が改善しない，もしくは増悪した場合，中等症以上で非特異性間質性肺炎（NSIP）パターンや器質化肺炎（OP）パターン，好酸球性肺炎（EP）パターン，過敏性肺炎（HP）パターンを呈する症例においては，副腎皮質ステロイド（プレドニゾロン，PSL）換算で0.5～1.0mg/kg/dayが与薬される。びまん性肺胞障害（DAD）パターンが示唆される場合は，メチルプレドニゾロン（mPSL）500～1,000mg/dayを3日間与薬するステロイドパルス療法後，PSL換算で0.5～1.0mg/kg/dayで継続する。

3 免疫抑制薬

ステロイド抵抗性で重度の呼吸不全例には，特発性肺線維症の急性増悪に準じてCYA（cyclosporin，ネオーラル®）やTAC（tacrolimus，プログラフ®）が併用されるが，保険適用はない。

4 その他

副腎皮質ステロイド療法を施行しても効果が認められない場合に，PMX-F（polymyxin B-immobilized fiber）を用いた血液浄化療法やPMMA（polymethylmethacrylate）膜による持続的血液濾過透析（continuous hemodiafiltration：CHDF）が行われることがあるが，エビデンスに乏しく保険適用外である。

5 呼吸不全管理

SpO$_2$が90%を下回るようであれば酸素投与，呼吸不全の状況に応じて高流量鼻カニュラ酸素療法や非侵襲的陽圧換気療法（non-invasive positive pressure ventilation：NPPV），気管挿管による人工呼吸管理を行う。

II 放射線肺障害が生じる病態生理

1. 放射線肺障害（RILD）の定義

RILD（radiation induced lung injury）は，主に肺がんや食道がん，悪性縦隔腫瘍などの胸郭内，乳がんなどの胸郭外および周辺の悪性腫瘍に対して行う放射線照射に伴って発生する。放射線照射による肺障害には，❶放射線肺臓炎（radiation pneumonitis：RP）と❷放射線肺線維症があり，乳がんに対する胸部放射線照射に伴って放射線照射野外にも発生する放射線肺炎も❶のRPに含まれる[12]。

2. RILDを引き起こすメカニズム

胸部に放射線の照射を受けると，直後よりフリーラジカルが形成され，細胞内のタンパク質や脂質，DNAなどの分子を傷害する。そして，毛細血管透過性亢進による肺胞間質の浮腫やⅡ型肺胞上皮細胞（肺サーファクタントを産生・貯蔵して，肺胞内に分泌する）の障害が起こり，肺サーファクタントの肺胞内への流入，種々のサイトカインの放出による炎症性細胞の肺胞腔内への浸潤や肺胞出血が生じる。血管内皮細胞傷害による毛細血管閉塞，リンパ球・形質細胞などの炎症性細胞の浸潤による肺胞隔壁の肥厚および肺胞の狭小化が生じる。その後，線維芽細胞の増殖や毛細管の脱落，コラーゲンの沈着により肺胞隔壁が肥厚して肺胞腔が消失し，肺の線維化が生じる。

3. RILD発症の危険因子・関連因子

RILDの危険因子および発症関連因子（表6）は，放射線照射の期間と放射線量，抗がん薬との併用，放射線治

表6 RILDの危険因子および発症関連因子とその特徴

危険因子・関連因子	特徴
放射線照射の期間，放射線量	短期間での照射量が大きい，総線量・照射容積が大きい場合
抗がん薬，分子標的薬	DXR，BLM，MTX，CPA，GEM，IRT：RILD発症リスク増大のため肺が照射野に含まれる場合は用いられるべきではない。EGFR-TKI：照射後，数年経過して与薬した際に放射線性肺炎の報告[15]がある。
放射線治療の既往	通常分割照射の部位への定位照射による発症
肺の基礎疾患	間質性肺炎，COPD，塵肺，陳旧性肺結核の既往
乳がんの放射線治療	照射部位と一致しない浸潤影（OPパターン）が特徴

DXR：doxorubicin，BLM：bleomycin，MTX：methotrexate，CPA：cyclophosphamide，GEM：gemcitabine，IRT：irinotecan，EGFR-TKI：上皮細胞増殖因子受容体チロシンキナーゼ阻害薬，OP：器質化肺炎

（日本呼吸器学会薬剤性肺障害の診断・治療の手引き第2版作成委員会編：薬剤性肺障害の診断・治療の手引き 第2版 2018. pp103-104, メディカルレビュー社, 2018. を参考に作成）

療の既往，肺の基礎疾患，乳がんの放射線治療である。

RPは，照射線量の総量が40Gyを超える場合はほぼ必発する。放射線肺障害は，化学療法との併用で発生率が高くなり，分割照射では低くなる。

4. RILDの発症時期と特徴

RILDは，照射直後から5～6カ月の間に発症するRPと，照射終了後半年以降に発症する**放射線肺線維症**の病態がある（表7）。RPの多くは，**照射終了後1～3カ月程度で発症**[13]し，**12カ月以内に照射部位と一致しない浸潤影を呈して発症する**ことが特徴である。

RPは炎症性病変であり，副腎皮質ステロイドの与薬による治療が有効であるのに対し，**放射線肺線維症は線維化病変を示し，不可逆的でステロイド治療抵抗性を示す。**

5. RILDの重症度

放射線肺臓炎（radiation pneumonitis：RP）の重症度分類として，**有害事象共通用語基準v5.0日本語訳JCOG版**（Common Terminology Criteria for Adverse Events：CTCAE-v5.0 JCOG）（表8）が用いられる。

6. RILDの症状および身体所見

早期は無症状である。照射後1～6カ月後に，乾性咳嗽，呼吸困難を訴え，呼気終末に**捻髪音**が聴取される。重症例では，発熱やSpO_2の低下が出現する。胸膜炎を呈した場合は，胸痛が出現する。

7. RILDの検査と診断

検査は薬剤性肺障害とほぼ同様の検査を行う。放射線治療内容や臨床症状および検査所見から診断される。

1 胸部画像所見
- 初期：照射方向・範囲に一致したすりガラス様陰影や網状影などの間質陰影が出現する。肺区域と無関係な分布を示す陰影も認められる
- 器質化期：照射野と一致した境界明瞭な濃度上昇
- 線維化進行時：不規則な線状影，索状影，牽引性気管支拡張，肺容量の減少
- 乳がん放射線治療後：放射線照射野外の浸潤影

2 気管支肺胞洗浄（BAL）
- BAL液中のリンパ球数の増加

8. RILDの治療

RILDに対する治療法は確立されていない。一般的に，

表8 RPの重症度分類（CTCAE Ver.5-JCOG）

Grade	
1	症状がない，または臨床所見もしくは検査所見のみ。または治療を要さない
2	症状がある，または内科的治療を要する。または，身の回り以外の日常生活動作の制限
3	高度の症状または身の回りの日常生活動作の制限。または，酸素投与を要する
4	生命を脅かす，または緊急処置を要する（例：気管切開や気管内挿管）
5	死亡

（日本臨床腫瘍研究グループ：CTCAE（有害事象共通用語規準）Ver.5.0日本語訳JCOG版，2022. https://jcog.jp/assets/CTCAEv5J_20220901_v25_1.pdf（2025年3月26日閲覧）より）

表7 RILDの発症時期と特徴

	発症段階	時期	特徴
放射線肺臓炎（RP）	急性期	照射開始直後～数週間	・毛細血管透過性亢進による肺胞間質の浮腫，炎症性細胞の浸潤，肺胞出血など ・無症状
放射線肺線維症	後期（晩期）	数週間～数カ月程度	・血管内皮細胞障害，炎症性細胞の浸潤による肺胞隔壁の肥厚・肺胞の狭小化
		数カ月以降	・毛細管の脱落，コラーゲンの沈着による肺胞隔壁の肥厚，線維化

（文献13，14をもとに筆者作成）

画像上の異常が認められ症状の軽い例では，経過観察を行う．症状や画像所見，検査値が増悪するようであれば，積極的に治療を行う．

1 治療の中止

症状が軽微であれば放射線治療を中止する．RILDに対しては経過観察のみで治療を必要としない場合が多い

2 副腎皮質ステロイド療法

プレドニゾロン40〜60 mg（PSL換算：1 mg/kg/day）から開始し，2週間継続した後2〜3週間を目安に減量する．急速な呼吸不全に陥る場合は，**ステロイドパルス療法を行う**．OPパターンのRILDにはステロイドが著効するが，減量中・終了後に症状が悪化することがあるので，症状や検査所見の変動を観察する．また，免疫抑制薬を使用することもある．

3 呼吸不全管理

前述「I-7．薬物性肺障害」に準ずる（→ p262）．

III 医原性肺障害の看護ケアとその根拠

1. 医原性肺障害の観察ポイント

1）薬剤性肺障害

1 問診
内服中の薬剤，服用歴のある薬剤やサプリメント，健康食品の確認と内服期間などを問診する．

2 既往・治療歴・危険因子
肺線維症，間質性肺疾患，COPD（慢性閉塞性肺疾患），肺がんなど呼吸器系疾患，膠原病など基礎疾患の有無，放射線治療と抗がん薬治療を併用している場合など前掲した表1・2にある特徴や危険因子を把握する．

3 呼吸状態
呼吸数，リズム，深さ，胸郭の動き，肺副雑音の有無，呼吸困難（息切れ，呼吸補助筋使用，努力呼吸など），咳嗽，喀痰・血痰の有無，チアノーゼの有無などの観察を行う．

4 全身状態
発熱，下肢浮腫，皮疹の有無などの身体所見，食事摂取状況，日常生活活動（ADL）の低下の有無をみる．

5 検査所見
- 胸部X線，胸部CT：異常陰影
- 動脈血液ガス分析：低酸素血症と肺胞気－肺動脈血酸素分圧較差（A-aDO$_2$）の開大の有無
- 呼吸機能検査：肺活量の減少，一酸化炭素肺拡散能力（DLco）の低下
- 血清マーカー：KL-6，SP-D，SP-Aなどの変化

2）放射線肺障害

1 既往・治療歴
表6に示す発症リスク因子および関連因子を把握する．

2 呼吸状態，全身状態
前述1）の 3 と 4 に準ずる．

3 検査所見
前述1）の 5 に準ずる．

2. 医原性肺障害の看護の目標

1）発症前
① 治療や内服薬による肺障害が起こる可能性があることを理解し，感染予防に努め，呼吸状態の悪化に早期に気づき受診することができる
② サプリメントや健康食品などの使用について，医療者に情報を伝えることができる

2）発症後
① 医師との話し合いのもと，原因となる薬剤や治療の中止（減量）も含めた，症状改善のための適切な行動がとれる
② 呼吸困難や咳嗽などの不快な症状が軽減し，安楽に過ごすことができる
③ 副腎皮質ステロイド薬，免疫抑制薬の服用の必要性と副作用が理解でき，感染予防行動をとることができる

3. 医原性肺障害の看護ケア

医原性肺障害に関する看護については，→⓱特発性間質性肺炎（IIPs）（→ p226）に準じる．

1）患者教育

サプリメントや健康食品など薬剤性肺障害が発症することや，放射線療法後数カ月経ってからRILDが発症することなど，治療や薬剤などによる医原性肺障害についての教育を行う．入院中だけでなく，外来通院中に発症

することもあり，医原性肺障害に関する情報提供を行うとともに，**突然の発熱，呼吸困難，乾性咳嗽など感冒に類似した症状**が出現したときはすぐに医療者に報告（受診）するよう，患者・家族を含めて指導を行う。

2）症状の緩和，安楽への援助

初期には経過を観察することが多いが，咳嗽が強い場合には**鎮咳薬**の与薬を検討する。呼吸困難時には，ベッド頭部のギャッチアップや枕，バックレスト，オーバーテーブルなどを使用し，起座位，ファウラー位など患者の安楽な体位がとれるよう工夫をする。

呼吸困難が強い場合や低酸素血症に対しては，適切な量の**酸素投与**を行う。線維化が進み，低酸素血症が持続する場合は在宅酸素療法（HOT）（→コラム「在宅酸素療法」参照）を導入し，在宅での酸素療法の方法について患者および家族に教育する。

3）日常生活の援助・安静

呼吸状態が急激に悪化した場合，患者はSpO$_2$値と呼吸困難の自覚が一致せず，普段通りに動いてしまい，酸素消費量を最小限にした動作をとりにくい。SpO$_2$の変化を見ながら，呼吸状態にあわせた日常生活援助を行う。

呼吸状態に応じて，更衣，清潔（洗面，清拭，洗髪など），移動，食事，排泄の介助を行う。

4）精神的ケア

治療による合併症によって原疾患の治療が中断することや，病状の悪化による呼吸困難は，患者に死への恐怖を与え**パニック**となる場合もある。原疾患と医原性肺障害に関する治療方針，計画について患者・家族と十分に話し合い，患者や家族が納得することが大切である。また，患者・家族の思いを**傾聴**し，治療や療養において抱えている不安や恐怖をアセスメントし，必要時は臨床心理士などと連携し，精神面でのケアを行う。

［橋野明香］

【文献】
1) 石川暢久・他：医原性肺疾患．呼吸器ケア（2007年冬季増刊）：196-203，2007．
2) 日本呼吸器学会薬剤性肺障害の診断・治療の手引き第2版作成委員会編：薬剤性肺障害の診断・治療の手引き　第2版　2018．p1，メディカルレビュー社，2018．
3) 工藤翔二：日本人にとっての薬剤性肺障害．日内会誌 95(6)：1058-1062，2006．
4) 前掲書2，p9．
5) 児玉裕章，釘持広知：免疫チェックポイント阻害薬による肺障害とそのマネジメント．癌と化療 47(2)：207-213，2020．
6) 厚生労働省：重篤副作用疾患別対応マニュアル　肺胞出血（肺出血，びまん性肺胞出血）．2010．
7) 倉原優：ポケット呼吸器診療2023．p170，シーニュ，2023．
8) 前掲書2，p5，pp67-91．
9) 落合慈之監，石原輝夫編：呼吸器疾患ビジュアルブック．p219，Gakken，2011．
10) 掘益靖，服部登：薬剤性間質性肺炎．日内会誌 110(6)：1099-1105，2021．
11) 前掲書2，p13．
12) 前掲書2，p103．
13) 辻野佳世子：放射線肺臓炎―放射線腫瘍医の視点から．The Japan Lung Cancer Society 59: 333-341, 2019．
14) 前掲書2，pp103-104．
15) 猪俣稔・他：ゲフィチニブによりradiation recall pneumonitisを発症したEGFR遺伝子変異陽性肺腺癌の1例．肺癌 50(7)：937-941，2010．

Column 分子標的薬

　分子標的薬とは，がん細胞などの特定の分子や経路を遺伝子レベルでとらえてターゲットとし，**がん細胞の異常な分裂や増殖を抑えることを目的とした治療薬**である．細胞のもつ増殖にかかわる分子の作用を阻害することで効果を発揮する薬で，**キナーゼ阻害薬**（図1・2）と**血管新生阻害薬**がある．病気の原因となる特定の分子に選択的に作用するため，正常細胞への影響を抑えられ，従来の抗がん薬に比べて，副作用を軽減できる可能性がある．

1 キナーゼ阻害薬の仕組み

　細胞内のシグナル伝達に関わる酵素であるキナーゼの活性を阻害する薬剤である．

　がん細胞は，がん細胞内のATPとキナーゼが結合し，キナーゼから発する増殖シグナルが活性化して核分裂が促進される（図1）．これにより，がん細胞の異常な増殖が無秩序に起こる．

　キナーゼ阻害薬は，この**キナーゼとATPの結合の阻害する**（図2）ことで，がん細胞増殖のシグナルを減らし，核分裂を抑制して**がん細胞が増殖できないようにする薬**である．

2 血管新生阻害薬の仕組み

　血管新生阻害薬は，がん細胞が栄養を取り込むための血管の形成を阻害し，がんの増殖を抑制あるいは遅延させる薬剤である．

　がん細胞は，増殖するために細胞に酸素や栄養を取り込むための**腫瘍血管**を新生する．がん細胞から**血管内皮細胞増殖因子（VEGF）**が分泌され，血管新生を促進させる働きがある．これらの因子により，既存の血管の内皮細胞が活性化され，血管芽を形成し，他の血管芽や周囲の組織と結合して新しい血管が新生する．

　血管新生阻害薬は，VEGFの代わりに血管内皮増殖因子受容体に結合することで，**血管の新生を阻害する**ことができる．

3 分子標的薬の副作用

　分子標的薬の副作用は，**発疹やかゆみ**などの皮膚障害や**下痢**といった胃腸障害が治療開始後数週間以内に現れることが多く，肝機能障害や貧血などの血液障害，高血圧，手足のしびれや腫れといった象徴性症状が数週間～数カ月後に出現することがある．

　治療薬の種類や作用メカニズムによって異なるため，それぞれの薬で出現しやすい症状を長期にわたって定期的に観察，確認することが重要である．

［橋野明香］

図1 がん細胞内のATPとキナーゼの働き

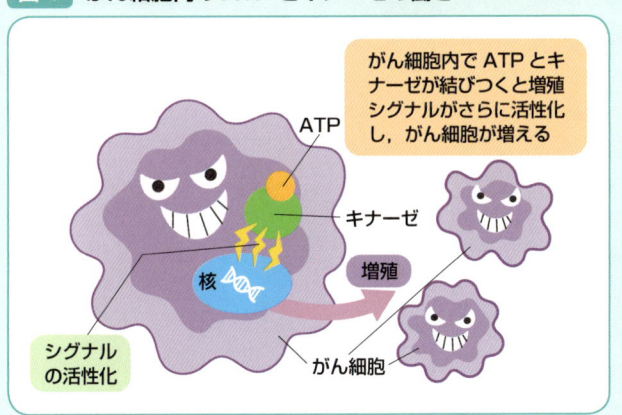

図2 キナーゼ阻害薬の働き

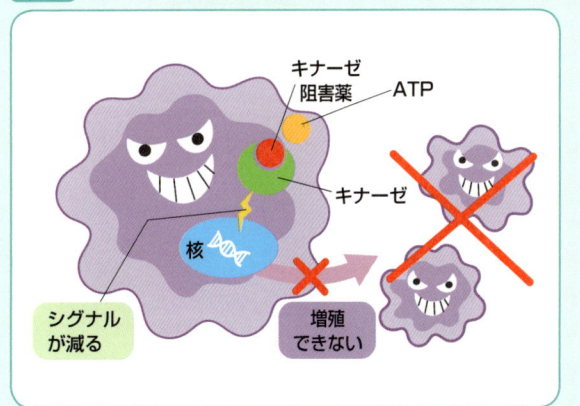

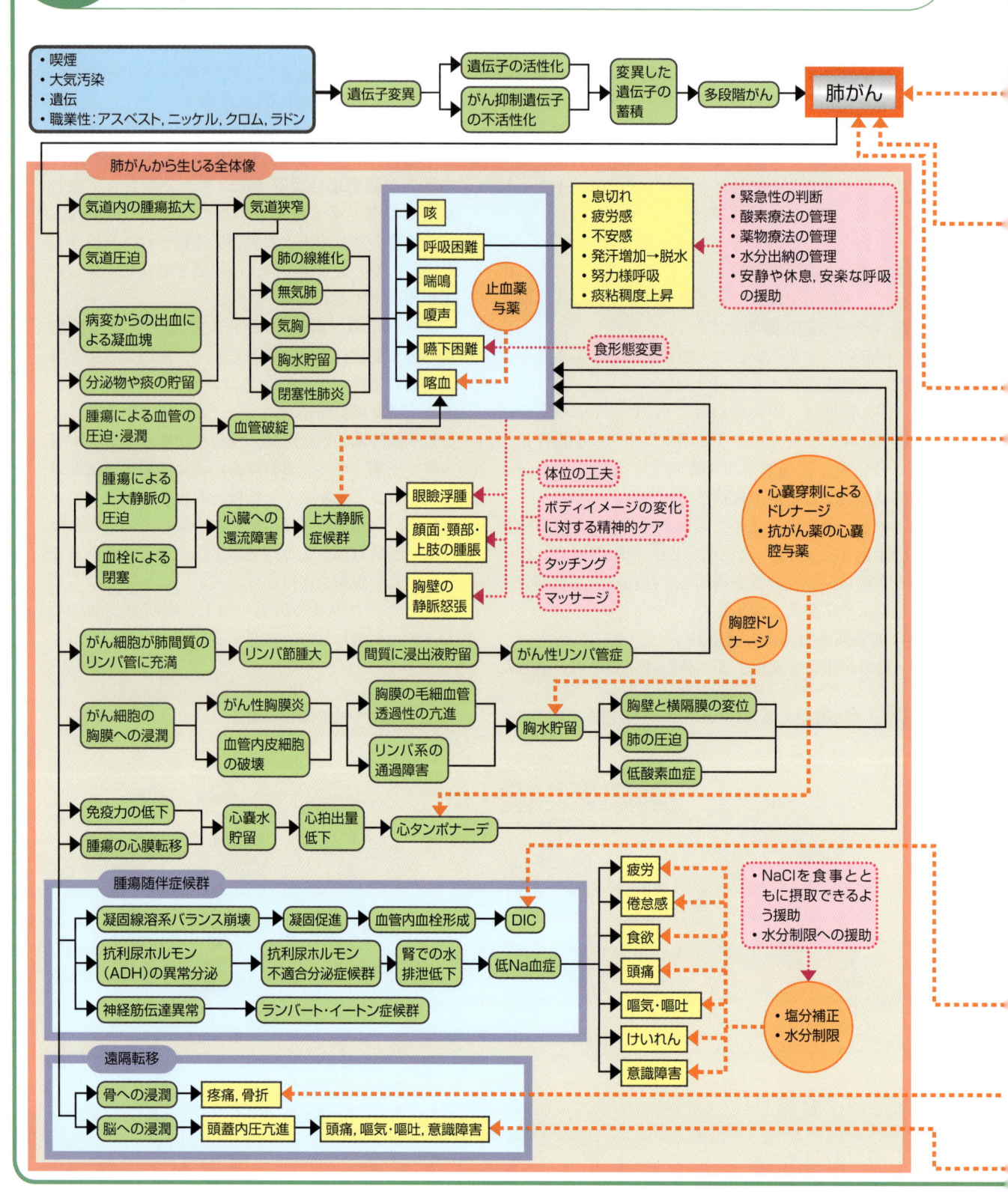

第Ⅱ部 疾患別看護ケア関連図　8. 腫瘍性肺疾患

21 肺がん

原因・誘因
- 喫煙
- 大気汚染
- 遺伝
- 職業性：アスベスト，ニッケル，クロム，ラドン

→ 遺伝子変異 → 遺伝子の活性化／がん抑制遺伝子の不活性化 → 変異した遺伝子の蓄積 → 多段階がん → **肺がん**

肺がんから生じる全体像

- 気道内の腫瘍拡大 → 気道狭窄
- 気道圧迫
- 病変からの出血による凝血塊
- 分泌物や痰の貯留
- 肺の線維化／無気肺／気胸／胸水貯留／閉塞性肺炎

症状：咳，呼吸困難，喘鳴，嗄声，嚥下困難，喀血

- 息切れ
- 疲労感
- 不安感
- 発汗増加→脱水
- 努力様呼吸
- 痰粘稠度上昇

看護ケア
- 緊急性の判断
- 酸素療法の管理
- 薬物療法の管理
- 水分出納の管理
- 安静や休息，安楽な呼吸の援助

止血薬与薬／食形態変更

- 腫瘍による血管の圧迫・浸潤 → 血管破綻
- 腫瘍による上大静脈の圧迫
- 血栓による閉塞
→ 心臓への還流障害 → 上大静脈症候群
  - 眼瞼浮腫
  - 顔面・頸部・上肢の腫脹
  - 胸壁の静脈怒張

看護：体位の工夫，ボディイメージの変化に対する精神的ケア，タッチング，マッサージ

- がん細胞が肺間質のリンパ管に充満 → リンパ節腫大 → 間質に浸出液貯留 → がん性リンパ管症
- がん細胞の胸膜への浸潤 → がん性胸膜炎／血管内皮細胞の破壊 → 胸膜の毛細血管透過性の亢進／リンパ系の通過障害 → 胸水貯留 → 胸壁と横隔膜の変位／肺の圧迫／低酸素血症

胸腔ドレナージ

- 免疫力の低下
- 腫瘍の心膜転移
→ 心嚢水貯留 → 心拍出量低下 → 心タンポナーデ

- 心嚢穿刺によるドレナージ
- 抗がん薬の心嚢腔与薬

腫瘍随伴症候群

- 凝固線溶系バランス崩壊 → 凝固促進 → 血管内血栓形成 → DIC
- 抗利尿ホルモン（ADH）の異常分泌 → 抗利尿ホルモン不適合分泌症候群 → 腎での水排泄低下 → 低Na血症
- 神経筋伝達異常 → ランバート・イートン症候群

症状：疲労，倦怠感，食欲，頭痛，嘔気・嘔吐，けいれん，意識障害

- NaClを食事とともに摂取できるよう援助
- 水分制限への援助

塩分補正・水分制限

遠隔転移

- 骨への浸潤 → 疼痛，骨折
- 脳への浸潤 → 頭蓋内圧亢進 → 頭痛，嘔気・嘔吐，意識障害

21 肺がん

凡例: 誘因・原因 → 病態生理・状態 | 症状 | 医学的処置 → 看護ケア | （疾患）から生じる全体像 | 分類, あるいは特殊な部分

[検査]
- 胸部X線
- 胸腹部CT・頭部MRI
- 喀痰細胞診
- 気管支内視鏡
- 生検：VATS, CTガイド下
- 腫瘍マーカー：NSE, ProGRP, CYFRA21-1 など

- 緩和ケア
- ACP

手術療法
- I〜II期, III期切除可能例で手術適応
- 肺野型I期

[薬物療法]
- 細胞傷害性抗がん薬
- 分子標的薬
- 免疫チェックポイント阻害薬

→ 副作用 →

骨髄抑制
- 血液毒性
- 肝毒性
- 腎毒性
- 心毒性
- 末梢神経障害
- 過敏症
- ショック
- インフュージョン・リアクション
- 脱毛
- 消化器毒性
- 口内炎
- 皮膚障害

薬物療法前に予測される症状とその対処について説明

感染予防行動についての説明

出血傾向時の注意点の説明

- 血中濃度のモニタリング
- 与薬量の変更または中止

救急処置

腫瘍崩壊症候群 → 胸水貯留

胸腔ドレナージ

アピアランスケア

[根治療法]
- 放射線療法
- 薬物療法と放射線療法併用

[対症療法]
- 酸素投与
- 副腎皮質ステロイド
- 利尿薬
- 塩酸モルヒネ

放射線療法 → 有害事象 →
- 食道炎
- 食欲低下
- 嘔気・嘔吐
- 倦怠感
- 皮膚炎
- 放射線性肺臓炎
- 造血器障害

- 食事形態の変更
- 嚥下時痛のケア（配薬・エレース）

- 皮膚炎に対する軟膏塗介助
- 衣服選択の情報提供

- 治療室での不安軽減
- 同一肢位保持への援助
- 照射時間にあわせた1日のスケジュールの調節

- 抗凝固療法
- タンパク分解酵素阻害薬
- 補充療法
- 抗線溶薬

- 疼痛コントロール
- オピオイド
- 骨修飾薬

- 副腎皮質ステロイド
- 脳圧降下浸透性利尿剤

第Ⅱ部　疾患別看護ケア関連図　8．腫瘍性肺疾患

21 肺がん

Ⅰ 肺がんが生じる病態生理

1. 肺がんの定義

　肺がんとは，肺を構成する空気の通り道である気管支やガス交換の場である肺胞の細胞が，何らかの原因で癌化したものである[1]。肺に発生したものを**原発性肺がん**といい，通常肺がんといえば原発性肺がんを指す。一方，他の臓器から発生し，肺に転移したものを**転移性肺がん**，または**肺転移**と呼ぶ。
　肺がんは日本人におけるがんによる死亡の第1位であり，発生率は50歳以上で急激に増加する[2]。

2. 肺がん発生のメカニズム

　細胞分子生物学の進歩により，肺がんをはじめとして，がんは**がん遺伝子の活性化**と**がん抑制遺伝子の不活性化**という複数の遺伝子の変異の多段階蓄積によって発症する疾患であることが明らかになっている。

1) 肺がんの危険因子

■ 喫煙
　喫煙は肺がん罹患の危険因子の1つであり，非喫煙者に比べて，喫煙者が肺がんになるリスクは**男性で4.4倍，女性で2.8倍**と高い。喫煙開始年齢が若いほど，また喫煙量が多いほど，肺がんリスクは高くなる[3]。一方で，非喫煙者でも**受動喫煙**によってリスクが高くなる。

■ 喫煙以外の要因
　職業性粉塵や環境（大気汚染物質）の要因（石綿〈アスベスト〉，ラドン，ヒ素，クロム，PM2.5など）や**慢性閉塞性肺疾患（COPD），間質性肺炎，肺結核，肺がんの既往歴や家族歴，年齢**なども，肺がんリスクを高める[3]。

2) 肺がんの発生機序

　がんの発生には発がん遺伝子が関与している。**変異や増幅，転座**（染色体の異常な再配列が引き起こされる現象）により細胞の増殖にかかわる遺伝子を「**がん遺伝子**」，抑制にかかわる遺伝子を「**がん抑制遺伝子**」といい，これらの発生・進展において重要な役割を果たす遺伝子を**ドライバー遺伝子**と呼ぶ。ドライバー遺伝子には種々の種類があり，肺がんでは EGFR 遺伝子，HER2 遺伝子，RAS 遺伝子などがある。ドライバー遺伝子を標的とする薬物療法の研究・開発が急速にすすんでいる。

1 発がん物質曝露による遺伝子変異とがんの発生
　気管支や肺の正常細胞が，発がん物質に繰り返しさらされる（曝露される）ことにより細胞の遺伝子に変異が生じ，異常な細胞が発生する（図1）。通常，がん抑制遺伝子から産出される**がん抑制遺伝子産物**により，異常な細胞の増殖が停止され，異常細胞が自死するなどの作用（**アポトーシス**）が働いており，細胞の増殖がコントロールされている。
　しかし，**がん抑制遺伝子**が損傷することにより，がん抑制遺伝子産物が産出されず，これらの機能が減弱・消失することで，異常な細胞が次々と発生し，細胞が**癌化**する。さらに，**がん遺伝子**が損傷することで，がん細胞増殖に異常をきたし，**無限に増殖**する。増殖したがん細胞は正常な細胞を浸潤し，転移する（**多段階発がん**）。
　これらの遺伝子変異は一度に生じず，時間をかけて徐々に蓄積することがわかっており，高齢になるとがんになりやすくなるのはこのためと考えられている。

2 ドライバー遺伝子変異によるがんの発生・増殖
　細胞内では ATP がキナーゼに結合することで，細胞の増殖シグナルが核に伝達され，細胞が成長・分裂し増殖する。ドライバー遺伝子変異はそのシグナルを異常に活性化させることで，がん細胞の増殖を促進させる。がん細胞は，そのシグナルに反応して増殖を続ける。この活性化したシグナルを阻害するのが**分子標的薬**である（→p267）。分子標的薬は，従来の細胞傷害性抗がん薬よりも，がん細胞の殺細胞性は高い。

3 抗腫瘍免疫の不適切な応答
　人体には発生したがん細胞を異物として認識し，排除する**抗腫瘍免疫応答**が備わっている（→p306）。抗腫瘍免疫応答において中心的な役割を担っているのは，**白血球の中のT細胞（Tリンパ球）**である。T細胞上には，免疫応答を**活性化するアクセル**と**抑制するブレーキ**が発現する。後者は「**免疫チェックポイント**」として機能し，T細胞活

図1 がん発生の仕組み

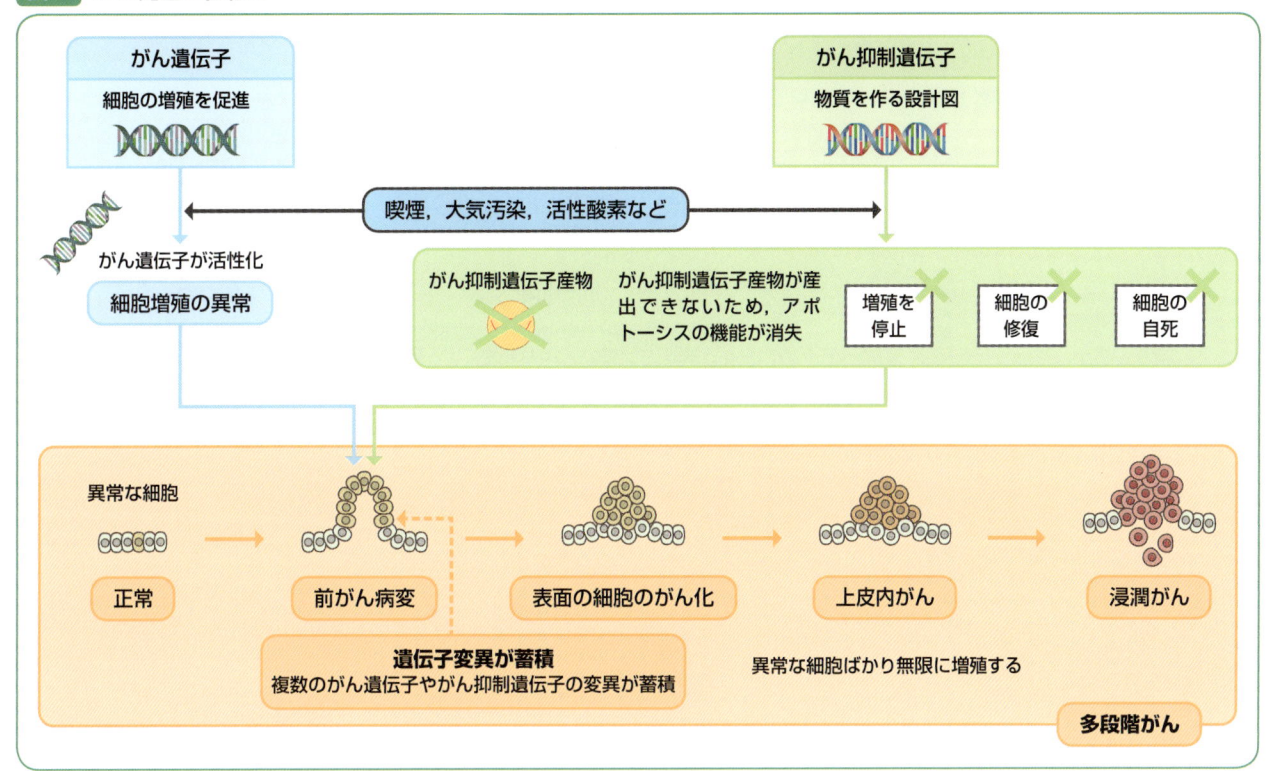

性化の際に，自己への不適切な免疫応答や過剰な炎症反応を**抑制**する。肺がんの代表的な免疫チェックポイント分子としては，**PD-1受容体**や**CTLA-4受容体**がある。

PD-1受容体やCTLA-4受容体に**リガンド**（細胞膜などに存在する受容体に特異的に結合する分子）が結合すると，T細胞の増殖やサイトカイン産生が抑制され，免疫反応が抑制される。しかし，がん細胞はこの抑制機構を盗用し，がん細胞がもつ**PD-L1がキラーT細胞のPD-1受容体と結合**することで，宿主の免疫監視から逃れ，**増殖**する（→p306）。

3. 肺がんの診断・検査

1）診断のための検査の流れ

自覚症状があり医療機関を受診して撮影した胸部X線や，検診時に撮影した胸部X線で肺に異常な影が見つかり，肺がんが疑われる場合には，精密検査（二次検診）として**喀痰細胞診や腫瘍マーカー，FDG-PET**（[18]F-2-デオキシ-2-フルオロ-D-グルコース ポジトロン断層・コンピューター断層複合撮影）などを組み合わせて行う。なお，50歳以上かつ**喫煙指数（ブリンクマン指数）600以上**の肺がん高危険群の人に対しては，年1回の胸部X線と喀痰細胞診の検査が推奨される[1]。精密検査で異常が認められると，**確定診断・病期診断**とすすむ（図2）。

2）診断

1 確定診断

- **気管支内視鏡検査**：経口あるいは経鼻より気管支内視鏡を気管内に挿入し，亜区域気管支程度までの気道の観察と，病変部位の擦過細胞診や組織生検，洗浄液の採取などを行う。
- **経皮針生検**：CTガイド下に表皮から針を刺し，胸壁を通して肺野の異常陰影の組織を採取し病理診断する。
- **胸腔鏡検査**：他の方法で確定診断に至らない場合に行われる外科的検査法である。全身麻酔下で行われるため，経気管支や経皮的検査に比べ合併症などのリスクが高い。
- **腫瘍マーカー**：診断の補助や治療効果，再発診断の補助的な手段として活用される。腫瘍マーカーだけで診断を行うことはない。主な腫瘍マーカーを**表1**に示

図2 肺がんの症状発現から受診，診断，治療方針決定までの流れ

肺がん検診（一次検診）
50歳以上かつ1日の喫煙本数×喫煙年数＝600以上？

- NO：
  - 問診
  - 胸部X線
- YES：
  - 問診
  - 胸部X線
  - 喀痰細胞診

→ 異常なし → 1年後の検診
→ 肺がん疑い → **精密検査（二次検診）**
- 胸部CT

※一次検診の結果により，精密検査の内容は異なります。

→ 異常なし良性の病変 → 1年後の検診

症状の自覚
咳嗽，喀痰，血痰/喀血，腫瘍随伴症候

↓

外来受診
問診，胸部X線，喀痰細胞診，必要時精密検査

→ 他の疾患の鑑別診断または経過観察

↓

精密検査
確定診断（病理学的検査）：病変部から採取した組織もしくは細胞による病理診断。
- 気管支鏡検査・生検
- 経皮針生検
- 胸腔鏡検査・胸膜生検
- 外科的肺生検
など簡便で低侵襲な検査から実施することが原則

↓

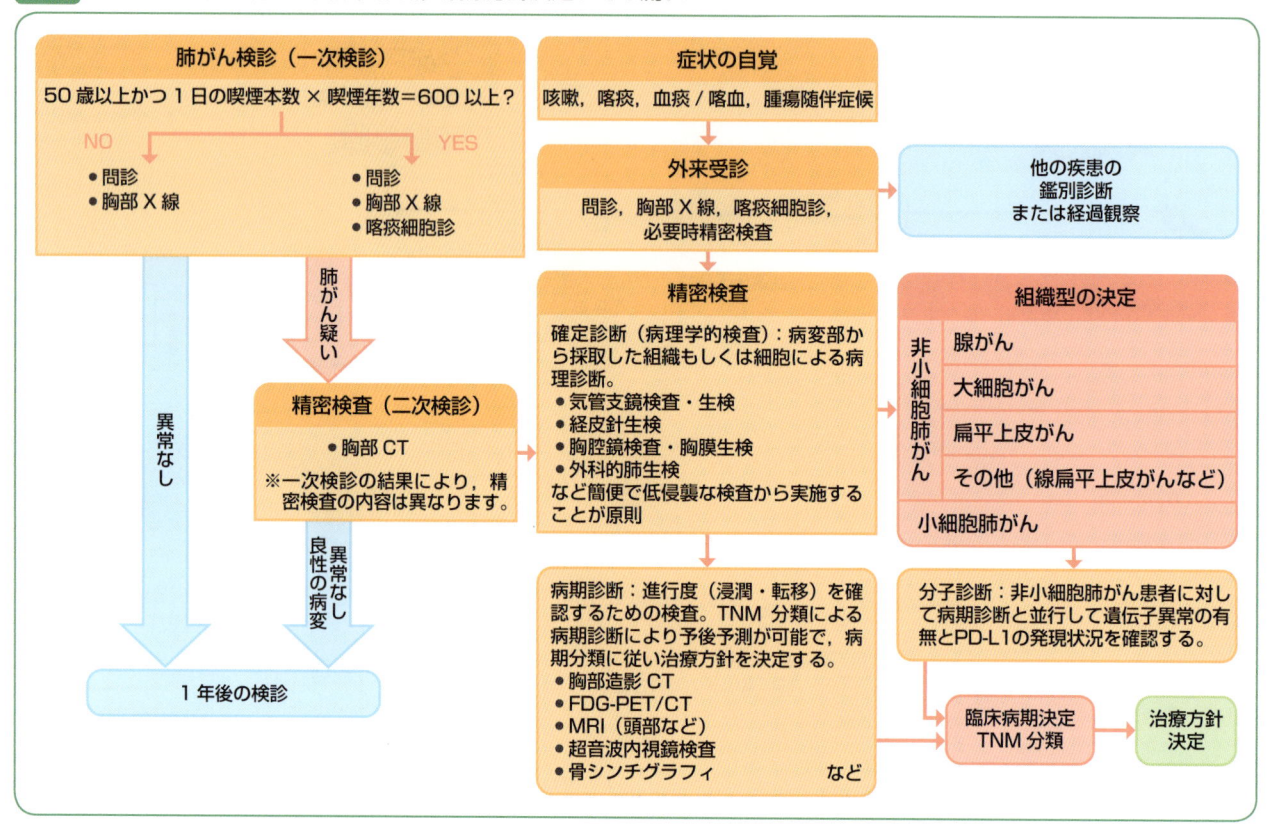

病期診断：進行度（浸潤・転移）を確認するための検査。TNM分類による病期診断により予後予測が可能で，病期分類に従い治療方針を決定する。
- 胸部造影CT
- FDG-PET/CT
- MRI（頭部など）
- 超音波内視鏡検査
- 骨シンチグラフィ　など

組織型の決定
- 非小細胞肺がん
  - 腺がん
  - 大細胞がん
  - 扁平上皮がん
  - その他（腺扁平上皮がんなど）
- 小細胞肺がん

分子診断：非小細胞肺がん患者に対して病理診断と並行して遺伝子異常の有無とPD-L1の発現状況を確認する。

→ 臨床病期決定 TNM分類 → 治療方針決定

表1 主な腫瘍マーカーとその特徴

腫瘍マーカー	腫瘍マーカーの特徴	特異的ながん種
NSE	・神経組織や神経内分泌細胞に存在する酵素 ・溶血時や透析後に値が上昇する	・小細胞肺がん ・神経芽細胞腫でも上昇する
ProGRP	・小細胞肺がんの増殖因子の前の段階の物質 ・肺疾患や腎疾患でも高値になる ・NSEとあわせて検査する	・小細胞肺がん
CYFRA21-1	・上皮細胞に分布する細胞の構造の一物質でがんによって分解される	・肺扁平上皮がん
SCC抗原	・扁平上皮がん組織から抽出されるタンパク ・皮膚疾患，腎不全，喫煙で高値になる	・肺扁平上皮がん，肺腺がん ・子宮がんや食道がんでも上昇
CEA	・胎児や大腸に存在する糖タンパク，がん細胞同士の接着に関連 ・大量喫煙，糖尿病，高齢者で高値になる	・全肺がんで上昇 ・胃がん，大腸がん，膵臓がんでも上昇
CA125	・エストロゲンによって産生が亢進されるタンパク ・月経や腹膜炎などで上昇する	・全肺がんで上昇 ・乳がんや卵巣がんでも上昇
SLX抗原	・がん細胞と血管内皮細胞の接着に関連	・肺腺がん

（日本臨床検査医学会：臨床検査のガイドライン2005/2006. https://www.jslm.org/books/guideline/05_06/298.pdf（2025年2月閲覧）をもとに作成）

す[4]。

2 病期診断

従来は胸腹部造影CTに加え，骨シンチグラフィ，頭部MRIなどの検査を行い，病期診断を行っていたが，**FDG-PET/CT**の急速な普及により，病期診断，特にリンパ節転移（N因子），遠隔転移（M因子）はより正確な診断が可能となった[1]。FDG-PET/CTで使用するFDGはブドウ糖に似た性質をもち，がん細胞がブドウ糖を多量に取り込む特性を活用し，がん細胞にFDGを集積させることでがんの検出・転移の検索を行う。

縦隔リンパ節転移などの診断では，**超音波検査（エコー検査）** も行われる。

3 分子診断

● 遺伝子変異

それぞれのがんに特有な遺伝子変異をターゲットとした個別化治療を行うため，**遺伝子検査**を行う。

非小細胞肺がんにおいては遺伝子変異を標的とした**分子標的薬**が適応となる。非小細胞肺がんの**ドライバー遺伝子変異**は，**全8遺伝子**（治療標的となる薬剤が承認されている遺伝子）がある（表2）ため，これらの遺伝子の有無を調べる。肺腺がんでは，EGFR遺伝子の異常が半数を超える。

● 免疫学的因子

非小細胞肺がんでは抗PD-1抗体や抗PD-L1抗体，進展型小細胞肺がんでは抗PD-L1抗体の発現により**免疫チェックポイント阻害薬**の適応となる[1]。

3）症状

肺がんは初期症状に乏しく特徴的な臨床症状がないが，がん患者にみられる**全身倦怠感**などの症状に加えて，咳嗽，喀痰，血痰，発熱，呼吸困難，胸痛といった

表2 非小細胞がんの遺伝子変異の検索

- 上皮成長因子受容体（epidermal growth factor receptor: EGFR）遺伝子変異
- 未分化リンパ腫キナーゼ（anaplastic lymphoma kinase: ALK）融合遺伝子変異
- ROS1融合遺伝子変異
- BRAF（v-raf murine sarcoma viral oncogene homolog B1）遺伝子変異
- MET（mesenchymal-epithelial transition）遺伝子エクソン14スキッピング変異
- RET（rearranged during transfection）融合遺伝子
- KRAS遺伝子変異
- HER2/ERBB2

呼吸器症状が出現する。それらの症状は，❶肺がんから発生した肺内病変による症状，❷肺がんが進行し周囲の臓器への浸潤により生じる症状，❸遠隔転移による症状，❹浸潤や遠隔転移とは関係なく出現する腫瘍随伴症候群に大別される。

1 肺内病変による症状

肺がんの発生部位により**中枢型（肺門型）** と**末梢型（肺野型）** に分けられるが，末梢型では早期には無症状で経過することが多い。

● 咳嗽・喀痰

肺がんは，浸潤によって**気道への刺激**が高まる。腫瘍により**気管支入口部が狭窄**し，末梢からの分泌物が排出されず炎症が生じ，**慢性的な咳嗽**が出現する。肺がんで咳嗽が持続するときは，**中枢型肺がん**だけでなく，**末梢型肺がんやがん性リンパ管症，がん性胸水貯留**なども疑う。

- **がん性リンパ管症**：腫瘍による血管の圧迫や浸潤により，リンパがリンパ管内に充満してリンパ節が腫大し，**肺間質に浸出する**ことで生じる。
- **がん性胸水貯留**：腫瘍が胸膜へ浸潤し炎症を起こし，胸膜の毛細血管透過性が亢進してリンパ管の通過障害が生じ，肺間質に浸出液が貯留する。

● 血痰・喀血：血痰は早期肺がんの発見において重要な症状の1つである。喀痰中に血液が混在する場合，その血液は気管支，肺胞などの構造中を走る血管の破綻に由来する。肺がんによって生じる血痰は，赤い糸くずのような線状のもの，小さな凝血塊が数個混在しているもの，喀痰の大部分が血液からなるものなど多彩である。

2 周囲臓器への浸潤による症状

❶ 神経系

- **嗄声**：腫瘍や縦隔リンパ節腫脹による左反回神経の圧迫により起こることが多い
- **パンコースト（Pancoast）症候群**（図3）：肺尖部から胸郭外への浸潤により上腕神経叢，頸部交感神経節などを侵すために生じる症状の総称である。上肢の疼痛と筋萎縮やHorner（ホルネル）症候群をきたす
- **ホルネル症候群**：腫瘍が上部胸椎近傍や頸部の交感神経・交感神経節に浸潤した場合に生じる。症状として，患側の眼瞼下垂と縮瞳，無発汗がある

❷ 胸壁・胸膜

- **痛み**：壁側胸膜や胸壁には痛みの神経が分布しているため，肺がんが進行してこれらの臓器に浸潤・転移すると痛みが生じる。**胸膜浸潤の早期は胸痛を自覚する**

図3 パンコースト（Pancoast）症候群

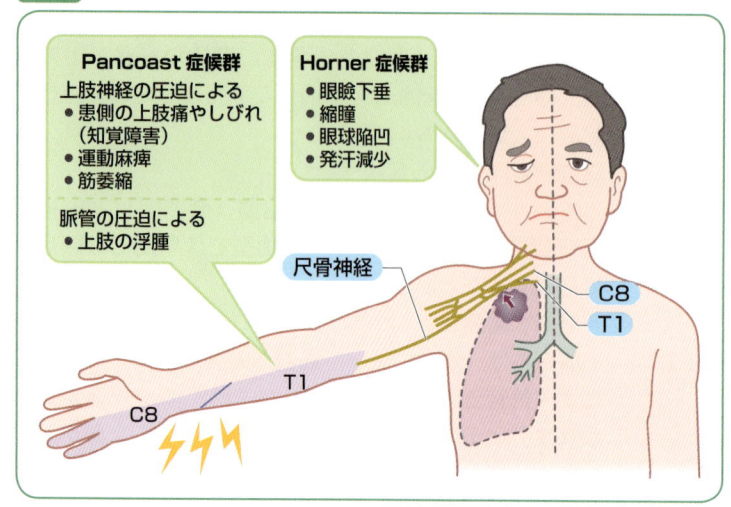

Pancoast 症候群
上肢神経の圧迫による
- 患側の上肢痛やしびれ（知覚障害）
- 運動麻痺
- 筋萎縮

脈管の圧迫による
- 上肢の浮腫

Horner 症候群
- 眼瞼下垂
- 縮瞳
- 眼球陥凹
- 発汗減少

（医療情報科学研究所編：病気がみえる vol 4 呼吸器 第3版. p227, メディックメディア, 2018. より）

が，胸水貯留が始まると痛みは軽快する
- **胸水**：がん細胞が臓側と壁側の胸膜へ浸潤し**胸膜炎**を起こすことや，血管内皮細胞を破壊し胸膜の毛細血管透過性が亢進すること，リンパ液の通過障害が生じることなどが原因で貯留する。悪性疾患に伴う胸水は通常，**滲出性でしばしば血性**である。発生初期は無症状で経過し，徐々に呼吸困難や湿性咳嗽が出現する

❸ **心血管系**
- **上大静脈（SVC）症候群**：上大静脈の圧迫または浸潤により，顔面，頸部，胴体や乳房の浮腫，頭痛，視野の歪み，結膜浮腫，紅斑，副側血行路の静脈怒張などを起こす。患者は「襟がきつくなった」などと訴える場合がある。**小細胞肺がんの患者に生じることが多い**
- **心臓・心膜**：肺がん患者に新たに頻脈，不整脈や心電図異常を認めた場合，がんの浸潤による心筋・心膜病変を疑う

3 遠隔転移による症状

遠隔転移とは，リンパ管や血管に浸潤したがん細胞が，腫瘍組織から分離し，脈管内を伝って運搬され，原発巣から離れた臓器に定着・増殖して二次的な腫瘍を形成することをいう。

- **骨**：骨転移は肺がんに多く，進展型小細胞がんの約40％，Ⅳ期非小細胞肺がんの約48％は骨転移している[5]。**背部痛や腰痛**がきっかけとなって，肺がんが見つかることもある。部位は**脊椎（特に腰椎，胸椎），肋骨，骨盤骨**に多い。がん細胞が周囲の神経を刺激することによる痛み，骨が脆くなることによる**骨折**，骨

のカルシウムが血液に流れ出すことで**高カルシウム血症**が生じる。さらに，脊椎に転移している場合は**疼痛**や**筋力低下，手足のしびれや麻痺**が生じる
- **脳**：脳転移例の**約半数を肺がんが占める**。症状として転移に特徴的なものはなく，**頭蓋内圧亢進症状**である**頭痛，嘔気・嘔吐，意識障害**がみられたり，病巣の存在する部位の局在症状が主体である
- **肝**：黄疸や肝機能障害に伴う種々の症状が生じる

4 腫瘍随伴症候群

「原発腫瘍巣や転移巣から離れた部位に生じる宿主の**臓器機能障害**」と定義[7]され，腫瘍の直接浸潤や転移，または治療に伴う副作用によらず，腫瘍の産生するホルモン，サイトカインなどが遠隔臓器に作用し，さまざまな病態を生じる（表3）。がんに対する治療が奏功しないと，症状の改善をみせず，併発すると予後不良である。

5 神経学的腫瘍随伴症候群

- **ランバート-イートン（Lambert-Eaton）筋無力症症候群**：運動神経末端におけるアセチルコリン（Ach）の放出が阻害され生じる。症状は**下肢筋力低下，上肢筋力低下，易疲労感，深部腱反射低下，眼瞼下垂，口渇，インポテンツ，起立性低血圧**などがある
- **腫瘍随伴性脳脊髄炎**：小細胞肺がんにおいて，腫瘍細胞抗原に対して産生された抗Hu抗体が交差反応により，中枢神経細胞あるいは脊髄後根神経節細胞を傷害し変性，脱落することにより発症する。症状として，**四肢末梢の痛みを伴うしびれ，異常感覚**で発症し，非対称に進行し数週間ですべての感覚が障害される
- **亜急性小脳変性症**：腫瘍細胞から抗Yo抗体が産生され，これが小脳の神経細胞であるプルキンエ細胞の細胞質に存在する抗原と交差反応を起こし，**亜急性に運動失調，構音障害，めまい**などの神経症状を起こす。**構音障害はほぼ必発する**

6 内分泌腫瘍随伴症候群

- **異所性副腎皮質刺激ホルモン（ACTH）症候群**：肺がんの約30％に異所性にACTH（adrenocorticotropic hormone）が発現する。腫瘍がACTHあるいはACTH様物質を産生し，それによって副腎皮質から過剰の副腎皮質ホルモン（コルチゾール）が分泌され発症する。**体重増加，にきび，色素沈着，低K（カリウム）血症，高血糖，高血圧**などを呈する。

表3 肺がんでみられる腫瘍随伴症候群

		好発がん種	産生物質	所見・特徴
神経・筋症状	ランバート‐イートン筋無力症候群	小細胞肺がん	Ca^{2+}チャンネルに対する自己抗体	上下肢筋力低下，易疲労感，口喝など
	腫瘍随伴性脳脊髄炎	小細胞肺がん	抗Hu抗体	嚥下障害，小脳失調，運動障害など
	亜急性小脳変性症	小細胞肺がん，肺腺がん，肺大細胞がん	抗Uo抗体	両側性四肢運動や体幹の失調，構音障害など
内分泌	異所性ACTH（クッシング）症候群	小細胞がん	副腎皮質刺激ホルモン（ACTH）	低K血症，体重増加，にきび
	ADH不適合分泌（バソプレシン分泌過剰）症候群（SIADH）	小細胞がん	抗利尿ホルモン（ADH）	低Na血症，倦怠感，食欲不振
	高Ca血症	肺扁平上皮がん	甲状腺ホルモン関連ペプチド	消化器症状，腎機能低下，意識障害

（文献7，8をもとに作成）

＊異所性：ある組織が正常な部位に存在せず，正常でない部位に検出されること。通常，副腎皮質刺激ホルモンは下垂体から分泌されるため，腫瘍細胞から副腎皮質刺激ホルモンが分泌される状態を「異所性に産生・分泌される」という。

- 抗利尿ホルモン（AHD）不適合分泌症候群（syndrome of inappropriate secretion of antidiuretic hormone：SIADH）：腫瘍がAHD（antidiuretic hormone）を過剰に産生し，腎における水分の再吸収とナトリウム（Na）（正常値：136〜145mEq/L）の排泄が不適切になり，低Na（ナトリウム）血症をきたす。低Na血症の症状では，120mEq/L以下の場合は，倦怠感，食欲不振，嘔気・嘔吐，脱力，頭痛などが出現し，110mEq/L以下になると傾眠，けいれん，意識障害などの中枢神経症状を呈し，重篤化すると死に至ることもある。
- 高Ca（カルシウム）血症：扁平上皮がんに多い。悪性腫瘍体液性高Ca血症（humoral hypercalcemia of malignancy（HHM）：80%）と，骨転移による局所骨溶解性高Ca血症（local osteolytic hypercalcemia（LOH）：20%）に区分される。食欲不振，倦怠感，嘔気・嘔吐などの消化器症状，腎機能障害による多飲，多尿などが生じる。意識障害，不整脈などで死に至ることもある。

4. 肺がんの分類

肺がんには「病理組織学的分類」と「臨床病期分類」の2つの分類がある。

1）病理組織学的分類

非小細胞肺がん（non-small cell lung cancer：NSCLC）と小細胞肺がん（small cell lung cancer：SCLC）に大別され，非小細胞肺がんは扁平上皮がん（squamous non-small cell lung cancer：Sq NSCLC）と非扁平上皮がんに，非扁平上皮がんは腺がん（adenocarcinoma）と大細胞がん（large cell carcinoma）に分けられる。それぞれの肺がんの特徴を表4に示す。

がんの特徴から，気管支や太い気管支などの肺門部近くに発生するがんを中枢型肺がん，肺野に好発するがんを末梢型肺がんと分類する（図4）。

さらに，小細胞肺がんでは，生物学的特性と治療法を考慮し，限局型（limited disease：LD）と進展型（extensive disease：ED）の分類が汎用されている[3]。

- LD：病変が同側胸郭内に加え，対側縦隔，対側鎖骨上窩リンパ節までに限られており，悪性胸水，心嚢水を有さないもの
- ED：限局型を超えた広がりをもつ病変

2）臨床病期分類

がんの胸腔内の広がりや転移の有無などを検査した結果からがんの進展度を分類することを臨床病期分類といい，肺がんでは，国際対がん連合（Union for International Cancer Control：UICC）-TNM分類が用いられている（表5）（→p277）。Tはがんの大きさ，Nはリンパ節転移の程度，Mは遠隔転移の有無を表す。肺がんの臨床病期分類は表6（→p278）に示したようにⅠ期〜Ⅳ期の4段

表4 各種肺がんの特徴

	非小細胞肺がん			小細胞肺がん
	扁平上皮がん	腺がん	大細胞がん	
肺がんに占める割合	約15%	約60%	約5%	10〜15%
好発部位	中枢および末梢	末梢	末梢	中枢および末梢
進行速度	小細胞肺がんと比べると比較的ゆるやか	小細胞肺がんと比べると比較的ゆるやか	速い	・速い ・早期にリンパ節転移・遠隔転移をきたす
主な特徴	・近年は減少傾向にある。喫煙と密接な関係があり、男性に多い ・気管と太い気管支の表面を覆う重層扁平上皮に由来するがんであるため、発生も肺門部近くの太い気管支にみられることが多く、比較的早期に症状（咳嗽、血痰、胸痛など）が出現する ・腫瘍が肺門部にある場合は、腫瘍が気道を閉塞することで、無気肺や閉塞性肺炎をきたしたり、腫瘍が肺尖部にある場合は、パンコースト（Pancoast）症候群がみられることがある ・他の組織型に比べ、リンパ行性、血行性の転移が起こりにくく、治療切除例は予後がよい。放射線療法に比較的感受性がある	・喫煙との関係は扁平上皮がんほど強くなく、日本では女性の非喫煙者の発症も多い ・肺野（末梢）に好発するため、早期はしばしば無症状である ・進行は遅いが、腫瘍は比較的小さいうちから、リンパ組織への浸潤が強く、血行性に転移し、骨や脳へ転移しやすい ・治癒切除例でも再発が少なくない ・放射線、抗がん薬の感受性は比較的低い	・転移の形式や治療への反応は扁平上皮がんと同様である ・肺野に好発し、一般的に進行は速く、発見時には大きな腫瘤を形成していることが多い ・予後不良のことが多い	・中高年の男性に多く、喫煙との関連が大きい ・進行と転移が非常に速く、悪性度の高いがんである ・肺門型肺がんが多いが、肺野に発症することもある ・肺門（中枢）型では呼吸器症状が出やすく、肺野（末梢）型では早期は無症状で経過することが多い ・腫瘍随伴症状（SIADH・異所性ACTH症候群・ランバート-イートン筋無力症候群）が起こることもある
治療適応	・病期や遺伝子変異の有無によって治療が検討される ・早期では手術適応となる			・抗がん薬や放射線に対し感受性が高い

図4 好発部位による肺がんの分類

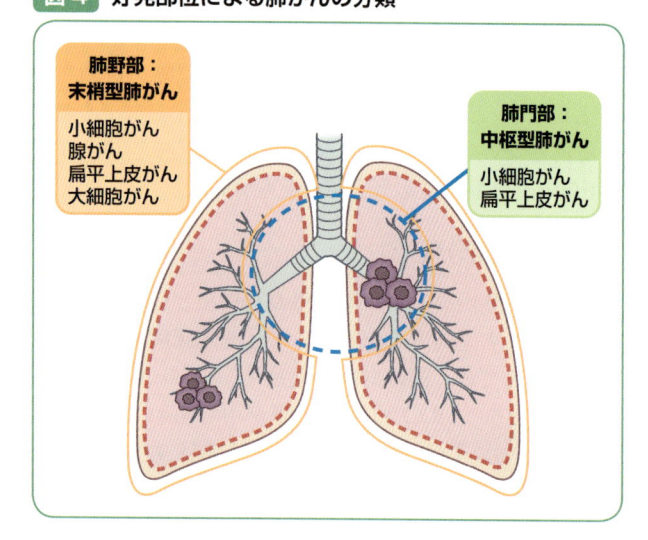

肺野部：末梢型肺がん
小細胞がん
腺がん
扁平上皮がん
大細胞がん

肺門部：中枢型肺がん
小細胞がん
扁平上皮がん

階に分類されている。

5. 肺がんの治療

1）肺がんの治療方針

　肺がん治療の方針は、組織型と遺伝子変異の有無などの特徴、臨床病期、患者の全身状態、治療の影響を受ける心臓や肝臓・腎臓などの臓器機能、合併症、年齢などを考慮して決定される。がん患者の全身状態の指標には、パフォーマンス ステータス（Performance Status：PS）が用いられる（表7）（→p278）。図5（→p279）内の＊2のように、Ⅲ期であってもPSが良好であれば手術療法が選択されるなど、治療の選択に重要な評価となる。

表5 肺がんのTNM分類

	T—原発腫瘍		
TX	原発腫瘍の局在を判定できない		
T0	原発腫瘍を認めない		
Tis	上皮内がん（carcinoma in situ）❶		
T1	肺または臓側胸膜内に存在するか，葉気管支または葉気管支より末梢に腫瘍が存在する（❶）		
	T1mi	微少浸潤性腺がん：最大充実成分径≦0.5cmでかつ病変全体径≦3cm	
	T1a	最大充実成分径≦1cmでかつTis・T1miには相当しない	
	T1b	最大充実成分径>1cmでかつ≦2cm	
	T1c	最大充実成分径>2cmでかつ≦3cm	
T2	腫瘍が以下を満たす場合		
	T2a	最大充実成分径>3cmでかつ≦4cm（❷），または最大充実成分径≦3cmでも以下のいずれかであるもの ・臓側胸膜に浸潤（❸） ・隣接する肺葉に浸潤 ・腫瘍が主気管支に及ぶが気管分岐部には及ばないか，肺門まで連続する部分的または一側全体の無気肺か閉塞性肺炎がある	
	T2b	最大充実成分径>4cmでかつ≦5cm	
T3	腫瘍が以下を満たす場合 ・最大充実成分径>5cmでかつ≦7cm（❹），または最大充実成分径≦5cmでも以下のいずれかであるもの ・壁側胸膜，胸壁への浸潤（❺） ・心膜，横隔神経，奇静脈への浸潤 ・胸部神経根（T1，T2など）または星状神経節への浸潤 ・原発巣と同一葉内（❻）の不連続な副腫瘍結節		
T4	腫瘍が以下を満たす場合 ・最大充実成分径>7cm（❼），または大きさを問わず以下のいずれかであるもの ・縦隔，胸腺，気管，気管分岐部，反回神経，迷走神経，食道，横隔膜への浸潤 ・心臓，大血管（大動脈，上・下大静脈，心膜内肺動脈），腕頭動脈，総頸動脈，鎖骨下動脈，腕頭静脈，鎖骨下静脈への浸潤 ・椎体，椎弓板，脊柱管，頸椎神経根，腕神経叢への浸潤 ・原発巣と同側の異なった肺葉内の副腫瘍結節（❽）		

	N—所属リンパ節
NX	所属リンパ節評価不能
N0	所属リンパ節転移なし
N1	同側の気管支周囲かつ/または同側肺門，肺内リンパ節への転移で原発腫瘍の直接浸潤を含める（❾）
N2	同側縦隔かつ/または気管分岐下リンパ節への転移（❿）
N2a	単一N2ステーション*への転移
N2b	複数N2ステーション*への転移
N3	対側縦隔，対側肺門，同側あるいは対側の斜角筋/鎖骨上窩リンパ節への転移（⓫）

	M—遠隔転移
M0	遠隔転移なし
M1	遠隔転移がある
M1a	対側肺内の副腫瘍結節，胸膜または心膜の結節，悪性胸水（同側・対側），悪性心嚢水（⓬）
M1b	胸腔外の一臓器への単発遠隔転移がある
M1c	胸腔外の一臓器または多臓器への多発遠隔転移がある（⓭）
M1c1	胸腔外一臓器への多発転移
M1c2	胸腔外多臓器への多発転移

＊：ステーション；リンパ節のある場所の区分や分類のこと。N2ステーションは肺の中心付近や縦郭に位置するリンパ節への転移を指す

（日本肺癌学会編：肺癌取扱い規約 第9版．pp3-5，金原出版，2025．をもとに作成）

表6 臨床病期分類

病期	T	N	M
潜伏癌	TX	N0	M0
0期	Tis	N0	M0
ⅠA期	T1	N0	M0
ⅠA1期	T1mi	N0	M0
	T1a	N0	M0
ⅠA2期	T1b	N0	M0
ⅠA3期	T1c	N0	M0
ⅠB期	T2a	N0	M0
ⅡA期	T1a	N1	M0
	T1b	N1	M0
	T1c	N1	M0
	T2b	N0	M0
ⅡB期	T1a	N2a	M0
	T1b	N2a	M0
	T1c	N2a	M0
	T2a	N1	M0
	T2b	N1	M0
	T3	N0	M0
ⅢA期	T1a	N2b	M0
	T1b	N2b	M0
	T1c	N2b	M0
	T2a	N2a	M0
	T2b	N2a	M0
	T3	N1	M0
	T3	N2a	M0
	T4	N0	M0
	T4	N1	M0
ⅢB期	T1a	N3	M0
	T1b	N3	M0
	T1c	N3	M0
	T2a	N2b	M0
	T2a	N3	M0
	T2b	N2b	M0
	T2b	N3	M0
	T3	N2b	M0
	T4	N2a	M0
	T4	N2b	M0
ⅢC期	T3	N3	M0
	T4	N3	M0
Ⅳ期	Any T	Any N	M1
ⅣA期	Any T	Any N	M1a
	Any T	Any N	M1b
ⅣB期	Any T	Any N	M1c

(日本肺癌学会編：肺癌取扱い規約　第9版．p6，金原出版．2025．より)（本著作物は日本肺癌学会が作成したものであり，本著作物の内容に関する質問，問い合わせ等は日本肺癌学会にご連絡ください．『エビデンスに基づく呼吸器看護ケア関連図　改訂版』は日本肺癌学会及び発行元である金原出版からの許諾を得て，本著作物を内容の改変を行うことなく複製し，使用しています）

表7 ECOG Performance Status（PS）

Score	定義
0	まったく問題なく活動できる。発病前と同じ日常生活が制限なく行える。
1	肉体的に激しい活動は制限されるが，歩行可能で，軽作業や座っての作業は行うことができる。例：軽い家事，事務作業
2	歩行可能で自分の身の回りのことはすべて可能だが作業はできない。日中の50％以上はベッド外で過ごす。
3	限られた自分の身の回りのことしかできない。日中の50％以上をベッドかいすで過ごす。
4	まったく動けない。自分の身の回りのことはまったくできない。完全にベッドかいすで過ごす。

(Common Toxicity Criteria. Version2.0 Publish Date April 30, 1999. / JCOG ホームページ（http://www.jcog.jp/）・ガイドライン・各種規準より日本語訳を引用)

肺がん治療は「手術療法」「放射線療法」「薬物療法」が3本柱である。手術療法と放射線療法は病変部のみに作用する局所療法であり，薬物療法は全身療法である。

1 肺がんの手術療法

手術療法については，㉓胸部手術療法における周手術期の看護（→ p308）を参照。

2 肺がんの放射線療法

放射線療法には，治療目的に応じて**根治的治療と補助的照射，全脳照射，姑息的照射**がある（表8）（→ p280）。

❶**単純分割照射法**：1日1回・3Gy以内・週5日照射（10回／2週）・総線量20Gyまたは30Gy

❷**多分割照射法**：小細胞肺がんは増殖旺盛な腫瘍であり，照射と照射の間の再増殖が速いため，1日1回または数回，週に4日程度，2～3Gyずつ照射する。多分割照射法では照射後の正常組織は亜致死障害からの回復に4～6時間以上を要するため，**照射間隔を4～6時間以上あける**

3 肺がんの薬物療法

肺がんの薬物療法には細胞傷害性抗がん薬，分子標的薬，免疫チェックポイント阻害薬が用いられる。

❶**細胞傷害性抗がん薬**：DNA傷害と微小血管阻害によりがん細胞を障害する抗がん薬である。正常細胞にも作用するため，さまざまな副作用が出現する。

❷**分子標的薬**：がん細胞のもつ増殖にかかわる分子を標的として，その作用（シグナルの活性）を障害することで効果を得る薬である。

- 肺がんに用いられる分子標的薬には，キナーゼ阻害薬と血管新生阻害薬がある。**キナーゼ阻害薬**は，がん細胞内のキナーゼ結合部位に結合し，シグナル伝

図5 非小細胞肺がんの治療

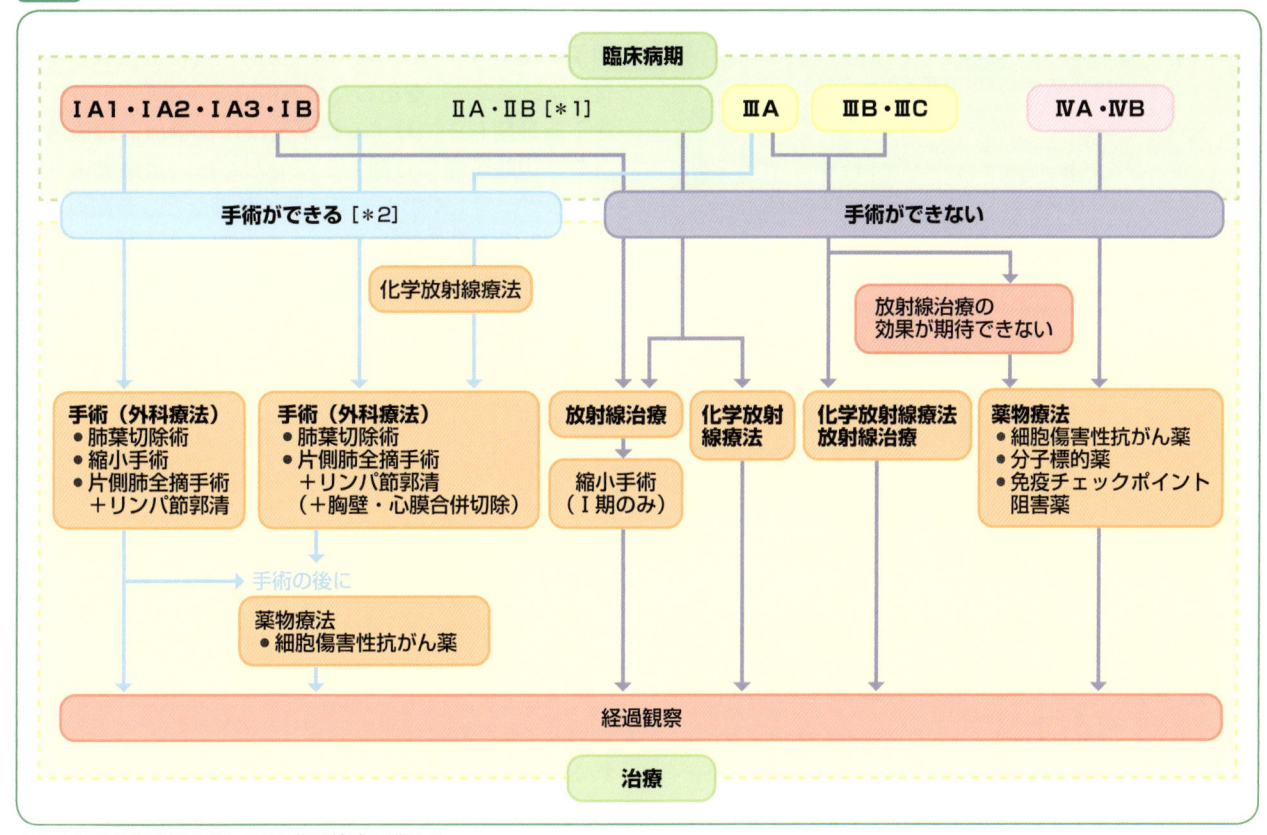

*1：肺尖部胸壁浸潤がんはⅡA期の治療に準じる
*2：全身状態（PSや呼吸機能，腎機能，肝機能）など
（独立行政法人国立病院機構 東徳島医療センター：肺癌の治療. https://higashitokushima.hosp.go.jp/sinryoinfo/kokyugeka/haigan.html（2025年6月閲覧）を一部改変）

達を抑制することで，がん細胞の増殖を抑える薬である。**血管新生阻害薬**は，がん細胞が新しい血管を引き込んで（血管新生）酸素や栄養を得ようとする働きを阻害する薬である（→コラム「分子標的薬」p267参照）。

❸**免疫チェックポイント阻害薬**は，免疫チェックポイント分子に結合し，抑制性シグナルを遮断することで免疫系のブレーキを解除し，T細胞の再活性化により腫瘍に対する免疫応答を高める治療薬である（→コラム「免疫チェックポイント」p306参照）。

それぞれの治療によって生じる副作用や合併症への対応（**支持療法**）も行う。これらを単独，または複数組み合わせた集学的治療が行われる。また，病期にかかわらず，**早期から緩和ケアを導入する**（→㉕呼吸器疾患の緩和ケア参照）。

2）非小細胞肺がんの治療

非小細胞肺がんの治療を図5に示す。

1 Ⅰ～Ⅱ期の治療

Ⅰ～Ⅱ期の非小細胞肺がんに対する標準治療は，**外科切除（肺葉以上の切除）**であり，ⅠA3～Ⅱ期では，肺門・縦隔リンパ節郭清が行われる。Ⅰ期では開胸手術に加え，胸腔鏡下肺葉切除術やロボット支援手術なども行われる。

中心型早期肺がん（特に腫瘍径1.0cm以下）に対し，レーザー照射による**光線力学的療法**（photodynamic therapy：PDT）が行われ，完全寛解率も極めて良好である。腫瘍親和性物質の副作用として**日光過敏症**があるため，与薬後の直射日光を避ける。

高齢者や手術自体を希望しない患者，合併症を有する患者に対しては，**根治的放射線治療（高精度放射線治療）**が有用であり，選択される場合もある。

表8 肺がんの放射線治療の目的と内容

目的	内容
根治的治療	・切除不能非小細胞肺がんの根治的治療（Ⅰ～Ⅱ期：合併症などの理由による切除不能例や拒否例に実施） ・単純分割照射法：1日1回1.8～2Gy・週5日照射（30回／6週）・総線量60Gy.
補助的照射	・手術や薬物療法と組み合わせた集学的治療の一種 ・術前照射：手術の治療切除性を高める ・術後照射：術後の局所再発を減らす ＜放射線治療と薬物療法の併用時期＞ ・導入化学療法：放射線治療前に抗がん薬を投与する ・補助化学療法：放射線治療後に抗がん薬を投与する ・同時併用療法：抗がん薬与薬と放射線治療を同時に行う
全脳照射	・薬物療法や放射線化学療法で制御された小細胞肺がんの脳転移に対する予防的全脳照射（PCI）
姑息的照射	・腫瘍の進展や遠隔転移に伴う症状の緩和を目的とした姑息的照射

2 Ⅲ期の治療

Ⅲ期の非小細胞肺がんに対しては，PSが良好でⅢA期T4N0～1であれば，**導入療法（薬物療法もしくは化学放射線療法）をあわせた外科治療**が選択される。切除不能Ⅲ期N2に対する標準治療は**化学放射線療法**である。切除可能なⅢ期N2に対しては，治療効果（完全切除率の向上や微小遠隔転移の制御など）を高めるため，導入療法後の外科切除が行われる。さらに，**分子標的治療薬の補助療法**も行われる。

ⅡA/B・Ⅲ期では種々の病態が含まれるため，呼吸器外科，内科医，放射線治療医を含めた集学的治療チームで治療方針を決定する。表9に，Ⅲ期の**化学放射線療法（CBDCA＋PTX）による標準治療レジメン**，高齢者に対する治療，免疫チェックポイント阻害薬による地固め療法の例を示す（治療レジメンの解説はコラム「薬物療法レジメン」p293参照）。

3 Ⅳ期の治療

Ⅳ期はがんの種類やドライバー遺伝子変異／転座の有無，PD-L1検査TPS（Tumor Proportion Score），PSによって適応となる薬物療法が異なる。全身状態が良好な**Ⅳ期非小細胞肺がん患者に対しては，薬物療法が選択される**。腫瘍における**ドライバー遺伝子変異／転座の有無**

表9 Ⅲ期非小細胞肺がんの放射線療法と薬物療法（CBDCA＋PTX）による標準治療の例

CBDCA＋PTX療法	胸部放射線治療	60Gy/30回（6週），day1～	
	化学療法	CBDCA	（AUC＝2），day1, 8, 15, 22, 29, 36
		PTX	40mg/m², day1, 8, 15, 22, 29, 36
		→ CBDCA	（AUC＝5），day1, 2サイクル
		PTX	200mg/m², day1, 2サイクル
CDDP＋DTX療法	胸部放射線治療	60Gy/30回（6週），day1～	
	化学療法	CDDP	40mg/m² day1, 8, 29, 36
		DTX	40mg/m² day1, 8, 29, 36
高齢者CBDCA療法	胸部放射線治療	60Gy/30回（6週），day1～	
	化学療法	CBDCA	30mg/m²，合計20回の与薬を40Gyまでの照射日に一致して照射前60分以内に投与
免疫チェックポイント阻害薬による地固め療法		デュルバルマブ	1500mg/body, day1, 4週毎（最大1年間）

→ 地固め化学療法は行わない

CBDCA：カルボプラチン　　PTX：パクリタキセル　　ACU：血中濃度曲線下面積（最小の骨髄抑制で最適な治療効果を得るために設定される血中濃度）

（日本肺癌学会編：肺癌診療ガイドライン─悪性胸膜中皮腫・胸腺腫瘍含む　2024年版　第8版．p196，金原出版，2024．より）（本著作物は日本肺癌学会が作成したものであり，本著作物の内容に関する質問，問い合わせ等は日本肺癌学会にご連絡ください。『エビデンスに基づく呼吸器看護ケア関連図　改訂版』は日本肺癌学会及び発行元である金原出版からの許諾を得て，本著作物を内容の改変を行うことなく複製し，使用しています）

表10 Ⅳ期非小細胞肺がんの治療例の一部

分子標的治療			
EGFR遺伝子変異陽性例	ゲフィチニブ	250mg/day	1日1回
	エルロチニブ	100mg/day	1日1回
ALK遺伝子変異陽性例	アレクチニブ	600mg/day	1日2回
ROS1遺伝子変異陽性例	クリゾチニブ	500mg/day	1日2回
免疫チェックポイント阻害薬			
ニボルマブ＋イピリムマブ併用療法	ニボルマブ	240mg/body, day1, 15, 29	6週ごと
	イピリムマブ	1mg/kg, day1	

■細胞傷害性抗がん薬と免疫チェックポイント阻害薬の併用レジメン（非扁平上皮がんのみ）

CDDP　75mg/m², day1（もしくはCBDCA）（もしくは（AUC＝5），day1）	3週ごと
PEM　500mg/m², day1	
ペムブロリズマブ　200mg/m², day1	
・4サイクル終了後，増悪を認めなければPEM＋ペムブロリズマブ併用の維持療法を考慮	

■細胞傷害性抗がん薬と分子標的治療薬併用レジメン

DTX＋ラムシルマブ療法	DTX　60mg/m², day1	3週ごと
	ラムシルマブ　10mg/kg, day1	

＊CDDP（シスプラチン），CBDCA（カルボプラチン），PEM（ペメトレキセド），DTX（ドセタキセル）
（日本肺癌学会編：肺癌診療ガイドライン―悪性胸膜中皮腫・胸腺腫瘍含む　2024年版　第8版．pp276-278，金原出版，2024．をもとに作成）

が陽性であった場合は，各ドライバー遺伝子に対する**分子標的治療法**，**陰性**であった場合は**免疫チェックポイント阻害薬**の与薬を行う（PD-L1 TPS 1％未満例では適応はない）。

またⅣ期では，症状緩和を目的とした**薬物療法や放射線療法**など，**ベストサポーティブケア**（best supportive care：BSC）を実施する。BSCは，がんに対する手術や抗がん薬与薬など積極的な治療を行わず，症状緩和の治療のみを行うことであり，効果的な治療が残されていない場合や患者自らの希望によって積極的な治療を行わない場合に実施される。**身体的な苦痛や治療の副作用を軽減し，QOLを高める**医療やケアを提供する。

Ⅳ期非小細胞肺がんで用いられる薬物療法においては，長らく細胞傷害性抗がん薬がその中心を担ってきたが，2000年代以降になって分子標的治療薬・免疫チェックポイント阻害薬といった新規治療が登場し，これらは細胞傷害性抗がん薬との比較によって有効性が示されている。標準治療例の一部を表10に示す。

3）小細胞肺がんの治療

放射線治療や薬物療法に対する感受性が高く，これらによる治療効果が期待できる。

1 LD（限局型：limited disease）

病変が同側胸郭内に加え，対側縦郭，対側鎖骨上窩リンパ節までに限られており，悪性胸水，心嚢水を有さないものを**限局性小細胞肺がん**と定義される[1]。

臨床病期Ⅰ～ⅡA期で外科治療が可能な場合は**手術**を行い，その後は**術後補助化学療法**を行う。

Ⅰ～ⅡA期の手術が不可の場合やⅠ～ⅡA期以外でPSが0～2の場合は，**化学放射線療法**が標準治療である。抗がん薬与薬翌日から放射線治療（1日2回照射する**加速過分割照射**）を行う早期同時併用療法を実施する。

初再発として脳転移を呈することが多いため，初回治療により**完全奏効**が得られた症例に対しての**予防的全脳照射**（prophylactic cranial irradiation：**PCI**）（**25Gy／10回**）は，標準治療となっている。**切除不能症例**に対しては，**定位照射**が選択肢の1つである。限局型小細胞肺がんの治療例を表11に示す。

2 ED（進展型：extensive disease）

限局型の範囲を超えて腫瘍が進行しているものをいう。肺内転移や遠隔転移など進行がんであるEDの小細

表11 限局型小細胞肺がんの代表的な治療

■標準治療例

Ⅰ～ⅡA期	切除可能	・外科療法＋薬物療法 ・放射線療法	・外科治療＋術後補助化学療法（PE療法） ・PE療法（CE療法）＋定位放射線治療（1.5Gy×2回/日, 15日間） ・PCI
	切除不能	・化学放射線療法	・PE療法（CE療法）＋加速過分割照射法
ⅡB～Ⅳ期	PS 0～2	・化学放射線療法	・PE療法（CE療法）＋加速過分割照射法（完全奏功かつPS良好例はPCI）
	PS 3	・薬物療法（＋放射線療法）	・PE療法/CE療法（腎機能低下，高齢者）（＋放射線治療）（PS 3では，完全奏功かつPS良好例はPCI）
	PS 4	・薬物療法もしくはBSC	・BSC

■術後補助化学療法例：PE療法

PE療法	・CDDP　80mg/m², day1 ・ETP　100mg/m², day1～3	3週間ごと　計4サイクル

■化学放射線療法例：PE療法＋胸部放射線治療

胸部放射線治療	加速過分割照射法　1日2回, 45Gy/30回	3週間
PE療法	・CDDP　80mg/m², day1 ・ETP　100mg/m², day1～3	3～4週間ごと（放射線治療施行中は4週間ごと）

■予防的全脳照射（PCI）

25Gy/10回（2週），30Gy/15回（3週）

PE療法：シスプラチン（CDDP）＋エトポシド（ETP）化学療法，CE療法：カルボプラチン（CBDCA）＋エトポシド（ETP）化学療法
（日本肺癌学会編：肺癌診療ガイドライン―悪性胸膜中皮腫・胸腺腫瘍含む　2024年版　第8版．p289, 300, 318, 金原出版, 2024．をもとに作成）

胞肺がんでは，**薬物療法**が標準治療であり症状緩和のための**放射線療法**や**PCI**が行われる場合もある（表12）。使用される薬剤は，年齢やPSなどによって決定される。**PI（シスプラチン＋イリノテカン）療法**の特徴として，血液毒性が軽度な一方，**嘔吐，下痢**の頻度が高く，**間質性肺炎患者には禁忌**である。進展型小細胞肺がんに対しては，PCIの有効性は示されていない。

4）転移に対する治療

進行期の肺がんでは脳・骨など**遠隔転移**の頻度が高く，これらの制御は予後のみならず全身状態に大きな影響を与える。**無症状であれば全身薬物療法**を優先する。症状がある，もしくは症状が出現する・機能低下をきたす可能性が高い症例に対しては**局所療法**が優先される。

近年の肺がん薬物療法の進歩は，局所療法の選択にも少なからず影響を与えている。特に**非小細胞肺がん**における**ドライバー遺伝子変異/転座陽性例**は，**分子標的治療薬**によって短期間で良好な腫瘍縮小が期待できることが多い。また，非小細胞肺がん・小細胞肺がんのいずれにおいても**免疫チェックポイント阻害薬による治療レジメン**が用いられるようになり，予後についても症例によっては長期成績が期待できるようになってきている。局所療法を導入するにあたっては，効果のみならず侵襲度や晩期毒性も含めて検討する。

▶**晩期毒性**とは，がん治療を受けた患者が，放射線治療や薬物療法が終わって1カ月から数年後に起きる後遺症や副作用などの有害事象のこと。

1 骨転移の場合

有症状例では**局所療法**の適応となる。多くは**放射線療法**が選択されるが，**脊髄圧迫**に対しては**外科療法**も選択肢となり得る。骨転移は多くの場合で生命予後に直結することは少ないものの，**痛みの出現**や**歩行困難**になるなどQOLに与える影響は大きいことから，治療選択には予後との兼ね合いも重要となる。

2 脳転移の場合

有症状例を中心として**放射線治療**や**摘出術**などが局所治療の対象となるが，無症状でも局所治療を選択する場合がある。**放射線治療の選択**については，4個以下で腫

表12 進展型小細胞肺がんの標準治療例

■標準治療例			
PS 0〜2	70歳以下	薬物療法	・PI療法（下痢や間質性肺炎発症が懸念されるまたは，すでに発症している患者ではPE療法が推奨） ・PE療法
	71歳以上	薬物療法	・PE療法 ・CE療法（CPT-11の毒性が懸念される症例にはCE療法が推奨）/Split PE療法
	PS 0〜1	薬物療法	・CE療法＋免疫チェックポイント阻害薬（デュルバルマブ，アテゾリズマブ）
PS 3		薬物療法	・CE療法/Split PE療法
PS 4		薬物療法もしくはBSC	・BSC

■ PI療法：シスプラチン（CDDP）＋イリノテカン（CPT-11）化学療法例

・CDDP 60mg/m² , day1 ・CPT-11 60mg/m² , day 1, 8, 15	4週間ごと 計4サイクル

■ Split PE療法（腎臓への負担の軽減のため，PE療法で使用するCDDPやETPを3日間に分割して与薬する方法）

・CDDP 25mg/m² , day 1, 2, 3 ・ETP 80mg/m² , day 1, 2, 3	3〜4週間ごと

■ 予防的全脳照射（PCI）

25Gy/10回（2週），30Gy/15回（3週）

PI療法：シスプラチン（CDDP）＋イリノテカン（CPT-11），PE療法：シスプラチン（CDDP）＋エトポシド（ETP）化学療法，CE療法：カルボプラチン（CBDCA）＋エトポシド（ETP）化学療法
（日本肺癌学会編：肺癌診療ガイドライン―悪性胸膜中皮腫・胸腺腫瘍含む 2024年版 第8版. p303, 312, 318, 金原出版, 2024. をもとに作成）

瘍径3cm程度までであれば定位照射，それ以外の多発脳転移については全脳照射を行う。

II-1 肺がんの看護ケアとその根拠：診断期

　肺がんの病期や組織型，PSなどにより症状や経過，治療法が異なるため，それらを理解し，患者一人ひとりの個別性を考慮し，診断期，治療期，終末期の病期ごとに必要とされる看護を提供する。

1. 診断期の看護目標

❶診断時のショックや不安を表出し，病気を理解して検査や治療に臨むことができる
❷身体症状出現や悪化に気づいて，早期に治療を受け症状が緩和される
❸不安や不眠などの精神的苦痛に対する支援を受けて適応障害や抑うつ状態を予防する

2. 診断期の観察ポイント

①呼吸状態の確認：呼吸回数，深さ，咳嗽の程度，呼吸音，咳嗽・喀痰，血痰・喀血の有無，バイタルサイン（酸素飽和度，脈拍）
②疼痛の有無，程度の確認：部位，強さ，性質，痛みの持続時間，日常生活への影響
③周囲臓器への浸潤による症状の有無，程度：嗄声，パンコースト症候群，ホルネル症候群，上大静脈症候群
④気管支内視鏡検査，CTガイド下生検：検査目的，検査方法，検査時および検査後注意点に対する患者の理解度，検査に対する不安の有無，アレルギーの有無（→コラム「気管支内視鏡検査」参照）
⑤告知による精神的なショック，不安の程度，告知内容の理解度
⑥生活や経済面での心配事項

⑦家族や重要他者の有無，関係性，家族や重要他者の病気の理解度，不安の有無

3. 全人的苦痛に対する看護

　がん患者と家族の苦悩や苦痛は症状を自覚したり，健診で精密検査をすすめられたときから始まる。「がんだったらどうしよう」という**不安**を抱え，**咳や痛み**などの身体的苦痛を伴うこともある。そして肺がんの確定診断のために必要な気管支鏡検査や胸腔鏡検査も，大きな苦痛を伴う。そのため，検査を受ける人たちの状況も適切に把握し，全人的苦痛（→㉕呼吸器疾患の緩和ケア参照）への支援を行う。

　また，分子標的治療薬や免疫チェックポイント阻害薬などの肺がん治療の目覚ましい進歩により，**予後が延長している**一方で，遺伝子型や免疫抗体の発現の有無により治療の適応にならず**落胆する人がいる**こと，治療の適応になったことで肺がんという**病（やまい）と長時間向き合う**ことになり，**心身ともに苦痛を抱える期間が延長**されることも事実である。患者と家族は，治療を継続するべきか否か，苦悩することもある。また転移・再発の恐れも抱えている。

　看護師は，患者と家族が悩みを表出しやすいように，精神的なサポートを行う。さらに患者は**職場や家族内での役割変化，経済的問題**などを抱えていることも多い。高額療養費制度などの社会資源を最大限に活用する方法を紹介したり，家族や職場の理解が得られるよう支援することも大切である。

　このように肺がん患者とその家族は，常に全人的苦痛を抱えて生活していることを理解し，患者の表情や行動の変化等を敏感に察知して少しでもその苦痛が緩和されるよう，医師をはじめ薬剤師や診療放射線技師，臨床心理士など多職種との協働で早期より緩和ケアを提供する（→㉕呼吸器疾患の緩和ケア参照）。

4. 症状マネジメントと症状緩和

　さまざまな苦痛症状に対し，症状マネジメントと症状緩和を行う（→㉕呼吸器疾患の緩和ケア参照）。

Ⅱ-2　肺がんの看護ケアとその根拠：治療期

1. 治療期の看護目標

❶治療計画を遂行できる
❷病気や病状を理解し，医療者のサポートを得て，自身で治療法や今後について意思表明や意思決定ができる
❸合併症や副作用，有害事象の予防や早期発見ができ，苦痛症状を避け治療に臨むことが継続できる
❹苦痛症状の緩和やコントロールができ，療養生活および日常生活を再構築することができる
❺心理的・スピリチュアル的な苦悩を周囲の人と共有し安らぎや癒しが得られる

2. 手術療法を受ける患者の看護

→㉓胸部手術療法における周術期の看護（→p308）参照。

3. 放射線療法を受ける患者の看護

　放射線療法は，がん細胞に最大のダメージを与えながら，周囲の正常細胞への影響を最小限にするという綿密な治療計画のもとに実施される。腫瘍を完全に消失させることを目的とした**根治的放射線治療**と，根治は難しいが，症状緩和とQOLの維持，向上を目的とした**姑息的放射線治療**（表9参照）の，どちらを目的としているかを把握し，期待した治療効果が得られ，治療が完遂できるように心身の状況を整えサポートする。

1) 放射線療法を受ける患者の観察ポイント

- 放射線療法に対する不安
- 発熱，呼吸困難，咳，痰の増加など呼吸器症状
- 照射部位の皮膚状態（発赤，乾燥，搔痒感，色素沈着，びらん）
- 放射線が食道を通過する場合：つかえ感，飲み込みづらさなど

2) 治療開始前の看護

❶ 治療開始前の確認／観察事項

- 治療の目的が積極的治療なのか，延命なのか，緩和なのか，患者個々の治療の目的を把握し，病状について

患者・家族の認識を確認し，前向きに治療に取り組めるように支援する
- 治療開始後の症状が放射線療法によるものかを判断するために，治療前の肺機能を含む**全身状態を把握**する
- **治療スケジュール**（照射部位・照射線量・照射期間など）を把握する
- 患者の**ライフスタイル**を把握し，セルフケア教育に活かす

2 患者と家族への支援
- 照射開始前に，照射スケジュールと，予測される有害事象の発現時期，持続期間および具体的な対処方法について説明し，**不安の軽減**を図る
- 治療効果に大きく影響するため，**禁煙**を徹底する
- 症状出現時の対処や，**有害事象に対するセルフケア**について教育を行う

3）治療開始後の看護

1 有害事象のマネジメント
有害事象のコントロール不良により，患者の苦痛や不安が持続し，治療への意欲が低下し，治療中断を余儀なくされることもある。

有害事象の出現を予測し，予防できる効果的な方法を患者に伝え，症状の程度を評価して適切な対処方法がとれるように促す（表13）。

2 照射中のケア
- 病状によって，治療**体位**による呼吸困難や咳嗽が出現する場合があるため，症状の変化がないかを確認するとともに，モニタリングや酸素吸入の準備，鎮痛薬・鎮咳薬の服用を検討する
- 治療室での圧迫感や閉塞感からパニックに陥る可能性もあるため，患者が**安心できる声かけ**や**環境づくり**を行う

表13 放射線療法による有害事象のマネジメント

有害事象	時期	観察計画	治療計画	教育計画
放射線宿酔	照射開始直後～2週間	・全身倦怠感 ・食欲不振 ・嘔気・嘔吐 ・眩暈 ・頭重感	・貧血・感染・脱水・栄養障害の改善 ・制吐薬・睡眠薬の与薬 ・補液・副腎皮質ステロイドの与薬	・一過性であるため，いずれ消失することを伝える ・活動と休息のバランスをとる（エネルギーの配分） ・規則的に散歩などの軽い運動を行う ・良質な睡眠の確保 ・口腔ケアの実施 ・食事の工夫・飲水を多くとる
放射線食道炎	照射開始3週間～	・胸やけ ・嚥下・通過障害 ・嚥下時痛	・粘膜保護薬や鎮痛薬の与薬	・刺激物を避け，食事の形態・味付けなどを工夫する ・香辛料・酸味の強いもの，熱いもの，酒などの刺激物を避ける ・食事は小さくきざむ，柔らかく煮るなど工夫し，食べやすくする ・少量ずつ数回に分けて食べる
放射線皮膚炎	照射開始3週間～	・照射部位の皮膚の状態	・乾燥・掻痒対策として医師の指示による皮膚・粘膜保護薬を塗布 ・照射前に保護薬は除去し，照射後に塗布 ・非アルコール消毒	・照射部の皮膚を観察する ・皮膚への刺激を避ける ・柔らかい布地の下着を着用する ・弱酸性の石けんを使用する ・タオルでこすらない ・保湿する ・照射野への絆創膏・湿布の貼付を禁止する
放射線肺臓炎・放射線肺線維症	照射中～終了後約6ヵ月	・咳・痰・発熱 ・呼吸状態 ・呼吸困難 ・酸素飽和度 ・検査データ（WBC・CRP・LDHなど）	・発熱時のケア ・症状がある場合，抗菌薬・副腎皮質ステロイド・鎮咳薬の与薬 ・酸素吸入 ・ネブライザー	・発熱・息切れ・咳・痰などの症状があるときは，医師または看護師に知らせる ・加湿器を使用し，水分を多めにとる ・感染予防を行う ・動作はゆっくり行い，深呼吸をする

（中村由紀子・他：肺がんの放射線療法の看護．がん看護10（2）：126-130，2005．を一部改変）

3 長期的治療に対するケア
- 放射線療法は数カ月を要し，その期間中患者は治療に伴う有害反応だけでなく，**転移・再発への恐れや治療効果に対する不安**を抱く。看護師は，患者と家族が不安や悩みを表出しやすいよう常に患者と家族に関心を示し，精神的なサポートを行う

4) 転移への放射線療法を受ける患者の看護

1 骨転移がある場合
- 肺がんの骨転移は進行性小細胞肺がんでは約40％に生じるとされ，生存期間の中央値は1年にも満たず，**予後不良**であることが多い[13]
- 骨転移により生じる疼痛や骨折，筋力低下などで，**ADLが低下**する。放射線治療による副作用への対応，疼痛コントロールを適切に行い，ADLの変化に対応した援助を行う
- 他にも，放射線治療と合わせて**早期の骨修飾薬の服用**が，骨関連事象の抑制に有効とされている[1]

2 脳転移がある場合
- **脳浮腫，頭蓋内圧亢進症状**に注意する
- 初回照射の数時間後から有害事象がみられることがあり，特に照射後2～3日は注意が必要で，適切に対処しなければ，**脳ヘルニア**を起こし命にかかわる
- **頭痛**から始まり，**嘔気・嘔吐，眩暈，ふらつき・眠気**などの症状が出る。症状があれば，脳浮腫が疑われ**副腎皮質ステロイドや脳圧降下・浸透圧利用薬**などの与薬を行う
- 脳浮腫は10～20Gy照射された時期に出現しやすい

4. 薬物療法を受ける患者の看護

肺がんに対する薬物療法は，延命や症状緩和，再発抑制，手術療法の後に治癒率を向上する目的で行われる。肺がん治療によく用いられる薬剤とその副作用を**表14**に示す。

1) 薬物療法を受ける患者の観察ポイント
- 薬物療法の**治療レジメン**
- 使用薬剤による**有害事象**や副作用とその発現の時期（有害事象の重度標準値は，有害事象共通用語を用いる）
  - ***有害事象**（adverse event）とは，医薬品を与薬された患者に生じたあらゆる好ましくない医療上の出来事（徴候，症状，病気など）をいい，因果関係が明確でないものも含む。有害事象のうち，医薬品との因果関係が否定できないものを**副作用**という
- **腫瘍崩壊症候群**による症状（不整脈，低血圧，感覚異常や筋けいれんなど）の有無
  - ***腫瘍崩壊症候群**とは薬物療法による腫瘍細胞の急速な崩壊により，細胞内の代謝生物である核酸やタンパク質，リン，カリウムなどが血中へ大量に放出されて尿中排泄能を超えるため，高尿酸血症や高カリウム血症，高リン血症，低カルシウム血症など代謝異常の総称である[14]

がん治療における有害事象の重症度評価とその記録には**有害事象共通用語規準**（Common Terminology Criteria for Adverse Events：**CTCAE**）が用いられる。重症度は**表15**（→p288）の5段階に分類される。

2) 薬物療法開始前の看護

1 治療開始前の確認／観察事項
- 治療の目的が**積極的治療**なのか，**症状緩和**なのかなど，患者個々の治療の目的を把握し，患者の病気や治療の理解，準備状態を確認する
- 治療目標，治療内容，治療スケジュール（投与間隔，与薬量，与薬方法など），抗がん薬の特徴など
- 治療開始後の症状が薬物療法によるものか，副作用の出現リスクはどの程度かを判断するため，**治療前の全身状態を把握**する
  - 既往歴
  - 治療歴（治療内容と治療期間，副作用の有無・程度と支持療法で使用した薬剤とその薬剤の副作用）
  - バイタルサイン
  - PS（パフォーマンスステータス）（表7参照，→p278）
  - 検査データ：白血球数，ヘモグロビン，血小板，電解質，腎機能，肝機能，C反応性タンパク，アルブミン，心機能（心電図，心エコー）など
- **家族による支援体制，ストレスコーピング**などの状況や状態を把握し，生活や仕事の調整が行えるように働きかける

2 患者と家族への心理・社会的支援
- 薬物療法開始前に，全体の治療計画や与薬当日の流れ（治療の所要時間など），治療中・後に予測される副作用の発現時期，持続期間および具体的な対処方法について説明し，**不安の軽減**に努める。
- 薬物療法を受けることで，仕事を休むことや，家事や育児，介護ができないことなど，社会生活への影響の有無や程度を把握し，**支援者や社会資源**についてもア

表14 肺がん治療に使用される薬剤一覧

分類		一般名	商品名	略語	主な副作用	特徴的な副作用
細胞障害性抗がん薬	プラチナ製剤	シスプラチン	ランダ®	CDDP	・骨髄抑制 ・嘔気・嘔吐 ・食欲不振 ・倦怠感 ・脱毛 ・下痢	・与薬中：過敏反応 ・腎機能障害 ・内耳障害
		カルボプラチン	パラプラチン®	CBDCA		
		ネダプラチン	アクプラ®	254-S		
	代謝拮抗薬	ペメトレキセドナトリウム水和物	アリムタ®	PEM		・与薬中：過敏反応（発赤・発疹） ・晩期：肝炎・間質性肺炎
		テガフール・ウラシル配合剤	ユーエフティ® ユーエフティ®E	UFT		・粘膜障害
		ゲムシタビン塩酸塩	ジェムザール®	GEM		・与薬中：血管痛 ・晩期：間質性肺炎
		テガフール・ギメラシル・オテラシルカリウム配合剤	ティーエスワン®	S-1		・皮膚障害（色素沈着）
	トポイソメラーゼ阻害薬	アムルビシン塩酸塩	カルセド®	AMR		・漏出性皮膚障害 ・間質性肺炎
		イリノテカン塩酸塩水和物	トポテシン®	CPT-11		・与薬中：鼻汁・流涎・縮瞳などの副交感神経亢進症状 ・晩期：間質肺炎
		エトポシド	ラステット® ベプシド®	ETP		・与薬中：ショック/アナフィラキシーの出現・血管痛・静脈炎 ・晩期：間質性肺炎
	微小管阻害薬	パクリタキセル（アルブミン懸濁型）	アブラキサン®	Nab-PTX		・与薬中：ショック/アナフィラキシーの出現・関節痛・筋肉痛
		パクリタキセル	タキソール®	PTX		・与薬中：過敏症 ・便秘，筋肉痛・関節痛，末梢神経障害（しびれ）
		ドセタキセル	タキソテール® ワンタキソテール®	DTX		・与薬中：過敏症 ・浮腫
分子標的治療薬	EGFR阻害薬	ゲフィチニブ	イレッサ®	—		・皮膚障害（内服後1－2週目：ざ瘡様皮疹，3週目：皮膚乾燥，4週目：爪囲炎） ・内服1週目：下痢 ・間質性肺炎（発症すると致死的）
		エルロチニブ塩酸塩	タルセバ®	—		
		アファチニブマレイン酸塩	ジオトリフ®	—		
		オシメルチニブメシル塩酸	タグリッソ®	—		・間質性肺炎
	抗EGFR抗体	ネシツムマブ	ポートラーザ®	—		・与薬中：Infusion reaction ・血栓塞栓症，低マグネシウム血症，間質性肺炎，下痢
	ALK阻害薬	アレクチニブ塩酸塩	アレセンサ®	—		・便秘，味覚異常，皮疹 ・間質性肺炎，肝機能障害，好中球減少 ・（ロルラチニブ：高頻度に脂質異常症，浮腫，末梢性ニューロパチー）
		ロルラチニブ	ローブレナ®	—		
		ブリグチニブ	アルンブリグ®	—		・肝機能障害，筋肉痛・関節痛，間質性肺炎，下痢，嘔気，眼障害
	MET阻害薬	カプマチニブ塩酸塩水和物	タブレクタ®	—		・末梢性浮腫，光線過敏症，間質性肺疾患
	KRAS阻害薬	ソトラシブ	ルマケラス®	—		・肝機能障害，消化器症状（下痢），間質性肺疾患
	BRAF阻害薬	ダブラフェニブメシル酸塩	タフィンラー®	—		・発熱，皮膚症状，下痢，便秘，関節・筋肉痛，高血糖
	MEK阻害薬	トラメチニブ ジメチルスルホキシド付加物	メキニスト®	—		・皮膚症状（発疹，乾燥肌），下痢，浮腫，心不全
	HRE2阻害薬	トラスツズマブ デルクステカン	エンハーツ®	—		・嘔気・嘔吐，疲労，脱毛症，下痢，便秘，口内炎，腹痛，食欲減退
	ROS1/ALK阻害薬	クリゾチニブ	ザーコリ®	—		・視覚障害，嘔気・嘔吐，下痢，浮腫，好中球減少，肝機能障害，間質性肺炎
	ROS1/TRK阻害薬	エヌトレクチニブ	ロズリートレク®	—		・味覚異常，めまい，便秘，下痢，血中クレアチニン増加，疲労，浮腫，体重増加
	血管新生阻害薬	ベバシズマブ	アバスチン®	—		・与薬中：infusion reaction ・高血圧，血栓塞栓症，出血，タンパク尿，消化管穿孔，創傷治癒遅延
		ラムシルマブ	サイラムザ®	—		・下痢，食欲減退，口内炎，脱毛症，疲労/無力症，高血圧，頭痛

表14 （つづき）

分類		一般名	商品名	略語	主な副作用	特徴的な副作用
免疫チェックポイント阻害薬	抗PD-1抗体	ニボルマブ	オプジーボ®	・与薬中：infusion reaction ・下痢，肝機能障害・甲状腺機能障害・腎機能障害		・間質性肺炎，1型糖尿病，重症筋無力症
		ペムブロリズマブ	キイトルーダ®			・1型糖尿病
	抗PD-L1抗体	アテゾリズマブ	テセントリク®			・内分泌障害
		デュルバルマブ	イミフィンジ®			・早期から治療終了後：間質性肺炎 ・1型糖尿病
	抗CTLA-4抗体	トレメリムマブ	イジュド®			・心血管系障害，肝機能障害，倦怠感
		イピリムマブ	ヤーボイ®			・早期：皮膚障害，下痢，大腸炎 ・中期：下垂体炎，肝機能障害 ・時期にばらつき：甲状腺機能障害，間質性肺炎

（日本肺癌学会編：患者さんのための肺がんガイドブック　2024年版　WEB版. https://www.haigan.gr.jp/guidebook/2022/2022/Q1.html（2025年2月閲覧）をもとに作成）

表15　副作用症状の重症度

Grade1	軽症：症状がない，または軽度の症状がある；臨床所見または検査所見のみ；治療を要さない
Grade2	中等症：最小限/局所的/非侵襲的治療を要する；年齢相応の身の回り以外の日常生活動作の制限
Grade3	重症または医学的に重大であるが，ただちに生命を脅かすものではない：入院または入院期間の延長を要する：身の回りの日常生活動作の制限
Grade4	生命を脅かす；緊急処置を要する
Grade5	有害事象（AE）による死亡

※Grade説明文中のセミコロン（；）は「または」を意味する。
（有害事象共通用語規準 v5.0日本語訳 JCOG版, https://jcog.jp/assets/CTCAEv5J_20220901_v25_1.pdf より）

セスメントして，必要時**情報提供**を行い，患者と家族の**相談に応じる**
- 治療の継続が可能か，経済状況についても把握し必要時は医療ソーシャルワーカー（MSW）に相談し，社会資源や制度を活用する

③ 患者のセルフケア能力
- 薬物療法中は免疫力が低下するため**感染予防**に努め，患者自身が**副作用**に気づき医療者に伝えることで重篤な状態を避ける必要がある．治療前の患者の**セルフケア能力**を把握して，家族などの支援が必要な場合は**治療や自己管理方法**を説明し，協力してもらう

3）薬物療法中の看護

薬物療法の与薬は**経口**または**静脈注射**により行われる．

① 経口抗がん薬治療中の看護

　経口抗がん薬や**支持療法薬**の服薬管理は，原則として**患者自身**が行う．そのため，安全・確実・安楽に経口抗がん薬や支持療法薬を服用し**管理**できるかをアセスメントする．入院中，患者が一人で行うことが困難な場合は看護師管理とし，確実に予薬する．退院後は，家族などの支援があれば管理可能かについて把握する．患者や家族が服薬について詳しく説明を受けて，服薬することに**同意**をしたうえで治療を開始することが治療継続のために不可欠である．

- 入院中，抗がん薬治療を開始し，退院後も服薬を継続する場合は**定期受診**を行い，必要時は血液検査やX線検査を受け，治療を自己中断しないことを理解してもらう．
- 複雑な**服薬スケジュール・内服方法**（決められた用量，用法，休薬期間，減量）を予定どおり服用できるように，カレンダーの活用やアラームの設定をするなど，患者の生活にそった**服薬計画**が立てられるように支援する．
- 服薬を忘れたときの対処法，副作用のセルフモニタリングと支持療法薬の使用方法，副作用などの出現時には**医療者に報告・相談**できるように説明を行う．

② 静脈注射で抗がん薬を与薬する場合の看護

［準備］
- 指示された**薬剤名，与薬量，与薬経路，与薬順序，与薬速度**を確認
- 適切な機材（輸液ポンプなど）の準備
- **静脈ライン**の確認（血液の逆流，自然滴下の状態，穿刺部位とその周囲の発赤，腫脹，水疱，硬結などの有無，不快感，灼熱感，疼痛などの有無）
- **輸液ライン**の確実な固定，体動を妨げないようにルートの長さを調整

［患者指導］
- 与薬中に注意する症状について説明し，異常時は医療者に伝えてもらう
- 点滴中は体動時に抜去しないように固定ルート整理を行う

[与薬中]
- **与薬速度**を確認し，**与薬開始5～10分**は患者のベッドサイドで下記の観察を行い，**過敏症の出現時**には，速やかに医師に報告し，指示に従って薬剤与薬や**冷罨法**など必要な対応をする
- **バイタルサイン**の確認（施設基準に準ずる）をする
- **アレルギー反応，血管外漏出，インフュージョン・リアクション，嘔気・嘔吐**の有無を確認する
- 嘔気・嘔吐時は**制吐薬**を与薬する。
- **血管外漏出の徴候**があるときや漏出した場合は速やかに医師へ報告し，指示のもとで**副腎皮質ステロイド**の与薬や**冷罨法**などを実施する
- **大量輸液や利尿剤**使用の際は頻回な排尿でトイレへ移動する。体動時の**血管外漏出や転倒の予防**のための環境整備を行う

[与薬後]
- **輸液終了時**は器具を抜去し**止血**を行う。長期留置を行う場合はラインの管理を行う

3 曝露対策

抗がん薬が患者以外の人の体内に吸収されることを**抗がん薬曝露**という。抗がん薬は細胞毒性薬剤であるため，取り扱う医療従事者にも影響を及ぼす。抗がん薬与薬準備中，与薬中に薬剤がこぼれたときや，抗がん薬が付着したものを扱うとき，患者の体液や排泄物の処理時，抗がん薬の調製場所や，与薬する場所の周囲や病室，トイレ，ナースステーション内等でも**曝露のリスク**があるため注意する（表16）。

抗がん薬の職業性曝露による健康被害には，頭痛や嘔気，喘息様症状などの急性症状と，**発がん性や分娩異常，DNA や遺伝子の突然変異**などの晩期障害がある。

曝露対策としては，施設基準に則り，適切な機械・器具を用い，**個人防護具**（手袋，ガウン，ゴーグル，マスクなど）を装着して抗がん薬を調製・与薬し，体液や排泄物の処理を行う。**皮膚や目に抗がん薬曝露**が起こった際は，速やかに流水で洗い流し，大量に曝露した際は皮膚科などを受診する。

服薬時の曝露対策として，直接薬剤に触れないようにし脱カプセル・分割・粉砕など剤型を変更しないこと，内服前後には石けんと流水で手を洗うことも説明する。直射日光や高温を避け，子どもの手の届かないところで保管する。

4）薬物療法中および薬物療法後の副作用のマネジメント

副作用は，治療開始直後や治療中のみならず，治療後に出現する**遅発性**の症状もあるため，副作用の**発現時期**にあわせて，副作用の予防と対処を行う。薬物療法による副作用の出現時期を図6に示す。

1 治療開始直後
❶過敏症

パクリタキセルやドセタキセルは，過敏症に注意を要する薬剤である。初回与薬時に多く，**与薬開始から10分以内**に発現する傾向がある。初回与薬時は患者に十分に説明し，症状の早期発見に努める。症状としては，**皮膚のかゆみ，発疹，発赤**等の皮膚症状，**腹痛，嘔気**等の消化器症状，**視覚異常や視野狭窄**などの眼症状，**声のかすれ，くしゃみ，のどのかゆみ，息苦しさ**等の呼吸器症状や**蒼白，頻脈，血圧低下**などの循環器症状，**意識混濁**等の**ショック症状**等がある。

事前に薬剤の特徴と，発現時の対応を念頭におき，徴候があらわれた場合は与薬を直ちに**中止**し，血圧測定やSpO_2の測定などを行いつつ，血管確保や心電図モニター装着など，早急に適切な対応を行う。

❷薬剤の血管外漏出

静脈注射にて与薬される薬の種類によっては，少量の漏出でも**皮膚壊死や皮膚潰瘍**を生じる場合がある。与薬中は，**刺入部や点滴の滴下状態**とともに**患者の訴え**にも注意する。それぞれの施設で決められた漏出予防策および漏出時の対応について理解し即座に対応できるよう準備する。漏出した際には直ちに投与を**中止**し，針は留置したまま留置針内やルート内に残っている薬液を吸引して抜針する。抗がん薬によって漏出時の障害は異なるため，薬剤に応じた対応（**ステロイド外用剤塗布や冷罨法など**）が行われる。

❸インフュージョン・リアクション

インフュージョン・リアクション（infusion reaction）とは，分子標的治療薬の**ベバシズマブ**や，免疫チェックポイント阻害薬の**ニボルマブ**与薬時にみられる副作用で

表16 抗がん薬曝露経路と発生状況

皮膚からの接触・吸収	抗がん薬が皮膚や粘膜に付着したり，抗がん薬の調製や与薬の際に使用した針を誤って穿刺することによる。
気道からの吸収	抗がん薬の調製時や与薬時に発生したエアゾルや，経口抗がん薬の粉末を吸入することによる。
口からの摂取	抗がん薬が付着した手で飲食や喫煙などを行うことによる。

図6 薬物療法による副作用の出現時期

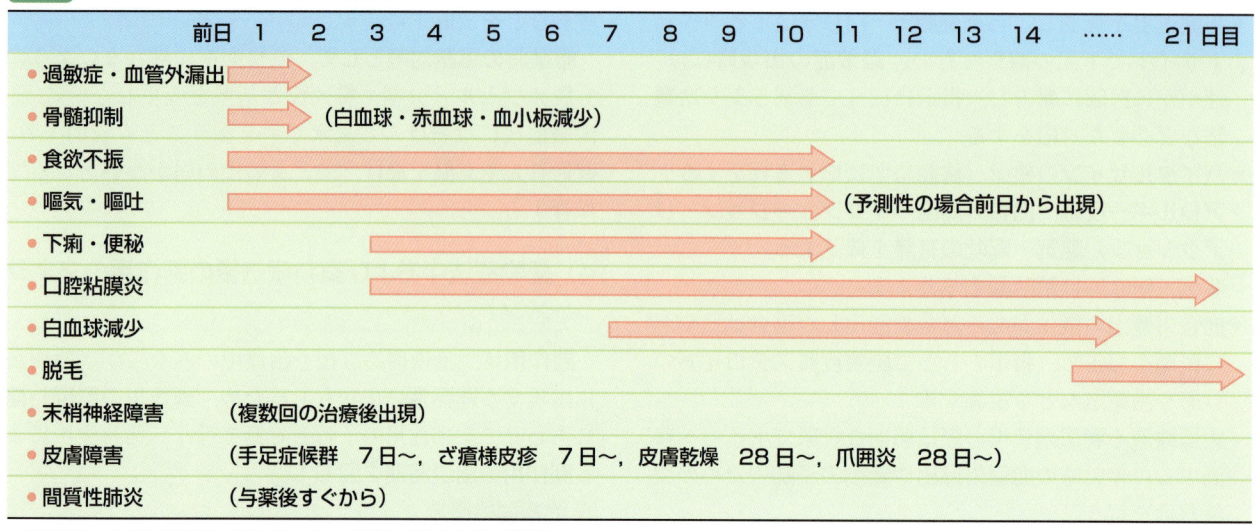

	前日	1	2	3	4	5	6	7	8	9	10	11	12	13	14	……	21日目
● 過敏症・血管外漏出	→																
● 骨髄抑制		→	（白血球・赤血球・血小板減少）														
● 食欲不振	→																
● 嘔気・嘔吐	→												（予測性の場合前日から出現）				
● 下痢・便秘	→																
● 口腔粘膜炎			→														
● 白血球減少								→									
● 脱毛															→		
● 末梢神経障害	（複数回の治療後出現）																
● 皮膚障害	（手足症候群 7日〜，ざ瘡様皮疹 7日〜，皮膚乾燥 28日〜，爪囲炎 28日〜）																
● 間質性肺炎	（与薬後すぐから）																

＊薬剤により発症時期は異なるため，詳細は添付文書で確認

急性輸液反応，吸入反応，点滴反応を指す。主な症状は**発熱，悪寒，頭痛，発疹，嘔吐，呼吸困難，血圧低下，アナフィラキシーショック**などである。サイトカイン放出に伴い，一過性の炎症やアレルギー反応が引き起こされることが原因と推測されている。多くは初回の治療開始**直後から24時間以内**にあらわれるため，治療開始後しばらくはベッドサイドでバイタルサインの測定や症状出現の有無を観察する。

異常が認められた場合には，治療を即座に**中断し全身状態の観察**を行う。重症例では呼吸管理や救急処置薬剤が必要になる可能性もあるため，患者の状態の変化に対応できるよう準備を行う。**軽度**の場合，症状が消失したら点滴速度を遅くして**再開されることが多い**。また，**アレルギー反応**であれば，薬剤の投与を**中止**し，可能な限りルート内の薬液を取り除いたうえで，**輸液を開始して**経過観察を行う。多くの場合，治療2回目からは症状が消失する。

薬剤与薬の**前処置**として，**抗ヒスタミン薬やステロイド**を与薬することで，発生頻度の減少が期待できる。

2 治療中および終了後

① 骨髄抑制

細胞傷害性抗がん薬の使用により高頻度に出現する。**白血球（好中球）**は，抗がん薬与薬後**7〜14日目に最低値**になり**与薬後21日頃に回復**する。程度や期間は薬剤の種類や患者の全身状態による。

好中球減少時期は，**感染の予防**がもっとも重要である。呼吸器感染や発熱により呼吸状態を悪化させる危険

性もあるため，手洗いや含嗽，マスクの着用など日常生活上の感染予防行動を説明し協力を得る。**白血球1000/μL以下，好中球500/μL以下**の患者の場合は，空気中の病原体を除去したクリーンルームに入室し，**無菌室**での感染予防対策を行う。また，**口内炎**は好中球減少時期に，口腔内の局所感染により生じる。治療開始前から**口腔ケア**の必要性と方法について説明する。

血小板減少は，抗がん薬与薬後，約1週目から出現し，与薬後**2〜3週目で最低値**となる。血小板減少は，**1万/μL以下**になると致命的な出血をきたす。

好中球の減少には**G-CSF**（顆粒球コロニー刺激因子），赤血球や血小板の減少では**輸血**を行い，骨髄機能回復までの期間の短縮を目指す。**骨髄抑制**は重篤な状態に陥ることがあるにもかかわらず，患者は症状として自覚しにくい。そのため，自覚症状がなくても体内で起こる変化について理解し，**セルフマネジメント**できるよう支援する。

② 嘔気・嘔吐

シスプラチンは，嘔気・嘔吐を生じやすい薬剤であり，シスプラチンを併用している場合には特に嘔気・嘔吐対策として**制吐薬**を使用する。嘔気・嘔吐は発現時期によって**急性**（与薬後24時間以内に出現），**遅発性**（投与後24時間以降に出現），**予測性**（与薬前から出現）に分類される。

③ 下痢・便秘

イリノテカンは高度な**下痢**を引き起こすことがあるため，重症化する前に早めに**止痢薬**を与薬するなど，適切

に対処する。逆に，パクリタキセルやドセタキセルなどの与薬は便秘を生じることもあるため，治療前の排便状態を把握し，早期から**排便コントロール**を図る。

❹**腎障害**

シスプラチンは**腎障害**を引き起こす代表的な薬剤である。**水分出納（in-out）バランス**を観察し，適切な水分摂取を促し必要時には**補液**を行う。

❺**末梢神経障害**

パクリタキセルによる**末梢神経障害**は，**しびれ感**，**灼熱感**などの感覚器障害で，総与薬量が増加するほど発現しやすい。**シスプラチン**では，**下肢**，**つま先のしびれ感**として出現することが多い。日常生活にどの程度影響しているのかを観察するとともに，末梢神経障害による**転倒や創傷**などを予防する。

❻**脱毛**

薬剤与薬後**2週間**程度で脱毛が始まる。事前に説明されていても，実際に毛髪が大量に抜けていくと精神的ダメージは大きい。治療終了後に再生されることを説明しウィッグの装着など，**アピアランスケア**（がんやその治療に伴う外見の変化に対するケア）を行う。

❼**皮膚障害**

分子標的薬治療の**ゲフィチニブ**，**エルロチニブ**では高頻度に**皮膚障害**が生じる。内服後**1～2週目**からざ瘡様皮疹，**3週目**から**皮膚乾燥**，**4週目**からは**爪囲炎**などが生じる。治療開始前から皮膚の清潔・保湿に努めるなどのセルフケアを毎日実施するよう説明する。また，掻痒感に対する内服治療と掻破による皮膚の変化（浮腫，擦過，滲出/痂皮）への身体的ケアとともに，顔面などに生じた場合には心理的ケアも合わせて行う。

さらに，**ゲフィチニブ**では低胃酸状態では吸収が低下するため「食後」に服用すること，治療中はゲフィチニブの血中濃度を増加させるため**グレープフルーツジュースの摂取は避ける**ことを，**エルロチニブ**では高脂肪・高カロリーの食事後に内服することで血中濃度が上昇するため**「食事の1時間以上前または2時間以降後」**に服用することも説明する。

❽**間質性肺炎**

細胞傷害性抗がん薬では晩期に，分子標的治療薬や免疫チェックポイント阻害薬では治療開始後から晩期にわたり出現する可能性のある副作用である。重症化すると生命にかかわるため注意が必要である。症状として，**咳や息切れ，呼吸困難**が出現した場合には，すぐに病院に連絡するよう説明する。

5. 外来化学療法の看護

肺がんの増加，がん化学療法や支持療法の進歩に基づく予後の改善，保険点数の増加に伴い，外来で化学療法を受ける肺がん患者は**増加**している。外来化学療法の実施には，安全，快適，有効な治療環境を提供するための整備が必要である。

外来化学療法のメリットは，入院に伴う不自由がない，日常生活が送れる，仕事を継続できる，趣味・娯楽が継続できる，医療費が削減できるなどが挙げられる一方で，デメリットは，自力で生活しなくてはならない，家族の援助が必要，自宅急変時の不安，通院の負担，待ち時間が長い，外来化学療法室専用の弱いメニューへの不安などが挙げられる[17]。

1) 外来化学療法：治療開始前の看護

❶外来化学療法室についてのオリエンテーションを行う
❷治療に伴う副作用の症状出現時の対応法の説明を行う
❸患者の希望にそった治療計画を立てる

2) 外来化学療法：治療中の看護

治療開始前後で**体調確認**，**バイタルサイン測定**を行う。前述した静脈注射で抗がん薬を与薬する場合の看護に準じた観察と対処を行う。治療中の**副作用の有無**を観察し，必要時は**支持療法**を行う。強い症状が出現した場合は，自宅で服用する薬剤が処方されることもあるため，**帰宅後の対処法**を十分に説明する。必要時は，自宅療養中の**患者に電話をして**症状の有無を確認し，相談に応じる。治療後数日して出現する副作用と対処法についても再度説明を行う。

またレジメンによっては自宅で内服する治療薬もあるため，確実に内服できるようスケジュール表を渡したり家族に支援を依頼する。

II-3 肺がんの看護ケアとその根拠：エンド・オブ・ライフ（終末）期

1. 終末期の看護目標

❶苦痛症状が緩和できる
❷どのように生き，どこでどのように死に向かうかについて意思を表示し，家族や医療者と意思決定できる

❸家族や医療者に自分の望みを伝え，心理的・スピリチュアル的な苦痛に配慮した医療やケア支援を受けることができる

2. 終末期の観察ポイント

1 身体症状の有無・程度
- 痛み，嘔気・嘔吐，味覚異常，便秘，息切れ，体力低下，口渇，腹部膨満感，食欲不振，めまい，嚥下困難，倦怠感，体重減少，咳嗽，掻痒感，眠気，呼吸困難，浮腫，せん妄

2 心理・社会的状況
- 死に対する考え，不安，不眠，悲しみ，集中できない，落ち着かない，イライラする（孤独感や焦燥感等に関連する）

3 人生の振り返り
- 生きてきた過程をどのように意味づけているか

4 周囲の人とのかかわりと家族や重要他者の心理状況
- 家族や医療者など他者との交流，家族や重要他者の患者に対する想い，苦悩

3. 終末期の看護

　がん患者においては，死の2～3カ月前から徐々に身体機能が不可逆的に低下する。この時期には観察のポイントに記したようなさまざまな症状が生じるため，**緩和に努める**（→㉕呼吸器疾患の緩和ケア参照）。病状の進行や予後を予測しながら**薬剤**を選択し，**体位の工夫**や**環境の調整**も組み合わせる。

　差し迫る死に対し，患者がどのように生と死をとらえ，人生を振り返って意味づけをしているのかなどを患者の語りたいときに**傾聴**し，会話の中から患者の想いや意向を理解し，患者が望む日常生活を援助する。肺がんは進行すると**呼吸困難**が出現し**死への恐怖**を感じるだけでなく，**会話をすることそのものに困難**を生じる。そのため，**患者の意向確認や人生の振り返り**は，治療方針の変換時期など早い段階から徐々に行うことが重要である。

　家族は，診断時から治療，治療に伴う副作用など苦痛や苦悩を抱える患者を長い期間支えており，**心身の疲労**や**苦悩**を経験している。家族の苦悩を理解し，終末期の経過や予測の情報や支援を必要時に提供する。家族も休息をとりながら生活ができるように支援し，望む家族には患者へのケアを看護師とともに行う。

　予後1カ月（週単位）から亡くなるまでの鎮静を含む臨死期の看護については㉕呼吸器疾患の緩和ケアを参照されたい。

［橋野明香，水川真理子，執筆協力：樋口有紀］

[文献]
1) 日本肺癌学会編：肺癌診療ガイドライン—悪性胸膜中皮腫・胸腺腫瘍含む 2024年版 第8版．金原出版，2024．
2) がん研究振興財団：がんの統計2023．https://ganjoho.jp/public/qa_links/report/statistics/pdf/cancer_statistics_2023_fig_J.pdf（2025年2月閲覧）
3) 日本肺癌学会編：患者さんのための肺がんガイドブック 2022年版 WEB版．https://www.haigan.gr.jp/guidebook/2022/2022/Q1.html（2025年2月閲覧）
4) 日本臨床検査医学会：腫瘍マーカーの見方．臨床検査のガイドライン2005/2006．https://www.jslm.org/books/guideline/05_06/298.pdf（2025年2月閲覧）
5) Katakami N, et al: Prospective study on the incidence of bone metastasis and skeletal-related events in patients with Stage ⅢB and Ⅳ Lung Cancer-CSP-HOR 13. J Thorac Oncol 9 (2): 231-238, 2014.
6) 井岸正，清水英治：腫瘍随伴症候群．医療のあゆみ 224(13)：1142-1146，2008．
7) 医療情報科学研究所編：病気がみえる vol 4 呼吸器 第3版．p27，メディックメディア，2018．
8) 清水英治，山本晃義：肺癌と腫瘍随伴症候群．日内会誌 88(11)：2252-2259，1999．
9) 日本肺癌学会編：肺がん取扱い規約 第9版．pp 3-5，金原出版，2025．
10) 前掲書9，pp 3-4，p 6．
11) 日本臨床腫瘍研究グループ：ECOGのPerformance Status（PS）の日本語訳．https://jcog.jp/doctor/tool/ps/（2025年7月閲覧）
12) 中村由紀子・他：肺がんの放射線療法の看護．がん看護 10(2)：126-130，2005．
13) 日本臨床腫瘍学会編：骨転移診療ガイドライン 改訂第2版．p69，南江堂，2022．
14) 日本臨床腫瘍学会編：腫瘍崩壊症候群（TSL）診療ガイダンス 改訂第2版．p 6，金原出版，2021．
15) 日本臨床腫瘍研究グループ：Common Terminology Criteria for Adverse Events（CTCAE）version 5.0. https://jcog.jp/doctor/tool/ctcaev5/（2025年7月閲覧）
16) 中西洋一，渡邊裕之：肺がんの外来化学療法の方向性．肺癌51(2)：122-126，2011．

[参考文献]
- 日本核医学会：FDG PET，PET/CT診療ガイドライン2020．http://jsnm.org/wp_jsnm/wp-content/uploads/2018/09/FDG_PET_petct_GL2020.pdf（2025年2月閲覧）
- 日本臨床腫瘍学会編：がん免疫療法ガイドライン 第3版．金原出版，2023．

Column 薬物療法レジメン

がん薬物療法レジメンとは，治療計画を総括的に示したものであり，単にレジメンともいう。

レジメンは，臨床試験により人体に対する安全性と有効性を段階的に検証することにより確立してきた治療計画である。**薬剤名，投与量，投与経路，投与時間，投与期間，治療間隔，休薬期間，投与回数（サイクル数）**などの情報が含まれ，多くは診療ガイドラインに**標準治療**として提示されている。レジメンは癌種や細胞の性質，進行度などによりさまざまな薬剤が組み合わされており，使用される薬剤の略語等を用いて**レジメン名**がつけられている。

臨床現場のレジメンには，制吐剤などの副作用を緩和させる薬剤（支持療法薬）についても一緒に示されていることが多い。非小細胞肺がん患者に適応となるシスプラチン（CDDP）＋ビノレルビン（VNR）療法の一例を表1に示す。表2には溶解液や支持療法も含む臨床現場で用いられているレジメンの例を示す。

表1 CDDP + VNR 療法レジメンの読み方

CDDP+VNR 療法
CDDP　80mg/m^2, day 1
VNR　25mg/m^2, day 1, 8
3週毎，4サイクル

（日本肺癌学会編：肺癌診療ガイドライン―悪性胸膜中皮腫・胸腺腫瘍含む 2022年版. pp136-148, 金原出版, 2022. より）

■ 表1のよみ方

体表面積1m^{2}に対して80mgのCDDPを静脈注射で1日目に投与する。体表面積1m^{2}に対して25mgのVNRを静脈注射で1日目と8日目に投与する。その後21日目まで休薬し，これを1サイクルとする。22日目から同様の治療を行い，これが2サイクル目となる。3週間を1サイクルとして4サイクル実施することが標準治療となる。

［二井谷真由美］

表2 臨床現場で提示されているCDDP + VNR 療法レジメンの例

	薬剤名（溶解液, 支持療法薬も含む）	標準的投与量	投与方法	投与時間	1サイクル〜4サイクル	Day 1〜Day64	2〜65	3〜66	4〜67	…	7〜70	8〜71	…	21〜84
						1サイクル（21日）×4								
1	アプレピタント 内服					125mg/day 分1*	80mg/day 分1	80mg/day 分1						
2	デキサメタゾン 内服						8mg/day 分2**	8mg/day 分2	8mg/day 分2					
3	補正用硫酸マグネシウム液 補正用塩化カリウム液 1号液（開始液）	8 mEq 10mEq 500mL	点滴静注	60分		●								
4	デキサメタゾン パロノセトロン塩酸塩 生理食塩液	9.9mg 0.75mg 50mL	点滴静注	15分		●								
5	VNR：ビノレルビン酒石酸塩 生理食塩液	25mg/m^2 20mL	静脈注射			●						●		
6	生理食塩液	10mL	静脈注射			●						●		
7	マンニットールS注射液	300mL	点滴静注	45分		●								
8	CDDP：シスプラチン 生理食塩液	80mg/m^2 250mL	点滴静注	60分		●								

＊：分1とは125mgを1日1回で内服すること　＊＊：分2とは8mgを1日2回に分けて内服すること

（国立がん研究センター中央病院：呼吸器内科レジメン. https://www.ncc.go.jp/jp/ncch/division/pharmacy/040/regimen/kokyuki/pdf/003-016.pdf（2025年4月1日閲覧）を改変）

22 胸膜中皮腫

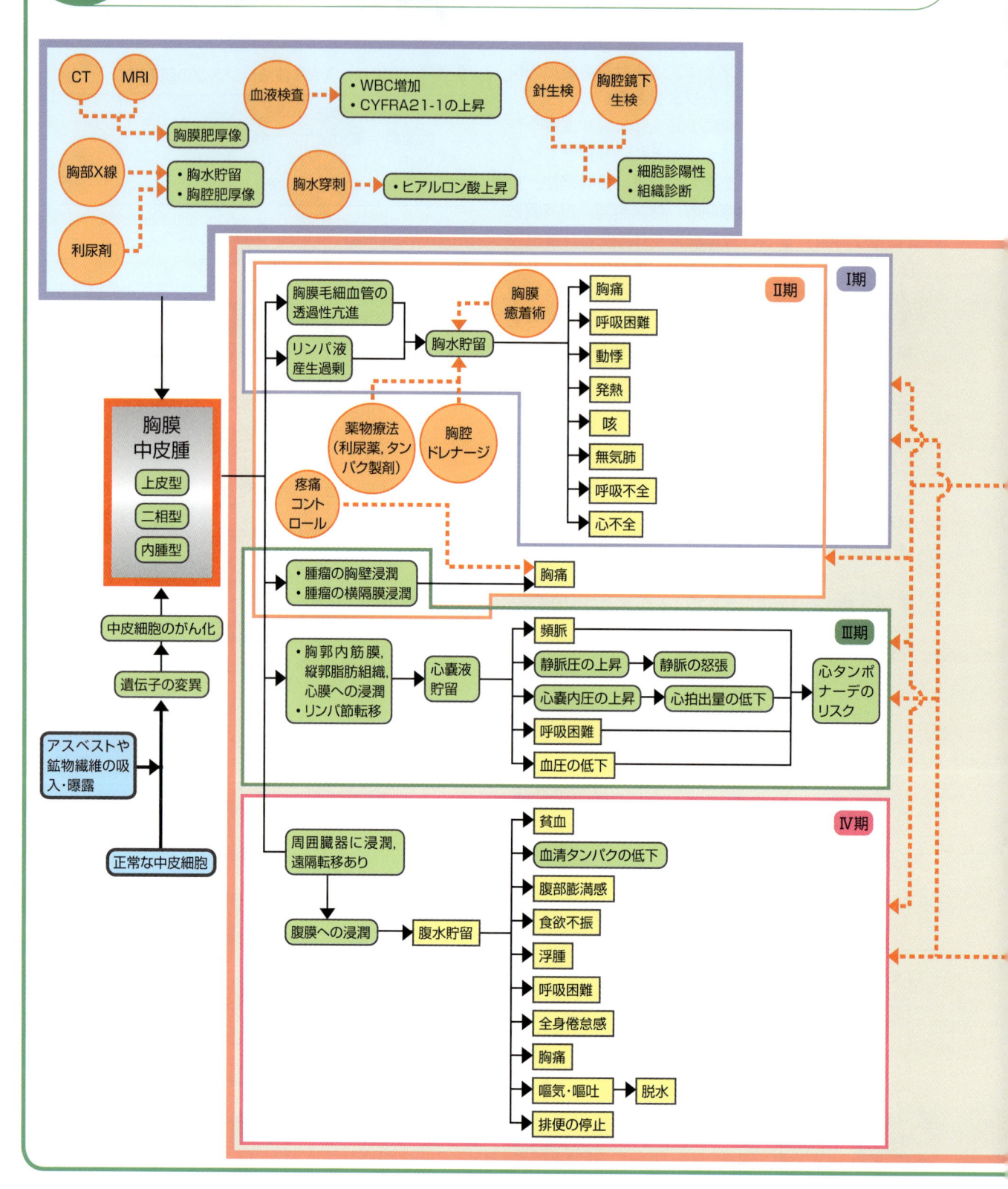

第Ⅱ部 疾患別看護ケア関連図　8. 腫瘍性肺疾患

検査
- CT
- MRI → 胸膜肥厚像
- 胸部X線 → ・胸水貯留 ・胸腔肥厚像
- 血液検査 → ・WBC増加 ・CYFRA21-1の上昇
- 胸水穿刺 → ヒアルロン酸上昇
- 針生検
- 胸腔鏡下生検 → ・細胞診陽性 ・組織診断
- 利尿剤

病因
- アスベストや鉱物繊維の吸入・曝露
- 正常な中皮細胞 → 遺伝子の変異 → 中皮細胞のがん化 → 胸膜中皮腫（上皮型／二相型／内腫型）

Ⅰ期・Ⅱ期
- 胸膜毛細血管の透過性亢進
- リンパ液産生過剰
- → 胸水貯留
- 胸膜癒着術
- 薬物療法（利尿薬, タンパク製剤）
- 胸腔ドレナージ
- 疼痛コントロール
- 症状: 胸痛／呼吸困難／動悸／発熱／咳／無気肺／呼吸不全／心不全

Ⅱ期
- 腫瘤の胸壁浸潤
- 腫瘤の横隔膜浸潤
- → 胸痛

Ⅲ期
- 胸郭内筋膜, 縦郭脂肪組織, 心膜への浸潤
- リンパ節転移
- → 心囊液貯留 → 頻脈／静脈圧の上昇→静脈の怒張／心囊内圧の上昇→心拍出量の低下／呼吸困難／血圧の低下
- → 心タンポナーデのリスク

Ⅳ期
- 周囲臓器に浸潤, 遠隔転移あり
- 腹膜への浸潤 → 腹水貯留
- 症状: 貧血／血清タンパクの低下／腹部膨満感／食欲不振／浮腫／呼吸困難／全身倦怠感／胸痛／嘔気・嘔吐→脱水／排便の停止

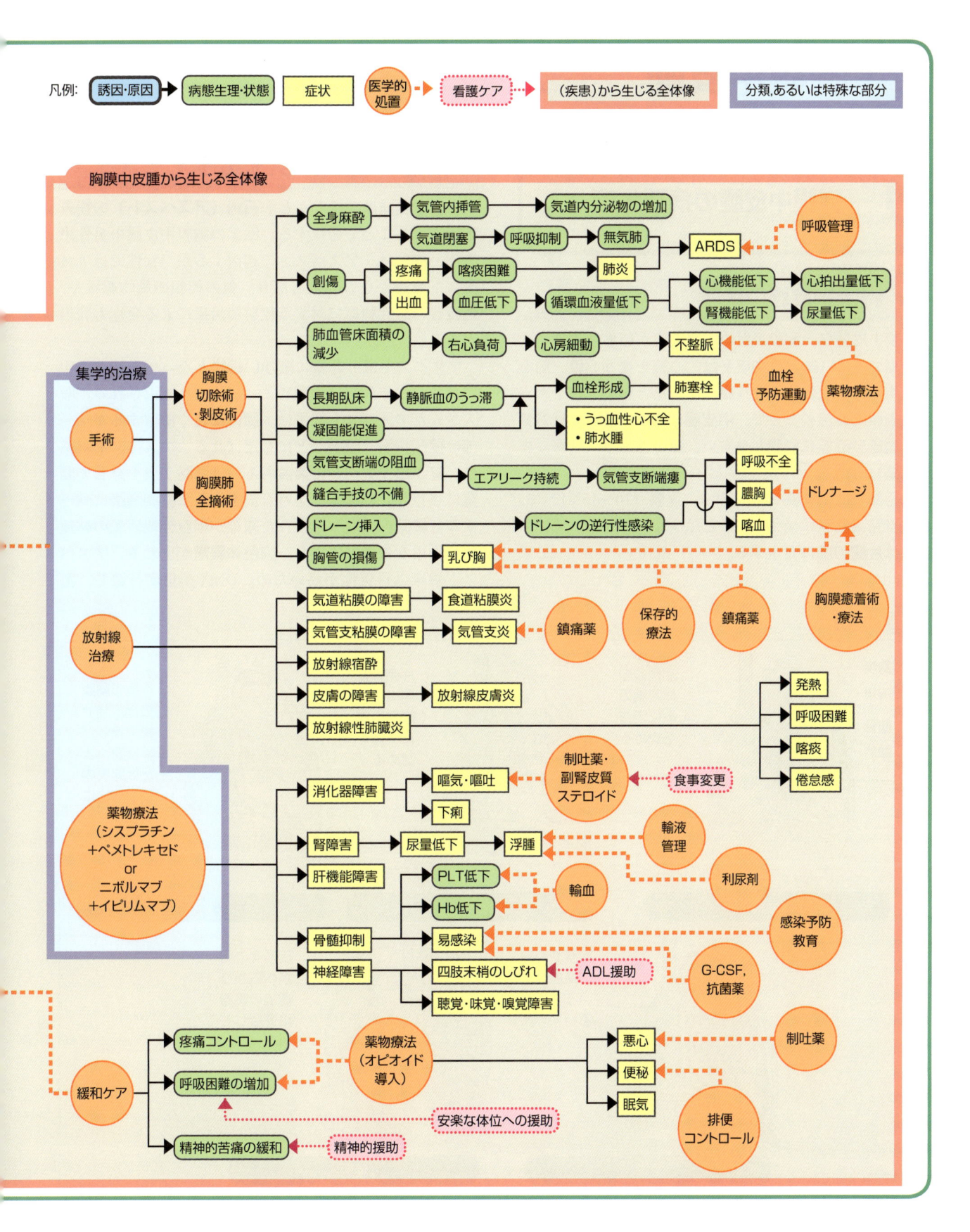

胸膜中皮腫から生じる全体像

凡例: [誘因・原因] → [病態生理・状態] [症状] [医学的処置] ⇢ [看護ケア] ([疾患]から生じる全体像) [分類,あるいは特殊な部分]

集学的治療

手術 → 胸膜切除術・剥皮術／胸膜肺全摘術
- 全身麻酔 → 気管内挿管 → 気道内分泌物の増加
  - 気道閉塞 → 呼吸抑制 → 無気肺 → ARDS ⇢ 呼吸管理
- 創傷 → 疼痛 → 喀痰困難 → 肺炎 → 心機能低下 → 心拍出量低下
  - 出血 → 血圧低下 → 循環血液量低下 → 腎機能低下 → 尿量低下
- 肺血管床面積の減少 → 右心負荷 → 心房細動 → 不整脈 ⇢ 薬物療法
- 長期臥床 → 静脈血のうっ滞 → 血栓形成 → 肺塞栓 ⇢ 血栓予防運動
- 凝固能促進 → ・うっ血性心不全 ・肺水腫
- 気管支断端の阻血／縫合手技の不備 → エアリーク持続 → 気管支断端瘻 → 呼吸不全／膿胸／喀血 ⇢ ドレナージ／胸膜癒着術・療法
- ドレーン挿入 → ドレーンの逆行性感染
- 胸管の損傷 → 乳び胸 ⇢ 鎮痛薬／保存的療法／鎮痛薬

放射線治療
- 気道粘膜の障害 → 食道粘膜炎
- 気管支粘膜の障害 → 気管支炎
- 放射線宿酔
- 皮膚の障害 → 放射線皮膚炎
- 放射線性肺臓炎 → 発熱／呼吸困難／喀痰／倦怠感

薬物療法（シスプラチン+ペメトレキセド or ニボルマブ+イピリムマブ）
- 消化器障害 → 嘔気・嘔吐 ⇢ 制吐薬・副腎皮質ステロイド ⇢ 食事変更
  - 下痢
- 腎障害 → 尿量低下 → 浮腫 ⇢ 輸液管理／利尿剤
- 肝機能障害 → PLT低下 ⇢ 輸血
  - Hb低下
- 骨髄抑制 → 易感染 ⇢ 感染予防教育／G-CSF、抗菌薬
- 神経障害 → 四肢末梢のしびれ ⇢ ADL援助
  - 聴覚・味覚・嗅覚障害

緩和ケア
- 疼痛コントロール ⇢ 薬物療法（オピオイド導入） → 悪心 ⇢ 制吐薬／便秘 ⇢ 排便コントロール／眠気
- 呼吸困難の増加 ⇢ 安楽な体位への援助
- 精神的苦痛の緩和 ⇢ 精神的援助

第Ⅱ部　疾患別看護ケア関連図　8．腫瘍性肺疾患

22 胸膜中皮腫

Ⅰ 胸膜中皮腫の病態生理

1．胸膜中皮腫の定義

　胸膜中皮腫は，胸膜表面の中皮細胞が腫瘍性に増殖する腫瘍である（表1）。**中皮**とは，心臓を覆う心膜，肺を覆う胸膜，消化器官を覆う腹膜，精巣と精巣上皮を覆う精巣鞘膜の組織のことで，**中皮腫**は胸膜に沿って反対側肺，腹膜，心膜に浸潤しやすい。血行性転移（副腎，まれに脳）もある。

　好発部位は，胸膜（80〜85％），腹膜（10〜15％）[1]で，心膜や精巣鞘膜に発生することは少ない。通常，悪性中皮腫は**片側の肺**に発生する。

2．胸膜中皮腫の発生機序

　胸膜中皮腫は，ほとんどが**石綿（アスベスト）の粉末**を吸入することで発症する。欧米の胸膜中皮腫の男性患者78〜88％は，アスベストに起因するが，女性ではアスベスト曝露がない症例もあり，他の種類の鉱物線維や，他臓器の悪性腫瘍に対する放射線治療による発症も報告がある[2]。

　アスベストは，非常に**細かい線維**となって長時間空中に飛散し，それらは**呼吸**によって体内へ吸引される。吸入されたアスベスト線維は，肺内に長く滞留するが，一部は**壁側胸膜，腹膜**などにも運ばれる。アスベスト線維は，**マクロファージに貪食**あるいは肺胞上皮を介して**間質**に移行し，血管やリンパ管網を介して**壁側胸膜**に到達する。細胞内に取り込まれた線維が細胞分裂装置の紡錘体に作用することにより，**染色体異常**が生じる。アスベスト線維は滞留性が高いため，DNA損傷が持続し，遺

表1 病期分類

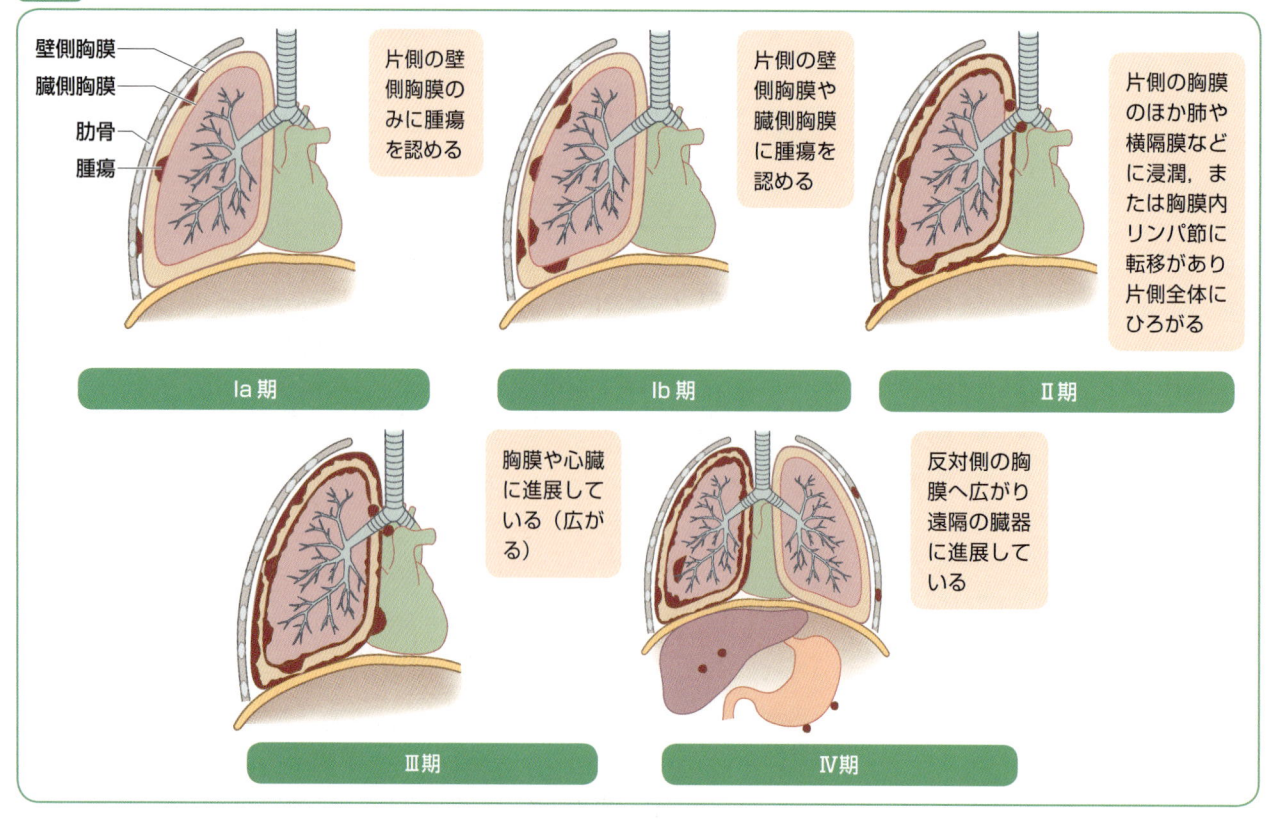

病期	所見
Ia期	片側の壁側胸膜のみに腫瘍を認める
Ib期	片側の壁側胸膜や臓側胸膜に腫瘍を認める
Ⅱ期	片側の胸膜のほか肺や横隔膜などに浸潤，または胸膜内リンパ節に転移があり片側全体にひろがる
Ⅲ期	胸膜や心臓に進展している（広がる）
Ⅳ期	反対側の胸膜へ広がり遠隔の臓器に進展している

（図中ラベル：壁側胸膜，臓側胸膜，肋骨，腫瘍）

伝子変異が蓄積されて**がん化**する（表1参照）。一方，炎症などに伴い産生された細胞増殖因子は，変異細胞の増殖を促進させ**腫瘍化**する。

また，胸膜中皮腫では，生殖細胞系列のがん抑制遺伝子であるBAP1遺伝子の変異によりがんが発症するが，非常に稀である。

アスベスト曝露から中皮腫発症までの潜伏期間は，約40年とされる[3]。**低濃度曝露でも発生**するため，職業性石綿曝露だけではなく，労働者が持ち帰った作業着等についた石綿を吸い込んだ家族や，アスベストを使用した家屋や石綿工場の近くに住んでいた人，近くの学校や職場に通っていた人などでも発生する[4]。

3. 胸膜中皮腫の分類と症状

1）組織分類

組織型は，上皮様，二相様，肉腫様に分類される[5]。後者ほど予後は不良である。
① **上皮様：60％**（この組織型は抗がん薬が比較的効く）
② **二相様：20～30％**（上皮型と肉腫型の混在）
③ **肉腫様：10～20％**（肉腫型成分が多いほど予後不良）

2）病期分類

がんの進行度を判定するため，国際対がん連合（Union for International Cancer Control：UICC）が採用している**UICC-TNM分類**（表2）をもとに，**がんのステージ（病期）**（表3）を決定する。

3）症状

胸膜中皮腫の**初期は無症状**のことが多く，病期の進行に伴って下記の症状が出現する。症状の出現時には，すでにがん細胞が胸膜へ広範囲に広がっている場合が多い。

1 胸水

がんによって**胸膜に炎症**が生じると，胸膜の血管透過性が亢進し，壁側胸膜と臓側胸膜との間に胸水が貯留する。胸水貯留や胸膜腫瘍のため，打診にて**濁音**の拡大や聴診で**呼吸音の減弱**をきたす。

2 呼吸困難

胸水貯留による肺胞面積の低下や，腫瘍の進展に伴う呼吸運動の制限により生じる。

3 咳嗽

胸膜の炎症や胸水により，壁側胸膜の迷走神経反射を

表2 胸膜中皮腫のUICC-TNM分類 Ver.8

T—原発巣
T1：同側胸膜（壁側または臓側胸膜）に腫瘍が限局（縦隔胸膜，横隔膜を含む）
T2：同側胸膜（壁側または臓側胸膜）に腫瘍があり，以下のいずれかが認められる
　―横隔膜筋層浸潤
　―肺実質浸潤
T3：同側胸膜（壁側または臓側胸膜）に腫瘍があり，以下のいずれかが認められる
　―肺内筋膜浸潤
　―縦隔脂肪織浸潤
　―胸壁軟部組織の孤在性腫瘍
　―非貫通性心膜浸潤
T4：同側胸膜（壁側または臓側胸膜）に腫瘍があり，以下のいずれかが認められる
　―胸壁への浸潤（肋骨破壊の有無は問わない）
　―経横隔膜的腹膜浸潤
　―対側胸膜浸潤
　―縦隔臓器浸潤（食道，気管，心臓，大血管）
　―脊椎，神経孔，脊髄への浸潤
　―貫通性心膜浸潤（心嚢液の有無は問わない）

N—リンパ節
N0：所属リンパ節転移なし
N1：同側胸腔内リンパ節転移（肺門，気管支周囲，気管分岐部，内胸など）
N2：対側胸腔内リンパ節，同側または対側鎖骨上窩リンパ節転移

M—遠隔転移
M0：遠隔転移なし
M1：遠隔転移あり

（日本肺癌学会編：肺癌診療ガイドライン―悪性胸膜中皮腫・胸腺腫瘍含む2024年版, p385, 金原出版, 2024. より）（本著作物は日本肺癌学会が作成したものであり, 本著作物の内容に関する質問, 問い合わせ等は日本肺癌学会にご連絡ください。『エビデンスに基づく呼吸器看護ケア関連図 改訂版』は日本肺癌学会及び発行元である金原出版からの許諾を得て, 本著作物を内容の改変を行うことなく複製し, 使用しています）

表3 胸膜中皮腫の病期分類（UICC-TNM分類 Ver.8）

	N0	N1	N2
T1	Stage ⅠA	Stage Ⅱ	Stage ⅢB
T2	Stage ⅠB		
T3		Stage ⅢA	
T4	Stage ⅢB		
M	Stage Ⅳ		

（日本肺癌学会編：肺癌診療ガイドライン―悪性胸膜中皮腫・胸腺腫瘍含む―2024年版, p385, 金原出版, 2024. より）（本著作物は日本肺癌学会が作成したものであり, 本著作物の内容に関する質問, 問い合わせ等は日本肺癌学会にご連絡ください。『エビデンスに基づく呼吸器看護ケア関連図 改訂版』は日本肺癌学会及び発行元である金原出版からの許諾を得て, 本著作物を内容の改変を行うことなく複製し, 使用しています）

起こすことによって生じる。

4 胸痛

　胸水による肺の圧迫や腫瘍が胸壁へ浸潤し，**胸痛や背部痛**が出現し持続する。疼痛は病期の進行に伴って高度になり，予後不良の徴候となる場合が多い。また痛みは，心理・社会的な経験を通して複雑な痛みを形成し，それらをコントロールできないと**スピリチュアルな痛み**となるため，**難治性疼痛**となることが多い。

- **胸壁浸潤の痛み**：放散痛や胸を締め付けるような痛み
- **肋間神経浸潤の痛み**：焼けるような痛み，ピリピリした，電気が走るような痛みがあり，**患者は痛みの部位を手で押さえる**ことが特徴
- **手術後の痛み**：胸膜肺全摘術は切開創が大きく患側の胸膜を胸壁から剥離して肺，心囊膜，横隔膜を含めて切除するため，**胸が鉄板で圧迫されたような重苦しい痛み**があり，悪天候時に胸腔内圧の変動で増強

5 体重減少

　血管透過性の亢進により胸水中に血中タンパク質が流出し，栄養状態が悪化し，体重減少がみられる。

6 心不全症状

　胸水貯留による心臓の圧迫や，心膜浸潤により心囊液が貯留した場合には，**頻脈や肝腫大，浮腫**などの症状が出現する。

7 腹水

　進行すると腹水貯留による**腹部膨満感，腹痛，嘔気・嘔吐，食欲低下，排便の異常**などの腹部症状が出現する。

4. 胸膜中皮腫の検査と診断

1) 問診

　胸痛や息切れなどの症状が出現して受診する場合が多い。3分類と3-3)「症状」で示した症状の有無や程度，出現時期などとあわせて幼少期から現在までの詳しい**職業歴や家族歴，生活歴，居住歴**の問診を行う（表4）。

2) 確定診断

　針生検や胸腔鏡下生検によって得られた腫瘍組織を複数の免疫組織化学的に検討し，確定診断を行う。全身状態が不良であるなど生検による組織の採取が難しい場合は，胸水中の**腫瘍マーカー**や**ヒアルロン酸値**と**画像診断**などを総合して判断される。また，画像診断や各種検体検査を行い，**多形型肺がん，偽中皮腫様肺がん，線維性**胸膜炎（良性石綿胸水）との鑑別を行う。

3) 画像診断

■ **胸部X線・CT**

　胸水，胸膜の肥厚，胸膜腫瘤などが主な所見となる。胸部X線，CT所見は，胸腔内に突出する複数の**腫瘤様陰影**あるいは**不整なびまん性胸膜肥厚像**を呈する。胸膜プラークとは胸膜中皮下に生じる限局性の不規則な板状の肥厚で，**石綿肺（アスベスト肺）**の約80％にみられる。過去の石綿曝露の指標として重要である。

■ **胸部造影CT**

　胸膜中皮腫では胸水貯留のため胸膜と胸水の境界がわかりづらく，造影によるCTで**胸膜と胸水の不整合性**を見分ける。胸膜プラークやびまん性胸膜肥厚との鑑別や，横隔膜や縦隔軟部組織，胸壁への腫瘍の浸潤の検索に有用である。

■ **胸部MRI**

　MRIはCTより縦隔側胸膜や葉間裂の肥厚の評価，胸壁や胸膜，横隔膜への浸潤の評価に優れている。

■ **頭部MRI**

　脳転移の有無を確認する。胸膜中皮腫における脳転移の頻度は少ないため，頭痛など症状がある場合に実施される。

■ **PET/CT**

　胸膜中皮腫の病状の進展を把握する際に有用である。縦隔リンパ節への転移の評価に優れている。

4) 検体検査

　末梢血中および胸水中の腫瘍マーカーおよびバイオマーカーは，診断の補助や治療の効果判定に用いられる。

■ **血液検査**

　40万/mm³以上の血小板増加が認められる。末梢血中のマーカーとして，**可溶性メソテリン関連ペプチド**（soluble mesothelin related peptides：SMRP），**オステオポンチン**（osteopontin：OPN）の陽性を認める。

■ **胸水**

　胸水穿刺を行い，がん細胞や細菌，結核菌の有無を調べる**胸水中ヒアルロン酸，CEA，CYFRA21-1，SMRP，OPN**などの項目が陽性の際には，胸膜中皮腫の可能性は高くなる。

■ **生検による検体検査**

　胸膜中皮腫は肺臓器の外側に位置しているため，気管支鏡などでのアプローチが不可能であり，確定診断のための組織の採取には，経皮的針生検CTガイド下生検ま

表4 石綿（アスベスト）に関連する問診項目

A 石綿（アスベスト）の職業性曝露	●石綿原料に関連した作業	（1）石綿鉱山またはその附属施設において行う石綿を含有する鉱石または岩石の採掘，搬出または粉砕その他石綿の精製に関連する作業 （2）倉庫内等における石綿原料等の袋詰めまたは運搬作業
	●石綿製品の製造工程における作業	（3）次のアからオまでに掲げる石綿製品の製造工程における作業 　ア．石綿糸，石綿布等の石綿紡織製品 　イ．石綿セメントまたはこれを原料として製造される石綿スレート，石綿高圧管，石綿円筒等のセメント製品 　ウ．ボイラーの被覆，船舶用隔壁のライニング，内燃機関のジョイントシーリング，ガスケット（パッキング）等に用いられる耐熱性石綿製品 　エ．自動車，捲揚機等のブレーキライニング等の耐摩耗性石綿製品 　オ．電気絶縁性，保温性，耐酸性等の性質を有する石綿紙，石綿フェルト等の石綿製品（電線絶縁紙，保温材，耐酸建材等に用いられている）。または電解隔膜，タイル，プラスター等の充填材，塗料等の石綿を含有する製品
	●石綿原料に関連した作業	（4）石綿の吹き付け作業 （5）耐熱性の石綿製品を用いて行う断熱もしくは保温のための被覆またはその補修作業 （6）石綿製品の切断等の加工作業 （7）石綿製品が被覆材または建材として用いられている建物，その附属施設等の補修または解体作業 （8）石綿製品が用いられている船舶または車両の補修または解体作業 （9）石綿を不純物として含有する鉱物（タルク［滑石］，バーミキュライト［蛭石］，繊維状ブルサイト［水滑石］）等の取り扱い作業 （10）上記（1）から（9）までに掲げるもののほか，これらの作業と同程度以上に石綿粉じんの曝露を受ける周辺等の作業
B 家族歴，生活歴		（1）石綿原料や製品の製造や処理にかかわった労働者の家族員もしくは同居する人 （2）作業着の処理，自宅への着用の有無 （3）石綿（アスベスト）を使用した建築用資材で建設された施設（学校や公共施設など）での学生生活 （4）石綿（アスベスト）を使用した理科などの実験器具の使用
C 居住歴		（1）石綿（アスベスト）を取り扱う工場周辺での居住の期間

［環境再生保全機構：石綿（アスベスト）ばく露の機会．https://www.erca.go.jp/asbestos/what/whats/bakuro.html（2024年5月14日閲覧）をもとに作成］

たは胸腔鏡下胸膜生検や外科的生検が行われる。
- **CTガイド下生検または胸腔鏡下胸膜生検**：組織診断の方法として，胸腔鏡下で胸膜の生検を行う
- **外科的生検**：生検切開創は腫瘍播種の発生率が高く，切除術時には，生検切開創を合併切除できるよう切開創を少なくかつ小さくするように行う
- **免疫組織化学**：カルレチニン，サイトケラチン5／6，WT1，CEA，TTF-1，ビメンチンなどのマーカーの上昇，CEA，CD-15，Moc-31，Ber-EP4，TTF-1などのマーカーの低下を確認する

5. 胸膜中皮腫の治療

胸膜中皮腫の治療は，**外科治療，放射線療法，薬物療法**である。病期によっては，緩和治療として**支持療法**が中心に行われる。外科治療は早期の場合に行われるが，侵襲度が高くリスクを伴う。そのため，**高齢で，進行した段階の患者は，手術適応外**である場合が多い。

抗がん薬による治療は，全身に抗がん薬の与薬を行うが，肺がんに比べて効果が弱く，胸膜中皮腫の予後は，病期別5年生存率が，Ⅰ期25％，Ⅱ期22.2％，Ⅲ期5.9％，Ⅳ期6.1％ときわめて不良である[6]。

1）外科治療

全身状態が良好なⅠ，Ⅱ期および一部のⅢA期で胸膜以外には広がりがなく，リンパ節やほかの臓器に転移がなく肉眼的完全切除が可能と考えられる場合は手術療法が推奨される[7]。

胸膜のみを切除し患側を温存する**胸膜切除/肺剥皮術**と，壁側・臓側胸膜，肺，心膜，横隔膜を一塊として切除する**胸膜肺全摘術**の術式（図1）から選択される。いずれも術前にシスプラチン（CDDP）＋ペメトレキセド（PEM）の抗がん薬を3コース行った後に実施する。

1 胸膜切除術/肺剥皮術

肺から腫瘍を剥離して切除し肺を温存することができるが，80％に近い症例で腫瘍が残存するため，局所再発率の頻度が高い。リンパ節転移がある場合にも，肺の温存のため選択される。**術後はCDDP＋PEMの併用療法を行う。**

2 胸膜肺全摘術

腫瘍の容量を減らす姑息手術であり，**胸水や腫瘍の増大を抑制する**効果がある。局所の制御はできるが，遠隔部位での再発率が高い。近年手術関連死亡は減少しているが，手術による気管支断端瘻や肺瘻，術後肺炎などの合併症の発症率は13.6〜33％と高く[8]，摘出術により肺の容量も減るため，呼吸困難や咳嗽，喀痰の増加，体力低下などQOLが低下する可能性が高い。術後には，**片側全胸郭照射**を組み合わせて行われるが，完遂率が半数以下で治療関連死も9.5％とリスクも高い[9]。

2）薬物療法

胸膜中皮腫は，**薬物療法剤耐性の悪性腫瘍**であり，単剤で効果のあるプラチナ誘導体（CDDP，カルボプラチン：CBDCA），代謝拮抗剤（PEM，ラルチトレキセド），ゲムシタビン塩酸塩（GEM），イリノテカン塩酸塩水和物の奏効率は10〜30％である。初回治療（1次治療）では，2剤あるいは3剤を併用して実施される。

全身状態が良好な切除不能例および術後再発の場合はCDDP＋PEM療法，CDDPに耐えられない場合はCBDCA＋PEM療法が標準治療である。維持療法としてPEMやGEMが追加与薬されるが，GEMは無増悪生存期間の延長が認められている（GEMの保険適用はない）。また，**免疫チェックポイント阻害薬であるニボルマブ＋イピリムマブ**が適応となり，1次治療として実施されている。これまで効果抵抗性であった二相様や肉腫様にも効果的である。

1次治療の効果が得られなくなった場合，2次治療が実施される。1次治療で免疫チェックポイント阻害薬を使用したか否かで，治療内容が変わる。

- 免疫チェックポイント阻害薬を使用した場合：白金製剤＋PEMなど，胸膜中皮腫に従来使用していた薬物療法が実施される。
- 免疫チェックポイント阻害薬を使用していない場合：ニボルマブが推奨される。現在のところ，胸膜中皮腫に対する分子標的治療は，有効な分子マーカーの同定ができておらず，画期的な成果は得られていない。

一例として，PEMの与薬スケジュールを図2に示す。

3）放射線治療

放射線治療は，外科治療や薬物療法と組み合わせて実施される。胸膜生検や胸腔ドレナージ挿入部位への腫瘍の浸潤の予防照射や，Ⅱ〜Ⅲ期の患者に対して**疼痛に対**

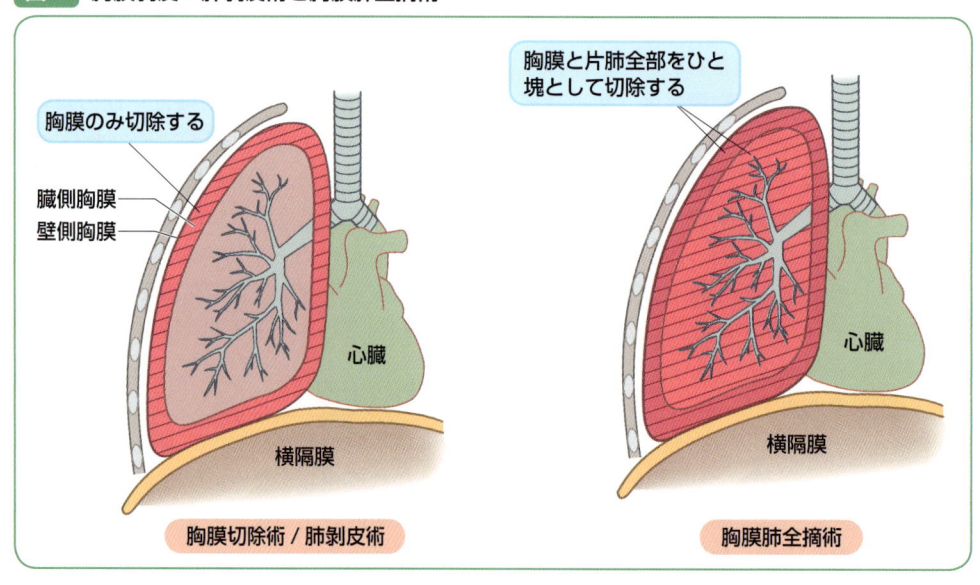

図1 胸膜剥皮/肺剥皮術と胸膜肺全摘術

図2 ペメトレキセドナトリウム水和物（アリムタ®）の与薬スケジュール

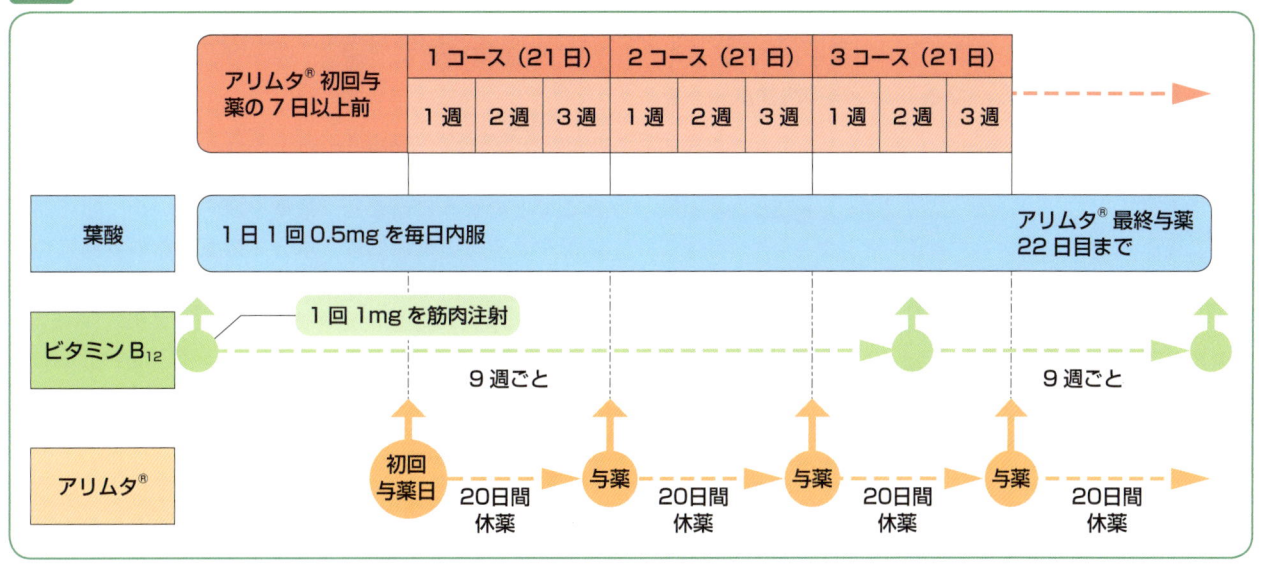

	アリムタ®初回与薬の7日以上前	1コース（21日）	2コース（21日）	3コース（21日）	
		1週 2週 3週	1週 2週 3週	1週 2週 3週	
葉酸		1日1回0.5mgを毎日内服			アリムタ®最終与薬22日目まで
ビタミンB₁₂	1回1mgを筋肉注射	9週ごと		9週ごと	
アリムタ®		初回与薬日 20日間休薬	与薬 20日間休薬	与薬 20日間休薬	与薬 20日間休薬

（西條長宏監：「アリムタ」の投与を受けられる患者さまとご家族の方へ．pp9-10，日本イーライリリー，2022．を改変）

する緩和目的の照射として用いることもある。中皮腫は胸腔内に広範囲に進展するため，照射部位が広く，心臓，脊髄，肝臓，腎臓まで含まれる場合もある。**胸膜肺全摘術後の残存腫瘍の根絶を目的に照射されるが，胸膜切除・肺剥離術後では，残存肺に放射線性肺臓炎を誘発するため施行しない。**

4）胸膜癒着術

胸水の増加を予防し，肺の呼吸面積を確保するために対症療法として実施される。使用する薬剤は，タルク，ドキソルビシン塩酸塩，ミノマイシン®などが用いられる（→p142）。

II 胸膜中皮腫の看護ケアとその根拠

1. 胸膜中皮腫の診断期の看護

1）観察のポイント

①呼吸困難の有無・程度の確認：呼吸状態（呼吸数，深さ，咳嗽の程度，呼吸音），バイタルサイン（酸素飽和度，脈拍）胸部X線
②疼痛の有無，程度の確認：部位，強さ，性質，痛みの持続時間，日常生活への影響
③胸膜生検，胸腔鏡下生検：検査目的，検査方法，検査時および検査後注意点に対する患者の理解度
④腹水貯留の腹部膨満感，腹痛，食欲低下などの症状の有無と程度
⑤告知による精神的なショック，不安の程度
⑥生活や経済面での心配事項
⑦家族や重要他者の有無，関係性

2）診断期の看護目標

❶診断による精神的なショック，不安，恐怖などを表出することができ，必要時適切なサポート（カウンセリングなど）を受け，適応障害や抑うつを予防できる
❷病気を理解して検査や治療に臨むことができる
❸治療や支持療法を受けることで，呼吸困難や咳嗽による苦痛が緩和する
❹家族や重要他者などと病気や治療，生活面，経済面，今後のことについて話し合い，家族や重要他者の精神的な不安や負担が軽減する

3）告知時の精神的支援

患者の中には，アスベストに関連する職業歴，環境での生活の経験があり，これまでの生活で見聞きした情報から，胸膜中皮腫ではないかと**不安**や**恐怖**を抱いている。胸膜中皮腫の場合は，発症までの時間が長く，呼吸困難や胸痛などの症状を自覚する頃にはがんが進行して

いる場合が多い。また，極めて予後不良の疾患であるため，告知時は下記の事例のように，患者は**大きなショック**を受けることが多い。患者が受容過程を経て，治療や療養生活に向き合うことができるよう**精神的サポート**を行う。

■ 胸膜中皮腫の患者が告知を受け治療に向かう事例

A氏（80歳男性）は胸痛を主訴に受診し，胸痛はあるが鎮痛薬で日常生活への支障はない状態であった。A氏は「妻と2人暮らしだからどんな治療でもできるなら頑張りたい，平均寿命まで，あと4年は生きたい」と訴えた。検査の結果，医師からは胸膜中皮腫のⅣ期と告知され，A氏が「どれくらい生きられますか？」と医師に尋ねると「治療の効果によるが，身体にあわないと1年」と伝えられた。A氏は，病状説明後に，「症状もほとんど感じないのにⅣ期で，自分のがんはかなりたちが悪いらしくて余命1年と聞き，ショックで告知後のことは覚えてない」と話した。A氏は落胆した様子で帰宅した。

突然のがんと余命宣告にショックを受けた患者に対し，看護師は医師からの説明で気がかりなことや理解できなかった内容について確認した。しかし，「頭が真っ白になり今は何を聞いていいのかわからない」と言われたため「今は，大きな衝撃を受けられてびっくりされていると思います。少し時間が経って落ち着いてきたときに，いろいろと知りたいことが出てくると思いますので，そのときにおたずねください」と伝えた。

治療のため入院した日には，A氏は「今は考えても仕方ない。できることはして駄目なら諦める。もし治療が無理になれば，苦痛がないようにしてほしい，痛みはつらいからね。妻と話して前向きに生きようと思います」と穏やかに話した。看護師は，いつでも相談にのることを伝えた。

本事例において，突然の告知と余命宣告を受けたA氏の気持ちに共感し，患者のタイミングで医療者に相談できることを伝え，寄り添うかかわりがA氏の支えになっていたと考える。また家族やパートナーにおいても，突然の病状告知は本人と同様に大きなショックを受け，生活や治療，経済的負担のみならず，大切な人を亡くすことへの不安や恐怖などの精神的苦痛を抱える。一方で，終末期患者の配偶者として，患者のそばにいて役に立ちたい，夫婦間（患者−家族間）で対話の時間をもちたいなどのニーズがある[10]。そのため，看護師は家族のつらさや想いを引き出し，一人で抱えることなく患者本人とどう過ごし，支えるために何ができるのかを一緒に考える。かかわりを重ねる中で，患者が何を望み，どんなことに価値を置いているのかについて理解し，こ

れからどう過ごしていくかについて，時機をみて患者や家族と一緒に考え，アドバンス・ケア・プランニング（ACP）を開始する。

4）ACP

将来の変化に備え，医療およびケアについて，本人がどこでどのように過ごし，最期を迎えたいか，臨死期の鎮静や急変時の延命処置，水分・栄養補給の実施について，家族や近しい人，医療チームが，繰り返し話し合いを行い，本人の意思決定を支援する（→コラム「呼吸器疾患患者へのアドバンス・ケア・プランニング（ACP）」，p362参照）。

5）全人的苦痛の緩和

患者の苦痛は症状による身体的苦痛のみならず，告知を受けてからの不安や抑うつなどの精神的苦痛，これまでの家庭や社会における役割を変更せざるを得ない社会的苦痛，スピリチュアルペインを含む**全人的苦痛（トータルペイン）**を抱えている。これらを適切に評価し，多職種でこれらの苦痛を緩和するために，診断・初回治療時からの緩和ケアの導入が必要である（→㉑肺がん，㉕呼吸器疾患の緩和ケア参照）。

6）身体症状の緩和

肺がんと同様，病期や組織型，Performance Status（PS）などにより症状や経過，受療する治療も変わるため，患者一人ひとりの個別性を考慮した看護を展開する。

1 呼吸困難・咳嗽

胸膜中皮腫による呼吸困難や咳嗽は，主に胸膜間に滲出した胸水による。そのため，**胸水コントロール**が必要となる。胸腔ドレナージの施行や利尿薬の与薬などが行われるため，胸腔ドレナージ後のSpO₂値の変化や呼吸困難の程度，排尿の回数や量など観察を行う（→❶咳嗽・喀痰，❷呼吸困難・窒息，㉕呼吸器疾患の緩和ケア参照）。

2 胸痛

胸膜中皮腫が胸壁や胸の神経へ広がることで，**持続的な痛みが増強**することが特徴である。**麻薬性鎮痛薬（オピオイド）**と鎮痛補助薬を併用したり，放射線治療が有効なこともある。

7）社会保障制度の情報提供

胸膜中皮腫と診断されたら，**労働者災害補償保険制度（労災保険制度）**や環境再生保全機構による**石綿健康被**

害救済制度の2つの救済制度が受けられる（→ MEMO「アスベストとは」，p304参照）。

2. 胸膜中皮腫の治療期の看護

1）治療期の看護目標

❶病気や病状を理解し，医療者のサポートを得て，自身で治療法や今後どこでどのように過ごすのか意思表明や意思決定ができる
❷術後合併症の予防や早期発見に努め，呼吸機能の低下に対応しながら日常生活を再構築できる
❸薬物療法や放射線療法による有害事象の予防やコントロールに主体的に参加し治療を継続しながら生活の質を保つことができる
❹がんの進行に伴う苦痛症状の緩和や，心理的・社会的・スピリチュアルな苦痛に対するケアを受けることができる

2）手術療法を受ける患者の看護

㉓胸部手術療法における周術期の看護（→ p308）参照。

3）薬物療法を受ける患者の看護

標準的な細胞傷害性抗がん薬は，CDDP + PEM療法，免疫チェックポイント阻害薬ではニボルマブ＋イピリマブ療法である。これらの薬物療法を受ける患者の看護については，㉑肺がん（→ p287）参照。
ここではPEM与薬時の看護について解説する。PEMの投与スケジュールは図2のように実施される。

1 葉酸とビタミンB₁₂の補給

PEMの毒性を軽減する目的で，葉酸とビタミンB₁₂の補給を併用する。事前に葉酸とビタミンB₁₂を併用する目的を説明し，飲み忘れがないように指導する。
- **葉酸**：PEM初回与薬の7日以上前から1日1回0.5mgを連日与薬し，最終与薬日から22日まで可能な限り与薬する
- **ビタミンB₁₂**：PEM初回与薬の少なくとも7日前に，1回1mgを筋肉注射する。PEM与薬期間中は9週間ごとに1回与薬する

2 非ステロイド性抗炎症薬

非ステロイド性抗炎症薬は，PEMの血中濃度を高めて副作用が増強するおそれがあるため，**PEM与薬2日前から2日後の計5日間は与薬を避ける**。疼痛コントロール中は，鎮痛薬をアセトアミノフェンまたは他の鎮痛薬を増量し**疼痛緩和**を図る。5日が経過すれば症状を確認し，必要であれば再開を考慮する。

3 副作用

発疹は高度に出現する副作用であるため，事前に情報提供を行い，皮膚刺激を避け，**保湿クリーム**を使用するなどの**皮膚ケア**を指導する。重篤な場合は，副腎皮質ステロイドの併用与薬を考慮する（→㉑肺がん参照）。

4）放射線治療を受ける患者の看護

㉑-Ⅱ-2「肺がんの看護ケアとその根拠：治療期」（→ p284）参照。

3. 胸膜中皮腫の終末期の看護

1）終末期の観察ポイント

①全身状態の把握：バイタルサイン，呼吸困難や疼痛，倦怠感，咳嗽，痰などの症状の有無と程度，身体所見
②不安，不眠の有無と程度
③「②」の症状が及ぼす日常生活への影響
④症状緩和のためのケア・治療内容とその効果
⑤どう過ごしていきたいか（治療継続の内容も含め）や療養場所の希望
⑥家族の協力の程度と介護負担
⑦社会資源の活用
⑧本人および家族の精神的苦痛

2）看護目標

❶呼吸困難，胸痛などの苦痛症状が緩和される
❷人生の最期の時期の過ごし方について意思を表明することができ，医療者や介護者，家族，知人などのサポートを得て，望む療養環境で過ごすことができる
❸予期悲嘆を抱える患者や家族が感情を表出し，死に対する準備を行い，死別後の負担が軽減する

3）終末期における看護

→㉕呼吸器疾患の緩和ケア参照。

1 緩和ケアの継続

病期にかかわらず，胸痛，咳嗽などの症状による**身体的な苦痛症状**については，できるだけ取り除くように化学療法や放射線療法と同時に緩和ケアを行う。薬物療法以外にも，**タッチングやマッサージ，音楽療法**などの看護ケアを通して，安楽な時間を少しでも多く過ごせるよう支援する。

> **MEMO　アスベストとは？**
>
> **アスベスト（石綿）** とは繊維状の鉱物で，**肺がん**や**中皮腫**などを発生させるなど発がん性の高い物質である。耐熱性，断熱性があるため，主に建築物（屋根，外壁，鉄骨，柱，天井など）や自動車（ブレーキ），水道管などに用いられてきた。日本では戦後1949年に輸入を再開し，1970～1980年代をピークに大量に輸入され，そのほとんどが建築材として使用されてきた。そのためさまざまな職種の建築業者がアスベストの曝露を受け，中皮腫，肺がんなどの**石綿関連疾患**が多数発症している。現在，中皮腫と診断されると**労災保険制度**か**石綿健康被害救済制度**で**救済処置**を受けることができる。
>
> 健康被害の拡大により日本では**1995年**に労働安全衛生法施行令により使用が禁止され，**2004年**よりアスベストの**輸入は禁止**された。しかしアスベストによる中皮腫の**潜伏期間**が**25～50年**と長いことから，日本の**中皮腫患者数**は**2030年代にピークを迎える**といわれ，罹患者数は年間3000人に及ぶと予測されている。
>
> アスベストで健康被害にあった者への支援制度を以下にあげる。
>
> ❶**労働者災害補償保険制度：労働者災害保険**…1年以上アスベスト曝露作業に従事し，中皮腫や肺がん，じん肺などアスベストが原因と考えられる疾患の診断を受けた場合，最寄りの都道府県労働局や労働基準監督署に申請する。**労災保険**として受けられる保険給付には，療養給付，休業給付，傷病年金，障害給付，介護給付，遺族給付および葬祭料がある。
>
> ❷**石綿健康被害救済制度：石綿健康被害救済法**…アスベストによる健康被害を受けた人もしくは遺族で，労災保険の対象とならない人（工場周辺住民など）に対し，**救済給付**の支給を行う制度である。最寄りの保健所や地方環境事務所に申請・請求を行う。指定疾病に係る医療費の自己負担分の支払いの免除や，療養手当などの給付が受けられる。申請をしないまま指定疾病により亡くなった人の遺族は，特別遺族弔慰金と特別葬祭料の請求ができる。
>
> 2022年からは，アスベストにさらされる建設業務に従事した労働者に対し，**建設アスベスト給付金制度**が開始された。対象者の要件や給付内容については，厚生労働省のホームページで公開されている[1]。
>
> 患者が少なく情報も限られているため治療や療養に安心して臨めるよう，これらの支援制度の情報提供を行う。
>
> ［岡田由佳理］
>
> **［文献］**
> 1) 厚生労働省：建設アスベスト給付金制度について．https://www.mhlw.go.jp/stf/seisakunitsuite/bunya/koyou_roudou/roudoukijun/kensetsu_kyufukin.html（2025年4月1日閲覧）

❷ 在宅ケアの導入や緊急時の入院先の手配

患者が在宅療養の継続や在宅での看取りを希望している場合は，家族の協力体制を確認し，受け入れが可能かの確認と調整を行う。家族も療養や看取りに対して不安や恐怖を感じており，**患者の意向だけを尊重して推し進めることは避ける**。どんなところに不安があるのか，どういった時間を一緒に過ごしたいのか，どんなサポートがあれば在宅で継続して介護ができそうかを**家族と一緒に考える**必要がある。また，**往診医や訪問看護の導入**（あるいは訪問介護の導入や回数の増加など）を調整し，家族が困った際には専門職によりサポートしてもらえる体制をつくる。在宅療養の継続や在宅での看取りを選択したとしても，本人や家族の希望があれば緊急で入院ができるよう手配する。そして，**意思決定は途中で変更可能である**ことを伝えておくことが，本人や家族の安心感にもつながる。

❸ 家族への支援

胸膜中皮腫は**進行が早い**ため，患者の病状や状態の変化に家族が精神的なショックを受けている間に，治療や病状などが進み，患者と家族の時間がとれず**家族が「何もしてあげられなかった」と後悔**することもある。そのため，**家族の心理状態もアセスメント**し，家族の想いや葛藤などを引き出しながら，**家族の悲嘆や受容のプロセスを支援**する。家族に患者の身体ケアに一緒に参加するよう促したり，本人が好きな映画の鑑賞会をしたり，楽しかった旅行の思い出話をすることなどが，患者や家族を癒すことにつながる。

一方，在宅での看取りでは，家族は24時間の介護に加え，患者の症状の増強，状態の不安定さから**心身に多大なストレス**を感じながら過ごすこととなる。そのため，主となる介護者に負担が集中しないよう，家族と話し合いを行って役割分担を行い，訪問看護などを適切に利用できるようサポートする。

［岡田由佳理，橋野明香］

[引用文献]
1) 日本肺癌学会編：肺癌診療ガイドライン―悪性胸膜中皮腫・胸腺腫瘍含む　2024年版．p38，金原出版，2024．
2) Attanoos RL, et al: Malignant mesothelioma and its non-asbestos causes. Arch Pathol Lab Med 142(6): 753-760, 2018.
3) Yates DH, et al: Malignant mesothelioma in south east England: clinicopathological experience of 272 cases. Thorax 52(6): 507-512, 1997.
4) 宮城征四郎監，石原享介・他編：呼吸器病レジデントマニュアル第4版．p331，医学書院，2008．
5) 国立がん研究センター内科レジデント編：がん診療レジデントマニュアル　第5版．p59，医学書院，2010．
6) 前掲書1，p381．
7) 前掲書1，p61．
8) Emanuela T, et al: Meta-analysis of survival after pleurectomy decortication versus extrapleural pneumonectomy in mesothelioma. Ann Thorac Surg 99(2): 472-480, 2015.
9) Hasegawa S, et al: Trimodality strategy for treating malignant pleural mesothelioma: results of a feasibility study of induction pemetrexed plus cisplatin followed by extrapleural pneumonectomy and postoperative hemithoracic radiation (Japan Mesothelioma Interest Group 0601 Trial). Int J Clin Oncol 21(3): 523-530, 2016.
10) 鈴木志津枝：家族がたどる心理的プロセスとニーズ．家族看護1(2)：35-42，2003．

[参考文献]
- 藤本伸一監：患者さんとご家族のための胸膜中皮腫ハンドブック　第3版．2022．
- 長松康子監：胸膜中皮腫―ナースのための包括ABCケアガイド．2022．
- 環境再生保全機構：石綿（アスベスト）ばく露の機会．https://www.erca.go.jp/asbestos/what/whats/bakuro.html（2024年5月14日閲覧）
- 石原英樹・他編：呼吸器看護ケアマニュアル．中山書店，2014．

Column 免疫チェックポイント阻害薬

免疫チェックポイント阻害薬は，免疫システムの抑制を解除して**がん細胞を攻撃しやすくする薬**である（図）．全身の免疫反応の抑制を強制的に解除し，免疫反応を活性化させるため，さまざまな臓器に免疫関連の副作用が生じる可能性がある．

代表的な副作用には，与薬後数日～数週間では，**皮膚発疹や乾癬状皮疹**などの皮膚症状，**下痢や大腸炎**などの消化器系障害，数カ月後では**甲状腺機能低下や亢進**などの内分泌障害，遅発としては**間質性肺炎**などの肺障害がある．

そのため，**発疹やかゆみ，下痢**などの症状や**発熱，発汗，呼吸困難**といった症状に早期に気づき，適切な治療を受けることができるよう観察を行う．あわせて治療中の血液検査や臓器機能も確認し徴候に気が付くことが重要である．

［橋野明香］

図 がん細胞の免疫応答の回避と免疫チェックポイント阻害薬の働き

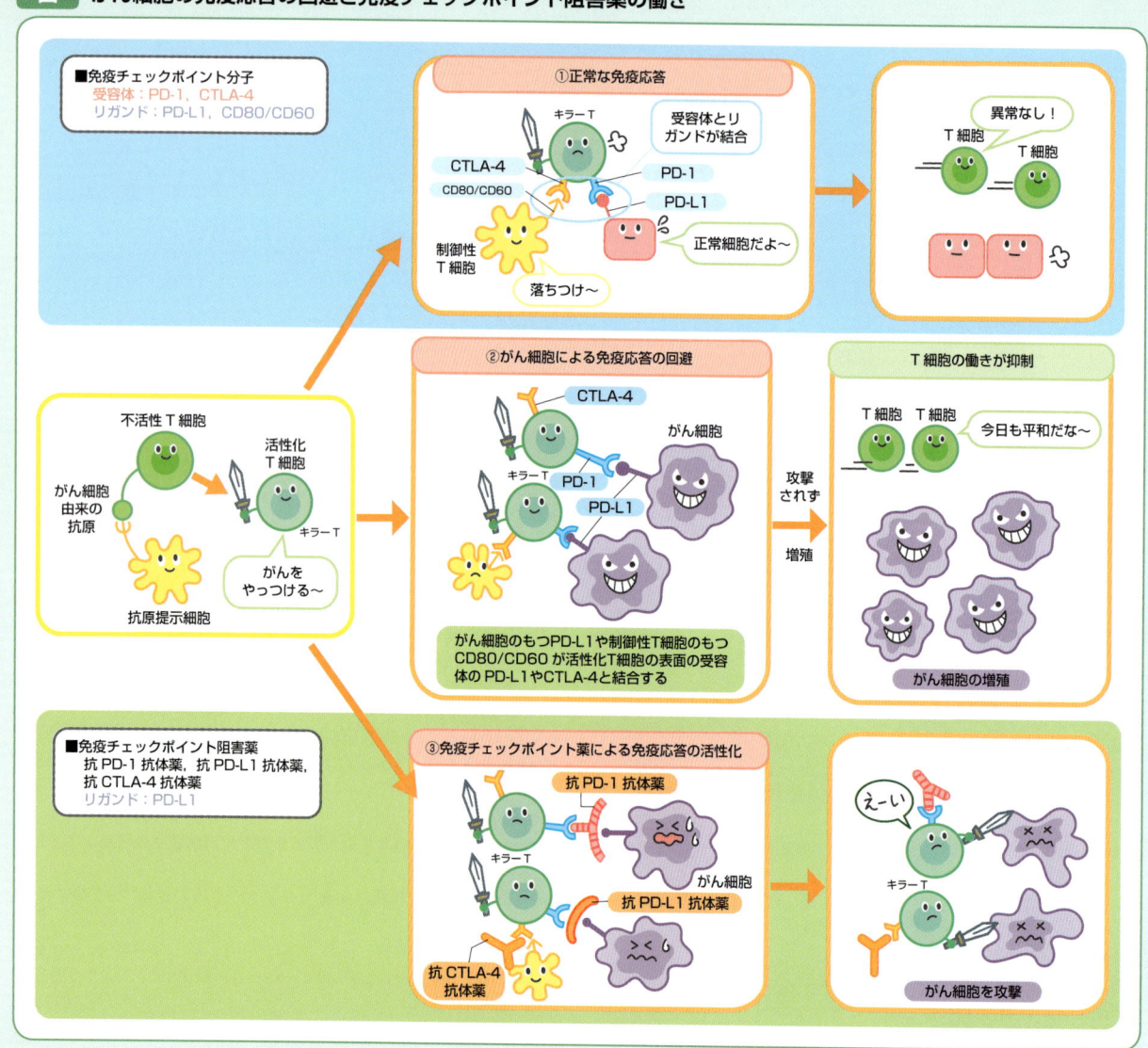

第Ⅲ部

治療別看護ケア関連図

23 胸部手術療法における周術期の看護

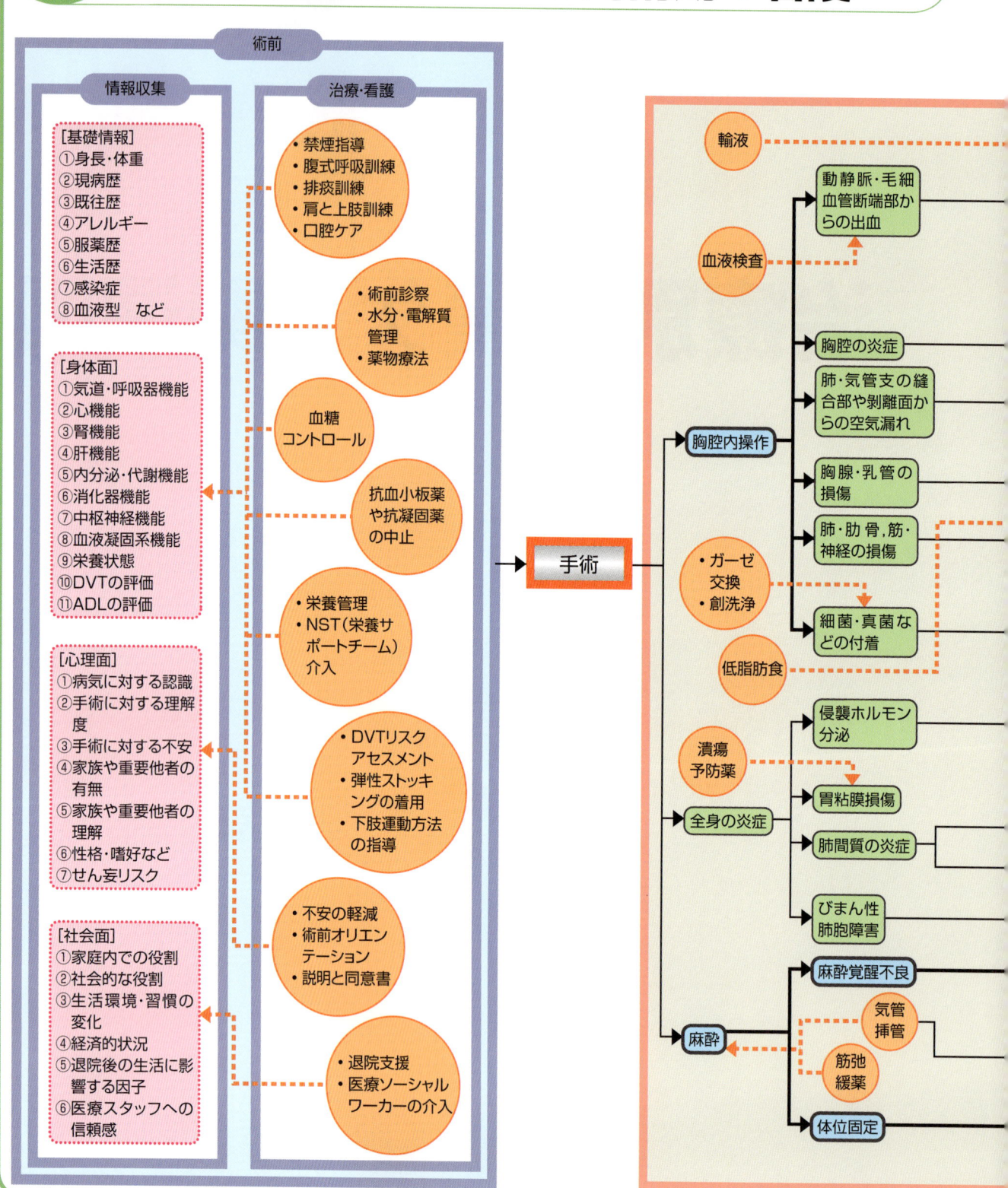

第Ⅲ部　治療別看護ケア関連図

術前

【情報収集】

[基礎情報]
① 身長・体重
② 現病歴
③ 既往歴
④ アレルギー
⑤ 服薬歴
⑥ 生活歴
⑦ 感染症
⑧ 血液型　など

[身体面]
① 気道・呼吸器機能
② 心機能
③ 腎機能
④ 肝機能
⑤ 内分泌・代謝機能
⑥ 消化器機能
⑦ 中枢神経機能
⑧ 血液凝固系機能
⑨ 栄養状態
⑩ DVTの評価
⑪ ADLの評価

[心理面]
① 病気に対する認識
② 手術に対する理解度
③ 手術に対する不安
④ 家族や重要他者の有無
⑤ 家族や重要他者の理解
⑥ 性格・嗜好など
⑦ せん妄リスク

[社会面]
① 家庭内での役割
② 社会的な役割
③ 生活環境・習慣の変化
④ 経済的状況
⑤ 退院後の生活に影響する因子
⑥ 医療スタッフへの信頼感

【治療・看護】

- 禁煙指導
- 腹式呼吸訓練
- 排痰訓練
- 肩と上肢訓練
- 口腔ケア

- 術前診察
- 水分・電解質管理
- 薬物療法

- 血糖コントロール

- 抗血小板薬や抗凝固薬の中止

- 栄養管理
- NST（栄養サポートチーム）介入

- DVTリスクアセスメント
- 弾性ストッキングの着用
- 下肢運動方法の指導

- 不安の軽減
- 術前オリエンテーション
- 説明と同意書

- 退院支援
- 医療ソーシャルワーカーの介入

手術

- 輸液
- 血液検査

胸腔内操作
→ 動静脈・毛細血管断端部からの出血
→ 胸腔の炎症
→ 肺・気管支の縫合部や剥離面からの空気漏れ
→ 胸腺・乳管の損傷
→ 肺・肋骨，筋・神経の損傷
→ 細菌・真菌などの付着

- ガーゼ交換
- 創洗浄
- 低脂肪食

- 潰瘍予防薬

全身の炎症
→ 侵襲ホルモン分泌
→ 胃粘膜損傷
→ 肺間質の炎症
→ びまん性肺胞障害

麻酔
→ 麻酔覚醒不良
- 気管挿管
- 筋弛緩薬
→ 体位固定

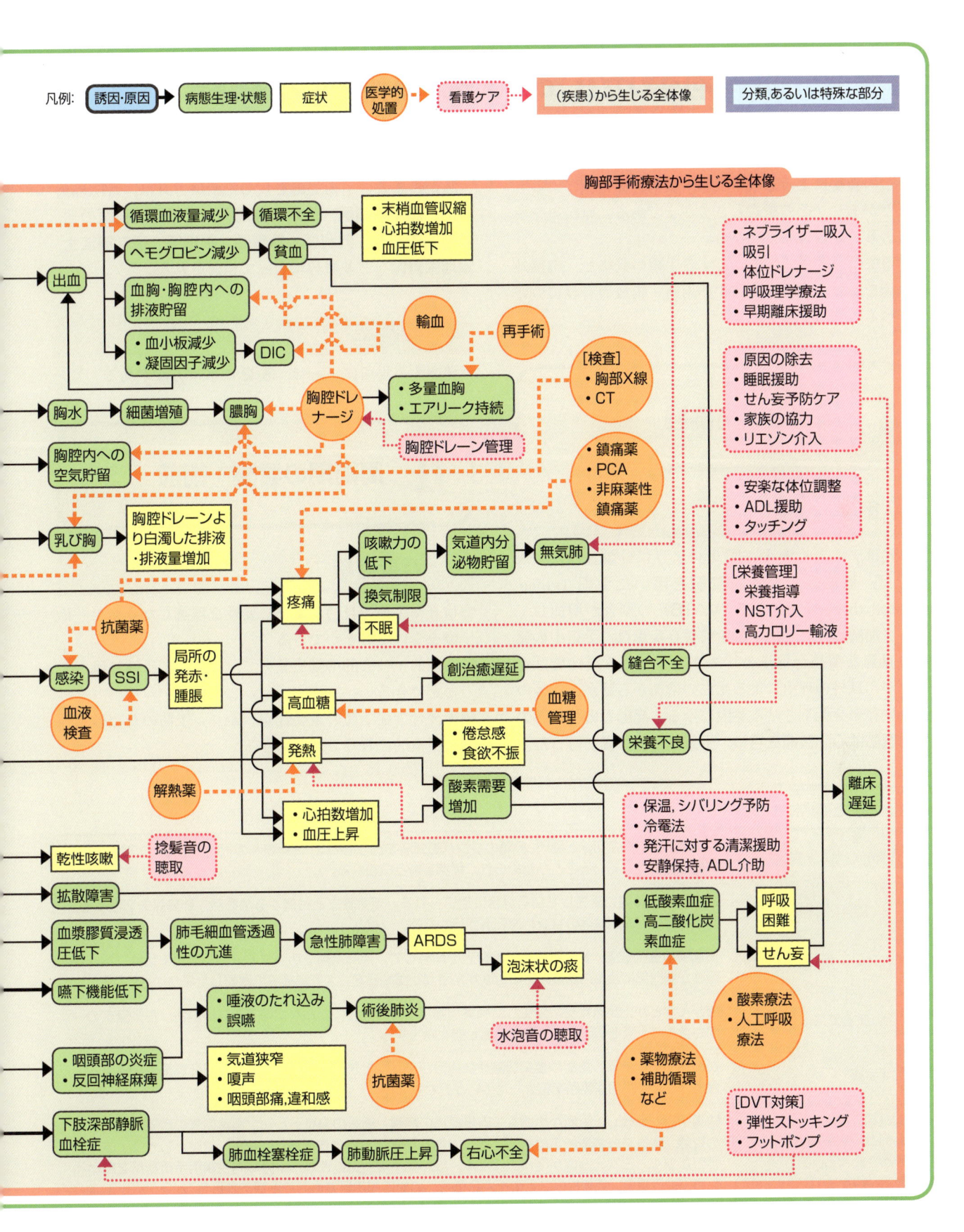

胸部手術療法から生じる全体像

凡例: 誘因・原因 → 病態生理・状態 ／ 症状 ／ 医学的処置 → 看護ケア ／ (疾患)から生じる全体像 ／ 分類，あるいは特殊な部分

出血
- 循環血液量減少 → 循環不全 → 末梢血管収縮・心拍数増加・血圧低下
- ヘモグロビン減少 → 貧血
- 血胸・胸腔内への排液貯留
- 血小板減少・凝固因子減少 → DIC

輸血／再手術

胸水 → 細菌増殖 → 膿胸

胸腔ドレナージ → 多量血胸・エアリーク持続
[検査] 胸部X線・CT
胸腔ドレーン管理

- 胸腔内への空気貯留
- 乳び胸 — 胸腔ドレーンより白濁した排液・排液量増加

疼痛
- 咳嗽力の低下 → 気道内分泌物貯留 → 無気肺
- 換気制限
- 不眠

鎮痛薬・PCA・非麻薬性鎮痛薬

看護ケア
- ネブライザー吸入
- 吸引
- 体位ドレナージ
- 呼吸理学療法
- 早期離床援助

- 原因の除去
- 睡眠援助
- せん妄予防ケア
- 家族の協力
- リエゾン介入

- 安楽な体位調整
- ADL援助
- タッチング

感染
抗菌薬 → SSI → 局所の発赤・腫脹
血液検査

- 創治癒遅延 → 縫合不全
- 高血糖 — 血糖管理
- 発熱 → 倦怠感・食欲不振 → 栄養不良
- 酸素需要増加
- 心拍数増加・血圧上昇
解熱薬

[栄養管理]
- 栄養指導
- NST介入
- 高カロリー輸液

- 保温，シバリング予防
- 冷罨法
- 発汗に対する清潔援助
- 安静保持，ADL介助

その他
- 乾性咳嗽
- 捻髪音の聴取
- 拡散障害
- 血漿膠質浸透圧低下 → 肺毛細血管透過性の亢進 → 急性肺障害 → ARDS → 泡沫状の痰
- 嚥下機能低下 → 唾液のたれ込み・誤嚥 → 術後肺炎
- 咽頭部の炎症・反回神経麻痺 → 気道狭窄・嗄声・咽頭部痛,違和感
- 水泡音の聴取
- 抗菌薬

- 低酸素血症・高二酸化炭素血症 → 呼吸困難・せん妄
- 酸素療法・人工呼吸療法
- 薬物療法・補助循環など

- 下肢深部静脈血栓症 → 肺血栓塞栓症 → 肺動脈圧上昇 → 右心不全

[DVT対策]
- 弾性ストッキング
- フットポンプ

離床遅延

第Ⅲ部　治療別看護ケア関連図

23 胸部手術療法における周術期の看護

　手術療法が適応となる呼吸器疾患は，肺がんや縦隔腫瘍などの腫瘍によるものや気胸・膿胸，肺結核によるものなどがあり，その術式もさまざまである。原疾患や術式により，手術侵襲は異なる。

　本項では，呼吸器疾患に対する手術の概略と，胸部外科手術を受ける患者に共通する術前・術後の看護について述べる。

で総合的に評価し検討する[1]。

　肺がん患者の手術適応を含めた治療方針は，**呼吸器外科医，腫瘍内科医，放射線腫瘍医，呼吸器内科医の他，循環器内科医，外科医，看護師，薬剤師，理学療法士，管理栄養師など多職種によって検討される。**

Ⅰ 術式と手術侵襲

1. 術式と適応

　術式は，大きく表1，図1のように分類される。現在では，**低侵襲である胸腔鏡を用いた手術**（video-assisted thoracic surgery：**VATS**）の割合が増加している。加齢に伴い増加する術前併存疾患は，手術中の死亡や重篤な術後合併症のリスク因子となるだけではなく，がん以外の理由による死亡の増加から肺がん術後の長期生存率を低下させる要因になる。**高齢者の肺がんの手術適応は心肺機能を含め，十分な術前評価を行った上**

2. 開胸法

　切開する場所によって，表2に示す方法がある。

Ⅱ 周術期の看護：術前

1. 看護目標

❶検査や手術の目的および必要性を理解したうえで，治療を受けることができる
❷心理的・社会的準備を整えて，主体的に手術に臨むことができる
❸術後合併症予防の重要性がわかり，予防のための訓練を積極的に行うことができる

表1　術式と適応について

❶標準術式（図1参照）	がん腫を含む肺葉切除と肺門，縦隔のリンパ節郭清を行うもので，局所がんの根絶を目指した根治手術。機能温存上優れていることが認められ，標準手術といわれる。
a. 肺葉切除術	がん腫が一肺葉に限局している場合に用いられる。葉気管支と付属する肺動脈，肺静脈を切断する。同時に肺門と患側縦隔のリンパ節郭清が行われる。
b. 肺全切除術	一側肺の主気管支，肺動脈，上・下静脈を切断して，片肺全部を切除する。がん浸潤またはリンパ節転移が肺門部に及んだ場合，あるいはがん浸潤が葉間部をこえて隣接肺に浸潤した場合に行われる。
c. 気管支形成術	肺がんなどが上葉気管支に発生し，肺葉切除だけでは完全にがんを切除できない場合，主気管支の一部も含めて上葉を切除し，気管支断端を端々吻合する。
❷拡大手術	がんが局部に進展したため複葉切除や肺摘除が必要なときは，より遠位のリンパ節郭清や隣接臓器の合併切除を伴う切除範囲を拡大した手術が行われる。
❸胸腔鏡下手術（video-assisted thoracoscopic surgery：VATS）	開胸手術と比較し，術創が小さく，術後疼痛の軽減，術後の胸腔ドレーン留置期間の短縮，在院日数の短縮，術後呼吸機能低下の軽減に有用であったという報告がある[2]。一方，欠点としては，術中の視野が狭く，三次元画像が得られにくく，触診が不可，操作性が不十分な内視鏡用手術器具を用いるため，血管損傷，気管損傷などの術中合併症への対応が困難であることがあげられる。

図1 標準術式

がん腫を含む切除肺葉
がん
肺門縦隔のリンパ節郭清
標準術式

上葉切除
下葉切除
肺葉切除術

気管支切除
気管支形成術

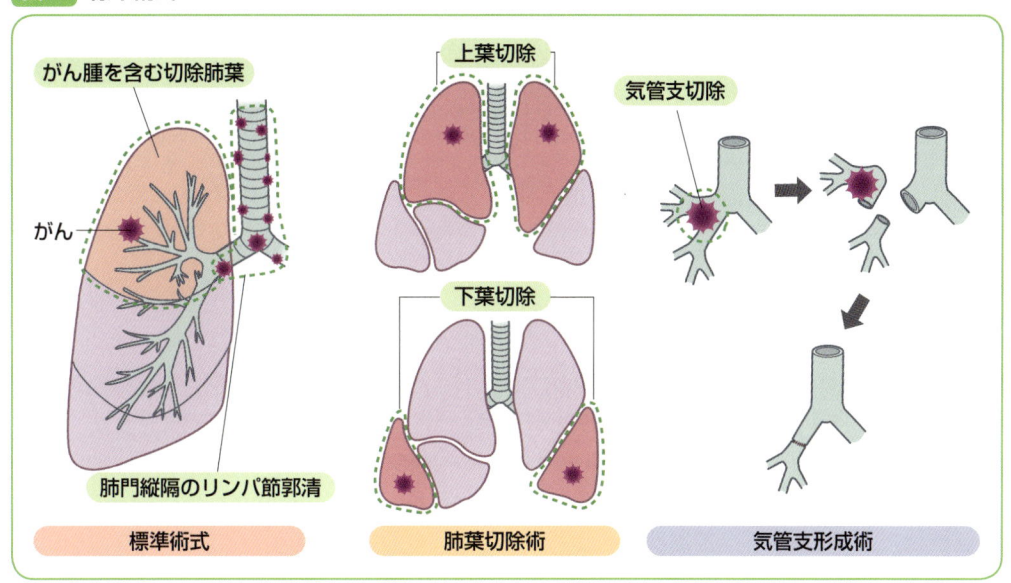

表2 開胸法の種類と手法

❶側方開胸法	・患側を上方にした側臥位とし，側方開胸でアプローチする方法である ・これは，ほとんどの呼吸器疾患・状況に対応でき，もっとも標準的な術式である ・肋間神経の損傷やダメージの影響により，胸骨正中切開に比べ，術後創痛が強い
❷胸骨正中切開法	・仰臥位とし，胸骨正中切開でアプローチする方法である ・縦隔腫瘍や両側肺への手術操作が必要な場合などに選択される方法である
❸腋窩開胸法	・創が腕で隠れるため美容的に優れている

2. 情報収集・アセスメント

基礎情報として，❶身長・体重，❷現病歴，❸既往歴，❹アレルギー，❺服薬歴，❻生活歴，❼感染症の有無：(血液検査) HBV, HCV, TPLA, HIV 検査, MRSA 検査，❽血液型：ABO 式血液型検査，Rho 式血液検査などについて情報収集を行い，身体面・心理面・社会面に関する情報とともにアセスメントする。

また，術前は，疾患の評価に加え，麻酔の影響や手術侵襲に耐えられるかどうか，また術中・術後に起こり得る合併症等のリスクを評価するために，表3に示す情報の収集やアセスメントなどを行う。

3. 術前検査

主に行われる術前検査項目を表3に示す。検査の目的や方法，注意事項などを，患者にわかりやすく説明し，患者が十分理解した上で，検査が円滑に行われるよう援助する。

■ 呼吸機能の評価・観察

高齢者や併存疾患を有する患者が増加しているため，**肺がん手術の術前には**，図2 (→ p313) の術前の呼吸機能評価のアルゴリズムにそって**検査を行うことが推奨されている**[3]。

肺がん手術患者の**リスク評価のために，呼吸機能検査（スパイロメトリー検査）を行う**。特に１秒量（FEV_1）および対標準一秒量（%FEV_1）の両方もしくはどちらか一方が低値である場合には，術後合併症や周術期死亡率が上昇する。加えて，**肺拡散能（DL_{CO}）検査**を行うことが提案されているが，日本では欧米に比べてあまり認知されていない。しかし，**労作時息切れ・画像上びまん性間質性変化・喫煙歴・慢性閉塞性肺疾患（COPD）や，ほかの呼吸器併存疾患を有する場合には，肺拡散能**（DL_{CO}）検査を行うことが推奨されている。

DL_{CO} により，%PPO（% predicted postoperative values：% 予測術後値），FEV_1 および %PPO DL_{CO} を算出し，PPO $FEV_1 \geq 60\%$ かつ PPO $DL_{CO} \geq 60\%$ の場合には，平均的なリスクとなる。

平均的なリスクと判断されなかった場合，安静時の呼

表3 情報収集とアセスメントの内容

身体面に関する情報

1 気道・呼吸器機能の評価

項目	評価内容と対応
❶気道の評価：嗄声の有無，口腔内の状態，上気道狭窄症状（吸気時の喘鳴：stridor，陥没呼吸） ❷病変の部位・進行度（胸部CT） ❸障害されている機能・程度（胸部CT） ❹臨床症状：呼吸状態，呼吸困難の程度，咳嗽・喀痰の有無・性状 ❺診断のための検査結果：動脈血液ガス分析，胸部X線（心胸郭比） ❻呼吸機能（スパイロメトリー）評価：%肺活量（%VC），1秒率（FEV$_{1.0}$%） ❼治療方針：予定される術式・麻酔の種類・他の治療法（薬物療法） ❽喫煙歴	・診断のために行われるさまざまな検査結果や臨床症状などから，疾患の重症度や気道・呼吸機能の低下の程度を把握する。 ・術前の気道・呼吸機能の低下にほぼ比例して，術後回復に影響を及ぼす。 ・気道の問題は，全身麻酔時の気管挿管に影響するほか，抜管後の気道狭窄のリスクとなる。 ・喫煙は気管内分泌物の増加因子となり術後の呼吸機能回復に影響を及ぼす。呼吸訓練や禁煙指導を行い術後肺合併症の予防を行う。

2 全身麻酔で手術するための全身状態の評価

項目	評価内容と対応
❶心機能の評価：既往歴・心電図（安静時：不整脈の有無）・心エコー（左室駆出率・弁膜症の有無・程度）	・手術および全身麻酔により，酸素消費量の増加・循環血液量の変化など，心肺機能に及ぼす影響は大きい。心機能が低下している患者では，術中・術後に心不全や不整脈出現の可能性があるため，心機能を考慮した輸液・電解質管理が重要となる。不整脈に対し，必要時24時間ホルター心電図を実施する ・心電図で心筋虚血所見（ST変化，異常Q波，T波の異常）があれば，乳酸脱水素酵素（LDH）やクレアチニンキナーゼ（CK）の確認，冠動脈造影検査を行う。
❷腎機能の評価：既往歴・血液検査（BUN，Cr，eGFR）・尿検査・クレアチニンクリアランス	・肝・腎機能の低下は，薬物の代謝に大きく影響する。また，腎機能低下は，急性腎不全の発症リスクが高まる
❸肝機能の評価：既往歴・血液検査（AST〈GOT〉，ALT〈GPT〉，総ビリビリン〈TBill〉），コリンエステラーゼ（ChE）	・肝・腎機能を考慮した輸液管理と薬物療法が必要となる
❹内分泌代謝機能の評価：既往歴・内服薬・血液検査（BS，HbA$_{1c}$）	・内分泌代謝機能は身体の恒常性維持に影響し，特に高血糖は，創部の治癒・感染に影響する。術前より血糖コントロールを行う
❺消化器機能の評価：食事の習慣，腹痛・嘔気や嘔吐などの症状，腹壁の緊張の有無，腸蠕動音，排便習慣など	・全身麻酔の影響で術直後より腸蠕動が低下し24〜48時間で回復する ・術後は麻酔の影響や，疼痛などによる離床困難により，腸蠕動の回復が遅れイレウスを起こすおそれがある ・術前より排便コントロールを行い，消化器機能を整えておく必要がある
❻中枢神経機能の評価：意識レベル，認知機能，視力，四肢の運動・感覚障害の有無	・全身麻酔の覚醒状況を確認，アセスメントするために，術前の意識レベルや認知機能を把握しておく必要がある ・認知機能低下は術後せん妄の発症の準備因子となる ・硬膜外麻酔の影響により，主に下肢の知覚や運動障害が起こる可能性があるため，術前の四肢の運動や感覚についても把握しておく必要がある
❼血液凝固系機能の評価：血液検査（PT，PTINR，PT%，APTT，フィブリン分解物（FDP），Dダイマー）・内服薬	・抗血小板薬や抗凝固薬内服中の患者や透析患者は，出血のリスクが高くなる ・疼痛コントロール目的の硬膜外麻酔が適応されないこともある ・手術前には内服薬のコントロールを行い，硬膜外麻酔に代わる疼痛コントロール方法を検討する
❽栄養状態の評価：身長・体重・血液検査（総タンパク〈TP〉・アルブミン〈Alb〉）	・低栄養や肥満は，術中・術後の回復に大きく影響を及ぼす ・術前より栄養状態の評価を行い，必要時はNST（nutrition support team：栄養サポートチーム）による早期介入を行う
❾DVT（deep vein thrombosis：深部静脈血栓症）の評価	・術中の循環血流の変化により，DVT発症のリスクが高まる ・術前よりDVT評価を行い，適切な予防対策を行う
❿その他：血液検査（腫瘍マーカー，炎症反応〈CRP〉，フィブリノーゲン）	・腫瘍マーカーはある特定の腫瘍が産生する酵素やタンパク質，代謝産物を測定するものである ・すべてのがんで高値となるわけではないため，腫瘍マーカーだけでは診断はできない ・急性期反応物質であるCRP，フィブリノーゲンは術前の侵襲の評価に有用である

心理面に関する情報

項目	評価内容と対応
・病気に対する認識：説明の内容と予後についての理解 ・手術に対する不安と理解度 ・家族や重要支援者 ・性格や趣味など	・心理的不安は，疾病の回復に大きな影響を及ぼす ・患者の言動のみならず，性格など患者の背景や家族などからの情報を総合的にとらえ，術前指導や不安軽減への支援を行う

社会面に関する情報

項目	評価内容と対応
・社会的な役割・経済問題 ・医師などの医療者と患者との相互関係 ・生活環境・生活習慣の変化 ・手術により障害される機能と関連する日常生活活動（ADL）	・入院・手術に伴う患者の社会的背景の変化は，患者の回復意欲に影響する。そのため，それらを理解し，できるだけ安心して治療・処置を受け，回復に向かえるよう支援する必要がある ・近年の社会情勢の変化や入院期間短縮への流れから，入院時より退院を見すえた多職種との連携が必要となる

図2 呼吸機能評価のアルゴリズム

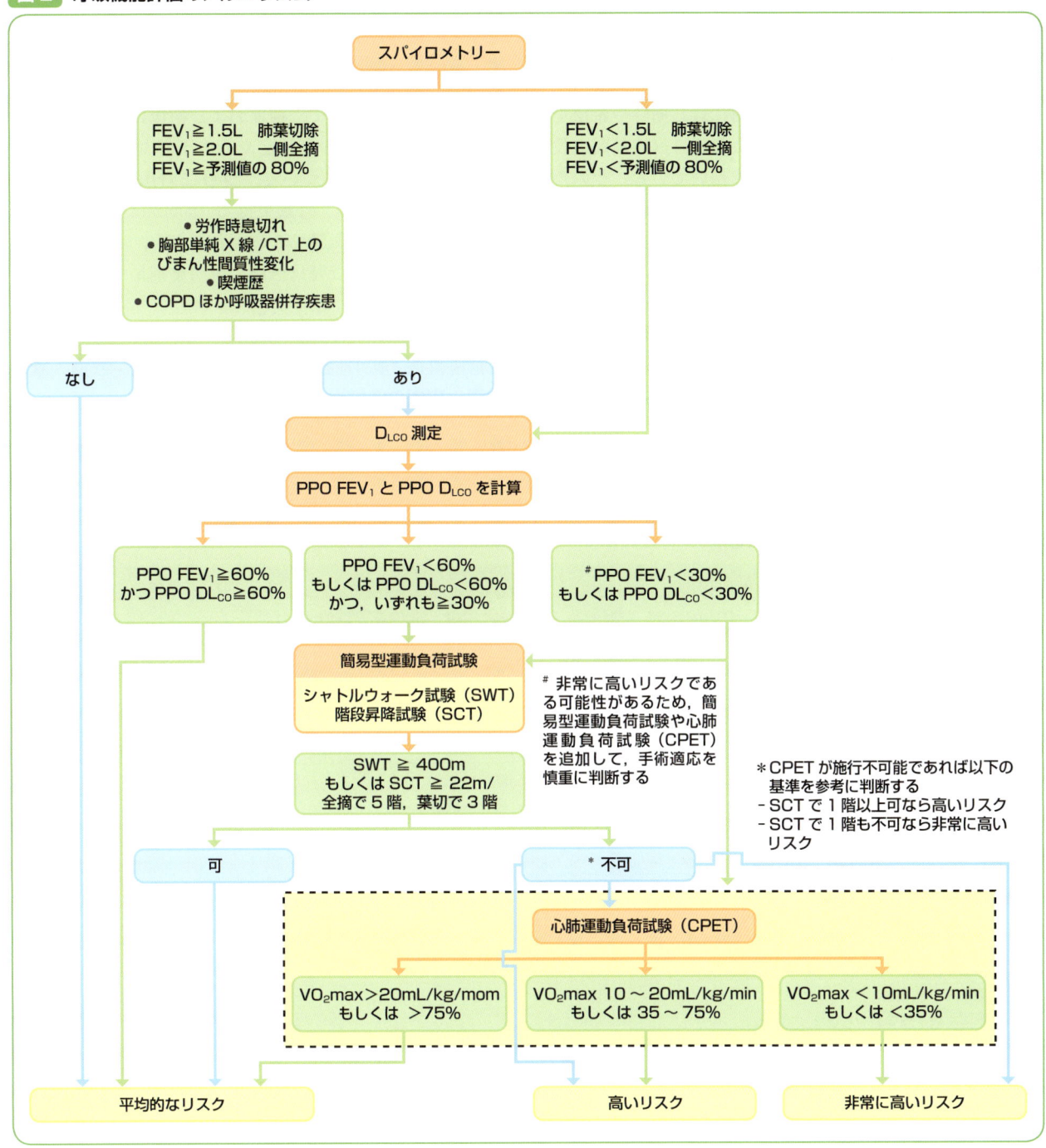

```
                          スパイロメトリー
                   ┌──────────┴──────────┐
        FEV₁≧1.5L 肺葉切除            FEV₁<1.5L 肺葉切除
        FEV₁≧2.0L 一側全摘            FEV₁<2.0L 一側全摘
        FEV₁≧予測値の80%              FEV₁<予測値の80%
                │
        ・労作時息切れ
        ・胸部単純X線/CT上の
          びまん性間質性変化
        ・喫煙歴
        ・COPDほか呼吸器併存疾患
         ┌──────┴──────┐
        なし            あり
                         │
                      D_LCO 測定
                         │
                  PPO FEV₁ と PPO D_LCO を計算
         ┌───────────┼───────────┐
   PPO FEV₁≧60%   PPO FEV₁<60%      #PPO FEV₁<30%
   かつ PPO DL_CO≧60%  もしくはPPO DL_CO<60%  もしくはPPO DL_CO<30%
                  かつ、いずれも≧30%
                         │
                 簡易型運動負荷試験
               シャトルウォーク試験（SWT）
               階段昇降試験（SCT）
                         │
                 SWT≧400m
               もしくはSCT≧22m/
               全摘で5階，葉切で3階
                ┌────┴────┐
                可       *不可
                         │
                 心肺運動負荷試験（CPET）
         ┌───────────┼───────────┐
   VO₂max>20mL/kg/mom  VO₂max 10～20mL/kg/min  VO₂max<10mL/kg/min
   もしくは >75%       もしくは 35～75%         もしくは <35%

     平均的なリスク          高いリスク         非常に高いリスク
```

非常に高いリスクである可能性があるため，簡易型運動負荷試験や心肺運動負荷試験（CPET）を追加して，手術適応を慎重に判断する

＊CPETが施行不可能であれば以下の基準を参考に判断する
- SCTで1階以上可なら高いリスク
- SCTで1階も不可なら非常に高いリスク

（日本呼吸器外科学会ガイドライン検討委員会：肺癌手術症例に対する術前呼吸機能評価のガイドライン．p12, 2021. http://www.jacsurg.gr.jp/committee/riskappraisal.pdf（2025年5月12日閲覧）より）

吸機能のみではなく，**労作時の呼吸機能評価であるシャトル歩行試験**（shuttle walk test：SWT），**階段昇降試験**（stair-climbing test：SCT），**6分間歩行試験**（6-minute walk distance test：6 MWT）などの簡易型運動負荷試験で更なる評価が推奨されている．簡易型運動負荷試験の結果，必要時には，**心肺運動負荷試験**（cardiopulmonary exercise test：CPET）により，**最大酸素摂取（VO₂max）もしくは最大酸素摂取の術後予測値**に沿って，慎重に手術適応

や術式を判断する。

4. 精神面への援助

　手術を受ける患者・家族は，手術に対し期待や希望をもつ半面，手術の成否，予後，社会復帰，家族員間の役割変化などに対する**不安**や**恐怖心**を抱いている。そのため看護師は，患者・家族が病態を理解し，納得して手術を受けることができるよう，患者の**代弁者・擁護者**として，**疑問の明確化**を行うなど医師とのコミュニケーションを助け，質問する機会を設ける。患者が思いを表しやすい態度で接し，言葉のみならず，患者の態度や行動，表情から精神状態を評価する。

5. 術前オリエンテーション

1）説明と同意

　手術の経過に沿って，術前および術後に予定されている検査，予測される合併症やその予防対策，術後の経過，疼痛管理などについて，**クリニカルパス**（図3）などを用いて説明し，同意を得る（informed consent：IC）。看護師は，患者の気持ちを理解しながら，励ましや支持の姿勢で接し，必要時は医師の説明を補足する。

2）術前処置

　術前処置（表4）として，**消化管前処置，飲食・飲水制限，皮膚の準備**がある。

3）術前から行う術後合併症予防のための看護

　術後合併症には，**出血，合併症，創感染**などがある。

図3　肺葉切除術のクリニカルパスの例

	術前	手術前日	手術当日（術前）	手術当日（術後）	術後第1日目	術後第2日目	術後第3日目	術後第4〜7日目
治療処置			グリセリン浣腸（起床後）	酸素投与 3L/分 フットポンプ装着 胸腔ドレーン 硬膜外麻酔薬 末梢点滴 尿管留置	中止（SpO₂92%以上） 中止 → ドレーン排液200mL/日以下，エアリークがない場合で抜去 中止 中止			
食事		夕食後〜　絶食 24時〜　絶飲食			朝〜　飲水 昼〜　食事			
与薬		睡眠導入薬 緩下薬			朝〜　内服開始			
検査	X線・CT 心電図・心エコー 肺機能検査 採血・採尿 感染症・血液型 気管支鏡　など				胸部X線 血液検査			
安静度	フリー			体位変換 ファウラー位	トイレ歩行可	病棟内フリー（自由歩行）		
清潔		入浴・シャワー			清拭	清拭	清拭/ドレーン抜去後，シャワー浴	
排泄				尿管留置	中止			
教育指導	禁煙指導 術前オリエンテーション 麻酔科術前診察				ドレーンバッグの取り扱い方 リハビリの説明 ネブライザー　4回/日（痰の喀出があるまで継続）		退院指導	
確認書類	手術同意書 麻酔同意書 輸血同意書							

表4 術前処置

前処置	処置内容
消化管	手術前日の緩下薬の与薬，当日朝の浣腸
飲食・飲水制限	麻酔中の胃内容物の逆流による誤嚥を防ぐため，術前は絶飲食とする
皮膚の準備	❶入浴・シャワー：手術部位感染（surgical site infection：SSI）の起因菌となることがあるため，手術前夜は入浴やシャワーを行う。マニキュア，臍垢を除去し，爪を切っておく ❷除毛：カミソリによる剃毛は廃止されており，手術部位やその周辺の体毛が手術の支障となる場合を除き，術前の除毛は行わない

（針原康：手術部位感染（surgical site infection：SSI），日本手術医学会，手術医療の実践ガイドライン（改訂第三版），pp83-84，2019．をもとに筆者作成）

術後の合併症予防は後述するが，ここでは術前から行う対策やケアを示す。

1 禁煙指導

周術期における喫煙の影響には，**感染リスクの増加や創傷治癒遅延，呼吸器合併症の発症率や周術期の死亡リスクの上昇，術中の喀痰の増加**がある[4]。喫煙により気管支粘膜線毛の運動抑制，線毛の脱落による粘液輸送機能の障害，分泌物増加が起こるため，喀痰喀出が困難となり，肺合併症のリスクが高くなる。禁煙の必要性を説明し，必要に応じて，**禁煙支援プログラムや補助教材，ニコチン代替療法**の活用について助言し，支援する。

2 呼吸訓練

術後は疼痛や肺機能の低下により，**浅速呼吸**となり，呼吸困難や排痰困難を生じやすい。術前から**横隔膜呼吸（腹式呼吸）による深呼吸法**を訓練し，麻酔覚醒直後からの実施を促す。器具を用いて行う方法（インセンティブ・スパイロメトリーやスーフルなど）のほかに以下の方法がある。

- **口すぼめ呼吸**：口をすぼめてゆっくりと息を呼出することで，気道内圧を維持することができ，肺胞の虚脱を防ぐ効果が期待できる（→p327）
- **腹式呼吸**：肋間筋や肋骨に比べて横隔膜の可動範囲は大きく，ゆっくりと大きな腹式呼吸を行うことで，横隔膜の活動増加により，1回換気量が増大する。換気効率の改善により，呼吸仕事量が軽減する（→p327）
- **胸式呼吸**：腹式呼吸が習得できない場合や，肺の局所換気を改善する目的で用いる

3 気道の浄化と排痰法

術後は，手術操作や麻酔の影響により，呼吸抑制や線毛運動の低下，**咳嗽反射の低下**が起こる。そのため，**気管内分泌物が貯留**し，無気肺や肺炎の原因となりやすい。術前から，気道の浄化と術後合併症予防に向けた**排痰法**の指導を行う。

- **気道の浄化**：気管内分泌物の粘性低下，気管支の拡張を目的とし，**吸入療法や薬物療法**などを行う。下記の排痰法を併用する
- **排痰法：体位ドレナージ，スクイージング，強制呼出手技**（→p328）などがある。これらは独立して実施されることもあるが，体位ドレナージを行いながら，スクイージング，強制呼出手技を併用する方法もある

4 肩と上肢の運動

手術による筋肉の切断と創痛や胸腔ドレーンの挿入による**拘束感**は，**筋肉の萎縮，肩関節の拘縮**を招くため，手術前から**上肢の運動**を行い，機能障害を予防する。正しい姿勢を保持し，**頸部の回旋，肩関節の回転，上肢の挙上**などによって，頸部，肩，腕を全方向に動かす運動を指導する（→p328）。

5 静脈血栓塞栓症（VTE）予防

周術期に多くみられる**静脈血栓塞栓症**（venous thromboembolism：VTE）は，❶**深部静脈血栓症**（deep vein thrombosis：DVT）と，❷**肺血栓塞栓症**（pulmonary thromboembolism：PTE）の2つがある。

これらは，**ウィルヒョウの3徴**と呼ばれる要因の1つまたは複数によって引き起こされる。❶血流の停滞（同一体位維持，安静臥床など），❷血管壁の障害（手術操作などにより血管内皮細胞が損傷される），❸血液凝固能亢進・線溶活性低下（血管の損傷，組織トロンボプラスチンの流入などにより血液が凝固しやすくなる）

- ❶**深部静脈血栓症（DVT）**：四肢（通常は腓腹部または大腿部）または骨盤の深部静脈で血液が凝固する病態である。DVTは肺塞栓症の第1の原因である。無症状の場合もあるが，四肢に疼痛および腫脹が生じる場合もある。
- ❷**肺血栓塞栓症（PTE）**：肺外で形成された血栓が肺動脈に移動して閉塞を引き起こすことで生じる肺塞栓症である。

下肢深部静脈の血栓が遊離し，肺動脈を塞栓することにより，肺動脈支配領域の肺血流が途絶え，**ガス交換障害**が起こる病態をいう。塞栓領域が大きく，かつ急激に発症した場合には，低酸素症のみならず，肺動脈圧上昇から**右室不全**を起こし，生命危機に陥る。突

然の呼吸困難や胸痛，チアノーゼなどの症状の出現に注意する．術後に突然発症し，その原因の約90％が，下肢または下腹部のDVTに由来する．リスクファクターとして，長期臥床，うっ血性心不全，脱水，経口避妊薬の常用，肥満，糖尿病，下肢静脈血栓症がある．

術前より，VTEについての説明と，予防策（**弾性ストッキング着用やフットポンプの使用，下肢の運動方法**）の指導を行う．加えて，40歳以上のがんの大手術やVTEの既往あるいは出血性素因のある大手術の場合，下肢麻痺，ギプスによる下肢固定がある場合などは，VTEの発症リスクが高いため，**抗凝固療法も行われる**[5]．出血のリスクが高い場合には理学的予防法のみの施行も考慮する．

６ 栄養状態・NST（栄養サポートチーム）の介入

周術期には，通常以上のエネルギーが代謝され，呼吸機能に関連してさらに多くのエネルギーが必要とされるため，術前・術後の栄養管理は重要である．患者の栄養状態の評価を行い，低栄養や肥満など，必要時はNST（nutrition support team）の介入を依頼する．

７ せん妄

せん妄とは，**急性かつ一過性に起こり，幻覚，妄想，不安などの精神症状を示す意識障害**であり，認知症と違って進行することはなく可逆的な経過をたどる．術後せん妄を発症する要因として，患者の背景因子（高齢者，認知機能障害，脳梗塞，糖尿病，アルコール依存，腎・肝機能障害など），環境やストレス，睡眠障害，身体的な不快症状などの誘発因子，手術侵襲や貧血，肺炎などの感染症などによる直接因子があり，特に**高齢者**に多くみられる．

手術後は点滴ラインや各種ドレーン留置，モニター類などの装着により患者に加わる心理的・身体的ストレスが強く，**チューブ類の自己（事故）抜去**などの危険行為がみられることも少なくない．術後にせん妄を発症すると，**周術期合併症や機能障害の発生リスク**が高まる．そのため術前よりせん妄発症の**リスクアセスメント**を行い，環境の調節や手術後の療養がイメージできるよう患者や家族に説明する．

4）術後疼痛管理

■ 術後疼痛

術後の創部痛は，組織の機械的損傷や浮腫による機械的圧迫などによるものであり，**鎮痛薬を可能な限り使用**し，積極的に**除痛**を図る．痛みの感じ方は１人ひとり異なるため，術前より，患者の過去の疼痛に関連する**体験**や不安の程度を聴取する．術後の疼痛管理計画に，鎮痛薬以外のリラクセーション法なども含めた患者の希望を反映させる．

痛みは我慢しないこと，痛みを医療者に伝えることの重要性，痛みの伝え方（**ペインスケールの活用**），疼痛コントロール方法，鎮痛薬の副作用，**患者管理鎮痛法**（patient control analgesia：PCA）について術前から教育する．表５にPCAの使用方法や薬剤の効果などを示す．PCAでも疼痛がコントロールできない場合は，医師にそれを伝えるとともに，座薬や内服薬などによる除痛もできることを説明する．

- **患者管理鎮痛法（PCA）**：静脈内および硬膜外へ**持続的に薬を与薬すること（バックグラウンド）**で鎮痛薬の血中濃度を一定に保つことが可能となる．患者自身が疼痛を感じた際，自らボタンを押すことで鎮痛薬を追加できる（ボーラス）．過剰与薬にならないように，**最大ボーラス頻度やロックアウト時間**を設定する

6. 退院調整

入院前，入院直後から，**地域連携室/退院調整を行う部署**と協働する．患者や家族の自立度，家族形態，同居状況，入院・手術に伴う患者の身体状況や社会的役割の変化，経済状態，要介護度（介護保険の申請状況），身

表５ 患者管理鎮痛法（PCA）の使用方法とその効果

バックグラウンド流量（background flow rate）	● 持続的に輸液されている流量．これによって，麻薬の血中濃度が一定に維持される
ボーラス（bolus）	● 患者がボタンを押したときに与薬される一定量の薬剤．「ボタンを押せば効く」量であることが必要で，過量を設定すると，副作用が増える
最大ボーラス頻度（maximum bolus frequency）	● １時間に実際に与薬可能なボーラスの最大回数
ロックアウト時間（lockout time）	● 患者によるボーラスの与薬が行われてから，次のリクエストが有効になるまでの時間 ● ロックアウト時間が過ぎるまではボタンを押しても次のボーラスが行われることはない．過剰与薬を避けるために設定する．与薬後，最大効果を示す時間をやや上回るように設定する

体的状況（在宅酸素療法の必要性など）を評価し，手術前から関係部署や関係機関と調整を行う。

III 周術期の看護：術後

1. 看護目標

❶呼吸・循環・代謝の状態が安定し，異常の早期発見，早期対処ができる
❷排痰，胸腔ドレーンからの排液が効果的に行われ，肺合併症を予防できる
❸創部痛や呼吸困難などの苦痛を緩和できる
❹不安や恐怖，ストレスが表出でき，軽減される
❺術側上肢に機能低下が残らない
❻早期離床を図り，全身の機能低下を予防し，早期に社会復帰ができる

2. 術後の全身状態の観察・管理

1) 全身状態の観察・管理

特に開胸術による手術は侵襲が大きく，呼吸・循環機能に大きな影響を及ぼす。そのため，手術の内容や起こり得る合併症を予測したうえで，**全身状態を経時的に観察し，異常の早期発見と早期対処**を行う。術後の身体面における観察項目を表6にまとめた。

2) 胸腔ドレナージ（図4）の観察・管理

胸腔ドレナージから得られる情報は，患者の状態を把握するために重要である。呼吸器疾患術後における胸腔ドレーン挿入の目的は，❶手術操作や全身麻酔の影響により，**一度虚脱した肺の再膨張を促す**，❷**術後出血・肺からの空気漏れ（エアリーク）・リンパ液などの排液の観察**，である。術後経過に伴い，胸腔ドレーンからの排液は，**血性から淡血性**に変化し，2～3日後には**漿液性**となる。排液量が減少（**100mL/日未満**）し，エアリークの消失および胸部X線上で肺の拡張が確認されれば，胸腔ドレーンの抜去となる（→管理についてはコラム「胸腔ドレナージ」p153参照）。

表6 術後の身体面における観察項目

❶意識	・Japan Coma Scale（JCS），麻酔からの覚醒度，呼名反応，指示反応，痛覚反応，対光反射，睫毛反射
❷呼吸状態	・呼吸（数・リズム・深さ），胸郭の動き ・呼吸音（左右差，副雑音の有無・種類） ・症状：呼吸困難の有無・程度，喀痰の量・性状，咳嗽力 ・検査データ：動脈血液ガス分析，SpO₂，胸部X線 ・酸素吸入：方法・量
❸循環動態	・血圧，心拍（数・リズム），不整脈の有無・種類，末梢冷感・チアノーゼの有無
❹輸液・水分出納管理	・輸液：薬剤の種類・量，使用方法・時間 ・尿量，出血量，各種ドレーンからの排液量
❺胸腔ドレーン	・吸引圧，排液量・性状，エアリークの有無・量，皮下気腫の有無・範囲
❻創痛	・創痛の有無・程度 ・鎮痛薬：硬膜外注射薬の種類・量，臨時鎮痛薬の種類・量

図4 胸腔ドレナージ

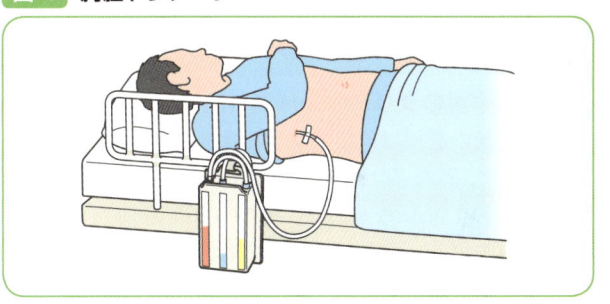

3) 栄養管理

胸部手術療法においては，強い侵襲により**全身性の炎症**が生じ，**発熱，疼痛，倦怠感**などの身体的苦痛により**食欲不振**となり，**栄養不良**となることも少なくない。

必要時はNSTへコンサルテーションを行う。

多くは手術後1日目より，飲水・食事が再開となるが，嘔気や腸管の回復状況により，食事形態や量を調節する。経口摂取のみでは必要な栄養が得られない場合は，**末梢静脈栄養や中心静脈栄養などの高カロリー輸液**が行われる。

術後は，全身の炎症により侵襲ホルモンなどのインスリン拮抗ホルモンが過剰となり**血糖上昇**が起こるが，通

常の回復過程であれば，**術後1～3日頃には安定する**。しかし，**術後感染**や，**糖尿病**などの持病がある患者の場合，相対的な**インスリン分泌不足**により**高血糖**となることが多い。高血糖が持続すると，免疫学的防御機構が低下し感染のリスクの上昇や創傷の治癒遅延のリスクが増す。さらに絶飲食により**血糖降下薬**の服用を中止することから，周術期の血糖管理は，**強化インスリン療法**（インスリンを3～4回/日で皮下注射する方法や，インスリン皮下持続注入療法など）による厳格な血糖コントロールが必要となる。血糖管理の目標は144～180mg/dLである。入院中の血糖管理においては**重症患者**で血糖値180mg/dLを超えないように2～4時間おきに血糖測定を行い，インスリン治療が開始されたら，血糖値140～180mg/dLを保つことが推奨されている[6]。

非重症患者においては，**食前血糖値140mg/dL未満**，**随時血糖値180mg/dL未満**が大多数の患者の治療目標として設定されている[7]。一方で，**食欲不振や嘔吐や下痢**などの症状がある場合，**低血糖**となり嘔気や意識混濁などの**低血糖症状**を起こしやすくなるため，必要量に対する栄養量が消化，吸収されているかの観察も行う。

3. 術後経過とその管理：肺葉切除術クリニカルパス

肺葉切除術のクリニカルパス（例）は図3に示したように術後の経過は麻酔式および手術による侵襲の大きさによって異なる。開胸術に比べて，**胸腔鏡下手術**（video-assisted thoracic surgery：**VATS**）は術創が小さく，術後の胸腔ドレーン留置期間の短縮，在院日数の短縮につながるが，術後の経過や基本的看護ケアは共通している。術後の早期退院に向けての最大のバリアンスとなるのは，術後の痛みのコントロールが不十分である場合と胸腔ドレナージのエアリークが遷延する場合である。

4. 術後合併症と看護ケア

術後合併症の予防と早期発見に努め，術後回復過程を促す看護ケアを行う。

1）術後出血

肺実質や気管支など，切除縫合部組織周辺の毛細血管や動・静脈断端からの出血などがあり，**胸腔内に貯留する**。大量出血は，循環動態に影響を及ぼし，生命の危機に陥る。また，胸腔内への血液の貯留は，**血胸**となり，呼吸不全の原因となるため，術後は**胸腔ドレーン**が挿入される。手術当日および翌日は特に胸腔ドレーンからの排液量や色，性状を注意深く観察する。

2）肺合併症

1 術後肺水腫（→⑫肺水腫，p158参照）

術後は，麻酔や気管挿管の影響による**不顕性誤嚥**や**肺炎**，出血に対する**大量輸液**や**大量輸血**，感染悪化による**敗血症**などにより，**肺水腫**を発症しやすくなる。また，肺全摘術は，肺の血管床の減少により，肺血流量が減少し，ガス交換が低下するため，さらに注意が必要となる。

2 気胸・皮下気腫・気管支瘻

気胸とは，肺や気管支の切除縫合部や剥離面，肺気腫，肺囊胞から空気が漏れ，**胸腔内に貯留する**ことであり，肺や心臓など胸腔内臓器を圧迫し，呼吸循環機能に影響を及ぼす（→⑩気胸，p138参照）。出血が皮下組織に漏れ出るものを**皮下気腫**といい，通常胸部周囲や胸腔ドレーン挿入部周囲にみられる。**気管支瘻**とは，1週間以上術創が回復せず，縫合不全を起こし，瘻孔をつくることである。気管支内容物が胸腔内に漏出し，**膿胸**（→⑪膿胸，p146参照）に至る。

3 無気肺

術後は，手術操作や全身麻酔，気管挿管の影響，創痛などにより，一時的な呼吸抑制と線毛運動の低下，咳嗽力の低下がみられ，**痰の喀出が困難**となる。無気肺とは，気管内分泌物などによる閉塞で，その領域の**肺胞が虚脱した状態**であり，低酸素血症や高二酸化炭素血症となる。発症時期は，**術後48時間以内**が多いとされ，無気肺が肺炎に移行する可能性もある。

4 術後肺炎

術後肺炎の原因は，主に**無気肺**と**誤嚥**がある。創痛による気管内分泌物の不十分な喀出や，気管内挿管や麻酔などによる嚥下機能の低下により起こる。術後肺炎は急性呼吸窮迫症候群に陥ることもある（→⑬急性呼吸窮迫症候群（ARDS），p164参照）。

5 乳び胸

リンパ節郭清など，手術操作での胸管損傷が原因で，胸腔ドレーンから**白濁**した排液がみられ，量も増加する。

6 膿胸（→⑪膿胸，p146参照）

胸腔内に感染が起こり，膿が貯留したものを膿胸という。**発熱**や**胸痛**がみられ，さらに**呼吸不全・敗血症**を合併する恐れがある。

7 間質性肺炎（→⑰特発性間質性肺炎，p218参照）

術前より，蜂窩肺（肺の線維化が進み，肺胞が破壊さ

れて，蜂の巣のように多数の交洞状の構造が形成される）や肺線維症，軽度の間質の異常があり，それが手術を契機に増悪することがある。肺の間質に炎症を起こし，**拡散障害・ガス交換障害**を生じる。

3) 手術部位感染（SSI）と創傷管理 (表7)

糖尿病などの既往や高齢など抵抗力が弱まった状況では，創傷は容易に感染を起こし，創部の回復が遅れ，**縫合不全**のリスクが高くなる。また，起炎菌が血液に入り込むと，**菌血症**となり**悪化すると敗血症**に陥る。

切開創は，吸収糸で縫合後，皮膚貼付用テープで固定するか，もしくは滅菌ドレッシング剤で皮膚を保護する。一次治癒創は，**術後48時間**で上皮化が完了するため，術後48時間以降はドレッシング剤を除去する。シャワー浴も可能となる。術後48時間以降の切開創は，ガーゼなどで覆うべきか否かに関して CDC ガイドラインは明示していないが，常に感染の危険性を考えて創部を清潔に保つことが重要である。

4) 創痛と疼痛コントロール

創痛は，咳や深呼吸，体動により助長されるため，患者はそれらを抑制しようとし，**肺合併症**のリスクが高まる。強く持続する創痛は，不安をつのらせ，睡眠を妨げ，さらにはせん妄状態を引き起こす。

表7 手術部位感染（surgical site infection：SSI）防止（勧告）

Ⅰ．術前準備	1．除毛	手術部位や周辺の体毛について，手術の支障にならない限り，除毛は行わないのが原則である。除毛は必要な場合のみ電気クリッパーや除毛クリームを使用して，手術の直前に行うのがよい
	2．シャワー浴，入浴	手術前夜や当日朝のシャワー浴や入浴が勧められる ＊通常の石鹸を用いても皮膚細菌数の減少効果は期待できる
	3．その他の術前処置に関する推奨事項	1）遠隔部位感染：定時手術の前に遠隔部位感染を検索し，あればそれを治療する。遠隔部位感染の治療が終わるまで定時手術は延期する 2）血糖コントロール：術前より糖尿病をコントロールし，特に周術期は血糖値を適切な範囲内に保つ 3）禁煙：定時手術前には可能な限り長い期間（術前1カ月以上が望ましい）の禁煙を指導する 4）血液製剤，ステロイド：SSI 予防を理由として，必要な血液製剤やステロイド，免疫抑制剤の使用を制限する必要はない 5）術前入院期間：病院環境には汚染菌が多いので，術前の入院期間を必要最小限とする 6）腸管前処置：定時大腸手術においては，機械的前処置と経口抗菌薬前処置（1日のみ投与）の併用が勧められる 7）栄養療法：体重が著明に減少した患者や栄養不良の認められる患者に侵襲の大きな手術を行う場合には，経口または経腸的な栄養強化療法を行うことを考慮してよい 8）MRSA スクリーニングと除菌：MRSA スクリーニング検査や除菌プロトコールを採用するかどうかは，術式を考慮の上，それぞれの施設での SSI 発生率や MRSA 関与の状況に応じて決めるのが適当である
Ⅶ．予防的抗菌薬投与	1．予防的抗菌薬の種類と投与量	適切な種類の予防的抗菌薬とその投与量を選択し，初回投与は手術開始前60分以内に行う
	2．術中の追加投与	予防的抗菌薬の術中追加投与は2〜4時間ごとに行うのが望ましい
	3．予防的抗菌薬の投与期間	予防的抗菌薬の投与期間は，手術の種類にもよるが，手術日を含めて原則24時間以内とする
Ⅸ．創管理	1．手術で縫合閉鎖した創部は術後24〜48時間滅菌材料で被覆して保護する。それ以降は被覆の必要はない。また基本的に創部を消毒する必要はない	＊術後48時間程度経過すると皮膚は癒合し，皮膚表面から細菌汚染される心配はなくなるので，入浴やシャワー浴が可能である。その後は抜糸や抜鉤まで創部は開放で問題ない。なお，ガーゼ交換や手術創の処置前後には必ず手洗いを行い，清潔操作の原則を遵守することが必要である
Ⅹ．周術期の血糖コントロール	周術期の血糖値は180〜200mg/dL 以下にコントロールすることが SSI 防止のために好ましい。	

（針原康：手術部位感染（surgical site infection：SSI）．日本手術医学会，手術医療の実践ガイドライン（改訂第三版），ppS82-91, 2019. より抜粋して作成）

ペインスケール（→p351）を用いて，疼痛を客観的にアセスメントし，**鎮痛薬（硬膜外鎮痛，麻薬性・非麻薬性鎮痛薬，坐薬など）の使用**（図5）や**リラクセーション**などを行う。

5）静脈血栓塞栓症（VTE）

すべての患者において**早期離床**や**積極的な運動**を行うことが推奨されており，中リスク患者では，**弾性ストッキング**や**間欠的空気圧迫法**，高リスク患者では加えて**抗凝固療法**を行う。弾性ストッキングや間欠的空気圧迫法を行う場合，サイズの不適合やずれなどが生じると，局所的な圧迫が加わり，**血行障害や皮膚障害，腓骨頭圧迫による腓骨神経障害**などを起こすおそれがあり，それらの有害事象が生じた場合は直ちに使用を**中止**する。

管理としては24時間圧迫されることによる**皮膚障害を防止**するため，皮膚の観察や**スキンケア**を行うとともに，1日1回以上弾性ストッキングの履き直しを行う。

また，**抗凝固療法**を行うことにより**出血傾向**となるため，目に見える範囲の出血傾向だけでなく，頭蓋内，胸腹腔内，消化管などからの出血の徴候がないか観察を強化する必要がある。また患者自身にも出血傾向となり得ることを十分説明し，愛護的な**歯磨き**を励行し，体動時の打撲や転倒を起こさないよう注意を促す。

6）せん妄

周術期にかかわらず**せん妄の前駆症状**には，**落ち着きのなさや不安，奇妙な行動，刺激に対する過剰反応**などがみられるため，医療従事者間で情報共有を行う。患者の様子が日頃と異なることがあれば，せん妄発症の評価を行い，日時や場所がわかるようカレンダーや時計を見えるところに設置する。また日中の活動と夜間の休息の区別，室温や湿度の調整を行う。そして，せん妄発症時は身体的，環境的，薬剤的な原因を探り，その因子の除去に努める。

明らかに有効な治療は確認されていないため，**予防と早期発見**が重要である。できるだけ術直前に入院させ，可能な限り早期にチューブ類，点滴，ドレーン類を抜去し，早期離床・早期退院を図ることが重要である。

5. リハビリテーション

1）肺合併症の予防

吸入や呼吸理学療法など排痰の援助や**呼吸訓練**など肺機能の回復に向けた援助を行い，**肺合併症を予防**する。日常生活のなかで，少しずつ**自立**を促し，**早期離床**を目指す。その際，創痛のみならず，術後の臥床による**背部痛や全身倦怠感**などがあると離床やリハビリテーションがすすまないため，適切に**痛みをアセスメント**し，薬物による**鎮痛**を行う。また，日常生活の援助方法も適宜患者と相談しながら，鎮痛薬使用後にケアを行うなど，**苦痛を軽減**するための工夫を行う。

2）患側上肢の機能訓練

術後，**筋肉が拘縮**して，肩・上肢に運動機能障害が起こらないよう，術前に行った運動を繰り返し行う。また，日常生活のなかでも意識的に患側を動かすことも効果的である。

図5 開胸手術後の疼痛管理フローチャート

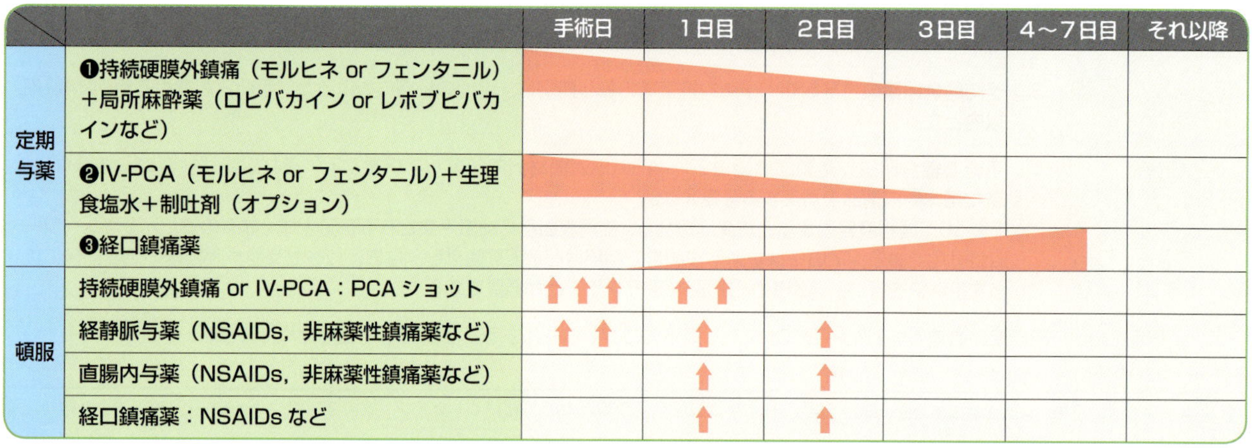

		手術日	1日目	2日目	3日目	4～7日目	それ以降
定期与薬	❶持続硬膜外鎮痛（モルヒネ or フェンタニル）＋局所麻酔薬（ロピバカイン or レボブピバカインなど）						
	❷IV-PCA（モルヒネ or フェンタニル）＋生理食塩水＋制吐剤（オプション）						
	❸経口鎮痛薬						
頓服	持続硬膜外鎮痛 or IV-PCA：PCAショット	↑↑↑	↑↑				
	経静脈与薬（NSAIDs，非麻薬性鎮痛薬など）	↑↑	↑	↑			
	直腸内与薬（NSAIDs，非麻薬性鎮痛薬など）		↑	↑			
	経口鎮痛薬：NSAIDs など		↑	↑			

6. 退院指導と退院調整

在院日数の短縮化により，患者は多くの**不安**を抱えたまま退院することも少なくない。術後回復過程の患者が，退院後の生活にうまく適応できるよう，退院後の生活に向けて身体的および心理的準備を整えることが必要である。患者の理解度や心身の状況をアセスメントし，家族を含めた退院指導を段階的に行う。また，補助教材（パンフレットや動画）などがある場合は，効果的に活用する。以下，退院指導のポイントを述べる。

1) 日常生活

- **規則正しい生活**：体力にあわせて行う
- **禁煙**：継続して行う
- **食事**：栄養バランスのとれたものをすすめるが，摂取が難しい場合は，栄養指導や栄養補助飲料の活用も検討する
- **入浴**：創部および患側上肢の状態により退院後の入浴方法について指導する
- **運動**：適度な運動は，回復を促す効果もあるため症状に応じて継続する
- **旅行・レジャー**：海外旅行や山登りなど，内容によっては医師に確認する
- **感染予防**：含嗽や手洗い，外出時にマスクを着用する

2) 服薬指導

鎮痛薬や吸入薬，抗がん薬など，服薬指導を行う。薬剤師と協働し，患者の薬効・副作用・使用方法などの理解度を把握し，退院後も継続使用できるように指導する。

3) 合併症の早期発見と増悪予防

次の症状がみられたら，早期に医師に相談するように説明する（緊急時・夜間の外来受診の方法についても説明しておく）。症状の有無や悪化，創部の異変，遷延する痛みは術後の疼痛ではなく，**早期再発**の可能性もある。患者自身でも発見・管理できるように，体調や検査データなどを記入する手帳を用いた**セルフモニタリング**の方法についても指導を行う。

❶ 咳・痰の増量
❷ 喘鳴・呼吸困難
❸ 血痰
❹ 声のかすれ
❺ 動悸やめまい
❻ 創部の異変（発赤，腫脹，疼痛増強，膿の出現など）
❼ 発熱，食欲不振，嘔気，全身倦怠感など

また，糖尿病などの合併症の管理方法もあわせて指導する。

4) 定期受診

次回外来受診日を説明し，必要時には，**家族の協力**を依頼する。外来看護師への入院中の看護要約（サマリー）を作成し，**継続看護事項**を申し送る。がん患者の場合，退院後も再発・転移への不安を抱えたまま生活しなくてはならない。単に身体的痛みへの対応だけでなく，**トータルペインとしての緩和ケア**を求めている場合もあり，**専門看護外来やがん相談窓口**などの利用も促す（→㉕呼吸器疾患の緩和ケア参照）。

また患者会などの案内を行い，**がんサバイバー**（がん生存者）としてサポートが得られるよう支援する。

5) 社会資源の活用

在宅酸素療法が必要な患者の場合のみならず，必要とする患者には社会資源を有効に活用できるよう，退院調整が必要である。

❶ **社会資源に関する情報源の紹介**：医療相談・医療ソーシャルワーカー（MSW）・社会福祉事務所・地方自治体の相談窓口など
❷ **社会資源に関する具体的な情報提供**：傷病手当金・高額療養費制度・介護保険，訪問看護，在宅酸素療法など

［西村将吾，水川真理子］

[引用文献]
1) 上田和弘・他，ガイドライン検討委員会：肺がん手術症例に対する術前呼吸機能評価のガイドライン．p6, 2021. http://www.jacsurg.gr.jp/committee/riskappraisal.pdf（2025年5月12日閲覧）
2) 小田誠：肺がんに対する低侵襲手術の基礎と臨床―胸腔鏡下手術およびロボット支援手術．金沢大十全医会誌120(1)：11-15, 2011.
3) 前掲書1，p12.
4) 前掲書1，p32.
5) 日本循環器学会・他：肺血栓塞栓症および深部静脈血栓症の診断，治療，予防に関するガイドライン（2017年改訂版）．https://www.j-circ.or.jp/cms/wp-content/uploads/2017/09/JCS2017_ito_h.pdf（2025年5月12日閲覧）
6) American Diabetes Association: Standards of medical care in diabetes—2010. Diabetes Care 33(Suppl 1): S11-61, 2010.
7) 日本糖尿病学会：糖尿病診療ガイドライン2024．p522, 南江堂, 2024.

[参考文献]
- 3学会合同呼吸療法認定士認定委員会：第28回3学会合同呼吸療法認定士 認定講習会テキスト．2023.
- 日本肺癌学会編：肺癌診療ガイドライン―悪性胸膜中皮腫・胸腺腫瘍含む2022年版．金原出版, 2022.
- 道又元裕編：クリティカルケアにおける看護実践―ICUディジーズ 改訂第2版．学研メディカル秀潤社, 2014.

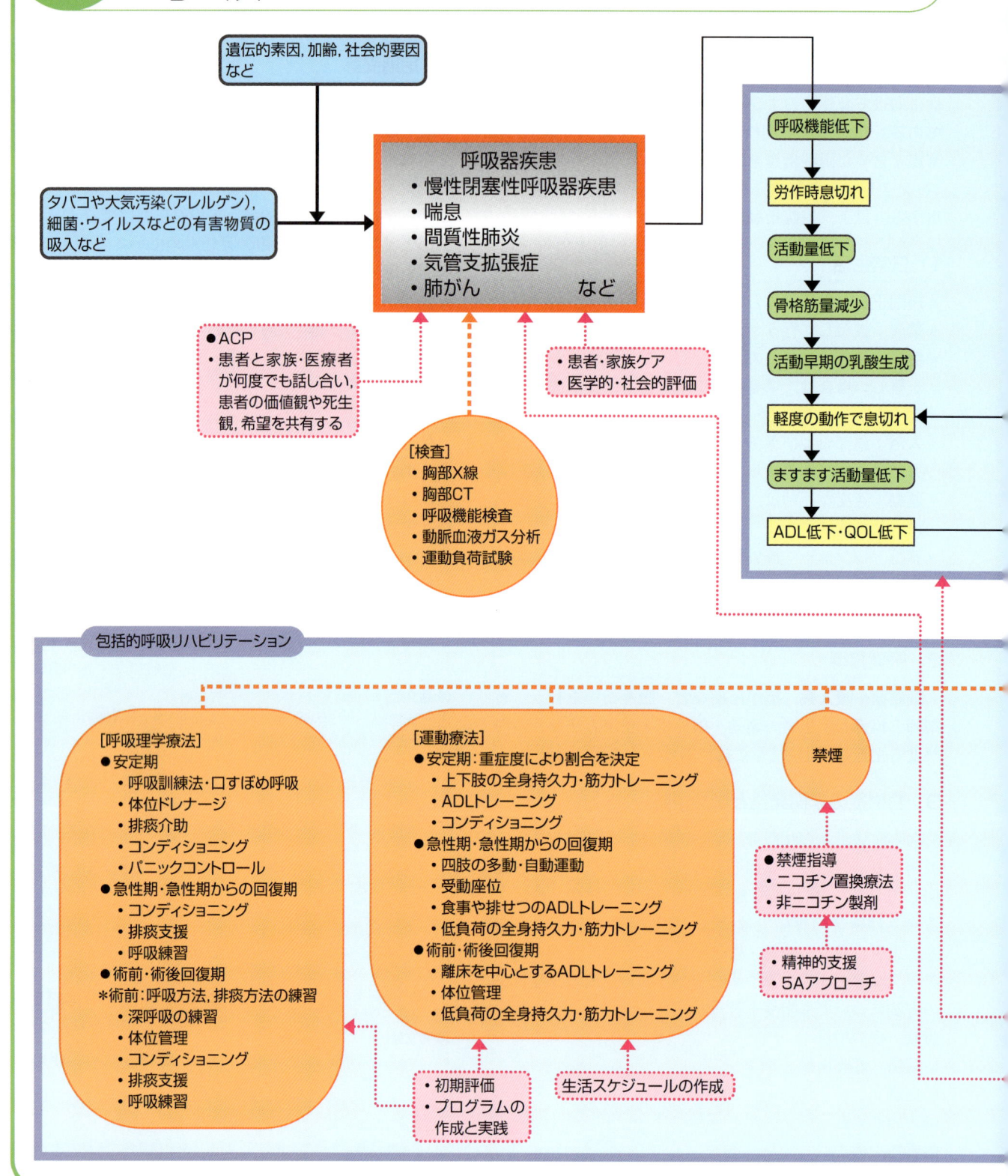

第Ⅲ部　治療別看護ケア関連図

24 呼吸リハビリテーション

- 遺伝的素因, 加齢, 社会的要因など
- タバコや大気汚染（アレルゲン）, 細菌・ウイルスなどの有害物質の吸入など

呼吸器疾患
- 慢性閉塞性呼吸器疾患
- 喘息
- 間質性肺炎
- 気管支拡張症
- 肺がん　　など

- ACP
  - 患者と家族・医療者が何度でも話し合い, 患者の価値観や死生観, 希望を共有する

- 患者・家族ケア
- 医学的・社会的評価

[検査]
- 胸部X線
- 胸部CT
- 呼吸機能検査
- 動脈血液ガス分析
- 運動負荷試験

呼吸機能低下 → 労作時息切れ → 活動量低下 → 骨格筋量減少 → 活動早期の乳酸生成 → 軽度の動作で息切れ → ますます活動量低下 → ADL低下・QOL低下

包括的呼吸リハビリテーション

[呼吸理学療法]
- 安定期
  - 呼吸訓練法・口すぼめ呼吸
  - 体位ドレナージ
  - 排痰介助
  - コンディショニング
  - パニックコントロール
- 急性期・急性期からの回復期
  - コンディショニング
  - 排痰支援
  - 呼吸練習
- 術前・術後回復期
  *術前：呼吸方法, 排痰方法の練習
  - 深呼吸の練習
  - 体位管理
  - コンディショニング
  - 排痰支援
  - 呼吸練習

[運動療法]
- 安定期：重症度により割合を決定
  - 上下肢の全身持久力・筋力トレーニング
  - ADLトレーニング
  - コンディショニング
- 急性期・急性期からの回復期
  - 四肢の多動・自動運動
  - 受動座位
  - 食事や排せつのADLトレーニング
  - 低負荷の全身持久力・筋力トレーニング
- 術前・術後回復期
  - 離床を中心とするADLトレーニング
  - 体位管理
  - 低負荷の全身持久力・筋力トレーニング

- 初期評価
- プログラムの作成と実践

- 生活スケジュールの作成

禁煙
- 禁煙指導
- ニコチン置換療法
- 非ニコチン製剤

- 精神的支援
- 5Aアプローチ

第Ⅲ部 治療別看護ケア関連図　㉔呼吸リハビリテーション

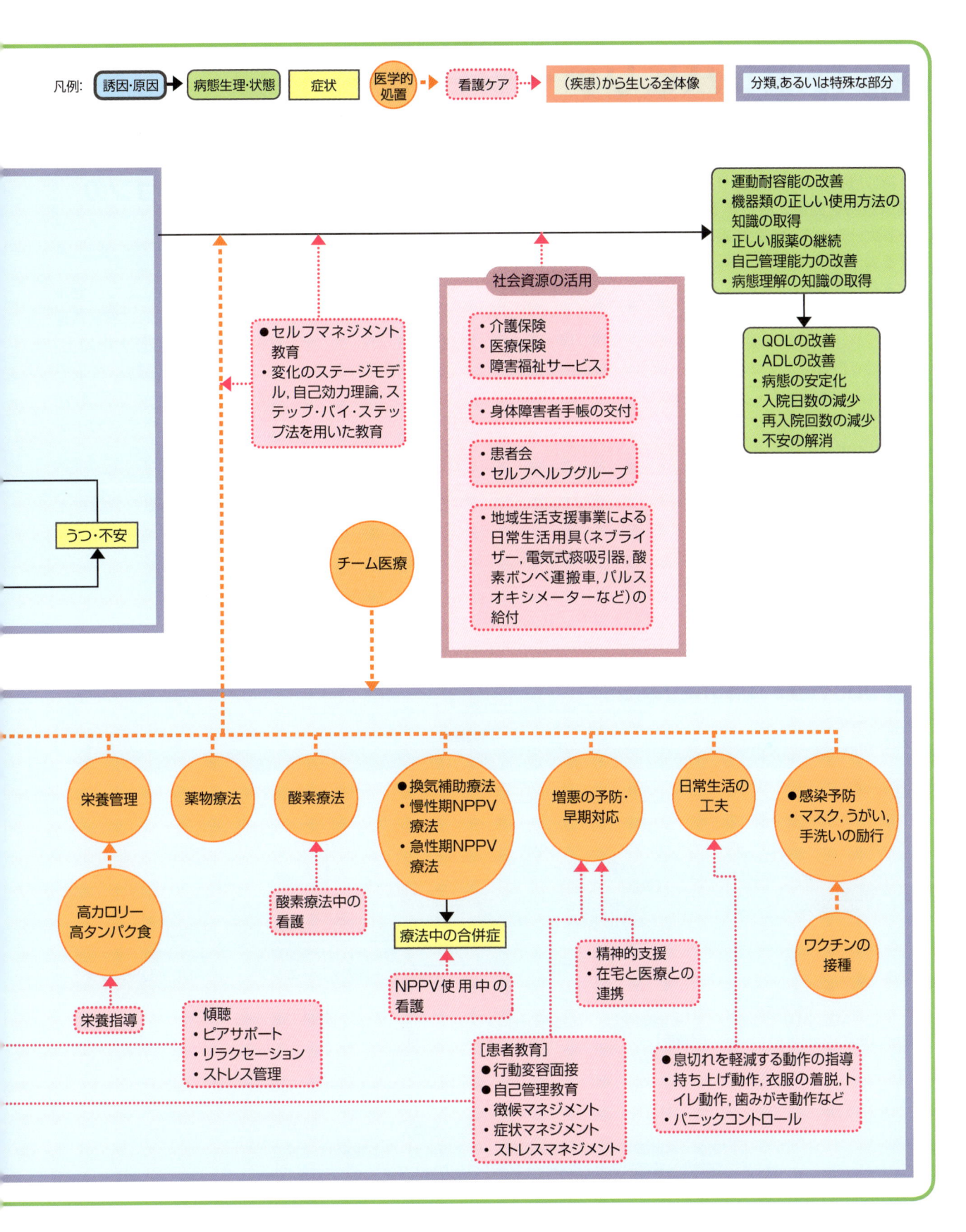

凡例： 誘因・原因　病態生理・状態　症状　医学的処置　→　看護ケア　（疾患）から生じる全体像　分類,あるいは特殊な部分

- 運動耐容能の改善
- 機器類の正しい使用方法の知識の取得
- 正しい服薬の継続
- 自己管理能力の改善
- 病態理解の知識の取得

- QOLの改善
- ADLの改善
- 病態の安定化
- 入院日数の減少
- 再入院回数の減少
- 不安の解消

社会資源の活用
- 介護保険
- 医療保険
- 障害福祉サービス

- 身体障害者手帳の交付

- 患者会
- セルフヘルプグループ

- 地域生活支援事業による日常生活用具（ネブライザー，電気式痰吸引器，酸素ボンベ運搬車，パルスオキシメーターなど）の給付

- セルフマネジメント教育
- 変化のステージモデル，自己効力理論，ステップ・バイ・ステップ法を用いた教育

うつ・不安

チーム医療

栄養管理 ─ 高カロリー高タンパク食 ← 栄養指導

薬物療法

酸素療法 ─ 酸素療法中の看護

- 換気補助療法
- 慢性期NPPV療法
- 急性期NPPV療法
→ 療法中の合併症 → NPPV使用中の看護

増悪の予防・早期対応
- 精神的支援
- 在宅と医療との連携

日常生活の工夫
- 息切れを軽減する動作の指導
- 持ち上げ動作，衣服の着脱，トイレ動作，歯みがき動作など
- パニックコントロール

- 感染予防
- マスク，うがい，手洗いの励行

ワクチンの接種

- 傾聴
- ピアサポート
- リラクセーション
- ストレス管理

[患者教育]
- 行動変容面接
- 自己管理教育
- 徴候マネジメント
- 症状マネジメント
- ストレスマネジメント

第Ⅲ部　治療別看護ケア関連図

24 呼吸リハビリテーション

呼吸リハビリテーションとは，「呼吸器に関連した病気を持つ患者が，可能な限り疾患の進行を予防，あるいは健康維持を回復・維持するため，医療者と協働的なパートナーシップのもとに疾患を自身で管理して，自立できるよう生涯にわたり継続して支援していくための個別化された包括的介入」[1]と定義されている。医師や看護師，薬剤師，理学療法士，作業療法士，言語聴覚士，臨床工学技士，管理栄養士，医療ソーシャルワーカー，介護支援専門員（ケアマネジャー）など，多職種の専門家から成る**医療チーム**によって行われるが，必要に応じて患者を支援する**家族やボランティア**も参加する。

呼吸リハビリテーションの構成要素は，**運動療法，セルフマネジメント教育，栄養療法，心理社会的サポート**，および**導入前後，維持期（生活期）の定期的な評価**である。軽症から最重症までのいずれの病期においても呼吸リハビリテーションの効果が得られる。**急性期，回復時，周手術期，維持期（生活期），終末期**など生涯にわたり継続して実施される（図1）。

I 呼吸リハビリテーションの有益性

呼吸リハビリテーションを継続的に行うことで，**セルフマネジメント**能力を獲得し，患者が継続的に**疾病管理**に取り組むことで，**呼吸困難の軽減，四肢筋力の向上，入退院や期間の減少**などにより，**身体活動レベルやADLを向上させ，不安・抑うつを改善させてQOLが維持**できるよう（図2）にするなど，さまざまな効果が得られる。

これらの効果検証はCOPDで最も行われている。COPD以外の呼吸器疾患では，病態や疾患の特徴などから，効果が異なることに注意する。

図1　継続して実施する呼吸リハビリテーション

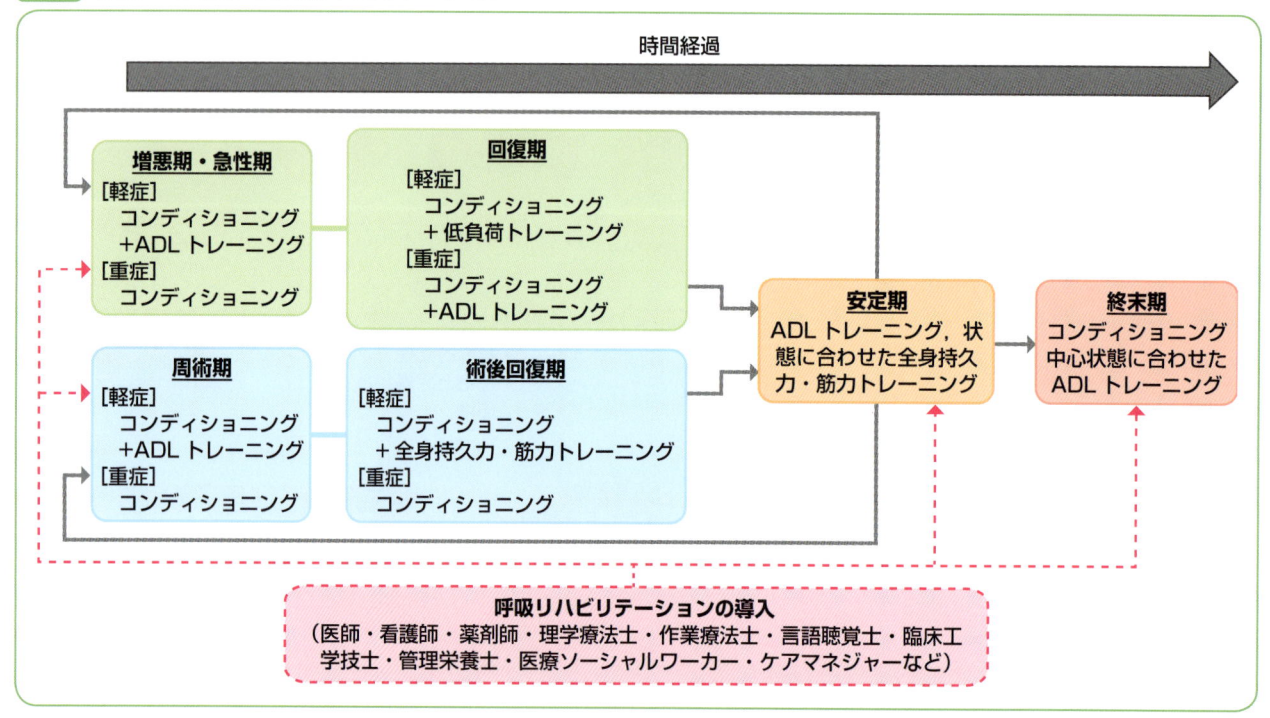

時間経過 →

増悪期・急性期
- [軽症] コンディショニング＋ADLトレーニング
- [重症] コンディショニング

回復期
- [軽症] コンディショニング＋低負荷トレーニング
- [重症] コンディショニング＋ADLトレーニング

周術期
- [軽症] コンディショニング＋ADLトレーニング
- [重症] コンディショニング

術後回復期
- [軽症] コンディショニング＋全身持久力・筋力トレーニング
- [重症] コンディショニング

安定期
ADLトレーニング，状態に合わせた全身持久力・筋力トレーニング

終末期
コンディショニング中心状態に合わせたADLトレーニング

呼吸リハビリテーションの導入
（医師・看護師・薬剤師・理学療法士・作業療法士・言語聴覚士・臨床工学技士・管理栄養士・医療ソーシャルワーカー・ケアマネジャーなど）

図2 呼吸リハビリテーションの利点

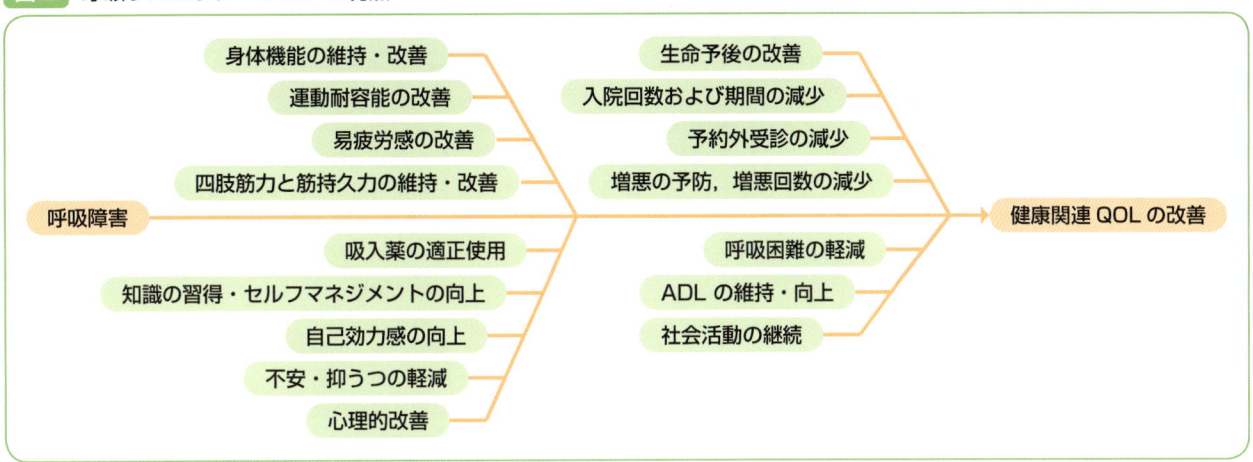

呼吸障害
- 身体機能の維持・改善
- 運動耐容能の改善
- 易疲労感の改善
- 四肢筋力と筋持久力の維持・改善
- 吸入薬の適正使用
- 知識の習得・セルフマネジメントの向上
- 自己効力感の向上
- 不安・抑うつの軽減
- 心理的改善
- 生命予後の改善
- 入院回数および期間の減少
- 予約外受診の減少
- 増悪の予防，増悪回数の減少
- 呼吸困難の軽減
- ADLの維持・向上
- 社会活動の継続

→ 健康関連QOLの改善

（日本呼吸ケア・リハビリテーション学会，日本呼吸理学療法学会，日本呼吸器学会：呼吸リハビリテーションに関するステートメント．日呼ケアリハ学誌 27（2）：97, 2018. を参照して作成）

図3 呼吸リハビリテーションサイクル

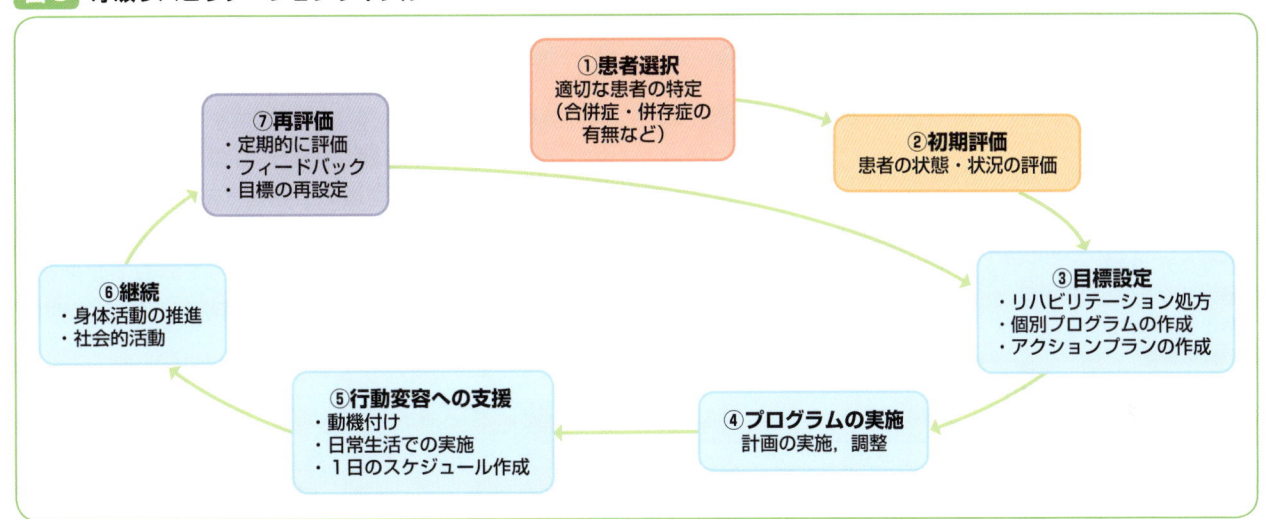

① 患者選択
 適切な患者の特定（合併症・併存症の有無など）

② 初期評価
 患者の状態・状況の評価

③ 目標設定
 ・リハビリテーション処方
 ・個別プログラムの作成
 ・アクションプランの作成

④ プログラムの実施
 計画の実施，調整

⑤ 行動変容への支援
 ・動機付け
 ・日常生活での実施
 ・1日のスケジュール作成

⑥ 継続
 ・身体活動の推進
 ・社会的活動

⑦ 再評価
 ・定期的に評価
 ・フィードバック
 ・目標の再設定

II 呼吸リハビリテーションのプロセス

呼吸リハビリテーションを実施するにあたっては，図3に示すように適応する患者に対して，まず**プログラム導入前の初期評価**（図4）を行う。

評価に基づいて目標を設定し，**運動療法**を中心に，**ADLトレーニング，セルフマネジメント教育，アクションプランの実践**などを含んだ**包括的なプログラム**を作成して実施する。

病態や全身状態の変化に応じて変更しながら進める。

個別のプログラムを**定期的に再評価**し，目標達成状況などのアウトカム評価や残された課題を検討し，継続して新たな計画を立案し実施する。

III 呼吸リハビリテーションの内容と看護師の役割

呼吸リハビリテーションにおける**看護師の役割**は，療養生活に関する**セルフマネジメント教育**と，すべての項目（表1）で患者が知識や技術を獲得できるように**多職種と協働**し，セルフマネジメント行動へのアドヒアラン

図4 呼吸リハビリテーションの評価項目

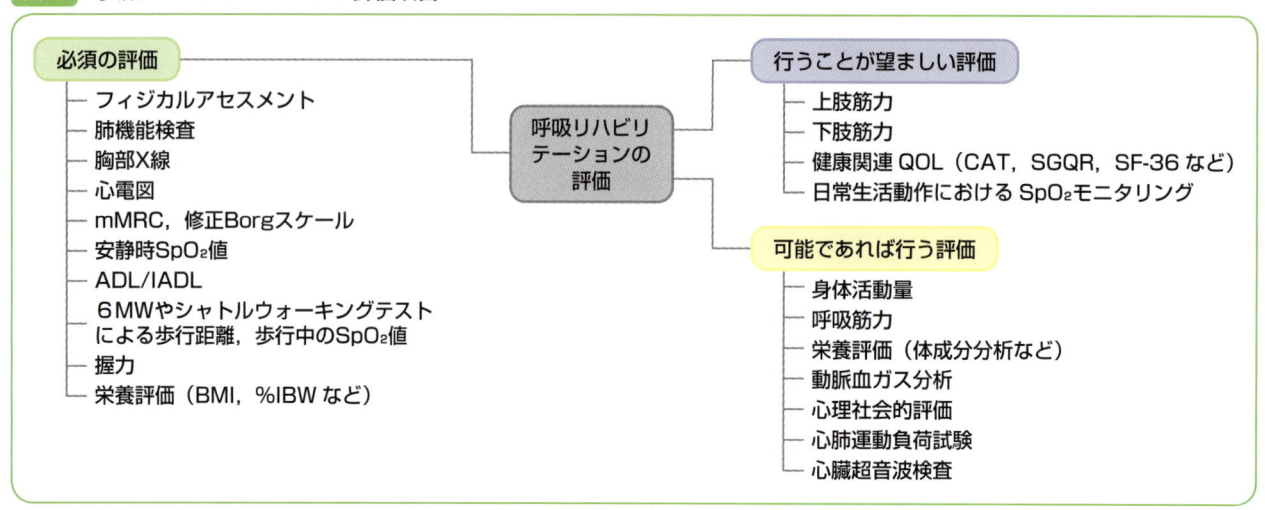

必須の評価
- フィジカルアセスメント
- 肺機能検査
- 胸部X線
- 心電図
- mMRC, 修正Borgスケール
- 安静時SpO₂値
- ADL/IADL
- 6MWやシャトルウォーキングテストによる歩行距離, 歩行中のSpO₂値
- 握力
- 栄養評価（BMI, %IBW など）

行うことが望ましい評価
- 上肢筋力
- 下肢筋力
- 健康関連QOL（CAT, SGQR, SF-36 など）
- 日常生活動作におけるSpO₂モニタリング

可能であれば行う評価
- 身体活動量
- 呼吸筋力
- 栄養評価（体成分分析など）
- 動脈血ガス分析
- 心理社会的評価
- 心肺運動負荷試験
- 心臓超音波検査

（日本呼吸ケア・リハビリテーション学会, 日本呼吸理学療法学会, 日本呼吸器学会：呼吸リハビリテーションに関するステートメント. 日呼ケアリハ学誌 27（2）：98, 2018. を参照して作成）

表1 呼吸器疾患のセルフマネジメント教育の項目

❶肺の構造・疾患, 検査や検査結果について	❿栄養・食事療法
❷疾患の自己管理の重要性	⓫栄養補給療法
❸禁煙	⓬在宅酸素療法（該当者）
❹環境因子の影響	⓭在宅人工呼吸療法（該当者）
❺薬物療法	⓮福祉サービスの活用
❻ワクチン接種	⓯心理面への援助
❼増悪の予防・早期対応	⓰倫理的問題
❽日常生活の工夫と呼吸困難の管理	⓱訪問看護における患者教育
❾運動と活動的な生活の重要性・工夫	

（3学会合同セルフマネジメント支援マニュアル作成ワーキンググループ・他編：呼吸器疾患患者のセルフマネジメント支援マニュアル. 日呼ケアリハ学誌 32（特別増刊号）：3, 2022. を一部改変）

スを高める支援を行うことである。

1. 運動療法

運動療法は患者の**息切れ, 運動耐容能, 活動性**の改善効果がある。

COPDなどの疾患による呼吸困難と運動耐容能・活動性の低下の悪循環がみられる患者は, 次第に活動を避けるようになる。活動性低下や臥床時間の延長によって, 下肢筋群を中心とした**筋力低下**や筋の**萎縮**などの骨格筋機能低下を認めるようになると, 労作時に**嫌気性代謝（乳酸産生が増加）**が早期に発現する。体内に発生した**乳酸**は二酸化炭素へ変換され, 1回換気量や呼吸数を増加させることで, 呼吸によって体外へ排出され体内の酸塩基平衡を保っている。1回換気量や呼吸数の増加により呼吸仕事量が増加し容易に呼吸筋を疲労させ, **軽度の労作でも強い呼吸困難が生じ**, 日常生活活動（ADL）がより制限され, **悪循環のらせん**（図5）（→p327）が形成される。

そのため, 特に大きな筋肉が集まっている下肢を重点的にトレーニングすることで, 乳酸産生を減少させて, 悪循環を断ち切ることができる。

1）コンディショニング

コンディショニングは, 運動療法を効率的に行うための準備段階のことである。呼吸練習, 胸郭可動域練習, 排痰法（体位ドレナージ, 強制呼出手技／ハフィング）, アクティブサイクル呼吸法（active cycle breathing technique：ACBT）, フラッターなどの機器を使用する方法が含まれる。

1 呼吸練習

呼吸練習には**口すぼめ呼吸**（図6）と**横隔膜（腹式）呼吸**（図7）があり, **呼気は口すぼめ呼吸, 吸気は腹式呼吸**で呼吸を行う。

特にCOPDなど閉塞性換気障害を呈する患者の場合は, 呼気を意識してゆっくり呼吸する。COPD患者にみられる過換気に伴う**動的肺過膨張**は, 換気を制限し容易に呼吸困難や低酸素血症になるため, **呼気時に口すぼめ呼吸を行って**末梢気道の虚脱を防ぎ, 吐き残しを減少させる効果を狙う。

患者が呼吸法を獲得するまでは，看護師も一緒に呼吸練習を行う。また，**労作時**に口すぼめ呼吸ができているか評価し，できていなければ正しい方法で行えるように声掛けを行い，できるようになったことを賞賛しながら自己効力感を高めるようにかかわる。

一方，間質性肺炎などの**拘束性換気障害**の患者の場合は，胸郭や胸郭壁の線維化による肺容積の減少によって生じる低酸素血症のため，**口すぼめ呼吸を行っても効果はない**。

2 胸郭可動域訓練

胸郭を含む全身の筋力や関節の柔軟性が低下すると運動療法の効率が低下する。胸郭の可動性や柔軟性を改善し呼吸困難を軽減するため，胸郭可動域訓練として**肩関節の運動**（図8）や**呼吸介助法**，**ストレッチング**などを行う。

3 排痰法

喀痰の多い**COPD**や**気管支拡張症**，**慢性気管支炎**などの患者に対しては排痰法が有効である。楽に痰が喀出できるよう複数の手技を併用し患者に合った方法・手技を実施・教育する。

- 体位ドレナージ

体位ドレナージ（図9）とは，肺に気道分泌物がたまったところを高い位置に，肺の中枢気道を低い位置となるような体位をとり，重力の作用によって貯留分泌物を誘

図5 COPD患者の悪循環のらせん

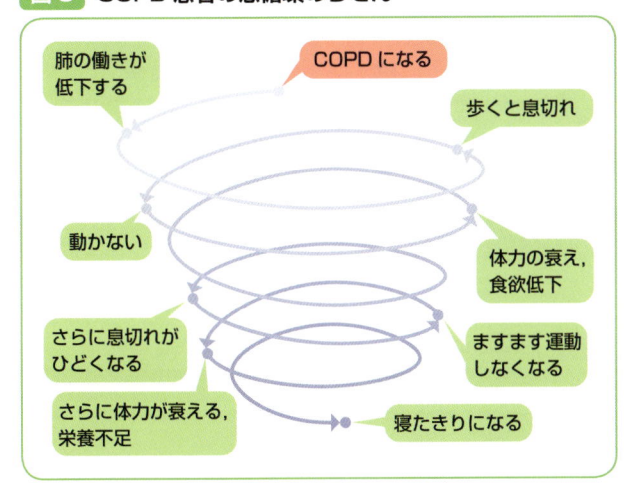

図6 口すぼめ呼吸
- 運動中もこの呼吸法を行う
- 身体を動かすときには口すぼめ呼吸で吐き，身体を止めたときには鼻から息を吸う
- 難しいときには，息を吐くときのみ意識してもらう

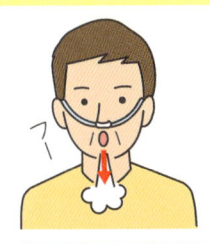

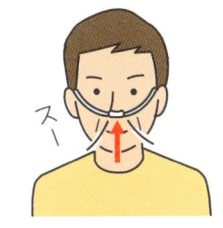

口すぼめ呼吸で吐く　　鼻から吸って腹式呼吸

図7 腹式呼吸の練習
- 手を胸と腹の上に置いて肩の力を抜き，口をすぼめてから十分に息を吐く 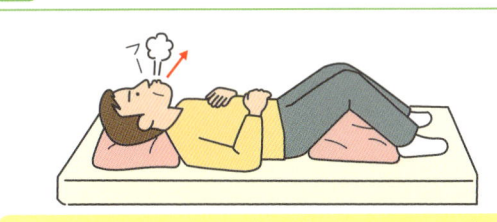
- 導入時は，看護師も患者の手の上に手を軽く置き，吸気に合わせて腹部が膨らんでいることを確認し，患者の呼吸練習を一緒に行う

図8 胸郭可動域訓練例（肩関節）
- 座るか立ったままで指先を肩に乗せる
- 肘を前に向け，楽にする
- 息を吸い，肘を前に上向きに回す
- 糸で肘を外向きに引っ張るようなイメージで，後ろに回して下ろす
- 息を吐き，後ろへ回して下ろす

327

図9 体位ドレナージ

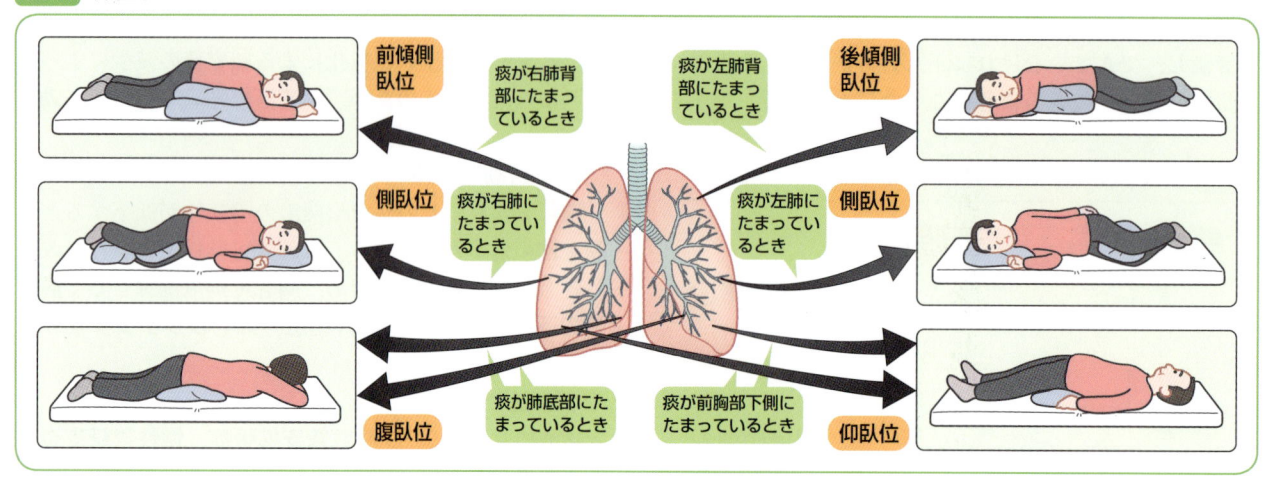

前傾側臥位／痰が右肺背部にたまっているとき／痰が左肺背部にたまっているとき／後傾側臥位

側臥位／痰が右肺にたまっているとき／痰が左肺にたまっているとき／側臥位

腹臥位／痰が肺底部にたまっているとき／痰が前胸部下側にたまっているとき／仰臥位

図10 ハフィング

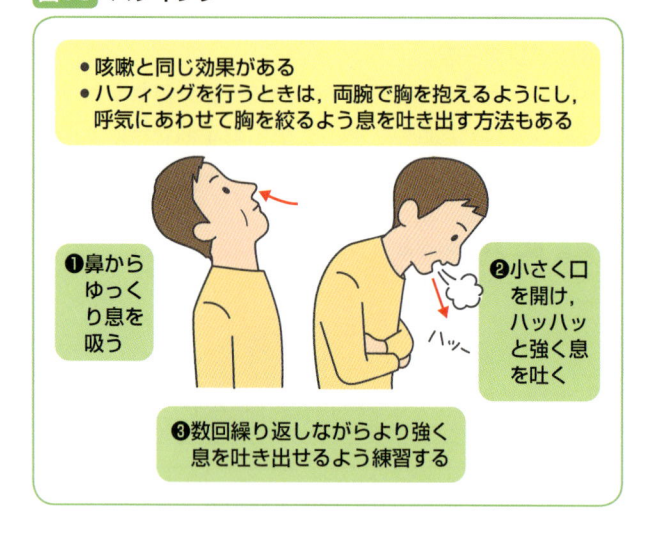

- 咳嗽と同じ効果がある
- ハフィングを行うときは、両腕で胸を抱えるようにし、呼気にあわせて胸を絞るよう息を吐き出す方法もある

❶鼻からゆっくり息を吸う
❷小さく口を開け、ハッハッと強く息を吐く
❸数回繰り返しながらより強く息を吐き出せるよう練習する

表2 呼吸法と内容

呼吸方法	内容
呼吸コントロール	リラックスした安静呼吸
胸郭拡張練習	ゆっくりとした吸気の後、3秒間息を止め保持し、リラックスした呼吸を行う深呼吸

導して気道からの排出を図る**気道クリアランス**の方法である。

この目的は、気道分泌物を移動させ、排出を促進し、**無気肺、換気、酸素化能の改善**を図ることである。**人工呼吸管理中**であっても、腹臥位や側臥位などは積極的に行われるが、**頭低位**は腹部臓器が横隔膜を圧迫し横隔膜や呼吸運動が妨げられるため**用いられない**[2]。

体位ドレナージは、気道分泌物が中枢気道へ流れ込むような体位を選択して3～15分保持し、聴診で痰が移動したことが確認できたら、**咳嗽**あるいは**気管内吸引**によって**分泌物を除去**する。体位ドレナージ開始前と施行中は、患者の呼吸状態や循環状態の変化をモニタリングしながら、理学療法士などと協力して慎重に施行し、患者の訴え（息苦しさや頭痛、めまいなど）に注意を払

う。SpO_2低下、頻拍の出現、血圧低下時には中止する。

- 強制呼出手技／ハフィング

鼻からゆっくり息を吸い、小さく口と声門を開いて図10のように強制的にハッハッと強く息を呼出する方法である。

- アクティブサイクル呼吸法（ACBT）

ACBTとは呼吸コントロール、胸郭拡張練習、強制呼出手技を組み合わせて行う呼吸法で、❶呼吸コントロール→❷胸郭拡張練習3～4回→❸呼吸コントロール→❹ハフィング1～2回を基本的な1サイクルとして繰り返し行う（表2）。

2）運動の種類と内容

運動療法は、ウォームアップ（約10分）、主運動（20～60分）、クールダウン（5～10分）で構成される。主運動には、❶柔軟性トレーニング（図11）、❷全身持久力トレーニング（図12）、❸四肢・体幹筋力トレーニング（図13）、❹呼吸筋トレーニング（図14）などがある。運動の効果は、使用する筋肉や運動の種類・内容・時間などに左右されるため、組織の機能を向上させるためには**普段より強い負荷**をかける必要がある。運動療法は**継続**しなければすぐに効果が消失してしまうため、継

図11 柔軟性トレーニングの例（肩の上げ下げ運動）

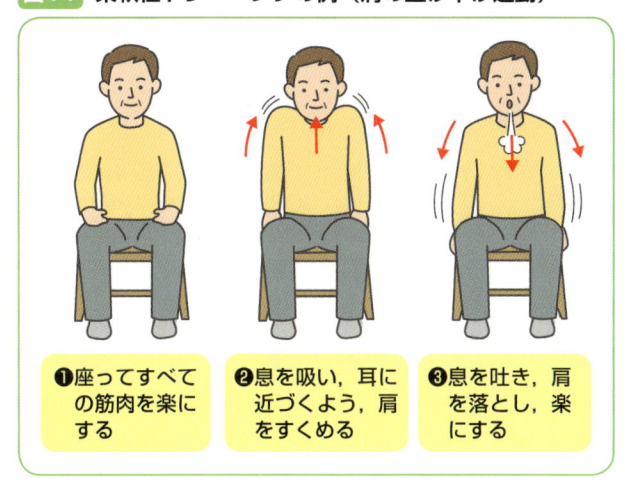

❶座ってすべての筋肉を楽にする
❷息を吸い、耳に近づくよう、肩をすくめる
❸息を吐き、肩を落とし、楽にする

図12 全身持久力トレーニング（歩行運動）

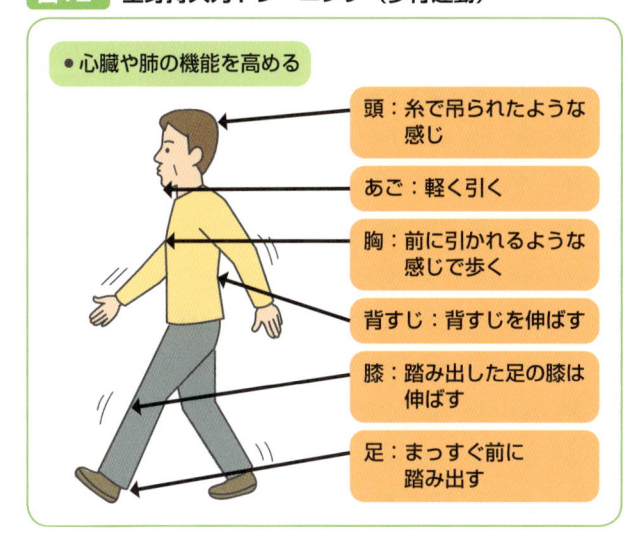

- 心臓や肺の機能を高める
- 頭：糸で吊られたような感じ
- あご：軽く引く
- 胸：前に引かれるような感じで歩く
- 背すじ：背すじを伸ばす
- 膝：踏み出した足の膝は伸ばす
- 足：まっすぐ前に踏み出す

図13 四肢・体幹筋力トレーニング

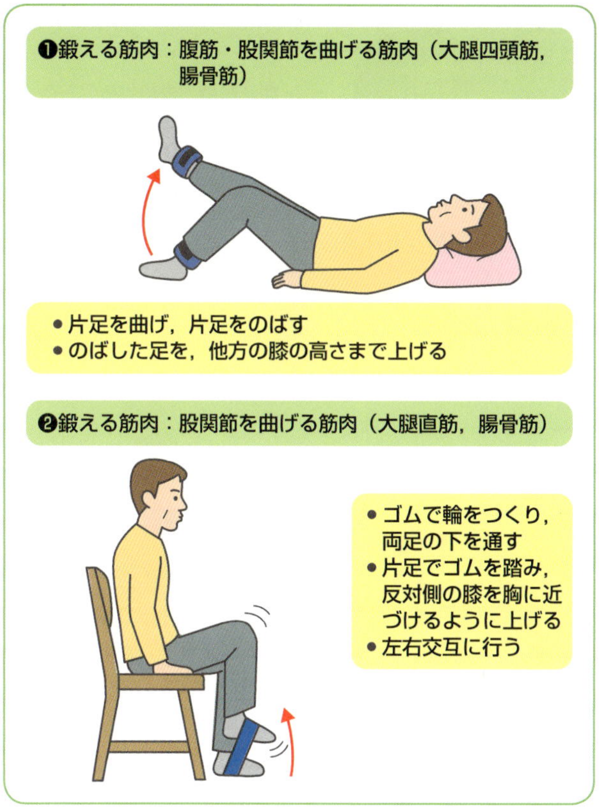

❶鍛える筋肉：腹筋・股関節を曲げる筋肉（大腿四頭筋，腸骨筋）
- 片足を曲げ，片足をのばす
- のばした足を，他方の膝の高さまで上げる

❷鍛える筋肉：股関節を曲げる筋肉（大腿直筋，腸骨筋）
- ゴムで輪をつくり，両足の下を通す
- 片足でゴムを踏み，反対側の膝を胸に近づけるように上げる
- 左右交互に行う

続できるように支援する。上記に加えて，日常生活の中で行う❺ADLトレーニングを行う。

1 柔軟性トレーニング

柔軟性トレーニング（図11）は，**ストレッチ**を主体とした柔軟性の改善を図る目的で行われる。**ウォームアップやクールダウン**の一部として行われることもある。重症例では，持久力トレーニングや筋トレを行うのは困難なことがあるため，息苦しさなどの症状や呼吸状態に合わせ，柔軟性トレーニングを中心とした**コンディショニング**を行う。

2 全身持久力トレーニング

大腿四頭筋群を使用した運動で，**歩行**（図12）や**階段昇降**，**自転車エルゴメータ**などによる**有酸素運動**を行う。患者本人が楽しめる運動の内容を1〜数種類で組み立てて，継続して実施できるようにする。

3 筋力トレーニング

フリーウエイト（ダンベルやバーベル），弾性バンド（図13），**エクササイズ用ボール**などを使用して負荷をかける。運動強度が中等度の筋力トレーニングは，**筋力**を改善し筋肉量を増大させ，**骨密度**の増加や**結合組織**の粘弾性の改善効果が得られる。ベッドサイドでもできるトレーニングを，理学療法士と検討し，自宅でも継続して行えるように内容を組み合わせる。

4 呼吸筋トレーニング

重度の呼吸困難や肺過膨張，横隔膜の平定化をきたす**COPD中等症〜重症**の患者に対して，呼吸筋力の低下や自覚症状の改善を目的として，**呼吸筋の強化**を図るトレーニングである（図14）。現時点において，呼吸筋トレーニングには運動能力や呼吸困難，QOLに及ぼす十分なエビデンスはない。**術前の呼吸トレーニング**として実施されることが多い。

5 ADLトレーニング

ADLトレーニングは，❶日常生活動作（ADL）パターンへのアプローチと，❷運動機能向上に対するアプ

図14 呼吸筋トレーニング

- 開始肢位：安静座位
- 楽な姿勢で座り，呼吸筋トレーニング器具を水平に持ち，マウスピースを口にくわえる
- 少し強めに息を吸い，普通に吐く

表3 運動療法の中止基準

呼吸困難	修正 Borg スケール 7〜9
その他の自覚症状	胸痛，動悸，疲労，めまい，ふらつき，チアノーゼなど
心拍数	年齢別最大心拍数の85%に達したとき（肺性心を伴う COPD では65〜70%） 不変ないし減少したとき
呼吸数	毎分30回以上
血圧	高度に収縮期血圧が下降したり，拡張期血圧が上昇したとき
SpO$_2$	90%未満になったとき

（日本呼吸ケア・リハビリテーション学会呼吸リハビリテーション委員会ワーキンググループ編：呼吸リハビリテーションマニュアル—運動療法 第2版．p55，照林社，2012．より）

ローチの大きな2本柱で構成される[3]。

❶ ADL パターンへのアプローチ

　生活機能に即したアプローチとして，ADL の動作パターンや環境整備，調整などを主に行う。動作の内容（手順・方法・速さ）や，呼吸困難（呼吸様式），疲労感，脈拍の変化を基に，呼吸困難が増強しない動作を試して身に付ける。また，食事のテーブルの高さや洗面台での椅子の使用，衣服着脱の工夫など，ADL に関連する道具や環境の工夫を行う。

❷ 運動機能向上のためのアプローチ

　具体的な ADL 動作に対する呼吸困難の軽減と動作遂行能力の向上のため，有用な部分の筋力・持久力トレーニングを中心に行う。ADL 動作は，食事，更衣，整容など上肢を使った動作が多いため，上肢を中心とした筋力トレーニングとなる。動き出しのタイミングを呼気時に合わせ，動作中の息こらえを回避する。

3）トレーニング中の注意点

　運動療法中は，パルスオキシメーターによる酸素飽和度や血圧，脈拍，修正 Borg scale（→p35）を活用した自覚症状の変化をモニタリングする。運動による低酸素血症を運動誘発性低酸素血症（exercise induced hypoxemia：EIH）という。SpO$_2$値が4%以上の低下が該当する。EIH は低酸素性肺血管攣縮を引き起こすため，SpO$_2$ 90%以上を維持できる酸素量を投与する。

　筋力トレーニングの際は呼気に合わせて行い，息をこらえたり連続した動作を避ける。また，急で過剰な運動負荷を避け，正しいフォームや姿勢，運動速度などを適宜説明し，筋骨格系へのストレスの軽減に努める。

4）運動療法の中止基準

　運動療法の中止基準を表3に示す。個々の身体的状態に合わせて，個別に基準を設定する。

2. 病期別の呼吸リハビリテーション

1）安定期

　多くの患者は運動で呼吸困難が増強することを恐れ，運動を敬遠しがちになり，体力が衰える。そのため，看護師や理学療法士など多職種による心理サポートを行い，運動への不安感や恐怖感を解消させ，運動が継続できるように支援する。

　安定期リハビリテーションの1セッションの内容は，疾患の重症度によってコンディショニング，ADL トレーニング，全身持久力・筋力トレーニングの割合を決定する。上下肢を用いた全身持久力トレーニングを中心とし，1回20分以上，連日もしくは週3回以上で6〜8週間継続するプログラムを組むが，患者ごとに運動能力や呼吸困難の程度に違いがあり，また，運動の好みも違う。運動を継続するためには，プログラムの内容が楽しいものであること，家族や友人のサポートがあることなどがポイントとなる。患者や家族と相談して目標を設定し，運動の内容を組み立てる。さらに，自宅や職場の環境，職業や日常生活の動作などを考慮した筋力トレーニングを含めたプログラムを立案するのもよい。運動療法の内容や指導に際しては，FITT：Frequency（頻度），Intensity（強度），Time（持続時間），Type（種類）を明らかにし，具体的に伝える必要がある。

　日誌へ歩行距離や運動内容を記載することで，実施状況や内容を患者自身が振り返るだけでなく，医療者が日

誌内容を把握してフィードバックを行うことができ，患者のモチベーションの維持にもつながる。理学療法士だけでなく，外来看護師，かかりつけ医，訪問看護師など多職種による支援が提供できる体制を整える。

2）急性期，急性期からの回復期

急性期呼吸リハビリテーションは，❶集中治療室（intensive care unit：ICU）における呼吸リハビリテーションと❷一般病棟における呼吸リハビリテーションの2つの状況が想定される。

❶ ICUにおける急性期呼吸リハビリテーション

急性疾患罹患早期や慢性疾患増悪早期などで，人工呼吸管理やNPPVや高流量鼻カニュラ酸素療法などの呼吸管理下にある患者に適応となる。特に，人工呼吸器関連肺炎（ventilator associated pneumonia：VAP）や臥床に伴う合併症は，ICU滞在日数を延長させ医療コストを増大させるばかりか，患者の心身の負担が増強し，各機能の低下を招く。そのため呼吸リハビリテーションによるVAPの予防や，早期離床に対する介入は重要である。

ICUでの呼吸リハビリテーションは，コンディショニング，排痰，運動療法としての早期離床が主な介入となる。重症患者では，排痰支援や呼吸練習などコンディショニングを中心に実施される。ベッド上の四肢の他動・自動運動や，受動座位（座ってテレビを見る，本を読むなど）の運動，食事や排せつ動作などのADLトレーニングを行い，全身持久力・筋力トレーニングも低負荷から開始し，徐々に割合を増やしていく。

体位変換や座位，立位などの体動に伴う血圧および心拍数の変化，SpO_2や呼吸数の変化について評価するとともに，人工呼吸管理中はグラフィックモニターの気道内圧や流量の波形を観察しながら運動を実施する。

❷ 一般病棟における急性期呼吸リハビリテーション

急性呼吸器疾患の急性期，急性期からの回復期，増悪からの回復期の患者が対象で，患者の状態に合わせ，コンディショニング後ADLトレーニングや全身持久力・筋力トレーニングを実施する。

3）術後回復期

術後回復期とは，ICU入室中でも積極的に介入可能な状態，もしくはICUから一般病棟に帰室した段階である[4]。体位管理，呼吸練習，排痰によるコンディショニング，離床を中心とするADLトレーニング，運動療法について，術後の時間経過に応じてプログラム内容を変更する。

術後肺合併症予防のため，術前から呼吸方法や排痰方法の指導や運動を開始する。術後はできるだけ早期から，深呼吸の練習などのコンディショニングを主体として，寝返りなどのベッド上で可能なADLトレーニングを行う。離床の程度によっては，手術部位に負担をかけない程度の低負荷の全身持久力・筋力トレーニングの割合を徐々に増やしていく。

3. セルフマネジメント教育

セルフマネジメント教育は，健康問題をもつ人が疾患に関連する知識を得るだけでなく，多様な価値観に基づき達成目標や行動計画を医療従事者と協働しながら作成し，問題解決のスキルを高め，自信をつけることにより健康を増進・維持するための行動変容をもたらす支援であると定義されている[5]。患者が自己管理の方法を習得し，継続して実施するための教育および支援を，多職種で実施し支えていくものである。

1）セルフマネジメント教育における看護の役割とスキル

患者教育は，健康行動理論に基づいた学習指導原理に沿って行う。変化のステージモデルや，自己効力理論，ステップ・バイ・ステップ法/スモール・ステップ法などを活用する。

患者が行動変容や療養行動を継続できなくても，それを責めずに「一緒に立てた目標が難しかったですか？ どこが難しかったですか？ どのように改善してみましょうか？」と一緒に日常生活を分析する。モチベーションインタビュー法/コーチング技術を用いながら進める。

❶ 変化のステージモデル

変化のステージモデル（transtheoretical model）は，人が自分の健康行動を変えてそれを維持するには，5つの変化のステージを経ると考えられている[6]。医療者は患者がどのステージにいるかを把握し，各ステージに合わせた介入を行う（表4）。無関心期や関心期には動機づけを行い，準備期には具体的で達成可能な自己管理の方法を提案して，患者が自ら目標設定や行動計画が立てられるように支援する。実行期には変容した行動を賞賛し継続できるように働きかける。

❷ 自己効力理論

自己効力理論は，人はある行動が望ましい結果をもたらすと期待し（結果期待），その行動をうまくやること

表4 変化のステージに応じた介入方法

ステージ	状態	患者の特徴	介入例（禁煙の場合）
無関心期	6カ月以内に行動を変える気がない	医療職からの助言に対して抵抗を示す	目標：患者が行動変容の必要性を自覚する ●健康や喫煙に対する考え方を聞き，喫煙についての関心を問う ●完全禁煙の重要性を説明する ●パンフレットで客観的情報を提供する ●禁煙が楽にできる方法があると伝える
関心期	6カ月以内に行動を変える気があるが1カ月以内ではない	行動変容に対する相反する価値の両方をもつ（行動変容によってもたらされる利点に対する意識が高まっているが，欠点にも敏感である）	目標：動機づけにより，患者が行動変容に対する自信をもつ ●喫煙のメリットデメリットを確認する ●禁煙への妨げになるものを確認する ●保険が使える禁煙外来のことを説明する
準備期	1カ月以内に行動を変える気がある	決心する，具体的な方法を探す	目標：患者自身が行動計画を立てる ●具体的で簡単な達成目標や禁煙開始日を提案する ●できたことやうまく対応したことを賞賛し，失敗の原因を探る ●禁煙補助薬を使用すると楽に禁煙ができることを説明する
実行期	行動を開始して6カ月以内	実行のための努力，継続への負担が入り乱れる，逆戻りの危険	目標：患者の行動変容の決意が揺らがない ●ストレスへの対処法を教える ●失敗しやすい状況を確認し，対処方法を考えたり避けたりする ●禁煙の効果を確認する
維持期	行動を開始して6カ月以上	行動の効果を感じる。自立に向かう	目標：再発予防のための問題解決ができる ●離脱症状を乗り越え禁煙が成功し，継続できていることを賞賛する ●喫煙に対する気持ちの確認し，修正する ●再発しやすい状況を確認し対処する。

表5 自己効力感を高め，行動変容に導くためのアプローチ方法

●自己の成功体験	・過去に同じか，または似たような行動をうまくやることができた成功経験があると，自己効力感を感じ，やってみようと思いやすい[8] ・一方，達成困難な目標を設定すると，失敗して挫折することになり，自己効力感は低下する ・達成することが容易な目標を患者とともに設定し，目標達成の成功体験を積めるように介入する
●代理的経験	・自分には経験はなくても，他人の成功や失敗の様子を見聞きすることが自己効力感に影響を与える ・自分と似たような状況にある人が，ある行動をうまくやるのを見て，自分にもできそうだと思うことである[8]
●言語的説得	・自分にはその行動をうまくやる自信がなくても，他人から「あなたならできる」と言われると言葉による影響を受ける[8] ・専門家や客観的な判断のできる人からの言葉かけが効果的である
●生理的・情動的喚起	・ある行動をとることで生理的反応や感情の変化を自覚することである ・ある行動をしたときに，緊張で手が震え，焦って余裕がなくなったりすると，その行動をする自信をもちにくくなる[8] ・反対に，朝早起きをしてウォーキングによる爽快感を得ると，またやろうという気持ちになる

ができるという自信（効力予期/自己効力感）があるときに，その行動をとる可能性が高くなると考えられている[7]。**自己効力感**を高め，**行動変容**に導くためのアプローチ方法を**表5**に示す。

自己効力感を高める方法を活用し，患者が「自分にもできる」という自己効力感を高め，「その行動をすると気持ち良く過ごせる」と結果期待をもち，生活習慣の改善のための行動変容をし，維持できるように支援する。

3 ステップ・バイ・ステップ法／スモール・ステップ法

達成が困難な大きな目標を立てるのではなく，少し頑

図15　具体的な目標達成の例

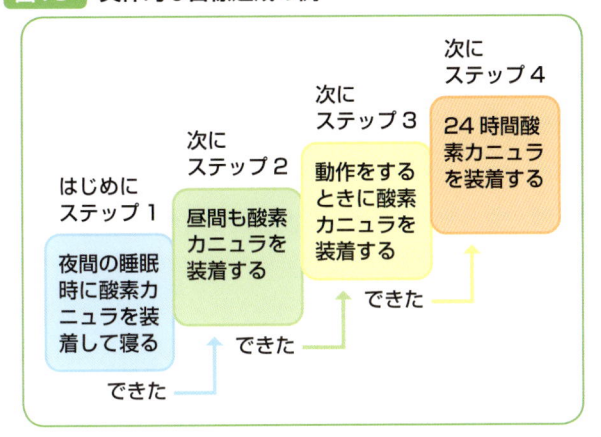

はじめにステップ1
夜間の睡眠時に酸素カニュラを装着して寝る
→できた

次にステップ2
昼間も酸素カニュラを装着する
→できた

次にステップ3
動作をするときに酸素カニュラを装着する
→できた

次にステップ4
24時間酸素カニュラを装着する

張れば達成することが可能な**小さな目標**を立てて，段階的に目標を達成していく方法である。大きな目標だけを追っていると達成することが難しいと感じてしまい，やる気が低下する。図15のような具体的で明確な小さな目標を立てて，**目標達成を繰り返すことで自己効力感が高まり，行動変容に結びつく。**

看護師や多職種は，患者が一定期間ごとに小さな目標を設定できるように支持し，それを定期的に評価する。目標がクリアできたら患者を褒めて，継続して取り組めるように**動機づけ**を行い，次の達成可能な目標を設定し，最終的目標に近づけるように支援する。

2）セルフマネジメント教育の内容

教育内容について概要を記載する。

1 肺の構造と病態

肺の構造や機能，呼吸機能にかかわる各種検査，自身の疾患に関する知識は，患者が自身の病期や病状を理解してセルフマネジメントを行う上で必要な情報である。セルフマネジメントを行うことで，呼吸器感染の予防や病気の悪化を防ぐなどのメリットが得られることを伝える。メリットを正しく認識・理解できれば，治療や療養行動へのアドヒアランスの向上にもつながる。

教育の際は，患者の年齢や理解力，認知機能などを総合的に判断し，各患者に合った内容や方法で専門用語を避けて具体的に説明を行う。特に，高齢の患者の場合は，文字の大きさ，濃さだけでなく配色にも配慮し，図やイラストなどを活用する工夫も必要である。正常な肺の構造の説明と，病気によってどの部分がどのように障害され呼吸機能にどう影響し，症状が出現しているかなどを丁寧に説明して理解を促す。各疾患についての具体的な病態の内容については，各項を参照されたい。

2 禁煙

喫煙は，COPDの最大の危険因子であるとともに，**虚血性心疾患や脳血管疾患**や，**肺がん**をはじめとした**全身のがん**の発症にも関連している。気道上皮の粘膜線毛輸送機能が障害され，**咳や痰**を誘発する原因となる。そのため呼吸器疾患の発症，治療や増悪の予防，疾病管理において，**喫煙は最も避けるべき**である。患者本人への禁煙をすすめるとともに，**受動喫煙**など患者を取り巻く環境からタバコの煙を排除する必要がある。

禁煙指導は，すべての患者に**喫煙状況や禁煙の意思**を確認することから始まる。5Aアプローチ（表6）のような方策を実施し，現在喫煙している患者には禁煙する意思があるか，過去に**喫煙歴**がある患者には**期間**と**本数**を確認する。

喫煙歴がある場合は，1日の喫煙本数と喫煙年数をかけた**ブリンクマン指数**や，1日の喫煙箱数と喫煙年数をかけた**喫煙指数パックイヤー**（表7）の2つの指数を算出する。これらの指数は，呼吸器疾患への罹患やがんの発症リスクの目安とされているため，喫煙者には，指数によるリスクを伝えて禁煙の動機づけを行う。また，ブリンクマン指数は，35歳以上の喫煙者に対する禁煙治療を実施する際の保険給付の条件にもなっている。

助言する際は，「できれば禁煙したほうがよい」や「本数を減らしましょう」など，**あいまいなメッセージは禁煙の動機を低下させる**ため，注意する。

喫煙している患者で，禁煙する意志があれば，具体的な禁煙目標と対策を患者とともに立案する。受診のたびに喫煙状況を確認して，禁煙に成功しているか，目標が達成できていないようであれば，その原因を患者と振り返り，新たな目標や対策を検討する。

禁煙する意志がない／無関心な患者に対して，いきなり具体的な禁煙指導を行っても，行動には移せない。禁煙する意志がなくても，受診のたびに禁煙することを勧める。また，禁煙の動機づけ強化のため，5R（表8）（→p335）を用いて指導を行うことも有用である。

喫煙歴がある患者は，禁煙を継続していることを**主治医とともに喜んでいる**ことを伝え，**1本であってもタバコを吸わないように伝える**。また，病状や検査値の改善がみられる場合は，禁煙による効果としてフィードバックし，禁煙が続くよう支援を継続する。

喫煙は，**ニコチン依存と心理的依存**を生じる。禁煙後1～2週間ほどでニコチンによる**離脱症状**は軽快するが，心理的依存から離脱することは難しい。ニコチン依存に対しては，**ニコチン代替療法**（ニコチネルTSSパッ

表6　5Aアプローチ

Ask（尋ねる）	● 毎回の診察時にすべての喫煙者を系統的に識別する ・施設規模のシステムで実行し，すべての患者について，診察時ごとに喫煙の状況を質問し記録すること
Advice（助言する）	● すべての喫煙者に禁煙するよう強く説得する ・明確で，強く，各個人に応じた方法で，すべての喫煙者に禁煙するよう説得すること
Assess（評価する）	● 禁煙しようとする意志を確認する ・すべての喫煙者に対し，彼/彼女が今回（例，向こう30日以内）禁煙する意志があるかどうか尋ねること
Assist（援助する）	● 患者の禁煙を助ける ・禁煙計画を立てて患者を援助すること ・実践的なカウンセリングを行うこと ・治療の一部としての社会的支援を行うこと ・治療者以外の社会的支援を受けるよう患者を支援すること ・特殊な状況を除き，認可されている薬物療法の使用を勧めること ・禁煙補助資料を提供すること
Arrange（手配する）	● フォローアップを計画する ・直接会うか，電話によるフォローアップを計画すること

（日本呼吸ケア・リハビリテーション学会呼吸リハビリテーション委員会編：慢性疾患患者のセルフマネジメント支援マニュアル．p54，照林社，2022．より筆者作成）

表7　指数による疾患のリスク

ブリンクマン指数	400以上	肺がん
	700以上	COPDや狭心症などの心疾患罹患
	1600以上	喉頭がん，肺がん
パックイヤー	20	COPD罹患率20%
	60	COPD罹患率70%

チやガム）と非ニコチン代替療法（バレニクリン：バレニスマート®）があり，それぞれの療法で使用される喫煙補助薬は**医療保険**が適用される。**禁煙補助薬の使用上の特徴**（表9）をふまえて，患者の離脱症状やライフスタイルに合った方法を提案する。

禁煙指導の際は，まず，喫煙という「**依存症を理解してもらう**」ことから始める。なぜ毎日タバコを吸うのか，自分の意思で喫煙しているのか，おいしいと感じることはどんなことか，など基本的な質問を行う。喫煙者が抱く「タバコはストレスをとる」「タバコなしでは生きていけない」などの歪んだ認知を正していくことが，**動機づけ**の第一歩となる。

3 環境因子の影響

粉塵や化学物質，アレルギーを原因とする喘息などでは，アレルゲンとなる物質の吸入などにより症状が増強する。他にも**寒冷刺激，精神的な負荷によるストレス**などが発作の要因となる場合もある。

また，**タバコの煙やアスベスト，大気汚染**による肺実質や胸膜への吸入曝露は，疾患を進行させる原因のため，これらの物質を吸入しないよう職場や自宅の**環境調整**などの**リスク回避行動**が必要であり，その方法について教育する。古い木造住宅では，高温多湿の環境下でトリコスポロン属の菌が生息しやすく，**夏型過敏性肺炎**を引き起こすため，患者の転居や専門業者による住居内の清掃などの予防・再発防止が必要であることを伝える。

4 薬物療法・吸入手技

呼吸器疾患の治療では，肺に直接薬剤が届く**吸入薬**が主体である。吸入薬には，**抗コリン薬**と**β_2刺激薬**，**メチルキサンチン製剤**の3系統の**気管支拡張薬**と**吸入ステロイド**がある。

抗コリン薬は，主に迷走神経末端から放出されるアセチルコリンによる気道平滑筋収縮を抑制する作用がある。**β_2刺激薬**は，気道平滑筋細胞膜表面の受容体を刺激して細胞内のcAMPを増加させて，細胞内カルシウム濃度が低下し気道平滑筋を弛緩させる作用がある。**メチルキサンチン類**は気管支平滑筋を弛緩させる作用がある。機序は不明であるが，心筋および横隔膜の収縮能を改善させる。メチルキサンチン類はカルシウムの細胞内放出を阻害し，微小血管から気道粘膜への漏出を減少させ，アレルゲンに対する遅延反応を阻害する。また，気管支粘膜への好酸球の浸潤および上皮へのT細胞の浸

表8 禁煙の動機づけを強化する「5R」

関連性（Relevance）	なぜ禁煙が患者に関係しているのか，個人の特徴と関連づけた情報を提供する
リスク（Risk）	喫煙のリスクをどう考えているかを尋ね，その中から患者に最も関係のありそうなリスクに焦点を当てて情報提供する
報酬（Rewards）	禁煙した場合のメリットをどう考えているかを尋ね，その中から患者に最も関係のありそうなメリットに焦点をあてる
障害（Roadblocks）	禁煙を妨げる障害は何かを尋ね，それを解決する方法を助言する
反復（Repetition）	禁煙の動機づけ強化のための働きかけを繰り返し行う

表9 禁煙補助薬の使用上の特徴

	医療用ニコチネルTTS（パッチ）	医療用ニコチネルTTS（ガム）	バレニクリン
長所	①使用法が簡単（貼り薬） ②安定した血中濃度の維持が可能 ③食欲抑制効果により体重増加の軽減が期待できる ④医療用のパッチは健康保険が適用される	①短時間で効果が発現 ②ニコチン摂取量の自己調節が可能 ③口寂しさを補うことが可能 ④食欲抑制効果により体重増加の軽減が期待できる ⑤処方箋なしで購入可能	①使用法が簡単（飲み薬） ②ニコチンを含まない ③離脱症状だけでなく，喫煙による満足感も抑制 ④循環器疾患患者に使いやすい ⑤健康保険が適用される
短所	①突然の喫煙欲求に対処できない ②汗をかく，スポーツをする人は使いにくい ③医師の処方箋が必要	①かみ方の指導が必要 ②歯の状態や職業によっては使用しにくい場合がある	①突然の喫煙欲求に対処できない ②医師の処方箋が必要 ③自動車の運転等の危険を伴う機械の操作に従事している人は使えない

（日本循環器学会，日本肺癌学会，日本癌学会，日本呼吸器学会：禁煙治療のための標準手順書 第8.1版．p49，2021．より）

潤を減少させる。

　抗コリン薬とβ₂刺激薬は，作用機序が異なるが，神経でのアセチルコリン遊離抑制に対する相互作用があり，併用することでより効果的に**気管支拡張作用**が期待できる。それぞれ**12時間以上**の長時間作用性製剤とそれ未満の**短時間作用性製剤**があり，これらを併用して症状軽減や病状のコントロールに使用される。

　吸入ステロイドは，増悪治療薬として喘息やCOPDの中等症以上で使用される。

　メチルキサンチン類の一種であるテオフィリンはβ₂作動薬の補助薬として，喘息の長期コントロールに用いられる。**徐放性テオフィリン**は夜間喘息の管理に役立つ。テオフィリンは血中濃度の治療域が狭く，随時血中濃度を特定し5〜15μg/mLになるよう調整される。有害作用には**頭痛，嘔吐，不整脈，けいれん発作，**および**胃食道逆流症の悪化**（下部食道括約筋圧の低下による）などがある。

　薬物療法は症状の軽減，増悪の予防，QOLや運動耐容能の改善に有効であり，**用法・用量通りに吸入薬を正しく吸入する必要がある**。近年，吸入薬の種類が増え，複数薬剤の併用が主流となってきており，一人の患者が複数の吸入薬を使用していることも珍しくない。COPD患者では，約40％以上の患者が吸入手技に関する何らかのエラーがあることがわかっており，使用方法については継続的・定期的に教育・指導する[9,10]。

　また，症状や状態に応じて**気管支拡張薬の追加**や**喀痰調整薬**の内服を行い，**症状コントロール**を図る。さらに，**急性増悪の徴候**がみられる際には，かかりつけ医の事前指示に従って抗菌薬，経口副腎皮質ステロイドの服用を開始するなど，薬物療法や吸入手技の管理について教育する。**吸入薬の正しい吸入方法**（図16）や，吸入継続の必要性を説明し，吸入し忘れや飲み忘れのないように内服管理を行う工夫（**1週間内服カレンダー**など）を患者や家族とともに考え，必要時は訪問看護やホームヘルパーへの協力も得る。

5 ワクチン接種

　呼吸器感染症への罹患は，基礎疾患の増悪を誘発し呼吸機能の低下を招く。**インフルエンザワクチン**や**肺炎球菌ワクチン**などの接種について説明を行い，忘れずに接種するよう教育する。

図16 吸入方法

正しく使うと…… ○
- 姿勢が良い
- 深い呼吸

薬剤の効果が末端にまで行き渡る

正しく使わないと…… ×
- 姿勢が悪い
- 浅い呼吸

薬剤の効果が気管支にうまく届かない

6 疾患の増悪予防，早期対応

増悪時の症状やその程度を**患者自身が判断し，早期に診断できる**よう教育する。そのためには，普段の自身の身体の状態を知っておく必要がある。**COPD日誌**や**喘息手帳**のように日々の症状や食欲・睡眠の程度，身体の調子，喘息であれば朝夕のピークフロー値などを付けるように説明し，症状の変化や数値の判断の仕方，対処の方法などについて具体的に教育する（→コラム「慢性疾患のセルフマネジメント：ピークフローモニタリング」，p240参照）。

医療者は，患者がつけた**日誌**や**手帳**を定期的に確認，自覚症状とデータを照らし合わせながら評価する。患者が症状やSpO_2などの変化により，病状の悪化傾向に気が付き，**アクションプラン**に沿って行動することで，増悪による予定外の入院が減少した報告もあるため，患者ごとの**アクションプランの作成**を行う。

アクションプランには，SpO_2が90％以下となるときはかかりつけ医に連絡をする，37.5度以上の発熱が出る場合はあらかじめ処方された抗生物質を内服するなど，患者が増悪時に自分でアクションを起こすための「いつ」「どのようなときに」「どこへ」行き，またはどのような対処をしたらよいかを明記する。定期的に医療者が日誌や手帳を確認し，良い点や改善点についてフィードバックを行うことで，患者が自身の状態をコントロールできるという**自己効力感**を向上させたり，患者の**モチベーション**のアップにもつながる。

さらに，急変時にかかりつけ医や訪問看護ステーションなどの**連絡先**や，受診する際に必要な**物品リスト**を作成し，とるべき行動を一覧表にして患者や家族が目に入る場所に貼っておくなど，具体的な行動を教育する。

7 日常生活の工夫と息切れの管理

日常生活では，患者自身が息切れを自己管理すること（症状マネジメント）が重要である[11]。

息切れを増強させる動作には，❶上肢の挙上，❷息を止める，❸腹部圧迫，❹反復動作がある。患者とともに**日常生活活動（ADL）**を1つひとつ分析し，どのように工夫すれば楽になるのかを一緒に考え実践する。**息切れの軽減**には，口すぼめ呼吸や腹式呼吸，ゆっくりした動作を行い，呼気にあわせて動くなどが有効である。

呼吸困難が増強しない日常生活活動（ADL）の方法について，具体的に指導する（図17〜20）。

8 パニックコントロール

ADL中や運動時に，急に強い呼吸困難が出現したり，いつもより呼吸困難の軽減に時間がかかったりすることで，苦しさのあまり**恐怖**や**不安**で**パニック**に襲われるこ

図17 持ち上げ動作

- 身体から離して持たない
- 動作のときは息を吐く
- 肩は楽にして
- 口すぼめ呼吸
- 腰を伸ばして

● 荷物は身体に近づけて持つ。身体から離して持つと腰椎の負担が大きくなる

図18 衣服の着脱

- 上肢を上げると苦しくなる
- 酸素カニューラをはずさないと着ることができない

前開きのシャツ，服にする

図19　排泄動作

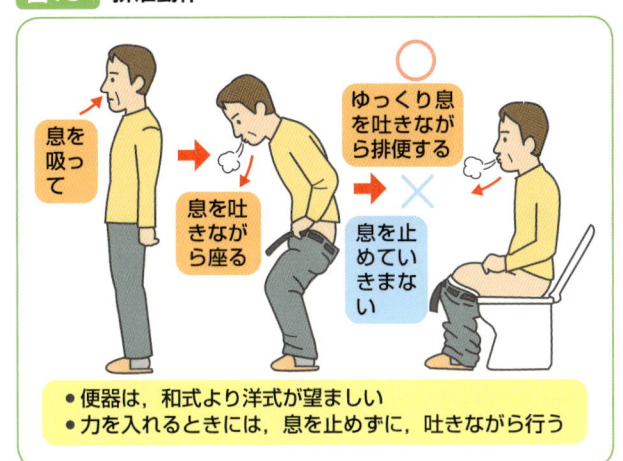

- 息を吸って
- 息を吐きながら座る
- ゆっくり息を吐きながら排便する
- 息を止めていきまない

・便器は，和式より洋式が望ましい
・力を入れるときには，息を止めずに，吐きながら行う

図20　歯みがき動作

・腕を上げると苦しくなる
・できるだけ肘は下げる

・机などで支えると呼吸が楽になる
・電動歯ブラシを使用すれば腕の反復動作を減らすことができる

図21　パニックコントロール

- 壁に寄りかかる
- いすに座る
- 腹部を圧迫する ×

図22　生活スケジュールの例

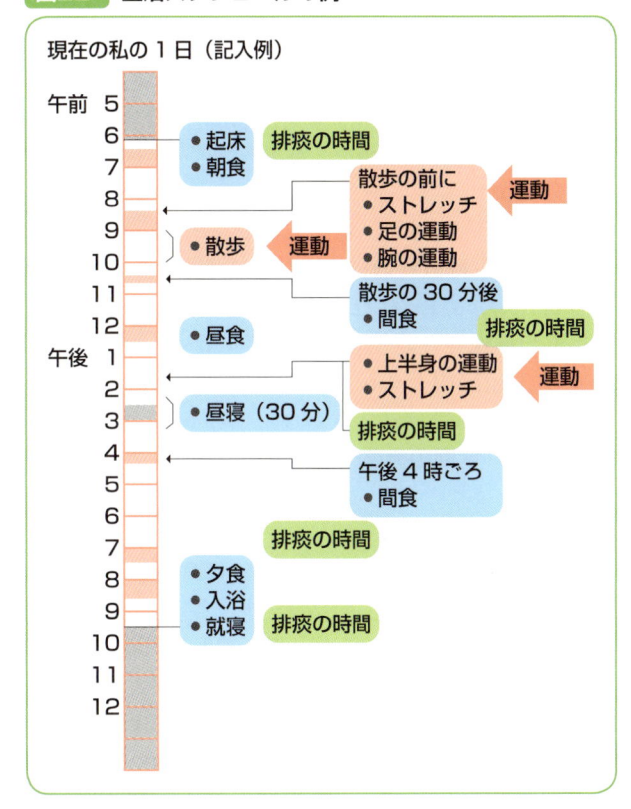

現在の私の1日（記入例）

- 午前6　起床・朝食　排痰の時間
- 散歩の前に：ストレッチ・足の運動・腕の運動（運動）
- 散歩（運動）
- 散歩の30分後：間食　排痰の時間
- 午後0　昼食
- 上半身の運動・ストレッチ（運動）
- 昼寝（30分）　排痰の時間
- 午後4時ごろ：間食
- 排痰の時間
- 夕食・入浴・就寝　排痰の時間

とがある．

そのときは，まず慌てずに椅子に腰かける，椅子がなければ壁に上半身を預けるなどして，上肢で体幹を指示するような**前傾座位**や**前傾立位**といった**楽な姿勢**を取る．SpO₂の測定値などを見て問題がないことを確認したり，（COPDの場合は口すぼめ呼吸で）ゆっくりと息を吐くことに集中し，「大丈夫，大丈夫」と落ち着かせるように自身をコントロールする方法（**パニックコントロール**）を教育する（図21）．

⑨ 運動や活動的な生活の重要性

運動療法の項目の内容について，理学療法士や作業療法士，患者や家族とともにプログラムを組み立て，退院後も継続して行うよう指導する．看護師は，患者や家族の生活スケジュールのどのタイミングで運動を行うかを含めた**1日の生活スケジュール**を患者と計画する（図22）．また，介護認定などを受け**訪問看護師**や**訪問リハ**ビリテーションなどを活用できる場合は，在宅での運動について**在宅ケア支援チーム**と連携を図る．

⑩ 栄養・食事療法，栄養補給療法

気流閉塞や肺過膨張による**努力呼吸**は呼吸筋のエネルギー消費を増大させる．しかし，嚥下時の息止めによる息切れのため十分な量の食事が摂取できず**エネルギー不足**となったり，炎症性サイトカインの増加や摂食調節ホルモンの異常により**栄養障害**（図23）が起こったりすると**体重減少**を招く．

図23 栄養障害の原因

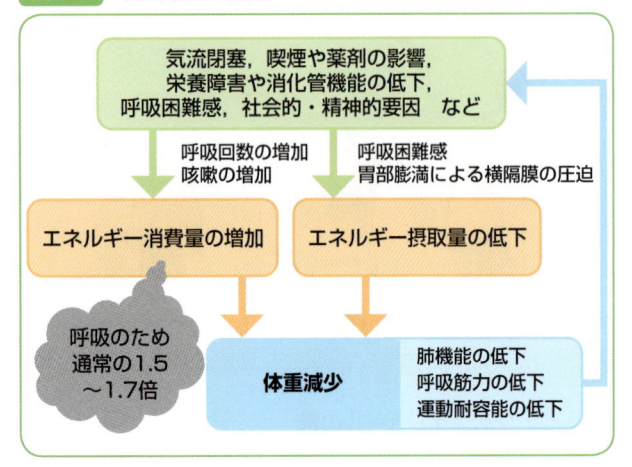

気流閉塞，喫煙や薬剤の影響，栄養障害や消化管機能の低下，呼吸困難感，社会的・精神的要因 など

- 呼吸回数の増加／咳嗽の増加 → エネルギー消費量の増加
- 呼吸困難感／胃部膨満による横隔膜の圧迫 → エネルギー摂取量の低下

呼吸のため通常の1.5～1.7倍

→ 体重減少
- 肺機能の低下
- 呼吸筋力の低下
- 運動耐容能の低下

図24 食事指導

- 息が苦しくてたくさん食べられない！
- 食べるとお腹が膨れて息が苦しい！

食事指導の例
- 5～6回に分食する
- ゆっくり食べる
- 満腹にならない程度に食べる
- ガスでお腹が膨れない食品を摂取する
- 口すぼめ呼吸や姿勢を工夫する

ガスを発生する食品：炭酸飲料，ビール，とうがらし，たまねぎ

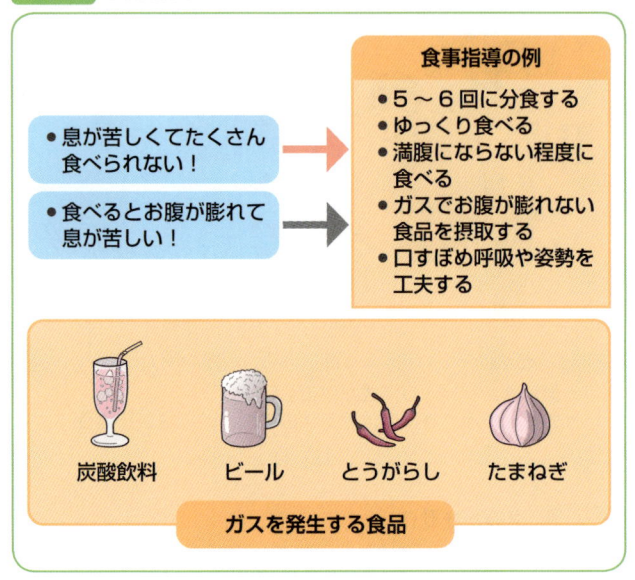

図25 カロリーやタンパク質の量を増やす方法

- 油を使用する
- マヨネーズを加える（酢を加えると食べやすくなる）
- マーガリン，ピーナツバターを使用する
- 料理にきな粉をふりかける
- 豆乳やアミノ酸飲料を飲む　など

タンパク質が多い食品：肉，魚，卵，大豆，大豆製品，牛乳，乳製品

そのため，❶**体重**（標準体重比（% IBW），BMI），**生化学的検査**（血清アルブミン（Alb）），**身体組成**（%上腕囲など）の**栄養評価**や，**食事を妨げる要因**を評価する，❷実測エネルギー消費量の1.5～1.7倍のエネルギー摂取を目標とする，❸高エネルギー・高タンパク食を基本とし，呼吸筋の機能維持に必要なリン（P），カリウム（K），カルシウム（Ca），マグネシウム（Mg）の摂取の確保を行い，NST（栄養サポートチーム）と協働して患者が体重の減少を防いで維持できるようにかかわる。

1日5～6回の分食や高エネルギー食品（マヨネーズやバターなど）を使った少量で高エネルギーが摂取できる食事内容の工夫や，プリンやアイスクリームといった**高エネルギーの流動食**を活用する（図24・25）。また，エンシュア・リキッド®やラコール®といった**総合栄養剤**や，高二酸化炭素血症を伴う呼吸器疾患患者へは，体内で産生される二酸化炭素量を少なく抑えるために開発された，脂肪成分が多く高エネルギーの栄養機能食品であるプルモケア®の導入を検討する（→p109）。

11 在宅酸素療法（HOT）（図26）・在宅人工呼吸療法

運動耐容能の改善，呼吸困難をはじめとする症状の軽減，肺高血圧の予防など，さまざまな効果が得られるため，低酸素血症を呈する患者に対して**在宅酸素療法**（home oxygen therapy：HOT）が導入される。**酸素投与量**は，SpO₂値や血液ガス分析，6分間歩行試験を行い決定する。HOTが導入される場合は，機器の取り扱い，アラームの対応だけでなく，長時間酸素カニュラを装着することの**精神的な苦痛**についても共感を示し，精神的なケアも行う（→コラム「在宅酸素療法（HOT）」，p340参照）。

Ⅱ型呼吸不全を呈する患者の場合は，在宅での人工呼吸療法として，NPPVやTPPVなどが導入される（→コラム「人工呼吸療法（IPPV・NPPV）」，p130参照）。患者による管理だけでは，在宅療養が難しい場合もあり，同居する家族が医療行為を代替することとなるため，家族も含めた教育を行う。

12 社会資源の活用

日常生活への障害の程度に応じて，**介護保険・医療保険**で利用できるサービスや，**障害福祉サービス**の導入についても検討する。福祉機器のレンタルや訪問看護，ホームヘルパーなどを利用し，在宅での生活が安心して

図26 HOT の様子

入浴　運動　食事　睡眠

送れるように調整する。

13 心理面への援助

COPD 患者では深刻なうつ傾向が認められることが多い[12]。呼吸困難による死への恐怖や，日常生活でできなくなることへの喪失感，呼吸困難が理解されないことがストレスとなり，身体的・社会的活動が低下し，うつや**不安**が増し，**QOL を低下**させる悪循環となる。

認知行動療法などを利用し，考え方・見方を悲観的なものから肯定的なものへと変化させ（マイナス思考からプラス思考へ），**リラクセーション**といったストレスに対処する方法（ストレスマネジメント）を身につけられるよう支援する。

不安や抑うつは呼吸需要を増加させ，動的肺過膨張をもたらし，さらに呼吸困難を増長する。そのため，患者の不安な気持ちを聴く時間を設ける，**ピアサポート**の活用や，**リラクセーション**を実施する。

［橋野明香，水川真理子］

[引用文献]
1) 日本呼吸ケア・リハビリテーション学会，日本呼吸理学療法学会，日本呼吸器学会：呼吸リハビリテーションに関するステートメント．日呼ケアリハ学誌 27(2)：96．2018．
2) Mehdi M, Claude G: Effects of patient positioning on respiratory mechanics in mechanically ventilated ICU patients. Ann Transl Med 6(19): 384, 2018.
3) 日本呼吸ケア・リハビリテーション学会呼吸リハビリテーション委員会ワーキンググループ編：呼吸リハビリテーションマニュアル―運動療法　第2版．p65，照林社，2012．
4) 前掲書3，p94．
5) 前掲書1，p104．
6) Prochaska JO, Diclemente CC: Stage and processes of self-change in smoking: towards and integrative model for change. J Consult Clin Psychol 51(3): 390-395, 1983.
7) Bandura A: Self-efficacy: toward a unifying theory of behavioral change. Psychol Rev 84(2): 191-215, 1977.
8) 松本千明：医療・保健スタッフのための健康行動理論の基礎．pp1-36，医歯薬出版，2002．
9) Ngo CQ, et al: Inhaler technique and adherence to inhaled medications among patients with acute exacerbation of chronic obstructive pulmonary disease in Vietnam. Int J Environ Res Public Health 16(2): 185, 2019.
10) Tobias M, et al: Optimizing inhalation technique using web-based videos in obstructive lung disease. Respir Med 129: 140-144, 2017.
11) 日本呼吸ケア・リハビリテーション学会呼吸リハビリテーション委員会編：呼吸リハビリテーションマニュアル―患者教育の考え方と実践．pp97-101，照林社，2007．
12) 3学会合同セルフマネジメント支援マニュアル作成ワーキンググループ・他編：呼吸器疾患患者のセルフマネジメント支援マニュアル．日呼ケアリハ学誌 32（特別増刊号）：172，2022．

Column 在宅酸素療法（HOT）

1. 在宅酸素療法（HOT）とは

日本の**在宅酸素療法**（home oxygen therapy：HOT）患者は，年々増加の一途をたどっており，2022年時点でHOT患者数は約18万人にのぼる[1]。対象となる基礎疾患は上位より**慢性閉塞性肺疾患**（COPD）が37％を占めもっとも多く，次いで**肺線維症・間質性肺炎**30％，**肺がん**6％である[2]。

これらの慢性呼吸不全の患者に対し，❶症状（呼吸困難）の軽減，❷QOLの向上，❸生命予後の改善，❹家庭生活や社会生活への復帰などを主な目的とし，自宅など病院の外で酸素吸入を行う治療法をHOTという。

2. 対象疾患

HOTの診療報酬の対象となる疾患は，❶高度慢性呼吸不全，❷肺高血圧症，❸慢性心不全，❹チアノーゼ型先天性心疾患，❺群発頭痛（表1）[3]である。慢性呼吸不全の適応患者判定にパルスオキシメータによる酸素飽和度を用いてもよい。

3. 在宅酸素療法の効果

HOTの効果は疾病，重症度によって異なるが，酸素療法によって低酸素血症を改善，呼吸困難が軽減されることにより，日常生活が維持されるためQOLの向上が期待される。

1 生命予後の改善

重度慢性呼吸不全患者は1日15時間以上の使用で生命予後が改善し[4]，また肺高血圧を伴った慢性呼吸器疾患患者の生存期間が延長した報告がある[5]。

2 肺循環動態の改善

6カ月間の酸素投与により，安静時および運動時の肺動脈圧，肺血管抵抗の改善，心拍出量等の改善がみられている[6]。

3 運動耐容能の改善

COPD，間質性肺炎では運動時に低酸素血症が出現しやすいが，酸素吸入によって動脈血中の酸素含量の増大が得られることで，肺循環の改善，運動筋への酸素供給が是正され，運動療法の円滑な実施が可能となる[7]。

4 呼吸困難の軽減

呼吸器系疾患に多くみられる呼吸困難は死を予感させる感覚である。酸素療法により低酸素血症を改善，換気量の増加に伴って，心負荷の改善，肺高血圧状態の軽減，酸素需要・供給の不均衡の是正などから，呼吸困難の軽減が期待される[8]。

5 精神神経機能の改善

低酸素血症を有するCOPDではしばしば精神神経機能の低下がみられる[9]。1日24時間の酸素吸入を1年間行い精神神経機能が改善した報告がある[10]。

表1 社会保険（診療報酬）の適用基準

❶高度慢性呼吸不全例
　動脈血酸素分圧が55mmHg以下の者および動脈血酸素分圧60mmHg以下で睡眠時または運動負荷時に著しい低酸素血症を来す者であって，医師が在宅酸素療法を必要であると認めた者。

❷肺高血圧症

❸慢性心不全
　医師の診断により，NYHA Ⅲ度以上であると認められ，睡眠時のチェーンストークス呼吸がみられ，無呼吸低呼吸指数（1時間当たりの無呼吸数および低呼吸数をいう）が20以上であることが睡眠ポリグラフィー上で認識されている症例。

❹チアノーゼ型先天性心疾患
　ファロー四徴症，大血管転位症，三尖弁閉鎖症，総動脈幹症，単心室症などのチアノーゼ型先天性心疾患患者のうち，発作的に低酸素または無酸素状態になる患者について，発作時に在宅で行われる救命的な酸素吸入が必要な者。この場合において使用される酸素は，小型酸素ボンベ（500リットル以下）またはクロレート・キャンドル型酸素発生器によって供給されるものとする。

❺群発頭痛の患者
　群発頭痛と診断されている患者のうち，群発期間中の患者であって，1日平均1回以上の頭痛発作を認める者。

[厚生労働省：診療報酬の算定方法の一部改正に伴う実施上の留意事項について（通知）．令和6年3月5日　保医発0305第4号　別添1．p275. https://www.mhlw.go.jp/content/12404000/001293312.pdf（2024年8月29日閲覧）をもとに筆者が作成]

6 入院回数，入院期間の減少

HOTの導入により，入院回数，入院期間の減少効果があることが報告されている[11,12]。

4. 在宅酸素療法で用いる機器

HOTは，酸素を供給する装置に一般的には**鼻腔カニュラ**を接続して，酸素吸入を行う。**酸素供給装置**は，**酸素濃縮装置**と**液体酸素装置**に大別される。また，外出時などに用いる**携帯用酸素供給装置**も備える。それぞれの利点・欠点（**表2**）[13] を理解し，患者の状態やライフスタイルに合った装置を選択する。

表2 酸素供給装置と液化酸素装置の比較

システム	酸素供給の原理	利点	欠点
酸素濃縮装置	空気から，窒素を除去し，酸素を分離・濃縮して供給する。	●酸素の充填は不要で電源があれば連続使用可能 ●メンテナンスに手間がかからず使用は比較的簡易にできる ●バッテリーを内蔵した小型のものは携帯することも可能	●停電時は使用できないため，酸素ボンベの準備が不可欠 ●電気代がかかる ●供給酸素濃度は90％以上であるが，流量が増加すると，酸素濃度が低下する機種もある。 ●振動音と廃熱が生じる
〈携帯用〉酸素ボンベ	さまざまな用量のボンベに酸素が充填されている。	●ボンベは長期保存が可能 ●呼吸同調式デマンドバルブを併用することで連続使用時間を延長できる	●ボンベの容量，酸素流量によって外出時間の制限がある。 ●ボンベ交換時の呼吸同調式デマンドバルブの使い方がやや困難
設置型液化酸素装置	液体酸素を気化させて，気体の酸素を供給する。	●電気がなくても使用でき，停電時も使用可能 ●高流量の酸素投与が可能 ●供給される酸素濃度は100％ ●静音	●使用していなくても濃縮酸素が自然蒸発するため，定期的な親容器の交換が必要 ●容器転倒時の液漏れ，低温やけどなどの危険がある ●使用前届出の必要 ●親器は大きく重たいため，設置場所が制限される
〈携帯用〉携帯型液化酸素装置（子容器）	親容器より液体酸素を充填させる。	●小型で軽量 ●比較的長時間使用が可能 ●酸素チューブは不要なため，家の中でも動きやすい	●子容器への充填にある程度の力が必要 ●高流量の酸素投与はできない ●航空機には持ち込めない

＊酸素ボンベの持ち運びには，2輪カートだけでなく，安定感のある4輪カート，両手を空けられるリュックサックなどがある
（日本呼吸ケア・リハビリテーション学会酸素療法マニュアル作成委員会，日本呼吸器学会肺生理専門委員会編：酸素療法マニュアル．p67-70，メディカルレビュー社，2017．をもとに筆者が作成）

5. 在宅酸素療法導入の実際

HOTの導入にあたっては，まず，患者自身が，HOTの必要性を理解し，受け入れられるように患者の気持ちや意欲を確認しながら**十分な説明**を行う。その後，**酸素機器の取り扱い**や**日常生活の注意点**などについて，医師・看護師・酸素供給業者から説明を行い，実際に使用方法を練習してHOTの導入に至る。

HOTの導入時期は，「増悪入院時に導入し在宅に移行」が49％，「安定期に入院で導入」が30％，「安定期に外来で導入」が21％である[14]。導入後は，訪問看護師や酸素供給業者などが自宅で実際に使用できるよう継続的にかかわることになるため，医療機関と地域の多職種が連携する。

1 患者教育

❶酸素吸入の必要性を理解しどのように受け止めているかを確認

入院中に説明を受け理解したつもりでも，**在宅では煩わしい，効果が感じられない，人目が気になる**などの理由から**自己中断**してしまう患者も少なくない。見た目を気にする患者に対しては，**カニューラ一体型眼鏡**を紹介し，歩行が不安定な患者には**4輪カートタイプ**を使用するなど，患者が安全に使用できる方法を提案する。

❷酸素流量の順守への援助

酸素流量は，**安静時，労作時，睡眠時**等で異なる場合が多いため，それぞれでSpO_2値や自覚症状などを確認して状況を医療者に伝える。**酸素濃縮装置の設置場所**などの理由で流量の切り替えが困難な場合はリモコンの利用も検討する。

❸酸素供給装置の設置場所と安全な使用について

酸素濃縮装置を使用している場合，退院前訪問を行い実際の家屋の状況や生活動線を確認し，その設置場所とチューブの長さを患者や家族とともに検討して決める。

酸素供給装置および吸入中の患者の周囲は**火気厳禁**であり，特に吸入しながらの**喫煙**は重度の火傷や火災の原因となる。また，酸素吸入したまま**調理**する際に引火する危険があるため，ガスではなく**電磁調理器具**への変更が必要である。

外出時は，酸素ボンベまたは子器を使用するが，酸素残量の確認方法，携帯方法（カート，バッグ，リュック等）を選択する。**酸素ボンベ**の場合，**呼吸同調式デマンドバルブ**を使用することが多く，**呼吸法の指導**や同調装置の感度の調整を行う。

❹災害，緊急時の対策

停電，災害時の緊急避難時に備えて，HOT，NPPV，人工呼吸器を装着中の患者は住んでいる地域の避難場所や電力会社等の連絡先を確認する。予備電力（バッテリー等），呼吸同調式デマンドバルブの予備電池，懐中電灯などの防災グッズの準備を行うようパンフレットなどで説明する。災害情報に注意し早めに避難し，その際は避難先を酸素供給業者に連絡するなどの備えについて教育する。

❺セルフマネジメント支援

疾病の増悪の予防，早期発見，早期対処ができるよう日頃から**日誌**を活用しセルフモニタリングをすること，**増悪期のアクションプラン**を作成し実行できるよう支援する（詳細は→❷呼吸リハビリテーション参照）。日誌には，**呼吸困難や息切れなどの自覚症状，安静・歩行・睡眠時などのSpO_2値や脈拍などとそのときの酸素吸入量，活動時間・範囲や休憩時間**などを記載し，医師や理学療法士と協働して酸素投与量が適切かについて見極める。

2 社会資源

身体障害者福祉法では，常時（24時間）のHOTを施行中の者で，かつ，労働が制限を受けるか，または労働に制限を必要とする程度の障害を有する者を，**呼吸機能障害3級**と認定し，**身体障害者手帳**が交付される。臨床症状，検査成績および具体的な日常生活状況などによっては，さらに上位等級が認定される。呼吸機能障害による身体障害者手帳を取得すれば医療費の助成をはじめ，**パルスオキシメーター，ネブライザー，酸素ボンベ運搬車**などの日常生活用具の給付や貸与を受けることができる（自治体によって助成制度は異なる）。

身体障害者福祉や介護保険，医療保険などの社会

資源を最大限に活用して，経済的・精神的負担が軽減できるよう，HOT 患者を支援する。

[長田敏子]

[引用文献]
1) 巽浩一郎，植木純著，巽浩一郎監：今日の臨床サポート　在宅酸素療法．エルゼビア．https://clinicalsup.jp/jpoc/contentpage.aspx?diseaseid=1368（2024年9月18日閲覧）
2) 呼吸不全に関する在宅ケア白書作成ワーキンググループ編：呼吸不全に関する在宅ケア白書2024．p4，日本呼吸器学会・他，2024．https://www.jrs.or.jp/publication/file/Respiratory_Care_White_Paper_2024.pdf（2024年8月21日閲覧）
3) 厚生労働省：診療報酬の算定方法の一部改正に伴う実施上の留意事項について（通知）．令和6年3月5日　保医発0305第4号　別添1．p275．https://www.mhlw.go.jp/content/12404000/001293312.pdf（2024年8月29日閲覧）
4) Long term domiciliary oxygen therapy in chronic hypoxic cor pulmonale complicating chronic bronchitis and emphysema. Report of the Medical Research Council Working Party. Lancet 1(8222):681-686, 1981.
5) 吉良枝郎：在宅酸素療法実施症例（全国）の調査結果について．厚生省特定疾患「呼吸不全」調査研究班平成3年度研究報告書，pp65-69，1992.
6) Timms RM, et al: Hemodynamic response to oxygen therapy in chronic obstructive pulmonary disease. Ann Intern Med 102(1): 29-36, 1985.
7) 日本呼吸ケア・リハビリテーション学会酸素療法マニュアル作成委員会，日本呼吸器学会肺生理専門委員会編：酸素療法マニュアル．p82，メディカルレビュー社，2017.
8) 前掲7，pp10-12.
9) Krop HD, et al: Neuropsychological effects of continuous oxygen therapy in chronic obstructive pulmonary disease. Chest 64(3): 317-322, 1973.
10) Heaton RK, et al: Psychologic effects of continuous and nocturnal oxygen therapy in hypoxemic chronic obstructive pulmonary disease. Arch Intern Med 143(10): 1941-1947, 1983.
11) Ringbaek TJ, et al: Does long-term oxygen therapy reduce hospitalisation in hypoxaemic chronic obstructive pulmonary disease? Eur Respir J 20(1): 38-42, 2002.
12) 厚生省特定疾患呼吸不全調査班：平成7年度研究報告書．1996.
13) 前掲書7，pp67-70.
14) 前掲書2，p5.

[参考文献]
- 日本呼吸ケア・リハビリテーション学会，日本呼吸理学療法学会，日本呼吸器学会編：呼吸器疾患患者のセルフマネジメント支援マニュアル．日呼ケアリハ学誌 第32巻（特別増刊号），2022.
- 日本呼吸器学会COPDガイドライン第6版作成委員会：COPD（慢性閉塞性肺疾患）診断と治療のためのガイドライン2022 第6版．メディカルレビュー社，2022.

第Ⅲ部　治療別看護ケア関連図

25 呼吸器疾患の緩和ケア

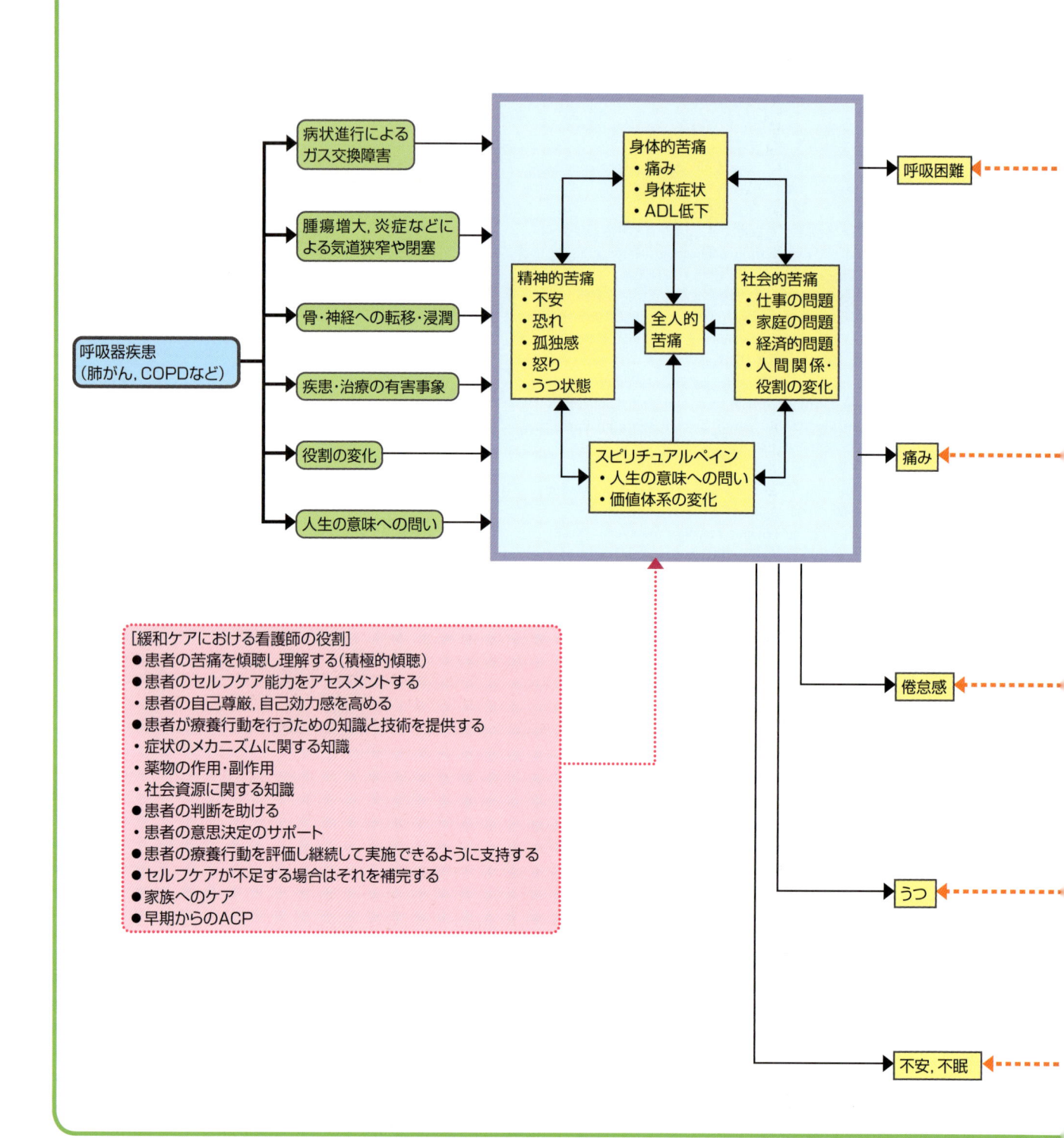

```
呼吸器疾患          病状進行による           身体的苦痛                              呼吸困難
（肺がん,COPDなど）   ガス交換障害            ・痛み
                                          ・身体症状
                    腫瘍増大,炎症などに       ・ADL低下
                    よる気道狭窄や閉塞
                                    精神的苦痛            社会的苦痛
                    骨・神経への転移・浸潤   ・不安              ・仕事の問題
                                      ・恐れ       全人的    ・家庭の問題
                                      ・孤独感     苦痛     ・経済的問題
                    疾患・治療の有害事象    ・怒り              ・人間関係・
                                      ・うつ状態            役割の変化
                    役割の変化                                              痛み
                                         スピリチュアルペイン
                                         ・人生の意味への問い
                    人生の意味への問い       ・価値体系の変化
```

[緩和ケアにおける看護師の役割]
- 患者の苦痛を傾聴し理解する（積極的傾聴）
- 患者のセルフケア能力をアセスメントする
・患者の自己尊厳,自己効力感を高める
- 患者が療養行動を行うための知識と技術を提供する
・症状のメカニズムに関する知識
・薬物の作用・副作用
・社会資源に関する知識
- 患者の判断を助ける
・患者の意思決定のサポート
- 患者の療養行動を評価し継続して実施できるように支持する
- セルフケアが不足する場合はそれを補完する
- 家族へのケア
- 早期からのACP

倦怠感

うつ

不安,不眠

㉕呼吸器疾患の緩和ケア

凡例: 誘因・原因 → 病態生理・状態 / 症状 / 医学的処置 --▶ 看護ケア / （疾患）から生じる全体像 / 分類，あるいは特殊な部分

- 酸素療法
- 呼吸リハビリテーション
- 薬物療法
  - オピオイド
    - →弱オピオイド（コデイン）
    - →強オピオイド（モルヒネ）
  - 副腎皮質ステロイド
  - 抗不安薬
  - 気管支拡張薬
  - 分泌抑制薬

● アセスメントポイント
  ・いつから，どんな時，どのくらい，どのように息苦しいか
  ・随伴症状の有無
● 緊急性の判断
● 酸素療法の管理
  ・SpO_2の変動
  ・CO_2ナルコーシス
● 薬物療法の管理
  ・モルヒネによる呼吸抑制
● 水分出納の管理
● 安静や休息，安楽な呼吸の援助

- 薬物療法
  - NSAIDs
  - オピオイド
    - →弱オピオイド
    - →強オピオイド（モルヒネ，オキシコドン，フェンタニル）
  - 副腎皮質ステロイド
  - 抗けいれん薬
  - 抗うつ薬

● アセスメントポイント
  ・部位，強さ，性状，パターン
  ・鎮痛薬の効果と副作用
  ・増悪因子
● 痛みを増強させないための日常生活援助
● リラクセーション，気分転換の推奨
● オピオイドの副作用への対応
  ・便秘，悪心・嘔吐，呼吸抑制，眠気，せん妄

- 薬物療法
  - 副腎皮質ステロイド
- 要因に対する治療

● アセスメントポイント
  ・倦怠感の有無（患者の言葉とスケールの両方で評価）
  ・日常生活への影響
● 環境の整備
● エネルギーの消耗を抑える日常生活援助
● 気分転換，リラクセーションの推奨

- 身体症状の緩和
- 薬物療法
  - 抗不安薬
  - SSRI, SNRI
  - 三環系・四環系抗うつ薬
- 精神療法
  - 支持的精神療法など

● アセスメントポイント
  ・睡眠状況，食事摂取状況，精神状態，不安
  ・緩和可能な身体症状の有無
  ・セルフケアレベル
● 受容・傾聴・支持・肯定・保証・共感を示す
● 身体エネルギー確保のための日常生活援助
● 環境の整備
● 副作用への対応
  ・呼吸抑制，口渇，便秘，悪心・嘔吐

- 薬物療法
  - 抗不安薬
  - 睡眠導入薬

第Ⅲ部　治療別看護ケア関連図

25 呼吸器疾患の緩和ケア

I 緩和ケアとは

がんや，非がん性呼吸器疾患（non-malignant respiratory disease：NMRD）と称される慢性閉塞性肺疾患（chronic obstructive pulmonary disease：COPD），間質性肺疾患，気管支拡張症などの生命を脅かす疾患では，身体的，心理的，時には社会的な苦痛や苦悩を抱えながら長期間を過ごし，増悪や軽快を繰り返しながら死に至る。緩和ケアは，このような生命を脅かす疾患に罹患した患者や家族に提供されなければならない。

緩和ケアについて，世界保健機関（WHO）では2002年に表1のように定義している[1]。

表1　緩和ケアの定義（WHO，2002）

緩和ケアとは，生命を脅かす病に関連する問題に直面している患者とその家族のQOLを，痛みやその他の身体的・心理社会的・スピリチュアルな問題を早期に見出し的確に評価を行い対応することで，苦痛を予防し和らげることを通して向上させるアプローチである。

緩和ケアは
- 痛みやその他のつらい症状を和らげる
- 生命を肯定し，死にゆくことを自然な過程ととらえる
- 死を早めようとしたり遅らせようとしたりするものではない
- 心理的およびスピリチュアルなケアを含む
- 患者が最期までできる限り能動的に生きられるように支援する体制を提供する
- 患者の病の間も死別後も，家族が対処していけるように支援する体制を提供する
- 患者と家族のニーズに応えるためにチームアプローチを活用し，必要に応じて死別後のカウンセリングも行う
- QOLを高める。さらに，病の経過にも良い影響を及ぼす可能性がある
- 病の早い時期から化学療法や放射線療法などの生存期間の延長を意図して行われる治療と組み合わせて適応でき，つらい合併症をよりよく理解し対処するための精査も含む

（大坂巌・他：わが国におけるWHO緩和ケア定義の定訳―デルファイ法を用いた緩和ケア関連18団体による共同作成．Palliat Care Res 14(2)：61-66，2019．をもとに作成）

1. 緩和ケアの概念の変化

患者の苦痛症状は終末期にのみ現れるものではなく，診断直後から，あるいはその前から，痛みや不安などの多くの苦痛が生じる。

緩和ケアは近年ではがんだけでなく，あらゆる疾患の診断初期から，治療と並行して取り入れられている（図1・2）。呼吸器疾患は進行性・不可逆性で予後不良なものが多く，呼吸困難によるQOLの低下も著しいことから，その緩和のために「非がん性呼吸器疾患緩和ケア指針（2021）」[2] や「在宅診療における非がん性呼吸器疾患・呼吸器症状の緩和ケア指針（2022）」[3] が発表された。

がんは，比較的長い期間，身体機能は保たれ，最後の

図1　がんの緩和ケア

（厚生労働省：緩和ケア．https://www.mhlw.go.jp/stf/seisakunitsuite/bunya/kenkou_iryou/kenkou/gan/gan_kanwa.html（2025年4月18日 閲覧）より）

図2　COPDの予防的緩和ケア

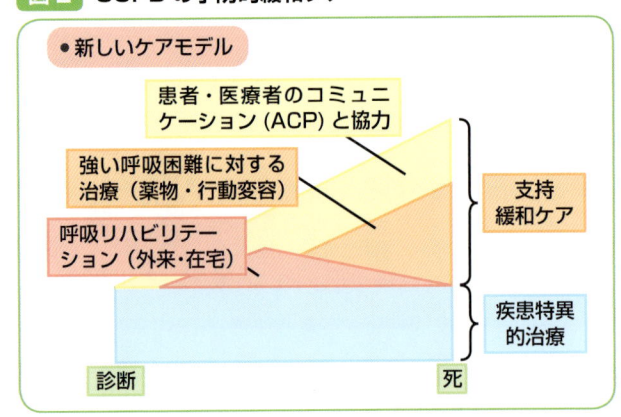

●新しいケアモデル

（Vermylen JH, et al：Palliative care in COPD: an unmet area for quality improvement. Int J Chron Obstruct Pulmon Dis 10: 1543-1551, 2015./日本呼吸器学会・日本呼吸ケア・リハビリテーション学会合同　非がん性呼吸器疾患緩和ケア指針2021作成委員会編：非がん性呼吸器疾患緩和ケア指針．p19，2021．より）

数週間で急激に身体機能が低下し死に至るため，予後を予測しやすいという特徴がある。一方，NMRDでは**増悪を繰り返しながら徐々に身体機能が低下するため予後の予測が困難**であり，どの時期から緩和ケアを開始するかの判断が難しいという特徴がある。しかし，がんであれNMRDであれ，疾患を抱えたときから患者や家族の苦悩は始まるため，常に緩和ケアを提供する必要がある（図1・2）。

2. 意思決定支援（ACP）

緩和ケアに携わる医療者は，でき得る限りの**症状緩和**に努め，**信頼関係を構築**する。そのうえで，患者に対して十分な情報提供を行い，患者がどのように人生をまっとうしたいと考えているのか，状況の変化と患者の受容の程度に合わせて，**繰り返し患者と家族の想いや希望を確認して**ACPに反映させ，それを支援する（→コラム「呼吸器疾患患者へのアドバンス・ケア・プランニング（ACP）」参照）。

Ⅱ 全人的苦痛へのケア

1. 全人的苦痛（トータルペイン）

緩和ケアの対象となる患者の**苦痛**は，**身体的苦痛**だけでなく，**心理社会的，スピリチュアル**な苦痛が複雑に絡み合って生じているため，**全人的苦痛（トータルペイン）**とされる（図3）。

呼吸器疾患の症状である呼吸困難によって，不安や抑うつなどの精神的苦痛が生じ，さらに周囲とのコミュニケーションが妨げられ，社会的苦痛やスピリチュアルな苦痛も増強される。また，苦痛となる要因が複雑に絡み合うことによって，互いの苦痛をより増強させ悪循環を生じる。

2. 緩和ケアの提供体制

緩和ケアは**ホスピス**や**緩和ケア病棟**だけではなく，**一般病棟や在宅**でも提供されている。

全人的ケア（トータルケア）を行うためには，医師・看護師だけでなく，薬剤師，臨床心理士，理学療法士な

図3 全人的苦痛（トータルペイン）

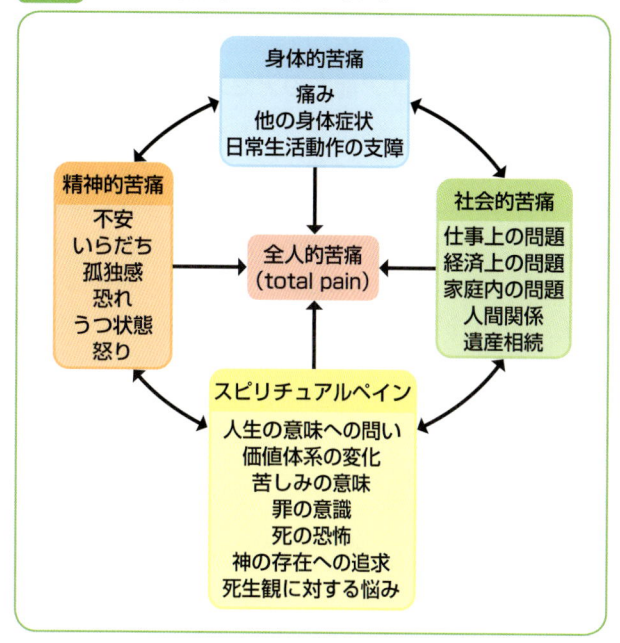

身体的苦痛
・痛み
・他の身体症状
・日常生活動作の支障

精神的苦痛
・不安
・いらだち
・孤独感
・恐れ
・うつ状態
・怒り

社会的苦痛
・仕事上の問題
・経済上の問題
・家庭内の問題
・人間関係
・遺産相続

スピリチュアルペイン
・人生の意味への問い
・価値体系の変化
・苦しみの意味
・罪の意識
・死の恐怖
・神の存在への追求
・死生観に対する悩み

全人的苦痛（total pain）

（柏木哲夫・他監，淀川キリスト教病院ホスピス編：緩和ケアマニュアル　第5版．p39，最新医学社，2007．より）

どの多職種で構成されるチームでかかわる。患者・家族は，一方的に医療を受けるのではなく，チームの一員としてケアに参加する者と位置づけられる。

3. 緩和ケアにおける看護師の役割

チーム医療では，看護師は，患者の日常生活の場面からさまざまなニーズを把握し，医療チームを調整して，患者の意向に沿ったケアを推進することが役割である。

1）患者の苦痛の傾聴と理解

看護師は，患者が**苦痛**をどのように知覚しているかを，患者の自由な言語的表現を促し**傾聴**すると同時に，患者がその苦痛をどのように評価しているかを問いかけて，患者の体験を理解する。一方で，患者や家族の苦痛を真に理解することは，容易ではない。安易に，わかった気になるのではなく，**理解したい，寄り添いたい**という姿勢でかかわり続ける。患者が疾患と診断されてからの経過や，患者が自分の人生をどのように送ってきたか自分の言葉で語ってもらう「ライフストーリー」の手法などを用いて[4]その患者の理解を深める。**他者からの共感**は，患者の自己尊厳を高め，こころの平穏を促す。他者による共感はケアリングとして有効であり，患者を**エンパワーする（力づける）**ことにつながる。さらに症

状体験に関する情報は，症状の発現メカニズムを推測し，症状コントロールを行うための貴重なデータとなる。

2）患者のセルフケア能力のアセスメント

　緩和ケアの場面で必要な患者のセルフケア能力は，症状を**表現する**力，症状や薬物の効果を**アセスメントする**能力（自分で評価する力），症状や自分の希望を医療従事者に**伝える**ことのできる能力，薬物を指示通りに**服用する**能力，自分の症状のメカニズムや対処法を**理解する**能力，対処法を**実施・創造する**能力などがある。

　看護師は患者の言語的反応や行動的反応を観察し，質問して，これらの能力を確認することで，患者の**セルフケア能力をアセスメント**する。患者が潜在的にもっている能力を最大限に活用して，苦痛を緩和する。

3）療養行動を行うための知識と技術の提供

　緩和ケアに必要な知識には，**症状のメカニズム，薬物の作用・副作用，必要な社会資源やそれを活用する知識**などがある。技術は療養生活を送るうえで必要な行動に伴うもので，たとえば，時間ごとに内服する，感染を予防するための行動を行う，栄養のバランスを考えて食品を選ぶ，といったことである。患者や家族の理解力に合わせた丁寧な説明を行う。

　知識を活用できていないときは，これまでの習慣にないことなのか，環境的な条件がそろっていないのか，などさまざまな要因を考慮する。

4）患者の意思決定支援

　患者は情報を提供されると，自分なりに現状を理解して，自分自身の健康上の問題への対処に関する判断と決定を行う。その際，看護師は，**患者が納得して決められる**ように支援する。

　患者が決定を行った場合には，決定をサポートすることを伝え，実現に向けてほかの専門家や社会資源を活用する。自分の判断が，はたして専門家の目から見て正しいのか，**患者は自信がない場合気持ちが揺れ動く**ことが多い。看護師は，患者の利益に貢献し，患者が不安に対処できるようにサポートする。

5）療養行動の評価と継続実施の支援

　「うまく療養できていますよ。だから治療も続けられていますね」と**肯定的な評価**を伝える。病状の進行とともに，患者が自力でできることが少なくなってきたときにも，看護師は**患者が最期まで自分で考え，それを周囲**の人々に伝えてやってもらえるように，家族や周囲の環境を調整する。このような支援を行うことで，患者の**自律性（主体性やコントロール感）**が保たれる。

6）セルフケア不足への援助

　患者のセルフケア能力の低下に伴い，**身体ケアなどを補完・代償**する。「他者への適切な依存」も1つのセルフケアであることを伝え，看護を受けることが患者の苦痛とならないよう配慮する。他者に依存することは，自律した人間にとって精神的な苦痛となる。しかし，上記のような看護師のかかわり方により，**患者は納得して他者に管理を依存することができる**ようになり，それは同時に**自己効力感や自己尊厳を維持する**ことにつながる。

7）家族へのケア

　「**家族は第2の患者**」といわれるほど，さまざまな苦痛や苦悩を抱えている。家族の不安や動揺は患者にも伝わり，それが患者の身体状態や心理状態に影響する。

　苦しむ患者を目の当たりにすることは，家族のもっとも大きな苦痛となる。家族の大切な一員である患者が，医療者から大切にケアされていることが伝われば，家族は安心する。家族と医療者が信頼関係を築き，連帯感で結ばれ，ともに最善のケアができれば，患者は安定し，家族の苦痛や葛藤は緩和される。

　また，終末期に多くみられる**せん妄や死前喘鳴**などは，家族にとってつらい症状となることが多い。現状を正しく認識し，自分たちが今できることや問題への対処，後悔の少ない意思決定を行うために，医療者は詳しい病状説明や精神的なサポートを行う。

　患者の看病と並行して日常生活も送る家族に対して，看護師は「眠れていますか」「食事はとれていますか」「家族のなかで協力体制は築けていますか」と尋ね，**家族の心身の状態に配慮し，必要に応じて話を聴き，家族が安定して介護ができるよう社会資源等も活用して調整**する。

III 身体的苦痛に対するケア

1. 症状マネジメント

　患者が体験する**症状は主観**であり，それに対する反応

や対処方法も**患者個々で異なる**。医療者からの対処方法の押しつけでは，症状緩和に効果はない。患者が体験している症状とその背景をよく聴き，患者の辛さ，苦労，頑張りを伝え，医療者として緩和や解決に向けた方法を患者と一緒に考えていく。症状マネジメントには**IASM**（the Integrated Approach to Symptom Management）を活用することも効果的である[5]。

肺がん患者とNMRD患者の人生最後の年に認められた症状を**表2**に示す。患者は症状があっても訴えず，我慢していることも多い。看護師は，これらの症状が出現する可能性があることを前提に問診や観察を行う。また，NMRDでは基本的治療そのものが緩和ケアとなるため，終末期においても**長時間作動性抗コリン薬などの標準治療，酸素療法，呼吸リハビリテーションなどの治療を継続し**，そこに緩和的ケアを加える。

2. 呼吸困難

呼吸困難は主観的なものであり，呼吸状態や病気の重症度，血液ガスなどと必ずしも相関しない。呼吸困難は，**不安や死の恐怖を招いてパニックを引き起こしたり，不安やうつ**となったりしやすい（図4）。客観的な状況や状態を説明し，**タッチング**を行い，安心感を与え，呼吸困難の緩和につなげる。

1) 原因

呼吸困難の原因は多岐にわたる（→❷呼吸困難・窒息の表2参照）（→p34）。原因疾患による呼吸機能の低下のみならず，呼吸困難が発生するメカニズム内で，過去の経験，性や年齢・教育といった精神・社会的側面，スピリチュアルな側面の影響因子が，呼吸困難を認知，誘発する因子となる。このように，呼吸困難をTotal Dyspneaとして多面的にとらえ，症状緩和の対処方法を検討する。

2) アセスメント

呼吸困難感という主観的症状を客観的指標（→❶呼吸困難・窒息参照）を用いて，経時的に評価し変化を確認する。「どんなときに」「どのくらい」「どんなふうに」という観点で詳細に症状を聴き取る。そのうえで，❶呼吸不全を伴うか否か（血液ガス分析で確認），❷不安などの精神的ストレスと関係があるかアセスメントする。

また，呼吸困難は1つの感覚ではなく，**空気飢餓感，努力感（呼吸時の労力感），絞扼感（胸が締め付けられる感覚），窒息感（息が詰まる感覚），溺水感**などいくつかの感覚が重なっている場合がある。そのため，図4の影響要因が呼吸困難の訴えにどのように影響しているか，心理的・社会的側面なども含め，患者の背景を聴取し理解を深めることが，呼吸困難を軽減させる一助になる可能性がある。

表2 人生の最後の年に認められた症状

症状	非がん性呼吸器疾患 (n=87) 全例(%)	強い苦痛(%)	肺がん (n=449) 全例(%)	強い苦痛(%)
疼痛	77	56	85	56
呼吸困難	94	76	78	60
咳嗽	59	46	56	40
食思不振	67	15	76	19
便秘	44	25	59	55
不眠	65	42	60	35
うつ病態	71	57	68	51

（日本呼吸器学会・日本呼吸ケア・リハビリテーション学会合同　非がん性呼吸器疾患緩和ケア指針2021作成委員会編：非がん性呼吸器疾患緩和ケア指針. p11, 2021. https://www.jrs.or.jp/publication/file/np2021.pdf（2025年4月18日閲覧）より）

図4 呼吸困難のメカニズム

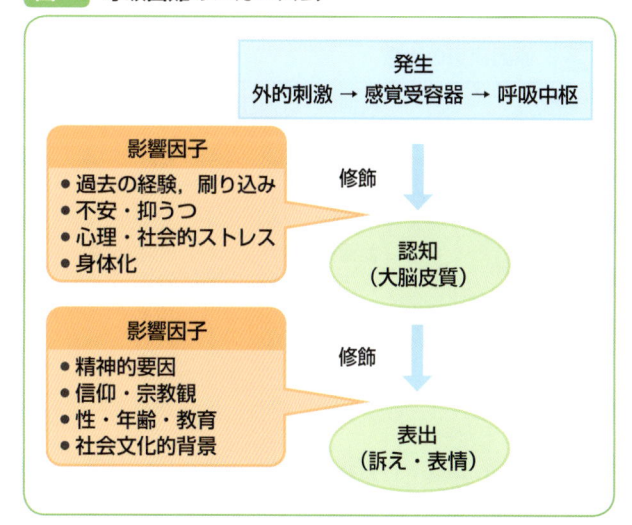

発生
外的刺激 → 感覚受容器 → 呼吸中枢

影響因子
・過去の経験，刷り込み
・不安・抑うつ
・心理・社会的ストレス
・身体化

修飾 → 認知（大脳皮質）

影響因子
・精神的要因
・信仰・宗教観
・性・年齢・教育
・社会文化的背景

修飾 → 表出（訴え・表情）

（日本呼吸器学会・日本呼吸ケア・リハビリテーション学会合同非がん性呼吸器疾患緩和ケア指針2021作成委員会編：非がん性呼吸器疾患緩和ケア指針. p25, 2021. より）

3）症状緩和への看護

1 原因疾患の治療の遂行

原因疾患に対する治療が症状緩和につながり，原因に応じた治療を行う（表3）。がんに対しては，薬物療法や放射線療法などを行うが，終末期では，患者の状態に対して侵襲が大きい場合は，治療を行うか否か，患者・家族と話し合う。また，治療が最大限施行されていても呼吸困難が持続・悪化する場合は，非薬物療法も行う。

2 非薬物療法

- **呼吸リハビリテーション**：体位の工夫や呼吸筋マッサージ，呼吸介助によるリラクセーション，口すぼめ呼吸などの呼吸法や排痰方法の教育，四肢の筋力トレーニングなどを行う。安静臥床による関節の拘縮，筋力低下は呼吸困難をさらに増強させるため，患者の状態にあわせながら，ケアに組み込む。
- **送風（扇風機・鼻カニュラ）**：手持ち扇風機を用いて**冷風を顔面に当てる**ことで，呼吸困難が軽減される。三叉神経第2・3領域の顔面皮膚の冷却や，鼻粘膜・上気道の気流受容体を介して中枢における呼吸困難の知覚変化，呼吸困難を軽減する。

3 薬物療法

非薬物療法でも症状が持続する場合は，症状緩和のために**麻薬性鎮痛薬（オピオイド）**や**抗不安薬**などの薬物の使用が考慮される。呼吸困難の治療は**酸素療法**が基本になる。酸素飽和度が十分であっても，呼吸困難が持続する場合には，薬物による症状緩和が必要になる。

表3 原因疾患の治療

①感染症	抗菌薬，呼吸リハビリテーション
②気管支けいれん	気管支拡張薬，副腎皮質ステロイド
③心不全	利尿薬，強心薬
④気道閉塞	副腎皮質ステロイド，放射線治療，ステント，レーザー照射
⑤がん性リンパ管症	副腎皮質ステロイド
⑥胸水	胸腔穿刺，胸膜癒着術
⑦腹水	利尿薬，腹腔穿刺
⑧発熱	解熱薬
⑨貧血	輸血

（柏木哲夫・他監，淀川キリスト教病院ホスピス編：緩和ケアマニュアル 第5版．p124，最新医学社，2007．を一部改変）

- **オピオイド**

オピオイドのなかでも**モルヒネ**は，呼吸困難に対しても有効である。モルヒネは呼吸中枢の反応を鈍くし，呼吸数や1回換気量を減らすことで，呼吸困難を緩和する。呼吸困難に対するモルヒネは，痛みに対する使用量よりも少量で効果があり，モルヒネには**中枢性鎮咳効果**もあることから，咳嗽を伴う呼吸困難にも有効である。

また，**オキシコドン**は**腎機能障害**を有する患者の呼吸困難緩和に対して検討されることもある[6]。NMRDでは，オピオイドの呼吸困難改善効果については一致した結果は得られていないが，標準治療では緩和できない呼吸困難に対して治療の選択肢となる。

オピオイドの導入は，**モルヒネ10mg/日以下の定期与薬（4〜6時間）で開始**するか，**モルヒネ2〜3mg/日の屯用から開始**し，定期与薬量を決める[2]。NMRD患者に対する**オピオイド経口剤の使用方法**について，図5に示す。

オピオイドの**副作用**には，**便秘**や**嘔吐**などの消化器症状や，**掻痒感**，**めまい・ふらつき**がある（表4）（→p352）。オピオイド開始時は，副作用の出現の有無を定期的に評価し症状軽減の効果と合わせて調整を行う。また，オピオイドの使用は，**呼吸抑制**を引き起こすことに注意が必要である。オピオイド導入には，嘔気・嘔吐の緩和のため，制吐剤剤（ノバミン®）を併用する。

- **副腎皮質ステロイド**

抗炎症作用，**腫瘍周辺の浮腫軽減作用**があることから，呼吸不全の原因となる，気管支喘息やCOPDの気道内の炎症による**気道狭窄**，**気管支けいれん**に対して有用性が高く呼吸状態の改善に有効である。がんに対しては，**がん性リンパ管症**，**上大静脈症候群**，**放射線治療による肺炎**，**ウイルス性の肺炎**，**がん性胸膜炎**などに効果がある。

緩和医療では，**デキサメタゾン**（デカドロン®）や**ベタメタゾン**（リンデロン®）が開始される場合が多い。選択される主な理由は，❶力価が高い，❷半減期が長い，❸錠剤が小さい，❹剤型が豊富であるなどの長所があるためである。しかし，副腎皮質ステロイドには**高血糖**，**消化管出血**，**易感染性**など種々の副作用があるため，**長期予後が予測される場合には控える**ことが推奨される[2]。

- **ベンゾジアゼピン系薬**

呼吸困難に対して，「息が苦しくて，朝起きたら，死んでしまっているのではないか」などの**不安**を抱えて，夜間の**不眠**が続いたり，突然に増強する呼吸困難に対して**パニック発作**を体験したりする患者も多い。**不安を落**

図5 MNRD患者に対するオピオイド経口剤の使用方法

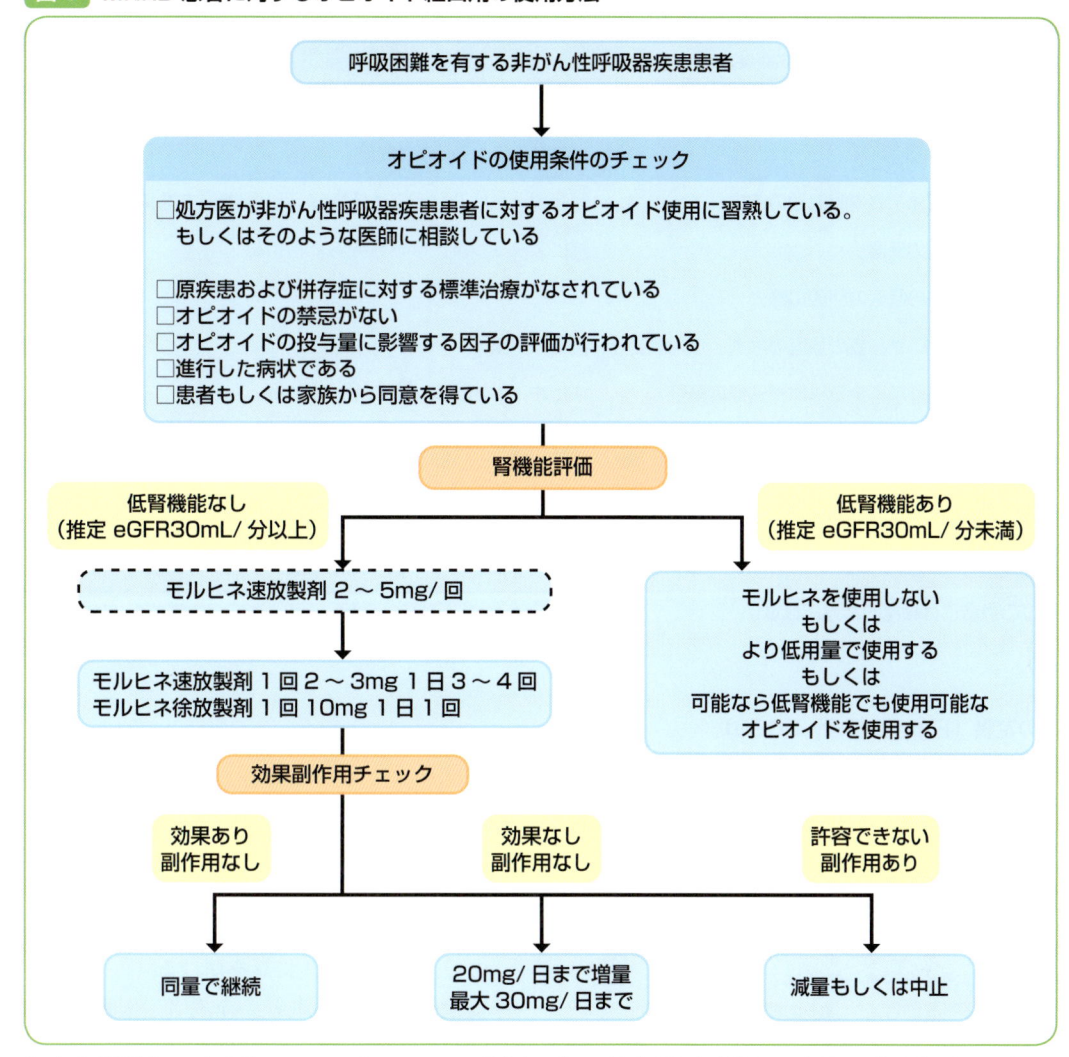

```
呼吸困難を有する非がん性呼吸器疾患患者
              ↓
      オピオイドの使用条件のチェック

□処方医が非がん性呼吸器疾患患者に対するオピオイド使用に習熟している。
  もしくはそのような医師に相談している

□原疾患および併存症に対する標準治療がなされている
□オピオイドの禁忌がない
□オピオイドの投与量に影響する因子の評価が行われている
□進行した病状である
□患者もしくは家族から同意を得ている

              ↓
          腎機能評価
         ／        ＼
  低腎機能なし          低腎機能あり
 (推定 eGFR30mL/分以上)  (推定 eGFR30mL/分未満)
      ↓                    ↓
モルヒネ速放製剤 2～5mg/回    モルヒネを使用しない
      ↓                    もしくは
モルヒネ速放製剤 1回2～3mg    より低用量で使用する
1日3～4回                   もしくは
モルヒネ徐放製剤 1回10mg     可能なら低腎機能でも使用可能な
1日1回                      オピオイドを使用する
      ↓
  効果副作用チェック
  ／    ｜    ＼
効果あり  効果なし  許容できない
副作用なし 副作用なし 副作用あり
  ↓      ↓        ↓
同量で継続 20mg/日まで増量  減量もしくは中止
         最大30mg/日まで
```

(日本呼吸器学会・日本呼吸ケア・リハビリテーション学会合同非がん性呼吸器疾患緩和ケア指針2021作成委員会編：非がん性呼吸器疾患緩和ケア指針. p57, 2021. より)

ち着かせる目的で，ベンゾジアゼピン系の抗不安薬が処方される場合がある。処方例としては，**ジアゼパム**（セルシン®），**ロラゼパム**（ワイパックス®），**アルプラゾラム**（ソラナックス®）などがある[7]。

4 看護ケア

呼吸困難の看護のポイントについては，❷呼吸困難・窒息参照。

3. 痛み

1) 痛みとは

国際疼痛学会は，痛みを表5の通りに定義している。

2) 痛みの分類

痛みはそのパターンや病態，原因などからさまざまに分類される（表6・7，→p353）。

3) アセスメント

痛みは主観的感覚であり，痛みの原因や特徴を評価し，緩和を図る。痛みのパターンや強さ，部位，性状，増悪因子，痛みに対する治療への反応と副作用症状の有無などの項目に加え，痛みによる日常生活への影響や痛みに対する患者の認識，どのようにとらえているのか，など全人的な視点で情報を収集し，図6（→p354）のような評価シートを用いてアセスメントを行う。

表4　オピオイドによる副作用対策

副作用	非薬物療法	薬物療法
便秘	水分や食物繊維の摂取，適度な運動	末梢性μオピオイド受容体拮抗薬（ナルデメジン），その他の便秘薬（浸透圧性下剤〔例：酸化マグネシウム〕，大腸刺激性下剤〔例：センナ，ピコスルファート〕など）
嘔気・嘔吐	オピオイド内服時間の工夫	制吐剤（ドパミン受容体拮抗薬，消化管機能亢進薬，抗ヒスタミン薬など）
搔痒感	皮膚の保湿	抗ヒスタミン薬，5-HT$_3$受容体拮抗薬
眠気	ほかの眠気の原因の除去	
せん妄	ほかのせん妄の原因の除去，環境調整	抗精神病薬
呼吸抑制	Ⅱ型呼吸不全では酸素流量の調整	オピオイド拮抗薬（ナロキソン）※
口内乾燥	部屋の加湿，ガムを噛む，水分摂取，口腔ケア	人口唾液
排尿障害	ほかの抗コリン作用のある薬剤の中止	コリン作動薬，α$_1$受容体遮断薬
ミオクローヌス		ベンゾジアゼピン系抗てんかん薬（クロナゼパム）

※予後が日単位の患者には積極的な適応はない
（日本呼吸器学会・日本呼吸ケア・リハビリテーション学会合同非がん性呼吸器疾患緩和ケア指針2021作成委員会編：非がん性呼吸器疾患緩和ケア指針．p56，2021．より）

表5　痛みの定義（日本疼痛学会，2020）

「実際の組織損傷もしくは組織損傷が起こりうる状態に付随する，あるいはそれに似た，感覚かつ情動の不快な体験」

付記
- 痛みは常に個人的な経験であり，生物学的，心理的，社会的要因によって様々な程度で影響を受けます
- 痛みと侵害受容は異なる現象です．感覚ニューロンの活動だけから痛みの存在を推測することはできません
- 個人は人生での経験を通じて，痛みの概念を学びます
- 痛みを経験しているという人の訴えは重んじられるべきです
- 痛みは，通常，適応的な役割を果たしますが，その一方で，身体機能や社会的および心理的な健康に悪影響を及ぼすこともあります
- 言葉による表出は，痛みを表すいくつかの行動の1つにすぎません．コミュニケーションが不可能であることは，ヒトあるいはヒト以外の動物が痛みを経験している可能性を否定するものではありません

（日本疼痛学会理事会：改定版「痛みの定義：IASP」の意義とその日本語訳について．https://jasp.pain-research-jasp.org/pdf/notice_20200818.pdf（2025年4月18日閲覧）より）

4）症状緩和法

1 方法

侵害受容性疼痛や神経障害性疼痛，心理社会的影響など複雑にからみあっているため，痛みの主要因に対する治療とともに集学的に治療にあたることが基本となる。

「がん患者に対する鎮痛治療の原則」として，7つの基本原則が示されている。

❶ **疼痛治療の目標**：日常生活を送れる程度まで痛みを緩和する
❷ **包括的な評価**：人によって痛みの感じ方や表現は違うので，患者の訴えに耳を傾ける
❸ **安全性の保障**：患者，介護者，医療従事者，地域社会，社会の安全にも目を向ける
❹ **包括的なケアの実施**：薬物療法のほかに心理社会的およびスピリチュアルなケアも大切である
❺ **鎮痛薬は入手可能かつ安価でなければならない**
❻ **鎮痛薬の方法**は「経口的に」「時間を決めて」「患者ごとに」「その上で細かい配慮を」
❼ **鎮痛治療はがん治療の一部として統合されるべきである**

基本原則をふまえ，オピオイドのベースラインの調節に加えて，**突出痛**に対して頓用的に使用する**速効性鎮痛薬（レスキュー）の調節**を行うこと，**NSAIDs（非ステロイド性抗炎症薬）や鎮痛補助薬（副腎皮質ステロイド，抗けいれん薬，抗うつ薬など）の併用**も検討する。**骨転移**に対しては，破骨細胞による骨吸収を抑制し，骨密度を増加させる**ビスフォスフォネート製剤の使用，神経ブロックや緩和的放射線療法**を行う。痛みに対する治

表6 痛みの病態による分類

分類	侵害受容性疼痛 体性痛	侵害受容性疼痛 内臓痛	神経障害性疼痛
障害部位	・皮膚，骨，関節，筋肉，結合組織などの体性組織	・食道，小腸，大腸などの管腔臓器 ・肝臓，腎臓などの被膜をもつ固形臓器	・末梢神経，脊髄神経，視床，大脳（痛みの伝達路）
侵害刺激	・切る，刺す，叩くなどの機械的刺激	・管腔臓器の内圧上昇 ・臓器被膜の急激な伸展 ・臓器局所および周囲の炎症	・神経の圧迫，断裂
例	・骨転移に伴う骨破壊 ・体性組織の創傷 ・筋膜や筋骨格の炎症	・がん浸潤による食道，大腸などの通過障害 ・肝臓の腫瘍破裂など急激な被膜伸展	・がんの神経根や神経叢といった末梢神経浸潤 ・脊椎転移の硬膜外浸潤，脊髄圧迫 ・化学療法・放射線治療による神経障害
痛みの特徴	・うずくような，鋭い，拍動するような痛み ・局在が明瞭な持続痛が体動に伴って悪化する	・深く絞られるような，押されるような痛み ・局在が不明瞭	・障害神経支配領域のしびれ感を伴う痛み ・電気が走るような痛み
鎮痛薬の効果	・非オピオイド鎮痛薬，オピオイドが有効 ・廃用による痛みへの効果は限定的	・非オピオイド鎮痛薬，オピオイドが有効だが，消化管の通過障害による痛みへの効果は限定的	・鎮痛薬の効果が乏しいときには，鎮痛補助薬の併用が効果的な場合がある

（日本緩和医療学会ガイドライン統括委員会編：がん疼痛の薬物療法に関するガイドライン2020年版．p23，表1．金原出版，2020．より転載）

表7 痛みのパターンによる分類

	定義	特徴
持続痛	「1日のうち12時間以上持続する痛み」として患者によって表現される痛み	・定期的に与薬される鎮痛薬を用いて緩和する ・しかし病状や全身状態の変化，治療の状況により持続痛が徐々に悪化していく場合や急激に悪化する場合がある ・そのため鎮痛薬の与薬量が不十分になる可能性を念頭において定期的な評価を行う ・また定期的に与薬される鎮痛薬の血中濃度の低下によって鎮痛薬の与薬前に痛みが出現する場合（鎮痛薬の切れ目の痛み）があり，その際は定期鎮痛薬の増量や与薬間隔の変更を検討する
突出痛	定期的に与薬されている鎮痛薬で持続痛が良好にコントロールされている場合に生じる，短期間で悪化し自然消失する一過性の痛み	・オピオイドをはじめとした鎮痛薬が十分に使用されて持続痛が良好にコントロールされている場合に生じる一過性の強い痛みと定義されている ・痛みの発生からピークに達するまでの時間は5～10分程度と短く，持続時間は30～60分程度である ・痛みの発生部位は約8割が持続痛と同じ場所であり，持続痛の一過性増強と考えられるため持続痛が増悪していないか評価する

（日本緩和医療学会ガイドライン統括委員会編：がん疼痛の薬物療法に関するガイドライン2020年版．pp26-28，金原出版，2020．をもとに作成）

療のアルゴリズム[8]を図7（→p355）に示す。

2 鎮痛薬の種類

- **NSAIDsとアセトアミノフェン**
  - NSAIDsとアセトアミノフェンは併用可能である
  - これらは効果と使用量に限界があるが，オピオイド使用開始後も併用可能で治療効果を上げることができる
  - NSAIDsは消化管出血，血小板凝集機能低下，腎機能障害といった副作用に注意が必要である

- **オピオイド**
  - 大きく分けて，**弱オピオイド**と**強オピオイド**がある。日本で承認されている強オピオイドは**モルヒ**

図6 痛みの評価シート

痛みの評価シート　　　　氏名＿＿＿＿＿＿＿＿　ID＿＿＿＿＿＿
　　　　　記入日　　年　月　日　　　　記入者（　　　　　　　）

○日常生活への影響

| 0：症状なし | 1：現在の治療に満足している | 2：時に悪い日もあり日常生活に支障を来す | 3：しばしばひどい痛みがあり日常生活に著しく支障を来す | 4：ひどい痛みが常にある |

○痛みのパターン

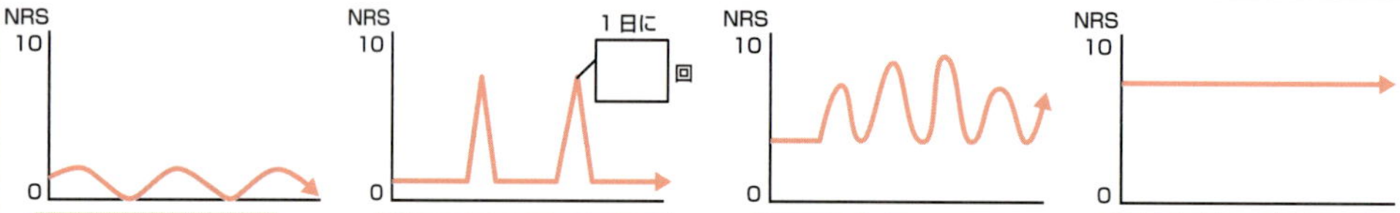

1. ほとんど痛みがない
2. 普段はほとんど痛みがないが，1日に何回か強い痛みがある
3. 普段から強い痛みがあり，1日の間に強くなったり弱くなったりする
4. 強い痛みが1日中続く

○痛みの強さ

全くなかった ← → これ以上考えられないほどひどかった

	0	1	2	3	4	5	6	7	8	9	10
痛み（一番強い時）	0	1	2	3	4	5	6	7	8	9	10
痛み（一番弱い時）	0	1	2	3	4	5	6	7	8	9	10
痛み（1日の平均）	0	1	2	3	4	5	6	7	8	9	10

○痛みの部位

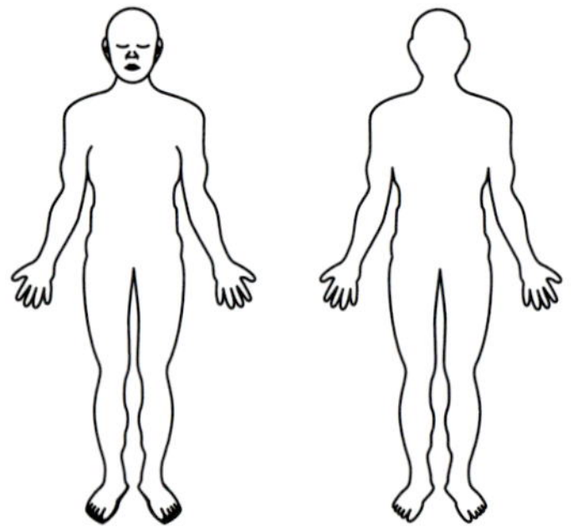

○治療の反応

●定期薬剤
1. なし
　あり ── 2. オピオイド（　　）
　　　　　3. 非オピオイド（　　）
　　　　　4. 鎮痛補助薬（　　）

○副作用
・眠気 ── 1. なし
　　　　　2. あり（不快ではない）
　　　　　3. あり（不快である）
・見当識障害 ── 1. なし　2. あり
・便秘 ── 1. なし　2. あり（硬・普通・軟）
・悪心 ── 1. なし
　　　　　2. あり（経口摂取可能）
　　　　　3. あり（経口摂取不可能）

○痛みの性状

鈍い　　　　　重苦しい
鋭い　　　　　うずくような
灼けるような　ビーンと走るような
刺されたようなor刺すような

●レスキュー薬
使用薬剤と量（　　　　　）
○使用回数と効果（　　）回/日
使用前NRS（　　）→使用後（　　）
1. 完全によくなった　2. だいたいよくなった
3. 少しよくなった　　4. 変わらない

○副作用
・眠気 ── 1. なし
　　　　　2. あり（不快ではない）
　　　　　3. あり（不快である）
・悪心 ── 1. なし
　　　　　2. あり（経口摂取可能）
　　　　　3. あり（経口摂取不可能）

○増悪因子

1. 夜間
2. 体動
3. 食事（前・後）
4. 排尿・排便
5. 不安・抑うつ
6. その他（　　　）

○軽快因子

1. 安静
2. 保温
3. 冷却
4. マッサージ
5. その他（　　　）

（日本緩和医療学会緩和医療ガイドライン委員会編：がん疼痛の薬物療法に関するガイドライン　2014年版．p36，図3，金原出版，2014．より一部改変）

図7 痛みに対する治療のアルゴリズム

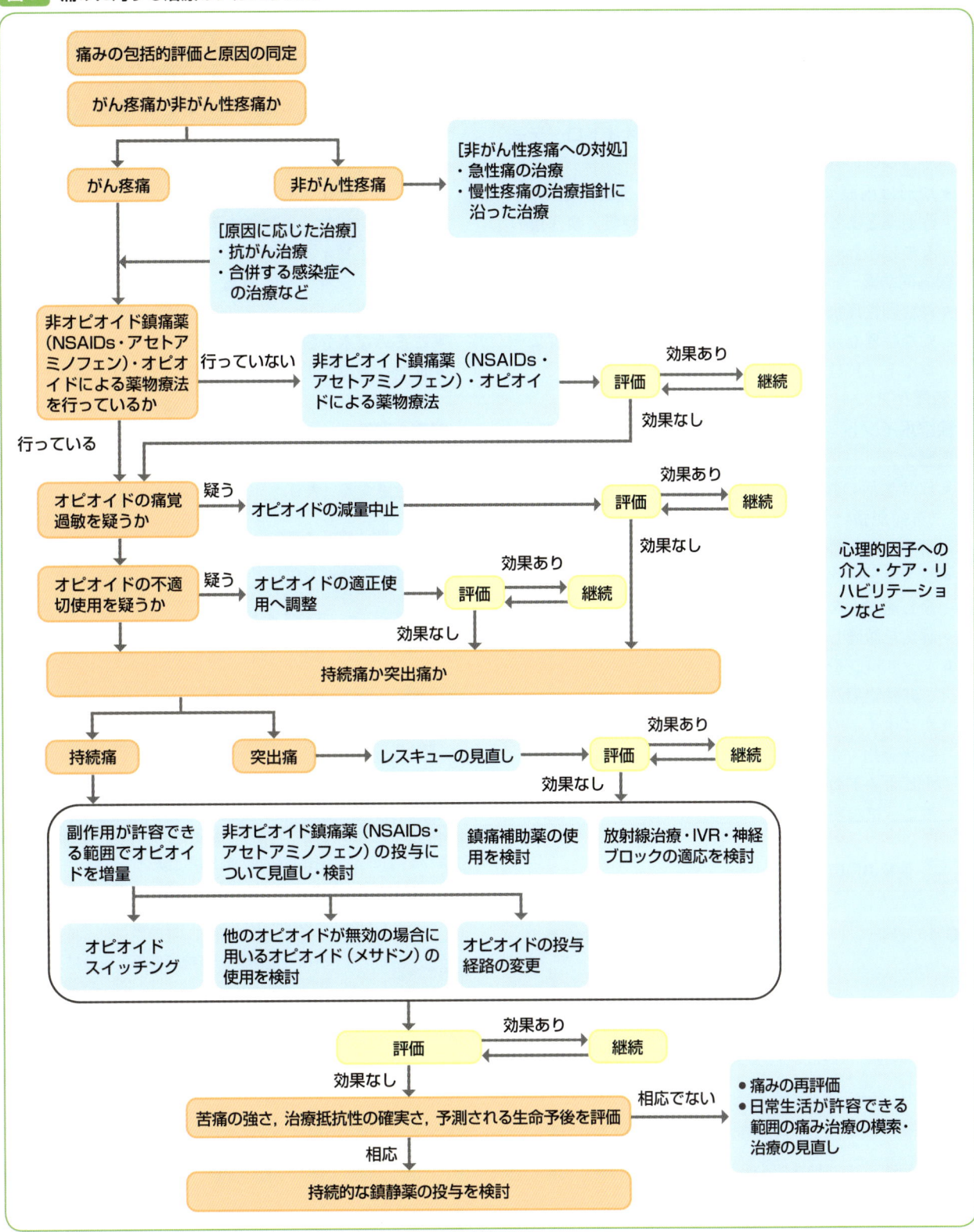

```
痛みの包括的評価と原因の同定
    ↓
がん疼痛か非がん性疼痛か
    ├─→ 非がん性疼痛 →　[非がん性疼痛への対処]
    │                  ・急性痛の治療
    │                  ・慢性疼痛の治療指針に沿った治療
    ↓
がん疼痛
    ↑
    │　[原因に応じた治療]
    │　・抗がん治療
    │　・合併する感染症への治療など
    ↓
非オピオイド鎮痛薬（NSAIDs・アセトアミノフェン）・オピオイドによる薬物療法を行っているか
    ├─ 行っていない →　非オピオイド鎮痛薬（NSAIDs・アセトアミノフェン）・オピオイドによる薬物療法 → 評価 ⇄ 効果あり → 継続
    │                                                                                              └ 効果なし ↓
    ↓ 行っている
オピオイドの痛覚過敏を疑うか
    ├─ 疑う →　オピオイドの減量中止 → 評価 ⇄ 効果あり → 継続
    │                                └ 効果なし ↓
    ↓
オピオイドの不適切使用を疑うか
    ├─ 疑う →　オピオイドの適正使用へ調整 → 評価 ⇄ 効果あり → 継続
    │                                     └ 効果なし ↓
    ↓
持続痛か突出痛か
    ├─ 突出痛 →　レスキューの見直し → 評価 ⇄ 効果あり → 継続
    │                                 └ 効果なし ↓
    ↓ 持続痛
┌──────────────────────────────────────────────┐
│ ・副作用が許容できる範囲でオピオイドを増量    │
│ ・非オピオイド鎮痛薬（NSAIDs・アセトアミノフェン）の投与について見直し・検討 │
│ ・鎮痛補助薬の使用を検討                      │
│ ・放射線治療・IVR・神経ブロックの適応を検討   │
│   ↓                                           │
│ ・オピオイドスイッチング                      │
│ ・他のオピオイドが無効の場合に用いるオピオイド（メサドン）の使用を検討 │
│ ・オピオイドの投与経路の変更                  │
└──────────────────────────────────────────────┘
    ↓
評価 ⇄ 効果あり → 継続
 └ 効果なし ↓
苦痛の強さ，治療抵抗性の確実さ，予測される生命予後を評価
    ├─ 相応でない →　・痛みの再評価
    │                 ・日常生活が許容できる範囲の痛み治療の模索・治療の見直し
    ↓ 相応
持続的な鎮静薬の投与を検討
```

心理的因子への介入・ケア・リハビリテーションなど

（日本緩和医療学会ガイドライン統括委員会編：がん患者の治療抵抗性の苦痛と鎮静に関する基本的な考え方の手引き　2023年版．p37，図1，金原出版，2023．より転載）

ネ，オキシコドン，フェンタニル，メサドンである
- 副作用として**便秘**，**嘔気・嘔吐**，**呼吸抑制**，**眠気**，**せん妄（混乱）**，まれに**排尿障害**，**口腔内乾燥**，**かゆみ**がみられる
- 副作用を軽減する目的や，与薬経路を変更する際にオピオイドを変更することを，**オピオイドローテーション**という
- 剤形は内服薬（錠剤・シロップ），坐薬，貼り薬，注射薬とあり，患者の状態や痛みの特徴，副作用の有無にあわせて使用することができる
- 鎮痛補助薬
  - **神経因性疼痛**などのオピオイド，非オピオイドが無効な特殊な痛みに対して併用される。副腎皮質ステロイド・抗けいれん薬・抗うつ薬などがある

3 看護ケア

- 観察ポイント：3)「アセスメント」（→p351）参照。
- 看護ケア
  - 日常生活の援助，痛みを増強させない生活の工夫（苦痛が強いときには排泄はポータブルトイレの使用や，歩行器の使用などについて検討する）
  - レスキュー薬使用後に適切なタイミングで効果を評価し速やかな症状コントロールにつなげる
  - 訴えを傾聴し，痛みに伴うつらさについて共感する
  - マッサージや加温，リラクセーションや気分転換など**非薬物療法による症状緩和**に努める
  - オピオイドの使用に対して，患者・家族は抵抗感や誤解を抱くことがある。患者・家族の想いを知り，オピオイドの効果や副作用について正しく理解できるように説明する

表8 便秘の原因

❶消化管異常	腸管内腔の狭窄・閉塞，腸管の外からの圧迫（腹水，腫瘍），腸管癒着，内臓神経叢の障害，宿便
❷薬剤性	オピオイド，抗コリン作動薬（向精神薬，抗うつ薬），利尿薬
❸電解質異常	高カルシウム血症，低カリウム血症
❹全身性	全身衰弱，活動性の低下（寝たきり状態）
❺食事性	食事や水分摂取の減少，繊維質の少ない食事
❻神経因性	脊髄神経圧迫
❼心因性	不適切な環境，抑うつ

（柏木哲夫・他監，淀川キリスト教病院ホスピス編：緩和ケアマニュアル 第5版．p103，最新医学社，2007．より）

4 オピオイドの副作用への対応

- 便秘
  - 最も頻度の高い副作用でありオピオイドの容量に関係なく生じる。
  - オピオイドによるものだけでなく，さまざまな原因を考慮する（表8）
  - 治療薬として，**マグネシウム製剤**や**ラクツロース**などの便を軟化させる**浸透圧性下剤**と，**センノシド**など蠕動を刺激する**刺激性下剤**を使用する
  - 消化管オピオイド受容体に結合して便秘を軽減するナルデメジントシル酸塩（スインプロイク®）も有効である
  - こまめな水分摂取や食物繊維の多い食事を促す
  - 可能な範囲での運動や，腹部や背部の**温罨法**や**マッサージ**を行う
- 嘔気・嘔吐
  - オピオイドによるものだけでなく，さまざまな原因を考慮する（表9）

表9 嘔気・嘔吐の原因

化学的な原因	
薬物	オピオイド，抗てんかん薬，抗うつ薬，ジゴキシン，がん薬物療法など
代謝物	高カルシウム血症，低ナトリウム血症，腎機能障害，肝機能障害，ケトアシドーシス
誘発物質	感染によるエンドトキシン，腫瘍からのサイトカイン
消化器系の原因	
消化管運動異常	腹水，肝腫大，腫瘍による圧迫，便秘・下痢，消化管閉塞，放射線治療
消化管刺激	薬物（NSAIDs，抗菌薬，ステロイド，鉄剤，アルコール），胃炎・胃潰瘍
内蔵刺激	がん性腹膜炎，肝被膜伸展，尿管拡張，後腹膜腫瘍など
中枢神経系の原因	
頭蓋内圧亢進	脳腫瘍，脳浮腫，脳出血
髄膜刺激	がん性髄膜炎，細菌性髄膜炎
前庭系	頭蓋底への転移，乗り物酔い，オピオイド
精神心理的な原因	
心理的な要因	不安，予期性嘔吐，恐怖，痛み

（森田達也・他監，西智弘・他編：緩和ケアレジデントマニュアル 第2版．p135，医学書院，2022．より）

- オピオイド使用開始時には**制吐薬**による対症療法が必要である。終日から1週間で軽減することが多い
- **誤嚥予防**：臥床状態の患者であれば，すぐに**側臥位**とし，腹部を緩める
- **環境整備**：吐物はすぐに片づけ，**換気**を行い汚れた寝衣を交換する。食事のにおいや，刺激的な香りの花を避ける
- **食事の工夫**：胃内の停滞時間の長い脂肪性のものはなるべく避ける。無理せず食べられるものを摂取するよう勧める
- **便秘の予防**
- 眠気
  - 与薬開始後や増量後に出現し，数日から1週間くらいで耐性を生じる眠気症状が改善する
- せん妄（混乱）
  - **オピオイド**はせん妄の直接因子となるため，その他さまざまな原因（表10）も考慮して慎重に対応する
  - **抗精神病薬（ハロペリドール・リスペリドン・クエチアピンフマル酸塩）**にて対応しながら，オピオイド以外の原因除去とオピオイドの減量・変更を考慮する
- 呼吸抑制
  - 通常，呼吸抑制が生じる前に**眠気**が出現するため，眠気が強い場合はオピオイドの与薬量やその他の原因の評価を行う
  - 呼吸状態の観察，気道確保
  - 高度のときは，**拮抗薬（ナロキソン塩酸塩）**の与薬を検討する

表10 せん妄の原因

❶脳腫瘍・脳血管障害	意識障害，認知機能障害
❷代謝性	電解質異常（特に高カルシウム血症），肝性脳症，尿毒症，血糖異常，脱水，ビタミンB₁不足
❸感染症	肺炎，尿路感染，褥瘡感染，敗血症
❹薬剤性	オピオイド性鎮痛薬，抗コリン作動薬など
❺外傷	硬膜下血腫
❻低酸素血症	心不全，呼吸不全など
❼全身の不快感	尿閉，便秘，痛み，かゆみなど

（柏木哲夫・他監，淀川キリスト教病院ホスピス編：緩和ケアマニュアル第5版．p198, 最新医学社，2007．を一部改変）

4. 倦怠感

1）倦怠感とは

がんに伴う倦怠感は「がんやがん治療に関係し，労作に比例せず日常生活を妨げるような**極度の疲労**」と定義されており，最も頻度の高い症状の1つで有病率はがん患者の78～96％と報告されている[9]。NMRDでは「疲労や衰弱やエネルギーの欠乏などの主観的な感覚」と定義され，COPD患者の68～80％にみられると報告されている[2]。倦怠感は心身への強い**ストレス**をもたらし患者のQOLを著しく損ねる。

2）倦怠感の原因

倦怠感には，**一次的倦怠感**と**二次的倦怠感**がある。一次的倦怠感は，腫瘍自体から放出される物質に影響を受けるが，メカニズムは十分に解明されていない。二次的倦怠感は，貧血や感染症，電解質異常（高カリウム血症・低ナトリウム血症など），脱水，薬剤（オピオイド，抗不安薬，抗うつ薬，睡眠薬，抗ヒスタミン薬），不安，抑うつ，睡眠障害，体力／筋力の低下などが原因によって生じる[9]。

3）倦怠感のアセスメント

倦怠感のアセスメントは，二次的倦怠感の要因も含めた患者の病態，治療内容，活動レベル，睡眠状況などにあわせ，質的なアセスメントと，スケールなどを用いた客観的なアセスメントを行い，総合的に評価していく。

1 質的なアセスメント

倦怠感も，痛みや呼吸困難と同様に**患者の主観的な症状**である。患者自身に，**倦怠感の有無や日常生活への影響**などを評価してもらう。

2 客観的アセスメント

倦怠感のアセスメントツールとして，いくつかのスケールが用いられている。簡便なものとしては，倦怠感の程度を1～10の10段階で評価する**NRS**（図8）や**日本語版簡易倦怠感調査票**（Brief Fatigue Inventory：BFI）などがある。これらを用いて継時的に評価する。

図8 Numerical Rating Scale（NRS）

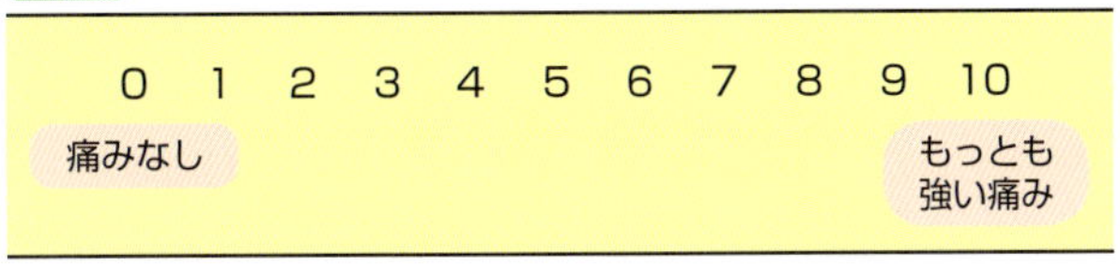

0	1	2	3	4	5	6	7	8	9	10
痛みなし										もっとも強い痛み

4）倦怠感の症状緩和法

1 薬物療法

倦怠感に対しては，全身状態が比較的良い患者において副腎皮質ステロイドの有効性が報告されている。2～4 mg程度のベタメタゾン（リンデロン®）より開始し，目標達成後に減量／中止する。副腎皮質ステロイドは不眠の原因となるため，夕方以降や24時間持続与薬は避ける。副作用の出現や予後を考慮して慎重に与薬する。

2 二次的倦怠感の要因に対する治療

痛み，貧血，感染症，脱水・電解質異常など二次的倦怠感の要因に対しての治療を行う。貧血であれば輸血，感染症に対しては抗菌薬や発熱がある場合には解熱薬を与薬することで倦怠感が緩和する可能性がある。脱水については補液が有用なこともあるが過剰な補液により浮腫や喘鳴，胸腹水による苦痛が生じることもあるため注意する。

これらの治療を行うか否かについては，全身状態，予後，経過などを含めて総合的に判断する。

3 看護ケア

- **環境の整備**：静かでゆったりと過ごせ，患者の好みにあわせ安楽な体位を工夫し快適な環境をつくる
- **日常生活の援助**：身の回りのことが最小限のエネルギーの消耗で行える物品配置とし，清潔の援助などを行う。口腔内を清潔に保つため，**口腔乾燥，口内炎，舌苔，口臭**の予防に努める。また，栄養価の高いものを摂取できるよう工夫する
- **適度な運動**：倦怠感の改善に有用なこともある[9]。患者の1日の体力の配分を考え，活動と休息のバランスを保つ
- **気分転換**：車いすでの散歩や，マッサージや足浴などによるリラクセーションを行う

IV 精神的苦痛に対するケア

呼吸器疾患患者は病気の進行に伴う**身体機能の低下**，呼吸困難による**生活の制限**，仕事を休まざるを得ないことや，それまでに参加してきた活動ができなくなることなどによる**社会的孤立**などから，**不安や抑うつ**などの精神的苦痛を抱える。**精神的苦痛**は患者のQOLを低下させ，症状の影響により**適切な意思決定**に支障をきたす。さらには，**希死念慮**へとつながることもあり，精神的苦痛を早期に発見し，緩和することは重要である。

1. 抑うつ

1）抑うつとは

抑うつとは「気分が落ち込んで何にもする気になれない」「憂鬱な気分」などの心の状態をいう。さまざまな精神症状や身体症状がみられる（図9）。高齢者の場合は認知症と間違われることや身体症状のみが強調され，抑うつが**見逃されて重症化**することもある。がん患者での発生頻度は20～40%[9]，COPD患者での発生頻度は37～71%[2]といわれている。

図9 抑うつの身体・精神症状

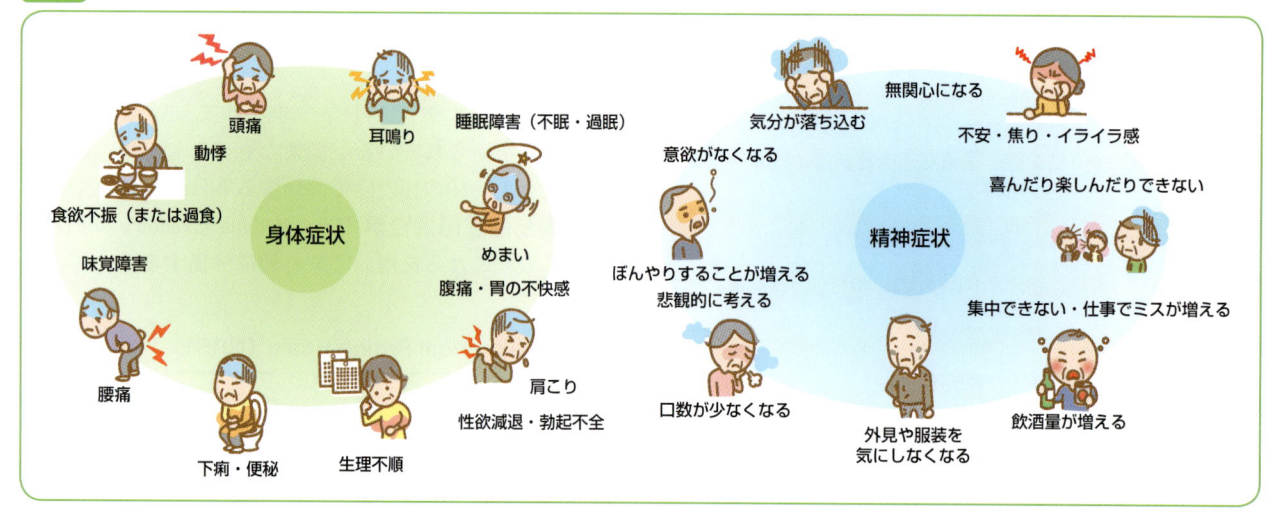

身体症状：頭痛，耳鳴り，睡眠障害（不眠・過眠），動悸，めまい，食欲不振（または過食），味覚障害，腹痛・胃の不快感，腰痛，下痢・便秘，生理不順，性欲減退・勃起不全，肩こり

精神症状：無関心になる，気分が落ち込む，不安・焦り・イライラ感，意欲がなくなる，喜んだり楽しんだりできない，ぼんやりすることが増える，悲観的に考える，集中できない・仕事でミスが増える，口数が少なくなる，外見や服装を気にしなくなる，飲酒量が増える

2）抑うつのリスクファクター

うつの危険因子として，❶患者または家族のうつ病の既往，❷過去の自殺企図，❸社会的支援の欠如，❹病状の進行，❺ストレスの高い出来事（最近の喪失体験など），❻アルコール，薬物の乱用，❼痛みなどの身体症状の緩和が不十分であること，❽うつを引き起こす可能性のある薬物の使用などが挙げられる。

3）抑うつのアセスメント

うつの簡便なスクリーニング尺度として PHQ-9（Patient Health Questionnaire-9）（表11）がある。「全くない」を0点～，「ほとんど毎日」を3点として合計点を算出する。0～9点を軽症，10～19点を中等症，20点以上を重症と評価し，中等症以上であれば，専門家に紹介する。**中等症以下であっても**，軽視するのではなく，眠れているか，食事はとれているか，など患者の様子を注意深く観察する。

4）抑うつの症状緩和法

初期対応の原則として，安易に抗不安薬や抗うつ薬を使用することは避ける。まずは，**痛みや呼吸困難**などの**身体症状の緩和**を図り，身体的な苦痛，精神的な負担や不安を取り除くようケアを行う。うつを引き起こす可能性のある薬剤（例：ステロイドやインターフェロン）を使用している場合は，中止を検討する。また，患者の話に耳を傾けて**受容，共感し**，安易な励ましを避けながら，病気に伴う**不安や苦悩**を和らげる。

1 薬物療法

薬物療法開始時は，**抗不安薬**である**アルプラゾラム**（例：ソラナックス®，コンスタン®）から始め，**1～2週間後**に効果が得られなければ，選択的セロトニン再取込み阻害薬（SSRI）である**フルボキサミンマレイン酸塩**や**パロキセチン塩酸塩水和物**（例：パキシル），セロトニン・ノルアドレナリン再取込み阻害薬（SNRI）であるミルナシプラン塩酸塩（**トレドミン®**）を使用する。

表11 こころとからだの質問票（上島・村松監，2009）

●この2週間，次のような問題にどのくらい頻繁（ひんぱん）に悩まされていますか？	全くない	数日	半分以上	ほとんど毎日
❶物事に対してほとんど興味がない，または楽しめない	□	□	□	□
❷気分が落ち込む，憂うつになる，または絶望的な気持ちになる	□	□	□	□
❸眠りが悪い，途中で目がさめる，または逆に眠り過ぎる	□	□	□	□
❹疲れた感じがする，または気力がない	□	□	□	□
❺あまり食欲がない，または食べ過ぎる	□	□	□	□
❻自分はダメな人間だ，人生の失敗者だと気に病む，または自分自身あるいは家族に申し訳がないと感じる	□	□	□	□
❼新聞を読む，またはテレビを見ることなどに集中することが難しい	□	□	□	□
❽他人が気づくくらいに動きや話し方が遅くなる，あるいはこれと反対に，そわそわしたり，落ちつかず，ふだんよりも動き回ることがある	□	□	□	□
❾死んだ方がましだ，あるいは自分を何らかの方法で傷つけようと思ったことがある	□	□	□	□

・上の❶から❾の問題によって，仕事をしたり，家事をしたり，他の人と仲良くやっていくことがどのくらい困難になっていますか？
　・全く困難でない　　　　・やや困難　　　　・困難　　　　・極端に困難

＊ PRIME-MD™ Patient Health Questionnaire 9（PHQ-9）の日本語訳版
＊ PHQ-9 Copyright©1999 Pfizer Inc 無断転載を禁じます。PRIME-MD™ および PRIME MD TODAY™ は，ファイザー社の商標です。（文献11より）

（村松公美子，上島国利：プライマリ・ケア診療とうつ病スクリーニング評価ツール―Patient Health Questionnaire-9　日本語版「こころとからだの質問票」について．診断と治療97（7）：1465-1473, 2009. より）

さらに効果が得られない場合に**三環系抗うつ薬**（例：トリプタノール®，トフラニール®），**四環系抗うつ薬**（例：テトラミド®）を使用する。使用時には，**口渇，便秘（三環系抗うつ薬），嘔気・嘔吐（SSRI）**などの副作用が生じるため，十分な説明と観察が必要である[7]。

患者が**高齢**であるときや，**肝機能障害，腎機能障害**などを有している場合，**長期与薬**となっている場合は薬物の蓄積性を考慮し，副作用の出現や依存の有無について注意する。

2 心理社会的介入

支持的精神療法とは，受容，傾聴，支持，肯定，保証，共感などを中心とした精神療法である。罹患に伴って生じた**役割変化，喪失感や不安感，抑うつ感**をはじめとした精神的苦痛を，支持的な医療者との関係・コミュニケーションを通して軽減することを目標とする。患者にとって，今現在問題となっていることへの**焦点化（here and now）**が重要となる。

その他，患者のニードや状況に合わせて，**心理教育的介入，問題解決技法，集団精神療法，行動療法（漸進的筋弛緩法など）**などを組み合わせる[10]。

3 看護ケア

緩和可能な身体症状がないか，評価を繰り返す。日々の日常生活が送れるだけの身体エネルギーが維持されるように**睡眠と栄養の確保**に努める。うつ症状によって，一時的にセルフケアが低下している患者に対しては，必要なサポートの提供を検討し，患者の**休息を促す**。

また，**希死念慮や自殺企図**のある患者に対しては，この問題を避けるのではなく，話し合う姿勢を示し，患者に共感的にかかわりながら，1つひとつ，気がかりなことを一緒に整理する。同時に精神科医などの専門家に相談する。

2. その他の症状：不眠・不安

呼吸不全や呼吸困難およびこれらに伴う不安，窒息の恐怖は，**不眠**を増強させる。不眠も主観的感覚であり，まずは訴えをしっかりと受け止める。

1 原因の除去と対応策

呼吸困難や窒息に対する**恐怖**については，血液ガス分析等のデータから状況を正しくアセスメントし，**酸素投与，体位の工夫，排痰，呼吸法，送風**などの対応を行う。また，加湿器を用いるなど温度や湿度，騒音など環境の調整を行う。

窒息に対する**不安が強い**場合には，患者が**安心感**を得られるよう看護師や家族が**声かけやタッチング**を行う。また，心電図や呼吸モニターなどの装着も検討する。

足浴や手浴などを行いながら，患者のそばに寄り添い，しっかりと話を聴く。

呼吸機能が低下している場合に，睡眠導入薬や鎮静薬を安易に使用することは，呼吸抑制を引き起こし，血中二酸化炭素濃度が上昇し，CO_2ナルコーシスを引き起こすことがあるので危険である。**非薬物療法**を試みたうえで，患者の苦痛が強い場合には，呼吸状態を注意深く観察しながら与薬する。

V 社会的苦痛に対するケア

患者は，もともとは社会のなかでいくつもの**役割**をもちながら生活している。病気になることで，生活や社会との関係に変化が起こり，仕事上の問題や経済的問題，家庭内の問題などが生じ，それが**社会的苦痛**となる。

社会的苦痛のケアは，まず，患者や家族とのコミュニケーションから「問題となっていることは何か」を見極める。「どのような状況のなかでその問題が生じているのか」「患者や家族の対処能力はあるか」などを社会福祉士等も含めた**医療チーム**全体で情報共有し，支援の方向性を確認する。個々の状況に合わせて，**就労支援**や両立支援などの**社会資源**を活用した**経済的支援**，**家族の役割調整**などの具体的支援を行う。

VI スピリチュアルペインに対するケア

スピリチュアルペインは，人間にもともと備わっている**スピリチュアリティ**という資質が脅かされたときに生じる。スピリチュアリティは**人生の目的，苦難の意味，死後のいのち，罪の意識からの解放**などを指す[9]。

がんやNMRDの進行に伴って，呼吸困難や倦怠感などさまざまな症状が出現し，死を意識するとき，これまでもっていた生きる意味，目的，価値感が**喪失**などして**苦悩（虚無感，無力感，疎外感，孤独感，喪失感，不安，恐怖，怒り，いらだちなど**[12]）が生じる。苦悩や苦痛を**スピリチュアルペイン**という。スピリチュアルペ

インを抱えた患者は，何に苦悩しているのか，なにがゴールとなるのか，患者自身も不明確であることが多い。

スピリチュアルケアでは，そのような**患者の考えや感情を否定したり変えようとはしないで**，患者の感情・願望・意志を尊重して，患者自身の心の世界（スピリチュアリティ）に寄り添う。**自分の人生を受け入れられない患者自身をあるがままに受け入れ，傾聴し，共感しながら**，患者自身が自分のスピリチュアリティに気づくように援助する。患者の心の不安・恐怖などが受け入れられると，患者自身が自分の不安や恐怖と向き合うようになり，現実を正しく見ることができるようになる。新たな生き方の道を見出して，残りの人生を人間らしく，自分らしく生きることができるよう支援する[11]。

「心配なことやつらいことがありますか」「つらいと思っていることはどんなことですか」などと問うことでスピリチュアルペインについてアセスメントし，あきらかになったケアのニーズを**医療チーム**全体で共有・検討する。スピリチュアルペインの緩和は容易ではないが，日常のケアを注意深く丁寧に行うことで患者との信頼関係を構築する。そしてケアのなかで患者が語る言葉や行動を通して，その患者のよりどころとなっていることなどを把握する。

VII 臨死期のケア

臨死期とは**予後1カ月（週単位）から亡くなるまでの時期**である。刻々と変化する患者の状態やニーズに迅速かつ適切に対応するため，医療チームで情報を共有し，さまざまな苦痛が生じたり，増悪した際の対応方法を確認する。また，**最期をどこで迎えたいかという希望**や，**不必要な検査や治療の中止**について患者本人はもちろんのこと，家族にも十分な説明を行ったうえで確認することも重要である。そして，**心身両面の苦痛緩和**に努め，患者と家族が希望する場で，できる限り**安楽に過ごせるようにケアを行う**。

1. 鎮静（セデーション）

1）治療抵抗性の耐え難い苦痛と鎮静

臨死期において，患者の**呼吸困難感**や**全身倦怠感**などは緩和困難な状態となる。耐えがたい苦痛を緩和するための手段として**鎮静（セデーション）**が行われることもある。これは，がん患者だけでなくNMRD患者にも適応される。苦痛に対する鎮静の基本的な考え方は，日本緩和医療学会の「がん患者の治療抵抗性の苦痛と鎮静に関する基本的な考え方の手引き2023年度版」を参照に行われる。

2）鎮静時のケア

■ 観察ポイント
- 息苦しさ，倦怠感，痛みなどの程度や表情，呼吸様式
- 意識レベル（鎮静の程度の評価）
- 鎮静による有害事象（精神症状，呼吸抑制，舌根沈下，誤嚥，循環抑制など）
- 患者や家族の希望の変化

■ 看護ケア
- 鎮静により意識レベルが低下し，コミュニケーションが困難となることを本人と家族へ説明する。鎮静の開始前に家族で話しておきたいことなどがあれば伝え合うよう促す
- 過鎮静または患者が苦痛を生じないよう適切に薬剤の管理を行う
- 家族に対して，患者本人や家族間での思い出などについて語り，家族ができること（そばにいる，声をかける，身体をさするなど）を伝え，可能であれば実施するよう促す。鎮静下でも，患者が好きだった音楽や映画など，家族が患者を囲んで過ごせるよう環境に配慮する。鎮静を選択したことに対する後悔を抱く家族も多いため，鎮静によって患者が楽に過ごせていることを伝え，支持する

［二井谷真由美］

［引用文献］
1) 大坂巌・他：わが国におけるWHO緩和ケア定義の定訳―デルファイ法を用いた緩和ケア関連18団体による共同作成．Palliat Care Res 14(2)：61-66，2019．
2) 日本呼吸器学会・日本呼吸ケア・リハビリテーション学会合同非がん性呼吸器疾患緩和ケア指針2021作成委員会編：非がん性呼吸器疾患緩和ケア指針　2021．https://www.jrs.or.jp/publication/file/np2021.pdf（2025年4月18日閲覧）
3) 三浦久幸・他：在宅診療における非がん性呼吸器疾患・呼吸器症状

の緩和ケア指針．2022．https://www.ncgg.go.jp/hospital/overview/organization/zaitaku/news/documents/higann.pdf（2025年4月18日閲覧）
4) 桜井厚：ライフストーリー論．p6，弘文堂，2012．
5) IASM研究班：がん患者の症状マネジメント，症状マネジメントの統合的アプローチ（The Integrated Approach to Symptom Management: IASM）．http://sm-support.net/index.html（2025年4月18日閲覧）
6) 日本緩和医療学会緩和医療ガイドライン委員会編：がん患者の呼吸器症状の緩和に関するガイドライン 2016年版．p50，金原出版，2016．
7) 柏木哲夫・他監，淀川キリスト教病院ホスピス編：緩和ケアマニュアル 第5版．p39, 103, 198，最新医学社，2007．
8) 日本緩和医療学会ガイドライン統括委員会編：がん患者の治療抵抗性の苦痛と鎮静に関する基本的な考え方の手引き 2023年版．p14，金原出版，2023．
9) 森田達也・他監，西智弘・他編：緩和ケアレジデントマニュアル 第2版．p252，医学書院，2022．
10) 内富庸介・他編：精神腫瘍学．pp117-129，医学書院，2011．
11) 窪寺俊之：スピリチュアルケア学概説．p59, pp66-70，三輪書店，2008．

[参考文献]
● 小松浩子・他著：系統看護学講座・別巻 がん看護学．医学書院，2022．
● 宮下光令編：ナーシング・グラフィカ 成人看護学(6)緩和ケア．メディカ出版，2022．

Column 呼吸器疾患患者へのアドバンス・ケア・プランニング（ACP）

1. アドバンス・ケア・プランニング（ACP）とは

1 ACPの概念

　ACPとは，患者自身が自分の価値観を認識し，今後の人生についてどう生きたいかを，患者が主体となって，その家族や近しい人，医療・福祉・ケアの担い手と共に考えるプロセスのことと定義されている[1]。

　超高齢多死社会を迎える日本において，その人らしく最期を迎えられるために，医療・介護従事者がどのように支援すべきか，という課題に対応するため，厚生労働省は2007年に「終末期医療の決定プロセスに関するガイドライン」を公表し，2018年には，ACPの概念が盛り込まれた「人生の最終段階における医療・ケアの決定プロセスに関するガイドライン」に改訂された。

　ガイドラインでは，本人の意思が確認できる場合，重篤な疾患や慢性疾患において，医療従事者からの適切な情報の提供と説明に基づいて，**本人が最終段階における医療の開始や不開始，内容の変更，中止等について決定する**ことを基本としている。そして，本人が自身の望む医療やケアについて前もって考え，家族等の信頼できる人や医療関係者，介護職などと話し合いを共有し，**意思決定**を行っていく必要がある。時間の経過による本人の意思の変化や身体状態の変化，医学的評価の**変化**などに応じて，**医療従事者はその都度説明し，患者の意思の再確認を行い，本人の価値観や目標，希望，嗜好を実際に受ける医療に反映させることができるよう，医療およびケアを提供する。

2 推定意思の決定

　急を要する場合や認知機能の低下，意識レベルが低下した状況など**本人の意思が確認できない場合**は，**家族**等が患者の意思を推定し，**推定意思を尊重**して本人への最善の治療方針が決定される。しかし家族等に迷惑をかけたくない，「空気を読む」という日本の文化的背景から，家族などが事前に本人や医療従事者と，本人の指示の内容や希望，それらを決定した背景を十分に話し合っていない場合は**本人ならこう考える**といった意思を推定することができない。そのため家族は現場で起こる問題に細かく対応できず，結果，患者の望まない治療を受けることとなってしまう現状がある。推定できない状況での治療方針の選択は，家族等の精神的負担となるだけでなく，本人が亡くなったあとも「選択が間違っていたのでは？」と後悔し苦しむことになる。

3 人生会議

　健康な時期から自分の生き方や希望について考え，大切にしていることや決断の理由を家族や代理人と話し合うことを推進していくため，厚生労働省はACPを「**人生会議**」とネーミングし，国民に対し普及啓発を行っている。ACPに関連する用語には，**表1**のものがあるため，用語を混同しないように注意する。

　アドバンス・ディレクティブ（Advance Directive：AD）や**リビングウィル**（表1）の作成に至るまでの

表1　ACPに関連する用語とその内容

関連用語	内容
エンド・オブ・ライフケア（End of life care）	年齢や病気にかかわらず，その人らしく最期まで，最善の生活を送れるよう医療，看護，介護，ケアなどを行うこと。
アドバンス・ディレクティブ（AD）	将来自らが判断能力を失った際に，自分に行われる医療に関する全体的な方針や意向を前もって意思表示しておくこと。また，判断能力がない場合の代理意思決定者を表明すること。
リビングウィル（Living Will）	判断能力を失った場合に備え，具体的な延命医療やケアに関する意思をあらかじめ書面で表明しておくこと。

図1　ACPの構成と内容

- その人らしい生活・最期の過ごし方
- 治療・ケアの選択（人工呼吸器装着，胃ろう，透析，心臓マッサージ，最期の生活や看取り）
- 病気や障害と向き合い，どう生活していくか，家族等や医療・ケア提供者と話し合う
- 健康や病気，大切なこと，生き方，価値観，人生観，希望について周囲の人と考える

間で，本人が何を大切にして何を望んでいるかを本人や家族等と医療・ケアチームが十分に話し合い**本人の価値観や人生観を知ること**が，意思決定において重要なプロセスとなる（図1）。

2. ACPをすすめる上でのポイント

ACPを行う上で重要なポイントを以下に示す。

❶ **意思決定能力が低下する前に行う**

健康なときに自分の死を考えることは困難である。しかし，事故や脳血管障害など，突然自分の意思が伝わらなくなる状況に置かれる場合もあることをふまえ，自分の価値観や死生観等を身近な人たちと話し合うことは大切である。また「もしも」のときのために，代理意思決定者を選定しておく。

❷ **患者と家族・医療者が共に話し合い，患者の価値観や死生観，希望などを共有する**

話し合う上で，正確な医療情報は不可欠である。病気の種類，進行に伴い医療情報も変化する。医療者はそのつど，倫理面にも考慮しながら，さまざまな選択肢を丁寧にかつわかりやすく提供する。

❸ **何度でも繰り返し話し合う**

本人の意思や治療の選択は，病状の変化，年齢，役割などで変化する。何度でも話し合い，**方針や選択を変更してもよいこと**を伝える。

正確な医療情報をもとに，大切な人たちと何度も話し合うことで，本人が自分の思いや価値観を再確認し，「自分がどのように生きたいのか」を考え，医療やケアを選択できるようになる。

3. 呼吸器疾患患者のACPと看護師の役割

肺がん患者は，がんの進行によって**急激に身体機能が悪化して死に至る**。一方，呼吸不全を呈する**慢性呼吸器疾患の場合は，増悪することで一時的に身体の機能が低下するが，治療により回復する。この増悪と回復を何度も繰り返し，時間経過とともに緩やかに身体機能が低下して死に至る**ことが特徴である（図2）。

呼吸器疾患では，SpO_2値やADLに関係なく息苦しさが生じ，動けなくなったり，食べられなくなったりして体力も低下する。そのため，本人が希望することについて話したいと思っても，話し続ける体力が低下し息苦しさも増すため，相手が十分に理解

図2 疾患別予後予測モデル

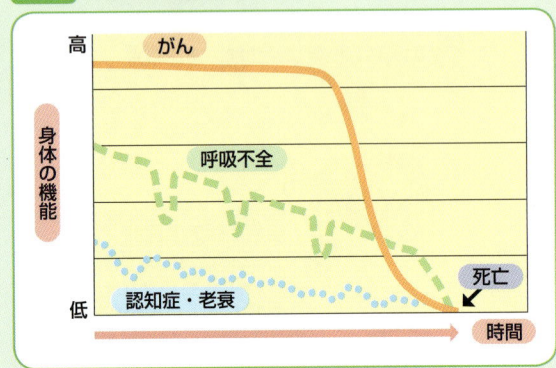

できるまでしっかりと話すことが困難となり，伝えることをあきらめてしまう。ACP開始の時期は元気なときに行うことが望ましいが，疾患の診断を受けたときや増悪での入退院時，身近な人の逝去などのタイミングで，話ができるうちに導入する。

1 腫瘍性肺疾患（肺がん，胸膜中皮腫など）

「がん」と診断された患者の多くは，死の恐怖を感じながら治療に向き合っている。告知されたその日から，今後の治療方法や死ぬまでにしておきたいこと，最期の場所に関して考えられる患者もいるが，がんであることを受け止められず，混乱する患者もいる。「死」を強く意識したなかでACPが行われるのが，がん患者の特徴である。また，**患者の家族も戸惑い，混乱し悲嘆に暮れることも多い**。

看護師は死の恐怖を感じている患者や家族に寄り添い，診断されたときから，がんの進行時，身体状態が悪化したときなど適切な時期を逃さず，必要な情報提供，お互いの思いを表出する場を設定する必要がある。

がん患者の終末期は比較的明確で短期間である。それまで死を受け入れらなかった人，ぎりぎりまで治療を選択してきた人も，残された時間をどう生きるか，家族とともに一緒に考え，本人・家族が決めた意思を尊重するケアを提供することが大切である。

2 慢性呼吸器疾患（COPD，間質性肺炎など）

非がんの呼吸器疾患は慢性呼吸不全を呈し，長期にわたって呼吸困難，疲労感，痰の増加などの**苦痛を感じながら療養生活を送っている**。徐々に病状が進行していくため，**いつから終末期であるかが不明なことが多く，予後予測も困難である**。増悪を起こし緊急搬送された場合，救急医から延命処置に対する選択を迫られるが，日ごろから非侵襲的陽圧換気（NPPV）を使用している患者が，延命のための人工呼吸器（IPPV）を着けるか着けないかと問われても，その違いを理解することが難しく，本人が意思決定できないまま挿管されてしまうケースも少なくない。

看護師は，入院や退院，介護が必要となったときなどのタイミングで，「息苦しさがあり行動に制限があるなかでどのような生活を送りたいか」「呼吸困難が強くなったとき，NPPVを選択するか」「増悪を起こし自力で呼吸することが困難になったとき，IPPVを装着するか」など治療によるメリット，デメリットを具体的に説明し本人や家族の思いや考えを聞き，本人と家族が話し合って結論が導き出せるようなかかわりを行う。表面的な言葉ではなく，発言の背景にある本人や家族の想いにも注意する。療養生活は長期間におよぶため，その間に本人も家族も意思はさまざまに揺れ動き，意見の相違が生まれるが，そのたびに本人と家族が十分に話し合えるよう調整する。

終末期には「どこで過ごしたいか」「鎮静薬を使用するか」などの話も家族を交え話し合うが，その場合も患者の価値観や，長年介護している家族の思いなど，看護師が代弁者となって支援することも必要である。

4. 事例「長引く療養生活の中で，本人の意向を最優先しながら，揺れ動く家族を支えた事例」

1 訪問看護開始時点での現病歴

Aさん，70歳代，女性。
[主な疾患] COPD
[家族構成] 夫（70歳代），長女，次女（ともに30歳代，会社員）の4人暮らし（娘2人は未婚）（図3）

図3 家族構成

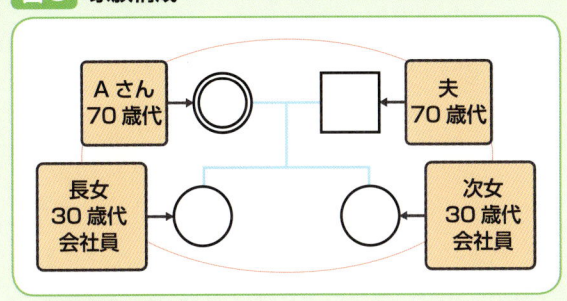

[在宅療養支援メンバー] 在宅医，介護支援専門員（ケアマネジャー），訪問看護師，理学療法士
[現病歴] 60歳代のとき長引く風邪のため受診したところCOPDと診断され，薬物療法を開始した。その後3年間で急性増悪のため3回入院した。3回目の入院で**酸素療法**が開始となり介護保険を申請，**要支援2**と認定され，退院と同時に**在宅酸素療法（HOT）管理，急性増悪の予防を目的に訪問看護**が開始となった。
[退院時の状態] COPD Ⅲ期。労作時の息切れが強く，日中はベッドで寝て過ごすこと多いが，ADLは時間を要するもののほぼ自立している。「家に帰ったら，自分のことは自分でしたい」とリハビリテーションに積極的に取り組んだ。
[退院時の介護状況] 日中は夫が見守り，家事は娘2人が分担して行っている。介護が必要になれば，自分たちで行いたいと思っている。

2 意思決定が重要だった場面

① 訪問看護開始時（退院時）（永眠の6年前）

Aさん，家族，ケアマネジャー，訪問看護師と今後の意向を確認した。
[本人・家族の意向]
《Aさん》ずっと家にいたい。入院はしたくない。入院すると病気は治っても体調は悪くなる。家のほうがゆっくりでも自分で動ける。デイサービスは嫌い。ヘルパーもいらん。看護師が来て体調をみてくれたら安心や。
《夫》本人の好きなようにさせてあげたいが，病気が悪くなったら入院して治療してほしい。一日も長く生きてほしい。
《娘たち》母親が望むことを叶えてあげたい。母親の性格から，デイサービスは無理だと思う。自分たちでできる限りのことはしてあげたい。
[支援内容] 本人の「入院はしたくない」という意向を家族が受け入れたため，主治医を病院から在宅医に変更，訪問看護・訪問リハビリテーションで体調管理と呼吸リハビリテーションを導入した。
[支援結果] 本人は呼吸リハビリテーションに前向きに取り組み，3年間急性増悪はみられず，ADLはほぼ維持できた。

② 急性増悪による3カ月の入院（永眠の3年前）

退院時に再び意向を確認した。
[状態] 訪問看護を開始して3年後に肺炎を発症した。在宅医が往診での治療は限界があるため，入院を強く勧め，夫，娘たちも「肺炎を治すため」と本人を説得し，「短期間なら」とAさんも渋々同意し入院となった。点滴治療で肺炎は治癒したが，強い食欲不振，ADLの低下を理由に退院許可が下りず，3カ月後に退院したときは，**ADLはほぼ全介助，固形物の経口摂取ができなくなっていた**。
[支援内容] Aさんより「今後はどんなに悪くなっても二度と入院はしない。家で死にたい」と強い意思を表明し，家族も同意した。入院前に比べ介助量が増えたため，ヘルパーの導入などサービスの変更を提案したが，家族からは「もう少し家族だけでがんばりたい」と言われ，**訪問看護の回数のみ増やした**。
[支援結果] 入院前と退院後の変化に家族がショックを受けたため，今後は在宅見取りを見据え，入院はしないことを在宅医も了承，通院加療から**訪問診療に変更**した。家族の介護負担が増えるため，**ショートステイやレスパイト入院**などの利用の情報を提供した。娘からは「困ったときは何らかの方法があるとわかって安心した」と**家族の精神的負担は軽減**できたようであった。

③ 負担増強時の介護方法の検討（永眠の1年前）

夫の介護疲れがピークになったときに，介護方法を再検討した。
[状態] 前回の退院から2年後，**夫が腰痛と不眠に**

よる倦怠感を訴えた。家族は，本人がショートステイやヘルパーの利用を嫌がっているのを知っているため，**サービスには頼らず家族だけで頑張ろうとしていた**。

[支援内容]　訪問看護師は，家族の頑張りや想いを承認した上で，自分たちの体調や仕事も大切にしてほしいと伝える。しかし介護方法はAさんのこだわりも強く（食事は時間を決めず，冷えた好みの栄養補助食品を少しずつ回数を分けて摂取する，排便は全介助でポータブルトイレに移乗するなど），介護施設では対応が困難と判断し，呼吸困難に対応できる**レスパイト入院**を提案した。入院先の看護師には息切れによる苦痛や本人のこだわり，想いを細かく書いた看護サマリーを書面および口頭で伝達した。

[支援結果]　Aさんは今の介護内容をできる限り病院で引き継いでもらえることがわかり，**1週間のレスパイト入院**に同意した。入院中は大きなトラブルもなく，夫もリフレッシュでき，娘二人も改めて家事・介護の分担を話し合うことができた。毎日訪問している看護師が助言することで，家族が頑張りすぎていたことに気づける機会となった。

❹ **最期が近づいてきたとき**（永眠の2カ月前）
　本人・家族が納得できる医療を選択した。

[状況]　**経口摂取がほとんどできず，ほぼ眠っている状態**となった。SpO_2の低下は著明だったが，息苦しさは強くなく，「このまま家で看取りたい」と娘たちも仕事を調整し介護にあたった。何も食べられなくなったとき，家族が点滴（補液）を希望された。**在宅医より看取り，およびこの時期に点滴することの利点，欠点**が説明され，その調整は**訪問看護師**に任された。

[支援内容]　家族の「最期が近いのはわかっている。でもこのまま何もしないで見ているだけはつらい」という気持ちを汲み取り，Aさんに説明すると「一度点滴をしてみる」と同意した。**点滴**を施行したところ，強度の**脱水**が緩和され，本人も「ちょっと楽になった」と話した。その後は本人の状況をみながら2～3回/週点滴を行った。**最低限の補液**だったため，痰の増加もなく呼吸困難も増強することはなかった。

[支援結果]　Aさんから「点滴をしてもらうと安心する」という言葉が聞かれた。それを聞いて家族も安心し，緩やかに息を引き取るそのときまで，落ち着いて看取ることができた。**訪問看護師と一緒にエンゼルケアを行った娘たちは，**痩せ細った母親の身体を拭きながら「持っているエネルギー全部使い果たしたんやね。嫌なことは嫌と言えて，自分の思い通りに生きたと思う。私たちもやれることは全部やれた。後悔はない」と話した。

❸ 考察：看護師に求められること

　慢性呼吸不全患者の療養生活は長い経過をたどり，いつからが終末期になるのか判断は難しい。今回の事例では，訪問看護介入時より，「入院はしたくない。最期まで家で過ごしたい」という本人の意思が強かったが，肺炎など病状の変化や在宅療養を支える介助者の状況に合わせ，何度も意思決定の確認の必要があった。

　そのたびに，看護師は本人の意向を大切にしながらも，家族の負担を客観的に評価し，看護師が病態に合わせて本人・家族の気持ちを代弁しつつ，自宅での療養生活が継続できるように適切な情報を提供し，調整することができた。本人と家族がともに納得ができる最期を迎えることができるよう，全員で繰り返し話し合って決定するための支援をする。

［長田敏子］

[文献]
1) 大阪府看護協会：看護職のためのACP支援マニュアル．p5．メディカ出版，2020．
2) 厚生労働省：人生の最終段階における医療・ケアの決定プロセスに関するガイドライン改訂．2018．
3) 厚生労働省 人生の最終段階における医療の普及・啓発の在り方に関する検討会：人生の最終段階における医療・ケアの決定プロセスに関するガイドライン 解説編 改訂．2018．
4) 角田ますみ編：患者・家族に寄り添うアドバンス・ケア・プランニング―医療・介護・福祉・地域みんなで支える意思決定のための実践ガイド．メヂカルフレンド社，2019．
5) 津田徹，平原佐斗司編：非がん性呼吸器疾患の緩和ケア―全ての人にエンドオブライフケアの光を！　南山堂，2017．

索引

数字

%VC 98
%肺活量 98
1回換気量 96, 132, 170
1秒率 98, 104
1秒量 96, 97, 104
%1秒量 104
5R 333
5点聴診側 178
5類感染症 62
6MWT 105, 209
6分間歩行試験 105, 209
Ⅰ型呼吸不全 136, 188, 189
Ⅲ期非小細胞肺がん 280
Ⅳ期非小細胞肺がん 281

欧文・ギリシア文字

A-aDO₂ 187
A-DROPスコア 71
A型インフルエンザウイルス 59
5Aアプローチ 333
ABCアプローチ 107
ABPA 120
ACBT 121, 327
ACO 242
ACP 123, 228, 302, 347, 362
ACT 121
ACTH 274
ACTs 121
ACU 280
ACV 131
AD 362
ADL 108, 336
ADLトレーニング 329
ADR 258
AHI 196, 199
AIP 222
air trapping 103
APRV 174
ARDS 164, 166
ASV 130
BAE 47, 122
BAL 28, 46, 224, 261
BALF 28, 261
BCGワクチン 92
BSC 281
BURP法 177
CA-19 224
CA125 272
CAP 68
CBDCA＋PEM療法 300
CBDCA＋PTX療法 280
CDDP 281
――＋DTX療法 280
――＋PEM 300
――＋VNR療法レジメン 293
CE療法 282
CEA 224, 272
CF試験 58
CHDF 162, 172
CO₂ナルコーシス 113, 188, 227, 237
CO₂モニター 178
COACH 182
COP 222
COPD 100, 102
――-PS 103
――集団スクリーニング質問票 103
――日誌 336
――の予防的緩和ケア 346
Cormack分類 178
COVID-19 62
――ワクチン 107
CPAP 130, 199
CPET 313
CPFE 252
crackles 69
CSAS 196
CTCAE 286
CTD 206
――-ILD 206
CYFRA21-1 272
DAB 80
De-escalation単剤治療 73
DIC 169
DILD 262
DIP 222
DLco 105
DOT 91, 94
DOTS 91
――推進地域ネットワーク 95
DPI 120
DTX 281
DVT 315
EB 92
ECMO 172
ECOG Performance Status 278
ECUM 162
ED 275, 281
EEP 96
EIH 330
EIP 96, 132
EMG 198
ERV 96
Escalation治療 73
ESS日本語版 199
ETP 282
FDG-PET 271
FEV1% 98, 104
FEV1 96, 104
%FEV1 103, 104
FEV₁.₀ 97
FVC 96, 97, 104
F$_I$O₂ 111, 132
FITT 330
FRC 96
FVC 96, 97, 104
Geckler分類 21
Goddardの方法 105
HAP 69
HFCWO 121
HFNC 136
HFNCOT 136
HI試験 58
HMV 130, 134
Hoover徴候 105
HOT 107, 192, 216, 228, 338, 340
HP 248
HRCT 120
I-ROADスコア 72
IABP 162
IADL 108
IASM 349
IC 96
ICS 106, 234
ICU-acquired weakness 175
ICU-AW 175
IGRA 90
Ⅱ型呼吸不全 188, 189
IIPs 206, 218, 220
――の重症度分類判定表 223
ILD 206, 258
iLIP 222
INH 92
iNSIP 221
IPF 221
iPPFE 222
IPPV 108, 130
IRV 96
IVIG 212
JAK阻害薬 212
Johnson分類 237
KL-6 224, 250, 260
LABA 106, 121, 234
LAMA 106, 121, 235
LCQ 17
LD 275, 281
LTBI 90, 95
LTOT 107, 122, 192
LTRA 235
McGRATHTM MAC 179
MCTD 207, 208
MDD 222
MDRPI 137
MDRPU 113
MEP 96
Miller＆Jonesの分類 21
MIP 96
mMRC息切れスケール 35
MSAS 196
N95マスク 93
NHCAP 69
NMRD 346
NPPV 107, 130, 133
NRS 357
NSAIDs 353
NSCLC 275
NSE 272
NST 316
Numerical Rating Scale 357
OA 200
OAG 182
OCST 199
ODI 196
OHAT 182
OP 222
OSA 196
OSAS 196
PaO₂ 112, 187
PC-QOL 17
PCA 316
PCI 281, 283
PCR法 90
PCV 131, 170
PDT 279
PE療法 282
PEEP 132
PEF 97, 240
PEM 281
PEP 121
PHQ-9 359
PI療法 281, 283
PM/DM 207
pMDI 120
ProGRP 272
PRVC 131
PS 132, 276
PSG 198
PSV 131
PTE 315
PTX 280
PZA 92
QFT 90
qSOFAスコア 71
RA 207
RASS 172
RB-ILD 222
RDI 196

367

RERA 196
RFP 92
RILD 263
ROAG 182
RP 263, 264
RSウイルス 54
RV 96
SABA 106, 107, 234
SAMA 106, 107
SaO₂ 112
SARS-CoV-2 62
SAS 196
SAT 171
SBT 171
SCC抗原 272
SCLC 275
SDB 196
SIADH 275
signet ring sign 120
SIMV 131
SIRS 166
SLE 207, 208
SLX抗原 272
SM 92
SMART療法 234
SOFAスコア 71
SP-A 224, 260
SP-D 224, 250, 260
Split PE療法 283
SpO₂ 74, 112
Sq NSCLC 275
SRBD 196
SS 207, 208
SSc 207
SSI 319
SWT 105
T細胞 270
TスポットTB検査 90
Tリンパ球 270
taparingの消失 120
TBLB 28, 224
TLC 96
TNM分類 275, 277, 297
TPPV 107, 130
TV 132, 170
UICC-TNM分類 297
UPPP 201
VA-ECMO 162
VALI 133, 169
VAP 69, 80, 169, 180
　──予防 174
VATS 142, 310
VC 96
VCV 131
veno-venous（VV）
　ECMO 172
VitaloJaK 17
VT 96, 132
VTE 315, 320
weaning 171
Wheezeの重症度分類 237

β₂刺激薬 234, 334

あ行

亜急性小脳変性症 274
悪循環のらせん 325
アクションプラン 109, 336
アクティブサイクル呼吸法 328
アザチオプリン 211
アスベスト 270, 296, 299, 304
アセタゾラミド 202
アセトアミノフェン 353
圧規定換気 170
アドバンス・ディレクティブ 362
アドバンス・ケア・プランニング 123, 362
アトピー型 232
アピアランスケア 291
アプレピタント 293
アポトーシス 270
粗い断続性副雑音 69
アリムタ 301
アレルギー性気管支肺アスペルギルス症 120
アレルゲン特異的IgE抗体 234
安静 142
　──吸気位 96
　──呼気位 96
安定期COPDの重症度に応じた管理とガイドライン 106
安楽な体位 227, 238
易感染状態 215
息切れ 104, 192, 216
医原性気胸 140
医原性肺障害 256, 258
意思決定 362
　──支援 347
異常音 9
異常呼吸音 9, 76
異所性 275
　──副腎皮質刺激ホルモン症候群 274
石綿 270, 296, 299, 304
　──健康被害救済制度 302, 304
イソニアジド 92
痛み 355
　──の評価シート 354
　──の病態による分類 353
遺伝子変異 273
イナビル 58, 60
いびき 196, 198
衣服の着脱 337
イリノテカン 290
医療・介護関連肺炎 66, 68
医療関連機器褥瘡 113, 137
陰圧吸引閉鎖療法 150
飲酒の制限 203

インスリン 318
インターフェイス 135
インターフェロンγ遊離試験 90
咽頭 1
　──浮腫 133
院内肺炎 66, 68
インフュージョン・リアクション 289
インフルエンザ 52, 54, 56
　──ウイルス 57
　──脳症 57
　──ワクチン 107
ウィーズ 77
ウィーニング 130, 133
ウィルヒョウの3徴 315
植込み型舌下神経電気刺激療法 202
右心不全 122
うつ傾向 339
運動負荷試験 105
運動プログラム 109
運動誘発性低酸素血症 330
運動療法 109, 192, 326
　──の中止基準 330
エアウェイスコープ 179
エアリーク 156
栄養・食事療法 336
栄養管理 109, 192
栄養サポートチーム 316
栄養障害 104, 337
栄養補給療法 336
液化酸素装置 341
液面形成 120
エタンブトール塩酸塩 92
エトポシド 282
エプワース眠気尺度 198
エルロチニブ 291
遠隔転移 274
嚥下機能評価 82
嚥下時 2
嚥下体操 84
塩酸モルヒネ 225
エンゼルケア 366
エンド・オブ・ライフケア 363
円筒状 120
エンドトキシン吸着療法 172, 213
エンパワー 347
エンピリック療法 72, 82, 121
横隔膜 5, 9
　──（腹式）呼吸 326
嘔気・嘔吐の原因 356
黄色痰 20
黄色膿性痰 89
嘔吐 356
オーバーテーブル 237
悪寒戦慄 59, 75
オキシアーム 114
オキシコドン 350
オキシマイザー 228

汚染物回収ケア 181
オトガイ舌筋筋電図 198
オピオイド 121, 302, 350, 353
　──経口剤の使用方法 351
　──の副作用 356
　──ローテーション 356
オミクロン 62
温室栽培者肺 248

か行

加圧換気 123
開胸手術後の疼痛管理フローチャート 320
開胸法 310
外呼吸 32
外傷性気胸 140
咳嗽 12, 14
開窓術 150
咳嗽反応 14
開放型酸素マスク 114
外来化学療法の看護 291
化学放射線療法 280
核酸検出検査 63
拡散障害 186, 187, 221
核酸増幅法検査 90
学習指導原理 331
覚醒閾値 198
覚醒反応 197
拡大手術 310
喀痰 12, 14, 15, 19
　──検査 18, 46, 234, 261
　──調整薬 120
　──治療薬 22
　──塗沫 46
拡張早期性ギャロップ 161
隔離 64
過呼吸 197
加湿器肺 248
過剰傾眠 198
ガス交換 4
　──障害 32
かぜ症候群 52, 54
家族へのケア 348
片肺挿管 178
喀血 42, 44, 119
学校保健安全法施行規則 60
過敏症 289
過敏性肺炎 223, 246, 248
カフ圧 128, 174, 182
　──管理 132
カプノメーター 178
壁側胸膜 296
空咳 89
カルボプラチン 280
簡易酸素マスク 114
がん遺伝子 270
鼾音 77
がん化 297
がん患者に対する鎮痛治療の原則 352

換気血流比不均等　167, 186, 187, 220
換気血流ミスマッチ　167
換気障害の分類　98
換気ドライブ　198
換気補助の軽減方法および抜管指標　171
換気補助法　107, 108
換気様式　131
環境誘発試験　251
間欠的鎮静　172
がんサバイバー　321
間質性肺炎　68, 291, 318
間質性肺疾患　206, 258
間質性肺水腫　160
患者管理鎮痛法　316
患者教育　238, 342
乾性咳嗽　15
がん性胸水貯留　273
乾性咳　122
がん性リンパ管症　160, 273, 262
間接接触感染　57
関節リウマチ　207
感染拡大の防止　60
完全虚脱　148
感染症などの肺病変　206
感染症法　91
感染性肺炎　262
感染徴候　214
感染防止　227, 228
感染予防行動　192
患側上肢の機能訓練　320
眼電図　198
がんの緩和ケア　346
がんのステージ　297
がん発生の仕組み　271
がん薬物療法　293
がん抑制遺伝子　270
緩和ケア　228, 344, 346
　　——の定義　346
　　——病棟　347
機械工肺　248
気管　2
　　——カニューレ　124, 128
　　——吸引　25
　　——呼吸音　10
気管支　2
　　——拡張症　116, 118
　　——拡張薬　106, 107, 120
　　——かぜ　54
　　——鏡下気管支栓術　142
　　——鏡下肺生検　47
　　——形成術　310
　　——呼吸音　10
　　——充填術　47
　　——喘息　242
　　——動脈造影　47
　　——動脈塞栓術　47, 92, 122
　　——内視鏡　28
　　——内視鏡検査　28

——の分岐　2
——肺胞呼吸音　10
——肺胞洗浄　28, 46, 209, 224, 261
——ファイバースコープ　28
——瘻　148, 318
気管切開　124, 130
——下陽圧換気療法　107
——チューブ　129
——用マスク　114
気管挿管　176
——中の患者の口腔ケア　180
気管チューブ　176
気胸　138, 140, 318
器質化期　148
器質化肺炎　222
希死念慮　358
気腫合併肺線維症　252
気腫性病変　102
気腫性ブラ　168
偽中皮腫様肺がん　298
喫煙　270
——関連間質性肺炎　222
——指数　271
——歴　102
気道圧開放換気　174
気道炎症　232
気道可逆性試験　232
気道過敏性検査　232
気道管理　174
気道クリアランス　25, 327
——手技　121
気道浄化　128
気道閉塞　197
キナーゼ　270
——阻害薬　267, 278
機能的残気量　96
きのこ栽培者肺　248
気泡　156
吸引圧　155
吸引カテーテル　26
吸気　4
——圧　132
——酸素分画　132
——時　2
——時スクウォーク　250
——終末休止　132
——流量　132
急性過敏性肺炎　249
急性間質性肺炎　222
急性呼吸窮迫症候群　164, 166
急性呼吸困難　36
急性呼吸不全　166
急性低酸素血症　112
吸入酸素濃度　111, 115, 132
吸入指導　109
吸入ステロイド　121, 234, 335
吸入方法　336
吸入薬　334
強化インスリン療法　318

胸郭　3
　　——可動域訓練　327
　　——形成術　150
胸腔・腹腔内臓器損傷　156
胸腔鏡下手術　310
胸腔鏡検査　271
胸腔鏡下肺葉切除術　279
胸腔穿刺　142
胸腔ドレナージ　142, 150, 153, 317
鏡検における検出菌数記載法　90
胸鎖乳突筋　7
胸式呼吸　315
胸水　207, 274, 297
　　——コントロール　302
偽陽性　149
強制オシレーション法　105
強制呼出手技　328
胸痛　141, 298, 302
恐怖　238
胸部高分解能CT　120
胸部手術療法　308, 310
胸部放射線治療　280
胸壁　5
胸膜炎　148, 207, 274
胸膜腔　140
胸膜浸潤　273
胸膜切除/肺剥皮術　300
胸膜中皮腫　294, 296
胸膜肺全摘術　300
胸膜肥厚　77
胸膜摩擦音　77
胸膜癒着術　301
胸膜癒着療法　142
共鳴音　7
虚脱した肺　141
気流制限　188
気流閉塞　102
禁煙　106, 201, 203, 333
　　——支援　109
　　——指導　21, 226, 228, 315
　　——補助薬　203
菌種同定検査　90
緊張性気胸　143
筋肉充填術　150
菌の侵入経路　180
筋力トレーニング　329
空気感染　88
空気漏れ　156
偶発感染症　215
クーリング　75
クオンティフェロン検査　90
口すぼめ呼吸　315, 327
苦痛症状　346
苦悩　360
クライオバイオプシー　209
グラム染色　72, 81
クランプテスト　157
クリアランス　118
クリニカルパス　314

グルココルチコイド　107
ケアリング　347
経管栄養　84
経気管支肺生検　28, 209, 224
経口気管挿管　170
経口抗がん薬治療中の看護　288
蛍光法　90
頸静脈の怒張　237
携帯用酸素供給装置　341
傾聴　347
経皮気管内カテーテル　114
経皮針生検　271
経皮的気管切開　125
経皮的酸素飽和度　112
経皮的動脈酸素飽和度　74
外科的気管切開　125
血液吸着療法　213
血液浄化　162, 213
結核　88
　　——性胸膜炎　149
血管外漏出　289
血管新生阻害薬　267, 279
血管塞栓術　122
血管の塊　207
ゲックラー　20
結合組織病　206
血行動態性肺水腫　160
血漿交換療法　213
血清LDH　224
血性痰　
結節性紅斑　89
血痰　42, 44, 89
血中テオフィリン濃度　238
血中濃度曲線下面積　280
ゲフィチニブ　291
下痢　215
減感作療法　92
嫌気性菌　20
嫌気性代謝　326
限局型　275, 281
　　——小細胞肺がん　282
健康行動理論　331
検査施設外睡眠検査　199
顕性誤嚥　80
検体　58
倦怠感　357
原発性肺がん　270
減量　203
抗ARS抗体　208
高Ca血症　275
抗IgE抗体　235
抗IL-4受容体α抗体　235
抗IL-5受容体α抗体　235
後遺症　63
抗インフルエンザウイルス薬　58
高エネルギー食品　337
抗炎症薬　121
口蓋垂軟口蓋咽頭形成術　201

369

高カロリー食　192
抗がん薬曝露経路　289
抗凝固療法　316
抗菌薬　72, 82, 107, 150
　　――使用時の観察　74
　　――療法　72
口腔ケア　84, 180
口腔のアセスメントツール　182
抗結核薬　92, 93
高血糖　215
抗原　248
　　――吸入誘発試験　251
　　――検査　63
　　――抗体結合物　206
　　――曝露　248
　　――曝露質問票　250
膠原病　206
　　――合併肺高血圧症　213
　　――性間質性肺炎　223
　　――に伴う肺病変　204, 206
　　――肺　206
　　――肺の鑑別診断　210
口腔内ケア　174
口腔内装置　200
抗コリン薬　235, 334
好酸球性気道炎症　233
抗腫瘍免疫応答　270
甲状軟骨の圧迫　177
高精度放射線治療　279
抗線維化薬　213, 215, 227, 252
光線過敏症　215, 228, 254
光線力学的療法　279
拘束性換気障害　32, 98, 188, 221, 224
高調性連続性副雑音　250
喉頭　1
　　――鏡　176
行動変容　333
　　――のための行動科学的アプローチ　203
高度ガス交換障害　167
高二酸化炭素血症　113, 122, 130, 186, 188
高頻度胸壁振動法　121
絞扼感　349
抗リウマチ薬　210
抗利尿ホルモン不適合分泌症候群　275
高流量システム　114
高流量鼻カニュラ　114, 136
　　――酸素療法　136
高齢者CBDCA療法　280
誤嚥　80
　　――性肺炎　78, 80, 216
コースクラックルズ　77
コーヒー作業肺　248
鼓音　8
呼気　4
呼気終末陽圧換気　132
呼気性喘鳴　236

呼吸インピーダンス　105
呼吸運動　4
呼吸音　76
　　――の聴取領域　9
呼吸回数　132
呼吸管理　162, 226
呼吸器系の構造　1
呼吸機能検査　96
呼吸機能評価のアルゴリズム　313
呼吸器のモード　131
呼吸筋トレーニング　329
呼吸筋疲労　130
呼吸訓練　315
呼吸困難　30, 32
　　――感　349
　　――の原因　34
呼吸細気管支炎を伴う間質性肺疾患　222
呼吸商　109
呼吸障害指数　196
呼吸性移動　156
呼吸中枢　186
呼吸努力関連覚醒反応　196
呼吸不全　166, 186
　　――の分類と病態　189
呼吸補助筋　5
呼吸抑制　357
呼吸理学療法　107, 170
呼吸リハビリテーション　107, 228, 322, 324, 350
　　――サイクル　325
呼吸練習　326
国際対がん連合　275
こころとからだの質問票　359
個人防護具　289
姑息的照射　278
骨髄抑制　290
骨粗鬆症　104, 215
骨転移　282, 286
骨膜外空気充填法　150
小麦粉肺　248
コロナウイルス　54
混合性換気障害　98, 188
混合性結合組織病　207, 208
混合性睡眠時無呼吸症候群　196
混合性肺水腫　160
根治的放射線治療　279
コンディショニング　326
混乱　357

さ行

サージカルマスク　94
細菌性肺炎　68
最大吸気位　96
最大呼気位　96
最大ボーラス頻度　316
在宅NPPV　130
在宅TPPV　130

在宅酸素療法　107, 192, 216, 228, 338, 340
在宅自己注射　238
在宅人工呼吸療法　134, 338
再燃症状軽減型　249
細胞傷害性機序　258
細胞傷害性抗がん薬　278
再膨張性肺水腫　142, 143, 156
嗄声　273
錆色痰　20, 89
サルコペニア　104
残気量　96
酸素解離曲線　113
酸素供給装置　341
酸素空気混合ガス　136
酸素中毒　113
酸素テント　114
酸素投与方法システム　113
酸素濃縮装置　341
酸素分圧低下による症状　190
酸素飽和度低下　196
酸素ボンベ　341
酸素流量　115
酸素療法　40, 107, 111
シアル化糖鎖抗原　260
シェーグレン症候群　207, 208
シクロスポリン　211
シクロホスファミド　211
止血　47
歯垢　180
自己管理　108, 238
　　――教育　192
自己抗原　207
自己効力感　192, 333
自己効力理論　332
自殺企図　360
四肢・体幹筋力トレーニング　329
支持療法　279
視診　6
シスプラチン　281, 290, 293
　　――＋イリノテカン　282
自然気胸　140
死前喘鳴　348
持続気道陽圧法　199
持続痛　353
持続的血液濾過透析　162, 172
持続陽圧換気　131
市中肺炎　66, 68
疾患別予後予測モデル　364
湿性咳嗽　15, 89
湿性咳　122
指定難病　228
自動周期呼吸法　121
自発覚醒トライアル　171
自発呼吸　133
　　――トライアル　131, 171
社会資源　339, 342
社会的苦痛　347, 360
社会的孤立　193, 358
社会保険　340

社会保障制度　302
斜角筋　7
ジャック阻害薬　212
シャトルウォーキング試験　105
シャント　167, 186, 187
縦隔気腫　252
住居関連過敏性肺炎　248
周術期　308, 310
修正Borgスケール　109
修正MRC質問票　35
修正ボルグスケール　35
柔軟性トレーニング　329
終末期　228, 291, 303
手術部位感染　319
手段的ADL　108
出血の予防　215
術後疼痛管理　316
術後肺炎　318
術後肺水腫　318
術前オリエンテーション　314
術前処置　315
受動喫煙　106, 270
腫瘍化　297
受容器　32
腫瘍随伴症候群　274
腫瘍随伴性脳脊髄炎　274
腫瘍崩壊症候群　286
腫瘍マーカー　271
潤滑剤　176
漿液性　20
　　――痰　122
消化性潰瘍　215
上気道閉塞　187, 197
小細胞肺がん　275
症状マネジメント　192, 348
小水疱性結膜炎　89
上大静脈症候群　274
静注オピオイド　172
焦点化　360
静脈血栓塞栓症　315, 320
静脈瘤状　120
初感染　88
職業性過敏性肺炎　253
職業性粉塵　270
食事指導　338
食道穿孔　148
食道挿管　178
ショック症状　161
徐放性テオフィリン　335
シリコン製気管支充填材　142
侵害受容性疼痛　353
新型インフルエンザ　56
新型コロナウイルス感染症　62
心筋炎　55
神経因性疼痛　356
神経学的腫瘍随伴症候群　274
神経障害性疼痛　353
心原性肺水腫　160
新興感染症　64

人工呼吸管理　108, 173, 213, 227
人工呼吸器関連肺炎　69, 80, 169, 180
人工呼吸器関連肺損傷　169
人工呼吸器のウイニング　172
人工呼吸器離脱　133
人工呼吸療法　130
侵襲的陽圧換気　108, 130
滲出期　148
腎障害　291
人生会議　228, 362
人生の最終段階における医療・ケアの決定プロセスに関するガイドライン　362
迅速診断　58
身体障害者福祉法　342
身体的苦痛に対するケア　348
進展型　275, 281
　　──小細胞肺がん　283
じん肺　223
心肺運動負荷試験　313
深部静脈血栓症　315
腎不全　172
シンメトレル　59
心理社会的介入　360
診療報酬　340
スイッチ療法　73
推定意思　362
推定肺動脈圧測定　224
水封式脱気　153
水封室　156
水分出納の管理　227
水泡音　69, 77, 120, 122
睡眠関連呼吸障害　194, 196
睡眠呼吸障害　196
睡眠時無呼吸症候群　196
睡眠ポリグラフ検査　198
スキューバダイビング　144
スクイージング　23
スクォーク　77
スタイレット　176, 178
ステップ・バイ・ステップ法　332
ストライダー　38
ストレス　64, 85, 175, 193, 239, 357
　　──マネジメント　193, 203
ストレッチ　328
ストレプトマイシン硫酸塩　92
スニッフィングポジション　176
スパイログラム　96
スパイロメータ　96
スパイロメトリー　96, 232
スピーチカニューレ　129
スピリチュアリティ　360
スピリチュアルペイン　347, 360
スモール・ステップ法　332
すりガラス陰影　209, 260

生活スケジュール　338
清拭法　182
正常呼吸音　10
正常な打診音　8
成人喘息　232
精神的苦痛に対するケア　358
精神的サポート　228
成人肺炎診療ガイドライン2024フローチャート　70
生物学的製剤　212
生命予後予測因子　72
声門下腔分泌物吸引ポート　132
声門閉鎖　14
咳VAS　17
咳エチケット　60
咳重症度日誌　17
咳症状スコア　17
咳喘息　15
切開創　319
赤血球凝集抑制試験　58
舌根沈下　176
接触感染　57
接触者健康診断　95
舌正中切除術　202
セデーション　361
セルフマネジメント教育　238, 331
セルフマネジメント支援　23, 342
セルフモニタリング　109, 193, 239, 254, 321
線維化　220, 248
　　──期　168
線維素膿性期　148
線維素溶解療法　150
線維性過敏性肺炎　249
線維性胸膜炎　298
遷延性咳嗽　15
腺がん　275
前胸部の触診　6
鮮紅色　46
潜在性結核感染症　90, 95
穿刺脱気　142
線状陰影　120
洗浄法　182
全身炎症反応症候群　166
全身持久力トレーニング　329
全身性エリテマトーデス　207, 208
全身性炎症性疾患　103
全身性強皮症　207
全身性硬化症　207
全人的苦痛　302, 347
全人的ケア　347
喘息　230, 232
　　──患者カード　239
　　──管理のセルフマネジメント　240
　　──症状・増悪強度の分類　234

　　──治療ステップ　236
　　──手帳　336
　　──とCOPDのオーバーラップ　242
　　──日誌　240
全脳照射　278
全肺気量　96
喘鳴　120, 232
せん妄　172, 316, 320, 348, 357
線毛クリアランス　19
増悪（発作）　232
早期肺高血圧症　224
早期モビライゼーション　175
早期離床　75
早期リハビリテーション　75
喪失　360
創傷管理　319
臓側胸膜　141, 296
創痛　319
搔爬術　150
創部痛　316
ゾーン管理システム　241
即時型喘息反応　232
粟粒結核　89
ゾフルーザ　58, 59

た行

体位ドレナージ　328
体位療法　201
退院基準　91
退院調整　316
体外限外濾過法　162
体外式膜型人工肺　162, 172
体幹中心性肥満　215
大細胞がん　275
帯状疱疹　227
体性痛　353
大動脈内バルーンパンピング　162
大網充填術　150
濁音　7
多形型肺がん　298
多剤耐性肺結核　92
多剤併用療法　92
打診　7, 8
多臓器不全　169
多段階発がん　270
脱気　142, 153
脱水　75
脱毛　291
タバコ煙　102
多発性筋炎　208
ダブルタイプ　9
タミフル　58, 60
淡血性　161
短時間作用性β2刺激薬　107, 234
短時間作用性抗コリン薬　107
弾性ストッキング　316
弾性バンド　329

断続性肺副雑音　69
断続性副雑音　9, 161
チアノーゼ　161, 237
チール・ネールゼン法　90
チェーン・ストークス呼吸　196
チェックバルブ機構　142
窒息　30, 32, 38
　　──感　349
　　──死　38
遅発型喘息反応　232
中枢型肺がん　275
中枢性睡眠時無呼吸症候群　196
中線　8
中途覚醒　198
中皮腫　296
長期在宅酸素療法　107
長期酸素療法　122, 192
徴候マネジメント　193
長時間作用性β2刺激薬　121, 234
長時間作用性抗コリン薬　106, 121, 235
聴診　8, 9
チョークサイン　38
直接監視下短期化学療法　91
直接接触感染　57
直接服薬確認療法　91
治療判定　73
鎮咳　75
　　──剤　19
　　──薬　121, 225, 227
鎮静　172, 361
鎮痛　172
　　──補助薬　302, 356
　　──薬　353
ツ反　90
ツベルクリン反応　90
低圧持続吸引器　153
低音性の断続性副雑音　122
低換気性呼吸不全　189
定期受診　321
低呼吸　196
低酸素血症　40, 167, 186, 188, 224
　　──性呼吸不全　189
　　──の症状　111
低調な断続性副雑音　120
低容量換気　170
低流量システム　114
定量噴霧式吸入器　120
テオフィリン徐放製剤　235
適応障害　283
笛音　77
デキサメタゾン　293, 350
滴状心　104
転移性肺がん　270
転移への放射線療法を受ける患者の看護　286
転座　270
デンタルプラーク　180

371

透過性亢進型肺水腫　160
同期的間欠的強制換気　131
頭高位　170
疼痛　60, 316
　　──コントロール　319
同定検査　90
動的肺過膨張　103, 326
導入療法　280
糖尿病　104
動脈血酸素分圧　112
動脈血酸素飽和度　112
トータルケア　347
トータルフェイスマスク　135
トータルペイン　302, 347
特発性喀血症　44
特発性間質性肺炎　206, 218, 220
特発性器質化肺炎　222
特発性胸膜肺実質線維弾性症　222
特発性肺線維症　221
特発性非特異性間質性肺炎　221
特発性リンパ球性間質性肺炎　222
閉じこもり　193
ドセタキセル　281, 289
塗装工肺　248
突出痛　353
塗抹検査　72, 89
ドライバー遺伝子　270
　　──変異　273
ドライパウダー式　120
トラキマスク　114
トリガー感度　132
鳥関連過敏性肺炎　248, 250
ドリフト　57
努力呼吸　336
努力肺活量　96, 97, 104
ドレーン　153
　　──バッグ　153
ドレッシング　156
ドレナージ　153
　　──術　252
　　──バッグ　154, 156
トロッカーカテーテル　153, 155
とろみ剤　83
トロミ水　83

な行

内因性PEEP　108
内呼吸　32
内臓痛　353
内分泌腫瘍随伴症候群　274
夏型過敏性肺炎　248, 249
肉芽形成　129
ニコチン代替療法　334
日常生活活動　336
日常生活動作　108

日光過敏症　279
ニボルマブ　289
日本語版簡易倦怠感調査票　357
入院基準　91
乳び胸　318
尿中抗原検査　72
二類感染症　90
認知行動療法　193, 339
認知症　104
ニンテダニブ　213, 252
ネーザルハイフロー　136
ネーザルマスク　135
ネブライザー付酸素吸入器　114
眠気　198, 357
粘液性　20
　　──痰　122
粘液栓　120
粘稠痰　59
捻髪音　76, 77, 250
粘膜下下鼻甲介切除　201
膿胸　146, 318
　　──腔閉鎖術　150
　　──囊摘除術　150
囊状　120
膿性　20
　　──痰　119, 122
脳転移　282, 286
脳波　198
農夫肺　248
囊胞　168
のどかぜ　54

は行

肺　3
　　──移植　213
排液　154
肺炎　68
　　──球菌ワクチン　107
　　──予防教育　75
肺拡散能障害　224
肺拡散能力　105
肺拡張障害　150
肺合併症　318
肺活量　96
肺化膿症　148
肺過膨張手技　123
肺がん　268, 270
肺間質　68, 220
肺がん治療に使用される薬剤一覧　287
肺がんの放射線治療の目的　280
肺気腫の視覚評価法　105
肺虚脱　141
肺気量　96
　　──分画　96
肺区域　3, 4
肺結核　86, 88

敗血症　166, 171
　　──性ショック　169
肺血栓塞栓症　315
肺高血圧　207, 213, 252
肺コンプライアンス　39, 168, 221
肺サーファクタント　167
肺実質　68
排出力　118
肺水腫　158, 160, 166, 262
肺性心　122, 189
肺切除術　122
排泄動作　337
肺線維症　192, 221
肺全切除術　310
排痰　59, 75
　　──支援　121
　　──法　315, 328
　　──誘発法　89
肺底部の打診　9
肺転移　270
肺動脈性肺高血圧症　216
バイトブロック　178
肺表面活性物質　168
肺副雑音　76
肺胞　4
　　──壁肺水腫　160
　　──気動脈血酸素分圧較差　187
　　──虚脱　168
　　──気酸素分圧　187
　　──呼吸音　10
　　──出血　262
　　──性肺水腫　160
　　──低換気　113, 186, 187
　　──の構造　68
　　──壁　3
肺保護換気　170
ハイムリッヒバルブ　153
背面の触診　7
肺門・縦郭リンパ節郭清　279
肺葉　3, 4
培養検査　46, 72, 90
肺葉切除術　310
　　──のクリニカルパス　314
剥皮術　150
剥離性間質性肺炎　222
パクリタキセル　280, 289
播種性血管内凝固症候群　169
ばち状指　6
蜂巣状陰影　224
パックイヤー　334
バックグラウンド流量　316
発生届　90
鼻　1
　　──かぜ　54
　　──カニュラ　114, 136
　　──マスク　135
パニック　123, 238, 266
　　──コントロール　40, 336
歯の汚れやすい部分　180

ハフィング　23, 328
パフォーマンス ステータス　276
歯みがき動作　337
パロノセトロン塩酸塩　293
晩期障害　289
晩期毒性　282
パンコースト症候群　273
バンドルアプローチ　131, 174
ピアサポート　339
非アトピー型　232
ピークフロー　240
　　──モニタリング　240
皮下気腫　156, 318
　　──, 人工呼吸器関連肺障害　133
非がん性呼吸器疾患　346
鼻腔　1
鼻口マスク　135
微小血栓　207
非小細胞肺がん　275
　　──の治療　279
非心原性肺水腫　160
非侵襲的陽圧換気　130, 133
　　──療法　107
非ステロイド性抗炎症薬　303
ビタミンB$_{12}$　303
鼻中隔矯正術　201
非定型肺炎　68
ビデオ下胸腔鏡手術　142
非ニコチン代替療法　334
非能動型呼吸運動訓練装置　121
ビノレルビン酒石酸塩　293
皮膚筋炎　208
皮膚障害　291
皮膚トラブル　134, 137
鼻閉改善手術　201
非扁平上皮がん　275
被膜　150
飛沫核　88
飛沫感染　56
飛沫感染予防策　60
肥満　197, 203, 215
びまん性嚥下性細気管支炎　80
びまん性肉芽腫性間質性肺炎　248
びまん性肺疾患　248
ヒュージョーンズの分類　35
病期別の呼吸リハビリテーション　330
標的治療　73
日和見感染　212
ピラジナミド　92
ピルフェニドン　252
ピンク色泡沫状痰　161
ファインクラックルズ　77
不安　23, 65, 104, 175, 193, 238, 358, 360
フィジカルアセスメント　6
フィッティング　134, 137

フィットテスト　93
不穏　172
腹臥位　170, 174
　　──療法　64
副雑音　9, 76
副作用　258, 286
　　──症状の重症度　288
腹式呼吸　315, 327
副腎皮質ステロイド　92, 171, 211, 227, 234, 350
　　──の副作用症状　213
　　──療法　263
副反応　258
服薬アドヒアランス　254
服薬指導　215
不顕性誤嚥　80
普通感冒　54, 56
フットポンプ　316
不眠　198, 360
ブラ　140
フリーウエイト　329
ブリンクマン指数　271, 334
フルフェイスマスク　135
フレイル　104
プレッシャーサポート　132
プレドニゾロン　211
ブレブ　140
不連続変異　57
フローボリューム曲線　97
分岐状影　89
分時換気量　186
分子診断　273
分子標的治療薬の補助療法　280
分子標的薬　235, 267, 270, 278
分類　20
分類不能型特発性間質性肺炎　222
閉鎖式吸引　174
　　──カテーテルキット　174
　　──操作　174
閉塞性換気障害　98, 105, 188
閉塞性細気管支炎　206
閉塞性睡眠時無呼吸症候群　194, 196
平地歩行試験　105
ペインスケール　316, 319
ペースト食　83
ベストサポーティブケア　281
ベタメタゾン　350
ベバシズマブ　289
ペメトレキセド　281, 301
ヘルメット型　135
変化のステージモデル　331
ベンゾジアゼピン系薬　350
ペンダント型リザーバー付鼻カニュラ　114
ベンチュリマスク　114, 136
扁桃摘出術　201
便秘の原因　356
扁平上皮がん　275

放射線宿酔　285
放射線食道炎　285
放射線治療　300
放射線肺障害　263
放射線肺線維症　263, 264, 285
放射線肺臓炎　262, 263, 264, 285
放射線皮膚炎　285
放射線療法　278
　　──による有害事象　285
　　──を受ける患者の看護　284
防塵マスク　253
蜂巣肺　209
泡沫状血性痰　155
ボーラス　316
保温　59
歩行運動　329
保湿クリーム　303
補助/調節換気　131
保持用気管切開チューブ　127
補助換気療法　122, 170
補助循環　162
補助的照射　278
ホスピス　347
保清　75
補体結合反応　58
ボルグスケール　33
ホルネル症候群　273

ま行

マイコプラズマ　54
　　──肺炎　69
マウスピース　200
マギール鉗子　176
マスク　135
　　──フィッティング　202
末梢型肺がん　275
末梢気管支の顕在化　120
末梢神経障害　291
麻薬性鎮痛薬　225, 302
満月様顔貌　215
慢性咳嗽　15
慢性過敏性肺炎　249
慢性呼吸困難　36
慢性呼吸不全　184, 186
　　──の病態と症状　190
慢性閉塞性肺疾患　100, 102
マンニットールS注射液　293
ミゾリビン　211
未治療の喘息の臨床所見による重症度分類　233
ムーンフェイス　215
無気肺　318
無呼吸　196
無呼吸低呼吸指数　196, 199
メチルキサンチン類　334
メトトレキサート　211
免疫応答　306

免疫グロブリン大量静注療法　212
免疫チェックポイント　270
　　──阻害薬　279, 306
　　──阻害薬による地固め療法　280
免疫抑制薬　211
メンデルソン症候群　80
網状影　224
持ち上げ動作　337
モルヒネ　350
問診　6

や行

夜間頻尿　198
薬剤感受性検査　90
薬剤性間質性肺疾患における鑑別疾患　262
薬剤性肺炎　223
薬剤性肺障害　206, 258
　　──の診断のためのフローチャート　261
薬剤性リンパ球刺激試験　261
薬物療法中の看護　288
薬物療法による副作用の出現時期　290
薬物療法レジメン　293
薬物療法を受ける患者の看護　286, 303
有害事象　258, 285, 286
　　──共通用語規準　286
　　──共通用語基準v5.0日本語訳JCOG版　264
　　──のマネジメント　285
有酸素運動　328
有瘻性膿胸　150
輸血関連急性肺障害　166
癒着剤　142
葉酸　303
抑うつ　104, 193, 358
　　──の身体・精神症状　358
予測1秒量に対する比率　103
予備吸気量　96
予備呼気量　96
予防接種　59
予防的全脳照射　281, 283

ら行

ライ症候群　57
ライフストーリー　347
ラピアクタ　59
ラングフルート　89
ランバート-イートン筋無力症候群　274
罹患後症状　63
リガンド　271
リザーバーシステム　114
　　──付鼻カニュラ　114
　　──付酸素マスク　114

離脱　130, 171, 172
　　──開始条件　171
リッチモンド興奮・鎮静スケール　172
リハビリテーション　320
リビングウィル　362
リファンピシン　92
リモデリング　168, 233
緑色痰　20
リラクセーション　339
　　──技法　193
リレンザ　58, 60
臨死期のケア　361
臨床病期分類　275, 278
臨床倫理カンファレンス　94
レジメン　293
レスター咳質問票　17
レスパイト入院　365
連続性副雑音　9
連続変異　57
ロイコトリエン受容体拮抗薬　235
瘻孔　149
労災保険制度　302
労作時息切れ　103
労作時SpO$_2$　227
労作時低酸素血症　221
労作時の呼吸困難　104
労働者災害保険　304
労働者災害補償保険制度　302, 304
ロックアウト時間　316
肋骨　8
ロボット支援手術　279
ロンカイ　77

わ行

ワクチン　107, 121
　　──接種　336

編集・執筆者一覧（敬称略）

[編集者]

橋野明香　（熊本大学大学院生命科学研究部 / 慢性疾患看護専門看護師）
水川真理子（神戸市看護大学いちかん看護開発センター / 慢性疾患看護専門看護師）
森山美知子（広島大学大学院医系科学研究科成人看護開発学）

[執筆者（五十音順）]

飯干亮太　（広島大学病院看護部）
伊藤　航　（大垣市民病院看護部）
岩村俊彦　（藍野病院看護部）
右近清子　（広島大学病院看護部）
大澤　拓　（社会医療法人中信勤労者医療協会松本協立病院看護部）
岡田由佳理（大阪はびきの医療センター看護部 / 緩和ケア認定看護師）
岡本美穂　（広島大学病院 / クリティカルケア認定看護師）
鬼塚真紀子（大阪はびきの医療センター看護部）
北尾剛明　（県立広島病院看護部 / クリティカルケア認定看護師）
小林千穂　（下越病院看護部 / 慢性疾患看護専門看護師・慢性呼吸器疾患看護認定看護師）
園田さおり（県立二葉の里病院看護部 / 摂食嚥下障害看護認定看護師）
高月雅絵　（西武庫病院看護部）
宅江朋子　（広島赤十字・原爆病院看護部）
筒井有紀　（国家公務員共済組合連合会吉島病院看護部 / 呼吸器疾患看護認定看護師）
長田敏子　（たまつ訪問看護ステーション / 訪問看護認定看護師）
二井谷真由美（愛媛大学大学院医学系研究科看護学専攻）
西村将吾　（県立広島病院看護部 / クリティカルケア認定看護師）
能見真紀子（砂川市立病院看護部）
平田聡子　（大阪はびきの医療センター看護部 / 慢性疾患看護専門看護師）
福原美輪子（国家公務員共済組合連合会吉島病院看護部 / 感染管理認定看護師）
福原裕美子（広島大学病院看護部）
三浦恵子　（広島市立広島市民病院看護部）
八木恵子　（元広島大学病院看護部）
山尾美希　（あさかぜ診療所 / 慢性疾患看護専門看護師）
山下洋平　（県立広島病院看護部）
山本麻起子（熊本大学大学院生命科学研究部）
吉田恭子　（広島市立広島市民病院看護部）

[執筆協力者]

樋口有紀　（元熊本大学 / がん看護専門看護師）

[編集協力（五十音順）]

池上靖彦　　　（国家公務員共済組合連合会吉島病院）
伊関正彦　　　（県立二葉の里病院）
江田清一郎　　（社会医療法人中信勤労者医療協会松本協立病院）
尾下豪人　　　（国家公務員共済組合連合会吉島病院）
加賀城美智子　（吉田クリニック / 大垣市民病院）
坂井邦彦　　　（新潟臨港病院）
中村浩士　　　（岩国市立錦中央医院）
堀井洋志　　　（砂川市立病院）
薬師神芳洋　　（愛媛大学大学院）
山岡直樹　　　（国家公務員共済組合連合会吉島病院）
山﨑正弘　　　（広島赤十字・原爆病院）
吉岡宏治　　　（国家公務員共済組合連合会吉島病院）

初版の編者・執筆者一覧

[編者]

森山美知子
西村裕子
高濱明香
広島県呼吸ケア看護研究会

[執筆者（五十音順）]

浅野早苗
飯干亮太
筏　弘樹
右近清子
後　薫
梅田昌也
大岡裕美子
奥野和子
尾﨑智美
帯井晴香
川崎京子
河村時子
後藤実亜
小橋由実子

鈴木桂子
高月雅絵
高濱明香
宅江朋子
田村敬子
築田美輪子
中間和司
二井谷真由美
西村将吾
林　和恵
福原美輪子
藤本光世
前川美穂
三浦恵子
水川真理子
三宅　文
八木恵子
山下洋平
吉田恭子
和田麻衣

[執筆協力者（五十音順）]

稲田順也
岩崎泰昌
岩本康男
大下慎一郎
大成洋二郎
河野修興
坂本信二郎
妹尾　直
田中惣之輔
出口奈穂子
服部　登
濱田泰伸
藤高一慶
前田裕行
松田智代
宮田義浩
山岡直樹
吉岡宏治

エビデンスに基づく呼吸器看護ケア関連図 改訂版

2012年 8 月20日 初版発行
2025年10月15日 改訂版発行

編集者 ……………… 橋野明香・水川真理子・森山美知子
発行者 ……………… 荘村明彦
発行所 ……………… 中央法規出版株式会社
〒110-0016　東京都台東区台東 3-29-1　中央法規ビル
TEL　03-6387-3196
URL　https://www.chuohoki.co.jp/

DTP・印刷・製本 ……………… 広研印刷株式会社
本文デザイン ……………… アースメディア，イオック
本文イラスト ……………… イオジン，藤田侑巳
装幀デザイン ……………… 二ノ宮匡
装幀・本文イラスト ……………… タナカユリ

定価はカバーに表示してあります。
ISBN 978-4-8243-0314-1

本書のコピー，スキャン，デジタル化等の無断複製は，著作権法上での例外を除き禁じられています。また，本書を代行業者等の第三者に依頼してコピー，スキャン，デジタル化することは，たとえ個人や家庭内での利用であっても著作権法違反です。
落丁本・乱丁本はお取り替えいたします。

本書の内容に関するご質問については，下記URLから「お問い合わせフォーム」にご入力いただきますようお願いいたします。
https://www.chuohoki.co.jp/site/pages/contact.aspx
A314